MARS LA BLEUE

DU MÊME AUTEUR
DANS LA MÊME COLLECTION

Kim Stanley Robinson

MARS LA BLEUE

Roman

Titre original : *Blue Mars*
Traduit par Dominique Haas

ISBN 2-258-04428-6

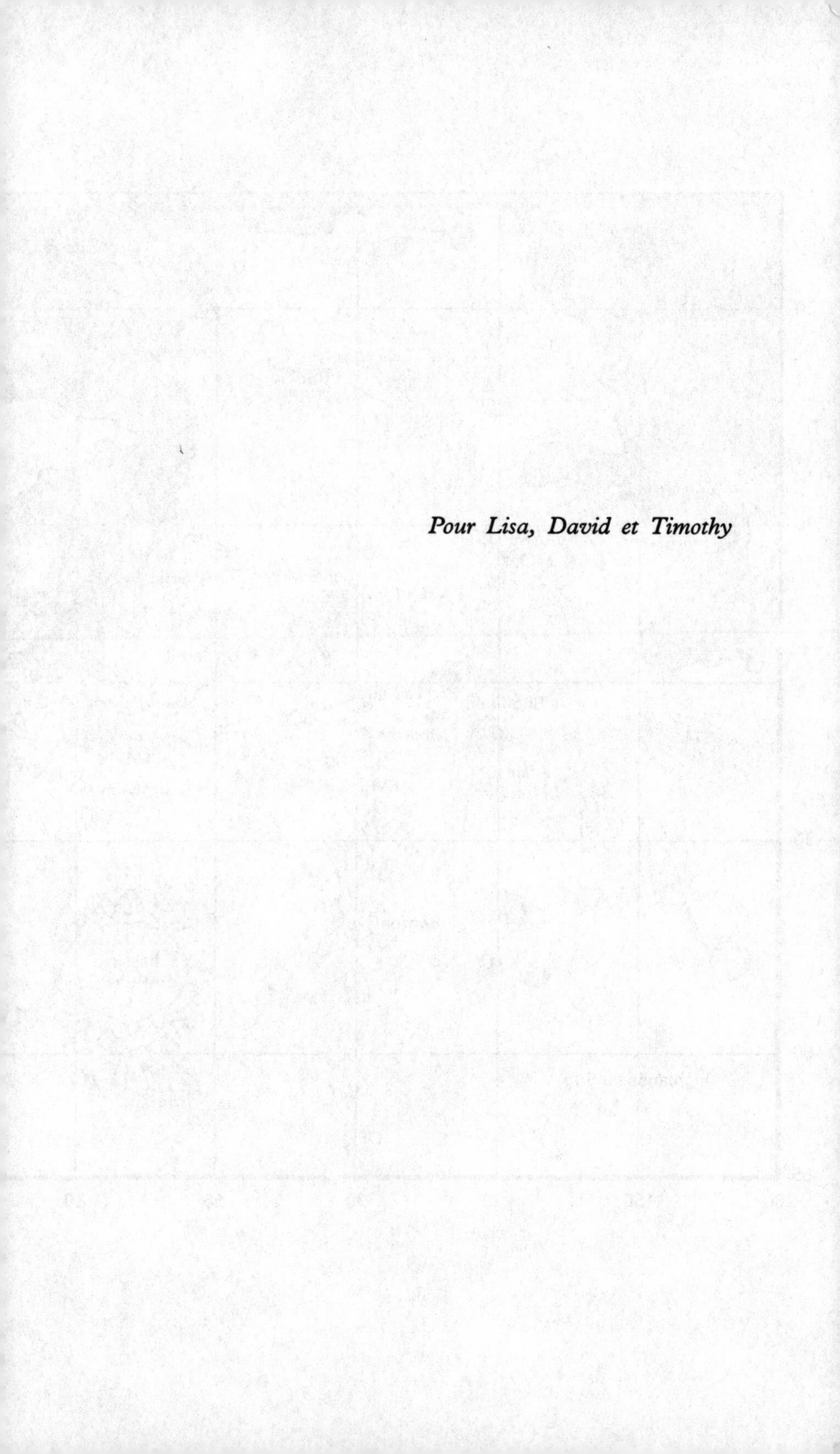

Pour Lisa, David et Timothy

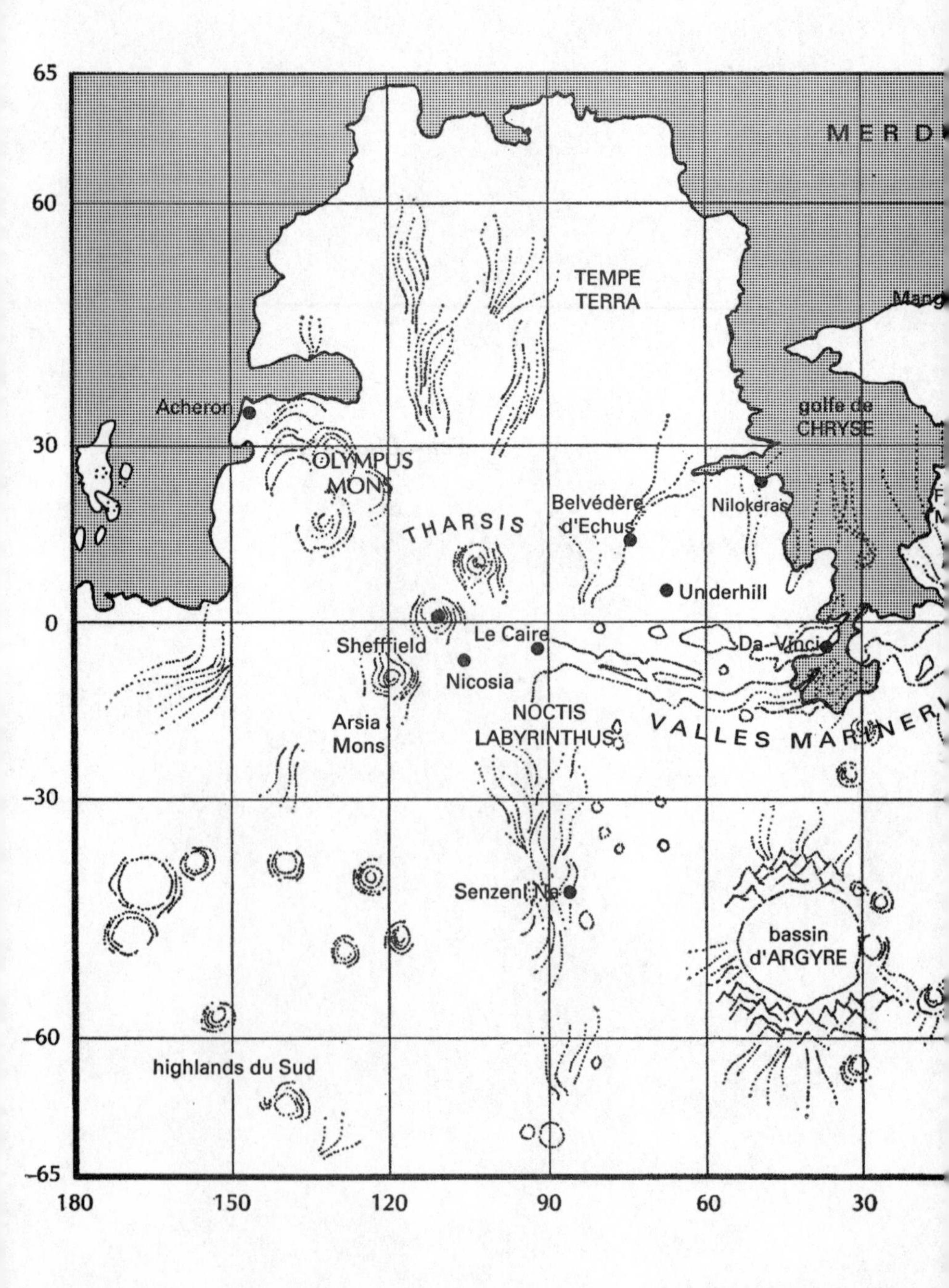

TEMPE
TERRA
Acheron
OLYMPUS
MONS
THARSIS
Belvédère
d'Echus
Nilokeras
golfe de
CHRYSE
Underhill
Le Caire
Sheffield
Da Vinci
Nicosia
NOCTIS
LABYRINTHUS
Arsia
Mons
Senzeni Na
bassin
d'ARGYRE
highlands du Sud
65
60
30
0
-30
-60
-65
180
150
120
90
60
30

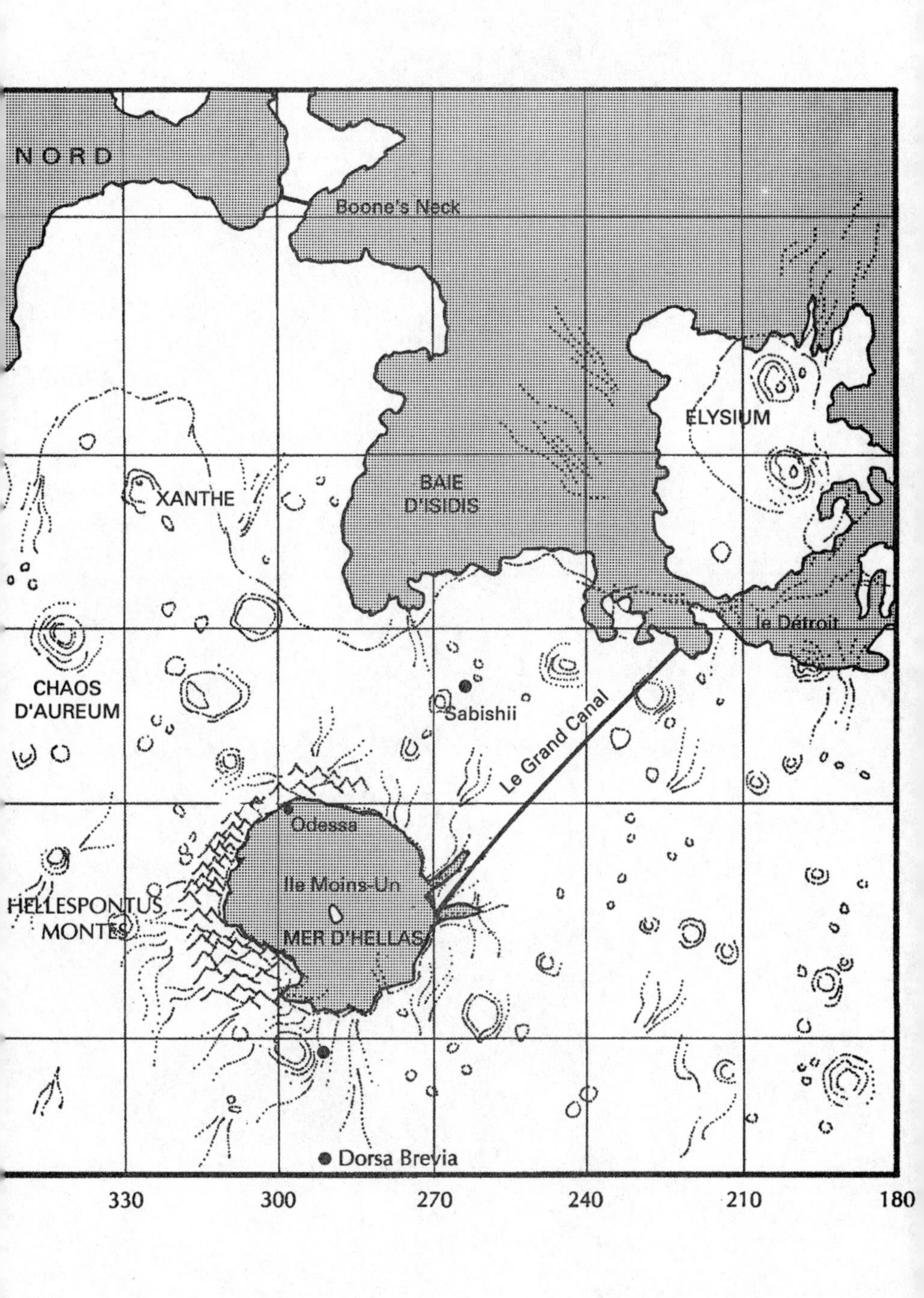
NORD
Boone's Neck
ELYSIUM
XANTHE
BAIE
D'ISIDIS
CHAOS
D'AUREUM
le Détroit
Sabishii
Le Grand Canal
Odessa
Ile Moins-Un
HELLESPONTUS
MONTES
MER D'HELLAS
Dorsa Brevia
330
300
270
240
210
180

Le calendrier martien
An 1 (2027 AD)

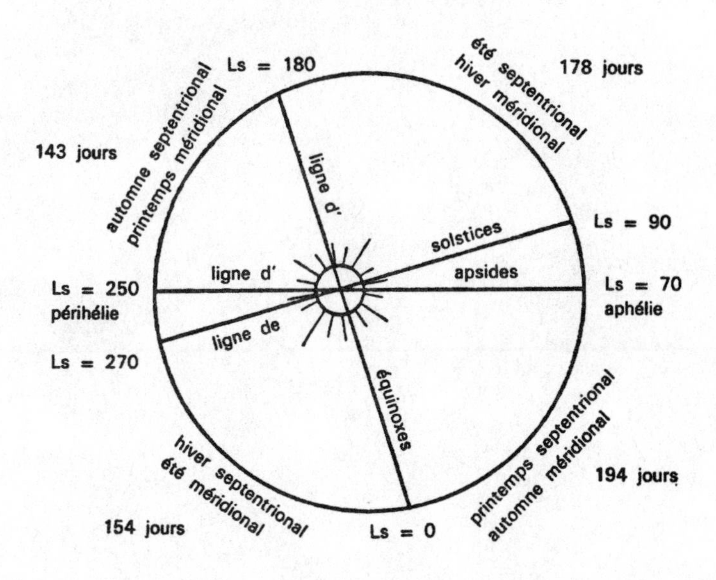

669 jours martiens au total dans une année martienne :
24 mois dont 21 mois de 28 jours et 3 mois (tous les huit mois) de 27 jours

PREMIÈRE PARTIE

La Montagne du Paon

Mars est libre, maintenant. Et nous aussi nous sommes libres. Libres d'agir à notre guise, disait Ann, dans le train, debout sur la passerelle ouverte à tous vents.

Mais il est si facile de retomber dans les mêmes vieux schémas comportementaux. Renversez une hiérarchie et une autre prendra la place. Il faudra rester vigilants, parce qu'il y aura toujours des gens pour tenter de refaire la Terre. L'aréophanie demeurera notre combat, sans trêve ni relâche. Nous devrons plus que jamais réfléchir à ce que signifie le fait d'être martien.

Ils l'écoutaient, affalés dans leurs fauteuils, le regard fixé sur le paysage qui défilait derrière les vitres. Ils étaient las, ils avaient les paupières lourdes. Des Rouges aux yeux rouges. Dans la lumière crue de l'aube, tout semblait neuf, le sol dénudé, fouaillé par les vents, à peine ombré de kaki par des lichens et de petites touffes rabougries. Ils avaient réussi à chasser les forces terriennes de Mars, mais la campagne avait été longue et, à la grande inondation qui avait frappé la Terre, avaient succédé des mois d'efforts acharnés. Ils étaient épuisés.

Nous sommes venus de la Terre sur Mars, et le passage s'est accompagné d'une certaine purification. Les choses étaient plus faciles à voir, nous avions une liberté d'action comme jamais nous n'en avions connu. Nous avions l'occasion, enfin, d'exprimer ce qu'il y avait de meilleur en nous. Et nous l'avons fait. Nous travaillons à mettre sur pied une meilleure façon de vivre.

Tel était le mythe dans lequel ils avaient tous grandi et qu'Ann rappelait à ces jeunes Martiens qui la regardaient sans la voir. C'étaient eux qui avaient organisé la révolution : ils avaient combattu sur toute la surface de Mars, acculé les forces de police terriennes dans Burroughs, puis inondé la ville et repoussé les Terriens vers Sheffield, sur Pavonis Mons. Ils devaient maintenant les chasser de Sheffield et les renvoyer le long du câble spatial, vers la Terre. Ils avaient encore du pain sur la planche, mais l'évacuation de Burroughs avait été un succès, et certains des visages inexpressifs tournés vers Ann ou vers les vitres semblaient implorer une pause, un moment pour fêter la victoire. Ils n'en pouvaient plus.

Hiroko nous aidera, dit un jeune homme, brisant le silence du train qui glissait sur sa voie magnétique.

Ann secoua la tête. Hiroko est une Verte, dit-elle. La première de tous les Verts.

C'est Hiroko qui a inventé l'aréophanie, contra le jeune indigène. Elle ne pensait qu'à ça, à Mars. Elle nous aidera, je le sais. Je l'ai rencontrée. Elle me l'a dit.

Mais elle est morte, dit quelqu'un d'autre.

Un ange passa. Le monde glissait au-dessous d'eux.

Puis une grande jeune femme se leva, s'avança vers l'allée et prit impulsivement Ann dans ses bras. Le sortilège fut rompu. Renonçant au langage articulé, ils se levèrent, entourèrent Ann, la prirent dans leurs bras, lui serrèrent la main ou la touchèrent, tout simplement – Ann Clayborne, celle qui leur avait appris à aimer Mars pour elle-même, qui les avait menés dans le combat pour s'émanciper de la Terre. Ses yeux injectés de sang regardaient encore, à travers eux, l'étendue rocheuse, dévastée, du massif de Tyrrhena, mais elle était souriante. Elle leur rendit leurs embrassades, leurs poignées de main, elle leur caressa la joue du bout des doigts. Tout ira bien, dit-elle. Nous libérerons Mars. Et ils dirent oui, et ils se congratulèrent mutuellement. A Sheffield, dirent-ils. Finissons ce que nous avons commencé. Mars nous montrera bien comment faire.

Et puis elle n'est pas morte, objecta le jeune homme. Je l'ai vue le mois dernier, à Arcadia. Elle finira bien par se montrer.

Juste avant l'aube, à un moment bien défini, les mêmes bandes roses qu'au commencement brillaient dans le ciel, pâles et claires à l'est, sombres et piquetées d'étoiles à l'ouest. Ann guetta cet instant alors que ses compagnons la conduisaient vers l'ouest, vers une masse de terre noire dressée sur l'horizon : la bosse de Tharsis, ponctuée par le large cône de Pavonis Mons. A force de gravir la pente de Noctis Labyrinthus, ils s'élevèrent au-dessus de la majeure partie de la nouvelle atmosphère. La pression de l'air au pied de Pavonis n'était que de 180 millibars et, au fur et à mesure qu'ils montaient le long de la paroi est du grand tablier volcanique, elle descendit au-dessous de 100 millibars et continua à diminuer. Peu à peu, ils laissèrent la végétation derrière eux. Les roues de leur véhicule n'écrasèrent plus que des plaques de neige sale, sculptées par le vent, puis, même la neige disparut et il n'y eut bientôt que de la pierre et le souffle âpre, glacé, continuel, du jet-stream. Le sol dénudé était tel qu'avant l'arrivée de l'homme, comme s'ils avaient remonté le temps.

Ce n'était pas le cas. Mais à la vue de ce monde ferrique, ce monde de pierre et de roche parcouru par un vent incessant, quelque chose de fondamental se réchauffa chez Ann Clayborne. Dans les véhicules des Rouges partis à l'assaut de la montagne, le silence se fit. Tous contemplaient avec la même vénération le soleil qui crevait l'horizon, derrière eux.

Puis la pente s'adoucit selon une courbe parfaitement sinusoïdale et ils arrivèrent sur l'anneau rond, horizontal, du sommet. Le bord de la caldeira géante était entouré de villes sous tente, plus particulièrement groupées au pied de l'ascenseur spatial, à une trentaine de kilomètres au sud.

Les véhicules s'arrêtèrent. Le silence fasciné avait fait place à la consternation. Plantée devant la vitre de la cabine supérieure, Ann regardait vers le sud et Sheffield, cette ville de l'ascenseur spatial : édifiée à cause de l'ascenseur, rasée lors de sa chute en 2061, reconstruite quand l'ascenseur avait été remplacé. La ville qu'elle était venue détruire aussi implacablement que Rome avait écrasé Carthage. Parce qu'elle avait l'intention d'abattre le nouveau câble comme le premier. Sheffield serait anéantie une nouvelle fois. Les ruines resteraient perchées au sommet d'un haut volcan, inutiles, dans une atmosphère très raréfiée. Avec le temps, les structures ayant échappé à l'anéantissement seraient abandonnées et cannibalisées. Seuls resteraient les fondations des tentes, peut-être une station météo et, au bout du compte, le long silence estival qui enveloppe le sommet d'une montagne. Le sel était déjà dans le sol.

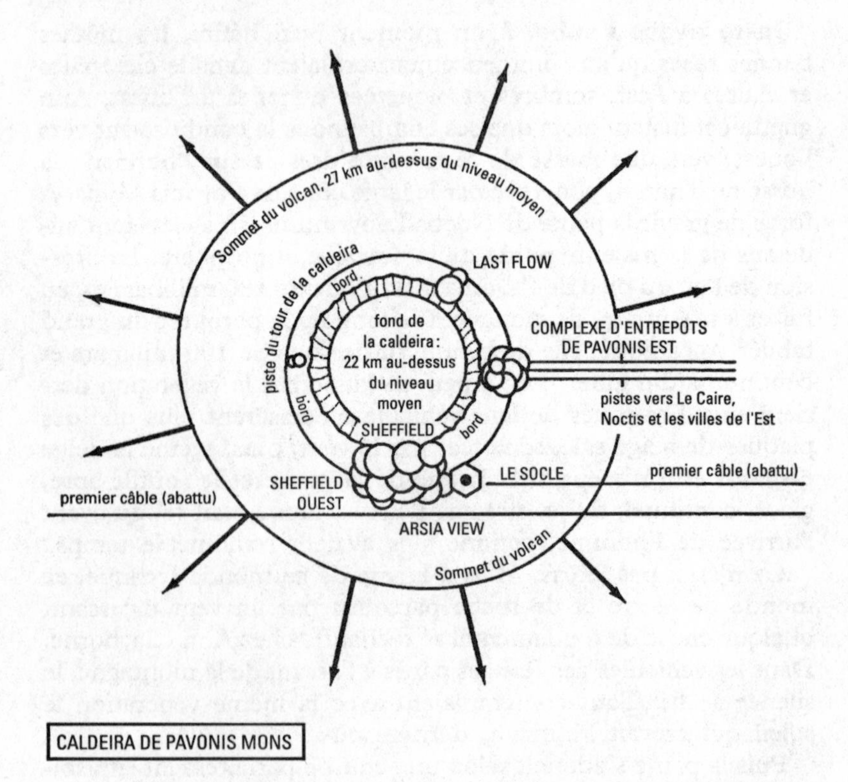

CALDEIRA DE PAVONIS MONS

Une Rouge chaleureuse originaire de Tharsis et appelée Irishka les rejoignit dans un petit patrouilleur et les mena à travers le dédale d'entrepôts et de petites tentes massés à l'intersection de la piste équatoriale et de celle qui faisait le tour de la caldeira. Tout en les guidant, elle leur expliqua la situation. La majeure partie de Sheffield et des colonies entourant Pavonis étaient déjà aux mains des révolutionnaires martiens, mais pas l'ascenseur spatial ni les faubourgs entourant le complexe de la base. C'est là qu'était le problème. La plupart des forces révolutionnaires de Pavonis étaient des milices mal équipées, et toutes n'avaient pas les mêmes priorités. Elles l'avaient emporté grâce à la combinaison de plusieurs facteurs : l'effet de surprise, le contrôle de l'espace martien, quelques victoires stratégiques, le soutien de l'essentiel de la population martienne et la réticence de l'Autorité Transitoire des Nations Unies à tirer sur des civils, même quand ils manifestaient dans les rues. Résultat : les forces de sécurité de l'ATONU avaient reflué de toute la surface de Mars pour se replier à Sheffield, et la plupart étaient à présent dans les cabines de l'ascenseur, en route pour Clarke et la station spatiale qui se trouvait sur l'astéroïde-contrepoids, les autres étant entassées dans les faubourgs entourant le Socle, le colossal bunker au pied de l'ascenseur. Ces quartiers abritaient les services de maintenance de l'ascenseur, des bâtiments industriels et surtout les hôtels, dortoirs et restaurants nécessaires à l'hébergement et à la sustentation du personnel.

– Ces installations sont providentielles, commenta Irishka. Ils sont déjà serrés comme des sardines ; si en plus ils n'avaient rien à manger et nul endroit où se réfugier, il est probable qu'ils auraient tenté une percée. Les choses étant ce qu'elles sont, la situation est encore tendue, mais du moins ont-ils de quoi survivre.

Ça ressemblait à la situation qui venait de se débloquer à Burroughs, songea Ann. Les choses avaient bien tourné. Il suffisait d'un peu de poigne et le tour était joué. L'ATONU serait évacuée vers la Terre, le câble sectionné et le cordon ombilical qui reliait Mars à la Terre serait rompu.

Irishka conduisit donc leur petite caravane à travers le labyrinthe de Pavonis Est et ils garèrent leurs patrouilleurs au bord de la caldeira. Au sud, à la limite ouest de Sheffield, ils distinguaient la ligne à peine visible du câble de l'ascenseur, ou plutôt d'une infime partie des 24 000 kilomètres de sa longueur totale. Il était presque indécelable, et pourtant son existence gouvernait chacun de leurs mouvements et de leurs conversations, ou presque. Leurs pensées tournaient pour ainsi dire toutes autour de ce fil noir qui les reliait à la Terre.

Quand ils furent installés au camp, Ann appela son fils Peter. C'était l'un des chefs rebelles de Tharsis. C'est lui qui avait mené les combats à l'issue desquels l'ATONU s'était retranchée dans le Socle et ses parages immédiats. Cette victoire partielle faisait de lui l'un des héros du mois passé.

Il prit la communication et son visage apparut sur l'écran du bloc de poignet d'Ann. Ils se ressemblaient comme deux gouttes d'eau, ce qu'elle trouvait déconcertant. Elle lui trouva l'air absorbé. Manifestement, elle le dérangeait en pleine action.

– Il y a du nouveau ? demanda-t-elle.

– Non. La situation paraît bloquée. Nous laissons entrer sans opposer de résistance tous ceux qui étaient restés hors du secteur de l'ascenseur, de sorte qu'ils sont maîtres de la gare, de l'aéroport du bord sud et des lignes de métro qui partent du Socle.

– Les avions qui les ont évacués de Burroughs sont-ils revenus ?

– Oui. Apparemment, la plupart retournent sur Terre. Il y a un monde fou, ici.

– Ils repartent vers la Terre, où ils se positionnent en orbite autour de Mars ?

– Non, non, ils vont bien vers la Terre. Je doute qu'ils aient suffisamment confiance pour rester en orbite.

Il sourit à ces mots. Il avait passé beaucoup de temps dans l'espace, aidant Sax dans ses entreprises et faisant bien d'autres choses encore. Son fils, l'homme de l'espace, le Vert. Pendant des années, ils s'étaient à peine parlé.

– Et que vas-tu faire maintenant ? demanda Ann.

– Je n'en sais rien. Je doute que nous puissions prendre l'ascenseur ou le Socle. Ça ne marcherait pas. Et même si ça marchait, ils pourraient toujours saboter l'ascenseur.

– Et alors ?

– Eh bien... je ne pense pas que ce serait une bonne chose, répondit-il, subitement ennuyé. Et toi ?

– Je crois qu'il faudrait le détruire.

Son expression ennuyée fit place à la contrariété.

– Dans ce cas, je ne te conseille pas de rester dessous quand il tombera.

– Je ferai attention.

– Je ne veux pas qu'on le fasse sauter avant d'en avoir discuté à fond, répliqua-t-il sèchement. C'est grave. La décision doit être prise par l'ensemble de la communauté martienne. Je pense, personnellement, que nous avons besoin de l'ascenseur.

– Sauf que nous n'avons aucun moyen de le récupérer.

– Ça reste à voir. Et puis, ce n'est pas à toi de trancher. J'ai appris ce qui était arrivé à Burroughs, mais ici, tu comprends, les choses se passent autrement. La stratégie est définie d'un commun accord. Nous devons en délibérer.

– C'est la spécialité de ce groupe, répliqua Ann d'un ton acerbe.

Tout était débattu en profondeur, et elle perdait toujours la partie. L'heure n'était plus aux palabres. Il fallait passer à l'action. Mais Peter lui donna à nouveau l'impression qu'elle lui faisait perdre son temps. Il pensait qu'il emporterait le morceau pour l'ascenseur, elle le voyait bien. Ça participait manifestement d'un sentiment plus vaste, un sens de propriété de la planète, le droit de naissance des nisei, évincer les Cent Premiers et tous les issei survivants. Si John était encore en vie, il leur aurait donné du fil à retordre, mais le roi était mort, vive le roi, vive son fils, roi des nisei, les premiers vrais Martiens.

Enfin, roi ou non, une armée de Rouges convergeait, en ce moment même, vers Pavonis. Ils constituaient la principale force militaire encore opérationnelle sur la planète, et ils entendaient bien achever la tâche amorcée quand l'inondation avait ravagé la Terre. Ils ne croyaient ni au consensus ni au compromis, et ils estimaient qu'en détruisant le câble ils faisaient d'une pierre deux coups : ils supprimaient à la fois le dernier bastion des forces de police et un moyen de communication facile entre Mars et la Terre, ce qui avait toujours été leur but. Pour eux, c'était la première chose à faire.

Et ça, Peter n'avait pas l'air de le comprendre. Ou alors il s'en fichait. Ann avait bien essayé de le lui expliquer, mais il se contentait de hocher la tête en marmonnant : « Ouais, ouais » sur le ton arrogant propre à ces Verts insouciants et stupides, toujours à tergiverser, à transiger avec la Terre. Comme si on pouvait tirer quelque chose d'un léviathan pareil. Non. Il fallait prendre des mesures efficaces, dans le genre de la submersion de Burroughs et des actes de sabotage qui avaient jeté les bases de la révolution. Sans lesquels elle n'aurait même pas commencé ou aurait été écrasée dans l'œuf, comme en 2061.

– Ouais, ouais... Bon, eh bien, on va organiser une réunion, reprit Peter.

A voir son expression, elle devina qu'elle l'exaspérait, tout comme il pouvait l'excéder.

– Ouais, ouais, répéta Ann d'un ton morne.

Encore des discours. Cela dit, ils n'étaient pas totalement dépourvus d'utilité ; pendant que les gens s'imaginaient qu'ils servaient à quelque chose, les vraies décisions se prenaient ailleurs.

– Je vais essayer de mettre quelque chose sur pied, conclut Peter. Avant que la situation ne nous échappe complètement.

Elle comprit qu'elle avait enfin réussi à attirer son attention, mais elle n'aimait pas la tête qu'il faisait. Elle lui trouvait quelque chose de menaçant.

– Elle nous a déjà complètement échappé, lança-t-elle avant de couper la communication.

Elle regarda les infos sur les divers canaux, Mangalavid, les réseaux privés des Rouges et les résumés terriens. Pavonis et l'ascenseur étaient maintenant au centre des préoccupations sur Mars, mais concrètement le mouvement de convergence vers le volcan n'était que partiel. Il lui sembla qu'il y avait plus de guérilleros rouges sur Pavonis que de Verts de Mars Libre et leurs alliés. Difficile à dire. Kasei et l'aile la plus radicale des Rouges, le Kakaze (« vent de feu »), avaient depuis peu investi la lèvre nord de Pavonis, prenant la gare et la tente de Lastflow. Les Rouges avec lesquels Ann avait fait le voyage, pour la plupart du vieux courant traditionaliste, envisagèrent de faire le tour du volcan afin de rejoindre le Kakaze, pour finir par y renoncer. Ann assista à la discussion sans mot dire, mais elle se réjouit de sa conclusion, car elle tenait à conserver ses distances par rapport à Kasei, Dao et leurs séides. Elle préférait rester à Pavonis Est.

Nombre de partisans de Mars Libre se trouvaient là, eux aussi, sortant de leurs voitures dans les entrepôts abandonnés. Pavonis Est devenait le point de ralliement de groupes révolutionnaires de tout poil. Quelques jours après son arrivée, Ann s'aventura sous la tente au sol de régolite compacté et se dirigea vers l'un des plus grands hangars où se tenait une réunion de stratégie générale.

Réunion qui se déroula conformément à ses prévisions : Nadia menait les débats, et il était inutile d'essayer de lui parler pour le moment. Ann se cala sur une chaise, contre le mur du fond, et regarda discourir les autres. Ils ne voulaient pas reconnaître ce que Peter lui avait confié en privé : qu'il n'y avait pas moyen de déloger l'ATONU de l'ascenseur spatial. Plutôt que de l'admettre, ils allaient tourner et retourner le problème dans tous les sens, comme si ça pouvait le résoudre.

La réunion était déjà bien engagée lorsque Sax Russell vint s'asseoir à côté d'elle.

– Un ascenseur spatial, dit-il. Ça pourrait... servir.

Ann n'était pas à l'aise avec lui. Les services de sécurité de l'ATONU lui avaient endommagé le cerveau, elle le savait, et le traitement qu'on lui avait fait subir avait modifié sa personnalité. L'un dans l'autre, ça ne l'avait pas arrangé, au contraire. Il lui semblait plus bizarre que jamais : tantôt elle retrouvait le vieux Sax qu'elle avait toujours connu, qui lui faisait l'effet d'un frère ô combien ennemi, tantôt il lui semblait qu'un parfait étranger avait pris possession de son corps. Ces deux visions contradictoires se succédaient si vite qu'elles coexistaient parfois. Juste avant de la rejoindre, il avait échangé quelques mots avec Nadia et Art, et elle avait cru voir un inconnu, un vieillard dégingandé au regard perçant, qui s'exprimait par la voix de Sax, avec les mêmes idiomes, la même expression. Maintenant qu'il était assis à côté d'elle, elle voyait bien que son visage n'avait subi que des changements superficiels. Et pourtant, il avait beau lui paraître familier, l'étranger était maintenant en lui – car il y avait là un homme qui parlait sur un rythme saccadé, cahotique, et ce qu'il avait à dire, lorsqu'il y arrivait enfin, manquait souvent de cohérence.

– L'ascenseur est un... un système... de levage. Un... *un outil !*

– Pas si nous ne pouvons le contrôler, répondit Ann en articulant comme si elle faisait la leçon à un enfant.

– Contrôler... répéta Sax, puis il rumina l'idée, à croire qu'elle était nouvelle pour lui. Influence ? S'il suffit de le vouloir pour abattre l'ascenseur, alors n'importe qui...

Il laissa sa phrase en suspens et se perdit dans ses pensées.

– Alors quoi ? relança Ann.

– Alors n'importe qui peut le contrôler. Existence consensuelle. C'est évident ?

On aurait dit qu'il traduisait une langue étrangère. Ce n'était pas Sax. Ann ne put s'empêcher de secouer la tête et tenta doucement de lui expliquer. L'ascenseur était le vecteur des métanationales vers Mars. Il était entre les mains des métanats, et les révolutionnaires n'avaient aucun moyen d'en chasser leurs forces de police. C'était clair : la seule chose à faire, compte tenu des circonstances, était de le détruire. Avertir les gens, leur donner des instructions, et passer aux actes.

– Les pertes en vies humaines seraient minimes, et quand bien même, elles seraient à mettre sur le compte des gens assez stupides pour rester sur le câble ou à l'équateur.

Malheureusement, ces paroles parvinrent aux oreilles de Nadia, au milieu de la salle, et elle secoua la tête si violemment que ses courtes boucles grises voltigèrent comme une perruque de clown. Elle en voulait toujours à Ann pour Burroughs, sans raison, aussi est-ce d'un œil noir qu'Ann la vit approcher.

– Nous avons besoin de l'ascenseur, dit-elle sèchement. C'est notre moyen d'accès à la Terre autant que leur moyen d'accès à Mars.

– Mais nous n'avons aucun besoin d'accéder à la Terre, objecta Ann. En ce qui nous concerne, ce n'est pas une relation physique. Tu le vois bien, non ? Je n'ai jamais dit que nous devions renoncer à exercer une influence sur la Terre, je ne suis pas une isolationniste comme Kasei ou Coyote. Nous devons essayer de les influencer, je suis d'accord. Mais ce n'est pas un problème matériel, tu ne comprends pas ça ? C'est une question d'idées, de langage, d'émissaires peut-être. Une question d'échange d'informations. Enfin, à condition que tout aille bien. C'est quand ça devient un problème matériel, d'échange de ressources, d'émigration de masse ou de contrôle policier, que l'ascenseur est utile, et même nécessaire. Le détruire, c'est dire : « Nous traiterons avec vous selon nos termes à nous, et non les vôtres. »

C'était tellement évident. Mais Nadia secoua la tête, sans qu'Ann pût imaginer à quoi elle pensait.

Sax s'éclaircit la gorge et dit, du ton sur lequel on récite la table des éléments périodiques auquel ils étaient habitués :

– Si on peut l'abattre, alors, c'est comme si c'était fait.

Le vieux hibou clignait des yeux, tel un fantôme qui se serait soudain matérialisé à ses côtés, la voix du terraforming, l'ennemi qu'elle avait perdu de temps en temps – Saxifrage Russell en personne, égal à lui-même. Et que pouvait-elle faire sinon lui renvoyer les arguments qu'elle lui avait toujours opposés, en pure perte, consciente, au moment même où elle les prononçait, de leur inanité, et pourtant incapable de se retenir.

– Les gens agissent en fonction des faits, Sax. Les patrons des métanats, les Nations Unies, les gouvernements vont lever le nez, voir ce qui se passe et agir en conséquence. S'il n'y a plus de câble, ils n'auront tout simplement plus le temps ou les moyens de s'occuper de nous pendant un moment. Si le câble est encore là, alors ils voudront venir. Ils se diront que c'est possible. Et il y aura des gens pour clamer haut et fort qu'il faut essayer.

– Rien ne les empêchera de venir. Le câble permet seulement d'économiser de l'énergie.

– C'est cette économie qui autorise les transferts de masse.

Mais Sax était déjà ailleurs ; il était redevenu un étranger. Personne ne s'intéressait longtemps à elle. Nadia avait déjà embrayé sur d'autres sujets : le contrôle de l'orbite, l'instauration de sauf-conduits et ainsi de suite.

Sax l'étranger interrompit Nadia, qu'il n'avait d'ailleurs pas entendue :

– Nous avons promis... de les aider.

– En leur envoyant toujours plus de métaux ? coupa Ann. Est-ce vraiment indispensable ?

– Nous pourrions prendre... des gens. Ça pourrait servir à quelque chose.

Ann secoua la tête.

– Nous ne pourrions jamais en prendre suffisamment.

Il fronça les sourcils. Voyant qu'ils ne l'écoutaient plus, Nadia regagna la table. Sax et Ann retombèrent dans le silence.

Ils ne pouvaient pas s'empêcher de se chamailler. Ils étaient sans concession, incapables du moindre compromis, et ça ne les menait nulle part. Les mots n'avaient plus le même sens pour eux. D'ailleurs, c'est tout juste s'ils se parlaient encore. Il n'en avait pas toujours été ainsi. Il y a très longtemps, ils parlaient la même langue et se comprenaient. Mais c'était si vieux qu'elle ne savait même plus à quand ça remontait. Dans l'Antarctique? Quelque part. Mais pas sur Mars.

– Tu sais, reprit Sax sur le ton de la conversation (un ton qui ressemblait au Sax qu'elle ne connaissait pas, et d'une façon encore différente), ce n'est pas la milice rouge qui a obligé l'Autorité Transitoire à évacuer Burroughs et le reste de la planète. Si les guérilleros avaient été seuls en jeu à ce moment-là, les Terriens se seraient retournés contre nous et ils auraient bien pu en sortir victorieux. Mais ces manifestations sous les tentes ont démontré qu'ils s'étaient mis à peu près tout le monde à dos sur la planète. C'est ce que les gouvernements redoutent le plus : les mouvements de masse. Des centaines de milliers de gens défilant dans les rues pour rejeter le système. C'est à ça que pense Nirgal quand il dit que le pouvoir politique naît du regard des gens et non du canon des fusils.

– Et alors? renvoya Ann.

Sax balaya d'un geste les gens qui débattaient toujours dans l'entrepôt.

– Ils sont tous Verts, répondit-il en la regardant comme un oiseau.

Ann se leva, quitta la réunion et sortit dans les rues étrangement calmes de Pavonis Est. Des groupes de miliciens montaient la garde, surveillant plus particulièrement la direction du sud, de Sheffield et du terminal du câble. De jeunes indigènes heureux et pleins d'espoir. A un coin de rue, un groupe était engagé dans une discussion animée. Au moment où Ann passait devant eux, une jeune femme, le visage embrasé, s'écria avec exaltation : « On ne peut pas toujours faire ce qu'on veut ! »

Ann s'éloigna, plus mal à l'aise à chaque pas, sans trop savoir pourquoi. C'est comme ça que les gens changent, par petits sauts quantiques, quand ils sont frappés par des événements extérieurs – sans but, sans motif. Quelqu'un dit : « Le regard des gens », la phrase rencontre soudain une image, une figure passionnée, puis une autre phrase : « On ne peut pas toujours faire ce qu'on veut ! » Et voilà comment elle s'était rendu compte (oh, le regard de cette jeune femme !) qu'ils ne débattaient pas seulement du destin du câble. La question n'était pas simplement : « Faut-il couper le câble ? », mais : « Comment décidons-nous des choses ? » C'était la question critique, postrévolutionnaire, peut-être plus cruciale que n'importe quel problème isolé, le sort du câble y compris. Jusque-là, dans l'underground, la plupart des gens agissaient en fonction du principe : « Si nous ne sommes pas d'accord avec vous, nous vous combattrons. » C'est avant tout cette attitude qui avait attiré les gens dans la clandestinité, Ann la première. Et une fois qu'on y avait pris goût, il était difficile d'y renoncer. Dans le fond, ils venaient de prouver que ça marchait. Et il était tentant de continuer dans la même voie ; c'est un peu ce qu'elle ressentait elle-même.

Mais le pouvoir politique... Dire qu'il naissait du regard des gens... On pouvait toujours se battre, mais si les gens ne vous suivaient pas...

Ann y réfléchissait encore tout en regagnant Sheffield. Elle avait décidé de couper court à la comédie de la réunion de l'après-midi à Pavonis Est. Elle voulait jeter un coup d'œil là où ça se passait.

Elle s'étonna de voir combien la vie quotidienne semblait avoir peu changé pour les gens dans la plus peuplée des villes sous tente. Ils allaient toujours au travail, mangeaient au restaurant, bavardaient assis sur les pelouses des parcs, se réunissaient dans les lieux publics. Les boutiques, les restaurants étaient pleins. La plupart des affaires de Sheffield appartenaient aux métanats, et les gens lisaient sur les écrans d'interminables éditoriaux sur ce qu'il leur fallait faire, sur ce qu'allaient devenir les nouvelles relations entre les employés et leurs anciens propriétaires, les endroits où ils devraient acheter leurs matières premières ou vendre leurs produits, à quels règlements ils devraient obéir, quelles taxes ils devraient payer. Tout ça était très compliqué, comme le montraient les débats aux infos du soir sur les écrans et les réseaux de poignet.

Au marché des denrées alimentaires dressé sur la plaza, néanmoins, la situation était plus calme. La nourriture était déjà pour l'essentiel cultivée et distribuée par les coops. Les réseaux agricoles n'étaient pas touchés, les serres de Pavonis continuaient à produire, et les choses se passaient plus ou moins comme d'habitude ; les marchandises se réglaient avec des dollars ATONU ou des crédits. A deux reprises seulement, Ann vit des vendeurs au ventre ceint d'un tablier avoir une prise de bec avec leurs clients sur un point ou un autre de politique gouvernementale. Alors qu'Ann prêtait l'oreille à une de ces discussions, d'ailleurs étrangement semblable à celles qui opposaient les chefs de Pavonis Est, les protagonistes s'arrêtèrent net et la regardèrent. On l'avait reconnue. Le marchand de légumes dit tout haut :

– Si vous les Rouges leur fichiez un peu la paix, ils débarrasseraient le plancher !

– Ça va, lança quelqu'un. Ce n'est pas sa faute.

C'est bien vrai, se dit Ann en s'éloignant.

Un groupe de personnes attendaient le tram. Les transports publics circulaient toujours, parés pour l'autonomie. La tente elle-même fonctionnait, ce qui n'allait pas de soi, même si manifestement tout le monde pensait que c'était automatique. Mais les opérateurs de tentes savaient ce qu'ils avaient à faire. Ils extrayaient leurs matières premières eux-mêmes, essentiellement à partir de l'air. Les capteurs solaires et les réacteurs nucléaires leur fournissaient toute l'énergie dont ils avaient besoin. Les tentes étaient matériellement fragiles, mais si on les laissait tranquilles, elles pourraient très bien devenir politiquement autonomes. Rien ne justifiait qu'on les possède, qu'elles soient détenues par qui que ce soit.

Les nécessités vitales étaient donc satisfaites. La vie continuait, à peine perturbée par la révolution.

Telle était du moins la première impression qu'on avait en passant. Mais, dans la ville, il y avait aussi des groupes armés, de jeunes indigènes plantés au coin des rues par trois, quatre ou cinq, des milices révolutionnaires entourant des lance-missiles et des systèmes de détection à distance. Rouges ou Verts, quelle importance ? Mais c'étaient très probablement des Verts. Les passants se contentaient de leur jeter un coup d'œil, ou s'arrêtaient pour discuter et leur demander ce qu'ils faisaient. Nous surveillons le Socle, répondaient-ils. Pourtant, Ann voyait bien qu'ils faisaient aussi la police. Une partie du décor, acceptée, supportée. Les gens les regardaient bavarder en souriant. C'était leur police, des Martiens comme eux, ils étaient là pour les protéger, pour assurer le maintien de l'ordre dans Sheffield. Les gens voulaient qu'ils restent, c'était évident. Dans le cas contraire, tout individu qui se serait approché aurait constitué une menace, tout regard réprobateur aurait été ressenti comme une agression ; ce qui aurait fini par les obliger à choisir des coins plus tranquilles. Les yeux des gens, leur regard collectif, voilà ce qui menait le monde.

Ann passa les jours suivants à ruminer. En particulier après avoir pris un train qui faisait le tour du cratère dans le sens contraire des aiguilles d'une montre, vers le nord. Kasei, Dao et le Kakaze occupaient des appartements dans la petite cité sous tente de Lastflow. Apparemment, ils avaient délogé par la force des résidents non combattants qui l'avaient très mal pris, avaient naturellement rallié Sheffield, exigé d'être rétablis dans leur foyer, et raconté à Peter et aux autres chefs verts que les Rouges avaient positionné des lance-missiles tractés par des camions sur la lèvre nord du cratère, les engins étant braqués sur Sheffield et, plus précisément, sur l'ascenseur.

C'est ainsi qu'Ann entra dans la petite gare de Lastflow de fort méchante humeur, furieuse de l'arrogance des gens du Kakaze, aussi stupide à sa façon que celle des Verts. Ils avaient bien joué pendant la campagne de Burroughs, saisissant ostensiblement la digue en guise d'avertissement public, puis prenant sur eux de la faire sauter après que toutes les autres factions révolutionnaires se furent rassemblées sur les hauteurs, au sud, prêtes à venir au secours de la population civile pendant que les forces de sécurité des métanats battaient en retraite. Les Kakaze avaient vu ce qu'il fallait faire et avaient agi dans ce sens, faisant l'économie d'un débat dans lequel ils se seraient enlisés. Sans leur résolution, tout le monde serait encore massé autour de Burroughs, et les métanats auraient sans aucun doute organisé un corps expéditionnaire terrien pour faire sauter le blocus. Le coup avait été mené de main de maître.

Mais il semblait maintenant que le succès leur était monté à la tête.

Lastflow portait le nom de la dépression qu'elle occupait, une coulée de lave en forme d'éventail qui dévalait le flanc nord-est de la montagne sur plus de cent kilomètres. C'était la seule imperfection sur ce qui était, en dehors de ça, un cône, un sommet et une caldeira parfaitement circulaires. Elle avait de toute évidence vu le jour très tard dans l'histoire éruptive du volcan. Du fond de la dépression, on ne voyait plus le sommet et on aurait aussi bien pu se croire dans une vallée de faible profondeur, avec une visibilité très réduite dans toutes les directions, jusqu'à ce qu'on s'avance à la limite du bord. On voyait alors l'immense cylindre de la caldeira qui plongeait verticalement dans le cœur de la planète et, du côté opposé, la ligne de crête de Sheffield, pareille à un petit Manhattan à une quarantaine de kilomètres de là.

L'absence de perspective expliquait peut-être que la dépression ait été l'un des derniers secteurs de la lèvre du volcan à avoir été mis en valeur. Il était à présent couvert par une tente de belle taille, de six kilomètres de diamètre et d'une centaine de mètres de hauteur, solidement renforcée comme il se devait à cet endroit. La colonie était surtout peuplée par des gens employés dans les multiples industries du cratère. Mais le quartier situé juste au bord était maintenant occupé par les militants du Kakaze et derrière la tente était garée une flotte de gros véhicules, sans doute ceux qui avaient déclenché les rumeurs sur les lance-missiles.

Tout en emmenant Ann au restaurant dont Kasei avait fait son quartier général, ses guides lui confirmèrent que c'était de cela qu'il s'agissait : les patrouilleurs étaient munis de lance-missiles et ils étaient prêts à rayer de la carte de Mars le dernier bastion de l'ATONU. Manifestement, cela les rendait heureux, tout comme ils étaient heureux de la voir, de pouvoir lui faire visiter leurs installations et de lui raconter tout ça. Ils formaient un groupe hétérogène – surtout des indigènes, mais aussi d'anciens et de nouveaux immigrants de toutes les origines ethniques. Parmi eux, Ann reconnut quelques visages : Etsu Okakura, al-Khan, Yussuf. De jeunes indigènes qu'elle ne connaissait pas les arrêtèrent à la porte du restaurant pour lui serrer la main avec de grands sourires enthousiastes qui découvraient des canines de pierre sombre. Le Kakaze... Force lui était de reconnaître que c'était l'aile des Rouges pour laquelle elle avait le moins de sympathie. D'ex-Terriens en colère, ou de jeunes indigènes nés sous les tentes, aux yeux brillants à l'idée de la chance qu'ils avaient de la rencontrer, de lui parler du *kami*, de la nécessité de pureté, de la valeur intrinsèque de la pierre, des droits de la planète et tout ce qui s'ensuit. En bref, des fanatiques. Elle leur serra la main avec force hochements de tête, en essayant de masquer son embarras.

Dans le restaurant, Kasei et Dao buvaient de la bière noire, assis le long de la vitre. Quand Ann fit son entrée, les gestes se figèrent et il fallut un moment pour que les gens se présentent, pour que Kasei et Dao l'accueillent avec de grandes accolades, que les repas et les conversations reprennent. Ils lui firent apporter quelque chose de la cuisine. Les employés du restaurant vinrent la saluer ; ils étaient aussi du Kakaze. Ann attendit avec impatience, un peu gênée, qu'ils retournent à leur tâche et que chacun regagne sa table. Ils étaient ses enfants spirituels, disaient toujours les médias, elle était la première Rouge. Mais, en vérité, ils la mettaient très mal à l'aise.

Kasei, tout aussi exalté qu'au commencement de la révolution, annonça :

– Nous allons abattre le câble d'ici à peu près une semaine.

– Ah bon ! fit Ann. Et pourquoi attendre si longtemps ?

Son sarcasme échappa à Dao.

– Il faut le temps de prévenir les gens, répondit-il. Pour qu'ils aient le temps d'évacuer l'équateur.

Cet homme d'ordinaire sombre et taciturne était aujourd'hui aussi remonté que Kasei.

– Et ceux du câble aussi ?

– Si ça leur dit. Mais même s'ils l'évacuaient et nous le rendaient, nous le ferions tomber.

– Comment comptez-vous vous y prendre ? Vous avez vraiment des lance-missiles, là-bas ?

– Oui. Mais c'est juste pour le cas où ils descendraient et tenteraient de reprendre Sheffield. Le câble, ce n'est pas à la base qu'il faut le couper.

– Les fusées de guidage pourraient remédier à la rupture au pied, expliqua Kasei. Difficile de dire ce qui se passerait au juste. Mais en le sectionnant juste au-dessus du point aréosynchrone, nous comptons réduire au minimum les dégâts à l'équateur et empêcher New Clarke de s'envoler aussi vite que la première fois. Nous voulons minimiser l'aspect dramatique de l'événement afin d'éviter les martyrs dans la mesure du possible. Juste démolir les installations, vous comprenez. Comme n'importe quel bâtiment désaffecté.

– Oui, répondit Ann, à la fois soulagée par cette manifestation de bon sens et décontenancée de voir ses idées exprimées par quelqu'un d'autre, puis elle mit le doigt sur son principal sujet d'inquiétude : Et les autres, les Verts ? Que se passera-t-il s'ils ne sont pas d'accord ?

– Ils seront d'accord, coupa Dao.

– Ils ne voudront jamais ! objecta sèchement Ann.

Dao secoua la tête.

– J'ai parlé avec Jackie. Il se pourrait que certains Verts y soient vraiment opposés, mais son groupe dit ça pour la galerie, de façon à se donner une image modérée vis-à-vis de la Terre et à mettre les idées dangereuses sur le dos de radicaux incontrôlés.

– Sur notre dos, précisa Ann.

Ils hochèrent la tête avec ensemble.

– Comme pour Burroughs, acquiesça Kasei avec un sourire.

Ann réfléchit. C'était vrai, il n'y avait pas de doute.

– Et si certains d'entre eux sont vraiment contre ? J'en ai parlé avec quelques-uns et ce n'était pas de la propagande. Ils étaient sincères.

– Hum, hum, fit lentement Kasei.

Ils la regardaient fixement, Dao et lui.

– Vous le ferez quand même, dit-elle enfin.

Ils la dévisageaient toujours. Elle comprit soudain qu'ils ne lui obéiraient pas plus que des gamins à une grand-mère sénile. Ils se moquaient pas mal de ce qu'elle pouvait bien raconter. Ils se demandaient juste comment l'utiliser au mieux.

– Il le faut, reprit Kasei. C'est dans l'intérêt de Mars. Pas seulement des Rouges ; dans notre intérêt à tous. Nous avons besoin de prendre du recul par rapport à la Terre, et la gravité rétablit bien cette distance. Sans elle, nous serons tous engloutis dans le maelström.

C'était l'argument d'Ann, c'était exactement ce qu'elle avait dit à la réunion, à Pavonis Est.

– Et s'ils tentent de vous en empêcher ?

– Je doute qu'ils en aient les moyens, répondit Kasei.

– Et s'ils essaient quand même ?

Les deux hommes échangèrent un regard. Dao haussa les épaules.

Et voilà, se dit Ann en les observant. Ils sont prêts à déclencher une guerre civile.

Les gens gravissaient toujours les pentes de Pavonis, s'entassaient au sommet, affluant à Sheffield, à Pavonis Est, à Lastflow et dans les autres tentes du tour du cratère. Parmi les nouveaux arrivants se trouvaient Michel, Spencer, Vlad, Marina et Ursula, Mikhail et toute une brigade de bogdanovistes, Coyote tout seul, un groupe de Praxis, un train complet de Suisses, des caravanes de patrouilleurs pleins d'Arabes, soufis et autres, et des indigènes venus de toutes les villes et colonies martiennes. Personne ne voulait rater la finale. Sur toute la planète, les indigènes avaient affirmé leur contrôle ; des équipes locales faisaient marcher les usines énergétiques, en coopération avec Séparation de l'Atmosphère. Il y avait bien quelques petites poches de résistance métanat, évidemment, et quelques Kakaze qui réduisaient systématiquement à néant les projets de terraforming. Mais il était clair qu'une partie importante de la suite du programme allait se jouer à Pavonis : soit la dernière manche de la révolution, ou, comme Ann commençait à le craindre, les prémices d'une guerre civile. A moins que ce ne soit les deux. Ce ne serait pas la première fois.

Elle allait donc aux réunions, dormait mal la nuit, d'un sommeil agité, et somnolait entre deux séances. Les meetings se brouillaient dans son esprit : que des chicanes, et aucun intérêt. Elle commençait à être fatiguée, et ces nuits passées à dormir en pointillé n'arrangeaient pas les choses. Elle avait tout de même près de cent cinquante ans, maintenant. Elle n'avait pas suivi le traitement gérontologique depuis vingt-cinq ans ; elle se sentait usée et elle n'arrivait pas à reprendre le dessus. Aussi regardait-elle avec une indifférence croissante tous ces gens s'étriper sans pour autant régler les problèmes. La Terre était toujours plongée dans le plus grand désarroi. L'inondation provoquée par la fonte des glaces de l'Antarctique avait bien joué le rôle de déclencheur que le général Sax attendait. Lequel Sax n'éprouvait aucun remords à l'idée de profiter des malheurs de la Terre, Ann le voyait bien. Pas une pensée pour les innombrables morts que l'inondation avait provoquées là-bas. Elle lisait en lui à livre ouvert : à quoi bon se morfondre pour ça ? L'inondation était un accident, une catastrophe géologique du même acabit qu'une ère glaciaire ou la chute d'un météore. Même si on en retirait un avantage personnel, il n'y avait pas de quoi culpabiliser. C'était une perte de temps. Mieux valait tirer tout le parti possible du chaos et du désordre, et ne pas s'en faire. C'était ce qu'elle lisait sur le visage de Sax alors qu'ils discutaient de la conduite à adopter vis-à-vis de la Terre. Envoyons une délégation, suggéra-t-il. Une mission diplomatique, quelque chose de palpable, quelque chose qui rapproche. Incohérent en apparence, mais elle le connaissait comme si elle l'avait fait, son vieil ennemi ! Et Sax – le vieux Sax, du moins – était tout ce qu'il y a de plus rationnel, donc prévisible. Plus facile à percer que les jeunes fanatiques du Kakaze, quand elle y réfléchissait.

Mais on ne pouvait le rencontrer que sur son propre terrain, lui parler avec ses termes à lui. Alors elle s'asseyait en face de lui, dans les réunions, et elle essayait de se concentrer, même quand sa cervelle semblait se fossiliser, se pétrifier. Les arguments tournaient en rond : que faire sur Pavonis ? Pavonis Mons, la montagne du Paon. Qui monterait sur le trône du Paon ? Il y avait des shahs potentiels partout : Peter, Nirgal, Jackie, Zeyk, Kasei, Maya, Nadia, Mikhail, Ariadne, Hiroko l'invisible...

Quelqu'un suggéra qu'ils reprennent les canevas de la conférence de Dorsa Brevia. C'était bien joli, mais sans Hiroko, ils n'avaient plus de pivot moral. C'était, de toute l'histoire martienne, la seule personne en dehors de John Boone que tout le monde respectait. Mais Hiroko et John avaient disparu, de même qu'Arkady et Frank, qui lui aurait été bien utile, à présent, s'il avait pris son parti, ce qu'il n'aurait pas fait. Ils s'en étaient tous allés, les laissant en proie à l'anarchie. C'était drôle qu'autour de cette table pleine de monde les absents soient plus visibles que les présents. Hiroko, par exemple ; les gens prononçaient souvent son nom. Elle était là, quelque part, dans un coin perdu, ça ne faisait aucun doute ; elle les avait abandonnés, comme d'habitude, au moment où ils avaient le plus besoin d'elle. Les chassant du nid en leur pissant dessus.

C'était drôle aussi de voir que Kasei, le fils de John et d'Hiroko, le seul enfant de leurs héros disparus, était le plus radical des leaders représentés ici. Un homme inquiétant même s'il était de son côté. Il était assis là, secouant sa tête grise à ce que disait Art, les lèvres retroussées par un petit sourire. Il ne ressemblait pas du tout ni à John ni à Hiroko – enfin, il avait un peu de l'arrogance d'Hiroko, un peu de la simplicité de John. Le plus mauvais des deux côtés. Et pourtant, il incarnait une forme de pouvoir ; il agissait à sa guise et quantité de gens le suivaient. Mais il n'était pas comme ses parents.

Et Peter, assis deux sièges plus loin, qui n'était ni comme elle ni comme Simon. On se demandait parfois à quoi rimaient les liens du sang. A rien, manifestement. Et pourtant, ça lui crevait le cœur d'entendre Peter parler, contredire Kasei et réfuter tous les arguments des Rouges, établir le dossier d'accusation d'une sorte de collaborationnisme interplanétaire sans jamais, au cours d'aucune de ces réunions, s'adresser à elle ou seulement croiser son regard. Peut-être faisait-il ça par une sorte de courtoisie – je ne veux pas discuter avec toi en public. Mais ça ressemblait à un affront – je ne discute pas avec toi parce que tu comptes pour du beurre.

Il prônait la préservation du câble et approuvait Art au sujet du document de Dorsa Brevia, évidemment, étant donné la majorité verte qui prévalait alors, et encore maintenant, d'ailleurs. Utiliser Dorsa Brevia comme guide revenait à assurer le maintien du câble. Et la présence de l'ATONU. A vrai dire, certains autour de Peter parlaient de « semi-autonomie » par rapport à la Terre et non plus d'indépendance, et Peter les suivait sur ce terrain. Elle en était malade. Et tout ça sans la regarder. Il lui rappelait un peu Simon, pour ça. Une sorte de silence. Ça la mettait en rage.

– Je ne vois pas l'intérêt de faire des projets à long terme tant que nous n'aurons pas résolu le problème du câble, dit-elle, lui coupant la parole et s'attirant un regard noir, comme si elle avait rompu un accord tacite.

Mais il n'y avait pas eu d'accord, et pourquoi ne s'affronteraient-ils pas, puisqu'il n'y avait plus de vraie relation entre eux, rien que de la biologie ?

Art répliqua que l'ONU se disait prête à accorder la semi-autonomie à Mars, tant que Mars resterait en « contact étroit » avec la Terre et lui apporterait une aide active durant cette période de crise. Nadia dit qu'elle était en communication avec Derek Hastings, qui était sur New Clarke. Il est vrai qu'Hastings avait abandonné Burroughs en renonçant au bain de sang, et elle affirmait qu'il était prêt au compromis. Ce qui était sûr, c'est qu'il ne se préparait pas une retraite facile, dans un agréable lieu de villégiature, car en dépit de toutes les actions d'urgence, la Terre était maintenant la proie de la famine, des épidémies et du pillage. Tout compte fait, c'était la rupture du pacte social, qui était si fragile. Ça pouvait arriver ici aussi ; elle devait se souvenir de cette fragilité quand elle s'énervait, comme en ce moment, au point de se mordre la langue pour ne pas dire à Kasei et Dao de cesser ces palabres une fois pour toutes et de tirer. Si elle faisait ça, c'est très probablement ce qui arriverait. En parcourant du regard les visages angoissés, furieux, malheureux qui entouraient la table, elle fut tout à coup envahie par le sentiment étrange de son propre pouvoir. Elle pouvait faire pencher les plateaux de la balance ; elle pouvait renverser la table.

Les intervenants disposaient de cinq minutes chacun pour exposer leur point de vue. Ann n'aurait pas cru qu'il y en aurait autant pour demander la suppression du câble, et pas seulement des Rouges, des représentants de cultures ou de mouvements qui se sentaient surtout menacés par l'ordre métanat ou par l'émigration de masse en provenance de la Terre : les Bédouins, les Polynésiens, les gens de Dorsa Brevia, certains des indigènes les plus futés. Et pourtant, ils étaient minoritaires. Pas de beaucoup, mais minoritaires quand même. L'isolationnisme contre l'interactivité ; encore une ligne de fracture à ajouter à toutes celles qui déchiraient le mouvement d'indépendance martienne.

Jackie Boone se leva et plaida pendant un quart d'heure pour le maintien du câble, menaçant tous ceux qui voulaient sa disparition d'expulsion de la société martienne. C'était un numéro lamentable, mais populaire, et après cela, Peter parla dans le même sens, d'une façon juste un tout petit peu plus subtile. Ann était tellement furieuse qu'aussitôt après qu'il se fut rassis elle se leva afin de faire valoir ses arguments en faveur de la suppression du câble. Ce qui lui valut un autre regard incendiaire de Peter, mais c'est à peine si elle s'en rendit compte. En proie à une colère aveugle, elle parla, oubliant le délai des cinq minutes. Personne ne tenta de lui couper la parole, et elle poursuivit, sans savoir ce qu'elle allait dire, oubliant ce qu'elle venait de dire. Peut-être son subconscient avait-il minutieusement organisé sa plaidoirie – c'était à espérer –, en tout cas, pendant que les mots sortaient de sa bouche, une partie d'elle-même pensait qu'elle se contentait peut-être de bredouiller ou de répéter le mot *Mars*,

Mars, *Mars*, et que l'auditoire se moquait d'elle ; ou bien qu'il la comprenait dans un moment de grâce miraculeuse, de glossolalie, des flammes invisibles jaillissant de leur tête comme des coiffes de joyaux – et, de fait, leurs cheveux faisaient à Ann l'effet de copeaux de métal, les crânes chauves des vieillards lui semblaient être des blocs de jade dans lesquels toutes les langues vivantes et mortes auraient été comprises sans distinction. L'espace d'un moment, ils lui parurent tous pris ensemble, avec elle, dans une épiphanie de Mars la Rouge, libérés de la Terre, vivant sur la planète primitive qui avait été et pourrait être encore.

Elle se rassit. Cette fois, ce ne fut pas Sax qui se leva pour la contrer, comme il l'avait si souvent fait. En fait, il la regardait en louchant de concentration, la bouche entrouverte dans une expression stupéfaite qu'elle eût été bien en peine d'interpréter. Ils se regardèrent un instant, les yeux dans les yeux ; mais ce qu'il pouvait bien penser, elle n'en avait pas idée. Elle savait seulement qu'elle avait enfin réussi à attirer son attention.

C'est Nadia qui révoqua tous ses arguments, Nadia sa sœur, qui argumenta lentement, calmement, en faveur de l'interaction avec la Terre et de leur intervention dans la situation terrienne. Elle parla de la nécessité de compromis, d'engagement, d'influence, de transformation. C'était profondément contradictoire, se dit Ann. Parce qu'ils étaient faibles, Nadia disait qu'ils ne pouvaient pas se permettre d'agresser, et qu'ils devaient donc changer toute la réalité sociale de la Terre.

– Mais comment ? s'écria Ann. Quand on n'a pas de point d'appui, on ne peut pas soulever le monde. Sans point d'appui, pas de levier, pas de force...

– Il ne s'agit pas seulement de la Terre, répondit Nadia. Il y aura d'autres colonies dans le système solaire : Mercure, la Lune, les grandes lunes extérieures, les astéroïdes. Nous devons en faire partie. En tant que colonie originale, nous sommes le chef naturel. Un puits gravitique sans pont pour le franchir ne serait qu'un obstacle à tout ça – une réduction de notre marge de manœuvre, de notre pouvoir.

– Tu parles d'un progrès ! répliqua amèrement Ann. Songe un peu à ce qu'Arkady aurait répondu à ça. Ecoute ! Nous tenons enfin l'occasion de bâtir quelque chose de différent. C'était tout le problème. Nous avons encore cette possibilité. Tout ce qui a une chance d'augmenter la zone dans laquelle nous pourrons créer une nouvelle société est une bonne chose. Tout ce qui risque de réduire notre espace vital, une mauvaise. Pense à ça !

Peut-être y pensaient-ils. Mais ça ne changeait rien. Toutes sortes d'éléments sur Terre exposaient leurs arguments en faveur du câble – des arguments, des menaces, des traités. Ils avaient besoin d'aide, là-bas. De toute l'aide qu'on pouvait leur apporter. Art Randolph défendait énergiquement le maintien du câble pour le compte de Praxis, qui faisait à Ann l'impression d'être en passe de devenir la prochaine autorité transitoire, le métanationalisme dans sa dernière manifestation ou son dernier avatar.

Les indigènes étaient peu à peu conquis par eux, intrigués par la perspective de « conquérir la Terre », inconscients de l'impossibilité de la tâche, incapables d'imaginer l'immensité et l'immobilisme de la Terre. On pouvait leur en parler encore et sans cesse, ils ne pourraient jamais s'en faire une idée.

Puis vint le moment de voter, pour la forme. Il fut décidé que ce serait un vote par représentation, une voix pour chacun des groupes signataires du document de Dorsa Brevia, une voix aussi pour tous les groupes concernés qui avaient vu le jour depuis – les nouvelles colonies dans l'outback, les nouveaux partis politiques, les associations, les laboratoires, les compagnies, les groupes de guérilla, les groupuscules rouges. Une âme naïve et généreuse proposa une voix pour les Cent Premiers, et tout le monde éclata de rire à l'idée que les Cent Premiers puissent voter de la même façon sur quelque sujet que ce soit. L'âme généreuse, une jeune femme de Dorsa Brevia, suggéra alors que chacun des Cent Premiers ait une voix, mais ce fut refusé comme risquant de mettre en péril l'emprise fragile qu'ils avaient sur le gouvernement représentatif. Ça n'aurait rien changé, de toute façon.

C'est ainsi qu'il fut décidé de laisser l'ascenseur spatial où il était pour le moment, c'est-à-dire aux mains de l'ATONU, et le Socle avec. C'était comme si le roi Canute avait décrété que la marée était légale, en fin de compte, mais ça ne fit rire personne, sauf Ann. Les autres Rouges étaient furieux. La propriété du Socle faisait toujours l'objet de vives contestations, protesta hautement Dao, les quartiers limitrophes étaient vulnérables et pouvaient être pris, il n'y avait pas de raison de battre en retraite comme ça, ils se contentaient de balayer le problème sous le tapis parce qu'il était ardu, et ainsi de suite. Mais la majorité s'était déclarée en faveur du câble. Il resterait.

Ann fut prise de l'envie, toujours la même, de ficher le camp. Les tentes et les trains, les gens, le faux air de petit Manhattan de Sheffield contre la lèvre sud du cratère, le sommet de basalte déchiqueté, aplati et pavé... Une piste faisait tout le tour du cratère, mais le côté ouest de la caldeira était pratiquement inhabité. Ann prit l'un des plus petits patrouilleurs des Rouges et fit le tour du cratère dans le sens trigonométrique, juste à l'intérieur de la piste, jusqu'à ce qu'elle arrive à une petite station météo. Elle gara le patrouilleur, franchit le sas et sortit, toute raide dans un walker qui ressemblait beaucoup à ceux dans lesquels ils effectuaient leurs sorties au cours des premières années.

Elle était à un ou deux kilomètres de la cheminée. Elle marcha lentement vers l'est et le bord du cratère. Elle dut trébucher une ou deux fois avant de commencer à faire attention. La vieille lave, sur l'étendue plate de la large lèvre, était lisse et noire à certains endroits, plus claire et plus accidentée à d'autres. Le temps qu'elle arrive au bord, elle avait retrouvé le trot martien. Elle effectuait une sorte de ballet qu'elle pouvait soutenir toute la journée, en osmose avec toutes les bosses, toutes les fissures qui se présentaient sous ses pieds. Et c'était une bonne chose, parce que, près du bord, le sol s'effondrait en une série de marches étroites, incurvées, certaines d'un pied de haut, d'autres plus hautes qu'elle-même. Et cette impression toujours plus forte du vide au-dessus d'elle, alors que le côté opposé de la caldeira et le reste du grand cercle devenaient visibles. Elle se retrouva sur la dernière marche, un banc large d'environ cinq mètres, pas plus, à la paroi arrière incurvée à hauteur d'épaule. En dessous d'elle plongeait le gouffre rond de Pavonis.

Cette caldeira était l'une des merveilles géologiques du système solaire, un trou de quarante-cinq kilomètres de large et de cinq bons kilomètres de profondeur, d'une régularité en tout point remarquable : un tube au fond plat, aux parois presque verticales, un cylindre parfait d'espace, découpé dans le volcan comme une carotte de forage. Aucune des trois autres grandes caldeiras n'approchait, même de loin, cette pureté de forme ; Ascraeus et Olympus étaient des palimpsestes compliqués d'anneaux qui se recoupaient ; la caldeira très large et peu profonde d'Arsia était vaguement circulaire, mais déchiquetée dans tous les sens. Seule Pavonis était un cylindre régulier ; un idéal platonique de caldeira volcanique.

Evidemment, du merveilleux point de vue qui était à présent le sien, la stratification horizontale des parois intérieures révélait beaucoup de détails irréguliers, de bandes couleur rouille ou chocolat, noires ou ambrées, indiquant des variations dans la composition des dépôts de lave. Par ailleurs, certaines bandes étaient plus dures que celles du dessus et du dessous, de sorte qu'un grand nombre de balcons arqués bordaient la paroi à différents niveaux – des bancs isolés, incurvés, perchés sur le côté de l'immense gorge rocheuse, qu'on n'avait presque jamais explorée. Et le sol si plat. La substance du réservoir magmatique du volcan, situé à 160 kilomètres environ sous la montagne, devait être d'une consistance inhabituelle pour retomber chaque fois au même endroit. Ann se demanda si on savait pourquoi, si le réservoir magmatique était plus jeune ou plus petit que celui des autres grands volcans, si la lave était plus homogène... Il était probable qu'on avait étudié le phénomène ; elle allait s'en assurer en consultant son bloc-poignet. Elle composa le code du *Journal d'études aréologiques*, tapota *Pavonis* : « Preuve d'activité volcanique strombolienne dans les roches clastiques de Tharsis ouest. » « Les crêtes radiales dans la caldeira et les grabens concentriques à l'extérieur de l'anneau de la lèvre suggèrent un affaissement tardif du sommet. » Elle venait justement de traverser quelques-uns de ces grabens. « Calcul du rejet des substances volatiles juvéniles dans l'atmosphère par datation radiométrique des mafics de Lastflow. »

Elle éteignit son bloc. Il y avait des années qu'elle ne se tenait plus au courant des dernières découvertes aréologiques. La simple lecture de ces données lui avait pris beaucoup plus de temps qu'autrefois. Et puis, bien sûr, l'aréologie avait été tellement compromise par les projets de terraforming... Les savants qui travaillaient pour les métanats, obnubilés par l'exploration et l'évaluation des ressources, avaient trouvé trace d'antiques océans, d'une atmosphère primitive, chaude et humide, peut-être même d'une ancienne vie. De leur côté, les chercheurs rouges radicaux les avaient mis en garde contre les possibilités de recrudescence d'activité sismique, de glissement de terrain, d'épuisement rapide des ressources, et même contre la disparition du dernier échantillon de surface placé dans ses conditions originelles. Les tensions politiques avaient biaisé presque tout ce qui avait été écrit sur Mars au cours des cent dernières années. Le *Journal* était, à sa connaissance, le seul à publier des articles qui se bornaient à la description de l'aréologie au sens strict du terme, se concentrant sur ce qui était arrivé au cours des cinq milliards d'années d'isolement. C'était l'unique publication qu'Ann lisait encore, ou du moins à laquelle elle jetait un coup d'œil, parcourant le sommaire, certains résumés et l'éditorial. Une ou deux fois, elle avait même envoyé une lettre concernant un point de détail, qu'ils avaient reproduite sans en faire toute une histoire. Le *Journal*, édité par l'université de Sabishii, était scruté à la loupe par des aréologistes ayant le même point de vue. Les articles étaient rigoureux, bien documentés, et échappaient à toute doctrine idéologique. C'était de la science simplement. Les éditoriaux du *Journal* défendaient ce qu'il fallait bien appeler une position rouge, mais très modérée, dans la mesure où ils prônaient la préservation du paysage primitif de sorte qu'on puisse mener des études sans avoir à régler des problèmes de contamination de masse. C'était la position d'Ann depuis le début, et c'était encore ainsi qu'elle se sentait le plus à l'aise. Elle n'avait évolué de cette attitude scientifique à l'activisme politique que poussée par les circonstances. On aurait pu en dire autant de beaucoup d'aréologistes qui soutenaient maintenant les Rouges. C'est là qu'étaient ses pareils, les gens qu'elle comprenait, ceux avec qui elle était en harmonie.

Mais ils n'étaient pas nombreux. Elle aurait presque pu les citer un par un. C'étaient plus ou moins les collaborateurs du *Journal*. Les autres Rouges, le Kakaze et les radicaux divers, défendaient plutôt une sorte de vision métaphysique. C'étaient des fanatiques religieux, l'équivalent des Verts d'Hiroko, des membres d'une secte d'adorateurs des pierres. Ann n'avait pas grand-chose en commun avec eux, si on s'en tenait à cet aspect-là. Le Rouge auquel ils adhéraient procédait d'une vision du monde totalement différente de la sienne.

Et quand on pensait que les Rouges étaient ainsi divisés en courants et en factions, que pouvait-on dire du mouvement d'indépendance martien en général ? Eh bien, il allait s'effondrer. C'était déjà en train de se produire.

Ann s'assit prudemment au bord de la dernière marche. La visibilité était parfaite. Une sorte de station s'élevait apparemment au fond de la caldeira, bien que, vu de cinq mille mètres de haut, ce soit difficile à affirmer. Même les ruines de la vieille Sheffield étaient à peine visibles – ah si, elles étaient là, sur le sol, sous la nouvelle ville, un petit tas de gravats avec des lignes droites et des surfaces planes. Ces éraflures verticales, à peine détectables au-dessus, avaient pu être causées par la chute de la ville, en 61, mais rien ne le prouvait, bien sûr.

Les villes sous tente qui entouraient le cratère ressemblaient à des inclusions de villages miniatures. Sheffield avec ses buildings, ses entrepôts plus bas de l'autre côté, à l'est. Lastflow, et les autres petites tentes tout le long du bord... Beaucoup s'étaient rejointes, formant une sorte de grande Sheffield, qui faisait presque tout le tour du cratère, de Lastflow jusqu'à l'autre côté, au sud-ouest, où les pistes suivaient le câble tombé sur l'immense pente de Tharsis Ouest vers Amazonis Planitia. Les villes et les stations de Pavonis seraient éternellement bâchées, parce qu'à vingt-sept kilomètres d'altitude l'air serait toujours dix fois moins dense qu'au contour zéro, ou au niveau de la mer

– on pouvait maintenant dire ça. Ce qui signifiait que la pression à cette altitude n'était que de trente ou quarante millibars.

Des cités à jamais bâchées. Mais avec le câble (invisible de l'endroit où elle se trouvait) qui embrochait Sheffield, le développement se poursuivrait certainement jusqu'à ce que le tour de la caldeira ne soit plus qu'une ville sous tente, qui plongerait le regard dans ses profondeurs. Puis ils essaieraient sans doute de couvrir la caldeira elle-même et d'occuper le fond circulaire, afin d'ajouter mille cinq cents kilomètres carrés de surface à la ville, bien qu'on puisse se demander qui pourrait vouloir vivre au fond d'un trou pareil, au fond de cette taupinière, des parois de roche montant tout autour de soi comme si on était dans une sorte de cathédrale circulaire, à ciel ouvert... Enfin, il se trouverait peut-être des gens à qui ça plairait. Les bogdanovistes avaient vécu dans des trous de taupe pendant des années, après tout. Ils feraient pousser des forêts, construiraient des chalets de montagne, ou plutôt des villas pour millionnaires sur les crêtes arquées, ils tailleraient des escaliers dans les parois rocheuses, installeraient des ascenseurs de verre qui mettraient une journée à relier la base au sommet... des toits en terrasse, des balcons, des gratte-ciel montant vers la lèvre du volcan, des héliports sur leurs toits ronds et plats, des pistes, des autoroutes du ciel... Oh oui, tout le sommet de Pavonis Mons, la caldeira et le reste, serait un jour couvert par la grande cité du monde, qui grandissait, s'étendait toujours comme un champignon sur toutes les pierres du système solaire. Des milliards de gens, des trillions de gens, des quintillions de gens, tous aussi près de l'immortalité qu'il était possible de l'être...

Elle secoua la tête, profondément troublée. Les radicaux de Lastflow n'étaient pas son peuple ; pas vraiment. Mais, à moins qu'ils réussissent, le sommet de Pavonis et tous les autres endroits de Mars seraient engloutis dans la ville que serait un jour le monde. Elle esssaya de se concentrer sur la vue, s'efforça de ressentir l'impression formidable produite par la formation symétrique, l'amour de la roche dure sous ses fesses. Ses pieds pendaient dans le vide. Elle frappa le basalte des talons. Elle aurait pu lancer un caillou ; il serait tombé cinq mille mètres plus bas. Mais elle ne pouvait pas se concentrer. Elle ne le sentait pas. Pétrifiée. Si engourdie, depuis si longtemps... Elle renifla, s'ébroua, ramena ses pieds sur la marche de pierre. Et regagna son patrouilleur.

Elle rêva du glissement long. L'immense barrage mouvant avançait sur le fond de Melas Chasma, venait vers elle. Chaque détail se détachait avec une netteté irréelle. Une fois de plus, elle pensa à Simon, une fois de plus elle gémit et descendit de l'arête basse, faisant ce qu'il fallait, apaisant le mort qui était en elle, se sentant la mort dans l'âme. Le sol tremblait...

Elle se réveilla, par un effort de volonté crut-elle, courant, fuyant, mais une main la retint fermement par le bras.

– Ann, Ann, Ann!

C'était Nadia. Encore une surprise. Ann se redressa, désorientée.

– Où sommes-nous?

– A Pavonis, Ann. La révolution. Je suis venue te réveiller parce que le combat a éclaté entre les Rouges de Kasei et les Verts de Sheffield.

Le présent lui tomba dessus comme le glissement de terrain de son rêve. Elle arracha son bras à la poigne de Nadia, tendit la main pour attraper sa chemise.

– J'avais oublié de verrouiller mon patrouilleur?

– J'ai forcé la serrure.

– Ah!

Ann se leva, encore hébétée mais de plus en plus contrariée au fur et à mesure qu'elle prenait la mesure de la situation.

– Bon, que s'est-il passé?

– Ils ont lancé des missiles sur le câble.

– Ils ont fait ça! s'exclama-t-elle, le choc achevant de la réveiller. Et alors?

– Ça n'a pas marché. Le système de défense du câble les a interceptés. Ils ont pas mal de matériel là-haut, maintenant, et ils devaient être ravis d'avoir l'occasion de s'en servir. Les Rouges entrent actuellement à Sheffield par l'ouest, sans cesser d'envoyer des missiles. Les forces de l'ONU basées sur Clarke bombardent les premiers sites de lancement d'Ascraeus et menacent de frapper les forces armées au sol sans distinction. Ils n'attendaient que ça. Les Rouges pensent manifestement s'en sortir comme à Burroughs. Ils essaient de les pousser à se battre. C'est pour ça que je suis venue te voir. Ecoute, Ann, je sais que nous nous sommes beaucoup opposées. Je n'ai pas été très... patiente, je le reconnais, mais cette fois, ça va trop loin. Ça risque de mal finir. Si l'ONU décide que la situation est devenue anarchique et envoie des forces de la Terre dans le but de reprendre la situation en main...

– Où sont-ils ? croassa Ann.

Elle enfila une culotte, alla aux toilettes, Nadia sur les talons. Encore une surprise. A Underhill, ç'aurait été normal, mais il y avait longtemps que Nadia ne l'avait pas suivie aux toilettes, parlant de façon obsessionnelle pendant qu'Ann se débarbouillait et urinait.

– Ils sont encore basés à Lastflow, mais ils ont coupé la piste qui fait le tour du volcan et celle qui mène au Caire. Ça se bagarre à Sheffield Ouest et autour du Socle. Les Rouges contre les Verts.

– Je vois.

– Alors tu vas parler aux Rouges, tu vas les arrêter ?

Une soudaine rage s'empara d'Ann.

– C'est toi qui les as poussés à faire ça ! lui hurla-t-elle en pleine face, si bien que Nadia se heurta au chambranle de la porte en reculant.

Ann se leva, fit un pas vers Nadia en remontant sa culotte et continua à hurler :

– Toi, avec ton terraforming de merde ! Tu n'avais que ce mot à la bouche : vert, vert, vert, et il n'y avait pas à en démordre ! C'est autant ta faute que la leur, puisque c'est toi qui leur as ôté tout espoir !

– Admettons, fit Nadia du bout des lèvres, en écartant l'objection d'un geste éloquent : c'était le passé, ça n'avait plus d'importance et elle n'entendait pas laisser dévier la conversation. Mais tu vas essayer ?

Ann regarda cette vieille tête de mule, presque rajeunie par la peur, intensément motivée – vivante.

– Je ferai de mon mieux, répondit Ann d'un ton morne. Mais d'après ce que tu me dis, j'ai bien peur qu'il ne soit trop tard.

Il était trop tard, en effet. Le campement de patrouilleurs où s'était installée Ann était désert, et quand elle lança un appel général sur son bloc-poignet, elle n'obtint aucune réponse. Alors elle laissa Nadia et les autres mariner dans leur jus à Pavonis Est et partit avec son patrouilleur pour Lastflow, dans l'espoir d'y trouver certains leaders rouges. Ils avaient malheureusement évacué Lastflow et personne, sur place, ne savait où ils étaient allés. Les gens regardaient la télé dans les stations et les cafés, mais aucun réseau ne donnait d'infos sur les combats, même pas Mangalavid. Sa mauvaise humeur se teinta de désespoir. Elle aurait voulu faire quelque chose mais elle ne savait ni quoi ni comment. Elle lança une fois de plus un appel général et, à sa grande surprise, Kasei répondit sur sa longueur d'onde privée. Son visage, sur le minuscule écran, ressemblait tant à celui de John Boone, de façon si frappante que, déconcertée, Ann n'entendit pas tout de suite ce qu'il lui disait. Il avait l'air si heureux ! C'était John tout craché !

– ... devions le faire, lui disait-il, et Ann se demanda si elle l'avait interrogé à ce sujet. Si nous ne faisons rien, ils vont mettre ce monde en pièces. Ils vont le cultiver jusqu'au sommet des quatre grands.

Cela faisait tellement écho à ce qu'elle s'était dit au bord de la caldeira qu'elle éprouva une nouvelle secousse, mais elle reprit son empire sur elle-même et dit :

– Nous devons agir dans le cadre des discussions, Kasei, sinon nous allons déclencher une guerre civile !

– Nous sommes une minorité, Ann. Les cadres se fichent des minorités.

– Je n'en suis pas si sûre. C'est à ça que nous devons travailler. Et même si nous optons pour la résistance active, ça n'a pas besoin d'être ici et maintenant. Inutile que des Martiens tuent d'autres Martiens.

– Ce ne sont pas des Martiens.

Cette lueur dans son regard... Quelque chose dans son expression lui rappelait Hiroko, son éloignement par rapport au monde ordinaire. En cela, il ne ressemblait pas du tout à John. Le pire des deux parents... Ils avaient donc un nouveau prophète, qui parlait une nouvelle langue.

– Où es-tu, à présent ?

– A Sheffield Ouest.

– Et que vas-tu faire ?

– Prendre le Socle et détruire le câble. C'est nous qui avons les armes et l'expérience. Je ne pense pas que ça nous pose beaucoup de problèmes.

– Vous ne l'avez pas abattu au premier essai.

– Trop sophistiqué. Cette fois, nous nous contenterons de le sectionner.

– Je pensais que ce n'était pas comme cela qu'il fallait s'y prendre.

– Ça va marcher.

– Kasei, je pense que nous devrions négocier avec les Verts.

Il secoua la tête d'un air excédé, révolté de la voir se dégonfler au moment de passer à l'action.

– Nous négocierons quand le câble sera tombé. Ecoute, Ann, il faut que j'y aille. Ne reste pas dans la trajectoire.

– Kasei !

Mais il était parti. Personne ne l'écoutait plus, ni ses ennemis, ni ses amis, ni sa famille. Elle allait quand même être obligée d'appeler Peter. Il faudrait qu'elle tente à nouveau de raisonner Kasei. Il vaudrait mieux qu'elle soit sur place si elle voulait se faire entendre de lui comme elle avait réussi à le faire avec Nadia. Oui, elle en était là : pour qu'ils l'écoutent, elle devait maintenant leur crier sous le nez.

La crainte de rester coincée autour de Pavonis Est l'incita à poursuivre vers l'ouest à partir de Lastflow, en tournant dans le sens inverse des aiguilles d'une montre, comme la veille, afin de prendre les forces rouges à revers, ce qui, tout bien considéré, était probablement la meilleure approche. Lastflow était à cent cinquante kilomètres environ de la limite ouest de Sheffield, et tout en faisant rapidement le tour du cratère, juste en marge de la piste, elle tenta de joindre les diverses unités basées sur la montagne, en vain. La fréquence était brouillée par des parasites explosifs sans doute dus aux combats qui faisaient rage à Sheffield, et ces brutales éruptions de bruit blanc lui remirent en mémoire des souvenirs terrifiants de 61. Elle grimpa sur l'étroite banquette extérieure de la piste, plus lisse et qui permettait d'aller plus vite, et poussa le patrouilleur au maximum de sa vitesse – cent kilomètres heure, puis davantage. Elle roulait à tombeau ouvert, tiraillée entre l'espoir d'empêcher le désastre d'une guerre civile, l'impression que tout cela n'était qu'un terrible rêve et, par-dessus tout, l'angoisse d'arriver trop tard, trop tard. Elle arrivait toujours trop tard dans les situations de ce genre. Des champignons de vapeur blanche piquetés d'étoiles apparurent subitement dans le ciel, au-dessus de la caldeira. Des explosions dues, de toute évidence, à l'interception des missiles visant le câble et qui éclataient comme des fusées de feu d'artifice mouillées. Leur concentration était plus forte au-dessus de

Sheffield et spécialement dans la région du câble, mais ces nuages planaient sur tout le sommet du volcan, puis dérivaient vers l'est, emportés par le jet-stream. Certains de ces missiles étaient abattus très loin de leur cible.

Elle était tellement absorbée par la contemplation du combat silencieux qui faisait rage dans le ciel qu'elle faillit percuter la première tente de Sheffield, déjà crevée. Au fur et à mesure que la ville s'étendait vers l'ouest, de nouvelles tentes avaient été accolées aux précédentes, comme des coussins de lave. Les moraines de construction situées à l'extérieur de la dernière tente étaient à présent jonchées de pièces de matériau pareilles à des échardes de verre, et la peau de la tente avait disparu entre les éléments de structure subsistants, en forme de ballon de football. En passant sur un agrégat de roches basaltiques, son patrouilleur se mit à tanguer violemment. Elle freina, s'approcha lentement de la paroi. Les portes du sas réservé aux véhicules étaient verrouillées. Elle enfila sa combinaison, son casque, et quitta son véhicule. Le cœur battant à rompre, elle se dirigea vers la paroi de la ville et entra dans Sheffield en passant par le trou.

Les rues étaient désertes. Des bouts de verre et de bambou, des briques cassées et des poutres de magnésium tordues jonchaient l'herbe des rues. A cette altitude, quand la tente était crevée, les bâtiments en surpression explosaient comme des ballons de baudruche. Les trous noirs des fenêtres béaient, pareils à des bouches de cadavres. Çà et là, le rectangle d'une fenêtre intacte gisait à terre, tel un grand bouclier de cristal. D'autres fois, c'était un corps au visage couvert de givre ou de poussière. Il y avait sûrement eu beaucoup de morts, les gens n'avaient plus l'habitude de penser à la décompression. C'était l'obsession des colons, dans le temps. Mais plus aujourd'hui.

Ann continua à marcher vers l'est.

– J'appelle Kasei, Dao, Marion ou Peter, répétait-elle inlassablement dans son bloc de poignet.

Mais personne ne répondait.

Elle suivit une rue étroite le long de la paroi sud de la tente. Le soleil aveuglant découpait des ombres noires, tranchantes. Certains bâtiments avaient résisté, leurs fenêtres étaient encore en place et il y avait de la lumière à l'intérieur. On ne voyait évidemment personne. Vers l'avant, le câble était à peine visible, balafre noire, se dressant à la verticale de Sheffield Est, telle une ligne géométrique matérialisée dans le monde réel.

La fréquence d'urgence des Rouges était un signal transmis sur une longueur d'onde fluctuante, synchronisée au moyen d'un codage. Ce système permettait d'éviter la plupart des méthodes de brouillage ; néanmoins, Ann fut surprise quand une voix croassante s'éleva de son poignet : « Ann, c'est Dao. Je suis là. »

Elle l'aperçut alors lui faisant de grands signes depuis la porte du sas de secours d'un bâtiment. Il s'activait avec un groupe d'une vingtaine de personnes autour de trois lance-missiles mobiles. Ann courut se glisser dans le sas à ses côtés.

– Il faut arrêter ça ! s'écria-t-elle.

Dao accusa le coup.

– Nous avons presque pris le Socle.

– Et après ?

– Ça, c'est à Kasei qu'il faut le demander. Il est là ; il part pour Arsiaview.

L'un des missiles fusa avec un sifflement étouffé dans l'air raréfié. Dao se remit à la tâche. Ann repartit au trot, en prenant soin de raser les murs. C'était risqué, mais elle se fichait pas mal de se faire tuer ; en cet instant, elle n'avait peur de rien. Peter était là, à Sheffield, à la tête des révolutionnaires verts. Ils avaient réussi à garder les forces de sécurité de l'ATONU prisonnières du câble et sur Clarke. Ce n'étaient donc pas du tout les jeunes manifestants pacifistes, les indigènes frustrés pour lesquels Kasei et Dao semblaient les prendre. Ses enfants spirituels montant une attaque sur le seul vrai fils de sa chair, et manifestement sûrs d'avoir sa bénédiction... Comme ils l'avaient naguère eue. Mais à présent...

Elle était à bout de souffle et dégoulinante de sueur, sous sa combinaison. Elle dut se sermonner pour continuer sa course. Près de la paroi sud de la tente, elle tomba sur une petite flottille de patrouilleurs camouflés en rocher appartenant aux Rouges : des Tortues sorties des usines automobiles d'Acheron. Mais personne ne répondit à ses appels, et quand elle se rapprocha, elle remarqua le pare-brise criblé de trous, sous l'auvent de pierre. Les passagers, s'il y en avait eu, devaient être morts. Elle courut vers l'est, toujours collée à la paroi de la tente, indifférente aux débris qui roulaient sous ses pieds, sentant monter la panique en elle. Elle se rendait bien compte qu'elle faisait une proie facile pour un tireur embusqué, mais elle devait trouver Kasei. Elle tentait un nouvel appel général lorsque son bloc-poignet bippa. C'était Sax.

– Il n'est pas logique de lier le destin de l'ascenseur et la finalité du terraforming, disait-il comme s'il s'adressait à plusieurs personnes et pas seulement à elle. Le câble pourrait être amarré à une planète quasiment froide.

C'était le Sax de toujours, plus Sax que nature. Puis il dut remarquer qu'elle était connectée, car il braqua un regard de hibou myope sur la petite caméra de son bloc-poignet et dit :

– Ecoute, Ann, nous pouvons prendre l'histoire par le bras et le lui péter... l'emporter. Emporter le morceau.

Le Sax d'autrefois n'aurait jamais dit une chose pareille. Il n'aurait pas non plus bavardé comme ça avec elle, l'air affolé et implorant, à bout de nerfs. L'une des visions les plus terrifiantes qu'elle ait jamais eues, en fait.

– Ils t'aiment, Ann. C'est ce qui peut nous sauver. Les histoires émotionnelles sont les vraies histoires. Les bassins hydrographiques du désir et de la déshérence... la déférence. Tu es... tu incarnes certaines valeurs pour les indigènes. Tu n'y peux rien. Il faut faire avec. Je l'ai fait à Da Vinci, et ça s'est révélé... utile. Maintenant c'est ton tour. Tu dois le faire. Il le faut, Ann. Pour cette fois seulement, rejoins-nous. Serrons-nous les coudes, ensemble ou séparément. Utilise ton image.

Elle n'en revenait pas d'entendre ces paroles dans la bouche de Saxifrage Russell. Puis un changement s'opéra en lui; il parut reprendre le dessus.

– ... la procédure logique consiste à établir une sorte d'équation définissant les intérêts conflictuels.

Sax, tel qu'en lui-même...

Mais son bloc-poignet bippa à nouveau. Elle coupa Sax, prit la communication. C'était Peter qui l'appelait sur la fréquence rouge codée. Il avait un air sombre qu'elle ne lui avait jamais vu.

– Ann! fit-il en regardant intensément son bloc-poignet. Ecoute, mère, je veux que tu arrêtes ces gens!

– Ne m'appelle pas *mère*! lança-t-elle sèchement. Et c'est ce que j'essaie de faire. Tu peux me dire où ils sont?

– Tu parles! Ils viennent d'entrer à Arsiaview. Ils traversent la tente. On dirait qu'ils essaient d'atteindre le Socle par le sud... Bien, fit-il d'une voix tendue comme si on venait de lui transmettre un message, hors du champ de la caméra-bracelet. Ann, écoute, je peux te passer Hastings, sur Clarke? Si tu lui dis que tu essaies de mettre fin à l'attaque des Rouges, il croira peut-être qu'il ne s'agit que d'une poignée d'excités et il n'interviendra pas. Il fera n'importe quoi pour protéger le câble et j'ai peur qu'il soit prêt à nous massacrer tous autant que nous sommes.

– Je vais lui parler.

Tout à coup, il fut là, revenant d'un lointain passé, d'un temps qu'elle croyait à jamais enfui. Elle le reconnut pourtant aussitôt, avec son visage en lame de couteau. Il semblait exténué, furieux, prêt à mordre. Qui aurait pu supporter des pressions si énormes au cours des cent dernières années? Personne. C'était le passé qui revenait, voilà tout.

– Je suis Ann Clayborne, dit-elle, et comme il la regardait de travers elle se hâta d'ajouter : Les combats qui se déroulent actuellement en cet endroit ne représentent pas la politique du parti rouge, je veux que vous le sachiez. (Elle sentit son estomac se nouer alors qu'elle prononçait ces paroles, et un reflux acide lui brûla la gorge mais elle poursuivit.) Ils sont le fait d'un groupe de dissidents qui se donnent le nom de Kakaze. Ce sont eux qui ont fait sauter la digue de Burroughs. Nous essayons de mettre fin à leurs agissements, et nous espérons y parvenir d'ici la fin de la journée.

C'était le plus effroyable chapelet de mensonges qu'elle ait jamais débité. Elle eut l'impression que Frank Chalmers était revenu et s'exprimait par sa bouche. L'idée qu'elle avait articulé ces paroles lui était odieuse. Elle coupa la communication avant que son visage ne trahisse les ignominies qu'elle vomissait. Hastings disparut sans avoir dit un mot, et son visage fut remplacé par celui de Peter. Il ignorait qu'elle était revenue en ligne. Elle l'entendait, mais sa caméra-bracelet était braquée sur un mur.

– S'ils n'arrêtent pas d'eux-mêmes, il faudra que nous les y forcions, ou c'est l'ATONU qui le fera, et ce sera la fin des haricots. Préparez-vous à lancer la contre-attaque. Je fais passer la consigne.

– Peter ! dit-elle sans réfléchir.

L'image du petit écran pivota et recadra son visage.

– Occupe-toi d'Hastings, hoqueta-t-elle, à peine capable de le regarder, ce traître. Je me charge de Kasei.

Arsiaview était la ville la plus australe de Mars. Elle était pleine de fumée, montant au-dessus de leurs têtes en longues volutes amorphes, révélant les schémas de ventilation de la tente. Des sirènes retentissaient un peu partout, assourdissantes dans l'air dense, et des éclats de plastique transparent arrachés à la bâche étaient éparpillés sur l'herbe des rues. Ann passa en titubant devant un corps recroquevillé comme les êtres momifiés dans la cendre de Pompéi. Arsiaview était une ville tout en longueur, et il n'était pas évident d'y trouver son chemin. Elle ne savait pas très bien où aller. Le sifflement des lance-missiles l'attira vers l'est et vers le Socle, l'aimant de toute cette folie, qui déversait sur eux la folie de la Terre.

Il y avait peut-être une idée là-dedans... Les défenses du câble semblaient capables de résister aux missiles légers des Rouges, mais s'ils réussissaient à anéantir complètement Sheffield et le Socle, l'ATONU n'aurait plus rien vers quoi descendre et peu importait alors que le câble continue à se balancer au-dessus de leurs têtes. C'était un plan qui ressemblait bien à celui qui avait marché à Burroughs.

Mais c'était un mauvais plan. Burroughs était dans les lowlands, où l'atmosphère était assez dense pour que les gens puissent vivre au-dehors, du moins un moment, alors que Sheffield était en altitude. Tout se passait comme s'ils se retrouvaient en 61, à une époque où un trou dans une tente était synonyme de mort pour la population soudain exposée aux éléments. Cela dit, la majeure partie de Sheffield était souterraine, constituée de nombreux étages empilés sur la paroi de la caldeira. La majorité des gens s'y étaient sans doute réfugiés, et si les combats devaient se dérouler là, ce serait terrible, un vrai cauchemar. D'un autre côté, en surface, les gens servaient de cible aux missiles tirés du câble. Non, ça ne marcherait jamais. On ne pouvait même pas voir ce qui se passait. Les explosions se rapprochaient du Socle. Les communications étaient brouillées par les parasites. Seuls ressortaient quelques mots isolés alors que le récepteur captait des bribes de fréquences codées qui revenaient cycliquement : « ... pris Arsiaview*pkkkk*... » « ... pas encore récupéré les IA, mais trois deux deux en abscisse sur huit*pkkk*... ».

Le câble dut essuyer un nouveau tir de missiles car Ann aperçut à cet instant dans le ciel une ligne ascendante de points lumineux éblouissants, parfaitement silencieux. Puis de gros fragments noirs, pareils à des véhicules incendiés, se mirent à pleuvoir sur les tentes autour d'elle, crevant la bâche transparente ou heurtant la structure invisible pour achever leur course sur les bâtiments dans un bruit d'enfer malgré la faible densité de l'air et les tentes qui étouffaient les sons. Le sol se mit à trembler et à vibrer sous ses pieds tandis que les débris tombaient de plus en plus loin. A tout instant, pendant ces interminables minutes, la mort aurait pu s'abattre sur elle, mais elle resta là, la tête levée vers les ténèbres du ciel, à attendre que ça passe.

Le calme revint. Elle s'aperçut qu'elle avait bloqué sa respiration, et elle reprit son souffle. Peter avait le code rouge, aussi composa-t-elle frénétiquement son numéro, mais elle n'entendit que des parasites. Puis, alors qu'elle diminuait le volume du son, elle saisit quelques phrases hachées : Peter décrivant les mouvements des Rouges aux forces vertes, ou peut-être même à l'ATONU. Lui permettant donc de retourner sur eux les missiles du système de défense du câble. Oui, c'était bien la voix de Peter, entrecoupée de décharges d'électricité statique. Ordonnant les tirs. Puis il n'y eut plus que du bruit blanc.

De soudains éclairs de lumière firent un placage d'argent sur la partie inférieure du câble, au pied de l'ascenseur, puis il redevint noir. Un concert de sirènes et de sonneries éclata. Toute la fumée fut chassée vers l'extrémité est de la tente. Ann prit une ruelle orientée nord-sud et s'assit par terre, le dos collé au mur aveugle d'un bâtiment. Des détonations, des bruits de casse, le souffle du vent. Puis le silence du vide presque absolu.

Elle se releva et reprit ses déambulations. Où allait-on quand des gens se faisaient tuer? Retrouver ses amis, si on en avait. Si on arrivait à les reconnaître.

Elle fit un effort sur elle-même et décida de se rendre là où Dao lui avait indiqué où trouver le groupe de Kasei, tout en se demandant où ils avaient pu aller ensuite. Hors de la ville, peut-être. Mais, une fois à l'intérieur, ils avaient pu essayer de passer dans la tente suivante, à l'est, de les prendre l'une après l'autre, en enfilade, et de les décompresser afin d'obliger tout le monde à descendre. Elle resta dans la rue parallèle à la paroi de la tente en courant aussi vite que possible. Elle était en bonne forme physique, mais c'était ridicule, elle n'arrivait pas à reprendre son souffle et elle était en nage. La rue était déserte, plongée dans un silence angoissant. Il lui était difficile de croire que le combat faisait rage autour d'elle et rigoureusement impossible d'imaginer qu'elle retrouverait jamais ceux qu'elle cherchait.

Ils étaient pourtant là. Droit devant elle, dans les rues entourant un parc triangulaire, silhouettes casquées, en combinaison, manœuvrant des lance-missiles mobiles et tirant à l'arme automatique sur des adversaires invisibles dans un bâtiment dont la façade était couverte de silex noir. Des brassards rouges, des Rouges...

Un éclair aveuglant, et elle se retrouva plaquée à terre, les oreilles bourdonnantes. Collée au pied d'un bâtiment, contre une paroi de pierre polie. Du jaspe rouge strié de bandes noires d'oxyde de fer. Joli. Elle avait mal au dos, aux fesses, à l'épaule et au coude. Mais rien de grave. Elle pouvait bouger. Elle se retourna tant bien que mal pour scruter les environs du parc triangulaire. Des choses brûlaient dans le vent. Faute d'oxygène, les flammes réduites à de petites langues orange s'éteignaient déjà. Les silhouettes qu'elle avait vues là-bas gisaient à terre comme des poupées disloquées, les membres tordus dans des positions grotesques. Elle se leva et courut vers le plus proche, attirée par une tête aux cheveux gris, familière, qui avait perdu son casque. C'était Kasei, le fils unique de John Boone et d'Hiroko Ai, un côté du visage ensanglanté, les yeux grands ouverts. Il ne respirait plus. Il l'avait prise trop au sérieux. Et ses adversaires pas assez. Sa blessure dévoilait sa canine de pierre rose. En la voyant, Ann étouffa un sanglot et se détourna précipitamment. Quel gâchis. Ils étaient morts tous les trois, maintenant.

Elle s'accroupit et défit le bloc-poignet de Kasei. Il avait probablement une fréquence directe avec le Kakaze. Elle regagna l'abri d'un bâtiment d'obsidienne étoilée de grands éclats blancs, composa le code d'appel général et dit : « Ici Ann Clayborne. Appel à tous les Rouges. Tous les Rouges. Ici Ann Clayborne. La prise de Sheffield a échoué. Kasei est mort. Les pertes sont énormes. Toute tentative d'attaque sur la ville est vouée à l'échec. Elle aurait pour seul résultat d'amener les forces de sécurité de l'ATONU à redescendre sur la planète. » Elle se mordit la langue pour ne pas leur dire à quel point le plan était stupide depuis le départ. « Ceux d'entre vous qui le peuvent, quittez la montagne. A tous ceux qui sont à Sheffield : repartez vers l'ouest, sortez de la ville et évacuez la montagne. Ici Ann Clayborne... »

Plusieurs accusés réception arrivèrent et elle les écouta distraitement tout en retournant vers l'ouest et son patrouilleur. Elle retraversa Arsiaview sans faire la moindre tentative pour passer inaperçue. Si elle devait se faire tuer, elle se ferait tuer, mais elle n'y croyait pas. Elle était à l'abri sous les grandes ailes noires d'une espèce d'ange gardien qui la protégeait de la mort, quoi qu'il arrive, l'obligeant à contempler les cadavres de tous ceux qu'elle connaissait et de la planète qu'elle aimait. C'était son destin. Eh oui. Et maintenant Dao et son équipe étaient morts, ils gisaient dans des mares de sang, leur propre sang. Elle les avait ratés de peu.

Puis, dans un large boulevard, sous une rangée de tilleuls, elle tomba sur un autre groupe de cadavres, pas des Rouges, cette fois, ils portaient des bandeaux verts autour du front, et l'un d'eux ressemblait à Peter, c'était son dos – elle s'approcha comme dans un cauchemar, les jambes flageolantes, poussée par elle n'aurait su dire quelle force, et resta un instant debout près du cadavre. Elle finit par en faire le tour. Ce n'était pas lui. Un grand indigène aux épaules larges, comme Peter, le pauvre. Un garçon qui aurait vécu mille ans.

Elle retrouva son petit patrouilleur sans incident, se mit au volant et se dirigea vers la gare, à l'ouest de Sheffield. Une piste descendait le long de la pente sud du volcan, suivant le pli anticlinal séparant Pavonis et Arsia. En la voyant, elle imagina un plan d'une simplicité élémentaire, qui avait une chance de marcher grâce à cette simplicité même. Elle composa la fréquence des Kakaze et leur donna ses instructions, pour ne pas dire ses ordres. Courez, dispersez-vous. Descendez dans la passe, contournez Arsia par l'ouest, en prenant garde à rester au-dessus de la ligne de neige, puis tâchez de gagner l'extrémité supérieure d'Aganippe Fossa, un long canyon rectiligne où se trouve un refuge secret de Rouges, une habitation troglodyte dans la paroi nord. Là, vous pourrez vous terrer et commencer une longue campagne clandestine contre les nouveaux maîtres de la planète. L'AMONU, l'ATONU, les métanats, Dorsa Brevia... Rien que des Verts.

Elle essaya d'appeler Coyote, fut légèrement surprise de l'entendre répondre. Elle comprit alors qu'il était aussi à Sheffield. Soulagé d'être en vie, sans doute, mais son visage sillonné de rides était convulsé de rage.

Ann lui parla de son plan. Il acquiesça.

– Au bout d'un moment, il faudra qu'ils aillent plus loin, dit-il.

Ann ne put se retenir.

– C'était stupide d'attaquer le câble !

– Je sais, acquiesça Coyote avec lassitude.

– Tu n'as pas essayé de les en dissuader ?

– Si, répondit-il en se rembrunissant encore. Kasei est mort ?

– Oui.

Le visage de Coyote se crispa comme s'il allait pleurer.

– Seigneur... Les salauds !

Ann ne savait que dire. Elle ne connaissait pas bien Kasei, ne l'aimait pas beaucoup. Alors que Coyote l'avait vu naître, dans la colonie cachée d'Hiroko. Quand il était petit, il l'emmenait dans ses expéditions furtives, d'un bout à l'autre de Mars. Des larmes dévalaient les joues crevassées de Coyote. Ann serra les dents.

– Tu pourrais les emmener à Aganippe ? demanda-t-elle. Je m'occupe des gens de Pavonis Est.

Coyote hocha la tête.

– Compte sur moi pour les faire descendre en vitesse. On se retrouve à la gare Ouest.

– Je vais les prévenir.

– Les Verts vont t'en vouloir à mort.

– Qu'ils aillent se faire foutre, les Verts !

Une partie du Kakaze se faufila dans la gare Ouest de Sheffield, dans un crépuscule morne, fumeux. De petits groupes de gens aux yeux hagards dans des faces blêmes de colère, portant des combinaisons noires de crasse. Quel gâchis. Ils n'étaient plus que trois ou quatre cents à partager les mauvaises nouvelles du jour. En voyant Coyote se glisser à l'arrière, Ann se leva et parla de façon à être entendue de chacun d'eux, consciente comme elle ne l'avait jamais été de sa position de première Rouge. De ce que ça signifiait à présent. Ces gens avaient cru en elle, et ils étaient là, battus et encore heureux d'être en vie, des amis morts dans tous les coins de la ville, à l'est.

– Qu'est-ce qui vous a pris de donner l'assaut? s'écria-t-elle, incapable de se retenir plus longtemps. Ça a marché à Burroughs, mais la situation était différente. Ici, c'était une idée déplorable. Des gens qui auraient pu vivre mille ans sont morts. Le câble ne valait pas ça. Nous allons être obligés de retourner dans l'underground et de guetter la prochaine occasion, la prochaine véritable occasion.

Ses paroles suscitèrent des réactions véhémentes, des cris de rage.

– Non, non! Jamais! Il faut abattre le câble!

Ann attendit qu'ils se taisent. Puis elle leva la main et le silence revint lentement.

– Attaquer les Verts maintenant se retournerait contre nous à coup sûr. Ça ne servirait qu'à donner aux métanats un prétexte pour revenir. Et ce serait bien pire que de devoir composer avec un gouvernement d'indigènes. Avec les Martiens, au moins, on peut discuter. La partie environnementale des accords de Dorsa Brevia nous donne certains moyens d'action. Nous n'aurons qu'à continuer à faire de notre mieux. Repartir d'un bon pied, ailleurs. Vous avez compris?

Ce matin, ils n'auraient pas compris. Et ils n'en avaient pas plus envie maintenant. Elle fit taire les protestations d'un regard. Le fameux regard foudroyant d'Ann Clayborne... Beaucoup d'entre eux avaient rejoint la lutte à cause d'elle, à l'époque où l'ennemi était l'ennemi et la lutte souterraine une véritable alliance de travail efficace, souple et non exempte de fissures, mais dont tous les éléments étaient plus ou moins du même côté.

Ils baissèrent la tête, admettant à leur corps défendant que si Clayborne était contre eux, ils n'auraient plus de leader moral. Et sans elle – sans Kasei, sans Dao – face à la masse des Verts indigènes, solidement unis, eux, sous la conduite de Nirgal, de Jackie, et de Peter, le traître...

– Coyote va vous faire quitter Tharsis, reprit Ann, une drôle de sensation au creux de l'estomac.

Elle quitta la pièce, sortit de la gare, franchit le sas et regagna son patrouilleur. Elle prit le bloc-poignet de Kasei resté sur le tableau de bord du véhicule, le lança à l'autre bout de l'habitacle et éclata en sanglots. Elle se glissa derrière le volant et s'efforça de reprendre son calme. Puis elle mit le contact et partit à la recherche de Nadia, de Sax et des autres.

Elle finit par les retrouver à Pavonis Est, dans le labyrinthe de hangars et d'entrepôts. Quand elle passa la porte, ils la regardèrent comme si l'attaque du câble avait été son idée, comme si elle était personnellement responsable de tous les désastres qui avaient pu se produire non seulement ce jour-là mais depuis le début de la révolution. Ils la regardèrent comme ils l'avaient regardée après Burroughs, en fait. Peter était là, le fourbe, et elle se détourna de lui. Elle tenta aussi d'ignorer les autres, Irishka, l'air terrifiée, Jackie, les yeux rouges et folle de rage. Son père avait été tué ce jour-là, après tout, et bien qu'elle soit dans le camp de Peter, et donc en partie responsable de la réaction meurtrière à l'offensive des Rouges, il était clair à la voir qu'on lui paierait ça. Ann les ignora tous, elle alla voir Sax qui était assis devant un écran, dans son cagibi, tout au bout de la grande salle. Il lisait de longues colonnes de chiffres en marmonnant des choses à son IA. Ann passa la main entre son visage et l'écran, et il leva les yeux, surpris.

Chose étrange, il était le seul de toute la bande à ne pas donner l'impression de lui en vouloir. En fait, il la regarda en inclinant légèrement la tête sur le côté, avec une curiosité d'oiseau qui ressemblait presque à de la sympathie.

– C'est bête pour Kasei, fit-il. Et pour les autres. Je suis content que vous vous en soyez sortis, Desmond et toi.

Elle lui raconta rapidement, à voix basse, où elle avait envoyé les Rouges et ce qu'elle leur avait dit de faire.

– Je pense pouvoir les empêcher de tenter d'autres attaques directes sur le câble, ajouta-t-elle. Et tout acte de violence, à court terme au moins.

– Bien, répondit Sax.

– Mais c'est donnant, donnant, reprit-elle, et si tu ne me donnes pas ce que je veux, je leur lâche la bride et tu les auras sur le dos jusqu'à la fin des temps.

– La soletta ? avança-t-il.

Elle ouvrit de grands yeux. Il avait dû l'écouter plus attentivement qu'elle ne le croyait.

– Oui.

Il fronça les sourcils comme s'il réfléchissait intensément.

– Ça pourrait provoquer une sorte d'ère glaciaire, dit-il enfin.

– Tant mieux.

Il la regarda tout en réfléchissant. Elle pouvait voir les rouages cliqueter dans son cerveau, par éclairs rapides ou par spasmes : une ère glaciaire, l'atmosphère raréfiée, le terraforming ralenti, les nouveaux écosystèmes détruits – peut-être compensés –, les gaz de serre. Et ainsi de suite, de proche en proche. C'était presque amusant de lire à livre ouvert sur le visage de cet étranger, de voir ce frère haï chercher une échappatoire. Mais il aurait beau chercher, la chaleur était le moteur principal du terraforming, et sans la soletta, Mars en serait réduite à son niveau normal d'ensoleillement, donc ramenée à un rythme plus « naturel ». Les choses étant ce qu'elles étaient, il se pouvait que la stabilité inhérente à cette approche séduise même ce conservateur de Sax.

– D'accord, dit-il.

– Tu peux t'engager pour eux ? demanda-t-elle avec un mouvement dédaigneux du menton par-dessus son épaule en direction des autres, comme si ses plus vieux compagnons n'étaient pas parmi eux, comme si c'étaient des technocrates de l'ATONU, des fonctionnaires de métanats.

– Non, répondit-il. Ça n'engage que moi, mais je sais comment faire pour nous débarrasser de la soletta.

– Tu le ferais contre leur volonté ?

– Je devrais pouvoir arriver à les convaincre, dit-il en fronçant les sourcils. Et dans le cas contraire, je sais que je peux compter sur l'équipe de Da Vinci. Ils aiment les défis.

– Entendu.

Elle se redressa. Elle savait qu'elle n'en tirerait rien de plus. Au fond, elle n'en revenait pas. Elle était sûre qu'il refuserait. Et maintenant qu'il avait accepté, elle se rendait compte qu'elle était encore furieuse, écœurée. Cette concession, enfin obtenue, ne voulait rien dire. Ils trouveraient d'autres moyens de réchauffer l'atmosphère, et elle savait que Sax ferait valoir cet argument, entre autres : Laissez-lui la soletta, leur dirait-il, elle tient les Rouges en laisse. Et puis continuez votre boulot.

Elle quitta la salle sans un coup d'œil aux autres, sortit de l'entrepôt et récupéra son patrouilleur.

Pendant un moment, elle conduisit sans rien voir, sans même savoir où elle allait. Fiche le camp, c'est tout, fiche le camp de là. Elle partit aveuglément vers l'ouest et dut bientôt s'arrêter, ou elle serait passée par-dessus le bord du cratère.

Elle freina au dernier moment.

Encore abasourdie, un goût amer dans la bouche, les tripes nouées, tous les muscles tendus à en avoir mal, elle regarda par le pare-brise. Des panaches de fumée montaient de Sheffield et de Lastflow, mais aussi d'une douzaine d'endroits sur la large lèvre qui entourait la caldeira. Aucun signe du câble au-dessus de Sheffield, pourtant il était toujours là. La base était reconnaissable à un nuage de fumée plus dense qu'un vent âpre, léger, chassait vers l'est. Encore une bannière sur le pic, emportée par le jet-stream qui soufflait inlassablement. Le temps était un vent qui les emportait tous. Les volutes de fumée maculaient le ciel obscur, masquant par endroits les étoiles qui brillaient, innombrables, une heure avant le coucher du soleil. On aurait dit que le vieux volcan allait s'éveiller, qu'il sortait de son long sommeil et se préparait à entrer en éruption. A travers la fumée impalpable, le soleil était un disque rouge sang, éclatant, semblable à une planète primitive en fusion, qui, par contagion, maculait de rouille et d'écarlate les lambeaux de fumée épars. Mars la Rouge.

Sauf que Mars la Rouge avait disparu, s'était envolée, et ne reviendrait pas. Soletta ou pas, ère glaciaire ou non, la biosphère croîtrait, se multiplierait et finirait par tout recouvrir. Il y aurait un océan au nord, des lacs au sud, des rivières, des forêts, des prairies, des villes et des routes ; elle les voyait d'ici. Des torrents de boue s'abattraient des nuages blancs sur les antiques highlands, pendant que la populace indifférente construirait des villes à toute vitesse, le long fleuve de la civilisation engloutissant son monde.

DEUXIÈME PARTIE

Aréophanie

Pour Sax, ça ressemblait au moins rationnel des conflits : la guerre civile ; deux groupes qui avaient beaucoup plus d'intérêts en commun que de points de désaccord et qui se tapaient dessus quand même. On ne pouvait malheureusement pas obliger les gens à effectuer une analyse de rendement. Il n'y avait rien à faire. A moins... à moins d'identifier un problème crucial qui amenait l'un des camps, ou les deux, à recourir à la violence, et de tenter d'y remédier.

Dans ce cas précis, il était clair que le problème crucial était le terraforming. Un sujet auquel Sax était étroitement associé. On pouvait considérer cela comme un inconvénient, dans la mesure où un médiateur se devait, dans l'idéal, d'être neutre, mais d'un autre côté, ses actes parlaient en faveur de l'effort de terraforming. S'il faisait un geste, il prendrait beaucoup plus de valeur venant de lui. Il fallait faire une concession aux Rouges, une véritable concession, dont la réalité multiplierait la valeur symbolique par un facteur exponentiel incalculable. La valeur symbolique : c'était un concept que Sax s'efforçait désespérément de maîtriser. Il avait des problèmes avec toutes sortes de mots, maintenant, et il avait souvent recours à l'étymologie pour tenter de les cerner. Il jeta un coup d'œil à son bloc-poignet : symbole, « ce qui représente autre chose », du latin symbolum, *lui-même issu d'un mot grec signifiant « rapprocher ». Exactement. Cette notion de rapprochement lui était étrangère, c'était une notion émotionnelle, pour ainsi dire irréelle, et pourtant d'une importance vitale.*

L'après-midi de la bataille de Sheffield, il appela Ann. La communication fut brève. Il tenta de lui parler et n'y arriva pas. Ne sachant que faire, il prit un patrouilleur et alla la chercher au bord de la cité ravagée. Il était désespérant de voir les dégâts que pouvaient faire quelques heures de combat. Des années de travail réduites en ruines fumantes. La fumée n'était pas composée de particules de matière cal-

cinée mais plutôt de fines cendres volcaniques en suspension, que le jet-stream emportait vers l'est. Le câble se dressait au milieu de ce désastre, ligne noire de filaments de nanotubes carboniques.

Les Rouges ne donnaient plus signe de résistance. Il n'avait donc aucun moyen de localiser Ann. Elle ne répondait pas à ses appels. Alors Sax retourna au complexe de Pavonis Est, en proie à un vif sentiment de frustration.

Il la vit tout de suite quand elle entra dans le grand entrepôt. Elle venait vers lui, fendant la foule comme si elle voulait lui plonger un poignard dans le cœur. Il songea avec désespoir que leurs relations se résumaient à une longue succession d'entretiens désagréables. Tout récemment encore, ils s'étaient chamaillés à propos du tracé de la ligne qui partait de la gare de Libya. Il se souvenait qu'elle avait évoqué la suppression de la soletta. Ce serait une déclaration symbolique d'une grande force. Et l'idée qu'un élément calorifique majeur du terraforming puisse être aussi fragile l'avait toujours mis mal à l'aise.

Alors quand elle avait dit : « C'est donnant, donnant », il avait cru comprendre à quoi elle pensait et il avait suggéré de retirer les miroirs avant qu'elle ne lui en parle. Elle n'en était pas revenue. Il lui avait coupé l'herbe sous le pied, et du coup, sa terrible colère était un peu retombée, la laissant en proie à quelque chose de beaucoup plus profond – du chagrin, du désespoir, comment savoir ? Il est vrai que beaucoup de Rouges étaient morts ce jour-là, et tous leurs espoirs avec. « Je suis désolé pour Kasei », avait-il dit.

Elle avait feint de ne pas l'entendre et lui avait arraché la promesse de supprimer les miroirs spatiaux. Il avait calculé la perte de lumière résultante et s'était retenu d'accuser le coup. L'insolation diminuerait de près de vingt pour cent. C'était énorme. « Ça pourrait provoquer une nouvelle ère glaciaire », avait-il marmonné. « Tant mieux », avait-elle répondu.

Mais elle n'était pas satisfaite. Sa concession ne lui avait apporté, au mieux, qu'une maigre consolation ; il l'avait compris en la voyant quitter la pièce, les épaules raides. Il espérait que ses troupes seraient plus faciles à contenter. En tout cas, il fallait le faire. Ça pourrait mettre fin à une guerre civile. Evidemment, un grand nombre de plantes mourraient, surtout en altitude, et tout l'écosystème en serait affecté à un degré ou à un autre. Une nouvelle ère glaciaire, ça ne faisait pas un pli. A moins qu'ils ne réagissent très efficacement. Mais si ça permettait de mettre fin aux combats, ça valait encore le coup.

Il aurait été simple de couper le grand anneau de miroirs et de le laisser dériver dans l'espace, hors du plan de l'écliptique. Il en allait de même avec la soletta : il aurait suffi d'allumer quelques-uns des moteurs-fusées de guidage et elle serait partie en tournoyant dans le vide comme un soleil de feu d'artifice.

Mais ce serait un gâchis de silicate d'alumine usiné, et cette idée déplaisait à Sax. Il décida d'étudier le moyen d'utiliser la réflexivité des miroirs et leurs fusées de guidage pour les propulser ailleurs dans le système solaire. La soletta pourrait être positionnée en face de Vénus, et ses miroirs réalignés de façon à former un immense parasol, ombrageant la planète chaude et amorçant le processus de décongélation de l'atmosphère. Il en était question dans la littérature depuis longtemps, et quels que soient les projets que l'on puisse formuler pour la suite du terraforming de Vénus, c'était une étape obligée. Après, le miroir annulaire pourrait être placé dans l'orbite polaire correspondante autour de Vénus, la lumière réfléchie contribuant à maintenir le parasol/soletta en position malgré la poussée des radiations solaires. Ils retrouveraient ainsi tous les deux une utilité, et ce serait encore un geste symbolique, un geste qui voudrait dire : « Regardez là-haut, ce grand monde est terraformable, lui aussi. » Ce ne serait pas facile, mais c'était envisageable. Ça permettrait aussi d'alléger un peu la pression psychologique qui pesait sur Mars, « la seule autre Terre possible ». Ce n'était pas logique, mais c'était sans importance. L'histoire était bizarre, les gens n'étaient pas rationnels, et dans la logique symbolique, particulière, du système limbique, ce serait un signe adressé à la Terre, un présage, un semis de graines psychiques, un rapprochement. Regardez ! Allez-y ! Et laissez Mars tranquille.

Alors il en parla aux astrophysiciens de Da Vinci, qui contrôlaient effectivement les miroirs. Les rats de labo, ou les saxaclones, comme on les appelait derrière leur dos et le sien (il l'entendait quand même). De jeunes chercheurs sérieux, nés sur Mars, dotés de tempéraments aussi divers et variés que tous les étudiants et tous les savants de n'importe quel laboratoire, en tout temps et en tout lieu. Mais les gens n'étaient pas à ça près. Ils travaillaient avec lui, c'étaient donc des saxaclones. Il était en quelque sorte devenu l'archétype du savant martien moderne : un rat de labo au poil blanc, un savant fou en chair et en os, dans son château-cratère plein d'Igors dingues, aux yeux fous mais aux manières circonspectes, comme de petits Mr Spock, les hommes aussi osseux et maladroits que des albatros au sol, les femmes drapées dans leur absence de couleur protectrice, leur chaste passion pour la science. Sax les aimait beaucoup. Il aimait leur dévotion à la recherche, elle avait un sens pour lui. Il comprenait leur avidité de comprendre, de mettre le monde en équations. C'était un désir sensé. En fait, il se disait souvent que tout irait mieux dans le monde s'il n'y avait que des savants. « Mais non, les gens aiment la notion d'univers plat parce qu'ils ont du mal à envisager un espace à courbure négative. » Allons, pas forcément. En tout cas, les jeunes indigènes de Da Vinci formaient un groupe puissant. L'underground s'appuyait beaucoup sur eux pour sa technologie, et comme Spencer s'y impliquait à fond, leur productivité était stupéfiante. Ils avaient mis la révolution au point, pour dire les choses telles qu'elles étaient, et ils contrôlaient maintenant *de facto* l'espace orbital martien.

C'est pourquoi la majorité d'entre eux manifestèrent leur mécontentement, ou du moins leur étonnement, quand Sax leur parla au cours d'une visioconférence de supprimer la soletta et le miroir annulaire. Il vit leur expression grimaçante. Ce n'est pas logique, capitaine. Mais la guerre civile n'était pas logique non plus. Et tout valait mieux que ça.

– Les gens risquent de râler, non? objecta Aonia. Les Verts?

– C'est sûr, acquiesça Sax. Mais nous vivons actuellement dans l'anarchie. Le groupe de Pavonis Est est peut-être une sorte de proto-gouvernement. C'est nous, à Da Vinci, qui contrôlons l'espace martien. Et ils peuvent toujours protester, si ça permet d'éviter la guerre civile...

Il leur exposa de son mieux l'aspect technique du problème. Ils se laissèrent absorber par les moyens de le résoudre et oublièrent rapidement le caractère choquant de l'idée. A vrai dire, en leur soumettant ce défi, il leur donnait un bel os à ronger. Ils s'attaquèrent si bien à la question que, quelques jours plus tard, ils en étaient aux détails de procédure concernant les instructions à donner aux IA, comme d'habitude. C'en était arrivé au point où, lorsqu'on avait une idée claire de ce qu'on voulait faire, il suffisait de dire aux IA : « Faites ci et ça, s'il vous plaît » – envoyez la soletta et le miroir annulaire en orbite autour de Vénus, et ajustez les pales de la soletta pour en faire un parasol qui abrite la planète des rayons du soleil –, ils calculaient les trajectoires, la mise à feu des moteurs-fusées, les angles à donner aux miroirs, et le tour était joué.

Les gens avaient peut-être acquis un pouvoir excessif. Michel parlait toujours de leurs nouveaux pouvoirs divins, et Hiroko, par ses actes, leur avait montré qu'on ne devait pas fixer de limite à ses applications, quitte à mépriser toute tradition. Sax lui-même avait un sain respect des traditions ; c'était une sorte de comportement de survie par défaut. Mais les technos de Da Vinci ne se souciaient pas plus de morale qu'Hiroko. Ils étaient dans une période de l'histoire où tout leur était ouvert, ils n'avaient de comptes à rendre à personne. Alors ils le firent.

Puis Sax alla trouver Michel.

– Je me fais du souci pour Ann.

Ils étaient dans un coin du vaste entrepôt de Pavonis Est où les mouvements et les clameurs de la foule leur assuraient une sorte d'intimité. Pourtant, après un coup d'œil alentour, Michel dit :

– Allons faire un tour.

Ils s'équipèrent et sortirent. Pavonis Est était un labyrinthe de tentes, hangars, ateliers, pistes, parkings, pipelines, réservoirs et silos. De dépotoirs, aussi, leurs détritus mécaniques éparpillés comme autant d'ejecta volcaniques. A travers ce capharnaüm, Michel mena Sax vers l'ouest, et ils arrivèrent rapidement au bord de la caldeira. Là, le désordre humain se retrouvait placé dans un contexte nouveau, plus vaste, et au terme de ce changement logarithmique, l'assemblage pharaonique d'artefacts faisait soudain figure de bouillon de culture.

Tout au bord du cratère, le basalte noirâtre, tacheté, était lézardé et plusieurs paliers concentriques s'étaient formés en contrebas les uns des autres. Une volée de marches permettait d'y accéder et le plus bas était muni d'une balustrade. Michel conduisit Sax vers la terrasse inférieure d'où on pouvait plonger le regard cinq kilomètres plus bas, mais le vaste diamètre de la caldeira la faisait paraître moins profonde. Loin au fond se dressait tout un pays rond. Sax songea à la petitesse de la caldeira par rapport à la masse énorme du volcan, et il lui sembla que Pavonis se cabrait sous ses pieds tel un continent conique dressé au-dessus de l'atmosphère de la planète et montant à l'assaut de l'espace. Le ciel violet à l'horizon était noirâtre au-dessus de leur tête, et le soleil, pareil à une pièce d'or à l'ouest, projetait des ombres obliques d'une parfaite netteté. Les poussières soulevées par les explosions étaient retombées, tout avait retrouvé sa clarté télescopique normale. La roche, le ciel et rien d'autre – que la rangée de constructions juchées sur la lèvre du cratère. La pierre, le ciel et le soleil. La Mars d'Ann. Hormis les bâtiments. Et sur Ascraeus, sur Arsia, sur Elysium et même sur Olympus, il n'y avait pas de bâtiments.

– Il serait facile de déclarer que tout ce qui se trouve au-dessus du kilomètre huit est zone naturelle, dit Sax. Et doit être préservé dans son état primitif.

– Et les bactéries ? objecta Michel. Les lichens ?

– Bah, sans doute. Mais est-ce que ça a de l'importance ?

– Ça en a pour Ann.

– Mais pourquoi, Michel ? Pourquoi est-elle comme ça ?

Michel haussa les épaules.

Au bout d'un long moment, il reprit :

– C'est sûrement plus complexe que ça, mais je pense que ça tient du refus de la vie. Elle s'est tournée vers la pierre comme si c'était une chose fiable. Elle a été martyrisée dans son enfance, tu le savais ?

Sax secoua la tête. Il essaya d'imaginer ce que ça pouvait vouloir dire.

– Son père est mort et sa mère s'est remariée quand elle avait huit ans, reprit Michel. Son beau-père lui a fait subir des sévices dès qu'il a mis les pieds chez elle. Quand elle a eu seize ans, elle est allée vivre chez la sœur de sa mère. Je lui ai demandé en quoi consistaient ces mauvais traitements, mais elle m'a répondu qu'elle n'avait pas envie d'en parler. Le viol, c'est le viol, disait-elle. Elle prétendait avoir presque tout oublié, de toute façon.

– Ça, je la crois.

Michel agita une main gantée.

– On en garde toujours plus de souvenirs qu'on ne pense. Plus qu'on ne voudrait, parfois.

Ils regardèrent un moment le fond de la caldeira.

– C'est difficile à croire, fit enfin Sax.

– Ecoute, il y avait cinquante femmes parmi les Cent Premiers, répondit Michel d'un ton morne. Il y a des chances pour que plus d'une d'entre elles ait été violentée au cours de son existence. Pas loin de dix ou quinze, si on en croit les statistiques. Violées, frappées, maltraitées... c'est comme ça.

– C'est difficile à croire.

– Oui.

Sax se rappelait avoir flanqué à Phyllis un coup dans la mâchoire qui l'avait mise knock-out, et en avoir éprouvé une certaine satisfaction. Il devait le faire; telle était du moins son impression sur le moment.

– Chacun a ses raisons. Ou croit en avoir, reprit Michel, et il tenta, selon sa bonne habitude, de tirer quelque chose de positif de ce qui était le mal à l'état pur. A la base de toute culture, il y a une réponse névrotique aux premières blessures psychiques de l'être humain. Avant la naissance et au tout début de la vie, l'individu connaît un bonheur océanique narcissique : il est l'univers. Puis, plus tard, à la fin de la petite enfance, il découvre qu'il est un être distinct de sa propre mère et de tout le monde. C'est un choc dont on ne se remet jamais complètement. Il peut se rabattre sur plusieurs stratégies névrotiques pour régler le problème. D'abord, se refondre dans la mère. Puis nier la mère, et transférer son idéal d'ego sur le père. Cette stratégie dure souvent jusqu'à la fin. C'est pourquoi, dans cette culture, les gens adorent leur roi, Dieu le père et ainsi de suite. L'ego idéal peut aussi se déplacer à nouveau vers des idées abstraites, ou la fraternité humaine. Il y a des tas de complexes dûment identifiés et qui ont fait l'objet de descriptions élaborées : les complexes de Dionysos, Persée, Apollon, Hercule. Tous sont névrotiques, dans la mesure où ils mènent à la misogynie, sauf le complexe de Dionysos.

– Encore un de tes carrés sémiotiques ? demanda Sax, un peu inquiet.

– Oui. Les complexes d'Apollon et d'Hercule décrivent assez bien les sociétés industrielles terrestres. Le complexe de Persée, les cultures primitives, avec de forts prolongements jusqu'à nos jours, évidemment. Trois organisations patriarcales. Elles déniaient l'aspect maternel, lié, dans le patriarcat, au corps et à la nature. Le féminin était l'instinct, le corps, la nature, alors que le principe masculin était la raison, l'esprit, la loi. Et c'est la loi qui gouvernait.

Sax, fasciné par tous ces rapprochements, ne put que dire :

– Et sur Mars ?

– Eh bien, sur Mars, il se peut que l'ego idéal retourne vers le maternel. Vers le dionysien, ou vers une sorte de réintégration post-œdipienne avec la nature que nous sommes encore en train d'inventer. Un nouveau complexe qui ne serait pas aussi susceptible de surinvestissement névrotique.

Sax secoua la tête. C'était stupéfiant de voir quel degré de complexité, d'élaboration, pouvait atteindre une pseudo-science.

Une compensation technique, peut-être ; une tentative désespérée pour ressembler davantage à la physique. Mais ils ne comprenaient pas que la physique, malgré sa complexité notoire, faisait toujours des efforts méritoires pour se simplifier.

Michel, en attendant, poursuivait son raisonnement. Le capitalisme était en corrélation avec le patriarcat, disait-il. C'était un système hiérarchique dans lequel la plupart des hommes étaient économiquement exploités, traités comme des animaux, empoisonnés, trahis, bousculés, massacrés. Et, même dans les circonstances les plus favorables, constamment menacés d'être jetés par-dessus bord, fichus dehors, réduits à la misère, incapables de nourrir leurs proches, affamés, humiliés. Certains prisonniers de ce déplorable système passaient la colère que leur inspirait leur sort sur le premier venu, même si c'était un être cher, la personne la plus susceptible de leur apporter du réconfort. C'était illogique et même stupide. Brutal et stupide, oui. Michel haussa les épaules. Il n'aimait pas la conclusion à laquelle l'avait mené cet enchaînement logique. Celle de Sax était que les actes des hommes prouvaient souvent, hélas, leur stupidité. Le système limbique se tortillait parfois dans certains esprits, poursuivait Michel, tentant de redresser la barre, de fournir une explication positive. L'adrénaline et la testostérone amenaient toujours une réponse de type combat ou fuite. Dans certaines situations désespérées, un circuit de satisfaction s'établissait dans l'axe encaisser/rendre les coups, et les hommes concernés devenaient insensibles non seulement à l'amour de leur prochain, mais aussi à leur intérêt personnel. Autant dire qu'ils étaient malades.

Sax se sentait lui-même un peu malade. En un quart d'heure à peine, Michel avait fait plusieurs fois le tour du mal inhérent à la nature humaine, et les hommes de la Terre avaient encore bien des comptes à rendre. Sur Mars, ils étaient différents. Il y avait pourtant des tortionnaires à Kasei Vallis, il était bien placé pour le savoir. Mais c'étaient des colons venus de la Terre. Malade. Oui, il se sentait malade. Les jeunes indigènes n'étaient pas comme ça, hein ? Un Martien qui tapait sur une femme ou molestait un enfant serait frappé d'ostracisme, écorché vif, peut-être même lynché, il perdrait sa maison, il serait exilé dans les astéroïdes et on ne le laisserait jamais revenir, n'est-ce pas ?

C'était une voie à explorer.

Puis ses pensées revinrent à Ann. A sa façon d'être. A sa dureté. A son obsession pour la science, les pierres. Une sorte de réponse apollinienne, peut-être. Se concentrer sur l'abstrait pour nier son corps, avec toutes ses souffrances. Peut-être.

– Qu'est-ce qui pourrait l'aider, à ton avis ? reprit Sax.

Michel haussa encore une fois les épaules.

– Je me suis posé la question pendant des années. Je pense que Mars l'a aidée. Je pense que Simon et Peter l'ont aidée. Mais ils ont toujours dû garder une certaine distance. Ils n'ont pas changé ce refus fondamental qui est en elle.

– Mais elle... elle aime tout ça, fit Sax en englobant la caldeira dans un grand geste. Elle l'aime vraiment. Elle n'est pas que négation, reprit-il en réfléchissant à l'analyse de Michel. Il y a du « oui » en elle aussi. Un amour de Mars.

– Tu ne trouves pas qu'aimer les pierres et pas les gens est une sorte de... déséquilibre ? De décalage ? Ann est une tête, tu sais...

– Je sais.

– Et elle a beaucoup fait. Mais elle n'a pas l'air satisfaite.

– Elle n'aime pas ce qui est en train d'arriver à son monde.

– Non. Mais est-ce que c'est vraiment ce qui lui déplaît ? Ou qui lui déplaît le plus ? Je n'en suis pas si sûr. Ça me paraît décalé, encore une fois. Un mélange d'amour et de haine.

Sax secoua la tête, sidéré. Comment Michel pouvait-il prendre la psychologie pour une sorte de science quand elle consistait, la plupart du temps, à opérer des rapprochements ? A voir l'esprit comme une machine à vapeur, l'analogie mécanique qui s'imposait lors de la naissance de la psychologie moderne. Les gens s'étaient toujours ingéniés à comparer l'esprit à autre chose : Descartes à une horloge, les premiers victoriens aux bouleversements géologiques, l'homme du XXe siècle à l'ordinateur ou à un hologramme, celui du XXIe siècle aux IA... et les freudiens orthodoxes à la machine à vapeur. La phase de chauffage, la montée en pression, le transfert de pression, la libération, tout cela transféré dans le refoulement, la sublimation, le retour du refoulé. Sax trouvait insensé qu'on puisse prendre la machine à vapeur comme modèle de l'esprit humain. L'esprit était plutôt... à quoi aurait-on bien pu comparer l'esprit humain ? A une écologie, à un fellfield ou à une jungle, peuplée par toutes sortes de bêtes étranges. Ou à un univers, plein d'étoiles, de quasars et de trous noirs. Bon, c'était peut-être un peu grandiose. En fait, c'était plutôt un ensemble complexe de synapses et d'axones, de jaillissements d'énergie chimique, comme un orage dans l'atmosphère. Une tempête dans le ciel. Le temps, voilà : les perturbations, les orages psychologiques, les zones de haute et de basse pression, les tourbillons – les jet-streams des désirs biologiques, puissants, changeants, tournant sans cesse... la vie dans le vent. Enfin... une sorte de conglomérat hasardeux. En réalité, on ne comprenait pas grand-chose à l'esprit.

– A quoi penses-tu ? lui demanda Michel.

– Il y a des moments où je me fais du souci, admit Sax. Je m'interroge sur les fondements théoriques de tes diagnostics.
– Ils sont très bien étayés empiriquement. Ils sont très précis, très exacts.
– A la fois précis et exacts ?
– Bah, c'est la même chose, non ?
– Non. En termes de mesure, la précision indique à combien on est de la valeur absolue. La précision, c'est la taille de la fenêtre de mesure. Si l'incertitude est de plus cent ou moins cinquante et que la valeur absolue est de cent un, ce n'est pas très précis, mais c'est tout à fait exact. Il arrive souvent, bien sûr, qu'on ne puisse pas déterminer vraiment la valeur absolue.
Une curieuse expression envahit le visage de Michel.
– Tu es un homme exact, Sax.
– Ce ne sont que des statistiques, répliqua Sax, sur la défensive. La langue permet parfois de dire les choses avec précision.
– Et exactitude.
– Parfois.
Ils scrutèrent du regard le pays de la caldeira.
– Je voudrais l'aider, reprit Sax.
Michel hocha la tête.
– Tu l'as déjà dit. Je t'ai répondu que je n'avais pas la réponse. Pour elle, tu es le terraforming. Pour que tu sois en mesure de l'aider, il faudrait que le terraforming l'aide. Tu ne vois pas comment le terraforming pourrait faire quelque chose pour elle ?
Sax réfléchit un moment.
– Il pourrait lui permettre de sortir. De se promener dehors sans casque, et même sans masque.
– Tu crois que c'est ce qu'elle veut ?
– Je pense que tout le monde en a envie, à un niveau ou à un autre. Au niveau du cervelet. L'animal qui est en nous, tu sais. Ça paraît normal.
– Je ne sais pas si Ann est très en phase avec ses sentiments animaux.
Sax rumina un instant. Tout à coup, le paysage s'obscurcit. Ils levèrent les yeux. Le soleil était un disque noir entouré d'une faible lueur, peut-être la couronne solaire. Tout autour, des étoiles brillaient.

Soudain, un croissant de feu les obligea à détourner le regard. C'était la couronne. Ce qu'ils venaient de voir était probablement l'exosphère illuminée.

Le paysage plongé dans l'obscurité s'éclaira à nouveau. L'éclipse artificielle avait pris fin. Mais le soleil était nettement plus petit que quelques instants auparavant. Le vieux bouton de bronze du ciel martien ! On aurait dit un ami revenu les voir. Le monde était plus sombre, toutes les couleurs de la caldeira avaient pris un ton plus soutenu, comme si des nuages invisibles avaient masqué le soleil. Une vision très familière, en fait – la lumière naturelle de Mars retrouvée après vingt-huit ans.

– J'espère qu'Ann a vu ça, fit Sax.

Il éprouva une soudaine sensation de froid, tout en sachant fort bien que la température de l'air n'avait pas eu le temps de baisser. Et puis, il portait un scaphandre. Mais il ferait plus froid. Il songea avec tristesse aux fellfields disséminés sur toute la planète, à quatre ou cinq kilomètres d'altitude, et plus bas, aux latitudes moyennes et supérieures. A la limite du possible, tout un écosystème avait désormais commencé à mourir. Une perte d'ensoleillement de vingt pour cent : c'était pire que n'importe quelle ère glaciaire terrestre ; ça ressemblait plus à l'obscurité consécutive aux grands événements qui avaient éteint toute vie sur Terre : les événements de la fin du Crétacé, de l'Ordovicien et du Dévonien, ou pire, la catastrophe du Permien, à l'issue de laquelle près de quatre-vingt-quinze pour cent des espèces vivantes de l'époque – il y a de cela deux cent cinquante millions d'années – avaient péri. Une rupture d'équilibre, et très peu d'espèces survivaient. Celles qui en réchappaient étaient très fortes. Ou bien elles avaient eu de la chance.

– Je doute que ça lui suffise, nota Michel.

Sur ce point, Sax était prêt à le suivre. Mais pour l'instant, il avait une autre idée en tête : il pensait au meilleur moyen de compenser la perte de lumière due à la disparition de la soletta afin de limiter les dégâts occasionnés aux biomes. Si les choses se passaient comme il l'espérait, Ann avait intérêt à s'habituer à ces fellfields.

C'était Ls 123, le milieu de l'été dans l'hémisphère Nord et de l'hiver dans le Sud. On approchait de l'aphélie qui, doublée de l'altitude supérieure, faisait que l'hiver était beaucoup plus froid au Sud qu'au Nord. La température tombait régulièrement à 230 degrés kelvin, c'est-à-dire à peu près au même niveau qu'à leur arrivée sur la planète. Maintenant que la soletta et le miroir annulaire avaient disparu, le thermomètre descendait encore. Pas de doute : il allait faire un froid record dans les highlands du Sud.

D'un autre côté, il était déjà tombé pas mal de neige au Sud, et Sax était très impressionné par la capacité qu'avait la neige de protéger les êtres vivants du froid et du vent. L'environnement demeurait relativement stable sous la neige. Il se pouvait que les plantes couvertes de neige, déjà blindées par le durcissement hivernal, souffrent moins qu'il le craignait de la baisse de luminosité, et donc de la température au niveau du sol. C'était difficile à dire. Il serait bien allé sur le terrain, s'en assurer par lui-même. Evidemment, il faudrait des mois, voire des années, avant que la différence soit quantifiable. Sauf peut-être au niveau du climat proprement dit. Et pour observer le climat, il suffisait de suivre les données météorologiques, ce qu'il faisait déjà. Il passait des heures devant des images satellites, des cartes isobariques du temps, à l'affût du moindre signe. Comme bien des gens, à commencer par les météorologues. C'était une diversion utile quand on venait lui reprocher d'avoir supprimé les miroirs, ce qui était arrivé si souvent pendant la semaine suivant l'événement qu'il en avait par-dessus la tête.

L'ennui, c'est que le temps sur Mars était tellement changeant qu'il était difficile de dire si la suppression des grands miroirs l'affectait ou non. Triste aveu de leur piètre compréhension de l'atmosphère, se disait Sax. Mais c'était comme ça. Le climat martien était un système violent, semi-chaotique, qui ressemblait à celui de la Terre par certains côtés, ce qui n'avait rien d'étonnant : c'était toujours une question de circulation d'air et d'eau autour d'une sphère tournant sur elle-même, et les forces de Coriolis étaient les mêmes partout, de sorte qu'ici, comme sur Terre, il y avait des vents d'est tropicaux, des vents d'ouest tempérés, des vents d'est polaires, des points d'ancrage du jet-stream et ainsi de suite. Mais c'était à peu près tout ce qu'on pouvait dire avec certitude du climat sur Mars. A part qu'il faisait plus froid et plus sec au Sud qu'au Nord. Qu'il y avait des endroits où il ne tombait jamais une goutte de pluie, sous le vent des hauts volcans ou des chaînes de montagnes. Qu'il faisait plus chaud à l'équateur et plus froid aux pôles. Mais ce genre d'observations évidentes était tout ce qu'on pouvait affirmer sans craindre de se tromper, en dehors de quelques schémas locaux, d'ailleurs généralement sujets à de grandes variations. C'était plus une question d'analyse statistique que d'expérience. Or ils n'avaient que cinquante-deux années martiennes de recul, pendant lesquelles l'atmosphère s'était considérablement densifiée, l'eau avait été pompée à la surface et beaucoup d'autres choses avaient changé, de sorte qu'il était assez difficile de définir des conditions normales ou moyennes.

En attendant, Sax avait du mal à se concentrer sur Pavonis Est. Les gens venaient le trouver sans cesse pour se plaindre de la disparition des miroirs, et la situation politique était d'une instabilité digne du climat martien. Une chose était claire, en tout cas : la suppression des miroirs n'avait pas suffi à amadouer tous les Rouges. Il ne se passait pas une journée qu'ils ne sabotent un projet de terraforming ou un autre, et la défense de ces projets donnait parfois lieu à de violents combats. Les infos de la Terre, que Sax se forçait à regarder une heure par jour, faisaient apparaître que certains groupes tentaient de régir la situation comme avant l'inondation, malgré l'opposition farouche d'autres groupes qui voulaient y voir un point de rupture dans l'histoire et tentaient de l'utiliser – à l'instar des révolutionnaires martiens – comme tremplin vers un ordre nouveau. Mais les métanationales n'étaient pas du genre à renoncer facilement et, sur Terre, elles menaient une guerre de tranchée, l'ordre de bataille du jour. Elles avaient la mainmise sur de vastes ressources, et ce n'était pas une misérable élévation de sept mètres du niveau de la mer qui allait leur faire quitter le devant de la scène.

Sax éteignit son écran après avoir passé une heure très déprimante, et rejoignit Michel dans son patrouilleur pour dîner.

– Il n'y a pas de nouveaux départs. Ça n'existe pas, dit-il en mettant de l'eau à bouillir.

– Même le Big Bang ? avança Michel.

– Si j'ai bien compris, d'après certaines théories, la... l'agrégation de l'univers primitif aurait été provoquée par l'agrégation primitive de l'univers précédent qui se serait effondré lors d'un Big Crunch.

– Pour moi, il y avait de quoi gommer toutes les irrégularités, non ?

– Les singularités sont étranges... hors de leur horizon événementiel, l'effet quantique permet l'apparition de certaines particules. Puis la dilatation cosmique, en propulsant ces particules vers l'extérieur, aurait causé de petits agrégats qui auraient grossi. (Sax se renfrogna. Voilà qu'il parlait comme les théoriciens du groupe de Da Vinci.) Mais je pensais à l'inondation, sur Terre. Qui n'est pas une altération aussi complète des conditions qu'une singularité, loin de là. En fait, il doit y avoir des gens là-bas qui ne veulent pas du tout y voir une rupture.

– Exact, fit Michel en riant, il n'aurait su dire pourquoi. Nous devrions aller voir sur place de quoi il retourne, tu ne crois pas ?

Alors qu'ils finissaient leurs spaghettis, Sax dit :

– J'ai envie d'aller sur le terrain. Je voudrais savoir si la disparition des miroirs a des effets visibles.

– Tu en as déjà vu un quand nous étions au bord du cratère : la baisse de luminosité, répondit Michel avec un haussement d'épaules.

– Certes, mais ça ne fait qu'accroître ma curiosité.

– Eh bien, nous garderons le fort pendant ton absence.

Comme si on devait physiquement occuper un espace donné pour être présent.

– Le cervelet ne renonce jamais, nota Sax.

Michel eut un grand sourire.

– C'est pour ça que tu veux y aller en personne.

Sax fronça le sourcil.

Avant de partir, il appela Ann.

– Je pars en expédition pour... pour Tharsis Sud pour-pour-pour examiner la limite supérieure de l'aréobiosphère. Tu veux venir avec moi ?

Elle hésita, prise de court. Sa tête oscilla d'avant en arrière pendant qu'elle réfléchissait à la proposition – la réponse du cervelet, six ou sept secondes avant sa réponse verbale consciente.

– Non.

Puis elle coupa la communication, l'air un peu effrayée.

Sax haussa les épaules, mal à l'aise. Il comprit que s'il voulait aller sur le terrain, c'était en partie parce qu'il espérait y emmener Ann, lui montrer lui-même les premiers biomes rocheux des fellfields. Lui faire voir comme ils étaient beaux. Lui parler. Quelque chose comme ça. L'idée de ce qu'il lui dirait s'il réussissait à l'emmener là-bas était pour le moins brumeuse. Juste lui montrer. Qu'elle *voie*.

Bah, on ne pouvait pas forcer les gens à voir les choses.

Il alla dire au revoir à Michel, dont tout le travail consistait à faire voir les choses aux gens. C'était sans doute l'origine de sa frustration quand il lui parlait d'Ann. Il y avait maintenant plus d'un siècle qu'il la suivait et elle n'avait pas changé. C'est tout juste si elle lui avait parlé d'elle. Sax ne pouvait s'empêcher d'avoir un petit sourire en y pensant. C'était on ne peut plus vexant pour Michel, qui aimait manifestement Ann. Comme tous ses vieux amis et patients, Sax compris. En ce qui concernait Michel, c'était un cas de conscience professionnelle. Il se devait de tomber amoureux de tous les objets de son « étude scientifique ». Tous les astronomes aimaient les étoiles. Enfin, qui sait...

Sax tendit la main, prit Michel par le gras du bras, et ce geste qui lui ressemblait bien peu, ce « changement de pensée », arracha un sourire de contentement à Michel. De l'amour, eh oui. Et d'autant plus que les cobayes étaient des femmes connues depuis des années, étudiées avec l'avidité de la recherche pure – ça, ça devait être un sacré sentiment. Et quelle intimité, qu'elles acceptent ou non de coopérer à ses travaux scientifiques ! En fait, il se pouvait qu elles lui paraissent encore plus ensorcelantes si elles refusaient de coopérer, de satisfaire sa curiosité. Après tout, si Michel voulait qu'on réponde à ses questions, qu'on y réponde de long en large même quand il ne demandait rien, il avait toujours Maya, Maya la trop humaine, qui l'avait mené en une pénible course d'obstacles à travers le système limbique, allant jusqu'à lui lancer des choses, à en croire Spencer. Après ce genre de symbolisme, le silence d'Ann pouvait se révéler très attachant.

– Prends bien soin de toi, fit Michel, le savant heureux, face à l'un de ses sujets d'étude.

Un sujet aimé comme un frère.

Sax prit un patrouilleur individuel et descendit le tablier abrupt, dénudé, de Pavonis Mons, puis franchit la passe entre Pavonis et Arsia Mons. Il contourna le vaste cône d'Arsia Mons par la face est, aride, traversa le flanc sud d'Arsia, la bosse de Tharsis, et se retrouva enfin dans les highlands disloquées de Daedalia Planitia. Cette plaine avait été un bassin d'impact géant, maintenant presque entièrement effacé par le soulèvement de Tharsis puis par les coulées de lave d'Arsia Mons et les vents inlassables, si bien qu'il ne subsistait que dans les observations et les déductions des aréologistes, et que l'imperceptible réseau radial d'ejecta était visible sur les cartes mais illisible sur place.

A première vue, le paysage était celui de toutes les highlands du Sud : un sol accidenté, crevassé, ravagé, criblé de cratères. Un paysage rocheux hostile. Les vieilles coulées de lave apparaissaient sous la forme de lobes de roche sombre, lisse, pareils à une houle qui montait et descendait. Le vent y avait creusé des sillons tantôt clairs, tantôt foncés, trahissant la présence de poussières d'une masse et d'une consistance variées : de longs triangles clairs sur les flancs sud-est des cratères et des rochers, des chevrons noirs sur les versants nord-ouest et des taches sombres dans les nombreux cratères sans lèvres. La prochaine tempête de sable redessinerait tous ces schémas.

Sax se glissait dans le creux des vagues de pierre avec l'exaltation du surfeur, descendre, descendre, remonter, descendre, descendre, remonter, tout en déchiffrant les peintures de sable qui étaient autant de cartes des vents. Plutôt qu'un patrouilleur camouflé en rocher, avec son habitacle bas, sombre, et qui avançait furtivement, comme un cafard, d'une cachette à l'autre, il avait préféré prendre un gros véhicule d'aréologiste à la cabine supérieure entièrement vitrée. Il éprouvait un immense plaisir à déambuler dans le grand jour diaphane, monter, descendre, remonter, redescendre sur la plaine sculptée par le sable, aux horizons étrangement lointains pour Mars. Pourquoi se serait-il caché ? Personne ne le pourchassait. Il était un homme libre sur une planète libre, il pouvait aller à sa guise. Il aurait pu faire le tour du monde avec son véhicule.

Il lui fallut près de deux jours pour mesurer l'impact de ce sentiment. Même alors, il ne fut pas sûr de le comprendre tout à fait. C'était une étrange sensation de légèreté qui lui retroussait souvent les commissures des lèvres en de petits sourires que rien ne justifiait. Il n'avait pas eu conscience jusque-là d'être particulièrement opprimé, mais il lui semblait l'avoir toujours été. Depuis 2061, peut-être, ou même avant. Soixante-six années de peur, ignorée, oubliée, mais toujours là, une sorte de crispation, une petite angoisse tapie au creux des choses.

– Yo-ho-ho ! Soixante-six bouteilles de peur sur le mur, soixante-six bouteilles de peur ! Prends-en une, fais-la passer à la ronde, yo-ho-ho ! Soixante-cinq bouteilles de peur sur le mur !

Fini, tout ça. Il était libre, dans un monde libre. Un peu plus tôt, ce jour-là, il avait vu, dans des interstices de la roche, les premières neiges briller d'un éclat liquide que la poussière n'altérerait jamais. Puis des lichens. Il s'enfonça dans l'atmosphère. Se demandant pourquoi ne pas poursuivre dans cette voie, à baguenauder librement dans ce monde qui était son laboratoire, et tous les autres avec lui, libres eux aussi !

C'était une sacrée sensation.

Ils pouvaient toujours discourir, sur Pavonis – et ailleurs –, et ils ne s'en priveraient sûrement pas. C'étaient des gens extraordinairement chicaniers. Etait-ce un problème sociologique ? Difficile à dire. En tout cas, ils devaient coopérer malgré leurs prises de bec, même sur la base d'une conjonction d'intérêts temporaire. Tout était temporaire, aujourd'hui. Tant de traditions avaient disparu, les plongeant dans ce que John appelait l'obligation de création. Et la création était difficile. Tout le monde n'était pas aussi doué pour créer que pour râler.

D'un autre côté, ils avaient certaines possibilités maintenant, en tant que groupe, en tant que... civilisation. La masse de connaissances scientifiques accumulées devenait vraiment importante et leur fournissait un arsenal de pouvoirs difficiles à appréhender, même dans les grandes lignes, par un seul individu. Or, bien ou mal compris, ça restait des pouvoirs. Des pouvoirs divins, comme disait Michel, même s'il n'était pas nécessaire d'exagérer ou d'y mêler un but. C'étaient des pouvoirs dans le monde matériel, réels bien que limités par la réalité. Ce qui ne devrait pas les empêcher – tel était du moins le sentiment de Sax – de favoriser, si on en faisait bon usage, l'émergence d'une civilisation humaine acceptable, en fin de compte, après des siècles d'efforts. Et pourquoi pas ? Pourquoi ne pas viser le plus haut possible ? Ils pouvaient répondre aux besoins de tous équitablement, guérir les maladies, retarder le vieillissement de façon à vivre mille ans. Ils pouvaient expliquer l'univers de la constante de Planck à la distance cosmique, du Big Bang à l'eschaton – tout cela leur était possible, c'était techniquement réalisable. Et quant à ceux qui pensaient que l'humanité avait besoin de l'aiguillon de la souffrance pour parvenir à la grandeur, eh bien, ils pouvaient toujours se replonger dans les tragédies dont Sax était sûr qu'elles étaient immortelles, et qui brassaient des notions comme l'amour perdu, l'amitié trahie, la mort, les mauvais résultats de laboratoire. En attendant, les autres s'acharnaient à bâtir une civilisation décente. C'était possible ! C'était stupéfiant, vraiment. Ils étaient arrivés à ce moment de l'histoire où on pouvait réellement dire que c'était possible. On avait peine à le croire, en fait. Sax restait dubitatif. En physique, quand on se trouvait confronté à une situation un tant soit peu extraordinaire ou unique, le doute surgissait aussitôt. Les probabilités étaient contre, il s'agissait d'un artefact ou d'une erreur de perspective, on devait toujours garder à l'esprit que les choses étaient plus ou moins constantes et qu'on vivait une époque moyenne – le fameux principe de médiocrité. Sax ne l'avait jamais trouvé très séduisant. Peut-être cela signifiait-il simplement que la justice était toujours accessible. En tout cas, c'était un moment extraordinaire, à portée de la main, juste derrière ses quatre vitres, brillant sous la caresse du soleil naturel. Mars et ses humains, libres et puissants.

Trop à la fois. S'évanouissant de ses pensées pour y resurgir. Alors, surpris et joyeux, il s'exclamait : « Ha ! Ha ! » Le goût de la soupe à la tomate et du pain : « Ha ! » Le violet poussiéreux du ciel au crépuscule : « Ha ! » Les reflets des instruments de bord dans les vitres noires : « Ha ! Ha ! Ha ! Oh, mon Dieu ! » Il était libre d'aller où il voulait. Libre d'agir à sa guise. Il le répéta tout haut à l'écran assombri de son IA : « Nous sommes libres d'agir à notre guise ! » C'était presque terrifiant. Vertigineux. Ka, comme auraient dit les yonsei. Ka, qui était censé être le nom de Mars pour le petit peuple rouge, du japonais *ka*, qui signifiait feu. On retrouvait ce mot dans plusieurs langues primitives, comme le proto-indo-européen; enfin, c'est ce que disaient les linguistes.

Il se coula doucement dans le grand lit pratiqué à l'arrière de la cabine et, la tête sur l'oreiller, bercé par le bourdonnement du chauffage électrique, il contempla les étoiles en ronronnant sous l'épaisse couverture qui gardait si bien la chaleur du corps.

Le lendemain matin, un système de hautes pressions arriva du nord-ouest et la température atteignit 262 degrés kelvin. Il était à cinq kilomètres au-dessus du niveau moyen, et la pression extérieure était de 230 millibars. Pas encore assez pour respirer à l'air libre; alors il enfila une combinaison chauffante, glissa une petite bouteille d'air comprimé sur ses épaules, plaça le masque sur son nez et sa bouche et mit des lunettes.

En dépit de cet attirail, lorsqu'il franchit la porte extérieure du sas et prit pied sur le sable de la surface, le froid intense le fit renifler et pleurer au point de lui brouiller la vue. Le vent lui sifflait aux oreilles, malgré le capuchon de sa combinaison. Mais les éléments chauffants étaient efficaces, et son corps étant tenu au chaud, son visage s'habitua peu à peu à la froidure.

Il resserra les cordons de son capuchon et s'aventura sur le sol en prenant garde à marcher sur les pierres plates. Il y en avait partout. A chaque pas ou presque il s'accroupissait pour inspecter les fissures dans lesquelles étaient nichés des lichens et des spécimens très dispersés d'autres formes de vie : des mousses, de petites touffes de carex, des brins d'herbe. Le vent soufflait très fort. Des bourrasques particulièrement violentes le giflaient quatre ou cinq fois par minute, entrecoupées par un vent furieux. La région devait être très ventée, avec les énormes masses d'air qui dérivaient vers le sud en contournant la masse de Tharsis. Des cellules de haute pression déversaient sûrement beaucoup d'humidité au pied du volcan, à l'ouest. L'horizon, de ce côté, était d'ailleurs assombri par une mer plate de nuages culminant à deux ou trois mille mètres et qui se fondaient avec le sol à une soixantaine de kilomètres de distance.

La résille des fissures et des creux, sous ses pieds, accueillait parfois un peu de neige. Elle était tellement dure qu'il aurait pu sauter dessus sans y laisser de trace. Des plaques de verglas, partiellement fondue puis regelées. Une dalle craquelée crissa sous ses bottes. Il s'aperçut qu'elle faisait plusieurs centimètres d'épaisseur et recouvrait de la poudreuse, ou des grêlons. Il avait les doigts gelés, malgré ses gants chauffants.

Il se releva et erra au hasard sur la roche. Des mares de glace occupaient le fond de certains creux plus profonds. Vers la mi-journée, il s'assit auprès d'une de ces mares et mangea une barre au miel et aux céréales en soulevant son masque à air. Altitude : quatre ou cinq kilomètres au-dessus du niveau moyen. Pression : 267 millibars. Une situation anticyclonique, en effet. Le soleil était bas sur l'horizon, au nord, tache brillante entourée d'étain.

La glace de la mare était bulleuse, craquelée ou blanchie par le givre, avec de petites fenêtres claires par lesquelles il distinguait le fond noir. La rive était un croissant de gravier avec des plaques d'humus brun où des végétaux noirs, morts, formaient une banquette miniature : la ligne de hautes eaux, apparemment, une plage de terre sur la plage de gravier. Le tout ne faisait pas plus de quatre mètres de long sur un mètre de large. Le gravier fin était de couleur terre de Sienne, ombre brûlée ou... Il faudrait qu'il consulte un nuancier. Plus tard.

La banquette de terre était piquetée de brins d'herbe groupés en rosettes vert pâle. Çà et là, des brins plus longs formaient des touffes. La plupart étaient gris pâle, morts. Juste au bord de la mare poussaient par plaques des plantes grasses vert foncé, au bord rouge sombre. En se fondant dans le rouge, le vert donnait une couleur à laquelle il n'aurait su donner de nom, un brun sombre, lustré, comme saturé par les deux couleurs qui le composaient. Décidément, il faudrait qu'il trouve un nuancier. C'est ce qu'il ne cessait de se répéter lorsqu'il se promenait à l'air libre. Certaines de ces feuilles bicolores abritaient des fleurs cireuses, ivoire. Plus loin, il remarqua des entrelacs de tiges rouges, hérissées d'épines vertes, pareilles à des algues marines en miniature. Toujours ce mélange de rouge et de vert, jusque-là, dans la nature, le regardant.

Une vibration distante, assourdie par le vent. Peut-être des roches éoliennes, ou des insectes. Des moucherons, des abeilles... Dans cette atmosphère, ils n'absorberaient qu'une trentaine de millibars de gaz carbonique. C'était peu, et la pression interne devrait suffire, dans la plupart des cas, à empêcher une absorption plus chargée en millibars. Pour les mammifères, ça ne marcherait pas aussi bien. Mais ils pourraient supporter vingt millibars de gaz carbonique, et, avec la vie végétale qui envahissait les régions basses de la planète, ce niveau pourrait être bientôt atteint. Alors ils pourraient se passer des bouteilles d'air comprimé et des masques faciaux. Lâcher des animaux en liberté sur Mars.

Dans l'imperceptible bourdonnement de l'air, il semblait entendre leurs voix, immanentes ou émergentes, portées par la prochaine grande vague de *viriditas*. Le murmure d'une conversation distante, le vent, la paix de cette petite mare sur sa lande rocheuse, le plaisir nirgalien qu'il prenait à se trouver dans ce froid glacial...

– Il faudrait qu'Ann voie ça... murmura-t-il.

Mais, encore une fois, depuis la disparition des miroirs spatiaux, tout ce qu'il voyait ici était probablement condamné. C'était la limite supérieure de la biosphère, et avec la diminution de la luminosité et de la chaleur, elle descendrait sûrement, de façon au moins temporaire, sinon définitive. Cette perspective ne lui disait rien qui vaille. Cependant, il croyait à la possibilité de compenser la baisse de luminosité. Après tout, le terraforming marchait bien avant la mise en place des miroirs; ils n'étaient pas indispensables. Et mieux valait ne pas dépendre de quelque chose de si précaire; autant s'en débarrasser maintenant que plus tard, quand leur disparition aurait risqué de faire périr de vastes populations animales et non plus seulement des plantes.

Ça n'en était pas moins un vrai gâchis. Enfin, en se décomposant les plantes mortes formeraient de l'engrais, et sans souffrir comme les animaux. Du moins le supposait-il. Qui pouvait dire ce que ressentaient les plantes? Quand on regardait de près les détails de leur articulation resplendissant comme des cristaux composés, elles étaient aussi mystérieuses que n'importe quelle autre forme de vie. En attendant, leur présence faisait de la plaine un vaste fellfield qui recouvrait les roches d'une lente tapisserie, faisait éclater les minéraux battus par les intempéries, se fondait en eux pour former les premiers sols. Un processus très lent. La moindre pincée d'humus était d'une immense complexité. Ce fellfield était la plus belle chose qu'il ait jamais vue.

Autant pour le temps. Tout ce monde s'érodait sous l'action du temps. Le temps qu'il faisait, celui qui passait. Le jeu de mots existait aussi en anglais. *Weathered*, disait-on. Le terme avait été employé pour la première fois dans ce sens en 1665, dans un livre sur Stonehenge : « *The weathering of so many Centuries of Years* ». La langue, première science, exacte encore que vague, ou multivalente. Rapprocher les choses. L'esprit en tant que temps. Ou usé par le temps.

Des nuages approchaient au-dessus des collines, à l'ouest. Leur base qui reposait sur une couche thermique était aussi plate que s'ils étaient accolés à une vitre. Des aurores boréales pareilles à de la laine filée ouvraient la voie à l'est.

Sax se leva et remonta sur le plateau. Hors du creux protecteur, le vent était d'une violence renversante et intensifiait le froid comme si la glaciation s'était abattue sur la planète. L'effet refroidissant du vent, évidemment. Mettons que la température soit de 262 degrés kelvin, si le vent soufflait à soixante-dix kilomètres à l'heure, avec des sautes bien supérieures, le facteur de refroidissement faisait chuter la température à l'équivalent de 250 degrés environ. Si c'était vrai – mais l'était-ce? –, il faisait vraiment trop froid pour se promener sans casque. Il commençait d'ailleurs à avoir les pieds et les mains engourdis. Son visage était insensibilisé comme si on lui avait plaqué un masque épais sur le devant de la tête. Il tremblait et il avait du mal à décoller ses paupières. Ses larmes gelaient sur ses joues. Il fallait qu'il regagne son véhicule.

Il avança péniblement sur l'étendue rocheuse, stupéfait du pouvoir refroidissant du vent. Il n'avait pas vérifié ce phénomène depuis son enfance, si jamais il l'avait expérimenté; en tout cas, il avait oublié combien il pouvait être efficace. Il gravit une ancienne coulée de lave en titubant dans la bourrasque et parcourut les environs du regard. Son patrouilleur était là, deux kilomètres plus haut, gros insecte d'un vert vif, luisant comme un vaisseau spatial. C'était une vision réconfortante.

Tout à coup, des flocons se mirent à filer horizontalement, lui fournissant une illustration spectaculaire de la vitesse du vent. Des granules de glace heurtèrent ses lunettes dans un cliquetis. Il baissa la tête et poursuivit sa marche en regardant la neige tournoyer autour des pierres. Il crut que ses lunettes étaient embrumées, tellement la neige était épaisse, mais après en avoir essuyé l'intérieur – opération que le froid glacial rendit extrêmement pénible –, il comprit que la buée était en fait dans l'air. De la neige fine, du brouillard, de la poussière, c'était difficile à dire.

Il repartit tant bien que mal. Lorsqu'il releva la tête, la neige tombait tellement dru qu'il ne voyait même plus son patrouilleur, mais que pouvait-il faire sinon continuer? C'était une chance que sa combinaison soit bien isolée et garnie d'éléments chauffants, parce que, même en poussant le chauffage au maximum, le froid lui lapidait le flanc gauche comme s'il était nu. La visibilité n'était plus que d'une vingtaine de mètres, et fluctuait rapidement en fonction de la quantité de neige charriée par le vent. Il était dans une bulle de blancheur sans forme qui se dilatait et se contractait, elle-même traversée par la neige et ce qui semblait être une sorte de brume ou de brouillard givré. Il se trouvait manifestement au cœur de la tourmente. Ses jambes étaient raides. Il croisa les bras sur sa poitrine, nicha ses mains gantées sous les aisselles et poursuivit son chemin au jugé. Il n'avait pas l'impression d'avoir dévié de sa trajectoire depuis que la visibilité avait soudain baissé, mais il lui semblait aussi qu'il avait parcouru une distance considérable sans arriver au patrouilleur.

Il n'y avait pas de boussoles sur Mars, mais son bloc-poignet et son patrouilleur étaient équipés d'une balise radio. Il pouvait faire figurer sa position et celle de son patrouilleur sur une carte détaillée de son écran de poignet, marcher un peu, repérer la direction qu'il suivait et rectifier éventuellement la trajectoire. Cette opération lui sembla bien compliquée, et il en déduisit que son esprit, comme son corps, était engourdi par le froid. Car ce n'était pas si difficile, en fin de compte.

Il s'accroupit à l'abri relatif d'un rocher et mit sa méthode en pratique. Elle était sans doute excellente, mais l'instrumentation laissait un peu à désirer. Son écran de poignet ne faisait que cinq centimètres de côté et il avait toutes les peines du monde à distinguer quelque chose. Il finit par repartir et effectua, un peu plus loin, un autre relevé. Dont le résultat indiqua, hélas, qu'il aurait dû prendre à angle droit par rapport à la direction qu'il suivait.

C'était démoralisant au point d'en être inhibant. Son corps sentait qu'il allait dans la bonne direction ; son esprit (une partie du moins) pensait qu'il valait mieux se fier aux résultats indiqués par son bloc-poignet ; il avait dû infléchir sa trajectoire quelque part. Mais il n'avait pas cette impression. La pente du sol confirmait les sensations transmises par son corps. La contradiction était si intense qu'il éprouva une vague nausée. Il était la proie d'une telle torsion interne qu'il avait du mal à se tenir debout, comme si toutes les cellules de son corps se révoltaient contre ce que lui disait le bloc-poignet. Les effets physiologiques d'une dissonance purement cognitive étaient stupéfiants. Pour un peu il se serait mis à croire à l'existence dans son corps d'un aimant pareil à la glande pinéale des oiseaux migrateurs, mais il n'y avait pas de champ magnétique à proprement parler. Peut-être sa peau était-elle sensible au rayonnement solaire au point d'arriver à s'orienter par rapport au soleil, même quand le ciel était uniformément gris. Ça devait être quelque chose comme ça, parce que le sentiment qu'il allait dans la bonne direction était d'une force stupéfiante.

Il finit par surmonter son malaise et repartit, avec l'impression atroce d'avoir tort, dans la direction indiquée par son bloc-poignet, en corrigeant un peu sa trajectoire vers le haut, par sécurité. Il fallait se fier aux instruments plutôt qu'à son instinct. C'était ça, la science. Il poursuivit donc son chemin perpendiculairement à l'axe de la pente tout en continuant à monter légèrement, avec plus de maladresse que jamais. Ses pieds engourdis heurtaient des pierres qu'il ne voyait pas et il trébuchait à chaque instant. C'était incroyable à quel point la neige pouvait obstruer la vision.

Il s'arrêta à nouveau et tenta de localiser son patrouilleur grâce au système de navigation de son bloc-poignet. Il lui indiqua une direction complètement différente, derrière lui et vers la gauche.

Il se pouvait qu'il ait dépassé son véhicule. Encore que... Il ne se sentait pas le courage de refaire le chemin en sens inverse, face au vent. Enfin, puisque ça paraissait être la direction du véhicule... Il repartit, tête baissée, dans le froid mordant. Sa peau était dans un état étrange, elle le picotait à l'endroit des éléments chauffants de sa combinaison et semblait insensible partout ailleurs. Il ne sentait plus ni son visage ni ses pieds. Il avait du mal à marcher. Le gel était à l'œuvre, c'était évident. Il devait absolument se mettre à l'abri.

Il eut une autre idée. Il appela Aonia, sur Pavonis, et l'obtint presque aussitôt.

– Sax ! Où es-tu ?

– C'est toute la question ! répliqua-t-il. Je suis sur Daedalia, en pleine tempête, et je n'arrive pas à retrouver mon véhicule. Tu ne pourrais pas vérifier ma position et celle de mon patrouilleur, et me dire dans quelle direction aller ?

Il colla son bloc-poignet contre son oreille.

– Ka wow, Sax.

On aurait dit qu'Aonia criait, elle aussi, bénie soit-elle. Sa voix constituait une étrange intrusion dans le décor.

– Une seconde. Je vérifie. Ça y est, je te vois ! Et ton patrouilleur aussi ! Que fais-tu si loin au sud ? J'ai peur que nous ayons du mal à te rejoindre rapidement. Surtout si les conditions météo sont défavorables !

– Elles le sont, confirma Sax. C'est pour ça que je t'appelle.

– Bon, tu es à trois cent cinquante mètres à l'ouest de ton véhicule.

– Directement à l'ouest ?

– Et un peu au sud. Mais comment vas-tu t'orienter?

Sax réfléchit à la question. L'absence de champ magnétique sur Mars ne l'avait jamais perturbé auparavant. C'était pourtant un vrai problème. Il supposa que le vent soufflait plein ouest, mais ce n'était qu'une supposition.

– Tu pourrais contrôler auprès des plus proches stations météo et me dire de quelle direction vient le vent? demanda-t-il.

– Evidemment, mais ça ne tiendra pas compte des variations locales. Attends une seconde, je demande aux autres.

Quelques longs moments de silence glacé passèrent.

– Le vent vient du nord-nord-ouest, Sax! Tu n'as qu'à marcher le vent dans le dos, et un tout petit peu sur ta gauche!

– J'ai compris. Bon, maintenant suis ma trajectoire de façon à la rectifier si nécessaire.

Il repartit, le vent dans le dos. Encore une chance. Au bout de cinq ou six pénibles minutes, son bloc-poignet bippa. C'était Aonia.

– C'est bon, continue tout droit! lui annonça-t-elle.

C'était encourageant. Il pressa un peu l'allure, malgré les coups de poignard du vent qui lui lardait les côtes.

– Hé, Sax! Sax?

– Oui?

– Vous êtes au même endroit, ton patrouilleur et toi.

Mais il n'était pas en vue. La visibilité était d'une vingtaine de mètres, et il ne le voyait pas. Son cœur cognait dans sa poitrine. Il devait se mettre à l'abri de toute urgence.

– Décris une spirale de plus en plus large à partir de l'endroit où tu te trouves, fit la petite voix à son poignet.

Bonne idée en théorie, mais il ne pouvait la mettre en pratique. Ça l'aurait obligé à se tourner face au vent. Il regarda d'un œil morne la console de plastique noir de son bloc-poignet. Il n'avait plus d'aide à espérer de ce côté-là.

Il distingua brièvement une sorte de congère sur sa gauche. Il s'en approcha pour voir. La neige s'était amassée à l'abri du vent, sur une corniche à hauteur d'épaule. Il ne se rappelait pas avoir vu cet élément du paysage auparavant, mais le soulèvement de Tharsis avait provoqué des fractures radiales dans la roche; ça devait en être une. La neige était un merveilleux isolant. C'était une couverture peu attrayante au premier abord, mais Sax savait que les montagnards s'enfouissaient souvent dans la neige pour survivre quand la nuit les surprenait loin de tout abri. Elle les protégeait du vent.

Il flanqua un coup de pied dans la congère. Il avait les extrémités engourdies, mais il eut l'impression d'avoir heurté la roche. Creuser une grotte de neige semblait hors de question. Enfin, l'effort le réchaufferait toujours un peu. Et il y avait moins de vent au pied de la congère. Alors il continua à donner des coups de pied, encore et encore, et trouva, sous la couche de verglas, la neige poudreuse attendue. Il pourrait se faire une sorte de nid, tout compte fait. Il continua à creuser.

– Sax! Sax! cria la voix, à son poignet. Qu'est-ce que tu fais?

– Un trou dans la neige, répondit-il. Un bivouac.

– Oh, Sax! Nous t'envoyons de l'aide par avion. Nous serons près de toi demain matin, quoi qu'il arrive, alors tiens bon! Nous allons continuer à te parler!

– Parfait.

Il continua à creuser à coups de pied puis se mit à genoux et pelleta la neige durcie, granuleuse, avec ses mains, la projetant dans les flocons tournoyants au-dessus de lui. Il avait du mal à bouger, du mal à penser. Il regrettait amèrement de s'être aventuré si loin de son patrouilleur, puis de s'être laissé absorber par la contemplation du paysage autour de cette mare de glace. C'était bête de mourir au moment où les choses devenaient vraiment intéressantes. Libre mais mort. Il avait réussi à faire un petit creux oblong dans la dalle de neige verglacée. Il s'assit avec lassitude, se coula dans le trou, se coucha sur le côté et poussa avec ses bottes. La neige était dure contre son dos, moins froide que le vent furieux. Il se réjouit du tremblement qui parcourait son torse et éprouva une vague crainte quand il cessa. C'était mauvais signe quand on avait trop froid pour frissonner.

Il était las, et transi jusqu'à la moelle. Il regarda son bloc-poignet. Quatre heures de l'après-midi. Il avait marché un peu plus de trois heures dans la neige. Il avait quinze ou vingt heures à attendre avant l'arrivée des secours. Mais peut-être le lendemain matin la tempête aurait-elle cessé et la position de son patrouilleur serait-elle devenue évidente. D'une façon ou d'une autre, il devait survivre à cette horrible nuit, soit en restant tapi dans son trou, soit en retrouvant son patrouilleur. Il ne devait pas être loin. Mais tant que le vent ne faiblirait pas, il ne pouvait supporter l'idée de s'aventurer à nouveau dans la tourmente.

Il ne lui restait plus qu'à attendre. Il était théoriquement possible de survivre à une nuit au-dehors, même si le froid était tel que ça paraissait incroyable. La nuit, la température sur Mars pouvait chuter dramatiquement. Mais la tempête pouvait cesser d'un instant à l'autre, lui donnant la possibilité de regagner son véhicule avant la nuit.

Il dit à Aonia et aux autres où il était. Ils avaient l'air très inquiets, mais ils ne pouvaient rien faire. Il sentait aussi de l'irritation dans leurs voix.

De longues minutes passèrent, lui sembla-t-il, avant qu'il ait une autre pensée. Quand on avait froid, les extrémités étaient beaucoup moins bien irriguées, et c'était peut-être le cas pour le cortex aussi. Le sang allait de préférence au cervelet, afin de maintenir les fonctions vitales jusqu'au bout.

Un autre long moment passa. La nuit semblait sur le point de tomber. Il aurait dû rappeler. Il avait trop froid. Quelque chose clochait. Son grand âge, l'altitude, le niveau de gaz carbonique, un de ces facteurs, ou une combinaison de facteurs, rendait les choses pires qu'elles n'auraient dû être. On pouvait mourir de froid en une seule nuit. Il semblait voué à connaître ce sort. Quelle tempête ! La disparition des miroirs, peut-être. Une ère glaciaire instantanée. L'extinction.

Le vent faisait de drôles de bruits, comme des cris. De fortes bourrasques, sans doute. Il eut l'impression qu'on l'appelait : « Sax ! Sax ! Sax ! »

Avaient-ils envoyé quelqu'un par voie aérienne ? Il scruta le maelström de neige qui semblait capter les derniers rayons du jour et se déchirer au-dessus de lui comme un bruit blanc, assourdi.

Puis, entre ses cils encroûtés de glace, il vit une silhouette émerger de ces blanches ténèbres. Courte, trapue, casquée.

– Sax !

Le bruit était déformé, il émanait d'un haut-parleur sur le devant du casque de l'autre. Ce que les techniciens de Da Vinci n'allaient pas inventer, décidément ! Sax tenta de répondre et se rendit compte qu'il était trop gelé pour parler. Le seul fait de sortir ses bottes du trou exigea de lui un effort surhumain. Mais il avait dû attirer le regard de son sauveteur car il se retourna et avança à grands pas résolus dans la tourmente, se déplaçant comme un vieux loup de mer sur le pont d'un caboteur agité par la houle. La silhouette s'approcha, se pencha sur lui et l'empoigna par le bras, juste au-dessus de son bloc-poignet. C'est alors qu'il vit son visage à travers la visière de son casque, aussi claire qu'une baie vitrée. C'était Hiroko.

Elle lui lança un de ses brefs sourires et l'extirpa de sa grotte, tirant si fort sur son poignet gauche que ses os craquèrent.

– Aïe ! s'exclama-t-il.

Hors de l'abri, il faisait un froid mortel. Hiroko le hala sur son dos en le tenant toujours fermement par le poignet et, lui faisant contourner l'épaulement, le mena en plein dans la gueule glacée du vent.

– Mon patrouilleur est tout près, marmonna-t-il en essayant de déplacer les jambes assez rapidement pour prendre appui sur la plante de ses pieds et la soulager de son poids.

Que c'était bon de la revoir ! Une petite personne solide, puissante, comme toujours.

– Il est là, fit la voix qui sortait de son haut-parleur. Tu étais tout près.

– Comment m'as-tu trouvé ?

– Nous t'avons suivi depuis que tu es descendu d'Arsia. Puis quand la tempête a éclaté, aujourd'hui, nous avons vérifié et nous avons vu que tu n'avais pas regagné ton patrouilleur. Alors je suis venue voir ce qui t'était arrivé.

– Merci.

– Il faut faire attention dans ces blizzards.

Puis ils se retrouvèrent devant son patrouilleur. Elle le lâcha et son poignet se mit à palpiter douloureusement. Elle colla sa visière contre ses lunettes.

– Entre, lui ordonna-t-elle.

Il gravit lentement, péniblement, les marches menant au sas, l'ouvrit, se laissa tomber à l'intérieur et se retourna tant bien que mal pour laisser à Hiroko la place d'entrer, mais elle n'était pas devant la porte. Il se pencha dans le vent, regarda aux alentours. Aucun signe de vie. Le soir tombait. La neige paraissait noire, maintenant.

– Hiroko ! appela-t-il.

Pas de réponse.

Il referma la porte, soudain terrifié. Le manque d'oxygène. Il actionna la pompe du sas, entra en titubant dans le réduit où on se changeait. Il faisait étonnamment chaud, l'air était un jet de vapeur brûlante. Il tira maladroitement sur ses vêtements, sans arriver à rien. Il s'astreignit à procéder avec méthode. D'abord les lunettes et le masque facial. Ils étaient couverts de glace. Ah, peut-être le tube d'arrivée d'air était-il obstrué par la glace, entre la bouteille et le masque. Il inspira plusieurs fois, profondément, puis s'assit pour laisser passer un malaise. Il ôta son capuchon, tira sur le zip de sa combinaison et parvint péniblement à enlever ses bottes. Sa combinaison. Ses sous-vêtements étaient froids et gluants. Il avait les mains en feu. C'était bon signe, preuve que les gelures étaient superficielles. N'empêche que c'était une torture.

Toute sa peau brûlait atrocement. Quelle en était la cause? Le retour du sang dans les capillaires? De la sensibilité dans les nerfs gelés? Quelle qu'en soit la raison, la souffrance était presque intolérable.

– Waouh!

Il était d'une humeur radieuse. Non seulement parce que la mort l'avait épargné mais aussi parce qu'Hiroko était vivante. Hiroko, vivante! C'était une nouvelle prodigieuse. Beaucoup de ses amis s'obstinaient à croire qu'ils avaient survécu, son groupe et elle, à l'attaque de Sabishii, en fuyant à travers le labyrinthe du terril puis dans les refuges creusés à flanc de falaise, mais Sax n'y avait jamais trop cru. Rien, aucun élément n'était venu étayer cette hypothèse. Et il y avait, dans les forces de sécurité, des gens capables de tuer des dissidents et de faire disparaître leurs corps. Pour Sax, c'était probablement comme ça que les choses s'étaient passées. Mais il avait gardé son opinion pour lui et réservé son jugement. Il n'y avait aucun moyen d'en être sûr.

Eh bien, maintenant, il savait. Il avait croisé, par hasard, le chemin d'Hiroko et elle l'avait sauvé de la mort. Car il serait mort de froid, si l'asphyxie n'avait pas eu sa peau avant. La vue de son visage chaleureux, un peu impersonnel, ses yeux bruns, le contact de son corps le soutenant, sa main nouée sur son poignet... Il aurait un bleu, dû à la force de sa poigne. Peut-être même une entorse. Il fléchit la main. Une douleur atroce lui fit monter les larmes aux yeux. Il se mit à rire. Hiroko! Sacrée Hiroko!

Au bout d'un moment, la sensation de brûlure s'atténua un peu. Il avait toujours les mains enflées, à vif, et il n'avait retrouvé le contrôle ni de ses muscles ni de ses pensées, mais tout revenait plus ou moins à la normale. Ou à quelque chose d'approchant.

– Sax! Sax! Où es-tu? Réponds-nous, Sax!

– Ah! Salut. J'ai retrouvé mon véhicule.

– Tu l'as retrouvé? Tu as quitté ta grotte de neige?

– Oui. Je... j'ai aperçu mon patrouilleur grâce à une trouée dans la neige.

Ils étaient bien contents de l'apprendre.

Il resta assis là, à les écouter bavarder sans les entendre, se demandant pourquoi il avait spontanément menti. Il n'avait pas très envie de leur parler d'Hiroko. Il supposait qu'elle voudrait rester cachée; peut-être que c'était ça. C'était pour la couvrir...

Il leur assura qu'il allait bien et coupa la communication. Il tira un siège dans la cuisine et s'assit. Réchauffa de la soupe et l'engloutit à grand bruit, se brûlant la langue. La peau à vif, brûlée par le gel, à moitié nauséeux, parfois en larmes, secoué de tremblements, en fait secoué tout court, mais heureux. Echaudé d'avoir vu la mort de si près, bien sûr, et embarrassé, un peu honteux de sa stupidité – rester dehors et se perdre comme ça. Très très échaudé, en fait, et pourtant fou de bonheur. Il avait survécu et mieux, bien mieux, Hiroko aussi. Avec tout son groupe, sûrement, y compris la demi-douzaine des Cent Premiers qui l'avaient suivie depuis le début, Iwao, Gene, Rya, Raul, Ellen, Evgenia... Sax se fit couler un bain et resta longuement dans l'eau chaude, en rajoutant au fur et à mesure que son corps se réchauffait. Ses pensées ne cessaient de tourner autour de cette merveilleuse découverte. Un miracle. Enfin, pas un vrai miracle, bien sûr, mais ça en avait la qualité, l'inattendu, la joie imméritée.

Quand il se rendit compte qu'il s'endormait dans son bain, il sortit de la baignoire, se sécha, se traîna jusqu'à son lit sur ses pauvres pieds endoloris, se glissa sous la couverture et s'endormit en pensant à Hiroko. A l'amour qu'ils faisaient dans les bains de Zygote, dans la chaude lubricité détendue de leurs rendez-vous au cœur de la nuit, quand tous les autres dormaient. A sa main nouée sur son poignet, qui le tirait. Son poignet gauche le lançait. Et ça l'emplissait d'une joie délirante.

Le lendemain, il remonta la longue pente sud d'Arsia, maintenant couverte d'une neige blanche, immaculée, jusqu'à une altitude stupéfiante : 10,4 kilomètres au-dessus du niveau moyen. Il éprouvait un étrange mélange d'émotions, d'une force et d'une intensité sans précédent, même si elles ressemblaient un peu à celles qu'il avait ressenties au cours du traitement de stimulation des synapses qu'on lui avait fait subir après son attaque, comme si des sections de son cerveau croissaient frénétiquement. Le système limbique, peut-être, le foyer des émotions s'unissant enfin avec le cortex cérébral. Il était vivant, Hiroko était vivante, Mars était vivante. En regard de ces faits joyeux, la possibilité d'une ère glaciaire n'était rien, un retour de balancier momentané dans un schéma général de réchauffement, comme la Grande Tempête que tout le monde avait pratiquement oubliée – même s'il était disposé à faire tout ce qui était en son pouvoir pour l'atténuer.

En attendant, chez les êtres humains, de farouches combats se déroulaient encore un peu partout, sur les deux mondes. Mais pour Sax, la crise allait d'une certaine façon plus loin que la guerre. L'inondation, l'ère glaciaire, le boom démographique, le chaos social, la révolution. Il était possible que les choses se soient tellement dégradées que l'humanité avait glissé dans une sorte d'opération de sauvetage de la catastrophe universelle, ou, en d'autres termes, la première phase de l'ère post-capitaliste.

Peut-être était-il trop optimiste, peut-être était-il seulement galvanisé par les événements de Daedalia Planitia. En tout cas, ses associés de Da Vinci se faisaient un sang d'encre. Ils passaient des heures devant leur écran pour lui raconter le détail des chicaneries dont Pavonis Est était le théâtre. Ce qui ne réussissait qu'à l'énerver. Pavonis était bien parti pour devenir le théâtre de disputes constantes, ça crevait les yeux. Et c'était bien leur genre de s'en faire comme ça, à Da Vinci. Que quelqu'un élève la voix de deux décibels et c'était la panique. Non. Après son expérience sur Daedalia, ces choses n'arrivaient tout simplement plus à capter son attention. Malgré la rencontre avec la tempête, ou peut-être à cause d'elle, il n'avait qu'une envie, rester sur le terrain. Il voulait en voir le plus possible, observer les changements apportés par la suppression du miroir, parler à différentes équipes de terraforming de la façon de le compenser. Il appela Nanao à Sabishii et lui demanda s'il pouvait venir le voir et parler de tout ça avec les gens de l'université. Nanao était d'accord.

– Je pourrais amener certains de mes associés ? demanda Sax.

Nanao était d'accord.

Sax débordait de projets qu'il se représentait comme de petites Athéna bondissant hors de sa tête. Que ferait Hiroko de cette possible ère glaciaire ? Il n'en avait pas idée. Tout ce qu'il savait, c'est que dans les labos de Da Vinci, un certain nombre de chercheurs avaient passé les dernières décennies à préparer l'indépendance, à construire des armes, des engins de transport, des abris et toutes sortes de choses de ce genre. Le problème était pour l'instant résolu, mais ces gens étaient toujours là et une ère glaciaire s'annonçait. Nombre d'entre eux avaient participé à l'effort de terraforming et se laisseraient aisément convaincre de remettre la main à la pâte. Mais pour faire quoi ? Eh bien, Sabishii était à quatre kilomètres au-dessus du niveau moyen et le massif de Tyrrhena montait jusqu'à cinq. Les savants de cet endroit étaient les meilleurs spécialistes de l'écologie d'altitude. C'était limpide : il n'y avait qu'à organiser une conférence. Encore une petite utopie en marche.

Cet après-midi-là, Sax arrêta son patrouilleur dans la passe entre Pavonis et Arsia, à un endroit appelé Vue des Quatre Montagnes d'où on avait un point de vue sublime : deux volcans à l'échelle d'un continent emplissaient l'horizon au nord et au sud, la masse distante d'Olympus Mons se dressait au nord-ouest et, par temps clair – il y avait trop de brume ce jour-là –, on apercevait Ascraeus dans le lointain, juste à droite de Pavonis. Il déjeuna dans ces immenses highlands desséchées et repartit vers Nicosia, à l'est, afin de prendre un vol vers Da Vinci puis Sabishii.

Il passa beaucoup de temps, par écran interposé, avec l'équipe de Da Vinci et des tas de gens sur Pavonis, à tenter de leur expliquer la nouvelle direction qu'il avait prise, à leur faire admettre son départ.

– Je suis avec vous de toutes les façons qui comptent, leur disait-il.

Mais pour eux, c'était inacceptable. Leur cervelet voulait qu'il soit là en chair et en os. Pensée touchante, au fond. « Touchant », un terme symbolique et en même temps parfaitement littéral. Il éclata de rire, mais Nadia s'approcha et lui dit avec agacement :

– Allons, Sax, tu ne vas pas nous laisser tomber au moment où la situation commence à devenir épineuse. C'est justement là que nous avons besoin de toi. Tu es le général Sax, le grand savant. Tu ne peux pas nous lâcher comme ça.

Mais Hiroko lui avait montré à quel point un absent peut être présent. Et il voulait aller à Sabishii.

– Que devons-nous faire ? lui demanda Nirgal.

Question relayée par les autres mais d'une façon moins directe.

En ce qui concernait le câble, ils étaient dans une impasse. Sur Terre, c'était le chaos. Sur Mars, il y avait encore des poches de résistance métanationale et quelques zones étaient sous le contrôle des Rouges, lesquels réduisaient systématiquement à néant tous les projets de terraforming et la majeure partie des infrastructures avec. Il y avait aussi tout un éventail de petits mouvements révolutionnaires dissidents qui profitaient de l'occasion pour affirmer leur indépendance, parfois sur des territoires aussi limités qu'une tente ou une station météo.

– Eh bien, fit Sax, en réfléchissant intensément au problème, le responsable est celui qui contrôle le système vital.

La structure sociale en tant que système vital : l'infrastructure, le mode de production, la maintenance... Il faudrait vraiment qu'il parle aux gens de Séparation de l'Atmosphère et aux fabricants de tentes. Dont beaucoup étaient en relation étroite avec Da Vinci. Ce qui voulait dire que, dans un certain sens, il était lui-même aussi responsable que n'importe qui d'autre. Une idée déplaisante.

– Alors, que nous suggères-tu de faire ? insista Maya, et quelque chose dans sa voix lui donna l'impression qu'elle répétait sa question.

Sax, qui arrivait en vue de Nicosia à ce moment-là, répondit avec impatience :

– Envoyez une délégation sur Terre. Mettez sur pied un congrès constitutionnel et jetez les bases d'un projet de Constitution, un premier outil de travail.

Maya secoua la tête.

– Ce ne sera pas facile, avec tout ce monde.

– Prenez les Constitutions des vingt ou trente pays qui

marchent le mieux sur Terre, suggéra Sax en réfléchissant tout haut. Regardez comment elles fonctionnent. Faites effectuer une synthèse par les IA, vous verrez bien ce que ça donne !

– Comment reconnaître les pays qui marchent le mieux ? demanda Art.

– Pff, regardez les indicateurs de développement futur, les abaques de valeur globale réelle, les statistiques du Costa Rica, ou même le PIB, je ne sais pas, moi ! (L'économie était, comme la psychologie, une pseudo-science qui tentait de dissimuler ce fait derrière une hyper-élaboration théorique intense, et le PIB était un instrument de mesure particulièrement désastreux, comme le système de mesure anglais qui aurait dû être aboli depuis longtemps. Enfin...) Croisez plusieurs critères, les indicateurs de développement humain, les mesures de protection de l'environnement, ce que vous voudrez.

– Voyons, Sax, se lamentait Coyote, le concept même d'Etat est mauvais. Cette seule idée pollue toutes ces vieilles Constitutions.

– Peut-être, convint Sax, mais c'est toujours un point de départ.

– Tout ça nous écarte du problème du câble, intervint Jackie.

Il était étrange de voir que certains Verts pouvaient être aussi obsédés par l'indépendance absolue que les Rouges les plus radicaux.

– En physique, je mets souvent entre parenthèses les problèmes que je ne sais pas résoudre, fit Sax. Je fais tout ce que je peux autour et je regarde si ça ne se règle pas tout seul de façon rétroactive, si je puis dire. Pour moi, le câble ressemble à un de ces problèmes : envisagez-le comme un rappel que la Terre n'est pas près de disparaître.

Ils ignorèrent sa réponse pour se remettre à palabrer : et qu'allait-on faire du câble, et comment aborder la question du nouveau gouvernement, et *quid* des Rouges qui semblaient avoir abandonné la discussion, et ainsi de suite, ignorant toutes ses suggestions et revenant à leurs querelles minables, interminables. Autant pour le général Sax dans le monde postrévolutionnaire.

L'aéroport de Nicosia était presque fermé, mais Sax tomba sur des amis de Spencer installés à Dawes's Forked Bay et partit avec eux pour Da Vinci dans un nouvel avion géant ultraléger qui avait été construit juste avant la révolte, anticipant sur l'affranchissement de la nécessité de dissimulation. Alors que le pilote IA faisait décoller le gros appareil aux ailes d'argent au-dessus du gigantesque labyrinthe de Noctis Labyrinthus, les cinq passagers installés dans une cabine à fond transparent se penchèrent sur les accoudoirs de leur fauteuil afin d'admirer le Chandelier qui défilait au-dessous d'eux, un immense réseau d'auges reliées les unes aux autres. Sax regarda les plateaux lisses séparés par les canyons, souvent isolés comme des îles, et se dit qu'il devait y faire bon vivre, comme au Caire, sur le bord nord du cratère. On aurait dit une maquette de ville dans une bouteille.

L'équipage commença à parler de Séparation de l'Atmosphère, et Sax tendit l'oreille. Ces gens qui s'étaient occupés des armements de la révolution et qui menaient des recherches fondamentales sur les matériaux avaient un profond respect pour « la Sep », comme ils disaient, même si elle s'occupait plus trivialement du management du mésocosme. Concevoir des tentes qui tiennent le coup et qui marchent n'était pas une mince affaire. « Ça ne rate qu'une fois », dit plaisamment l'un d'eux. Des problèmes critiques partout, et une aventure potentielle par jour.

La Sep était associée avec Praxis, et chaque tente ou canyon couvert était dirigé par une organisation distincte. Ils mettaient leurs informations en commun et disposaient de consultants itinérants et d'équipes de construction. Ils se considéraient comme un service public, et leur mode de fonctionnement était celui d'une coopérative – sur le modèle Mondragon, version non lucrative, dit quelqu'un. Leurs membres étaient assurés d'avoir une situation agréable et beaucoup de temps libre.

– Mais c'est mérité. Parce que, quand quelque chose cloche, ils ont intérêt à intervenir en vitesse, sinon...

Beaucoup de canyons couverts avaient connu des alertes chaudes à la suite d'un impact de météorite ou d'un autre drame, parfois à cause d'une défaillance mécanique plus banale. La structure standard des canyons couverts consistait à implanter au bout du canyon une centrale énergétique consolidée qui tirait les quantités voulues d'azote, d'oxygène et de gaz rares des vents de surface. La proportion des gaz et leur pression variaient selon les mésocosmes, mais elle tournait autour de cinq cents millibars, ce qui donnait un certain gonflant au toit des tentes. C'était plus ou moins la norme pour les espaces couverts sur Mars, et on pouvait y voir une sorte d'invocation du but à atteindre en surface au niveau moyen. Mais quand il y avait du soleil, l'expansion de l'air à l'intérieur des tentes était très importante, et la procédure standard consistait simplement à relâcher l'air dans l'atmosphère, ou à le stocker dans d'énormes chambres de compression forées dans les parois des gorges.

– Une fois, quand j'étais à Dao Vallis, raconta l'un des hommes, la chambre d'expansion a sauté, ébranlant le plateau et provoquant un glissement de terrain sur Reull Gate. La paroi supérieure de la tente s'est déchirée et la pression est tombée à la moyenne ambiante, qui était d'environ deux cent soixante. Tout a commencé à geler, bien sûr, et ils avaient les vieilles cloisons étanches de secours (des rideaux transparents de quelques molécules d'épaisseur seulement, mais très robustes, se rappelait Sax). Elles se sont déployées automatiquement autour de la déchirure, mais une pauvre femme a été clouée au sol par le superadhésif du bord de la bâche, et la tête du mauvais côté ! On s'est précipités sur elle et je vous jure qu'on n'a jamais découpé et collé de la bâche aussi vite. Elle a bien failli y rester !

Sax frémit en pensant à sa récente mésaventure avec le froid. Deux cent soixante millibars, c'était la pression au sommet de l'Everest. Les autres enchaînèrent les histoires de catastrophes fameuses, comme celle du dôme d'Hiranyagarba qui s'était effondré sous une pluie de glace sans qu'on déplore un seul mort.

Puis ils amorcèrent la descente vers la grande plaine de Xanthe et la piste sablonneuse du cratère de Da Vinci, qui avait été mise en service pendant la révolution. Toute la communauté se préparait depuis des années pour le jour où il ne serait plus indispensable de se dissimuler, et on pouvait voir une grande courbe de fenêtres à miroirs de cuivre dans le bord sud du cratère. De la couche de neige qui couvrait le fond émergeait une butte centrale assez impressionnante. Il était envisageable de transformer le fond du cratère en lac, avec une île centrale et, pour perspective, les collines abruptes entourant la lèvre. Un canal circulaire pourrait être construit juste sous les falaises du bord, relié par des canaux radiculaires au lac intérieur. L'alternance d'eau et de terre aurait rappelé la description de l'Atlantide par Platon. Dans cette configuration, vingt ou trente mille personnes pourraient vivre à Da Vinci en autarcie presque totale, songea Sax. Et il y avait des dizaines de cratères comme Da Vinci. Une communauté de communautés, chaque cratère une sorte de ville-Etat, une polis capable de subvenir à ses propres besoins, de choisir sa culture et d'élire un conseil général... Aucune association régionale plus vaste que la ville, en dehors des organisations d'échange local... Est-ce que ça pourrait marcher ?

On pouvait le penser en voyant Da Vinci. L'arc sud du bord grouillait d'arcades et de pavillons triangulaires inondés de soleil. Sax fit le tour du complexe, un matin, visitant tous les laboratoires les uns après les autres et félicitant leurs occupants pour la façon dont ils avaient préparé l'éviction en douceur de l'ATONU. Si le pouvoir naissait du regard des gens, il arrivait aussi qu'il naisse du bout des fusils. Après tout, le regard des gens changeait selon qu'on leur pointait un fusil dessus ou non. Ces saxaclones avaient mis les fusils dans l'incapacité de tirer, et ils étaient très en forme. Ils l'accueillirent avec joie. Ils se demandaient à quoi ils allaient désormais se consacrer, s'ils allaient se replonger dans la recherche fondamentale, chercher d'autres utilisations pour les nouveaux matériaux que les alchimistes de Spencer leur livraient sans discontinuer ou étudier les problèmes du terraforming.

Ils s'intéressaient aussi à ce qui se passait dans l'espace et sur Terre. Une navette rapide de la Terre, au contenu inconnu, les avait contactés, demandant l'autorisation d'insertion orbitale sans qu'on lui mette des tonneaux de clous en travers du chemin. Aussi l'équipe de Da Vinci s'activait-elle fébrilement à la mise au point de protocoles de sécurité, en liaison étroite avec l'ambassadeur de Suisse qui avait pris des bureaux au nord-ouest de l'arc. De la rébellion à l'administration ; la transition n'était pas aisée.

– Quel parti politique soutenons-nous ? demanda Sax.

– Je ne sais pas. La bande habituelle, j'imagine.

– Aucun parti n'a beaucoup de soutien. Ce qui marche, quoi.

Sax comprenait leur point de vue. C'était la vieille position techno, celle de la plupart des savants depuis qu'ils jouaient un rôle dans la société, qu'ils formaient presque une caste de prêtres, intervenant entre les gens et leur pouvoir. Ils étaient censés être apolitiques, comme des fonctionnaires. Ces empiristes demandaient seulement que les choses soient dirigées de façon scientifique, rationnelle, pour le plus grand bien possible du plus grand nombre, ce qui n'aurait pas été très difficile à obtenir si les gens avaient été moins prisonniers de leurs émotions, de leur religion, de leurs gouvernements et autres systèmes de tromperie de masse du même acabit.

La politique scientifique standard, en d'autres termes. Sax avait essayé une fois d'expliquer cette vision à Desmond, qui s'était mis à hurler de rire, il n'avait jamais compris pourquoi. C'était tellement sensé. Enfin, c'était en même temps assez naïf, donc un peu comique, se disait-il. D'un autre côté, comme bien des choses, c'était drôle jusqu'au moment où ça devenait horrible : cette attitude avait dissuadé les savants de s'occuper utilement de politique pendant des siècles. Des siècles d'horreur.

Mais à présent ils étaient sur une planète où le pouvoir politique sortait des buses d'aération des mésocosmes. Et les gens en charge de ce grand fusil (qui tenait les éléments en respect) étaient au moins en partie responsables. Si l'envie les prenait d'exercer le pouvoir.

Sax le leur rappelait gentiment quand il allait les voir dans leurs labos. Puis, comme ils étaient toujours gênés quand on abordait des problèmes politiques, il passait au terraforming. Et quand il annonça qu'il partait pour Sabishii, une soixantaine d'entre eux manifestèrent le désir de l'accompagner, pour voir comment ça se passait en bas.

– L'antidote de Sax à Pavonis, entendit-il l'un des techniciens du labo dire à un autre en parlant du voyage.

Ce qui n'était pas faux.

Sabishii se trouvait sur le flanc ouest du massif de Tyrrhena, une proéminence rocheuse de cinq kilomètres de haut, au sud du cratère Jarry–Desloges, dans les anciennes highlands situées entre Isidis et Hellas, soit par 275 degrés de longitude et 15 degrés de latitude sud. Un emplacement de choix pour l'implantation d'une ville-tente, car elle était adossée à des landes mamelonnées à l'est et offrait une vaste perspective à l'ouest, même si l'altitude était un peu trop importante pour espérer y vivre en plein air ou faire pousser des plantes sur le sol rocailleux. En fait, à part les bosses beaucoup plus importantes de Tharsis et d'Elysium, c'était la région la plus élevée de Mars, une sorte de biorégion insulaire, que les Sabishiiens cultivaient depuis des décennies.

Ils étaient très ennuyés par la disparition des grands miroirs et vivaient quasiment en état d'alerte. Ils avaient lancé des tentatives tous azimuts destinées à protéger les plantes du biome, mais si précieux que puissent être ces efforts, ce n'était pas grand-chose.

– Le froid va être mortel, cet hiver, dit Nanao Nakayama, le vieux collègue de Sax, en secouant la tête. Une véritable ère glaciaire.

– J'espère trouver un moyen de compenser la diminution de luminosité, répondit Sax. En densifiant l'atmosphère, en augmentant la production de gaz à effet de serre. Nous devrions y arriver en partie avec des bactéries et des plantes d'altitude.

– En partie, répéta Nanao d'un air dubitatif. Beaucoup de niches sont déjà pleines. Elles ne sont pas très grandes.

Ils poursuivirent leur conversation dans la vaste salle à manger de la Serre du Dragon. Tous les technos de Da Vinci étaient là, et beaucoup de Sabishiiens vinrent les saluer. Ce fut une longue conversation amicale et intéressante. Les Sabishiiens avaient foré un labyrinthe dans la longue colline en forme de dragon façonnée avec la rocaille arrachée à leur mohole et vivaient derrière l'une des griffes, si bien qu'ils n'étaient pas obligés de voir les ruines calcinées de leur ville lorsqu'ils n'y travaillaient pas. Les travaux de reconstruction étaient très ralentis, la plupart d'entre eux s'efforçant à présent de compenser les effets de la disparition du miroir.

– A quoi bon reconstruire une ville-tente ? dit Nanao à Tariki, poursuivant manifestement une discussion engagée depuis longtemps. Ça n'a pas de sens. Autant attendre de pouvoir rebâtir en plein air.

– Nous risquons d'attendre longtemps, fit Tariki en prenant Sax à témoin. Nous sommes près de la limite de viabilisation de l'atmosphère définie par le document de Dorsa Brevia.

– Nous voulons que Sabishii se trouve sous la limite, quelle qu'elle soit, répondit Nanao en regardant Sax.

Lequel acquiesça d'un hochement de tête, haussa les épaules, ne sachant que répondre. Les Rouges ne seraient pas contents. Ça paraissait pourtant raisonnable : il suffirait que la limite d'altitude viable s'élève d'un kilomètre à peu près pour que les Sabishiiens puissent disposer du massif à leur guise, et ça ne changerait pas grand-chose pour les plus grosses bosses. Mais qui pouvait dire ce qu'ils décideraient sur Pavonis ?

– Nous ferions peut-être mieux de réfléchir au moyen d'empêcher la pression atmosphérique de chuter, dit-il, puis, remarquant leur mine sombre, il ajouta : Vous voulez bien nous emmener voir le massif ?

Ils s'illuminèrent aussitôt.

– Avec le plus grand plaisir.

Le sol du massif de Tyrrhena était ce que les premiers aréologistes appelaient « le système disloqué » des highlands du Sud, qui ressemblait beaucoup au « système grêlé de cratères », sauf qu'il était, en plus, parcouru par de petits réseaux de canaux. Dans les highlands plus basses et plus caractéristiques entourant le massif, on trouvait aussi des exemples de « système plissé » et de « système ondulé ». En fait, ainsi qu'il le constata rapidement le matin où ils sortirent à l'air libre, tous les aspects du relief accidenté des highlands du Sud étaient représentés, souvent en même temps : le sol grêlé de cratères, disloqué, inégal, plissé, chaotique et ondulé, bref, la quintessence du paysage noachien. Sax, Nanao et Tariki étaient assis dans la coupole d'observation d'un patrouilleur de l'université de Sabishii. Ils voyaient d'autres véhicules transportant des collègues, et des équipes qui se promenaient à pied. Quelques individus particulièrement dynamiques dévalaient en courant les dernières collines avant l'horizon, à l'est. Les creux du sol étaient légèrement saupoudrés de neige sale. Le centre du massif se trouvait à quinze degrés au sud de l'équateur, et les précipitations étaient assez importantes autour de Sabishii, lui dit Nanao. Le versant sud-est du massif était plus sec, mais ici, les masses nuageuses étaient chassées vers le sud au-dessus des glaces d'Isidis Planitia et crevaient en heurtant le relief.

Comme pour confirmer ses dires, au moment où ils gravissaient la pente, d'énormes nuages noirs en forme d'enclume arrivèrent du nord-ouest et se déversèrent sur eux, chassant les hommes qui cabriolaient dans les collines. Sax eut un frisson au souvenir de sa récente escarmouche avec les éléments, se félicita d'être à l'abri d'un patrouilleur et se dit qu'il se contenterait de s'en éloigner de quelques pas.

Ils finirent par s'arrêter en haut d'une vieille crête et s'aventurèrent sur la surface jonchée de rochers ronds, de buttes, de fissures et de bancs de sable, de cratères minuscules et de lits de roches oblongs, d'escarpements et d'alases, le tout fragmenté par ces vieux canaux superficiels qui avaient valu son nom au système disloqué. C'était un catalogue de tous les exemples d'accidents possibles et imaginables, un véritable musée de formes rocheuses. Le sol, à cet endroit, avait quatre milliards d'années. Il lui était arrivé bien des choses, mais rien n'avait réussi à le détruire complètement, à effacer l'ardoise, de sorte que la succession des événements y était encore lisible. Il avait été complètement pulvérisé au cours du noachien, abandonnant un régolite de plusieurs kilomètres de profondeur, des cratères et des déformations qu'aucune érosion éolienne ne pouvait gommer. Pendant cette période primitive, de l'autre côté de la planète, la lithosphère avait été vaporisée jusqu'à une profondeur de six kilomètres par la collision inimaginable avec un astéroïde presque aussi gros que la planète. Une grande quantité des matériaux éjectés au moment de l'impact avaient fini par retomber au sud. C'était ce qui expliquait la formation du Grand Escarpement, l'absence d'anciennes highlands au nord et, entre autres facteurs, l'aspect extrêmement désordonné du paysage à cet endroit.

Puis, à la fin de l'Hespérien, Mars avait connu une brève période chaude et humide au cours de laquelle l'eau avait parfois couru à sa surface. La plupart des aréologistes pensaient aujourd'hui que cette période avait été assez humide mais pas vraiment chaude, les moyennes annuelles situées bien au-dessous de 273 degrés kelvin permettant à l'eau de ruisseler, ravitaillée par la convection hydrothermique plutôt que par les précipitations. Cette période n'avait duré qu'une centaine de millions d'années, selon les dernières estimations, et elle avait été suivie par des milliards d'années de vents, pendant la période sèche et froide appelée ère amazonienne, qui avait duré jusqu'à leur arrivée.

– La période commençant en l'an M-1 a-t-elle un nom? demanda Sax.

– L'Holocène.

Enfin, tout avait été fouaillé par deux milliards d'années de vents incessants, si radicalement érodé que les plus vieux cratères avaient perdu leur bord, strate après strate, laissant place à une étendue rocheuse, sauvage. Pas chaotique à proprement parler, non, mais sauvage, et qui trahissait son âge inimaginable par une profusion de cratères sans lèvre, de mesas sculptées, de creux, de bosses, d'escarpements et d'une multitude d'aiguilles de pierre massives.

Ils descendaient souvent du patrouilleur pour faire un tour. Même de petites mesas semblaient d'une hauteur prodigieuse. Sax ne s'éloignait guère, ce qui ne l'empêchait pas de distinguer toutes sortes de détails intéressants. A un moment donné il remarqua un rocher en forme de patrouilleur, fendu du haut en bas. A la gauche du bloc, à l'ouest, l'horizon était visible par-delà une étendue de sol lisse, d'un jaune vitreux. A droite, la banquette à hauteur de taille formée par une vieille fracture était piquetée de trous qu'on aurait dit faits par un stylet cunéiforme. Ici, un banc de sable bordé de pierres pas plus hautes que la cheville, des ventifacts noirs, basaltiques, pyramidaux, d'autres formes plus légères, granuleuses, grêlées. Là, un roc acéré en équilibre précaire, aussi grand qu'un dolmen. Ailleurs, une queue de sable et un cercle grossier d'ejecta qui ressemblait à un Stonehenge presque complètement érodé. Puis un creux profond, en forme de serpent, vestige, peut-être, d'un cours d'eau. Derrière, une autre pente douce et une protubérance pareille à une tête de lion à laquelle la surrection voisine faisait comme un corps.

Au milieu de toutes ces pierres, de tout ce sable, la vie végétale était très discrète. Au premier abord, du moins. Il fallait la chercher, bien regarder les couleurs, et surtout le vert, toutes les teintes de vert, dans ses nuances désertiques essentiellement : sauge, olive et kaki. Nanao et Tariki lui indiquaient sans arrêt des spécimens qui lui avaient échappé. Il fit plus attention. Une fois qu'on avait appris à remarquer les teintes pâles, vivantes, qui se fondaient si bien avec le milieu ferrique, elles commençaient à ressortir sur les tons rouille, bruns, terre de Sienne, ocre et noirs du paysage. C'était dans les creux et les fissures qu'on avait le plus de chance d'en repérer, et à l'ombre, près des plaques de neige. Plus il scrutait le sol, plus il en voyait. Jusqu'à ce que, dans un bassin assez haut, il ait l'impression qu'il y en avait partout. Alors il comprit ; l'ensemble du massif de Tyrrhena n'était qu'un fellfield.

Le vert phosphorescent de certains lichens couvrait des parois rocheuses entières. Aux endroits où l'eau gouttait apparaissaient les vert émeraude, le velours sombre des mousses, pareilles à de la fourrure mouillée.

La palette multicolore de la gamme des lichens. Le vert foncé des aiguilles de pin. Les gerbes d'éclaboussures des pins de Hokkaido, les pins queue de renard, les genévriers d'Occident. Les couleurs de la vie. Il avait l'impression de passer d'une pièce à ciel ouvert à une autre, en enjambant des murets de pierre éboulés. Une petite place, une sorte de galerie qui décrivait des courbes, une vaste salle de bal. Une succession de petites chambres communicantes ; un salon. Des bonsaïs de krummholz étayaient les murs de certaines pièces, des arbres nains, pas plus hauts que leur abri, tordus par le vent, étêtés au niveau de la neige. Chaque branche, chaque plante, chaque pièce était aussi convulsée qu'un bonsaï – et tout ça, sans effort.

En réalité, lui dit Nanao, la plupart des bassins faisaient l'objet d'une culture intensive.

– Celui-ci a été planté par Abraham.

Chaque petite région était sous la responsabilité d'un jardinier ou d'un groupe de jardiniers.

– Ah ! fit Sax. Vous y mettez donc de l'engrais ?

– D'une certaine façon, répondit Tariki en riant. La majeure partie du sol a été apportée.

– Je vois.

Ça expliquait la diversité de la végétation. Il savait que les environs du glacier d'Arena avaient été un peu cultivés. C'était là qu'il avait vu les premiers fellfields. Mais c'était une étape primitive. Ici, ils étaient allés beaucoup plus loin. Tariki lui dit que les laboratoires de Sabishii s'efforçaient de fabriquer de l'humus. C'était une bonne idée : il apparaissait naturellement dans les fellfields au rythme de quelques centimètres par siècle seulement. Mais il y avait des raisons à cela. L'humus n'était pas une chose facile à obtenir.

– Nous gagnons quelques millions d'années au départ, fit Nanao. Nous évoluons à partir de là.

Ils plantaient à la main beaucoup de leurs spécimens, les laissaient vivre leur vie et regardaient ceux qui prospéraient.

– Je vois, fit Sax.

Il redoubla d'attention. La lumière était tamisée, mais claire. Dans chacune de ces vastes pièces à ciel ouvert poussait une gamme légèrement différente d'espèces, en effet.

– Ce sont donc des jardins ?

– Oui... Enfin, quelque chose d'approchant. Ça dépend.

Nanao lui expliqua que certains jardiniers travaillaient selon les préceptes de Muso Soseki ou d'autres maîtres japonais du zen. D'autres suivaient l'enseignement de Fu Hsi, le légendaire inventeur du système de géomancie chinois appelé *feng shui*, ou de gourous du jardinage perses comme Omar Khayyam, ou de Leopold, de Jackson ou d'autres écologistes américains avant la lettre, dont Oskar Schnelling, le biologiste de Korolyov aujourd'hui bien oublié, et ainsi de suite.

Ce n'étaient que des influences, ajouta Tariki. Chacun apportait sa propre vision, observait la nature du sol, les plantes qui prospéraient, celles qui mouraient. La co-évolution, une sorte de développement épigénétique.

– C'est beau, fit Sax en regardant autour de lui.

Pour les adeptes, la marche de Sabishii jusqu'au massif devait être un voyage esthétique, plein d'allusions et de variations subtiles sur la tradition qui lui échappaient. Hiroko aurait appelé ça l'aréoformation, ou aréophanie.

– Je voudrais visiter vos laboratoires d'humus.

– Volontiers.

Ils regagnèrent le patrouilleur et poursuivirent leur chemin. Plus tard, vers la fin de la journée, ils arrivèrent sous des nuages noirs, menaçants, au sommet du massif qui était une sorte de vaste lande ondulée. Des ravines étaient pleines d'aiguilles de pin peignées par les vents de sorte qu'on aurait dit des brins d'herbe dans un jardin bien tondu. Sax, Tariki et Nanao descendirent encore une fois de voiture et firent un petit tour. Le vent était glacial malgré leurs combinaisons. Le soleil de la fin de l'après-midi crevait la sombre couverture nuageuse, étirant leurs ombres jusqu'à l'horizon. De grosses masses de roche lisse, nue, se dressaient plus haut, sur la lande. En regardant autour de lui, Sax trouva au paysage un aspect rouge, primitif, qui lui rappela celui des premières années. Mais ils marchèrent jusqu'au bord d'un petit ravin et tout à coup il plongea le regard dans un océan de verdure.

Tariki et Nanao parlaient de l'écopoésis, qui était pour eux un terraforming redéfini, plus subtil, localisé. Transmuté en une chose différente, plus proche de l'aréoformation d'Hiroko. Non plus alimenté par de lourdes méthodes industrielles globales mais par le processus local, lent, régulier et intensif consistant à travailler sur des parcelles de sol individuelles.

– Mars n'est plus qu'un jardin. La Terre aussi, d'ailleurs. C'est l'évolution de l'homme qui veut ça. Alors nous devons nous interroger sur le jardinage, sur le niveau de responsabilité que nous avons envers le sol. Nous devons inventer une interface homme/Mars qui rende justice aux deux.

Sax fit un geste de la main pour exprimer son incertitude.

– Pour moi, Mars est un monde sauvage, dit-il tout en vérifiant l'étymologie du mot jardin : du francisque *gart*, ou *gardo*, clôture. (Etait-ce la même racine que le mot *garder*, conserver? Et qui pouvait dire ce que signifiait le mot japonais équivalent, ou prétendu tel? L'étymologie était une science assez compliquée comme ça sans qu'on y mêle des problèmes de traduction.) Vous voyez ce que je veux dire : donner le coup d'envoi aux choses, semer les graines, puis les laisser pousser toutes seules. Des écologies qui s'organiseraient d'elles-mêmes, vous comprenez?

– Oui, répondit Tariki, mais la nature est aussi un jardin, maintenant. Une sorte de jardin. C'est ce que veut dire le fait d'être ce que nous sommes. (Il haussa les épaules, fronça les sourcils. Il croyait que l'idée était bonne, mais il n'avait pas l'air de l'aimer.) Enfin, l'écopoésis est plus proche d'une telle vision de la nature que le terraforming industriel ne l'a jamais été.

– Peut-être, convint Sax. Mais il se peut aussi que ce soient deux étapes d'un même processus. Toutes deux nécessaires.

Tariki hocha la tête comme si cette idée ne le choquait pas.

– Bon, et maintenant?

– Tout dépend de la façon dont nous voulons aborder la perspective d'une nouvelle ère glaciaire, répondit Sax. Si c'est assez grave, si ça tue assez de plantes, alors l'écopoésis n'a pas une chance. L'atmosphère gèlera peut-être en surface, auquel cas tout le processus s'effondrera. Sans les miroirs, je ne suis pas sûr que la biosphère soit assez forte pour tenir le coup. C'est pourquoi je veux voir vos labos d'humus. Il se peut que le travail industriel sur l'atmosphère reste à faire. Nous devrons essayer différents modèles, les tester.

Tariki et Nanao acquiescèrent. Pendant qu'ils parlaient, leurs écologies étaient en train de disparaître sous la neige. Des flocons planaient dans le soleil de bronze, tournoyaient dans le vent. Ils étaient ouverts à toutes les suggestions.

En attendant, de tous les coins du massif, leurs jeunes associés de Da Vinci et Sabishii convergeaient vers le labyrinthe en parlant dans le noir de géomancie et d'aréomancie, d'écopoésis, d'échange de chaleur, des cinq éléments et des gaz à effet de serre, en un ferment créatif que Sax trouva très prometteur.

– Je voudrais que Michel voie ça, dit-il à Nanao. Et John... Quel dommage qu'il ne soit pas là. Il aurait adoré ce groupe!

C'est alors qu'une autre idée lui passa par la tête.

– Je voudrais qu'Ann voie ça.

Alors il retourna à Pavonis, laissant le groupe de Sabishii poursuivre la réflexion.

Dans les entrepôts, rien n'avait changé. Un nombre croissant de gens proposaient, sous l'instigation d'Art Randolph, de tenir un congrès constitutionnel. De rédiger au moins un projet de constitution, de le mettre aux voix, puis de former le gouvernement proposé.

– Bonne idée, commenta Sax. Et pourquoi ne pas envoyer une délégation sur Terre, tant qu'on y est ?

Semer à tous vents. Comme sur les landes. Certaines graines germeraient, d'autres non.

Il chercha Ann, mais elle n'était plus là. Elle était partie pour un avant-poste rouge de Tempe Terra, au nord de Tharsis, disait-on. Personne n'allait là-bas, que des Rouges, ajoutait-on.

Après avoir un peu réfléchi, Sax demanda à Steve de l'aider à localiser cet avant-poste. Puis il emprunta un petit avion aux bogdanovistes et partit vers le nord. Il laissa Ascraeus Mons sur sa gauche, suivit Echus Chasma et passa devant son vieux quartier général du Belvédère d'Echus, en haut de l'immense muraille à sa droite.

Ann avait probablement suivi le même itinéraire, elle était donc passée devant le premier point focal du projet de terraforming. Le terraforming... L'évolution était partout, même dans les idées. Ann avait-elle remarqué le Belvédère, avait-elle eu une pensée pour ces modestes débuts ? C'était impossible à dire. Et voilà ce que les humains savaient les uns des autres. De petits fragments de vies qui se recoupaient, dont on avait une connaissance parcellaire. Autant vivre seul dans l'univers. C'était bizarre. D'où le besoin de se faire des amis, de se marier, de partager des chambres et des vies dans toute la mesure du possible. Ça n'établissait pas vraiment une intimité entre les individus, mais ça réduisait le sentiment de solitude. Et on poursuivait sa route en solitaire sur les océans du monde, comme dans *Le Dernier Homme*, de Mary Shelley, livre qui l'avait beaucoup impressionné quand il était jeune : à la fin, le héros éponyme voyait parfois une voile, montait sur un autre navire, jetait l'ancre sur un rivage, partageait un repas et poursuivait son voyage seul, toujours seul. Comme image de leur vie, ça se posait là. Tous les mondes étaient aussi vides que celui de Mary Shelley, vides comme Mars au début.

Il survola le croissant noirci de Kasei Vallis sans le voir.

Les Rouges avaient jadis évidé une roche de la taille d'un pâté de maisons dans un promontoire qui marquait le confluent de deux des Tempe Fossae, juste au sud du cratère Perepelkin. Des fenêtres abritées par des auvents de roche plongeaient dans les deux canyons dénudés, rectilignes, et celui, plus vaste encore, qu'ils formaient après leur réunion. Toutes ces fossae s'enfonçaient maintenant dans ce qui était devenu un plateau côtier. La réunion de Mareotis et de Tempe déterminait une immense péninsule d'anciens hauts-plateaux, pénétrant loin dans la nouvelle mer de glace.

Sax posa son appareil sur la langue sablonneuse, en haut du promontoire. De là, les plaines de glace n'étaient pas visibles. Il n'y avait pas grand-chose à voir, d'ailleurs, pas la moindre végétation, pas un arbre, une fleur ou une plaque de lichen. Il se demanda s'ils avaient stérilisé les canyons. Il n'y avait que la roche primitive, saupoudrée de givre. Contre le givre, évidemment, ils ne pouvaient rien, à moins de couvrir ces canyons, mais pour empêcher l'air d'entrer et non de s'en échapper.

– Hum, fit Sax, surpris par cette idée.

Deux Rouges le laissèrent entrer dans le sas et lui firent descendre un escalier. L'abri était presque vide. Tant mieux. Comme ça, les seuls regards hostiles qu'il avait à supporter étaient ceux des deux jeunes femmes qui le menaient à travers les galeries grossièrement taillées dans la roche du refuge. L'esthétique des Rouges était intéressante. Très rudimentaire, comme de bien entendu : pas une plante, juste des structures rocheuses différentes, des parois brutes, des plafonds bruts, contrastant avec un sol de basalte poli et les fenêtres étincelantes qui donnaient sur les canyons.

Ils arrivèrent à une galerie à flanc de falaise, qui ressemblait à une caverne naturelle, guère plus rectiligne que les lignes presque euclidiennes du canyon, en contrebas. Le mur du fond était orné d'une mosaïque de petits morceaux de pierre multicolores, polis et étroitement juxtaposés de façon à former un dessin abstrait qui aurait peut-être représenté quelque chose s'il avait eu le temps de se concentrer dessus. Le sol était une marqueterie d'onyx et d'albâtre, de serpentine et de jaspe sanguin. La galerie semblait interminable, poussiéreuse. Tout le complexe paraissait d'ailleurs plus ou moins abandonné. Les Rouges préféraient leurs patrouilleurs. Les refuges clandestins comme celui-ci étaient sans doute considérés comme un mal nécessaire. Quand les vitres étaient masquées, on aurait pu passer dans le canyon, juste devant, sans le voir. Sax se dit que ce n'était pas seulement pour éviter de se faire repérer par l'ATONU mais aussi par respect envers le paysage, pour se fondre dedans.

Comme Ann semblait tenter de le faire, assise dans un siège de pierre près de la vitre. Sax s'arrêta net. Perdu dans ses pensées, il avait failli lui rentrer dedans, de même qu'un voyageur ignorant aurait pu tomber sur le sanctuaire. Un caillou posé là. Il la regarda attentivement. Elle avait l'air malade. C'était devenu rare, et il l'examina avec une inquiétude croissante. Elle lui avait dit, des années auparavant, qu'elle ne suivait plus le traitement de longévité. Et pendant la révolution, elle avait brûlé comme une flamme. Maintenant que la révolte des Rouges était retombée, elle n'était plus que cendres. De la chair grise. Elle offrait une vision terrifiante. Elle devait avoir près de cent cinquante ans, comme tous les Cent Premiers encore vivants. Et sans le traitement, elle ne tarderait pas à mourir.

Enfin... d'un strict point de vue physiologique, elle devait être dans l'état d'une personne d'environ soixante-dix ans, selon le moment où elle avait reçu le traitement pour la dernière fois. Ce n'était donc pas si terrible. Peut-être Peter le saurait-il. Mais il avait entendu dire que plus on attendait entre deux cures, plus les problèmes avaient tendance à s'accumuler. Ça se tenait. Mieux valait être prudent.

Seulement il ne pouvait pas lui dire ça. En fait, il était difficile de savoir ce qu'on pouvait lui dire.

Elle finit par lever les yeux. Elle le reconnut et frémit, retroussa la lèvre comme un animal pris au piège. Puis elle détourna le regard, la mine sévère, le visage de pierre. Au-delà de la colère, tout espoir aboli.

– Je voulais te montrer une partie de Tyrrhena, dit-il lamentablement.

Elle se leva et quitta la pièce comme la statue du Commandeur.

Sax lui emboîta le pas, les jointures craquantes, en proie à une crise de pseudo-arthrite, comme bien souvent quand il avait affaire à Ann.

Les deux jeunes femmes à l'air rébarbatif le suivirent.

– Je ne pense pas qu'elle ait envie de vous parler, nota la plus grande.

– Vous êtes très observatrice, répliqua Sax.

Ann était plus loin, dans la galerie, debout devant une autre fenêtre. Ensorcelée, ou trop épuisée pour bouger. Ou en partie désireuse de lui parler.

Sax s'arrêta devant elle.

– Je voudrais avoir tes impressions, reprit-il. Tes suggestions sur la prochaine étape. Et j'ai quel-quel-quelques questions aréologiques. Evidemment, il se pourrait que les problèmes strictement scientifiques ne t'intéressent plus...

Elle fit un pas vers lui et le gifla. Il se retrouva sur les fesses, recroquevillé au pied du mur de la galerie. Ann avait disparu. Les deux jeunes femmes l'aidèrent à se relever en se demandant manifestement si elles devaient rire ou pleurer. Il avait mal partout et les yeux brûlants. Il redouta un instant de se mettre à pleurer devant ces deux jeunes idiotes, qui compliquaient prodigieusement les choses en le suivant comme son ombre. Avec elles sur les talons, il ne pouvait ni crier, ni implorer. Il ne pouvait pas se mettre à genoux et dire « Ann, je t'en prie, pardonne-moi ». C'était impossible.

– Où est-elle allée ? parvint-il à demander.

– Elle ne veut vraiment, vraiment pas vous parler, déclara la plus grande.

– Vous devriez peut-être attendre un peu et essayer plus tard, lui conseilla l'autre.

– Oh, la ferme ! s'exclama Sax, en proie à une rage soudaine. Je suppose que vous la laissez faire : arrêter le traitement et se tuer.

– C'est son droit, pontifia la grande.

– Ben tiens. Ce n'est pas un problème de droit mais de devoir : quelle attitude doit-on adopter face à une amie au comportement suicidaire ? Vous n'avez pas l'air très branchées sur la question. Maintenant, aidez-moi à la retrouver.

– Vous n'êtes pas de ses amis.

– Et comment !

Il se releva et repartit en titubant dans la direction qu'elle avait dû prendre. Une des filles tenta de lui saisir le coude. Il la repoussa. Ann était loin là-bas, effondrée sur une chaise dans ce qui ressemblait à une salle à manger. Il s'approcha d'elle en ralentissant, comme Achille dans le paradoxe de Zénon.

Elle se retourna et le foudroya du regard.

– C'est toi qui as abandonné la science, dès le départ, lança-t-elle en montrant les dents. Alors merde ! Tu es mal placé pour dire que je ne m'y intéresse pas !

– C'est vrai, convint Sax. Tu as raison. Ecoute, j'ai besoin de conseils, poursuivit-il, les mains tendues vers elle. D'un avis scientifique. Je suis prêt à apprendre. Et j'ai des choses à te montrer, aussi.

Elle réfléchit un instant puis se leva et repartit en passant si près de lui qu'il ne put retenir un mouvement de recul. Il se précipita derrière elle, mais elle marchait vite et faisait de bien plus grands pas que lui, de sorte qu'il dut se mettre à trotter pour ne pas se laisser distancer. Ses os lui faisaient un mal de chien.

– Nous pourrions peut-être sortir d'ici, suggéra Sax. Allons où tu veux, ça m'est égal.

– De toute façon, la planète est fichue, marmonna-t-elle.

– Tu dois bien sortir de temps en temps pour le coucher du soleil, insista Sax. Je pourrais peut-être t'accompagner.

– Non.

– Je t'en prie, Ann.

Il fournissait de tels efforts pour rester à sa hauteur tout en parlant qu'il était hors d'haleine. Et sa joue le brûlait toujours.

– Ann, je t'en prie !

Elle continua sans répondre, sans ralentir. Ils s'engagèrent dans un couloir sur lequel donnaient des appartements. Ann pressa le pas, entra dans une pièce et lui claqua la porte au nez. Sax tourna la poignée. Elle était verrouillée.

L'un dans l'autre, ce n'était pas un début très prometteur.

Il allait devoir ruser. Changer de tactique pour que ça ne tourne pas à la chasse à courre, à la persécution. Enfin...

– Je vais souffler, souffler, et détruire ta maison, marmonna-t-il, et il souffla sur la porte.

Mais ses deux cerbères étaient déjà de retour et le regardaient de travers.

Plus tard dans la semaine, un peu avant le coucher du soleil, il descendit dans le petit vestiaire et s'équipa. Quand Ann entra, il fit un bond d'un mètre.

– Je m'apprêtais à sortir, bredouilla-t-il. Ça ne t'ennuie pas ?

– C'est un pays libre, répondit-elle lourdement.

Ils sortirent du sas et se retrouvèrent ensemble à l'extérieur. Les deux jeunes femmes n'en auraient pas cru leurs yeux.

Il marchait sur des œufs. Il aurait pu lui montrer la beauté de la nouvelle biosphère, les plantes, la neige, les nuages, mais il ne fallait pas. Il devait laisser les choses parler d'elles-mêmes. Ça valait peut-être pour tous les phénomènes. Il ne servait à rien de défendre quoi que ce soit. On ne pouvait que marcher sur le sol, et le laisser plaider sa propre cause.

Ann n'avait pas l'instinct grégaire. C'est à peine si elle lui adressa la parole. Il soupçonna, en la suivant, que c'était son chemin habituel. Sa compagnie était simplement tolérée.

Peut-être était-il autorisé à poser des questions ; après tout, il s'agissait de science. Ann s'arrêtait assez souvent pour regarder les formations rocheuses de plus près. Il pourrait en profiter pour s'accroupir à côté d'elle et, d'un geste, ou d'un mot, lui demander ce qu'elle avait trouvé. Ils étaient en combinaison et casqués – l'altitude était pourtant assez basse pour permettre de respirer avec un masque équipé d'un filtre à CO_2 – aussi la conversation se bornait-elle à des voix bourdonnant aux oreilles, comme dans le temps. A poser des questions.

Alors il en posa. Et Ann répondit, de façon parfois assez détaillée. Tempe Terra était bien la Terre du Temps, un fragment survivant des highlands du Sud dont l'un des lobes pénétrait loin dans les plaines du nord, un témoignage de la collision avec l'astéroïde. Bien plus tard, Tempe s'était fracturée, tandis que la lithosphère était repoussée vers le haut par la bosse de Tharsis, au sud. Ces fractures incluaient à la fois les fossae de Mareotis et de Tempe, qui les entouraient maintenant.

Cette avancée de terrain avait été disloquée par l'émergence de quelques volcans tardifs qui s'étaient épanchés dans les canyons. Du haut d'une des crêtes, ils virent un volcan lointain pareil à un cône noir tombé du ciel ; puis un autre, auquel Sax trouva une certaine ressemblance avec un cratère météorique. Ann secoua la tête à cette observation et lui indiqua des coulées de lave et des fissures à peine descellables sous les ejecta postérieurs et (il fallait bien l'admettre) un saupoudrage de neige sale accumulée comme du sable dans les endroits abrités du vent, et que la lueur du soleil couchant teintait d'or.

Regarder le paysage du point de vue de son histoire, le lire tel un palimpseste écrit par un interminable passé. Voilà comment Ann le voyait, après un siècle d'observation et d'étude attentive, grâce à un don inné et à l'amour qu'il lui inspirait. C'était respectable, admirable. Une sorte de richesse, un trésor, une passion qui allait bien au-delà de la science, ou rappelait la science mystique de Michel. Une alchimie. Mais les alchimistes cherchaient à changer les choses. Alors plutôt une sorte de pythie.

Une visionnaire, porteuse d'une vision aussi puissante que celle d'Hiroko, en fait. Moins évidente, peut-être, moins spectaculaire, moins active. Une acceptation de l'existant. Un amour de la pierre pour elle-même. De Mars elle-même. La planète primitive, dans sa sublime gloire, rouge et rouille, calme comme la mort. Morte. Momifiée. Modifiée au fil du temps par les seules permutations chimiques de la matière, la vie immensément lente de la géophysique. C'était un concept étrange – une vie abiologique, mais présente si on voulait la voir, une sorte de vie tournoyante, filant entre les étoiles incandescentes, qui traversait l'univers dans son grand mouvement systolique-diastolique, portée par ce qu'on pourrait appeler un souffle immense. C'était plus facile à voir au coucher du soleil.

Essayer de voir les choses comme Ann. Jeter un coup d'œil furtif à son bloc-poignet, derrière son dos. Pierre, du latin *petra*. Roche, du latin de cuisine *rocca*, mot d'origine inconnue. Une masse de pierre. Sax laissa retomber son poignet et s'abîma dans une sorte de rêverie minérale, ouverte, blanche. Fit table rase de toute pensée, au point de ne pas entendre ce qu'Ann lui disait apparemment, car soudain elle renifla et repartit. Déconcerté, il la suivit en faisant un effort sur lui-même pour ignorer son déplaisir et lui poser d'autres questions.

Ann semblait pleine de déplaisirs. D'une certaine façon, c'était rassurant ; le manque d'affect aurait été mauvais signe, or elle paraissait encore très réactive. La plupart du temps, au moins. A certains moments, elle regardait une pierre avec une telle intensité qu'elle paraissait avoir retrouvé son enthousiasme obsessionnel d'autrefois, et il reprenait confiance. A d'autres, elle donnait l'impression d'agir mécaniquement, comme si l'aréologie n'était qu'une tentative désespérée pour tenir l'instant présent à distance. Eloigner l'histoire, le désespoir ou tout ça à la fois. Dans ces moments-là, elle était hors d'atteinte, elle ne s'arrêtait plus pour regarder les détails pourtant fascinants du décor devant lesquels ils passaient, elle ne répondait à aucune question les concernant. Le peu que Sax avait lu sur la dépression nerveuse l'inquiétait. On était très désarmé pour la combattre. Il y avait bien des médicaments, mais le résultat était aléatoire. Et lui suggérer de prendre des antidépresseurs revenait plus ou moins au même que de l'inciter à suivre le traitement et il ne pouvait pas en parler. D'ailleurs, le désespoir était-il la même chose que la dépression ?

Heureusement, il y avait remarquablement peu de plantes dans les environs. Tempe n'avait rien à voir avec Tyrrhena, ou même avec les environs du glacier d'Arena. Voilà ce qu'on obtenait sans jardinage intensif. Le monde était encore essentiellement rocheux.

D'un autre côté, Tempe était à une altitude bien inférieure, et il y faisait plus humide, l'océan de glace s'étendant à quelques kilomètres à peine au nord et à l'ouest. Des essaimages effectués par avion avaient été faits au-dessus du littoral sud de la nouvelle mer, dans le cadre du projet que Biotique avait inauguré quelques décennies plus tôt, quand Sax était à Burroughs. En regardant bien, on devait donc voir des lichens, de petites plaques de fellfield et quelques arbres de krummholz à demi enfouis dans la neige. Autant de plantes qui auraient du mal à survivre dans cet été nordique devenu un hiver – à part les lichens, évidemment. On distinguait déjà des pointes de couleurs automnales dans les petites feuilles de kœnigie blotties sur le sol, dans les boutons-d'or pygmées, les phippsies et – oui – les saxifrages arctiques. Le roussissement des feuilles faisait en quelque sorte office de camouflage dans la roche rouge environnante. Il arrivait souvent que Sax ne voie les plantes qu'au moment de mettre le pied dessus. Et naturellement, il se gardait bien d'attirer l'attention d'Ann, aussi, lorsqu'il en voyait une, l'examinait-il d'un rapide coup d'œil avant de poursuivre son chemin.

Ils gravirent une butte élevée qui dominait le canyon, à l'ouest du refuge, et soudain elle fut là : la gigantesque mer de glace, de bronze et de feu dans les derniers rayons du jour. Elle comblait une immense étendue de lowlands, créant un horizon rectiligne du sud-ouest au nord-est. Des mesas nées du sol tourmenté surgissaient maintenant de la glace, formant des écueils ou des îles aux falaises verticales. Cette partie de Tempe avait tout pour devenir l'une des côtes les plus spectaculaires de Mars, avec ces extrémités de fossae qui, en se remplissant, formaient de longs fjords, ou des lochs comme en Ecosse. Un cratère côtier qui se trouvait juste au niveau de la mer, fendu sur sa face au large, était devenu une baie parfaitement circulaire d'une quinzaine de kilomètres de diamètre, dotée d'un chenal d'accès de deux kilomètres d'envergure environ. Plus loin, au sud, le terrain déchiqueté situé au pied du Grand Escarpement créerait un archipel digne des Hébrides, beaucoup d'îles étant visibles des falaises du continent principal. Oui, c'était une côte spectaculaire. On s'en apercevait déjà rien qu'en regardant les draperies de glace crépusculaire.

Mais pas question de le faire remarquer, bien entendu. Il ne pouvait même pas faire allusion à la glace ou aux montagnes déchiquetées qui se dressaient sur la nouvelle côte. Des congères s'étaient détachées, à l'issue d'un processus que Sax ne comprenait pas et qui l'intriguait, mais il ne pouvait en parler. Il fallait rester planté là en silence, comme dans un cimetière.

Embarrassé, Sax s'agenouilla pour observer un spécimen de rhubarbe du Tibet qu'il avait failli écraser. Une petite rosette de feuilles rouges émergeant d'un bulbe rouge.

– Elle est morte? demanda Ann par-dessus son épaule.

– Non. (Il ôta quelques feuilles sèches de l'extérieur de l'inflorescence et lui montra celles du dessous, plus rouges.) Elle se croit déjà en hiver. Trompée par la baisse de luminosité.

Puis il poursuivit comme s'il se parlait à lui-même :

– Mais beaucoup de plantes vont mourir. L'inversion de température, c'est-à-dire le moment où la température de l'air descend au-dessous de celle du sol, s'est produite en une nuit environ. La végétation n'a guère eu le temps de s'y préparer. Ça va causer beaucoup de morts hivernales. Cela dit, les plantes sont mieux armées que ne l'auraient été les animaux. Et les insectes s'en sortent étonnamment bien, quand on pense que ce sont de petits réservoirs de liquide. Ils ont des cryoprotecteurs contre les froids extrêmes. Je les crois capables de supporter à peu près n'importe quoi.

Ann inspectait encore la plante, et Sax se retint pour ne pas lui dire : *Elle est vivante. Tous les membres d'une même biosphère dépendent les uns des autres pour survivre. Elle fait partie de toi. Comment peux-tu la détester?*

Mais, encore une fois, elle ne suivait plus le traitement.

La mer de glace était un embrasement de bronze et de corail. Le soleil se couchait, il fallait rentrer. Ann se releva et s'éloigna, ombre silencieuse. Il aurait pu lui parler alors qu'elle était cent, puis deux cents mètres devant lui, petite silhouette noire dans le monde immense. Mais il ne le fit pas. Il craignait qu'elle ressente comme un viol de son intimité cette intrusion dans ses pensées. Ses pensées... Il se demandait bien ce qu'elles pouvaient être en cet instant. Il avait envie de lui dire, Ann, Ann, à quoi songes-tu? Parle-moi, Ann. Partage tes pensées avec moi.

Le désir intense, aigu comme une douleur, de parler à quelqu'un; c'était ce que voulaient dire les gens quand ils parlaient d'amour. Ou plutôt, c'était ce que Sax identifiait à l'amour. Juste le désir exacerbé de partager des pensées. Rien d'autre. Oh, Ann, je t'en prie, parle-moi.

Mais elle restait muette. Les plantes ne paraissaient pas avoir sur elle le même effet que sur lui. Elle semblait vraiment décidée à les abominer, ces petits emblèmes de son corps, comme si la *viriditas* était un cancer de la roche. Même dans les amas croissants de neige chassée par le vent, les plantes n'étaient plus qu'à peine visibles. Il commençait à faire noir, une nouvelle tempête approchait sur la mer de ténèbres et de cuivre en fusion. Un petit paquet de mousse, une paroi rocheuse couverte de lichen; plus souvent la roche nue, comme elle l'avait toujours été. Et pourtant...

Et puis, en entrant dans le sas du refuge, Ann eut un malaise. En tombant, elle se cogna la tête sur le montant de la porte. Sax la rattrapa alors qu'elle s'affaissait sur un banc, le long du mur intérieur. Elle était inconsciente. Sax la traîna dans le sas pour refermer la porte extérieure, et lorsque le sas fut pressurisé, il la porta dans le vestiaire. Il avait dû hurler sur la fréquence commune car, le temps qu'il lui ôte son casque, cinq ou six Rouges avaient fait irruption dans la pièce. Il n'en avait jamais vu autant à la fois dans le refuge. Il découvrit que l'une des jeunes femmes qui le suivaient comme un petit chien, la moins grande, était la responsable biomed du refuge, et lorsqu'ils eurent déposé Ann sur un chariot, c'est elle qui mena le groupe vers la clinique et prit la direction des opérations. Sax l'aida de son mieux, les mains tremblantes, enlevant les bottes d'Ann de ses longs pieds. Son pouls – il vérifia sur son bloc-poignet – battait à cent quarante-cinq. Il se sentait brûlant, la tête vide.

– Elle a eu une attaque? demanda-t-il. Elle a eu une attaque?

La petite femme parut surprise.

– Je ne crois pas. Elle s'est trouvée mal et elle s'est cogné la tête.

– Mais pourquoi s'est-elle trouvée mal?

– Je n'en sais rien.

Elle regarda la grande jeune femme qui était assise à côté de la porte. Sax comprit qu'elles étaient les deux responsables du refuge.

– Ann a laissé des instructions pour qu'on ne prolonge pas artificiellement sa vie si le problème se présentait.

– Non, fit Sax.

– Des instructions très explicites. Par écrit. Elle refuse expressément tout acharnement thérapeutique.

– Débrouillez-vous pour la maintenir en vie, fit Sax d'une voix rendue rauque par la tension. (Tout ce qu'il avait dit depuis l'évanouissement d'Ann était une surprise pour lui; il était témoin de ses propres actions, au même titre qu'elles. Il s'entendit articuler :) Il ne s'agit pas de la prolonger artificiellement si elle ne reprend pas conscience mais juste de faire le minimum raisonnable afin qu'elle ne s'en aille pas si on peut faire autrement.

La toubib leva les yeux au ciel, excédée par ces pinaillages, mais la grande fille assise près de la porte parut réfléchir.

Sax s'entendit poursuivre :

– J'ai passé quatre jours sous assistance respiratoire, à ce qu'il paraît, et je suis bien content que personne n'ait pris l'initiative de me débrancher. C'est sa décision, pas la vôtre. Si on veut mourir, on peut le faire sans obliger un docteur à violer le serment d'Hippocrate.

La toubib répéta sa mimique d'un air encore plus exaspéré, mais, après un coup d'œil à sa collègue, elle accepta l'aide de Sax pour transférer Ann sur un lit équipé d'un système d'assistance respiratoire, puis elle brancha l'IA médicale et lui enleva sa combinaison. Une vieille femme noueuse, qui respirait maintenant avec un masque sur le visage. La grande fille se leva pour aider la doctoresse, et Sax alla s'asseoir. Ses propres symptômes physiologiques étaient étonnamment alarmants : une chaleur intense, diffuse, une sorte d'hyperventilation inefficace et une souffrance telle qu'il se retenait à grand-peine de crier.

Au bout d'un moment, la toubib s'approcha de lui. Ann était dans le coma, dit-elle. Son malaise avait été provoqué, semblait-il, par une légère arythmie cardiaque. Son état était stationnaire, pour le moment.

Sax resta assis dans la pièce. La doctoresse revient beaucoup plus tard. Le bloc-poignet d'Ann avait enregistré un petit accès de tachycardie, au moment où elle avait perdu connaissance. Et il y avait toujours une légère arythmie. Le coma était apparemment dû à une anoxie, au coup sur la tête ou aux deux.

Sax demanda ce que c'était que le coma, et éprouva un soudain désespoir en voyant la fille hausser les épaules. C'était apparemment un terme fourre-tout qui recouvrait divers états d'inconscience. Les pupilles fixes, le corps insensible, parfois bloqué dans des postures invraisemblables – Ann avait le bras et la jambe gauches tordus – et l'inconscience, bien sûr. Parfois, d'étranges réponses vestigielles, comme la crispation des mains. La durée du coma était éminemment variable. Certaines personnes n'en sortaient jamais.

Sax attendit en regardant ses mains qu'elle reparte, que tout le monde soit sorti, puis il alla se planter à côté d'Ann et scruta son visage caché par le masque. Il n'y avait rien à faire. Il lui prit la main. Elle ne réagit pas. Il lui prit la tête entre ses mains, comme on lui avait dit que Nirgal avait tenu la sienne quand il était inconscient. Ce geste lui parut vain.

Il se tourna vers la console de l'IA et afficha le programme de diagnostic. Il consulta le dossier médical d'Ann, parcourut l'ECG depuis le moment de l'incident dans le sas. Une petite arythmie, en effet. Le cœur était rapide, irrégulier. Il entra les données dans le programme de diagnostic et interrogea son bloc-poignet sur l'arythmie cardiaque. Il y avait beaucoup de rythmes cardiaques aberrants, mais il crut comprendre qu'Ann pouvait être atteinte d'une prédisposition génétique à un désordre de l'activation ventriculaire qui se traduisait à l'ECG par un décalage caractéristique de l'onde T.

Il afficha le génome d'Ann et ordonna à l'IA de mener une recherche dans les régions concernées des chromosomes trois, sept et onze. Dans le gène HERG du chromosome sept, l'IA identifia une petite mutation : une inversion de l'adénine-thymine et de la guanine-cytosine. Petite, mais l'HERG contenait les instructions concernant la synthèse d'une protéine qui servait de canal aux ions potassium dans la membrane des cellules cardiaques. Ces protéines-canal jouaient le rôle d'interrupteur inhibant les cellules cardiaques contractiles et, sans ce régulateur, le cœur pouvait entrer en arythmie et se mettre à battre trop vite pour pomper efficacement le sang.

Ann semblait avoir un problème avec un gène du chromosome trois appelé SCN5A. Ce gène encodait une autre protéine-canal qui laissait passer les ions sodium dans la membrane des cellules cardiaques, agissant cette fois comme un accélérateur. Une mutation à cet endroit pouvait aggraver le problème de tachycardie. Chez Ann, une base CG manquait.

Ces prédispositions génétiques n'expliquaient pas tout. L'IA disposait d'une symptomatologie de tous les problèmes connus, si rares qu'ils puissent être. Elle semblait considérer le cas d'Ann comme assez banal et établit la liste des traitements susceptibles d'y remédier. Il y en avait beaucoup.

Parmi les traitements préconisés figurait le recodage des gènes incriminés lors de plusieurs traitements gérontologiques consécutifs. Sax s'étonna que ça ne lui ait pas été fait, puis il vit que cette indication ne datait que d'une vingtaine d'années. Elle était donc postérieure au dernier traitement qu'elle avait subi.

Sax resta un long moment assis devant l'écran. Beaucoup plus tard, il se leva et inspecta le centre biomédical, instrument par instrument, pièce après pièce. Les gardes-chiourme le laissèrent aller et venir librement, croyant sans doute qu'il avait perdu l'esprit.

C'était un refuge important pour les Rouges, et il se pouvait que l'une des pièces contienne l'équipement nécessaire à l'administration du traitement de longévité. En effet. Il se trouvait dans un petit labo, à l'arrière de la clinique. Rien de spectaculaire : une grosse IA, les incubateurs, l'IRM, les potences de perf, les protéines et autres ingrédients nécessaires. C'était stupéfiant quand on pensait à ce qui pouvait en sortir. Mais ce n'était pas nouveau. La vie elle-même était stupéfiante : de simples séquences de protéines, et le tour était joué.

Bon. L'IA principale avait le génome d'Ann en mémoire. Mais s'il ordonnait à ce labo de synthétiser ses brins d'ADN (en recodant ses gènes HERG et SCN5A), les gens d'ici s'en apercevraient sûrement. Et ça ferait du tintouin.

Il retourna dans sa petite chambre et passa un appel codé à Da Vinci. Il demanda à ses associés d'amorcer la synthèse, et ils acceptèrent sans poser d'autres questions que techniques. Il y avait des moments où il adorait ces saxaclones.

Après ça, il n'avait plus qu'à attendre. Des heures passèrent, puis d'autres encore. Plusieurs jours finirent par s'écouler ainsi. L'état d'Ann était stationnaire. La doctoresse faisait grise mine. Elle ne parlait plus de débrancher Ann mais son regard en disait long. Sax décida de dormir par terre, dans la chambre d'Ann. Il connaissait par cœur le rythme de sa respiration. Il passait beaucoup de temps à lui caresser la tête, comme Michel lui avait dit que Nirgal avait fait avec lui. Il doutait beaucoup que ça ait jamais guéri quiconque, mais il le faisait quand même. Assis là, dans cette posture, il eut le temps de penser au traitement de plasticité du cerveau que Vlad et Ursula lui avaient fait subir après son attaque. Evidemment, le coma n'avait pas grand-chose à voir avec une attaque, mais un changement d'esprit n'était pas nécessairement une mauvaise chose, quand c'était à l'esprit qu'on avait mal.

Quelques jours passèrent encore ainsi, chacun plus lentement, plus vide, plus terrifiant que le précédent. Les incubateurs des laboratoires de Da Vinci avaient depuis longtemps préparé l'ensemble complet des brins d'ADN spécifiques d'Ann mais recodés, plus des ARN messagers et les ribosomes correspondants – le filet garni gérontologique, sous sa forme la plus élaborée.

Alors, un soir, il appela Ursula et eut un long entretien avec elle. Quand elle eut assimilé ce qu'il voulait faire, elle répondit à ses questions, l'air un peu affolé quand même.

– L'ensemble de stimuli que nous t'avons administré provoquerait une croissance synaptique exagérée dans un cerveau non endommagé, dit-elle fermement. La personnalité de l'individu serait modifiée selon un schéma rigoureusement indéterminé.

Traduction : Ça en ferait un fou comme Sax.

Sax décida de laisser tomber les stimuli synaptiques. Sauver la vie d'Ann était une chose, modifier ce qu'elle avait dans la tête, une autre. Le changement improvisé n'était pas à l'ordre du jour. Le but était l'acceptation. Le bonheur – le vrai bonheur d'Ann, quoi que ça puisse être –, si lointain, si difficile à imaginer. Il avait mal rien que d'y penser. C'était extraordinaire de voir comment la seule pensée pouvait faire naître la souffrance physique. Le système limbique était un monde en soi, baignant dans la souffrance, de la même façon que le corps noir était partout dans l'univers.

– Tu as parlé à Michel ? lui demanda Ursula.

– Non. Mais c'est une bonne idée.

Il appela Michel, lui exposa la situation et ce qu'il avait l'intention de faire.

– Voyons, Sax ! fit Michel, choqué.

Mais, quelques instants plus tard, il promettait de venir. Il allait demander à Desmond de l'emmener en avion à Da Vinci afin de prendre tout ce qu'il fallait pour le traitement et arriverait au refuge en avion.

Sax resta donc assis dans la chambre d'Ann, la main sur sa tête. Un crâne plein de bosses. Un adepte de la phrénologie aurait passé un bon moment sur ce terrain.

Puis Michel et Desmond, ses frères, furent là, près de lui. Ainsi que la doctoresse qui les avait escortés, la grande jeune femme et d'autres encore. Ils en étaient donc réduits à communiquer par le regard, ou l'absence de regard. Mais tout était parfaitement clair. Il n'était que trop facile de voir ce que pensait Desmond. Ils avaient apporté le kit gériatrique d'Ann. Ils n'avaient plus qu'à attendre le moment propice.

Qui arriva très vite. La routine s'était réinstallée dans le petit centre biomédical. L'effet du traitement de longévité sur le coma était mal connu. Michel avait consulté la littérature et n'avait pas trouvé grand-chose, mais comme le traitement avait été administré à titre expérimental à quelques patients en état de coma dépassé et les avait ramenés à la vie dans près d'un cas sur deux, il pensait que c'était une bonne idée.

C'est ainsi qu'une nuit, peu après leur arrivée, les trois hommes se relevèrent et passèrent sur la pointe des pieds devant l'infirmière de garde qui dormait à poings fermés, avachie dans un fauteuil devant la porte de la clinique. Sax et Michel introduisirent les aiguilles de perfusion dans le dessus des mains d'Ann, calmement, avec soin et précision. Sans un bruit. Tout alla très vite : le sérum se mit à couler dans ses veines, entraînant les nouveaux brins de protéines dans son système circulatoire. Son souffle devint irrégulier, et Sax, brûlant de peur, gémit intérieurement. Michel et Desmond le tenaient chacun par un bras comme pour l'empêcher de tomber. Il était réconfortant de les sentir à côté de lui. Mais il aurait donné n'importe quoi pour qu'Hiroko soit là. C'était ce qu'elle aurait fait, il en était sûr. Se le répéter le rassurait un peu. Hiroko était l'une des raisons pour lesquelles il agissait ainsi. Et pourtant, son concours, sa présence physique lui manquaient. Il aurait voulu qu'elle vienne l'aider comme sur Daedalia Planitia. Qu'elle vienne aider Ann. C'était elle l'experte de ce genre d'expérimentation humaine radicalement irresponsable. Ça n'aurait rien été, pour elle...

Quand l'opération fut achevée, ils retirèrent les aiguilles intraveineuses et rangèrent tout leur matériel. L'infirmière dormait toujours, la bouche grande ouverte, ce qui lui donnait l'air de la petite fille qu'elle était en fait. Ann était toujours inconsciente, mais Sax avait l'impression qu'elle respirait mieux. Plus profondément.

Les trois hommes restèrent un moment debout auprès d'elle, à la regarder, puis ils ressortirent comme ils étaient venus et regagnèrent leurs lits sur la pointe des pieds. Desmond fit l'andouille, esquissant des entrechats, et les deux autres durent lui dire de se tenir tranquille. Ils se recouchèrent, mais ne purent dormir. Et comme ils ne pouvaient pas parler non plus ils restèrent allongés en silence, tels des frères dans une grande maison, après une expédition réussie au cœur de la nuit, dans le vaste monde endormi.

Le lendemain matin, la doctoresse vint leur parler.

– Le pronostic vital est meilleur.

Les trois hommes se dirent extrêmement satisfaits de cette bonne nouvelle.

Plus tard, dans la salle à manger, Sax dut se gendarmer pour ne pas parler à Michel et Desmond de sa rencontre avec Hiroko. La nouvelle aurait plus d'importance pour eux que pour n'importe qui au monde, mais quelque chose le retenait. La crainte, peut-être, qu'on le croie dérangé, ou qu'il ait eu une vision. Le moment où Hiroko était repartie dans la tempête après l'avoir laissé dans son patrouilleur... il ne savait qu'en penser. Pendant les longues heures qu'il avait passées auprès d'Ann, il avait beaucoup réfléchi et même procédé à quelques recherches. Il savait maintenant que sur Terre, en altitude, les alpinistes souffrant du manque d'oxygène avaient souvent des hallucinations et voyaient des alpinistes comme eux. Une sorte de phénomène de doppelganger. Le sauvetage par l'anima. Et son tube à oxygène était partiellement obstrué.

– Je pense que c'est ce qu'aurait fait Hiroko, dit-il.

– Je reconnais que c'était culotté, acquiesça Michel. Tout à fait son style. Non, ne te méprends pas – je suis content que tu l'aies fait.

– Il était bientôt temps, si tu veux que je te dise, renchérit Desmond. Il y a des années que quelqu'un aurait dû la ligoter et la soumettre au traitement. Oh, Sax, mon Sax ! fit-il en riant joyeusement. J'espère seulement qu'elle n'en sortira pas aussi dingue que toi.

– Sax avait eu une attaque, rectifia Michel.

– Et puis, ajouta Sax, soucieux de rétablir la vérité historique, j'étais déjà relativement excentrique avant.

Ses deux amis hochèrent la tête, la bouche en cul-de-poule. La situation n'était pas encore tout à fait résolue, mais ils étaient d'excellente humeur. Puis la grande doctoresse vint les trouver. Ann était sortie du coma.

Sax avait l'estomac trop noué pour manger, mais il remarqua que certaine pile de toasts beurrés placée devant lui avait beaucoup diminué. Il les avait engloutis sans s'en rendre compte.

– Elle va t'en vouloir à mort, remarqua Michel.

Sax acquiesça d'un hochement de tête. C'était malheureusement probable. Sinon certain. Une pensée attristante. Il ne voulait pas qu'elle le frappe à nouveau. Ou, pire, qu'elle lui refuse sa compagnie.

– Tu devrais venir avec nous sur Terre, suggéra Michel. Nous y allons en délégation, Maya, Nirgal et moi.

– Il y a une délégation qui part pour la Terre ?

– Oui. Je ne sais pas qui a eu cette idée, mais je la trouve géniale. Il est indispensable que des représentants aillent leur parler. Le temps que nous revenions, Ann aura eu le temps de réfléchir.

– Intéressant, convint Sax, soulagé à la seule idée de prendre le large.

En fait, le nombre de raisons impératives qu'il avait d'aller sur Terre était presque terrifiant.

– Mais... et Pavonis ? Et la conférence dont tout le monde parle ?

– On pourra y participer par vidéo.

– Très juste.

C'était exactement ce qu'il disait depuis le début.

Le plan était attrayant. Il ne voulait pas être là quand Ann se réveillerait. Ou plutôt, quand elle découvrirait ce qu'il lui avait fait. D'accord, c'était de la lâcheté. D'un autre côté...

– Et toi, Desmond ? Tu y vas aussi ?

– Pas fou, non !

– Euh... Tu m'as bien dit que Maya était du voyage ? demanda Sax.

– Oui, confirma Michel.

– Parfait. La dernière fois que j'ai-j'ai-j'ai essayé de sauver la vie d'une femme, Maya l'a tuée.

– Quoi ? Comment ? Phyllis ? Tu as sauvé la vie à Phyllis ?

– Oui. Enfin, non... C'est-à-dire que si, mais comme c'est moi qui l'avais mise en danger, pour commencer, je ne crois pas que ça compte.

Il essaya de leur expliquer ce qui s'était passé cette nuit-là à Burroughs, sans grand succès. C'était très confus dans son propre esprit, en dehors de certains moments d'horreur encore très vifs.

– Bah, laissons tomber. C'est juste que ça m'est revenu tout à coup. Je n'aurais même pas dû en parler. Je suis...

– Tu es crevé, fit Michel. Mais rassure-toi. Maya ne fera pas de bêtises ici ; nous la tiendrons à l'œil.

Sax acquiesça. Décidément, la situation ne se présentait pas mal du tout. Comme ça, Ann aurait le temps de faire le point. De réfléchir, de comprendre. Enfin, il fallait l'espérer. Et puis ce serait intéressant de voir de ses propres yeux comment les choses se passaient sur Terre. Très intéressant. Si intéressant qu'aucun individu un tant soit peu sensé ne pouvait laisser passer cette occasion.

TROISIÈME PARTIE

Une nouvelle Constitution

Les fourmis arrivèrent sur Mars en même temps que le projet d'humus, et il y en eut bientôt partout, car elles sont comme ça. Or donc le petit peuple rouge rencontra les fourmis, et ce fut la révélation. Ces créatures avaient juste la taille qu'il fallait pour monter dessus. Il leur arriva la même chose qu'aux Indiens d'Amérique lorsqu'ils rencontrèrent le cheval. Ils les domptèrent, et vous avez vu le résultat.

Ce ne fut pas une mince affaire que de domestiquer les fourmis. Les petits savants rouges ne voulaient même pas croire que de telles créatures fussent possibles, à cause du ratio surface/volume, et pourtant si, elles déambulaient comme des robots doués d'intelligence. Les petits savants rouges allèrent chercher des explications dans les ouvrages de références des humains. Ils lurent les articles concernant les fourmis. Ils se renseignèrent sur les phéromones des fourmis et synthétisèrent celles qu'il fallait pour contrôler les fourmis-soldats d'une espèce rouge particulièrement docile, puis ils se mirent au travail. Une minuscule cavalerie rouge. Ils se payèrent du bon temps à charger la région en tous sens, à vingt ou trente par fourmi, comme des pachas sur un éléphant. Regardez les fourmis, vous finirez bien, à force, par les voir, sur leur dos.

Mais en lisant les textes les petits savants rouges apprirent tout ce qui concernait les phéromones humaines. Ils retournèrent, frappés d'épouvante et de consternation, auprès du petit peuple rouge. Nous savons maintenant pourquoi les hommes nous posent tant de problèmes, lui annoncèrent-ils. Ces humains n'ont pas plus de volonté que les fourmis que nous chevauchons en tous sens. Ce sont des fourmis carnivores géantes.

Le petit peuple rouge s'efforça de comprendre cette parodie de vie.

Puis une voix dit, Non, ce n'est pas vrai, elle le leur dit à tous ensemble. Le petit peuple rouge se parlait par la pensée, vous compre-

nez, et ce fut comme une annonce télépathique faite par haut-parleur. Les humains sont des êtres spirituels, disait et répétait cette voix.

– Comment le sais-tu ? demanda le petit peuple rouge. Et qui es-tu ? Es-tu le fantôme de John Boone ?

Je suis le Gyatso Rimpoché, répondit la voix. La dix-huitième réincarnation du Dalaï Lama. J'explore le Bardo à la recherche de ma prochaine réincarnation. J'ai cherché partout sur Terre, sans succès, alors j'ai décidé de regarder ailleurs. Le Tibet est encore sous la botte des Chinois, et ils ne donnent pas l'impression de vouloir s'en aller. Les Chinois, que j'aime tendrement, attention, sont de sales brutes à la tête dure. Et tous les gouvernements du monde ont depuis longtemps tourné le dos au Tibet. Personne ne veut défier les Chinois. Il faut faire quelque chose. Alors je suis venu sur Mars.

Bonne idée, répondit le petit peuple rouge.

Oui, acquiesça le Dalaï Lama, mais je dois admettre que j'ai du mal à trouver une nouvelle incarnation. D'abord, il y a très peu d'enfants sur la planète, ensuite j'ai l'impression que ça n'intéresse personne. Je suis allé à Sheffield, mais tout le monde était occupé à bavarder. Je suis allé à Sabishii, mais tout le monde avait la tête dans le sable. Je suis allé à Elysium, mais tout le monde était dans la position du lotus et n'entendait pas être dérangé. Je suis allé à Christianopolis, mais tout le monde avait ses problèmes. Je suis allé à Hiranyagarba, mais tout le monde disait qu'il en avait assez fait comme ça pour le Tibet. J'ai regardé partout sur Mars, sous toutes les tentes, dans toutes les gares, partout les gens ont autre chose à faire. Personne ne veut être le dix-neuvième Dalaï Lama. Et le Bardo est plus froid de jour en jour.

Bonne chance, répondit le petit peuple rouge. Nous cherchons depuis la mort de John, et nous n'avons pas trouvé une seule personne digne de s'entretenir avec nous, et encore moins de nous héberger en elle. Ces grands individus sont tout détraqués à l'intérieur.

Le Dalaï Lama fut découragé par cette réponse. Il commençait à être vraiment fatigué et ne pouvait plus rester dans le Bardo. Alors il dit : Et l'un de vous ?

Évidemment bien sûr, répondit le petit peuple rouge. Nous sommes très flattés. Mais il faudra nous prendre tous. Nous faisons tout comme ça, ensemble.

Pourquoi pas ? acquiesça le Dalaï Lama, et il transmigra dans l'une des petites particules rouges, et à l'instant même il fut en eux tous à la fois, sur Mars tout entière. Le petit peuple rouge leva les yeux vers les humains qui se bousculaient autour d'eux, vision qu'ils avaient tendance à considérer jusque-là comme une sorte de mauvais film sur un grand écran, mais ils se rendirent compte qu'ils étaient à présent emplis de toute la compassion et de toute la sagesse des dix-huit vies anté-

rieures du Dalaï Lama. Ka wow, se dirent-ils, ces gens sont vraiment détraqués à l'intérieur. Il nous semblait bien que c'était grave, mais c'est encore pire que nous ne pensions. Ils ont de la chance de ne pas pouvoir lire dans l'esprit les uns des autres ou ils s'entre-tueraient. Ça doit être pour ça qu'ils s'étripent parfois – ils savent ce qu'ils pensent eux-mêmes, alors ils soupçonnent tous les autres d'en avoir autant à leur service. Comme c'est vilain. Comme c'est triste.

Ils ont besoin de votre aide, dit le Dalaï Lama en eux tous. Vous pouvez peut-être les aider.

Peut-être, répondirent-ils, mais en vérité, ils en doutaient. Ils avaient essayé d'aider les humains après la mort de John Boone, ils avaient dressé des villes entières à l'entrée de leurs oreilles et leur avaient parlé inlassablement, comme John, d'une voix qui ressemblait à la sienne, dans l'espoir de les amener à se réveiller et à se conduire décemment. Ils n'avaient réussi qu'à les envoyer chez le spécialiste du nez, de la gorge et des oreilles. Tout le monde croyait avoir des bourdonnements d'oreilles. Personne n'avait compris que c'était le petit peuple rouge. Il y avait de quoi décourager les meilleures volontés.

Mais l'esprit compatissant du Dalaï Lama était désormais sur le petit peuple rouge, et il décida de faire un nouvel essai. Il faudrait peut-être tenter autre chose que de leur murmurer aux oreilles, souligna le Dalaï Lama, et tous acquiescèrent. Nous devons attirer leur attention par un autre moyen.

Avez-vous essayé d'entrer en contact télépathique avec eux? demanda le Dalaï Lama.

Oh non! répondirent-ils. Pas question. Trop affreux. Leur vilenie pourrait nous tuer sur le coup. Ou du moins nous affecter gravement.

Peut-être pas, objecta le Dalaï Lama. Essayez de fermer votre esprit à leurs émissions et de projeter vos pensées vers eux. Envoyez-leur simplement des tas de bonnes idées positives, projetez-leur votre compassion, de l'amour, de l'amabilité, de la sagesse, et même un peu de sens commun.

Nous allons essayer, répondit le petit peuple rouge. Mais nous allons être obligés de crier de toute la force de nos poumons télépathiques, tous en chœur, parce que ces gens ne veulent tout simplement rien entendre.

Il y a maintenant neuf siècles que j'essaie, acquiesça le Dalaï Lama. Vous vous y ferez. Et vous, mes petits, vous avez l'avantage du nombre. Alors tentez toujours le coup.

Et c'est ainsi que le petit peuple rouge, sur toute la surface de Mars, regarda vers le haut et inspira profondément.

Art Randolph prenait le pied de sa vie.

C'était le contraire de la bataille de Sheffield, qui avait été un désastre, un ratage diplomatique, l'échec de tous ses efforts. Il avait passé ces journées cauchemardesques à courir dans tous les sens afin de rencontrer chacun de ceux qu'il croyait capables d'aider à désamorcer la crise, affolé à l'idée que c'était un peu de sa faute : s'il avait fait ce qu'il fallait, ça ne serait jamais arrivé. Le combat manqua bien embraser Mars tout entière, comme en 2061. L'après-midi de l'attaque des Rouges, ç'avait été moins cinq.

Et la fièvre était retombée. Quelque chose – la diplomatie, ou la réalité des combats (une victoire défensive de ceux du câble), un peu de bon sens, un coup de chance – quelque chose avait empêché la situation de basculer dans l'abîme.

Après cet épisode digne d'un cauchemar, les gens avaient regagné Pavonis Est en proie à de sombres pensées. Les conséquences de ce fiasco leur étaient vite apparues. Il fallait qu'ils s'accordent sur une stratégie. Beaucoup de Rouges radicaux étaient morts ou avaient disparu dans la nature, et les Rouges modérés qui s'étaient repliés sur Pavonis Est étaient furieux. Enfin, au moins ils étaient là. C'était une période inconfortable, pleine d'incertitudes, mais ils étaient là.

C'est dans ce contexte qu'Art lança l'idée d'un congrès constitutionnel. Il parcourut la grande tente en long, en large et en travers, traversant le labyrinthe d'entrepôts industriels, de hangars et de dortoirs de béton, arpentant les larges rues encombrées par un véritable musée de véhicules lourds, incitant tout le monde à la même chose : jeter les bases d'une Constitution. Il parla avec Nadia, Nirgal, Jackie, Zeyk, Maya, Peter, Ariadne, Rashid,

Tariki, Nanao, Sung et H. X. Borazjani. Il parla à Vlad, à Ursula, à Marina et à Coyote. Il parla à des dizaines de jeunes indigènes qu'il ne connaissait pas, qui avaient joué un rôle clé dans les récents soulèvements. Il parla à tant de gens que l'entreprise commença à évoquer un cas d'école sur la nature polycéphale des mouvements de masse. A chacune des têtes de cette nouvelle hydre sociale, Art présenta les mêmes arguments : « Une Constitution nous légitimerait auprès de la Terre et nous fournirait un cadre pour régler les controverses entre nous. Et puisque nous sommes là, pourquoi ne pas commencer tout de suite ? Il y a déjà quelques projets auxquels nous pourrions jeter un coup d'œil. » Et comme les événements de la semaine passée étaient encore frais dans leur mémoire, les gens hochaient la tête en disant : « Pourquoi pas ? » et s'éloignaient en y réfléchissant.

Art appela William Fort afin de le tenir au courant de ce qu'il faisait, et reçut une réponse plus tard dans la journée. Le vieil homme était dans une nouvelle ville de réfugiés au Costa Rica, et avait l'air un peu ahuri, comme d'habitude.

– Ça paraît intéressant, dit-il.

Après ça, les gens de Praxis vinrent trouver Art tous les jours afin de voir comment ils pouvaient l'aider. Art fut plus occupé qu'il ne l'avait jamais été à faire *nema-washi*, comme disaient les Japonais, c'est-à-dire à « préparer l'événement », ce qui consistait à inciter un groupe d'organisateurs à se réunir pour définir une stratégie, à retourner voir tous ceux auxquels il avait déjà parlé, à essayer, en fait, de rencontrer chacun individuellement sur Pavonis Mons.

– La méthode John Boone, commenta Coyote avec son rire affolant. Bonne chance !

Sax, qui emballait ses rares biens en ce monde en prévision de sa mission diplomatique sur Terre, dit :

– Tu devrais inviter les... les Nations Unies.

Sax avait un peu rechuté depuis sa mésaventure dans la tempête de neige. Il regardait parfois les choses fixement, comme s'il avait reçu un coup sur la tête. Art répondit gentiment :

– Sax, nous venons de les éjecter de cette planète à coups de pied dans le derrière.

– Exact, fit Sax en regardant le plafond. Eh bien, maintenant, tu devrais les coopter.

– Coopter les Nations Unies ! répéta Art en réfléchissant.

Coopter les Nations Unies... Ça sonnait assez bien, force lui était de le reconnaître. Ce serait un défi, sur le plan diplomatique.

Juste avant le départ des ambassadeurs pour la Terre, Nirgal passa dans les bureaux de Praxis. En embrassant son jeune ami, Art fut soudain étreint par une peur irrationnelle. Partir pour la Terre !

Nirgal était toujours aussi plein d'entrain et ses yeux noirs brillaient d'enthousiasme. Après avoir dit au revoir aux autres, il s'assit avec Art dans un coin tranquille de l'entrepôt.

– Tu es vraiment sûr de vouloir y aller ? demanda Art.

– Absolument. Je veux voir la Terre.

Art eut une moue dubitative, ne sachant que répondre.

– Et puis, ajouta Nirgal, il faut bien que quelqu'un aille leur montrer qui nous sommes.

– Pour ça, personne n'est mieux placé que toi. Mais fais attention aux métanats. On ne sait jamais ce qu'elles mijotent. Et à la nourriture. Il risque d'y avoir de sacrés problèmes d'hygiène dans les régions inondées. Et aux microbes. Et méfie-toi des coups de soleil, ta peau n'est pas...

Art remit ses conseils de voyage à une autre fois. Jackie Boone venait d'entrer. Nirgal ne l'écoutait plus, de toute façon. Il regardait Jackie d'un air parfaitement inexpressif, comme s'il avait mis un masque de Nirgal. Or aucun masque ne pouvait lui rendre justice. La mobilité de son visage étant sa caractéristique principale, il ne se ressemblait plus du tout.

Jackie s'en aperçut aussitôt, bien sûr. La communication était coupée avec son vieux partenaire... Elle le foudroya du regard. Art comprit qu'il y avait de l'eau dans le gaz. Il se serait volontiers éclipsé, car il avait l'impression de tenir un éclair par la queue pendant un orage. Mais Jackie était plantée dans la porte, et il n'avait pas envie de la déranger en ce moment. De toute façon, ils avaient oublié jusqu'à son existence.

– Alors tu t'en vas, dit-elle à Nirgal. Tu nous laisses tomber.

– J'y vais juste en visite.

– Mais pourquoi ? Pourquoi maintenant ? La Terre ne veut plus rien dire pour nous aujourd'hui.

– C'est de là que nous venons.

– Pas du tout. Nous venons de Zygote.

Nirgal secoua la tête.

– La Terre est notre planète d'origine. Nous en sommes une extension, ici. Il faut bien en tenir compte.

Jackie évacua sa réponse d'un geste excédé, ou déconcerté.

– Tu t'en vas juste au moment où nous avons le plus besoin de toi ici !

– Considère ça comme une occasion à saisir.

– Je n'y manquerai pas, lança-t-elle, furieuse. Et ça risque de ne pas te plaire.

– Tant que tu as ce que tu veux...

– Tu ne sais pas ce que je veux ! répliqua-t-elle férocement.

Art sentit ses cheveux se dresser sur sa nuque. La foudre était sur le point de frapper. Il n'avait rien contre le fait d'écouter aux portes, il était assez du genre voyeur, en fait, mais se retrouver au beau milieu d'une scène de ménage, c'était une autre paire de manches. Il y avait des choses auxquelles il ne voulait pas assister. Il s'éclaircit la gorge. Les deux autres sursautèrent. Il écarta Jackie et sortit. Derrière lui, les voix poursuivirent, amères, accusatrices, pleines de souffrance et de ressentiment.

C'est Coyote qui conduisit les ambassadeurs pour la Terre vers l'ascenseur, au sud. Art était assis à côté de lui. Ils traversèrent lentement les faubourgs à moitié détruits entourant le Socle, dans la partie sud-ouest de Sheffield. Les rues avaient été conçues pour accueillir d'énormes ponts roulants destinés aux conteneurs de marchandises et tout avait un aspect terriblement speeresque [1], inhumain et colossal. Sax se mit un devoir d'expliquer pour la énième fois à Coyote que les voyageurs pour la Terre participeraient au congrès constitutionnel par vidéo, qu'ils ne rateraient pas tout, comme Thomas Jefferson à Paris.

– Nous serons de tout cœur avec vous, à Pavonis, fit Sax. De tout cœur et en esprit.

– Alors tout le monde sera à Pavonis, rétorqua Coyote d'un ton funèbre.

Il n'aimait pas l'idée que Sax, Maya, Michel et Nirgal partent pour la Terre. Non plus qu'il ne donnait l'impression d'aimer l'idée du congrès constitutionnel. Rien ne lui plaisait, ces jours-ci. Il était de mauvaise humeur, mal dans sa peau.

– Nous ne sommes pas sortis de l'auberge, marmonnait-il sans cesse. Vous verrez...

Puis le Socle se dressa devant eux, le câble noir et brillant émergeant de l'énorme masse de béton, tel un harpon planté dans Mars par une force terrestre qui ne voulait pas lâcher prise. Après s'être identifiés, les voyageurs pénétrèrent dans le complexe par un grand passage rectiligne menant à l'énorme hall central où le câble descendait par une sorte de collier et planait au-dessus d'un réseau de pistes qui s'entrecroisaient au sol. Le câble était en équilibre parfait sur son orbite et n'entrait jamais en contact avec Mars. Il restait simplement suspendu là, son extrémité de dix mètres de large en lévitation au milieu de la salle. Le collier du haut ne servait qu'à le stabiliser. Pour le reste,

1. Speer, Albert (1905-1981), architecte nazi, au style grandiose et froid ; on lui doit le stade de Nuremberg. *(N.d.T.)*

son positionnement était l'affaire des moteurs-fusées disposés tout du long et surtout de l'équilibre entre les forces centrifuges et la gravité qui le maintenaient sur son orbite aréosynchrone.

Les cabines de l'ascenseur flottaient dans l'air comme le câble lui-même, mais pour une raison différente : elles étaient suspendues électromagnétiquement. L'une d'elles plana le long de l'une des pistes menant vers le câble, s'amarra au câble et s'éleva sans bruit vers un sas ménagé dans le collier.

Les voyageurs et leurs accompagnateurs descendirent du véhicule. Nirgal était très effacé, il était déjà parti. Maya et Michel étaient tout excités et Sax, égal à lui-même. Ils embrassèrent Art en se dressant sur la pointe des pieds, Coyote en se penchant. Puis tout le monde se mit à parler en même temps et se regarda comme dans l'espoir de retenir chaque seconde de ce moment. Ce n'était qu'un voyage, mais ils avaient l'impression que c'était bien davantage. Puis les quatre voyageurs s'éloignèrent et disparurent dans le tube de couplage qui menait à la cabine suivante de l'ascenseur.

Après leur départ, Coyote et Art regardèrent la cabine flotter vers le câble, monter à travers la valve du sas et disparaître. Le visage asymétrique de Coyote se crispa, exprimant une angoisse et une peur qui lui ressemblaient bien peu. Evidemment, c'étaient son fils et trois de ses plus proches amis qui partaient pour un endroit très dangereux. Bon, ce n'était que la Terre, mais ça paraissait dangereux. Art devait bien l'admettre.

– Tout ira bien, dit Art en étreignant l'épaule du petit homme. Ils vont être accueillis comme des stars, là-bas. Tout va merveilleusement se passer pour eux.

C'était sûrement vrai. Le seul fait de prononcer ces paroles rassurantes lui fit du bien. Ils allaient sur la planète mère, après tout. Une planète faite pour les humains. Ils seraient bien reçus. C'était leur monde d'origine. Mais quand même...

Sur Pavonis Est, le congrès avait commencé.

A l'instigation de Nadia, en fait. Elle avait simplement commencé à travailler dans l'entrepôt principal sur des passages du traité et peu à peu les gens s'étaient joints à elle. Les choses avaient fait boule de neige. Une fois que les réunions eurent commencé, les gens ne purent faire autrement que d'y assister, sous peine de rater l'occasion de dire ce qu'ils avaient à dire. Nadia haussait les épaules quand ils se plaignaient de ne pas être prêts, de ne pas en savoir assez long, que les choses ne soient pas régularisées et ainsi de suite.

– Allons, répondait-elle avec impatience. Puisque nous sommes là, autant nous y mettre tout de suite.

C'est ainsi qu'un groupe fluctuant de trois cents personnes environ prit l'habitude de se réunir tous les jours dans le complexe industriel de Pavonis Est. L'entrepôt principal, conçu pour accueillir des tronçons de piste et des wagons, était énorme. Des dizaines et des dizaines de cloisons mobiles furent dressées le long des murs afin de former des bureaux, l'espace central étant occupé par un assemblage vaguement circulaire de tables dépareillées.

– Ah, fit Art en le voyant. La table des tables.

Il se trouva évidemment des gens pour réclamer la liste des délégués autorisés à voter, à prendre la parole et ainsi de suite. Nadia, qui avait vite assumé le rôle de présidente, proposa d'accepter comme délégation tout groupe martien qui en ferait la demande, à la condition qu'il ait eu une existence tangible avant le début de la conférence.

– Pas la peine de nous montrer restrictifs.

Les spécialistes de la Constitution de Dorsa Brevia convinrent que le congrès devrait être mené par des membres de délégations votantes, et que le résultat final devrait être soumis au suffrage populaire. Charlotte, qui avait mis la main à l'élaboration du document de Dorsa Brevia, douze années martiennes auparavant, avait depuis mené les travaux d'un groupe qui avait planché sur un éventuel gouvernement, dans l'hypothèse où la révolution réussirait, et ils n'étaient pas seuls à s'intéresser au sujet. L'université de Sabishii ainsi que certaines écoles de Fossa Sud dispensaient un enseignement sur la question, et il y avait dans l'entrepôt beaucoup de jeunes indigènes compétents dans ce domaine.

– C'est assez effrayant, remarqua Art. Faites la révolution et qu'est-ce qui se passe ? Les hommes de loi sortent des bois.

– Toujours, répondit Nadia.

Le groupe de Charlotte avait dressé une liste de délégués virtuels à un congrès potentiel, liste comprenant toutes les colonies martiennes de cinq cents personnes et plus. Un certain nombre de gens seraient donc représentés deux fois, souligna Nadia, une fois pour leur localisation et une fois pour leur appartenance politique. Les rares groupes qui ne figuraient pas sur la liste allaient se plaindre à un nouveau comité, qui enrôlait à peu près tous les pétitionnaires. Art appela Derek Hastings et invita l'ATONU à envoyer une délégation. Sidéré, Hastings répondit positivement quelques jours plus tard. Il descendrait du câble en personne.

C'est ainsi qu'après une semaine de manœuvres – et tout en continuant à vaquer à leurs occupations habituelles – ils estimèrent avoir réuni suffisamment d'accords pour mettre au vote une liste de délégués, et comme elle incluait vraiment beaucoup de monde, elle passa presque à l'unanimité. Tout à coup, il y eut un congrès en bonne et due forme. Il était constitué des délégations suivantes, chacune composée d'une à dix personnes :

Villes :

Acheron	Sheffield
Nicosia	Senzeni Na
Le Caire	Belvédère d'Echus
Odessa	Dorsa Brevia
Harmakhis Vallis	Dao Vallis
Sabishii	Fossa Sud
Christianopolis	Rumi
Vishniac Bogdanov	New Vanuatu
Hiranyagarba	Prometheus
Mauss Hyde	Gramsci

New Clarke
Bradbury Point
Sergei Korolyov
Cratère DuMartheray
Station Sud
Reull Vallis
Caravansérail du Sud
Nuova Bologna
Nirgal Vallis
Montepulciano
Mareotis
Sanctuaire de Burroughs
Gare de Libya
Tharsis Tholus
Le groupe d'Overhangs
Plinthe de Margaritifer
Caravansérail du Grand Escarpement
Da Vinci
Ligue d'Elysium
Hell's Gate

Partis politiques et autres organisations :
Les Boonéens
Les Rouges
Les Bogdanovistes
Les Schnellingistes
Mars-Un
Mars Libre
Le Ka
Praxis
Les Qahiran Mahjaris
Les Verts
L'Autorité Transitoire des Nations Unies
Le Kakaze
Le Comité de rédaction du *Journal d'études aréologiques*
L'Autorité de l'Ascenseur Spatial
Les Chrétiens Démocrates
Le Comité de Coordination de l'Activité économique des métanationales
Les Néomarxistes de Bologne
Les Amis de la Terre
Biotique
Séparation de l'Atmosphère

Les réunions générales débutaient dans la matinée autour de la table des tables et se poursuivaient par petits groupes dans les bureaux de l'entrepôt ou des bâtiments voisins. Art arrivait tôt et préparait d'énormes pots de café, de kava et de kavajava, sa drogue préférée. C'était dérisoire au regard de l'enjeu de l'entreprise, mais Art était heureux d'apporter sa modeste contribution. Il s'émerveillait à chaque instant de voir se constituer un congrès, tout simplement, et se disait que ce qu'il pouvait faire de mieux était probablement de l'aider à démarrer. Il n'y connaissait pas grand-chose et avait peu d'idées sur ce qui devait figurer dans une Constitution martienne. Mais il était doué pour rassembler les gens, et il l'avait fait. Ou plutôt, ils l'avaient fait, Nadia et lui, car Nadia avait joué son rôle en prenant la direction des opérations au moment où il le fallait. C'était la seule des Cent Premiers encore vivants qui avait la confiance de tous ; ce qui lui conférait une sorte d'autorité naturelle. Et maintenant, mine de rien, sans faire de vagues, elle exerçait ce pouvoir.

La grande joie d'Art était de lui servir d'assistant personnel. Il organisait ses journées et faisait tout ce qu'il pouvait pour lui faciliter les choses. Il commençait par lui préparer une grande cafetière de kavajava, car Nadia faisait partie des nombreuses personnes qui appréciaient ce petit coup d'envoi matinal à la fois stimulant et propice à la bonne humeur. Oui, se disait Art, assistant personnel et distributeur de drogues, telle était sa destinée en ce moment bien précis de l'histoire. Et il en était ravi. Ravi de voir le regard que les gens portaient sur Nadia. Et celui qu'elle leur rendait : intéressé, sympathique, sceptique, parfois agacé lorsqu'elle pensait qu'on lui faisait perdre son temps, chaleureux quand elle était impressionnée par une intervention donnée. Et les gens le savaient, et ils s'efforçaient de lui plaire. De rester à niveau, de contribuer à l'effort général. Ils voulaient voir cette lueur d'approbation, ce regard chaud, particulier, dans son œil. C'étaient des yeux vraiment très étranges, d'ailleurs : noisette, piquetés de têtes d'épingle de toutes les couleurs, jaune, noir, vert, bleu. Ils avaient quelque chose de fascinant. Nadia avait une formidable capacité d'écoute, elle donnait aux gens l'impression d'être prête à les croire, à prendre leur parti, à faire en sorte que leur cas ne se perde pas dans le tumulte. Même les Rouges, qui savaient qu'elle s'était bagarrée avec Ann, lui faisaient confiance. Ils savaient qu'avec elle ils seraient entendus. Alors le travail se cristallisait autour d'elle ; et tout ce qu'Art avait à faire en réalité était de la regarder travailler, et de s'en réjouir, et de l'aider de son mieux.

C'est dans ce contexte que les débats commencèrent.

Au cours de la première semaine, nombre d'interrogations portèrent sur la définition même de la Constitution, sur la forme qu'elle devait prendre, et, en tout premier lieu, sur l'utilité ou non d'en avoir une. Charlotte appelait ça le métaconflit, la discussion sur le sujet de la discussion. Une question très importante, disait-elle quand elle voyait Nadia plisser les yeux d'un air mécontent : « Parce que, en la réglant, nous fixons les limites des problèmes sur lesquels nous devons statuer. Par exemple, si nous décidons d'inclure les problèmes économiques et sociaux dans la Constitution, ce ne sera pas du tout la même chose que si nous nous en tenons aux questions strictement politiques ou légales, ou à une déclaration de principes très générale. »

Pour aider à structurer ce débat, Charlotte et les spécialistes de Dorsa Brevia avaient apporté un certain nombre de « Constitutions en blanc » : des compilations de différentes Constitutions dont le contenu n'était pas réellement défini. Mais ça ne répondait pas aux objections de ceux pour qui la plupart des aspects de la vie sociale et économique devaient échapper à toute régulation. Cet « Etat minimal » était prôné par un large éventail de factions qui formaient, en dehors de ça, d'étranges compagnons de lit : des anarchistes, des libertaires, des capitalistes néotraditionalistes, certains Verts et bien d'autres encore. Pour les plus extrémistes de ces anti-étatistes, former un gouvernement quel qu'il soit était déjà une défaite, et ils s'ingénièrent pendant tout le congrès à restreindre son rôle au minimum.

Nadia et Art, qui appelaient les voyageurs pour la Terre tous les soirs, parlèrent de cette controverse à Sax, lequel se dit prêt à y réfléchir sérieusement, comme à tout le reste.

– On a découvert que des comportements très complexes pouvaient être régis par quelques lois élémentaires. Par exemple, les hardes d'oiseaux sont modélisées selon trois règles simples : rester à égale distance des autres, éviter les brusques changements de vitesse et esquiver les obstacles. Ces principes suffisent à décrire de façon très satisfaisante le vol d'une formation d'oiseaux.

– Une volée d'oiseaux informatiques, peut-être, ironisa Nadia. Tu as déjà vu des martinets au crépuscule ?

La réponse de Sax arriva un moment plus tard :

– Non.

– Eh bien, tâche de réparer cette lacune quand tu seras sur Terre. En attendant, tu nous vois rédiger une Constitution qui commencerait par : « Article premier, Eviter les brusques changements de vitesse » ?

Art se tordit de rire, mais Nadia ne trouvait pas ça drôle du tout. Elle avait souvent du mal à comprendre les arguments minimalistes.

– Ça ne reviendrait pas à laisser les métanats diriger les opérations ? répliqua-t-elle. Laisser faire ?

– Mais non, protesta Mikhail. Ce n'est pas du tout ça.

– Ça y ressemble beaucoup, pourtant. Et pour certains, c'est manifestement un alibi : un faux principe qui revient en réalité à conserver les règles protégeant leur propriété et leurs privilèges et à laisser le reste partir à vau-l'eau.

– Non, pas du tout.

– Eh bien, il faudra que tu le prouves à la table. Il faudra que tu dénonces toutes les ingérences possibles de ce gouvernement. Tu devras défendre ton dossier point par point.

Et elle se montra si ferme à ce sujet – pas hargneuse comme l'aurait été Maya mais simplement inébranlable – qu'ils durent en passer par là : du moins, tout était-il mis à plat et soumis à discussion. C'est là que les compilations de Constitutions prenaient leur sens : des points de départ. Ils partiraient donc de là. La proposition fut mise aux voix, et la majorité accepta de tenter le coup.

Ils avaient donc franchi le premier obstacle. Tout le monde était tombé d'accord pour suivre le même plan. C'était stupéfiant, se dit Art, en passant d'une réunion à l'autre, plein d'admiration pour Nadia. Ce n'était pas une diplomate comme les autres, elle ne suivait pas le modèle de l'enveloppe vide auquel il aspirait, mais les choses avançaient quand même. Elle avait le charisme de l'intelligence. Il la serrait dans ses bras chaque fois qu'il passait près d'elle, lui plantait un baiser sur le sommet du crâne. Il l'aimait. Il courait partout avec ce trésor de sentiments positifs et participait au plus grand nombre possible de séances en se demandant toujours ce qu'il pouvait faire pour aider à la bonne marche des choses. Ce qui consistait souvent, tout simplement, à donner à boire et à manger aux gens afin qu'ils puissent travailler toute la journée sans s'énerver.

A toute heure, la table des tables était entourée de gens : de jeunes Walkyries au teint frais et rose penchées sur de vieux vétérans au visage parcheminé par le soleil, toutes les races, tous les types. C'était ça, Mars, en l'an M-52, des Nations Unies à elle seule. Avec toute l'indocilité propre à cette entité notoirement indocile. Si bien que parfois, en regardant leurs visages si différents, en écoutant le mélange de langues, cet anglais revu et corrigé par Babel, Art s'affolait de leur variété.

– Ka, Nadia, dit-il un soir qu'ils mangeaient un sandwich en regardant les notes prises pendant la journée. Nous essayons de rédiger une Constitution à laquelle toutes les cultures terriennes pourraient adhérer !

Elle écarta l'objection d'un geste, avala ce qu'elle avait en bouche et dit :

– Il serait bientôt temps.

Charlotte déclara que le document de Dorsa Brevia constituait un point de départ logique pour débattre du contenu des documents constitutionnels. Cette suggestion souleva plus de tumulte encore que la proposition concernant les compilations de Constitutions, car les Rouges ainsi que d'autres délégations étaient opposés à divers points de la vieille déclaration, aussi répliquèrent-ils que l'utiliser, c'était biaiser le congrès dès le commencement.

– Et alors ? rétorqua Nadia. Nous pouvons en changer chaque mot si nous voulons, mais du moins aurions-nous une base de discussion.

Cette idée plaisait à la plupart des anciens groupes clandestins, dont beaucoup étaient à Dorsa Brevia en M-39. Le document résultant était encore ce que l'underground avait fait de mieux pour rendre officielles ses intentions alors qu'il était exclu du pouvoir, il n'était donc pas stupide de partir de là ; ça créait un précédent, une continuité historique.

Mais quand ils relurent la vieille déclaration, elle leur parut terriblement radicale. Pas de propriété privée ? Aucune appropriation de la valeur ajoutée ? Avaient-ils vraiment dit ça ? Comment les choses étaient-elles censées marcher ? Les gens se penchèrent sur les phrases sèches, sans compromis, en secouant la tête. Le document ne s'embarrassait pas d'explications sur les moyens d'y arriver, il se contentait d'énoncer des ambitions. « La vieille histoire des Tables de la Loi », comme disait Art. Mais à présent la révolution l'avait emporté et le moment était venu d'agir dans le monde réel. Pouvaient-ils vraiment s'en tenir à des principes aussi radicaux ? Difficile à dire.

– Nous pouvons toujours en discuter, décréta Nadia.

Et le texte du document de Dorsa Brevia se retrouva sur tous les écrans, à côté des compilations de Constitutions, dont les têtes de chapitre suggéraient à elles seules l'ampleur des problèmes dont ils allaient devoir débattre : « Structure du Gouvernement, Exécutif », « Structure du Gouvernement, Législatif », « Structure du Gouvernement, Judiciaire », « Droits des Citoyens », « Armée et Police », « Fiscalité », « Procédures électorales », « Lois sur la Propriété », « Systèmes économiques », « Lois sur l'Environnement », « Procédures d'Amendement », et ainsi de suite, sur des pages et des pages. Ces rubriques étaient affichées sur tous les écrans, revues, corrigées, formatées, débattues sans fin.

– La compile des compiles, fredonna Art, un soir, en regardant par-dessus l'épaule de Nadia un schéma opérationnel particulièrement rébarbatif, qui paraissait sorti d'une des combinatoires alchimiques de Michel.

Et Nadia éclata de rire.

Des commissions se répartirent le travail de réflexion sur les différents éléments du gouvernement détaillés dans la nouvelle compilation de Constitutions en blanc que tout le monde appelait maintenant « la compile des compiles ». Partis politiques et groupes d'intérêt gravitaient autour des ateliers chargés des problèmes qui les concernaient le plus, les nombreuses délégations des villes sous tente se répartissant les places vides. A partir de là, ce n'était plus qu'une question de travail.

Pour le moment, le groupe technique du cratère de Da Vinci avait le contrôle de l'espace martien et empêchait toutes les navettes spatiales de se poser à Clarke ou de se placer en orbite martienne. Personne n'allait jusqu'à s'imaginer que cela suffisait à leur conférer une véritable liberté, mais cela leur procurait une certaine marge de manœuvre physique et mentale. C'était le cadeau de la révolution. Ils étaient aussi motivés par le souvenir de la bataille de Sheffield. La peur de la guerre civile était encore présente en chacun d'eux. Ann était en exil avec le Kakaze, et tous les jours des sabotages avaient lieu dans l'outback. Il y avait aussi des tentes qui avaient déclaré leur autonomie, et quelques métanats faisaient encore de la résistance. L'ambiance était à l'effervescence et à la confusion presque générale. Ce bref instant de l'histoire était une bulle qui pouvait éclater à tout moment, et c'est ce qui se passerait s'ils n'agissaient pas en vitesse. Pour dire les choses simplement, le moment était venu d'agir.

C'était le seul point sur lequel tout le monde était d'accord, mais ce n'était pas rien. Un noyau dur de techniciens émergea peu à peu, des gens qui se reconnaissaient entre eux par leur volonté d'aboutir, leur désir de mettre un point final aux paragraphes plutôt que de discuter à en perdre haleine. Au milieu des débats, ces gens prenaient le travail à bras-le-corps, guidés par Nadia qui avait le chic pour les repérer et les aider dans la mesure du possible.

Pendant ce temps-là, Art allait d'un groupe à l'autre, selon son habitude. Il se levait tôt, s'occupait de l'intendance et faisait passer les informations concernant l'avancement du travail dans les autres salles. Il avait l'impression que ça ne se passait pas mal du tout. La plupart des comités mettaient un point d'honneur à remplir sérieusement les blancs de leur fragment de Constitution, écrivant et réécrivant les projets, les formalisant concept par concept, phrase par phrase. Ils étaient toujours heureux de voir Art, car sa présence était le signal d'une récréation. Un groupe de juristes lui colla des ailes de mousse aux talons et l'envoya porter un message au vitriol à un groupe de travail exécutif avec lequel ils étaient en bisbille. Amusé, Art garda ses ailes. Pourquoi pas ? Leur mission avait une sorte de majesté ridicule, ou de ridicule majestueux. Ils réécrivaient les règles, et lui volait de-ci, de-là, comme Hermès ou Puck, c'était très bien trouvé. Il volait donc jusque tard dans la nuit, et quand les réunions s'achevaient, il regagnait les bureaux de Praxis qu'il partageait avec Nadia. Ils mangeaient en commentant l'avancement des travaux, ils appelaient les voyageurs pour la Terre et parlaient avec Nirgal, Sax, Maya et Michel. Puis Nadia se remettait au travail sur ses écrans, et elle s'endormait généralement dans son fauteuil. Art retournait alors faire le tour de l'entrepôt, des bâtiments et des patrouilleurs massés autour. Comme le congrès se tenait dans une tente d'entrepôt, la fin des séances de travail ne donnait pas lieu aux mêmes festivités qu'à Dorsa Brevia, mais les délégués passaient souvent de longues soirées assis par terre dans leur chambre à boire et à discuter de ce qui s'était passé pendant la journée ou des récents soulèvements. La plupart des gens se rencontraient pour la première fois, et ils apprenaient à se connaître. Des relations se nouaient, des idylles, des amitiés, des rivalités. C'était un moment privilégié pour bavarder, se renseigner sur ce qu'avaient fait les autres. C'étaient les dessous du congrès, l'heure sociale, dispersée dans les chambres de béton. Art adorait ça. Puis le moment venait où il n'en pouvait plus, une vague de fatigue l'emportait. Il n'avait même pas le temps de se traîner vers leurs bureaux et le lit de camp voisin de celui de Nadia. Il se roulait en boule dans un coin et dormait, se réveillait raide et glacé pour se précipiter vers la douche de leur salle de bains, puis aux cuisines pour préparer le kava et le java du matin. Les journées passaient dans un tourbillon sans fin, et c'était merveilleux.

Sur bien des sujets, les gens se heurtaient à un problème d'échelle. Sans nations, sans entités politiques naturelles ou traditionnelles, qui gouvernait quoi ? Comment devaient-ils équilibrer le local et le global, le passé face à l'avenir, les nombreuses cultures ancestrales par rapport à la culture martienne unique ?

Sax, qui observait cette question récurrente depuis la fusée Mars-Terre, suggéra que les villes et les canyons sous tente deviennent les principales entités politiques : des Etats-cités, au fond, à l'exclusion de toute entité politique plus vaste, en dehors du gouvernement global, qui ne régulerait que les problèmes d'intérêt général. De la sorte, il y aurait du global et du local, mais pas d'Etats-nations entre les deux.

La réaction à cette proposition fut assez positive. D'abord, elle avait l'avantage de refléter la situation existante. Mikhail, le chef du parti bogdanoviste, remarqua que c'était une variante de l'antique communauté de communautés, et comme c'était une idée de Sax, on appela rapidement ça le projet du « labo des labos ». En attendant, le problème sous-jacent demeurait, comme le souligna bientôt Nadia. Sax n'avait fait que définir leur local et leur global spécifiques. Il fallait encore définir le pouvoir que l'éventuelle confédération globale devait avoir sur les éventuels Etats-cités semi-autonomes. Trop, et c'était le retour à un grand Etat centralisé, Mars en tant que nation, idée qui inspirait de l'horreur à bien des délégations.

– Mais trop peu, rétorqua emphatiquement Jackie dans l'atelier des droits humains, et des tentes pourraient décider d'autoriser l'esclavage, l'excision ou n'importe quel autre crime basé sur une expression ou une autre de la barbarie terrestre, tout ça au nom des « valeurs culturelles ». Et ce serait tout simplement inacceptable.

– Jackie a raison, fit Nadia, chose assez rare pour que chacun dresse l'oreille. Quand des gens prétendent que certains droits fondamentaux sont étrangers à leur culture, on peut présenter ça comme on veut, moi je dis que ça pue, que la revendication émane de fondamentalistes, de patriarches, de féministes ou de métanats. Ils n'auront pas gain de cause ici tant que j'aurai mon mot à dire.

Art remarqua qu'un certain nombre de délégués avaient froncé le sourcil en entendant cette déclaration, qui devait constituer, pour eux, une version du relativisme occidental séculier, voire de l'hyperaméricanisme de John Boone. Parmi les opposants aux métanats, nombre de gens se raccrochaient à des cultures plus anciennes et avaient souvent conservé des hiérarchies quasi intactes. Le haut du panier n'avait pas envie que ça change, non plus qu'un nombre étonnamment important de gens juchés sur les barreaux inférieurs de l'échelle.

Les jeunes indigènes martiens parurent sidérés que l'on se pose seulement la question. Pour eux, les droits fondamentaux étaient innés et irrévocables, et toute tentative de remise en cause n'était que l'une des innombrables cicatrices émotionnelles que les issei devaient au traumatisme provoqué par une éducation terrienne dysfonctionnelle. Ariadne, l'une des jeunes indigènes de premier plan, se leva pour dire que le groupe de Dorsa Brevia avait procédé à une étude exhaustive des documents terriens sur les droits de l'homme, et en avait établi la liste complète. Cette liste des droits individuels fondamentaux était ouverte à la polémique, mais pouvait aussi être adoptée telle quelle. Certains discutèrent d'un point ou d'un autre, mais il fut généralement admis qu'une sorte de déclaration globale des droits devait être mise sur le tapis. Aussi les valeurs martiennes établies en l'an M-52 étaient-elles sur le point d'être codifiées et de devenir un élément crucial de la Constitution.

La nature exacte de ces droits était encore sujette à controverse. Les soi-disant « droits politiques » étaient généralement considérés comme « allant de soi » : il y avait des choses que les citoyens étaient libres de faire, d'autres qui étaient interdites aux gouvernements. L'*habeas corpus*, la liberté de mouvement, de parole, d'association, de religion, l'interdiction des armes, tout cela fut approuvé par une grande majorité d'indigènes martiens, malgré certains issei originaires d'endroits comme Singapour, Cuba, l'Indonésie, la Thaïlande et la Chine, qui voyaient d'un mauvais œil l'importance accordée à la liberté individuelle. D'autres délégués émirent des réserves sur des droits d'une autre sorte, les droits dits « sociaux » ou « économiques », comme le droit au logement, aux soins, à l'éducation, à l'emploi, à une partie de la valeur générée par l'exploitation des ressources naturelles, etc. Beaucoup de délégués issei qui avaient une expérience concrète du gouvernement terrien étaient très réservés sur la question, et soulignèrent qu'il était dangereux de les expliciter dans la Constitution. On l'avait fait sur Terre, disaient-ils, et on avait constaté que ce genre d'engagement était impossible à tenir. La Constitution qui les garantirait passerait pour un instrument de propagande, on finirait par la prendre à la légère, à la considérer comme une plaisanterie.

– Et alors ? répliqua sèchement Mikhail. Quand on n'a pas les moyens de se loger, c'est d'avoir le droit de vote qui est une plaisanterie.

Les jeunes indigènes acquiescèrent, ainsi que nombre de

moins jeunes. Les droits économiques et sociaux étaient maintenant sur le tapis aussi, et les discussions sur la façon de garantir ces droits dans la pratique se poursuivirent pendant de longues sessions.

– La politique, le social, fit Nadia, c'est la même chose. Faisons en sorte que tous les droits soient accessibles.

C'est ainsi que les travaux se poursuivirent, autour de la table des tables et dans les bureaux où se réunissaient les différents comités. Même l'ONU était représentée, en la personne de Derek Hastings, qui était descendu par l'ascenseur. Il prenait une part active aux débats, et son opinion avait toujours un poids particulier. Art remarqua qu'il commençait à donner des signes de syndrome des otages : il se montrait de plus en plus compréhensif au fur et à mesure qu'il discutait avec les gens, dans l'entrepôt. Et cette compréhension pourrait se communiquer à ses supérieurs sur Terre, se disait Art.

On leur envoyait des commentaires et des suggestions de partout sur Mars, mais aussi de la Terre. Ils étaient affichés sur les écrans qui couvraient un mur entier de la grande salle. Tout le monde était passionné par le congrès. Il rivalisait avec l'inondation terrestre dans l'intérêt du public.

– C'est le feuilleton du moment, fit Art, un soir qu'ils discutaient, Nadia et lui, dans leur petit appartement.

Tous les soirs ils appelaient Nirgal et les voyageurs. Leurs réponses mettaient de plus en plus de temps à leur parvenir, mais ce n'était pas un problème pour Art et Nadia. Ils avaient des tas de choses à se dire en attendant.

– Le problème de la séparation entre le local et le global risque d'être ardu, remarqua Art, un soir. Je crois qu'il y a contradiction entre les deux. Je veux dire, ce n'est pas une simple question de confusion mentale. Nous voulons vraiment un contrôle global, et en même temps, nous voulons que les tentes soient libres. Deux de nos valeurs les plus fondamentales sont antagonistes.

– Et le système suisse ? suggéra Nirgal, quelques minutes plus tard. C'est ce que John Boone répondait toujours.

Mais la réponse des Suisses de Pavonis ne fut pas très encourageante.

– C'est plutôt l'exemple à ne pas suivre, objecta Jurgen en faisant la grimace. Si je suis sur Mars, c'est à cause du gouvernement fédéral suisse. Il étouffe toute initiative. Il faut une licence pour respirer.

– Et les cantons n'ont plus aucun pouvoir, renchérit Priska. Le gouvernement fédéral le leur a retiré.

– Dans certains cantons, reprit Jurgen, ça valait plutôt mieux.
– Il y a eu plus fort : le Graubünden ou Ligue des Grisons, reprit Priska. Une confédération de villes dans le sud-est de la Suisse, qui marcha très bien pendant des centaines d'années.
– Vous pourriez m'envoyer toutes les infos disponibles là-dessus ? demanda Art.

Le lendemain soir, ils regardèrent, Nadia et lui, la description de la Ligue des Grisons que Priska leur avait envoyée. Enfin... La situation était plus simple, à la Renaissance, se dit Art. Il se trompait peut-être, mais il avait l'impression que les accords extrêmement souples des petites villes des montagnes suisses n'avaient pas grand-chose à voir avec les économies étroitement interdépendantes des colonies martiennes. Les gens n'avaient pas à se préoccuper des inconvénients de la variation de la pression atmosphérique, par exemple. Non, la vérité est qu'ils se trouvaient dans une situation nouvelle. Aucune analogie historique ne leur serait d'un grand secours.

– Pour en revenir au conflit entre le local et le global, intervint Irishka, *quid* du territoire, hors des tentes et des canyons couverts ?

Elle avait peu à peu émergé comme la principale Rouge restant sur Pavonis, une modérée qui pouvait parler pour tous les courants du mouvement ou presque avant de devenir un pouvoir en elle-même au fil des semaines.

– C'est la quasi-totalité du territoire martien, et le document de Dorsa Brevia dit seulement que personne ne peut le posséder, qu'il appartient de fait à la famille humaine et est géré de droit par cette même famille. C'est bien joli, mais au fur et à mesure que la population augmentera et qu'on construira de nouvelles villes, il deviendra de plus en plus difficile d'en assurer le contrôle.

Art poussa un soupir. Elle avait raison, mais c'était un vrai sac de nœuds. Il avait récemment pris la décision de consacrer l'essentiel de ses efforts quotidiens à empoigner les problèmes qu'ils considéraient, Nadia et lui, comme les plus épineux, et il était donc, en théorie, heureux de les voir arriver. Mais il y avait des moments où c'était quand même trop compliqué.

Comme dans ce cas précis. L'utilisation du sol, les objections des Rouges : encore d'autres aspects du conflit entre le local et le global, mais typiquement martien. Là non plus, il n'y avait pas de précédent. Enfin, comme c'était probablement le problème le plus épineux de la liste...

Art alla trouver les Rouges. Il tomba sur Marion, Irishka et Tiu, un compagnon de crèche de Nirgal et Jackie à Zygote. Ils l'emmenèrent dans leur campement de patrouilleurs, ce qui le ravit. Bien qu'il ait été lié à Praxis, on le considérait donc maintenant comme un personnage neutre ou impartial, et c'était exactement ce qu'il voulait être. Une grande enveloppe vide, pleine de messages, qu'on se passait de main en main.

Le campement rouge était à l'ouest des entrepôts, au bord du cratère. Ils s'installèrent avec Art dans la vaste cabine supérieure d'un des patrouilleurs et bavardèrent en prenant le thé devant le paysage géant de la caldeira qui se découpait à contre-jour sur le soleil de la fin de l'après-midi.

– Alors, que voudriez-vous voir dans cette Constitution? demanda Art.

Ses hôtes se regardèrent, un peu surpris.

– Dans l'idéal, répondit Marion, nous aimerions vivre sur la planète primitive, dans des grottes et des habitats troglodytes creusés dans des falaises, ou dans des anneaux forés dans les cratères. Pas de grandes villes, pas de terraforming.

– Vous seriez obligés de rester tout le temps en combinaison.

– C'est vrai. Mais ça nous est égal.

– Bien, fit Art après réflexion. D'accord. Mais étant donné la situation actuelle, comment voudriez-vous que les choses se passent désormais?

– Plus de terraforming.

– Que le câble s'en aille, et plus d'immigration.

– En fait, ce qui serait bien, ce serait que des gens retournent sur Terre.

Ils s'interrompirent et le regardèrent. Art s'efforça de dissimuler sa consternation.

– Vous ne craignez pas que la biosphère continue à croître toute seule, maintenant ? demanda-t-il.

– Ce n'est pas évident, répondit Tiu. Si on arrêtait le pompage industriel, la croissance serait très lente, voire stoppée. Il se pourrait même que nous revenions en arrière, avec l'ère glaciaire qui se prépare.

– Ce n'est pas ce que certaines personnes appellent l'écopoésis ?

– Non. Les écopoètes se bornent à utiliser des méthodes biologiques, mais de façon très intensive. Nous pensons qu'il faudrait mettre un terme à tout ça, l'écopoésis, l'industrialisation et le reste.

– Surtout les méthodes industrielles lourdes, reprit Marion. A commencer par l'inondation du nord. C'est tout simplement criminel. Quoi qu'il arrive ici, s'ils continuent, nous ferons sauter ces stations.

Art fit un ample geste englobant l'immense caldeira de pierre.

– Les endroits les plus élevés sont tous plus ou moins comme ça, non ?

Ils n'étaient pas d'accord.

– Même sur les points les plus élevés on trouve des dépôts de glace et de la vie végétale, répondit Irishka. L'atmosphère monte très haut, par ici, je vous le rappelle. Aucun endroit n'y échappe quand les vents sont forts.

– Et si on déployait une tente sur les quatre grandes caldeiras ? suggéra Art. Elles resteraient stériles et conserveraient leur pression atmosphérique ainsi que leur environnement de départ. Ça ferait d'énormes parcs naturels, préservés dans leur état originel, primitif.

– Les parcs ne sont que des parcs.

– Je sais, mais il faut bien faire avec ce qu'on a, pas vrai ? On ne peut pas revenir à M-1 et repartir de zéro. Dans l'état actuel des choses, il ne serait peut-être pas mauvais de préserver trois ou quatre grandes zones dans leur état originel, ou aussi près que possible.

– Ce serait bien de protéger aussi quelques canyons, avança Tiu.

C'était manifestement la première fois qu'ils envisageaient cette possibilité, et elle ne les satisfaisait pas vraiment, Art le voyait bien. Mais on ne pouvait pas effacer la situation actuelle d'un coup de baguette magique. Il fallait bien partir de l'existant.

– Ou le Bassin d'Argyre.

– Qu'on ne le submerge pas, au moins.

Art eut un hochement de tête encourageant.

– Il faudrait combiner des mesures conservatoires de ce genre avec la limite atmosphérique définie dans le document de Dorsa Brevia, qui est de cinq kilomètres. La surface située au-dessus de cinq kilomètres est très importante. Ça ne supprimera pas l'océan du nord, mais rien ne pourrait plus le faire, maintenant. Ce que vous pouvez espérer de mieux à ce stade est probablement une forme lente d'écopoésis, non ?

C'était peut-être une façon un peu brutale de dire les choses. Les Rouges regardèrent mélancoliquement la caldeira de Pavonis, perdus dans leurs pensées.

– Si les Rouges prennent le train en marche, quel est le problème épineux suivant sur la liste ? demanda Art.

– Quoi ? marmonna Nadia.

Elle somnolait en écoutant un vieux morceau de jazz sur son IA.

– Ah, Art, fit-elle de sa voix grave et calme.

Elle avait toujours ce léger accent russe. Elle était roulée en boule sur le divan, entourée de feuilles de papier chiffonnées, tels les vestiges d'une structure qu'elle aurait été en train d'assembler. La façon de vivre martienne. Ses rides semblaient s'effacer. On aurait dit un galet lissé par le courant des années. Elle ouvrit ses yeux tachetés, lumineux, fascinants sous leurs paupières cosaques, leva vers lui son beau visage ovale, parfaitement détendu, sous un casque de cheveux blancs et raides.

– Le prochain problème épineux sur la liste ?

– Oui.

Elle sourit. Il se demanda d'où lui venaient ce calme, ce sourire paisible. Elle ne s'en faisait plus pour rien, ces jours-ci, et Art trouvait cette attitude bizarre, étant donné le numéro de voltige politique auquel ils se livraient. Evidemment, ce n'était que de la politique, pas la guerre. Elle avait eu très peur pendant la révolution, elle s'attendait au désastre à chaque instant, et maintenant elle était d'une sérénité à toute épreuve. Comme si elle se disait : « Rien de ce qui se passe ici n'est tres grave, au fond, chamaillez-vous sur les détails tant que vous voudrez, mes amis sont en sûreté, la guerre est finie, ce n'est plus qu'une sorte de jeu, un jeu de construction, source de plaisir. »

Art passa derrière le canapé, lui massa les épaules.

– Ah, fit-elle. Les problèmes. Il y en a des tas qui promettent d'être plus épineux les uns que les autres.

– Lesquels, par exemple ?

– Eh bien, les Qahiran Mahjaris pourront-ils s'adapter à la démocratie ? Tout le monde acceptera-t-il l'éco-économie de Vlad et Marina ? Parviendrons-nous à établir une police correcte ? Jackie essaiera-t-elle d'obtenir un système présidentiel fort, et utilisera-t-elle la supériorité numérique des indigènes pour devenir reine ? Je me pose quantité de questions, fit-elle en regardant par-dessus son épaule. Tu veux que je continue ? demanda-t-elle en riant, amusée par l'expression d'Art.

– J'aime autant pas.

– Mais toi, continue, dit-elle en s'esclaffant. Mmm, c'est bon. Ces problèmes ne sont pas insolubles. Nous allons tous les mettre à plat et les résoudre. Tu pourrais peut-être parler à Zeyk.

– D'accord.

– Mon cou, maintenant, s'il te plaît...

Art alla parler à Zeyk et Nazik le soir même, quand Nadia se fut endormie.

– Alors, quel est le point de vue des Mahjaris sur tout ça ? demanda-t-il.

Zeyk émit un grognement.

– Pas de questions stupides, par pitié ! répliqua-t-il. Les Sunnites sont en bagarre contre les Chiites, le Liban est un champ de ruines, les Etats pétroliers sont la bête noire des Etats qui n'ont pas de pétrole, les pays du nord de l'Afrique ne sont plus qu'une métanat, la Syrie et l'Irak se détestent, l'Irak et l'Egypte ne peuvent pas se voir, nous avons une dent contre les Iraniens, à part les Chiites, et nous haïssons tous Israël, évidemment, mais aussi les Palestiniens, et bien que je sois originaire d'Egypte, en fait je suis un Bédouin et nous méprisons les Egyptiens du Nil, et nous ne nous entendons pas très bien avec les Bédouins de Jordanie. Ah, et tout le monde exècre les Saoudiens, qui sont aussi corrompus qu'on peut l'être. Alors quand on me demande le point de vue arabe, que puis-je répondre ?

Art secoua la tête avec accablement.

– Disons que c'était une question stupide, convint-il. Pardon. A force de parler de Constitutions, j'ai pris de mauvaises habitudes. A propos, qu'en pensez-vous ?

Nazik éclata de rire.

– Autant lui demander ce que les autres Qahiran Mahjaris en pensent. Il ne les connaît que trop bien.

– Beaucoup trop bien, renchérit Zeyk.

– Vous pensez qu'ils accepteront le passage concernant les droits de l'homme ?

– Nous la signerons, ça ne fait aucun doute, fit Zeyk en se renfrognant.

– Mais ces droits... je pensais qu'il n'y avait pas encore de démocraties arabes ?

– Comment ça ? Et la Palestine, et l'Egypte ? Ensuite, nous sommes sur Mars. Et sur Mars, chaque caravane est son propre Etat depuis le début.

– Des chefs forts ? Des dirigeants héréditaires ?

– Pas héréditaires, mais forts, oui. Nous doutons que la nouvelle Constitution y change quoi que ce soit. Et pourquoi le devrait-elle ? Vous disposez vous-même d'un pouvoir fort, non ?

Art éclata de rire, un peu mal à l'aise.

– Je ne suis qu'un messager.

Zeyk secoua la tête.

– Allez raconter ça à Antar. Tiens, c'est là que vous devriez aller, si vous voulez savoir ce que pensent les Qahirans. C'est notre roi, maintenant, dit-il comme s'il avait mordu dans un citron.

– Et que veut-il, à votre avis ? demanda Art.

– C'est la créature de Jackie, un point c'est tout, marmonna Zeyk.

– Je dirais que c'est un mauvais point pour lui.

Zeyk haussa les épaules.

– Ça dépend pour qui, reprit Nazik. Pour les vieux immigrants musulmans, c'est une mauvaise association, parce que, bien que Jackie soit très puissante, elle a plus d'un homme dans sa vie, ce qui fait d'Antar une sorte de...

– De compromis, avança Art, évitant à Zeyk, qui le regardait d'un air sombre, de trouver un terme plus sévère.

– Oui, acquiesça Nazik. D'un autre côté, Jackie est puissante. Tous les dirigeants actuels de Mars Libre ont une chance de voir leur puissance s'accroître encore dans le nouvel Etat. Et ça plaît aux jeunes Arabes. Ils sont plus indigènes qu'arabes, je crois. Mars compte plus pour eux que l'Islam. De ce point de vue, l'association avec les ectogènes de Zygote est une bonne chose. Ils passent pour les chefs naturels de la nouvelle Mars, surtout Nirgal, bien sûr, et maintenant qu'il est parti pour la Terre, il y a un certain transfert d'influence vers Jackie et ses proches. Donc vers Antar.

– Je ne l'aime pas, lâcha Zeyk.

Nazik regarda son mari en souriant.

– Ce que tu n'aimes pas, c'est que beaucoup d'indigènes musulmans le suivent plutôt que toi. Mais nous sommes vieux, Zeyk. Il serait peut-être temps de penser à la retraite.

– Je ne vois pas pourquoi, objecta Zeyk. Si nous devons vivre un millier d'années, quelle différence un siècle peut-il faire ?

Art et Nazik le regardèrent en riant, et Zeyk eut un bref sourire. C'était la première fois qu'Art le voyait sourire.

En fait, l'âge n'avait pas d'importance. Les gens allaient et venaient, jeunes, vieux ou entre deux âges, parlaient et discutaient, et il aurait été étrange que la durée de vie d'un individu joue un rôle dans ces discussions.

L'âge ou la jeunesse n'avaient rien à voir avec le mouvement indigène, de toute façon. Quand on était né sur Mars, on avait tout simplement une autre vision, une vision aréocentrique à un point inimaginable pour un Terrien, non seulement à cause de l'ensemble d'aréoréalités dans lequel on baignait depuis sa naissance, mais aussi de ce qu'on ignorait. Les Terriens savaient combien la Terre était vaste ; pour les gens nés sur Mars, cette immensité culturelle et biologique était proprement inconcevable. Ils avaient vu des images sur des écrans, mais ça ne suffisait pas pour l'appréhender. C'est aussi pour ça qu'Art était content que Nirgal ait décidé d'accompagner la mission diplomatique vers la Terre. Il saurait ainsi à quoi ils avaient affaire.

Mais la plupart des indigènes n'en sauraient jamais rien. Et la révolution leur était montée à la tête. Malgré l'intelligence dont ils pouvaient faire preuve autour de la table, lorsqu'ils s'efforçaient d'élaborer une forme de Constitution qui les privilégierait, ils étaient d'une naïveté congénitale. Ils ne se rendaient absolument pas compte que leur indépendance était peu probable, et qu'elle pourrait très bien leur être reprise. Au contraire, ils poussaient les choses à la limite, menés par Jackie, qui planait dans l'entrepôt, plus radieuse que jamais, sa soif de pouvoir dissimulée derrière son amour pour Mars, sa dévotion aux idéaux de son grand-père et sa bonne volonté fondamentale, voire son innocence. La collégienne qui voulait passionnément un monde plus juste.

C'est du moins ce qu'il semblait. Mais ils paraissaient aussi, ses collègues de Mars Libre et elle, vouloir être aux commandes. Il y avait douze millions de gens sur Mars, maintenant, dont sept millions étaient nés sur la planète. Et on pouvait compter sur chacun de ceux-ci, ou presque, pour soutenir les partis politiques indigènes, à commencer par Mars Libre.

– C'est dangereux, remarqua Charlotte alors qu'Art évoquait la question, un de ces fameux soirs avec Nadia. Quand un pays comporte un grand nombre de groupes qui se méfient les uns des autres, mais d'où se dégage une majorité nette, on obtient ce qu'on appelle un « vote recenseur », c'est-à-dire un système où les politiciens représentent leur groupe, obtiennent leur voix, et où le résultat des élections n'est jamais qu'un reflet de la population. Dans ces cas-là, c'est toujours pareil : le groupe majoritaire s'arroge le monopole du pouvoir et les minorités qui se sentent impuissantes finissent par se rebeller. Certaines des plus sales guerres civiles de l'histoire n'ont pas commencé autrement.

– Mais que pouvons-nous faire ? demanda Nadia.

– Eh bien, nous faisons déjà quelque chose, en partie du moins, en concevant des structures qui étalent le pouvoir en couche mince et réduisent le danger de majoritarisme. La décentralisation joue un rôle important, dans la mesure où elle crée beaucoup de petites majorités locales. Une autre stratégie consiste à établir un éventail de dispositifs de contrôle et de pondération, de sorte que le gouvernement soit tiraillé entre des forces antagonistes. C'est ce qu'on appelle la polyarchie ; ça consiste à répartir le pouvoir entre le plus grand nombre de groupes possible.

– Nous sommes peut-être déjà un peu trop polyarchiques, objecta Art.

– Peut-être. Il y a encore une tactique qui consiste à déprofessionnaliser le gouvernement. On réserve un grand nombre de postes à des citoyens ordinaires tirés au sort, comme pour la constitution du jury au tribunal. Ces gens reçoivent toute l'aide nécessaire de professionnels compétents qui restent à l'arrière-plan, mais c'est eux qui prennent les décisions.

– C'est la première fois que j'entends parler de ça, remarqua Nadia.

– Ça a souvent été proposé, mais rarement mis en pratique. Je pense que ce système mériterait qu'on y réfléchisse. Il a tendance à faire du pouvoir un fardeau autant qu'un privilège. On reçoit une lettre au courrier et... Oh non ! On est enrôlé pour deux ans au congrès ! C'est une corvée, mais d'un autre côté, c'est aussi une sorte de distinction, une chance d'apporter sa voix au discours public. Un gouvernement citoyen.

– J'aime ça, fit Nadia.

– Une autre façon de réduire le majoritarisme consiste à faire voter les électeurs pour deux candidats ou plus par ordre de préférence, premier choix, deuxième choix, troisième choix, comme aux élections australiennes. Les candidats ont des points selon qu'ils sont choisis en première, deuxième ou troisième position, de sorte que, pour remporter les élections, ils sont obligés de trouver des appuis hors de leur propre groupe. Ce qui a pour effet d'inciter les politiciens à la modération, et à long terme, cela peut créer la confiance parmi des groupes qui n'y étaient guère enclins.

– Intéressant, approuva Nadia. Des sortes de fers à béton dans un mur.

– Oui, fit Charlotte, avant de leur citer des exemples de sociétés terriennes fracturées qui avaient comblé leurs différences grâce à une structure gouvernementale astucieuse : l'Azanie, le Cambodge, l'Arménie... et en l'entendant les énumérer, Art eut un pincement au cœur : ces pays s'étaient illustrés par des bains de sang...

– Il faut croire que les structures politiques n'ont qu'un pouvoir limité, dit-il.

– Certes, acquiesça Nadia, mais nous n'avons pas à réconcilier des peuples séparés par des haines sans cesse ressassées. Ici, les plus excités sont les Rouges, et ils ont été marginalisés par le terraforming déjà réalisé. Je parie que ces méthodes pourraient être utilisées pour les gagner à notre cause.

Les options que Charlotte venait d'énumérer lui avaient manifestement redonné du cœur au ventre. Il y avait des structures, tout compte fait. Un engineering imaginaire, qui ressemblait à celui de la réalité. Elle se mit à tapoter sur son IA, esquissant des diagrammes comme si elle travaillait sur un bâtiment, un petit sourire retroussant les coins de sa bouche.

– Tu as l'air heureuse, constata Art.

Elle ne l'entendit pas. Mais cette nuit-là, lors de leur conversation radio avec les voyageurs, elle dit à Sax :

– C'est bien agréable de voir la science politique arriver à des abstractions utiles au bout de tant d'années.

Huit minutes plus tard, sa réponse leur parvenait :

– Je n'ai jamais compris pourquoi on donnait à ça le nom de science.

Nadia eut un petit rire, ce qui eut le don de réjouir Art. Nadia Chernechevsky riait de bonheur ! Soudain, il fut sûr qu'ils allaient réussir.

Alors il retourna à la grande table, prêt à se colleter avec les prochains problèmes épineux de la liste. Il redescendit rapidement de son petit nuage. Il y en avait des dizaines, tous insignifiants jusqu'à ce qu'on les regarde de près, et qu'ils deviennent alors insolubles. Dans toutes ces empoignades, on avait du mal à imaginer comment des accords pourraient être trouvés. Dans certaines zones, en fait, les choses semblaient empirer. Les points médians du document de Dorsa Brevia posaient problème ; plus les gens y réfléchissaient, plus ils se radicalisaient. Beaucoup de ceux qui étaient autour de la table donnaient l'impression de penser que le système économique de Vlad et Marina, s'il avait fonctionné pour l'underground, ne devait pas être codifié dans la Constitution. Certains râlaient parce qu'il empiétait sur l'autonomie locale, d'autres parce qu'ils avaient plus confiance dans l'économie capitaliste traditionnelle que dans les nouveaux systèmes. Antar plaidait souvent ce point de vue, avec le support manifeste de Jackie, assise à côté de lui. Ce qui, allié à ses liens avec la communauté arabe, donnait à ses interventions un double poids, et les gens l'écoutaient.

– La nouvelle économie qui nous est proposée, déclara-t-il un jour à la table des tables, répétant son leitmotiv, constitue une intrusion radicale sans précédent du gouvernement dans les affaires.

Tout à coup, Vlad Taneiev se leva. Surpris, Antar s'interrompit et le regarda.

Vlad le dévisagea. Il avait le dos voûté, une grosse tête massive, des sourcils en broussailles et ne prenait pour ainsi dire jamais la parole en public. Il n'avait pas dit un mot depuis le début du congrès. Le silence se fit dans l'entrepôt et tout le monde le regarda. Art éprouva un frisson d'excitation. De tous les brillants esprits des Cent Premiers, Vlad était peut-être le plus brillant et, Hiroko mise à part, le plus énigmatique. Il était déjà vieux quand ils avaient quitté la Terre, et sa discrétion confinait au mythe. C'est lui qui avait construit les labos d'Acheron au début, et par la suite il y avait vécu cloîtré avec Ursula Kohl et Marina Tokareva, deux autres grands Anciens. Personne ne savait très bien à quoi s'en tenir à leur sujet à tous les trois, ils étaient un cas limite de la nature insulaire de la relation avec autrui. Mais ça n'empêchait pas les ragots, évidemment. Au contraire, les gens ne parlaient que de ça, disant que Marina et Ursula étaient le vrai couple et Vlad une sorte d'ami, ou d'animal familier ; que c'était Ursula qui avait fait l'essentiel du travail sur le traitement de longévité, et Marina la majeure partie du boulot sur l'éco-économie. Ou qu'ils formaient un triangle équilatéral parfait, collaborant sur tout ce qui émergeait d'Acheron, ou encore que Vlad était une espèce de bigame, qui accaparait les travaux de deux femmes dans les domaines distincts de la biologie et de l'économie. Mais personne n'en savait rien, en réalité, car aucun des trois ne s'exprima jamais sur la question.

Et puis, en le regardant se lever au bout de la table, force était de s'avouer que la théorie selon laquelle il n'aurait fait que tirer la couverture à lui était aberrante. Il les parcourut d'un regard farouche, intense, les fixant l'un après l'autre avant de regarder à nouveau Antar.

– Ce que vous venez de dire du gouvernement et des affaires est un tissu d'inepties, lâcha-t-il froidement, sur un ton qu'on n'avait pas souvent entendu au cours du congrès, un ton méprisant, sans appel. Les gouvernements régulent toujours les affaires qu'ils autorisent. L'économie est tout entière soumise au droit, c'est un système de lois. Jusque-là, l'underground martien a toujours prétendu qu'en matière de loi la démocratie et l'autogouvernement étaient les droits innés de l'individu, et que ces droits ne devaient pas être suspendus quand l'individu se mettait au travail. Et vous... (il agita la main pour signifier à Antar qu'il ignorait son nom), vous croyez à la démocratie et à l'autogouvernement ?

– Oui ! répliqua Antar, sur la défensive.

– Vous croyez à la démocratie et à l'autogouvernement en tant que valeurs fondamentales et vous pensez que le gouvernement devrait les encourager ?

– Oui ! répéta Antar, l'air de plus en plus ennuyé.

– Très bien. Si la démocratie et l'autogouvernement sont des droits fondamentaux, pourquoi l'individu devrait-il y renoncer sur son lieu de travail ? En politique, nous nous battons comme de beaux diables pour la liberté, pour avoir le droit d'élire nos chefs, d'aller et venir comme nous le souhaitons, de faire le travail qui nous plaît, pour contrôler nos vies, en somme. Et quand nous nous levons, le matin, pour aller travailler, ces droits nous seraient confisqués. Nous y renoncerions, et pendant la majeure partie de la journée, nous en reviendrions au féodalisme. C'est ça, le capitalisme, une version de la féodalité dans laquelle le capital remplace la terre et les chefs se substituent aux rois. Mais la hiérarchie demeure. Et c'est ainsi que nous continuons à offrir le travail de notre vie, sous la contrainte, pour nourrir des chefs qui ne travaillent pas vraiment.

– Les responsables d'entreprise travaillent, répliqua sèchement Antar. Et ils assument le risque financier.

– Le prétendu risque du capitalisme n'est que l'un des privilèges du capital.

– La direction...

– Mais oui, c'est ça. Ne m'interrompez pas. La direction, ça existe, c'est un problème technique. Mais elle peut être contrôlée par le travail aussi bien que par le capital. Le capital n'est jamais que le résidu utile du travail fourni par les ouvriers du temps jadis. Il pourrait appartenir à tout le monde et non plus seulement à quelques-uns. Rien ne justifie que le capital soit détenu par une petite noblesse et que tous les autres soient à leur service. Il n'y a aucune raison pour qu'ils nous donnent un salaire et gardent tout le reste de ce que nous produisons. Non ! le système appelé démocratie capitaliste n'avait rien de démocratique, en fait. C'est pour ça qu'il a si vite cédé la place au système des métanationales, dans lequel la démocratie s'affaiblissait sans cesse devant un capitalisme de plus en plus puissant. Dans lequel un pour cent de la population possédait la moitié de la richesse et cinq pour cent de la population en détenait quatre-vingt-quinze pour cent. L'histoire a montré quelles étaient les vraies valeurs de ce système. Et le plus triste, c'est que l'injustice et la souffrance ainsi provoquées n'étaient pas nécessaires, puisqu'on avait, depuis le XVIIIe siècle, les moyens de satisfaire les besoins vitaux de tout le monde.

« Nous devons changer tout ça. C'est le moment. Si l'autogouvernement est une valeur fondamentale, si la simple justice est une valeur, alors ce sont des valeurs partout, y compris sur le lieu de travail où nous passons une partie si importante de notre vie. C'est ce que disait le point quatre du document de Dorsa Brevia : que les fruits du labeur de tout individu lui appartiennent et qu'il ne saurait en être dépouillé. Que les moyens de production appartiennent à ceux qui les ont créés, pour le bien commun des générations futures. Que le monde est sous la gestion commune de la famille humaine. Voilà ce qu'il disait. Depuis que nous sommes sur Mars, nous avons mis au point un système économique capable de tenir toutes ces promesses. Telle a été notre tâche au cours des cinquante dernières années. Dans le système que nous avons établi, toutes les entreprises économiques doivent être de petites coopératives, dirigées par leurs membres et personne d'autre. Si elles ne souhaitent pas se diriger elles-mêmes, elles peuvent louer les services de gens qui assureront la fonction de direction. Les guildes industrielles et les associations de coopératives formeront les principales structures nécessaires pour réguler le commerce et le marché, répartir le capital et organiser le crédit.

– Ce ne sont que des idées, fit Antar avec dédain. C'est de l'utopie et rien d'autre.

– Pas du tout, fit Vlad, évacuant à nouveau son intervention. Le système est basé sur des modèles inspirés de l'histoire de la Terre. Ses diverses composantes ont toutes été testées sur les deux mondes et ont très bien marché. Vous n'en savez rien d'abord parce que vous êtes inculte et ensuite parce que le méta-nationalisme lui-même ignorait et reniait obstinément toute alternative. Mais, pour l'essentiel, notre micro-économie marche bien depuis des siècles dans la région de Mondragon, en Espagne. Les différentes parties de la macro-économie ont été mises en pratique par la pseudo-métanat de Praxis, en Suisse, dans l'Etat indien du Kerala, au Bhoutan, à Bologne, en Italie, et en bien d'autres endroits, y compris dans l'underground martien. Ces organisations ont préfiguré notre économie, qui sera démocratique comme le capitalisme lui-même n'a jamais essayé de l'être.

Une synthèse de systèmes. Et Dieu sait si Vladimir Taneiev était doué pour la synthèse. On disait que toutes les composantes du traitement de longévité étaient déjà connues, par exemple, et que Vlad et Ursula s'étaient contentés d'en faire la synthèse. Il prétendait avoir fait la même chose avec Marina, dans le domaine économique. Et bien qu'il n'ait pas fait allusion au traitement de longévité dans la controverse, il n'en planait pas moins au-dessus de la table, aussi réel que la table elle-même, prodige de synthèse, qui faisait partie de la vie de tout le monde. Art parcourut l'assemblée du regard. Les gens réfléchissaient, semblaient se dire, allons, il l'a fait une fois, en biologie, et ça a marché ; pourquoi n'y arriverait-il pas en économie ?

Face à cette pensée non exprimée, ce sentiment inconscient,

les objections d'Antar ne pesaient pas lourd. Le palmarès du capitalisme métanational ne plaidait guère en sa faveur. Au cours du dernier siècle, il avait provoqué une guerre planétaire, mis la Terre en coupe réglée et réduit les sociétés en miettes. Devant ce constat, pourquoi ne pas essayer quelque chose de nouveau?

Quelqu'un d'Hiranyagarba se leva et fit une objection dans la direction opposée, remarquant qu'ils allaient abandonner l'économie de cadeau selon laquelle l'underground martien avait vécu.

Vlad secoua la tête avec agacement.

– Je crois en l'économie underground, je vous assure, mais il s'est toujours agi d'une économie mixte. Le troc pur et dur coexistait avec les échanges monétaires, dans lesquels la logique du marché néoclassique, c'est-à-dire le mécanisme du profit, était mise entre parenthèses, contenue par la société afin de l'amener à servir des valeurs plus élevées, comme la justice et la liberté. Il se trouve simplement que la logique économique n'est pas la valeur la plus élevée. C'est un instrument de calcul des coûts et des bénéfices, ce n'est qu'une partie de la vaste équation du bien-être humain. La plus grande équation est appelée économie mixte, et c'est ce que nous construisons ici. Nous proposons un système complexe, avec des sphères d'activité économique publiques et privées. Il se peut que nous demandions aux gens de donner, sur toute la durée de leur vie, une année de leur travail pour le bien public, comme pour le service national suisse. Ce pot commun de travail, plus les taxes versées par les coopératives privées pour l'utilisation du sol et de ses ressources, nous permettra de garantir les droits sociaux que nous avons évoqués : le logement, les soins médicaux, l'alimentation, l'éducation, autant de choses qui ne devraient pas être soumises à la logique de marché. Parce que *la salute non si paga*, comme disaient les ouvriers italiens. La santé n'est pas à vendre!

C'était particulièrement important pour Vlad, Art le voyait bien. Ce qui était logique, car dans l'ordre métanational, la santé était bel et bien à vendre, et pas seulement les soins médicaux mais aussi l'alimentation, le logement et même la vie, le traitement de longévité étant réservé jusque-là à ceux qui pouvaient se le payer. En d'autres termes, la plus grande invention de Vlad était devenue la propriété de privilégiés, la dernière distinction de classe – une longue vie ou la mort prématurée –, une médicalisation de classe qui ressemblait presque à une différenciation des espèces. Pas étonnant qu'il soit en colère; pas étonnant qu'il ait consacré ses efforts à concevoir un système économique susceptible de faire passer le traitement de longévité du statut de possession diabolique à celui de bienfait à la portée de tous.

– Alors rien ne sera laissé au marché, remarqua Antar.

– Mais si, mais si ! fit Vlad en agitant la main avec une irritation croissante en direction d'Antar. Le marché existera toujours. C'est le mécanisme qui permet l'échange de biens et de services. La compétition pour fournir le meilleur produit au meilleur prix est inévitable, et elle est saine. Mais sur Mars, elle sera orchestrée par la société d'une façon plus active. Les biens vitaux feront l'objet d'un statut sans but lucratif et la partie la plus libre du marché sera réservée à des choses non essentielles. La libre entreprise pourra être exercée par des coopératives appartenant à leurs membres, qui seront libres de tenter les expériences de leur choix. Une fois les besoins fondamentaux assurés, à partir du moment où les gens posséderont leur propre affaire, pourquoi pas ? Ce ne sera plus qu'une question de créativité.

Jackie, qui avait l'air ennuyée de voir Antar se faire ainsi remettre à sa place, prit la parole afin de détourner l'attention du vieil homme, et peut-être aussi dans l'espoir de lui glisser une peau de banane sous les pieds.

– Et l'aspect écologique de cette économie que vous aviez l'habitude de mettre en avant ?

– Il est fondamental, répondit Vlad. Le point trois de Dorsa Brevia stipule que le sol, l'air et l'eau de Mars n'appartiennent à personne, que nous en avons la gestion pour les générations futures. Cette gestion est la responsabilité de tous, mais en cas de conflit, je propose la création de cours environnementales fortes, dépendant peut-être de la cour constitutionnelle, qui estimeraient les coûts environnementaux réels et complets des activités économiques, et participeraient à la coordination des projets ayant un impact sur l'environnement.

– C'est tout simplement de l'économie planifiée ! s'exclama Antar.

– Les économies sont des plans. Le capitalisme planifiait tout autant, et le métanationalisme a essayé de tout planifier. Non, l'économie est un plan.

– C'est le retour au socialisme ! lança Antar, frustré et furieux.

Vlad haussa les épaules.

– Mars est une nouvelle entité. Les noms des entités précédentes sont trompeurs. Ce ne sont plus guère que des termes théologiques. Il y a évidemment dans ce système des éléments qu'on pourrait qualifier de socialistes. Comment faire autrement pour supprimer l'injustice de l'économie ? Mais les entreprises privées seront possédées par ceux qui les feront marcher au lieu d'être nationalisées, et ce n'est pas le socialisme, en tout cas pas tel qu'on a tenté de le mettre en pratique sur Terre. Et toutes les coops sont des entreprises, de petites démocraties consacrées à une tâche ou une autre, qui auront toutes besoin de capital. Il y aura un marché, il y aura du capital. Mais dans notre système, ce sont les travailleurs qui emploieront le capital et non le contraire. C'est plus démocratique comme ça, plus juste. Comprenez-moi, nous avons essayé d'évaluer chacune des caractéristiques de cette économie en fonction de sa contribution à notre but qui est d'atteindre à plus de justice et plus de liberté. La justice et la liberté ne sont pas aussi contradictoires qu'on a bien voulu le dire. Parce que la liberté dans un système injuste n'est pas la liberté. Elles naissent l'une de l'autre. Ce n'est donc pas si utopique, vraiment. Ce n'est qu'une façon de fonder un meilleur système, en combinant des éléments qui ont été testés et qui ont prouvé qu'ils marchaient. C'est le moment de le faire. Nous nous préparons à cette occasion depuis soixante-dix ans. Et maintenant que l'occasion se présente, je ne vois pas pourquoi nous la repousserions pour la seule raison que vous avez peur de quelques vieux mots. Si vous avez des suggestions *spécifiques* pour apporter des améliorations, nous serons heureux de les entendre.

Il regarda longuement Antar, d'un œil implacable. Antar ne répondit pas. Il n'avait aucune suggestion spécifique à faire.

On aurait entendu voler une mouche dans la salle. C'était la première, l'unique fois depuis le début du congrès qu'un issei se levait et étrillait un nisei lors d'un débat public. Ils suivaient généralement une stratégie plus subtile. Et voilà qu'un vieux radical s'était énervé et avait souffleté l'un des jeunes loups du pouvoir néoconservateur – qui donnait maintenant l'impression de défendre une nouvelle version d'une vieille hiérarchie, pour des buts personnels. Pensée que traduisait très précisément le regard appuyé que Vlad lui dédia par-dessus la table, regard de dégoût pour son égoïsme réactionnaire et pour sa lâcheté face au changement. Vlad se rassit. Antar était knock-out.

Mais les chicaneries continuèrent. Conflit, métaconflit, détails, questions de fond. Tout fut mis sur la table. Jusqu'à un évier de cuisine en magnésium que quelqu'un avait installé sur un bout de la table des tables, trois semaines après le début du processus.

Il est vrai que les délégations de l'entrepôt n'étaient que la partie émergée de l'iceberg, la partie la plus visible d'un débat géant qui se déroulait sur deux mondes. La conférence était retransmise en direct sur Mars et en presque tous les endroits de la Terre. Et comme l'intégralité des débats avait, il faut bien le dire, tout l'ennui d'un documentaire, Mangalavid avait concocté un résumé quotidien des temps forts qui était diffusé le soir et retransmis vers la Terre afin d'y être largement diffusé. Ça devint « le plus grand spectacle de la Terre », ainsi que le baptisa assez étrangement l'une des chaînes américaines.

– Les gens en ont peut-être marre de voir toujours les mêmes conneries à la télé, dit Art un soir qu'ils regardaient, Nadia et lui, un bref compte rendu, monstrueusement déformé, des négociations de la journée sur une chaîne américaine.

– A la télé et dans le monde.

– Exact. Ils ont peut-être envie de penser à autre chose.

– A ce qu'ils pourraient entreprendre eux-mêmes, avança Nadia. Peut-être sommes-nous pour eux une sorte de maquette. Ça facilite la compréhension des choses.

– Possible.

En tout cas, les deux mondes suivaient les débats, et le congrès devint curieusement, en plus du reste, un feuilleton quotidien qui aurait eu, pour ses spectateurs, l'intérêt supplémentaire de receler la clé même de la vie. Si bien que des milliers de spectateurs ne se contentèrent pas de le suivre passivement : les commentaires et les suggestions commencèrent à affluer. La plupart des gens de Pavonis se refusaient évidemment à croire que le courrier électronique puisse leur apporter une vérité stupéfiante à laquelle ils n'auraient pas songé, et pourtant tous les messages étaient lus, à Sheffield et à Fossa Sud, par des groupes de volontaires qui transmettaient certaines suggestions à « la table ». Certains proposèrent même de les intégrer au projet final. Ainsi, au lieu d'un « document juridique statique » ce serait quelque chose de plus large, une déclaration philosophique, voire spirituelle, à laquelle tout le monde aurait collaboré et qui exprimerait les valeurs, les intentions, les rêves, les réflexions de l'ensemble de la population.

– Ce n'est pas une Constitution, objectait Nadia, c'est une culture. Nous ne sommes pas une bibliothèque, ici.

En attendant, qu'ils soient inclus ou non, de longs communiqués arrivaient des villes, des canyons sous tente et des côtes inondées de la Terre, signés par des particuliers, des comités, des villes entières.

Le champ des discussions qui se déroulaient dans l'entrepôt était tout aussi vaste. Un délégué chinois s'approcha d'Art, lui parla en mandarin, et lorsqu'il s'arrêta pour reprendre son souffle, son IA prit le relais avec un bel accent écossais :

– Pour tout vous dire, je commence à me demander si vous avez bien lu l'ouvrage fondamental d'Adam Smith intitulé *Recherches sur la nature et les causes de la richesse des nations*.

– Vous avez peut-être raison, répondit Art, et il l'expédia à Charlotte.

Les gens de l'entrepôt ne parlaient pas tous anglais et avaient besoin des IA de traduction pour communiquer entre eux. Il se tenait en permanence des conversations en douze langues différentes, et les IA étaient mises à rude épreuve. Art avait encore un peu de mal à s'y faire. Il aurait voulu connaître toutes ces langues, même si les dernières générations d'IA de traduction étaient très au point : de bonnes voix, bien modulées, un vocabulaire large et précis, une excellente grammaire, une syntaxe presque dépourvue des erreurs qui en faisaient naguère un inépuisable sujet de plaisanterie. Les nouveaux programmes de traduction étaient si bons qu'on pouvait envisager le recul de la langue anglaise qui dominait la culture martienne. C'était la *lingua franca* des issei, évidemment venus avec leurs langues, et c'était devenu la première langue des nisei. Mais à présent, avec les nouvelles IA et le flux continuel de nouveaux immigrants parlant tous les dialectes de la Terre, l'éventail linguistique avait des chances de s'élargir, les nouveaux nisei conservant leur langue maternelle et utilisant les IA comme *lingua franca* au lieu de l'anglais.

Le problème linguistique illustrait pour Art un aspect de la population indigène qui ne l'avait pas frappé jusque-là. Certains indigènes étaient des yonsei de la quatrième génération ou plus jeunes, de vrais enfants de Mars ; mais d'autres du même âge étaient les enfants nisei de récents immigrants issei, et ils avaient souvent gardé leur culture terrienne d'origine, avec tous les conservatismes que cela impliquait. On pouvait donc dire qu'il y avait de nouveaux indigènes « conservateurs » et des indigènes « radicaux » issus de vieilles familles de colons. Et cette ligne de partage des eaux coïncidait occasionnellement avec l'origine ethnique ou la nationalité, quand elle conservait pour les nouveaux venus une importance, même minime. Un soir, alors que Art se trouvait avec deux d'entre eux, un avocat du gouvernement global et un anarchiste qui soutenait toutes les propositions d'autonomie locale, il les interrogea sur leurs origines. Le père du globaliste était pour moitié japonais, pour un quart irlandais et un quart tanzanien ; du côté maternel, sa grand-mère était grecque, et les parents de son père étaient respectivement colombien et australien. Le père de l'anarchiste était nigérien et sa mère hawaïenne, de sorte qu'il avait des ancêtres philippins, japonais, polynésiens et portugais. Art les regarda : s'il avait fallu les classer dans un groupe d'électeurs ethniques, comment s'en serait-on sorti ? C'était impossible. C'étaient des indigènes martiens, nisei, sansei, yonsei – de quelque génération qu'on veuille, ils étaient essentiellement le produit de leur expérience martienne. Ils étaient aréoformés, comme Hiroko l'avait toujours prédit. Ils choisissaient parfois un conjoint de la même souche ethnique ou nationale, mais ce n'était pas la règle. Et quels que fussent leurs ancêtres, leurs opinions politiques reflétaient moins leur origine (quelle pourrait bien être la position du Gréco-colombo-australien ? se demandait Art) que leur expérience personnelle. Qui était assez variée, en fait : certains avaient grandi dans l'underground, d'autres dans les vastes cités contrôlées par l'ONU et n'avaient appris l'existence de l'underground qu'assez tard, parfois lors de la révolution seulement. Ces différences avaient plus d'importance que l'endroit où vivaient leurs ancêtres terriens.

Art acquiesça alors que les indigènes lui expliquaient ces choses, dans la longue soirée bourdonnante de kava qui se prolongerait tard dans la nuit. Les gens étaient de plus en plus remontés, car ils avaient l'impression que le congrès se passait bien. Ils ne prenaient pas très au sérieux les controverses entre issei. Ils avaient confiance : leurs convictions fondamentales finiraient par triompher. Mars serait indépendante, gouvernée par des Martiens, ce que voulait la Terre importait peu et tout le reste n'était que du détail. Ils faisaient donc avancer le travail dans les comités sans trop se préoccuper des discussions philosophiques qui se déroulaient autour de la table des tables.

« Les vieux chiens passent leur temps à grogner », disait l'un des messages affichés sur le mur, et cela semblait refléter l'opinion générale.

Le mur d'images était plutôt un bon baromètre de l'ambiance du congrès. Art le déchiffrait comme il aurait lu les prédictions des biscuits chinois, et, de fait, un message disait : « Vous aimez la nourriture chinoise. » Les messages étaient généralement plus politiques. Ils reprenaient souvent des choses qui avaient été dites lors des réunions : « Aucune tente n'est une île », « Quand on n'a pas les moyens de se loger, le droit de vote est une plaisanterie », « Rester à égale distance des autres, éviter les brusques changements de vitesse et esquiver les obstacles ». « *La salute non si paga.* » Et il y avait des choses qui n'avaient pas été dites : « Ne fais pas à autrui », « les Rouges ont des racines vertes », « Le plus grand chapiteau du monde », « Pas de rois pas de présidents », « Le Grand Homme déteste la politique », « Quoi qu'il arrive, nous sommes le petit peuple rouge ».

Art ne s'étonnait donc plus lorsqu'on s'adressait à lui en arabe, en hindi ou en une langue qu'il ne reconnaissait même pas. Il regardait son interlocuteur dans le blanc des yeux pendant que leurs IA se mettaient à baragouiner en anglais, avec l'accent de la BBC, de l'Amérique profonde ou de New Delhi, exprimant un point de vue politique imprévisible. C'était encourageant, au fond – pas les IA de traduction ; ce n'était qu'une forme de distanciation comme une autre, moins extrême que la téléconférence, mais ce n'était pas la même chose malgré tout que de se parler d'homme à homme –, non, le mélange politique, l'impossibilité de vote bloqué, ou de seulement penser en terme d'électorat classique.

C'était une drôle de congrégation, au fond. Mais elle allait de l'avant, et tout le monde finit par s'y habituer. Elle avait pris cet aspect intemporel qu'acquièrent généralement les événements qui se prolongent dans la durée. Puis, une fois, très tard dans la nuit, après une longue et étrange conversation que l'IA de son interlocutrice traduisit en vers (il ne devait jamais savoir quelle langue elle parlait), Art regagnait le bureau qu'il occupait à l'autre bout de l'entrepôt lorsque, en saluant l'un des groupes encore au travail à cette heure indue, il eut un vertige, sans doute dû à l'épuisement plus qu'à la griserie du kavajava. Il s'appuya à un mur et regarda autour de lui. C'est alors qu'il fut envahi par un sentiment d'irréalité, une sorte de vision hypnagogique. Il y avait des ombres dans les coins, d'innombrables ombres mouvantes. Et elles avaient des yeux. Des formes spectrales. C'était comme si tous les morts, tous ceux qui n'étaient pas encore nés, étaient là, avec eux, dans l'entrepôt, pour contempler ce moment. Comme si l'histoire était une tapisserie et le congrès le métier à tisser sur lequel elle apparaissait, le moment présent dans ce qu'il avait de miraculeux, son potentiel existant dans tous leurs atomes, dans chacune de leurs voix. Ils regardaient vers le passé visible dans son intégralité, tel un interminable tissage d'événements. Ils regardaient vers l'avenir sans le voir, les fils innombrables de ses potentialités encore divergents, partant dans tous les sens, susceptibles de donner n'importe quoi. Deux sortes différentes d'immensités inaccessibles, qui voyageaient de conserve, se fondaient l'une dans l'autre au passage de cet immense métier à tisser, le présent. L'occasion leur était donnée à tous, ici et maintenant – sous le regard des fantômes du temps passé et de demain –, de nouer ensemble les fils de la sagesse qu'ils parviendraient à réunir afin de la transmettre aux générations futures.

Tout était possible. C'était l'une des raisons pour lesquelles ils auraient du mal à mener le congrès à bonne fin. Le choix lui-même réduirait des possibilités infinies à la ligne unique de l'histoire. Le futur devenant le passé : la déception était inéluctable dans ce passage à travers le métier, dans cette soudaine réduction de l'infini à l'unicité, du potentiel à la réalité qui était l'effet du temps et rien d'autre. Le possible était délectable. On pouvait encore espérer avoir ce qu'il y avait de meilleur dans les meilleurs gouvernements de tous les temps, magiquement combiné en une synthèse superbe, inédite. On pouvait encore tout rejeter pour suivre un nouveau chemin vers le juste gouvernement... Retomber dans la problématique vulgaire de l'écriture d'un document était une véritable rechute, et les gens repoussaient instinctivement cette échéance.

Et pourtant, il serait bon que leur équipe diplomatique arrive sur Terre avec un document en bonne et due forme à montrer à l'ONU et aux peuples de la Terre. En fait, il n'y avait pas moyen d'y couper ; ils devaient en venir à bout, non seulement pour présenter à la Terre le front uni d'un gouvernement établi, mais aussi pour commencer à vivre leur vie d'après la crise, quelle qu'elle soit.

Nadia en était intimement convaincue. C'est ce qu'elle dit à Art, un matin :

– Le moment est venu de placer la clé de voûte de l'édifice.

Et à partir de là, elle ne ménagea pas ses efforts pour rencontrer toutes les délégations et tous les comités, leur demander d'achever leur travail et les enjoignant à le soumettre au vote de la table. Son obstination révéla une chose qui n'était pas évidente jusqu'alors : l'essentiel des problèmes avaient été résolus à la satisfaction de la plupart des délégués. Ils s'accordaient généralement à dire qu'ils avaient mis au point un document sur lequel on pouvait travailler, ou du moins essayer, à condition d'intégrer dans la structure des procédures d'amendement qui permettraient d'en modifier certains aspects tout en avançant. Les jeunes indigènes, en particulier, semblaient satisfaits et même fiers de leur travail, fiers d'avoir réussi à mettre l'accent sur la semi-autonomie locale, d'avoir pu donner un tour institutionnel à la façon dont la plupart d'entre eux avaient vécu sous l'Autorité Transitoire.

Les nombreuses entraves mises à la règle de la majorité ne les ennuyaient donc pas alors qu'ils constituaient de fait l'actuelle majorité. Afin de ne pas avoir l'air d'avoir perdu cette bataille, Jackie et son cercle affectèrent de ne jamais avoir prôné une présidence forte et un gouvernement centralisé. Ils prétendirent même avoir été, depuis le début, en faveur d'un conseil exécutif élu par les députés à la manière suisse. Ce n'était pas un cas isolé, et Art s'empressait d'opiner du chef lorsqu'on lui exposait une prise de position de ce genre.

– Ouiii, je me souviens ! Nous nous demandions bien comment sortir de ce problème, la nuit où nous ne nous sommes pas couchés pour assister au lever du soleil. Vous avez vraiment eu une bonne idée.

Les bonnes idées faisaient florès. Et elles commençaient à s'acheminer vers un épilogue.

Le gouvernement global tel qu'il était conçu devait être une confédération dirigée par un conseil exécutif de sept membres, élus par un système à deux chambres : la douma, une assemblée législative composée d'un vaste groupe de représentants tirés au sort dans la population, et le sénat, une entité moins importante constituée d'élus sur la base d'un membre par groupe, ville ou village de plus de cinq cents personnes. L'assemblée législative était assez faible, en fin de compte. Elle participait à l'élection du conseil exécutif, procédait à la sélection des juges et laissait aux villes la plupart des tâches législatives proprement dites. La branche judiciaire était plus puissante. Elle comprenait les tribunaux pénaux, mais aussi une sorte de double cour suprême composée d'une cour constitutionnelle et d'une cour environnementale, les deux cours comprenant des membres nommés, des membres élus et d'autres tirés au sort. La cour environnementale réglait les litiges portant sur le terraforming et les problèmes d'environnement. La cour constitutionnelle statuait sur l'aspect constitutionnel de tous les autres problèmes, y compris les infractions aux lois urbaines. L'un des bras de la cour environnementale était une commission du terrain, chargée de veiller à la gestion du sol, qui était dévolue à la famille martienne, conformément à l'article trois du document de Dorsa Brevia. Il n'y aurait pas de propriété privée en tant que telle, mais des droits d'usage divers établis par contrat, ces questions devant être précisées par la commission du sol. Une commission économique, dépendant de la cour constitutionnelle et en partie composée de membres des guildes des coopératives représentant les diverses professions et industries, superviserait l'instauration d'une version de l'éco-économie underground qui prévoyait l'existence d'entreprises à but non lucratif concentrées sur la sphère publique et d'entreprises commerciales situées dans les limites de taille légales, et légalement détenues par leurs employés.

Cette extension du système judiciaire satisfaisait ceux qui souhaitaient un gouvernement global fort, sans donner trop de pouvoir à un corps exécutif. C'était aussi une réponse au rôle héroïque joué par la Cour mondiale sur la Terre, au siècle précédent, quand presque toutes les autres institutions terriennes avaient été achetées ou, d'une façon ou d'une autre, cédées sous la pression des métanationales. Seule la Cour mondiale avait tenu bon, émettant règlement après règlement au nom de la Terre et de tous les exclus de droits civiques, dans une action d'arrière-garde presque totalement ignorée et en vérité assez symbolique, contre les exactions des métanats. Une force morale qui, si elle avait eu plus de moyens, aurait pu faire plus de bien. Mais l'underground martien avait assisté à son combat et s'en souvenait à présent.

D'où ce gouvernement martien global. La Constitution incluait donc aussi une longue liste de droits imprescriptibles, en particulier sociaux, des recommandations pour la commission du sol et les commissions économiques, un système d'élection à l'australienne pour les fonctions électives, tout un processus d'amendements et ainsi de suite. Pour finir, au texte principal de la Constitution ils annexèrent la somme énorme de matériaux utilisés, qu'ils appelèrent Notes de Travail et Commentaires. Ces documents devaient aider les cours à interpréter le document principal, et comprenaient tout ce que les délégations avaient dit à la table des tables, écrit sur les écrans de l'entrepôt ou reçu au courrier.

La plupart des problèmes épineux avaient donc été résolus, ou au moins mis sous le boisseau. Le plus ardu demeurait l'objection des Rouges. C'est alors qu'Art entra en action, accordant plusieurs concessions de dernière minute aux Rouges, dont un grand nombre de nominations aux cours environnementales. Ces concessions furent, par la suite, appelées « le Grand Geste ». En échange, Irishka accepta, au nom de tous les Rouges encore impliqués dans le processus politique, que le câble reste, que l'ATONU soit représentée à Sheffield, que les Terriens puissent encore immigrer, sous certaines conditions restrictives, et enfin que le terraforming se poursuive sous des formes non destructrices, jusqu'à ce que la pression atmosphérique atteigne 350 millibars à six kilomètres au-dessus du niveau moyen, ces chiffres devant être revus tous les cinq ans. C'est ainsi que la résistance des Rouges fut rompue ou du moins contournée.

Coyote secoua la tête en voyant de quelle façon la situation avait évolué.

– Après toutes les révolutions, il y a un interrègne au cours duquel les communautés se dirigent elles-mêmes à la satisfaction générale, puis le nouveau pouvoir s'installe et verrouille tout. Je pense que le mieux à faire maintenant serait d'aller demander très humblement aux tentes et aux canyons comment ils font marcher les choses depuis deux mois, de flanquer cette Constitution sophistiquée à la poubelle et de dire « continuez comme ça ».

– C'est exactement ce que dit la Constitution, ironisa Art.

Mais Coyote n'avait pas envie de rire.

– Il ne faut jamais centraliser tous les pouvoirs pour la seule raison qu'on en a les moyens. Le pouvoir corrompt, c'est la loi fondamentale de la politique. La seule, peut-être.

Quant à l'ATONU, il était difficile de dire quel était son avis, parce que l'opinion, sur Terre, était divisée : les grandes gueules exigeaient qu'on reprenne Mars par la force et que tout le monde sur Pavonis soit pendu ou mis aux fers. La plupart des Terriens étaient plus accommodants, d'autant qu'ils avaient une crise sur les bras. Et pour l'instant, ils comptaient moins que les Rouges. C'était l'espace que la révolution avait donné aux Martiens. Ils s'apprêtaient maintenant à le remplir.

Chaque nuit de la dernière semaine, Art s'effondra, abruti par les chamailleries et le kava, et, bien qu'épuisé, il se réveillait fréquemment, et tanguait et roulait sous la force d'une pensée apparemment lucide qui, au matin, avait disparu ou se révélait particulièrement dingue. Nadia dormait aussi mal que lui, sur le lit de camp à côté du sien, ou dans son fauteuil. Il arrivait qu'ils s'endorment en débattant d'un point ou d'un autre, et qu'ils se réveillent tout habillés, cramponnés l'un à l'autre comme des enfants dans une tempête. Il n'y avait pas de plus grand réconfort que la chaleur de l'autre. Alors, dans la sinistre lueur ultraviolette précédant l'aube, ils parlaient pendant des heures dans le silence glacé du bâtiment, dans un petit cocon de chaleur partagée. Quelqu'un à qui parler. D'abord collègues puis amis ; amants, un jour, peut-être ; ou quelque chose d'approchant. Nadia n'était pas une romantique, c'était le moins qu'on puisse dire. Mais Art était amoureux, ça ne faisait aucun doute, et il croyait voir briller dans les yeux de Nadia, dans ses prunelles piquetées de points multicolores, un nouveau sentiment, une nouvelle affection. Et voilà comment, à la fin des interminables journées du congrès, ils bavardaient, allongés sur leurs lits de camp, en se massant mutuellement les épaules, et sombraient dans un sommeil comateux. La production du document les stressait plus qu'ils ne voulaient l'admettre, sauf dans ces moments où ils se blottissaient l'un contre l'autre comme pour se protéger mutuellement du grand monde froid. Un nouvel amour. Art ne voyait pas quel autre nom donner à ça, même si Nadia n'était pas très démonstrative. Il était heureux.

Aussi fut-il amusé, mais pas surpris, de l'entendre dire, un matin, alors qu'ils se levaient :

– Si on mettait ça aux voix ?

Art parla donc aux Suisses et aux spécialistes de Dorsa Brevia, et les Suisses proposèrent au congrès de voter point par point, comme promis depuis le départ, sur le projet de Constitution qui était enfin sur la table. Il s'ensuivit aussitôt une frénésie de tractations qui aurait relégué les Bourses terriennes au rang de jardins d'enfants. Pendant ce temps-là, les Suisses mirent au point un processus électoral qui devait durer trois jours, chaque groupe se voyant attribuer une voix par paragraphe numéroté du projet de Constitution. Les quatre-vingt-neuf paragraphes passèrent, et l'énorme masse de « travaux préparatoires » fut officiellement jointe au texte proprement dit.

Il n'y avait plus qu'à le soumettre à l'approbation du peuple de Mars. C'est ainsi que le Ls 158, le onzième jour d'octobre-un de l'année M-52, tous les habitants de Mars âgés de plus de cinq années martiennes votèrent sur leur bloc-poignet pour ou contre le document définitif. Plus de quatre-vingt-quinze pour cent de la population vota, et la Constitution fut acceptée à soixante-dix-huit pour cent, soit juste un peu plus de neuf millions de voix. Ils avaient un gouvernement.

QUATRIÈME PARTIE

Verte Terre

Pendant ce temps-là, sur Terre, l'inondation était au cœur de toutes les préoccupations.

Elle était due à de violentes éruptions volcaniques sous l'ouest de la calotte glacière antarctique. Le sol, qui, dessous, ressemblait au bassin et à la zone montagneuse d'Amérique du Nord, avait été enfoncé en dessous du niveau de la mer par le poids de la glace. Si bien que, dès les premières éruptions, la lave et les gaz avaient fait fondre la glace, provoquant des affaissements de terrain cataclysmiques. Du coup, l'eau des océans s'était engouffrée sous la glace, en différents endroits de la ligne d'appui qui s'érodait rapidement. Déstabilisées, ébranlées, d'énormes congères – véritables îlots – s'étaient détachées sur tout le pourtour de la mer de Ross et de la mer de Ronne. Au fur et à mesure que les courants océaniques les emportaient, la rupture se poursuivit vers l'intérieur du continent, et les turbulences entraînèrent l'accélération du processus. Dans les mois suivant les premières grandes ruptures, d'immenses icebergs tabulaires dérivèrent sur l'océan Antarctique, provoquant une élévation du niveau de la mer dans le monde entier. L'eau continua à se précipiter dans la dépression de l'Antarctique Ouest, naguère occupée par la glace, chassant ce qui en restait au large, bloc par bloc, jusqu'à ce que la calotte glaciaire ait complètement disparu, laissant place à une nouvelle mer peu profonde, agitée par les éruptions sous-marines continues qui furent comparées pour leur intensité au formidable épanchement volcanique survenu dans le Deccan, en Inde, à la fin du Crétacé.

C'est ainsi qu'un an après le début des éruptions l'Antarctique était réduit à la moitié à peine de sa taille antérieure. L'Est ressemblait à une demi-lune et la péninsule évoquait une Nouvelle-Zélande qui aurait été recouverte de glace. Entre les deux s'étendait une mer peu profonde, bouillonnante, jonchée d'icebergs, et dans le reste du monde le niveau des eaux avait monté de sept mètres.

L'humanité n'avait pas connu de catastrophe naturelle d'une telle ampleur depuis la fin de la dernière ère glaciaire, dix mille ans auparavant. Et cette fois, elle n'affectait plus seulement quelques millions de chasseurs groupés en tribus nomades mais quinze milliards d'êtres civilisés, dont la vie était régie par un édifice sociotechnologique précaire, lequel était déjà en grand danger d'effondrement. Toutes les grandes cités côtières étaient inondées, des pays comme le Bangladesh, la Hollande et le Belize avaient disparu sous l'eau. La plupart des malheureux habitants de ces régions avaient eu le temps d'émigrer vers des zones plus élevées, car la montée des eaux s'était davantage apparentée à une marée qu'à un raz de marée, si bien que la population du monde était maintenant composée de dix à vingt pour cent de réfugiés.

La société humaine n'était évidemment pas équipée pour gérer une situation pareille. Quand bien même tout serait allé pour le mieux dans le meilleur des mondes, les choses n'auraient pas été faciles, et au début du XXII*e siècle, tout n'allait pas pour le mieux dans le meilleur des mondes. La population augmentait toujours, les ressources se faisaient de plus en plus rares et les conflits entre les riches et les pauvres, les gouvernements et les métanats, étaient plus brûlants que jamais. La catastrophe avait frappé au beau milieu d'une crise.*

Crise que la catastrophe gomma dans une certaine mesure. Le contexte des luttes d'influence de toute sorte s'en trouva radicalement modifié et beaucoup devinrent fantasmagoriques. Face au désespoir de tous ces peuples qui se retrouvaient dans le plus grand dénuement, la propriété privée, le profit perdirent de leur légitimité. Les Nations Unies se dressèrent tel un phénix aquatique au-dessus du chaos, et devinrent le bureau d'aiguillage des efforts considérables visant au soulagement de la détresse : les migrations terrestres, par-delà les frontières nationales, la construction de logements d'urgence, la distribution des ressources alimentaires et des biens de première nécessité. Compte tenu de la nature de leur tâche, la Suisse et Praxis se retrouvèrent en première ligne, aux côtés de l'ONU. L'UNESCO et l'OMS se réveillèrent d'entre les morts. L'Inde et la Chine, qui étaient les plus grands des pays dévastés, jouèrent aussi un rôle fondamental en décidant de coopérer : elles conclurent des alliances bipartites, ainsi qu'avec l'ONU et ses nouveaux alliés ; elles refusèrent toute aide du Groupe des Onze pays les plus industrialisés et des métanationales qui participaient maintenant ouvertement au gouvernement de la plupart des pays du G-11.

Par d'autres côtés, l'inondation ne fit qu'exacerber la crise. Les métanats se retrouvèrent dans une position très étrange. Avant la catastrophe, elles étaient entièrement absorbées par ce que les com-

mentateurs appelaient le métanatricide, c'est-à-dire une compétition impitoyable pour la domination ultime de l'économie mondiale. Quelques supergroupes de métanats se disputaient le contrôle absolu des plus grands pays industrialisés et tentaient d'absorber les rares entités qui échappaient encore à leur emprise : la Suisse, l'Inde, la Chine, Praxis et les pays dits de la Cour mondiale. Si l'essentiel de la population du globe s'efforçait de survivre, les métanats en étaient plus ou moins réduites à sauver les meubles. Elles étaient souvent associées à la catastrophe dans l'esprit populaire qui leur en attribuait la responsabilité ou estimait dans tous les cas qu'elles étaient punies par où elles avaient péché. Cette vision magique des choses faisait l'affaire de Mars et des autres forces antimétanats qui, les voyant à genoux, tentaient d'en profiter pour les décapiter. Les pays du G-11 et les gouvernements des autres pays industrialisés jusqu'alors associés aux métanats avaient assez à faire avec leurs populations désespérées pour remettre à plus tard l'aide aux grands conglomérats. Et les gens, partout, renonçaient à leurs fonctions antérieures afin de rejoindre l'effort humanitaire. Les entreprises détenues par leurs employés, comme Praxis, gagnaient en popularité car elles s'efforçaient de soulager la détresse et offraient le traitement de longévité à tous leurs membres. Certaines métanats conservèrent leurs forces de travail en se reconfigurant selon les mêmes lignes directrices. Si la lutte pour le pouvoir se poursuivait à de nombreux niveaux, partout elle était réorganisée par la catastrophe.

Dans ce contexte, Mars était la dernière préoccupation des Terriens. Oh, c'était une histoire intéressante, évidemment, et beaucoup considéraient les Martiens comme des enfants ingrats, qui laissaient tomber leurs parents au moment où ils avaient besoin d'eux. C'était une des nombreuses réactions négatives face à la catastrophe, par opposition au nombre tout aussi important de réactions positives. Il y avait des bons et des méchants partout, à cette époque, et la plupart considéraient les Martiens comme des méchants, des rats qui fuyaient le navire en train de couler. D'autres voyaient en eux des sauveteurs potentiels, dont le rôle restait à définir : encore un exemple de vision magique des problèmes. Mais l'idée qu'une nouvelle société était en train d'émerger sur le nouveau monde était porteuse d'espoir.

En attendant, sur Terre, les gens étaient confrontés à des difficultés gravissimes. L'inondation avait eu pour conséquence, notamment, de provoquer des changements climatiques rapides : la couverture nuageuse s'était densifiée et réfléchissait davantage le soleil. Il en résulta une chute des températures qui provoqua des pluies torrentielles et la destruction de récoltes, aggravant encore la situation. Il se mit à pleuvoir dans des endroits rarement soumis aux précipitations auparavant : au Sahara, dans le désert Mojave, au nord du Chili, de sorte que l'impact de l'inondation se fit sentir même à l'intérieur des terres, un peu partout en fait : l'agriculture étant frappée par ces orages torrentiels, la faim commença à menacer – d'où le mouvement général de coopération, car on craignait de ne pas pouvoir nourrir tout le monde, et les lâches se mirent à parler de sélection. La Terre entière était plongée dans la tourmente. C'était une fourmilière dans laquelle on aurait donné un coup de pied.

Telle était donc la situation sur Terre pendant l'été de 2128 : une catastrophe sans précédent, une crise planétaire qui n'était pas près de s'arranger. Le monde antédiluvien semblait n'être qu'un mauvais rêve dont ils auraient été réveillés en sursaut pour se retrouver dans une réalité encore plus redoutable. Tout se passait comme s'ils avaient sauté de la poêle dans le feu, et tandis que certains s'efforçaient de remonter dans la casserole, d'autres se démenaient pour les rejeter dans les flammes. Bien malin qui aurait pu dire comment tout ça allait finir.

Nirgal avait l'impression qu'un étau se resserrait chaque jour davantage sur lui. Maya s'en plaignait et gémissait aussi. Michel et Sax semblaient indifférents. Michel était heureux de faire ce voyage, et Sax était absorbé par l'examen des rapports émanant de Pavonis Mons. Ils vivaient dans l'anneau en rotation de l'*Atlantis*. Pendant les cinq mois du voyage, l'anneau accélérerait jusqu'à ce que la force centrifuge passe de l'équivalent de la gravité martienne à celui de la gravité terrienne, auquel elle se stabiliserait dès le milieu du voyage. Cette méthode avait été perfectionnée au fil des années pour permettre aux émigrants qui décidaient de rentrer chez eux, aux diplomates qui faisaient l'aller et retour et aux rares indigènes martiens qui entreprenaient le voyage de s'habituer à la pesanteur terrestre. C'était toujours pénible. Quelques indigènes étaient tombés malades sur Terre. Il y avait eu des morts. Il était important de rester dans l'anneau rotatif, de faire ses exercices, de recevoir tous les vaccins.

Tandis que Sax et Michel s'entraînaient sur les machines, Nirgal et Maya marinaient dans les cuves en s'apitoyant sur leur sort. Mais si Maya se délectait de ses malheurs – elle paraissait se repaître voluptueusement de toutes ses émotions, y compris la colère et la mélancolie –, Nirgal était vraiment désespéré. L'espace-temps le tordait comme une serpillière, et chacune des cellules de son corps hurlait de douleur. L'effort nécessaire ne fût-ce que pour respirer l'effrayait. Il avait peine à croire qu'une planète puisse être aussi massive.

Il essaya d'en parler à Michel, mais Michel avait autre chose en tête. Il ne pensait qu'à ce qui les attendait. Sax, quant à lui, était obsédé par ce qui se passait sur Mars. Nirgal se fichait pas mal du congrès de Pavonis. Il estimait que ça ne changerait pas grand-chose au bout du compte. Les indigènes avaient vécu comme bon leur semblait sous l'ATONU et ils continueraient sous le nouveau gouvernement. Jackie arriverait peut-être à se tailler une présidence sur mesure, et ce serait fort regrettable, mais de toute façon, leur relation avait bizarrement tourné. C'était devenu une sorte de télépathie qui rappelait parfois leur ancienne passion mais lui faisait plus souvent penser à une rivalité perverse entre frère et sœur et parfois même aux combats internes d'un esprit schizoïde. Ils étaient peut-être jumeaux – Dieu seul savait à quel genre d'alchimie Hiroko s'était livrée dans les réservoirs ectogènes – mais non, Jackie était la fille d'Esther. Il le savait. Comme si ça voulait dire quoi que ce soit. Parce que, à sa grande consternation, il avait l'impression qu'elle était un autre lui-même, et il ne voulait pas de ça, il ne voulait pas que son cœur se mette à cogner dans sa poitrine chaque fois qu'il la voyait. C'était l'une des raisons qui l'avaient décidé à partir pour la Terre. Et voilà : il s'éloignait d'elle à la vitesse de cinquante mille kilomètres à l'heure, et elle était encore là, sur l'écran, ravie de l'avancement des travaux du congrès, ravie du rôle qu'elle y jouait. Elle ferait partie des sept membres du nouveau conseil exécutif, c'était couru d'avance.

– Elle compte sur l'histoire pour reprendre son cours normal, disait Maya alors qu'ils regardaient les infos, depuis leurs providentielles baignoires. Le pouvoir est comme la matière, il a une gravité, il s'agglutine et il attire de plus en plus de choses à lui. Ce pouvoir local, réparti entre les tentes...

Elle eut un haussement d'épaules désabusé.

– C'est peut-être une nova, risqua Nirgal.

– Peut-être, acquiesça-t-elle en riant. Mais il recommencera à s'agglutiner. C'est la gravité de l'histoire : le pouvoir est attiré vers le centre, il y a parfois une nova. Puis l'attraction repart. Ce sera pareil sur Mars, tu verras ce que je te dis. Et Jackie sera au beau milieu.

Elle s'arrêta net avant d'ajouter *la salope*, par égard pour Nirgal, et le regarda du coin de l'œil en se demandant comment le manœuvrer pour faire avancer son combat personnel, sa guerre sans fin avec Jackie. Les petites novas du cœur.

Les dernières semaines à la pesanteur terrestre passèrent sans que Nirgal s'y fasse. C'était affolant de sentir cette étreinte croissante lui bloquer la respiration, les idées. Il avait mal à toutes les articulations. Sur les écrans, il voyait des images de la petite bille bleu et blanc qui était la Terre, avec sa lune, ce bouton d'os à l'air étrangement plat et mort. Mais ce n'étaient que des images parmi tant d'autres, elles ne voulaient rien dire pour lui, à côté de ses pieds endoloris et de son pauvre cœur qui battait la chamade. Puis le monde bleu creva soudain tous les écrans, pareil à une fleur fraîchement éclose, avec la ligne blanche de son limbe incurvé, son eau bleue ornée de tourbillons de coton blanc, ses continents sortant du filigrane des nuages comme de petits rébus, des survivances d'un mythe à moitié oublié : l'Asie. L'Afrique. L'Europe. L'Amérique...

Pour la descente finale et la décélération, la rotation de l'anneau fut stoppée. Nirgal plana, avec l'impression d'être désincarné et pareil à un ballon, vers une fenêtre afin de voir ça de ses propres yeux. Malgré l'épaisseur de la paroi de verre et les milliers de kilomètres de distance, il fut frappé par la finesse des détails, leur netteté, leur précision.

– L'œil a un tel pouvoir, dit-il à Sax.

– Hum, fit Sax en s'approchant de la vitre pour regarder à son tour.

Ils observèrent la boule bleue de la Terre, en dessous d'eux.

– Tu n'as jamais peur? demanda Nirgal.

– Peur?

– Tu sais bien. (Pendant ce voyage, Sax n'avait pas été dans sa phase la plus cohérente; il fallait lui expliquer beaucoup de choses.) La peur. L'appréhension. La crainte.

– Oui. Je crois que si. J'ai eu peur, oui. Récemment. Quand j'ai découvert que j'étais... désorienté.

– J'ai peur, maintenant.

Sax le regarda curieusement. Puis il flotta vers lui et posa la main sur son bras avec une gentillesse dont il n'était guère coutumier.

– Nous sommes là, dit-il.

Plus bas, toujours plus bas. De la Terre partaient maintenant dix ascenseurs spatiaux dont plusieurs étaient des câbles bifides dont les deux brins distincts partaient l'un du nord, l'autre du sud de l'équateur, lequel manquait cruellement d'endroits adéquats pour des sites de ce genre. L'un des câbles fendus formait un Y qui partait de Virac, aux Philippines, et d'Oobagooma, en Australie Occidentale. Un autre partait du Caire et de Durban. Celui le long duquel ils descendaient se divisait à dix mille kilomètres au-dessus de la Terre, le brin nord partant de Port of Spain, dans l'île de Trinidad, et le brin sud du Brésil, près d'Aripuana, une ville-champignon située sur le Theodore Roosevelt, un affluent de l'Amazone.

Ils prirent le brin du nord, qui menait à Trinidad. De la cabine de l'ascenseur, le regard englobait presque tout l'hémisphère occidental, centré sur le bassin de l'Amazone, un fleuve café au lait qui serpentait dans les verts poumons de la Terre. De plus en plus bas. Au cours des cinq jours de leur descente, le monde se rapprocha au point d'occuper tout l'espace en dessous d'eux, et la gravité écrasante des dernières semaines les étreignit à nouveau lentement, les prit dans son étau et serra, serra, serra de plus en plus fort. Si Nirgal s'était un tout petit peu habitué à la pesanteur, cette accoutumance avait disparu au cours du bref retour à la microgravité et il hoquetait comme un poisson hors de l'eau. Chaque inspiration constituait un effort pour lui. Planté les jambes écartées devant les hublots, les mains crispées sur les rampes, il regardait à travers les nuages le bleu étincelant de la mer des Caraïbes, les verts intenses du Venezuela, le triangle sale que faisait l'Orénoque en se jetant dans la mer. L'horizon était un sandwich incurvé de bandes blanches et turquoise, surmontées par le noir de l'espace. Toutes les couleurs étaient si vives. Les nuages étaient comme sur Mars, mais plus épais, plus blancs, plus denses. Peut-être la gravité prodigieuse exerçait-elle une pression inhabituelle sur sa rétine ou sur son nerf optique pour que les couleurs palpitent et éclatent comme ça. Même les sons étaient plus forts.

Dans l'ascenseur, avec eux, se trouvaient des diplomates des Nations Unies, des membres de Praxis et des représentants des médias, qui espéraient tous que les Martiens leur consacreraient un peu de temps, leur parleraient. Nirgal avait du mal à se concentrer sur eux, à les écouter. Ils semblaient si étrangement inconscients de leur position dans l'espace, indifférents au fait qu'ils étaient à cinq cents kilomètres au-dessus de la surface de la Terre, ignorants de la vitesse à laquelle ils tombaient.

Le dernier jour fut long. Ils se retrouvèrent dans l'atmosphère, leur cabine descendit le long du câble vers le carré vert de Trinidad et un énorme complexe situé près d'un aéroport abandonné, dont les pistes faisaient comme des runes grises. La cabine de l'ascenseur s'insinua dans la masse de béton. Elle décéléra. Elle s'arrêta.

Nirgal décrocha ses mains de la rambarde et suivit lentement les autres. Un pas, un autre pas, tout le poids de son corps pesant sur ses pieds. Lent, lourd. Ils suivirent lentement, lourdement, une coursive. Il prit pied sur le sol d'un bâtiment, sur la Terre. L'intérieur du socle ressemblait à celui de Pavonis Mons, il avait une familiarité incongrue, car l'air était épais, lourd, chaud, salé, collant. Nirgal traversa les salles aussi vite qu'il put, pressé de sortir et de voir enfin à quoi ça ressemblait au-dehors.

Une véritable foule le suivait, l'entourait, mais les membres de Praxis comprenaient, ils lui ouvrirent la voie à travers la foule. Le bâtiment était immensément vaste, il avait apparemment raté l'occasion d'en sortir par une voie souterraine. Mais il y avait une porte derrière laquelle brillait une lumière éblouissante. Un peu étourdi par l'effort, il sortit dans une clarté aveuglante. Une pure blancheur. Ça sentait le sel, le poisson, les feuilles, le goudron, la merde et les épices ; comme dans une serre qui serait devenue folle.

Puis sa vue s'adapta. Le ciel était bleu, bleu turquoise comme la bande médiane du limbe qu'il avait vu de l'espace, mais plus clair ; blanc au-dessus des collines, d'un éclat de magnésium autour du soleil. Des taches noires volaient çà et là. Le fil noir du câble montait dans le ciel. Il baissa les yeux, ébloui. Des collines vertes dans le lointain.

Il les suivit en titubant vers un véhicule découvert, une antique petite voiture ronde, avec des pneus en caoutchouc. Une décapotable. Il resta debout à l'arrière, entre Sax et Maya, pour tout voir. Dans la lumière aveuglante, il y avait des centaines, des milliers de gens qui portaient des tenues stupéfiantes, des soies fluorescentes, rose, violet, bleu canard, doré, aigue-marine, des bijoux, des coiffes de plumes, des...

– C'est le carnaval, lui dit quelqu'un, depuis le siège avant de la voiture. Nous nous déguisons pour le carnaval. Et aussi pour fêter la Découverte, le jour où Christophe Colomb a touché l'île. C'était la semaine dernière, mais nous avons poursuivi les festivités en votre honneur.

– Quel jour sommes-nous ? demanda Sax.

– Le Jour de Nirgal ! Le onze août.

La voiture avançait lentement dans les rues pleines de gens qui les acclamaient. Certains étaient vêtus comme les indigènes avant l'arrivée des Européens et poussaient des clameurs démentes, leurs bouches rose et blanc dans leurs faces brunes. Des voix musicales, à croire que tout le monde chantait. Leurs accompagnateurs parlaient comme Coyote. Il y avait des gens dans la foule qui portaient des masques de Coyote, des visages crevassés, convulsés, des têtes en caoutchouc qui faisaient des grimaces dont même Desmond Hawkins aurait été incapable. Et des mots... Nirgal pensait avoir rencontré sur Mars toutes les déformations possibles de l'anglais, mais il avait du mal à comprendre ce que disaient les gens, sans trop savoir pourquoi : l'accent, la diction, l'intonation. Il suait à grosses gouttes et il avait pourtant l'impression d'être brûlant.

La route pleine d'ornières menait, entre deux murailles

humaines, vers un bref escarpement. Derrière se trouvait une zone portuaire, maintenant immergée sous une eau peu profonde. Les bâtiments se dressaient dans les flaques de mousse sale, bercée par des vagues invisibles. Tout un quartier changé en pataugeoire, les maisons pareilles à des moules géantes mises à nu, certaines éventrées, l'eau clapotante entrant et sortant par leurs fenêtres, des barques montant et descendant entre elles comme le flotteur d'une ligne à pêche. Les plus gros bateaux étaient amarrés à des lampadaires ou des poteaux électriques à la lisière des constructions. Plus loin, des bateaux aux voiles auriques gonflées par le vent donnaient de la gîte sur le bleu éclaboussé de soleil. Des collines vertes s'élevaient sur la droite, formant une grande baie ouverte.

– Les bateaux de pêche entrent toujours par les rues, mais les plus gros utilisent les docks de bauxite, au Point T, là-bas, vous voyez ?

Cinquante tons de vert différents sur les collines. Dans les creux, des palmiers morts, aux palmes jaunes, tombantes, marquaient la ligne de hautes eaux. Au-dessus, tout était éclaboussé de vert. Les rues et les bâtiments étaient taillés à la machette dans un monde végétal. Du vert et du blanc, comme dans les visions de son enfance, mais là, les deux couleurs primaires étaient séparées, contenues dans un œuf bleu de ciel et de mer. Ils étaient juste au-dessus des vagues, et pourtant l'horizon était tellement loin ! C'était la preuve irréfutable de l'immensité de ce monde. Pas étonnant qu'on ait pu croire que la Terre était plate. L'écume clapotant dans les rues en dessous faisait un bruit continu, aussi fort que les acclamations de la foule.

Au mélange de senteurs marines, végétales, vint s'ajouter une odeur de goudron portée par le vent.

– Le lac de Goudron, près de La Brea. Complètement à sec. Vidé. Il ne reste plus qu'un trou noir dans le sol, et un petit étang d'intérêt local. C'est ça que vous sentez, vous voyez, la nouvelle route ici, près de l'eau.

La route d'asphalte, des mirages de chaleur. Des gens aux cheveux noirs tassés le long de la route noire. Une jeune femme grimpa sur la voiture pour lui passer un collier de fleurs autour du cou. Leur odeur sucrée entra en conflit avec les effluves salés, piquants. Le parfum et l'encens, charriés par le vent végétal chaud, goudronné, poivré. Des tambours d'acier, étrangement familiers dans tout ce vacarme, et ça tapait, et ça cognait, ils jouaient de la musique martienne ici ! Sur les toits des maisons, dans la zone inondée, à leur gauche, ils avaient fait des patios de fortune. Ça puait les plantes pourries, l'air était saturé d'humidité, et le tout baignait dans une lumière d'un blanc de talc. Il était en nage. Les gens hurlaient de joie depuis les toits des maisons inondées, sur les bateaux, l'eau moussait, ondoyait, couverte de fleurs. Des cheveux noirs de jais, luisant d'un éclat chitineux. Une jetée de bois flottante sur laquelle étaient entassés plusieurs orchestres jouant des airs différents en même temps. Des points argentés, rouges et noirs voletaient sous leurs pieds : des écailles de poisson et des pétales de fleurs. Des fleurs qu'on leur jetait, soufflées par le vent, traînées de couleurs pures, jaune, rose, rouge. Le chauffeur de la voiture se retourna pour leur parler, oubliant la route.

– Ecoutez-les taper sur leurs casseroles ! Ce sont les duglas qui jouent des socas. Ecoutez-les, les virtuoses du baril de pétrole ! Les cinq meilleurs orchestres de Port of Spain.

Ils traversèrent un vieux, très vieux quartier, aux maisons faites de petites briques qui tombaient en poussière sous des toits de chaume ou de tôle ondulée. Tout était vieux, petit, même les gens étaient petits, bruns de peau.

– Les Hindous de la campagne. Les Noirs de la ville. Trinidad et Tobago ! Un mélange explosif, c'est ça, les duglas !

Il y avait de l'herbe partout, par terre, dans les ornières, dans toutes les fentes des murs et des toits, sur tout ce qui n'avait pas été récemment asphalté, c'était une explosion irrépressible de vert, jaillissant de toutes les surfaces du monde. Et l'air épais puait !

Puis ils émergèrent de la partie ancienne de la ville et se retrouvèrent sur un large boulevard goudronné, flanqué de grands arbres et de hauts bâtiments de marbre.

– Les gratte-ciel des métanats. Ils paraissaient immenses quand ils ont été construits, mais à côté du câble...

La sueur aigre, la fumée douceâtre, toute cette explosion de vert... Il dut fermer les yeux pour réprimer une nausée.

– Ça va ?

L'air bourdonnant d'insectes était tellement chaud qu'il ne pouvait en deviner la température. Elle dépassait son échelle personnelle. Il s'assit lourdement entre Sax et Maya.

La voiture s'arrêta. Il se releva péniblement, mit pied à terre. Il avait du mal à marcher. Il manqua tomber. Tout tournait autour de lui. Maya le retint fermement par le bras. Il se prit la tête à deux mains, s'astreignit à respirer par la bouche.

– Ça va ? demanda-t-elle âprement.

– Oui, répondit Nirgal en essayant de hocher la tête.

Ils étaient dans un ensemble de bâtiments tout neufs. Du bois, du béton, de la terre nue maintenant couverte de pétales écrasés.

Des gens partout, presque tous en costumes de carnaval. La brûlure du soleil derrière ses paupières, obstinément. On le mena vers une estrade de bois, avec à son pied une foule de gens qui criaient comme des fous.

Une belle femme aux cheveux noirs en sari vert, ceinturé de blanc, présenta les quatre Martiens à la foule. Les collines, derrière, s'incurvaient comme des flammes vertes sous un fort vent d'ouest. Il faisait plus frais à présent, et l'odeur était moins envahissante. Maya s'approcha des micros et des caméras, et les années fuirent à tire-d'aile. Elle parlait par petites phrases courtes, détachées, qui étaient acclamées en contrechant, antienne et répons, antienne et répons. Une étoile des médias que tout le monde regardait, d'un charisme rassurant, débitant un discours qui rappelait à Nirgal celui de Burroughs, quand elle avait rameuté la foule au parc de la Princesse, au point crucial de la révolution. Quelque chose dans ce goût-là.

Michel et Sax déclinèrent l'honneur de s'adresser à la foule et firent signe à Nirgal. Il resta un instant planté devant les gens et les collines vertes qui les soutenaient jusqu'au soleil. Il ne s'entendait plus penser. Un bruit blanc de joie, un son épais dans l'air épais.

– Mars est un miroir, dit-il au micro. Un miroir où la Terre voit sa propre essence. Le voyage vers Mars était un voyage purificateur, qui a mis à nu les choses les plus importantes. Ce qui a fini par arriver était fondamentalement terrien. Et ce qui est arrivé depuis, là-bas, n'est qu'une expression de la pensée terrienne, des gènes terriens. Voilà pourquoi, plutôt que de lui apporter un soutien matériel sous forme de matières premières ou de nouvelles souches génétiques, nous pouvons surtout aider notre planète mère en lui offrant le moyen de se voir telle qu'elle est. De dresser la carte d'une immensité inimaginable. Voilà comment, à notre modeste façon, nous jouons notre rôle en créant la grande civilisation qui frémit au bord de son devenir. Nous sommes les primitifs d'une civilisation inconnue.

Tonnerre d'acclamations.

– C'est l'impression que nous avons, sur Mars, en tout cas – une longue évolution à travers les siècles, vers la justice et la paix. Au fur et à mesure que les gens en apprennent davantage, ils comprennent mieux leur dépendance les uns envers les autres et envers leur monde. Nous avons compris sur Mars que la meilleure façon d'exprimer cette interdépendance était de vivre pour donner, dans une culture de compassion. Chaque individu libre et égal aux yeux de tous, travaillant avec les autres pour le bien général. C'est ce travail qui nous rend plus libres. La seule hiérarchie qui vaut d'être reconnue est celle-là : plus on donne, plus on devient grand. A présent, éperonnée par cette grande inondation, on la voit fleurir, émerger sur les deux mondes en même temps – la culture de compassion.

Il se rassit dans un tintamarre assourdissant. Puis ce fut la fin des discours et on les mena vers une sorte de conférence de presse animée par la belle femme au sari vert. Nirgal répondait à ses questions par d'autres, l'interrogeant sur le nouveau complexe de bâtiments qui les entouraient, sur la situation dans l'île. Elle s'efforçait de satisfaire sa curiosité, couvrant le brouhaha des commentaires et des rires de la foule enthousiaste massée derrière le mur de journalistes et d'appareils de prise de vue. La femme se révéla être le Premier ministre de Trinidad et Tobago. La petite nation composée de deux îles avait subi pendant la majeure partie du siècle précédent la domination de l'Armscor, une métanat, lui expliqua la femme. Depuis l'inondation, ils avaient rompu cette association. « Et tous les liens coloniaux avec, enfin ! » La foule accueillit ses paroles par des hurlements de joie. Son sourire reflétait le plaisir de toute une société. Il vit qu'elle était dugla, et d'une beauté stupéfiante.

Elle leur expliqua que les bâtiments où ils se trouvaient étaient l'un des innombrables hôpitaux qui avaient été construits sur les deux îles pour venir en aide aux victimes de l'inondation. Ç'avait été leur principale initiative en réponse à leur liberté nouvelle. Ces centres de secours fournissaient aux réfugiés un hébergement, du travail et des soins médicaux, y compris le traitement de longévité.

– Tout le monde a droit au traitement ? demanda Nirgal.

– Oui, répondit la femme.

– C'est formidable ! fit Nirgal, surpris, car il avait entendu dire que c'était une chose rare sur Terre.

– C'est ce que vous croyez ! répliqua le Premier ministre. On dit que ça va poser toutes sortes de problèmes.

– Oui. C'est même certain. Mais je pense que nous devons le faire quand même. Faire bénéficier tout le monde du traitement. On trouvera bien ensuite le moyen de s'en sortir.

Une ou deux minutes passèrent avant qu'ils aient la moindre chance de s'entendre à nouveau par-dessus les acclamations de la foule. Le Premier ministre s'efforçait de rétablir le silence lorsqu'un petit homme élégamment vêtu d'un costume marron sortit du groupe massé derrière elle, prit le micro et prononça quelques phrases entrecoupées par les rugissements de la foule déchaînée :

– Ce Martien, Nirgal, est un enfant de Trinidad ! Son papa, Desmond Hawkins, le Passager Clandestin, le Coyote de Mars, est de Port of Spain, et il a encore beaucoup de famille ici ! L'Armscor a acheté la compagnie pétrolière et elle a essayé d'acheter l'île avec, mais elle a choisi la mauvaise île pour ça ! Son cran, à votre Coyote, il ne l'a pas tiré du néant, Maestro Nirgal, c'est de Trinidad et Tobago qu'il le tient ! Il s'est promené partout là-haut pour apprendre à tout le monde la façon d'être sur Trinidad et Tobago, et maintenant ils sont tous duglas, là-haut, ils savent ce que c'est que d'être dugla, Mars tout entière est dugla ! Mars n'est qu'une grande Trinidad et Tobago !

La foule salua ses paroles par des hurlements de délire. Nirgal s'approcha de l'homme et l'embrassa impulsivement, avec un sourire radieux, puis il descendit de l'estrade et s'engagea dans la multitude qui se referma autour de lui. Un monde d'odeurs. Trop fortes pour penser. Il touchait les gens, leur serrait la main. Les gens le touchaient. Et cette lumière dans leurs yeux ! Ils étaient tous plus petits que lui, et ça les faisait rire. Chaque visage était un univers à lui seul. Soudain, des taches noires envahirent son champ de vision, tout s'obscurcit. Il regarda autour de lui, surpris. D'énormes nuages s'étaient massés sur une bande sombre de mer, à l'ouest, et avaient soudain masqué le soleil. Tandis qu'il serrait des mains, le nuage passa sur l'île. Ce fut la débandade. Les gens se réfugiaient à l'abri des arbres, des vérandas ou sous le toit de tôle ondulée des arrêts d'autobus. Maya, Sax et Michel étaient eux aussi perdus dans la foule. Les nuages gris foncé à la base se cabraient en rouleaux blancs aussi massifs que la pierre mais mouvants, et il en arrivait toujours. Une bourrasque de vent glacé souffla brutalement, puis de grosses gouttes de pluie frappèrent le sol, et les Martiens furent poussés sous un pavillon ouvert aux quatre vents, où on leur fit de la place.

Il se mit à pleuvoir comme jamais Nirgal n'aurait cru que ce fût possible. Des cataractes rugissantes s'abattaient dans des mares soudain changées en torrents, étoilées par un million d'impacts blanchâtres. Autour du pavillon, le monde entier était brouillé par le rideau mouvant qui mélangeait toutes les couleurs, le vert et le marron étaient brassés comme dans le tambour d'une machine à laver.

– On dirait que c'est l'océan qui nous tombe dessus ! fit Maya en souriant de toutes ses dents.

– Que d'eau ! fit Nirgal.

Le Premier ministre haussa les épaules.

– C'est comme ça tous les jours, pendant la mousson. Il pleut encore plus qu'avant, et il pleuvait déjà beaucoup.

Nirgal secoua la tête et sentit une soudaine douleur lui poignarder les tempes. La souffrance de la noyade. L'air était trop humide.

Le Premier ministre leur expliquait quelque chose, mais Nirgal ne la suivait plus. Il avait trop mal à la tête. N'importe qui dans le mouvement d'indépendance pouvait devenir membre de Praxis. Au cours de la première année, ils participaient à la construction de centres comme celui-ci. Le traitement de longévité était automatiquement offert à tous les adhérents. Il était administré dans les nouveaux centres. On pouvait aussi se faire greffer des implants contraceptifs réversibles. Beaucoup y avaient recours à titre de contribution à la cause.

– Plus tard, les bébés, voilà ce que nous leur disons. Vous aurez tout le temps.

Presque tout le monde les avait rejoints. L'Armscor avait dû adopter les méthodes de Praxis pour garder ses employés, et peu importait à présent à quelle organisation on appartenait. Sur Trinidad, elles se valaient à peu près toutes. Ceux qui venaient de recevoir le traitement participaient à la construction de nouveaux logements et d'équipements hospitaliers ou travaillaient dans l'agriculture. Trinidad était une île plutôt prospère, avant l'inondation, grâce à l'effet combiné des réserves pétrolières et de l'investissement dans le socle du câble. La résistance s'était peu à peu constituée, pendant les années qui avaient suivi l'arrivée honnie de la métanat. Il y avait maintenant une infrastructure croissante consacrée au projet de longévité. La situation était prometteuse. Tous ceux qui travaillaient à la mise sur pied d'un camp se voyaient promettre le traitement. Les gens étaient évidemment prêts à tout pour défendre ces endroits. Même si l'Armscor l'avait voulu, ses forces de sécurité auraient eu le plus grand mal à s'emparer d'eux. Et quand ils y seraient arrivés, ça ne leur aurait rien donné : ils avaient déjà le traitement. Ils pouvaient donc se résoudre au génocide s'ils voulaient, mais à part ça, ils avaient peu de chances de jamais reprendre le contrôle de la situation.

– L'île leur a tout simplement tourné le dos, conclut le Premier ministre. Aucune armée n'y peut rien. C'est la fin du système de castes basé sur l'économie. La fin de tous les systèmes de castes. Il y a quelque chose de nouveau, un nouvel élément dugla dans l'histoire, comme vous disiez dans votre discours. Une sorte de petite Mars. Alors vous voir ici, vous, un petit-fils de l'île, vous qui nous avez tellement appris dans votre nouveau monde si beau – ça, c'est vraiment quelque chose de spécial. Un festival pour de vrai.

Et encore ce sourire radieux.
– Qui était l'homme qui a parlé ?
– Oh, lui, c'était James.
La pluie cessa d'un seul coup. Le soleil creva les nuages, le monde se mit à fumer. Nirgal était ruisselant de sueur dans l'air blanc. L'air blanc, des taches noires tourbillonnantes. Il n'arrivait pas à reprendre sa respiration.
– Je crois que je ferais mieux de m'allonger.
– Mais oui, bien sûr. Vous devez être épuisé, vidé. Venez...
Ils l'emmenèrent vers un petit bâtiment, dans une salle claire aux murs tapissés de lanières de bambou, vide à l'exception d'un matelas sur le sol.
– J'ai peur que le matelas soit un peu petit pour vous.
– Ça n'a pas d'importance.
On le laissa seul. Quelque chose, dans la pièce, lui rappela la cabane d'Hiroko, près du lac de Zygote. Pas seulement les bambous, mais la taille et la forme de la salle, et une autre chose qui lui échappait, la lumière verte qui y pénétrait, peut-être. La sensation de la présence d'Hiroko était tellement forte et inattendue que lorsque les autres furent sortis, il se jeta sur le matelas et se mit à pleurer. Une confusion totale de sentiments. Il avait mal partout, mais surtout à la tête. Il arrêta de pleurer et sombra dans un profond sommeil.

Quand il se réveilla, il faisait noir et ça sentait le vert. Il ne savait plus où il était. Il se mit sur le dos, et tout lui revint : il était sur Terre. Des murmures. Il s'assit, effrayé. Un rire étouffé. Des mains l'obligèrent à se rallonger, des mains amicales, à l'évidence.

– Chut, fit une voix, et on l'embrassa.

Quelqu'un s'occupait de sa ceinture, de ses boutons. Des femmes, deux, trois, non, deux, qui sentaient bon le jasmin, et un autre parfum, oui, il y avait deux odeurs chaudes, distinctes. Leur peau luisante de sueur, si douce. Les veines battaient à ses tempes. Ce genre de chose lui était déjà arrivé une ou deux fois quand il était plus jeune, quand tout canyon bâché était un nouveau monde, plein de jeunes femmes inconnues qui voulaient un enfant ou juste s'amuser. Après les mois de célibat forcé du voyage, c'était le paradis de serrer ces corps de femmes, de les embrasser, de se faire embrasser, et sa première inquiétude fondit dans un mélange de mains, de bouches, de seins, de jambes entrelacées.

– La Terre, ma sœur, hoqueta-t-il.

Le vent qui soufflait dans les bambous lui apportait des bribes de musique, des barils de pétrole, des tablas. L'une des femmes était sur lui, pressée sur son corps. Il n'oublierait jamais le contact de ses flancs lisses sous sa main. Il entra en elle sans cesser de l'embrasser. Mais il avait toujours mal à la tête.

Lorsqu'il se réveilla, plus tard, il était nu et en nage sur le matelas. Il faisait encore noir. Il se rhabilla, sortit de la chambre et suivit un couloir obscur menant à un porche. C'était le crépuscule ; il avait dormi une journée entière. Maya, Michel et Sax mangeaient, entourés de gens. Nirgal leur assura qu'il allait bien. En fait, il mourait de faim.

Il s'assit en leur compagnie. Dans l'espace détrempé entre les bâtiments de béton brut, une foule était massée autour d'une cuisine en plein air. Au-delà, un feu de joie brillait dans le crépuscule. Les flammes enluminaient de jaune les visages sombres, se reflétaient dans le blanc liquide, éclatant, des yeux, des dents. Les gens, à la table centrale, se tournèrent pour le regarder. Plusieurs des jeunes femmes souriaient, leurs cheveux d'ébène luisant comme des casques d'obsidienne. L'espace d'une seconde, Nirgal fut renversé par l'odeur de sexe et de parfum. Mais c'était invraisemblable, avec le brasier, les effluves des plats épicés qui fumaient sur la table. Dans une telle explosion d'odeurs, il était impossible d'en identifier une seule, et de toute façon le système olfactif était bouleversé par les mets embrasés de curry et de piment de Cayenne. Il y avait des morceaux de poisson sur du riz, et un légume qui lui alluma un incendie dans la bouche et dans la gorge, de sorte qu'il passa la demi-heure suivante la tête en feu, à larmoyer, à renifler et à avaler verre d'eau sur verre d'eau. Quelqu'un lui donna un zeste d'orange amère confite, qui lui rafraîchit un peu la bouche. Il en mangea plusieurs.

Puis ils débarrassèrent la table tous ensemble comme à Zygote ou à Hiranyagarba, et les gens se mirent à danser autour du feu de joie, vêtus de costumes de carnaval surréels et masqués, comme au Fassnacht de Nicosia, mais les masques couvraient toute la tête et étaient plus étranges : il y avait des animaux, des démons à plusieurs yeux et aux grandes dents, des éléphants, des déesses. Sur le fond noir, brouillé, du ciel où scintillaient des étoiles obèses, se détachaient les vagues silhouettes des arbres, leurs feuilles vertes noires noires vertes soudain dorées par les flammes bondissantes qui semblaient donner son rythme à la danse. Une petite jeune femme avec six bras qui bougeaient en cadence s'approcha de Nirgal et Maya.

– C'est la danse du Ramayana, dit-elle. Elle est aussi vieille que la civilisation, et il y est question de Mangala.

Elle pressa familièrement l'épaule de Nirgal, et tout à coup il reconnut son parfum de jasmin. Sans sourire, elle retourna auprès du feu de joie. Les tablas suivaient le crescendo des flammes bondissantes, et les danseurs poussaient de grands cris. Nirgal avait la tête qui l'élançait à chaque pulsation de la musique. Malgré l'orange confite, il pleurait encore à cause du piment de Cayenne. Et il avait les paupières lourdes.

– Ça va vous paraître bizarre, dit-il, mais je crois que je vais retourner dormir.

Il se réveilla avant l'aube et s'installa sous une véranda. Le ciel s'éclaircit selon une séquence presque martienne, passant du noir au violet puis au rose de plus en plus clair avant d'adopter la teinte bleu-vert du matin sous les tropiques. Il avait encore la tête lourde mais il se sentait enfin reposé, et prêt à prendre le monde à bras-le-corps. Après un petit déjeuner de bananes brun-vert, quelques-uns de leurs hôtes les emmenèrent, Sax et lui, faire le tour de l'île en voiture.

Où qu'ils aillent, il y avait toujours des centaines de personnes dans son champ visuel. Les gens étaient tous petits, avec la peau aussi brune que la sienne dans les campagnes, plus claire en ville. De gros camions organisés en caravane servaient de magasins mobiles aux villages trop petits pour avoir leurs propres commerces. Nirgal s'émerveilla de la minceur des gens, de leurs membres noués par le travail de la terre ou fins comme des roseaux. Les courbes des jeunes femmes évoquaient des fleurs épanouies, éphémères.

Quand les gens le reconnaissaient, ils se précipitaient pour le saluer et lui serrer la main. Sax secoua la tête en voyant Nirgal parmi eux.

– Une distribution bimodale, dit-il. Pas une vraie spéciation, mais peut-être, avec le temps... la divergence de l'île. C'est très darwinien.

Les maisons occupaient des trouées ouvertes à la machette dans la verte jungle qui s'efforçait ensuite de reconquérir le terrain perdu. Les constructions plus anciennes étaient faites de briquettes de boue noircies par le temps, qui se refondaient dans la terre. Les terrasses des rizières étaient si étroites que les collines semblaient plus lointaines qu'elles n'étaient en réalité. Le vert clair des pousses de riz était d'une couleur inconnue sur Mars. D'une façon générale, Nirgal n'avait jamais vu des verts aussi éclatants, aussi lumineux. Ils s'imposaient à lui dans toute leur variété, leur intensité, dans le soleil qui lui brûlait le dos.

– C'est à cause de la couleur du ciel, répondit Sax quand Nirgal le lui fit remarquer. Les rouges du ciel martien ont tendance à assourdir les verts.

L'air était lourd, humide et fétide. La mer étincelante limitait l'horizon. Nirgal toussa, respira par la bouche, tenta désespérément d'ignorer le battement douloureux de ses tempes et de son front.

– Tu as le mal des profondeurs, avança Sax. Il paraît que ça arrive aux gens de l'Himalaya et des Andes qui descendent au niveau de la mer. C'est un problème d'acidité dans le sang. Nous aurions dû te déposer plus haut.

– Et pourquoi ne l'avons-nous pas fait ?
– Ils voulaient te voir ici parce que c'est de là que vient Desmond. C'est ta terre ancestrale. En fait, il semblerait qu'on se batte pour savoir qui aura l'honneur de nous avoir ensuite.
– Même ici, sur Terre ?
– Sûrement plus que sur Mars, dirais-je.
Nirgal gémit. Le poids du monde, l'air étouffant.
– Je vais courir, dit-il.
Au départ, ce fut la libération attendue. Les mouvements et les réactions habituels l'habitèrent, lui rappelant qu'il était toujours lui-même. Mais sa course pesante ne lui permit pas d'accéder à l'état du *lung-gom-pa* où il courait comme on respire, où il aurait pu continuer indéfiniment. Au contraire, il sentait la masse de l'air épais dans ses poumons, l'insistance du regard des petits personnages devant lesquels il passait, et surtout le poids de son propre corps qui lui faisait mal aux articulations. Il pesait plus du double de son poids normal. C'était comme si tous ses os s'étaient changés en plomb, comme s'il avait transporté une personne invisible sur son dos, sauf que le poids était à l'intérieur de lui. Ses poumons le brûlaient et se noyaient en même temps, et il ne les dégagerait pas en toussant. Des gens plus grands, habillés à l'européenne, le suivaient sur de petites bicyclettes à trois roues qui soulevaient des gerbes d'eau dans chaque mare. Mais les indigènes s'avançaient sur la route, derrière lui, des foules entières qui empêchaient les tricycles d'avancer, des gens qui riaient et bavardaient, les dents et les yeux étincelants dans leurs faces noires. Les hommes sur les tricycles regardaient Nirgal d'un œil vide, sans menacer la foule. Nirgal retourna vers le camp par une autre route. Maintenant, les vertes collines sur sa droite étaient embrasées. La route lui fendait les mollets à chaque pas. Il avait l'impression d'avoir des troncs d'arbre en feu à la place des jambes. Si courir lui faisait mal, maintenant... Il avait la tête comme une pastèque. La végétation d'un vert mouillé semblait tendre vers lui une centaine de tons de flammes vertes qui se fondaient en une bande d'une seule couleur dominante, envahissant le monde. Des taches noires mouvantes.
– Hiroko ! hoqueta-t-il tout en courant, le visage inondé de larmes, mais personne ne les distinguerait de la sueur. Hiroko, ce n'est pas comme tu m'avais dit que ce serait !
Il rejoignit en titubant le sol ocre du complexe. Les hordes de gens le suivirent jusqu'à Maya. Tout ruisselant de sueur, il se pendit à son cou en sanglotant.
– Nous devrions aller en Europe, fit Maya d'un ton courroucé à quelqu'un dans son dos. C'était stupide de l'amener tout de suite sous les tropiques.

Nirgal regarda par-dessus son épaule. C'était le Premier ministre.

– C'est ici que nous vivons, dit-elle, et elle lança à Nirgal un regard perçant, fier et plein de ressentiment.

Mais il en aurait fallu davantage pour impressionner Maya.

– Il faut que nous allions à Berne, dit-elle.

Ils partirent pour la Suisse dans un petit avion spatial fourni par Praxis. Pendant le vol, ils contemplèrent la Terre d'une altitude de trente mille mètres : le bleu de l'Atlantique, les cimes déchiquetées d'Espagne, avec leurs faux airs d'Hellespontus Montes ; puis la France et la muraille blanche des Alpes, qui ne ressemblaient à aucune des montagnes de Mars. Dans la fraîcheur de la cabine pressurisée, Nirgal se sentait comme un poisson dans l'eau et déplora de ne pas se sentir bien à l'air libre, sur Terre.

– Ça ira mieux en Europe, lui dit Maya.

Nirgal songea à la façon dont on les avait reçus.

– Ils t'adorent, ici, dit-il.

Bien que débordé par la situation, il avait remarqué que les duglas accueillaient ses compagnons avec autant d'enthousiasme que lui-même, et que Maya avait été particulièrement adulée.

– Ils étaient surtout contents que nous ayons survécu, esquiva Maya. Pour eux, c'est comme si nous revenions d'entre les morts. Tu comprends, de 61 jusqu'à l'année dernière, ils ont cru que tous les Cent Premiers étaient morts. Soixante-sept ans, tu te rends compte ! Pendant tout ce temps, beaucoup d'entre eux sont morts. Il y a quelque chose de magique, de mythique, dans le fait de nous voir débarquer au beau milieu de l'inondation, en plein changement. Sortir de l'underground comme d'une tombe.

– Mouais. Pas tous.

– Non, répondit-elle avec l'ombre d'un sourire. Il va falloir qu'ils fassent le tri là-dedans. Ils croient que Frank et Arkady sont vivants. Et John aussi, bien qu'il ait été tué des années avant 61 et que tout le monde l'ait su. Enfin, pendant un moment. Les gens ont la mémoire courte. C'était il y a longtemps. Il s'est passé tellement de choses depuis. Et les gens veulent que John Boone soit vivant. Alors ils ont oublié Nicosia, et ils se disent qu'il est encore dans l'underground.

Elle eut un petit rire bref, un peu troublée à cette idée.

– C'est comme Hiroko, fit Nirgal, la gorge nouée.

Une vague de tristesse comme celle qui l'avait submergé à Trinidad l'envahit, le laissant livide et douloureux. Il croyait, il avait toujours cru, qu'Hiroko était en vie et se cachait avec les siens quelque part dans les highlands du Sud. Il avait surmonté le choc de sa disparition en se cramponnant à cette idée. En se disant qu'elle s'était glissée hors de Sabishii et reparaîtrait quand elle jugerait le moment venu. Il en était sûr. Et voilà qu'il n'en était plus si certain, il n'aurait su dire pourquoi.

Assis à côté de Maya, Michel regardait dans le vide, l'air pincé. Tout à coup, Nirgal eut l'impression de se regarder dans un miroir. Il savait qu'il faisait la même tête, il le sentait dans sa chair. Michel et lui avaient des doutes, peut-être au sujet d'Hiroko, peut-être sur autre chose. Comment savoir ? Michel ne semblait pas d'humeur à parler.

Et de l'autre côté de l'avion, Sax les observait tous les deux, avec son regard d'oiseau.

Ils se laissèrent tomber du ciel parallèlement au grand mur nord des Alpes et se posèrent sur une piste, au milieu de la verdure. On les escorta dans un bâtiment anonyme, comme ceux de Mars ; ils descendirent un escalier et prirent un train qui glissa avec un bruit métallique vers le haut, puis hors du bâtiment et à travers les champs verts. Une heure plus tard, ils étaient à Berne.

Les rues de Berne étaient pleines de diplomates et de journalistes qui arboraient un badge d'identification sur la poitrine et voulaient tous leur parler. La ville était petite, primitive, solide comme le roc. Chaque chose respirait le pouvoir. Les étroites rues pavées étaient bordées par des bâtiments de pierre aux lourdes arcades, tout avait la stabilité des montagnes. L'Aare qui serpentait rapidement au milieu enserrait la majeure partie de la ville dans une de ses boucles. La plupart des gens qui peuplaient ce quartier étaient des Européens : des Blancs à l'air méticuleux, moins petits que la plupart des Terriens, grouillant dans tous les sens, absorbés dans leurs discussions, agglutinés autour des Martiens et de leurs accompagnateurs qui portaient maintenant l'uniforme bleu de la police militaire suisse.

Nirgal, Sax, Michel et Maya étaient logés dans le quartier général de Praxis, un petit bâtiment de pierre situé le long de l'Aare. Nirgal s'étonna de voir des maisons construites si près de l'eau ; que le fleuve monte ne serait-ce que de deux mètres et c'était la catastrophe, mais apparemment ces Suisses s'en fichaient. Le cours de la rivière devait être étroitement canalisé, bien qu'elle jaillisse d'une des chaînes de montagnes les plus escarpées que Nirgal ait jamais vues. C'était du terraforming. Pas étonnant que les Suisses s'en soient si bien sortis sur Mars.

Le bâtiment de Praxis n'était qu'à quelques rues de la vieille ville. La Cour mondiale et le gouvernement fédéral suisse occupaient des bâtiments dispersés au milieu de la péninsule.

Tous les matins, ils prenaient donc à pied la rue principale, pavée, la Kramgasse, incroyablement propre, nue et déserte comparée aux rues de Port of Spain. Ils passaient sous l'horloge médiévale, avec son cadran ornementé et ses automates pareils à un diagramme alchimique de Michel qui se serait mué en un objet à trois dimensions, puis ils entraient dans les bureaux de la Cour mondiale où ils s'entretenaient avec des groupes successifs de la situation sur Mars et sur Terre : des officiels des Nations Unies, des représentants du gouvernement national, des patrons de métanationales, des organisations humanitaires, des groupes médiatiques. Tout le monde voulait savoir ce qui se passait sur Mars et ce qu'ils pensaient de la situation sur Terre ; connaître les intentions de Mars et quelle aide Mars pouvait apporter à la Terre. Nirgal trouvait la plupart des gens qu'on lui présentait d'un commerce agréable : ils semblaient comprendre les situations respectives des deux mondes, ils n'étaient pas absurdement persuadés que Mars allait « sauver la Terre » ; ils ne paraissaient pas s'attendre à reprendre un jour le contrôle de Mars, où à voir revenir le règne des métanationales, comme avant l'inondation.

Maya était pourtant sûre que tout le monde n'était pas animé de la même bienveillance à leur égard. Elle leur fit remarquer le nombre de fois où leurs interlocuteurs faisaient preuve de ce qu'elle appelait un « terracentrisme » indécrottable. Rien ne comptait pour eux en dehors des affaires terrestres. Mars était intéressante par bien des côtés, mais pas vraiment importante. A partir du moment où elle lui eut signalé cette attitude, Nirgal en repéra un nombre incalculable de manifestations. A vrai dire, il trouva ça réconfortant. Les Martiens avaient une attitude identique. Les indigènes étaient forcément aréocentriques, et c'était logique, c'était une sorte de réalisme.

En fait, les Terriens qu'il commençait à trouver les plus troublants étaient précisément ceux qui témoignaient le plus vif intérêt pour Mars : certains dirigeants de métanats qui avaient lourdement investi dans le terraforming de Mars, les représentants de pays surpeuplés, qui seraient sans doute très heureux de pouvoir leur envoyer un grand nombre de ressortissants. Il assista donc à des réunions avec des gens de l'Armscor, de Subarashii, de la Chine, d'Indonésie, d'Ammex, de l'Inde, du Japon et du conseil des métanats japonaises. Il les écouta attentivement et s'efforça de poser des questions et d'éviter d'en dire trop long. Et il vit que certains de leurs plus solides alliés du moment, comme l'Inde et la Chine, risquaient de constituer un gros problème dans la nouvelle donne. Maya hocha la tête avec emphase lorsqu'il lui en fit l'observation.

– Il n'y a plus qu'à espérer que la distance nous sauvera, dit-elle, la mine sombre. Nous avons de la chance qu'il faille traverser l'espace pour arriver jusqu'à nous. Ça devrait être un goulot d'étranglement pour l'émigration, quelque progrès que fasse le vol interplanétaire. Mais nous devrons toujours rester sur nos gardes. En fait, ne parle pas trop de ces choses-là ici. Ne parle pas trop tout court.

Pendant les pauses-déjeuner, Nirgal demandait à ses gardes du corps – une bonne douzaine de Suisses qui ne le lâchaient pas d'une semelle, sauf pour dormir – de l'emmener à la cathédrale qu'on appelait *le monstre*. L'escalier d'une des tours était accessible au public, et tous les jours ou presque Nirgal prenait son souffle, gravissait l'escalier en colimaçon et arrivait, haletant et couvert de sueur, au belvédère. Par temps clair, c'est-à-dire souvent, on voyait la barrière lointaine, abrupte, des Alpes, qu'il avait appris à appeler l'Oberland bernois. Cette muraille blanche, crénelée, courait d'un horizon à l'autre, comme une grande chaîne de montagnes martiennes, si ce n'est qu'elle était couverte de neige sauf sur certains triangles exposés au nord, des triangles de roche gris clair qui ne ressemblaient à rien de connu sur Mars : du granit. Des montagnes de granit, soulevées par la collision des plaques tectoniques, nées dans une violence encore visible.

Berne était séparée de cette majestueuse frontière blanche par des collines plus basses, vertes, l'herbe d'un vert aussi intense qu'à Trinidad, les forêts de conifères d'un vert plus sombre. Tout ce vert... Nirgal s'émerveilla à nouveau de la quantité de vie végétale qui couvrait la Terre. La lithosphère disparaissait sous une couche ancienne, épaisse de biosphère.

– Oui, acquiesça Michel, qui l'avait accompagné un jour pour admirer le panorama. La biosphère forme une partie importante de la surface du sol. Partout où la vie surgit, elle foisonne.

Michel mourait d'impatience d'aller en Provence. Ils n'en étaient pas loin, à une heure de vol ou une nuit de train, et il en avait assez de Berne et de ses interminables arguties politiques.

– Il pourrait y avoir une nouvelle inondation ou la révolution, le soleil pourrait se changer en supernova qu'ils continueraient à palabrer. Je vous laisse. Sax et toi, vous vous débrouillerez toujours mieux que moi !

– Et Maya encore mieux.

– Sûrement, mais je veux qu'elle vienne avec moi. Si elle ne voit pas ça, elle ne comprendra jamais.

Seulement Maya était absorbée par les négociations avec les

Nations Unies, qui commençaient à devenir sérieuses maintenant que les Martiens avaient approuvé la nouvelle Constitution. Les Nations Unies agissaient plus ou moins comme porte-parole des métanats tandis que la Cour mondiale soutenait les nouvelles « démocraties coops » ; aussi les discussions qui se déroulaient dans les diverses salles de réunion et par vidéotransmission étaient-elles vives et parfois hostiles. Importantes, en un mot. Maya allait au combat tous les jours ; elle n'avait pas le temps de se rendre en Provence. Elle était allée dans le sud de la France quand elle était jeune, disait-elle, et n'avait pas très envie d'y retourner, même avec Michel.

– Elle dit que toutes les plages ont disparu, se plaignit Michel. Comme si c'était le principal, en Provence !

Il pouvait dire ce qu'il voulait, elle n'irait pas. Pour finir, au bout de quelques semaines, Michel laissa tomber à contrecœur et décida de partir tout seul en Provence.

Le jour de son départ, Nirgal l'accompagna à pied à la gare, au bout de la rue principale, et agita son mouchoir lorsque le train s'éloigna. Au dernier moment, Michel passa la tête par la fenêtre et rendit ses signaux à Nirgal avec un immense sourire. Nirgal fut choqué de voir cette expression remplacer si vite la déception causée par l'absence de Maya. Puis il se réjouit pour son ami. Ensuite il éprouva une soudaine envie. Il n'y avait pas un seul endroit au monde, pas un seul endroit des deux mondes, qu'il ait envie de revoir comme ça.

Après le départ du train, Nirgal reprit la Kramgasse, entouré par la nuée habituelle de cornacs et de journalistes, et fit gravir à ses deux corps et demi les deux cent cinquante-quatre marches qui menaient en haut du Monstre afin de contempler la muraille de l'Oberland bernois, au sud. Il passait beaucoup de temps là-haut ; il lui arrivait de rater le début des réunions de l'après-midi, de laisser Sax et Maya commencer sans lui. Les Suisses menaient rondement les choses. Les réunions avaient un ordre du jour, démarraient à l'heure, et s'ils n'arrivaient pas au bout du programme fixé, ce n'était pas de leur faute. Les Suisses qui se trouvaient dans la pièce étaient comme ceux de Mars, comme Jurgen, Max, Priska et Sibilla, avec leur sens de l'ordre, leur goût des choses bien faites, leur amour invétéré du confort, de tout ce qui était bien et prévisible. Cette attitude arrachait à Coyote un ricanement dédaigneux. Il la considérait comme nuisible à l'existence. Mais en voyant l'élégante cité de pierre qui s'étendait à ses pieds, avec ses fleurs luxuriantes et ses habitants prospères, Nirgal se disait qu'elle devait avoir du bon. Il avait été sans foyer pendant si longtemps. Michel avait sa Provence ; aucun endroit ne comptait à ce point pour lui. Sa maison natale gisait écrasée sous une calotte polaire et sa mère avait disparu sans laisser de trace. Tous les endroits où il avait vécu depuis étaient en perpétuel changement. Chez lui, c'était le changement. Cruelle prise de conscience, quand il regardait la Suisse, quand il voyait tout ça. Il aurait voulu un endroit à lui, un endroit qui tenait le coup depuis mille ans comme celui-ci, avec ses toits de tuile et ses murs de pierre.

Il essaya de s'intéresser aux assemblées de la Cour mondiale et du Bundeshaus suisse. Praxis était toujours à la pointe du progrès en matière d'inondation. C'était, déjà avant la catastrophe, une coopérative qui se consacrait à la production de biens et de services de base, y compris le traitement de longévité, et elle s'était fait une spécialité du travail sans projet préétabli. Il lui avait donc suffi de passer la vitesse supérieure pour prendre la tête et montrer ce qu'il était possible de faire dans l'urgence. Les quatre voyageurs avaient vu le résultat à Trinidad. L'essentiel du travail avait été effectué par les mouvements locaux, mais Praxis donnait un coup de main à des projets comparables dans le monde entier. On disait que William Fort n'avait pas ménagé ses critiques au début en menant la réponse fluide à la « transnat collective », comme il appelait Praxis. Et sa métanationale mutante n'était que l'une des centaines d'agences qui s'étaient placées en tête du peloton. Dans le monde entier, elles traitaient le problème du relogement des populations sinistrées et de la reconstruction de nouvelles installations côtières à un niveau plus élevé.

Mais ce réseau non structuré se heurtait à la résistance des métanats, lesquelles se plaignaient qu'une bonne partie de leur infrastructure, de leur capital et de leur travail était nationalisée, usurpée, détournée, accaparée ou tout simplement volée. Il n'était pas rare qu'il y ait de la bagarre, surtout là où des conflits s'étaient déjà produits. Après tout, l'inondation était survenue au beau milieu d'un paroxysme de rupture et de réorganisation mondiales, et, si elle avait tout changé, la lutte se poursuivait encore en bien des endroits, parfois sous couvert d'aide d'urgence.

Sax Russell était particulièrement attentif à ce contexte, car il était convaincu que les guerres globales de 61 n'avaient jamais résolu les inégalités fondamentales du système économique terrien. Il ne perdait pas une occasion d'insister sur ce point au cours des réunions, et Nirgal avait l'impression qu'il réussissait parfois à convaincre leurs interlocuteurs des Nations Unies et des métanationales qu'ils avaient tout intérêt à suivre une méthode voisine de celle de Praxis s'ils voulaient survivre, la civilisation et eux-mêmes. Peu importait, au fond, à laquelle de ces deux choses ils étaient le plus attachés, dit-il en privé à Nirgal, ou qu'ils établissent un simulacre machiavélique du programme Praxis. Le résultat serait assez comparable, à court terme, et tout le monde avait besoin de cette période de grâce de coopération pacifique.

C'est ainsi qu'il s'efforça de se concentrer pendant tous les meetings, parvenant à se montrer assez cohérent et assez engagé, en particulier si l'on songeait à la profonde abstraction dont il avait fait preuve pendant le voyage vers la Terre. Après tout, Sax Russell était le Terraformeur de Mars, l'avatar vivant du Grand Savant, une situation d'extrême pouvoir dans la culture terrienne, se disait Nirgal, une sorte de Dalaï Lama de la Science, une réincarnation permanente de l'esprit scientifique, créée pour une culture qui ne semblait pas capable de gérer plus d'un savant à la fois. Et puis, pour les métanats, Sax était l'un des principaux créateurs du plus grand nouveau marché de l'histoire, ce qui n'était pas un élément négligeable de son aura. Enfin, comme l'avait souligné Maya, il était l'un des membres du groupe qui était revenu d'entre les morts, l'un des chefs des Cent Premiers.

En plus de tout cela, son étrange phrasé haletant avait contribué à la naissance de l'image qu'on se faisait de lui sur Terre. Un simple problème d'élocution avait fait de lui une sorte d'oracle ; les Terriens semblaient croire que ses pensées étaient tellement élevées qu'il ne pouvait parler que par énigmes. Peut-être était-ce ce qu'ils voulaient. Peut-être était-ce ça la science pour eux. Dans le fond, la physique actuelle décrivait la réalité ultime comme des cordes ultramicroscopiques oscillant selon une supersymétrie à dix dimensions. Ce genre de théorie avait habitué les gens à l'étrangeté des physiciens, de même que l'usage croissant des IA de traduction les avait accoutumés aux locutions étranges. Presque tous ceux que rencontrait Nirgal parlaient anglais, mais ce n'était jamais la même sorte d'anglais, si bien que la Terre lui faisait l'effet d'une explosion d'idiolectes. Il commençait à croire qu'on ne pouvait trouver deux personnes qui parlent la même langue.

Dans ce contexte, Sax était écouté avec une extrême gravité.

– L'inondation marque un point de rupture dans l'histoire, dit-il un matin, lors d'une grande réunion devant le Conseil national du Bundeshaus. C'était une révolution naturelle. Le temps a changé sur Terre, la Terre a changé, de même que les courants marins et la répartition des populations humaine et animale. Il n'y a pas de raison, compte tenu des circonstances, d'essayer de restaurer le monde antédiluvien. Ce n'est pas possible. Mais il y a bien des raisons d'instituer un meilleur ordre social. L'ancien était... vicié. Il en résultait des bains de sang, la famine, la servitude et la guerre. La souffrance. Des morts inutiles. La mort sera toujours là. Mais chacun devrait la rencontrer le plus tard possible. A la fin d'une vie heureuse et bien remplie. C'est le but de tout ordre social rationnel. Nous devrions donc voir dans l'inondation une occasion de... de briser le moule, ici, comme sur Mars.

A ces mots, les officiels des Nations Unies et les conseillers des métanationales firent grise mine, mais n'en continuèrent pas moins d'écouter. Et le monde entier regardait. Sans doute, se dit Nirgal, l'opinion d'un aréopage de chefs dans une cité européenne avait-elle moins d'importance que celle des gens qui regardaient l'homme de Mars aux infos, du fin fond de leur village. Praxis, les Suisses et leurs alliés du monde entier avaient tout investi dans l'aide aux réfugiés et le traitement de longévité, de sorte que partout les gens se joignaient à eux. Si on pouvait gagner sa vie en sauvant le monde, si c'était une chance de trouver la stabilité, de vivre vieux et d'assurer un avenir décent à ses enfants, eh bien, pourquoi pas ? La plupart des gens n'avaient rien à perdre. Le règne des métanats avait profité à certains, mais des milliards d'autres étaient restés sur le bas-côté, exclus, dans une situation qui allait sans cesse empirer.

C'est ainsi que les métanats perdaient leurs employés en masse. On ne pouvait pas les enchaîner. Il était de plus en plus difficile de leur faire peur ; la seule façon de les garder était de mettre en place des programmes similaires à ceux que Praxis avait initiés. Et c'est ce qu'elles faisaient, ou du moins le disaient-elles. Maya était sûre qu'elles procédaient à des changements superficiels allant dans le sens de ceux de Praxis rien que pour conserver leur personnel et préserver leurs profits. Mais il se pouvait que Sax ait raison, qu'elles n'aient plus aucun contrôle de la situation et qu'elles instituent malgré elles un nouvel ordre des choses.

C'est ce que Nirgal décida de dire quand on lui donna la parole, lors d'une conférence de presse dans une grande salle du Bundeshaus. Debout sur l'estrade, il regarda la meute de journalistes et d'envoyés spéciaux – quelle différence avec la table improvisée dans l'entrepôt de Pavonis, avec le complexe arraché à la jungle de Trinidad, avec le podium au milieu de cette mer de gens, pendant cette folle nuit à Burroughs – et Nirgal comprit soudain son rôle : il était le jeune Martien, la voix du nouveau monde. Il pouvait laisser à Maya et Sax le soin d'être raisonnables et d'apporter le point de vue de l'étranger.

– Tout ira bien, dit-il en s'efforçant d'englober chacun dans son discours de sorte que tout le monde se sente concerné. Tout moment de l'histoire est fait d'un mélange d'éléments archaïques, de choses qui remontent du passé, de la plus lointaine préhistoire. Le présent est toujours un amalgame d'archaïsmes. Il y a encore des chevaliers qui viennent prendre les récoltes des paysans. Il y a toujours des guildes et des tribus. Nous voyons maintenant beaucoup de gens quitter leur travail pour venir en aide aux victimes de l'inondation. C'est nouveau, et en même temps ça rappelle les pèlerinages d'antan. Ils veulent être des pèlerins, avoir un but spirituel, ils veulent accomplir un travail qui ait un sens. Il n'y a pas de raison de continuer à se laisser gruger. Les représentants de l'aristocratie ici présents ont l'air inquiet. Vous aurez peut-être besoin de chercher du travail vous aussi. Vous serez peut-être amenés à vivre au même niveau que tous les autres. C'est vrai ; il se peut que ça arrive. Mais tout ira bien, même pour vous. Le mieux est l'ennemi du bien. C'est quand tout le monde est égal que les enfants sont le plus en sécurité. La distribution universelle du traitement de longévité que nous entrevoyons ici et maintenant est le sens ultime du mouvement démocratique. C'est la manifestation physique de la démocratie, enfin. La santé pour tous. Et quand ça arrivera, l'explosion d'énergie humaine positive transformera la Terre en quelques années à peine.

Quelqu'un dans la foule se leva et l'interrogea sur le risque d'explosion démographique. Il acquiesça.

– Oui, bien sûr. C'est un vrai problème. Il n'est pas indispensable d'être démographe pour voir que si on continue à faire des enfants alors que les anciens ne meurent pas, la population atteindra rapidement un niveau incroyable. Un niveau insupportable, jusqu'à l'explosion. Et alors ? Eh bien, il faut regarder la situation en face tout de suite. Il suffira de réduire le taux de natalité, pendant un moment du moins. Ça ne durera pas éternellement. Le traitement de longévité ne confère pas l'immortalité. Les premières générations qui en ont bénéficié finiront par mourir. C'est là que réside la solution au problème. Disons que la population actuelle des deux mondes est de quinze milliards. Autant dire que la situation est déjà effrayante. Etant donné la gravité du problème, tant que vous serez parents, vous n'aurez pas de raison de vous plaindre ; c'est votre propre durée de vie qui pose problème, après tout, et être parent c'est être parent, qu'on ait un enfant ou qu'on en ait dix. Enfin, mettons qu'à partir de maintenant chaque couple n'ait qu'un enfant : la génération actuelle comptera sept milliards et demi d'enfants, qui bénéficieront eux aussi du traitement de longévité, évidemment, qu'on élèvera dans du coton, au point d'en faire les insupportables petits rois du monde. Mettons que ceux-ci aient à leur tour quatre milliards d'enfants, la nouvelle royauté, que cette génération-là ait deux milliards d'enfants, et ainsi de suite. La population continuera d'augmenter, mais à un rythme de plus en plus faible au fur et à mesure que le temps passera. Et à un moment donné, dans cent ans ou dans mille ans, la première génération mourra. Que le processus se produise en un plus ou moins long laps de temps, il n'empêche que la population mondiale diminuera de près de la moitié inéluctablement. A ce stade, les gens pourront observer la situation, l'infrastructure, l'environnement des deux mondes – la capacité d'accueil du système solaire entier, quelle qu'elle puisse être. Quand les générations les plus nombreuses auront disparu, les gens pourront peut-être recommencer à avoir deux enfants par couple, afin d'assurer la perpétuation de l'espèce. Enfin, ils verront bien. Quand ils seront confrontés à ce genre de décision, la crise démographique sera résolue. Mais il se pourrait que ça prenne un millier d'années.

Nirgal s'arrêta et observa le public. Les gens le regardaient, fascinés, silencieux. Il les engloba dans un grand geste du bras.

– En attendant, nous devons nous entraider. Nous devons nous modérer, prendre soin du sol. Et c'est là que Mars peut aider la Terre. D'abord, en ce qui concerne les soins apportés au sol, nous sommes vecteurs d'expérience. Tout le monde peut tirer parti des leçons que nous avons apprises et les appliquer ici. Et puis, et surtout, la majorité de la population restera toujours sur Terre, mais une partie importante pourrait s'installer sur Mars. Ce qui contribuerait à soulager la situation. Nous serions heureux de les accueillir. Nous avons le devoir d'héberger autant de gens que possible ; nous sommes encore des Terriens, sur Mars. Nous sommes tous dans le même bateau. Et il n'y a pas que la Terre et Mars, il y a d'autres mondes habitables dans le système solaire, moins grands, certes, mais il y en a beaucoup. Et en les utilisant tous, en coopérant, nous pourrons franchir ce cap difficile. Et entrer dans un nouvel âge d'or.

La conférence du jour fit une certaine impression, ils s'en rendirent compte bien qu'étant dans l'œil du cyclone médiatique. Après ça, Nirgal s'entretint pendant des heures tous les jours avec des groupes différents afin de développer les idées qu'il avait lancées lors de cette fameuse réunion. C'était un travail épuisant et, après quelques semaines de cet exercice, un beau matin, il regarda par la fenêtre de sa chambre et parla à ses gardes du corps de partir en expédition. Ceux-ci acceptèrent de dire aux gens de Berne qu'il faisait une excursion privée, et ils prirent un train qui les emmena dans les Alpes.

Le train allait vers le sud en longeant le Thuner See, un long lac bleu bordé par des pâturages abrupts, des remparts et des spires de granit gris. Les villes au bord du lac avaient des maisons aux toits d'ardoise et étaient dominées par de vieux arbres, parfois un château, le tout magnifiquement entretenu. Dans les vastes pâtures vertes entre les villes s'étalaient de grandes fermes en bois, avec des œillets rouges dans des jardinières à toutes les fenêtres et à tous les balcons. C'était un style qui n'avait pas changé depuis cinq cents ans, lui dirent ses gardes du corps. Il s'était imposé au paysage, comme s'il était naturel. Les pâturages avaient été nettoyés des arbres et des pierres – à l'origine, c'étaient des forêts. C'étaient donc des espaces terraformés, d'immenses pelouses mamelonnées qui avaient été créées pour faire paître le bétail. Une telle agriculture n'avait pas de valeur économique, au sens où le capitalisme le définissait, mais les Suisses conservaient ces fermes d'altitude parce qu'ils trouvaient ça important, ou beau, ou les deux à la fois. En un mot, c'était suisse.

– Il y a des valeurs plus importantes que les valeurs économiques, avait dit Vlad lors du congrès, sur Mars, et Nirgal comprenait maintenant qu'il y avait des gens sur Terre qui l'avaient toujours pensé, du moins en partie.

Le *Werteswandel*, comme on disait à Berne, la mutation des valeurs. Mais il pouvait aussi s'agir d'une évolution, d'un retour à certaines valeurs. D'un changement progressif plutôt que d'un équilibre imposé. Les archaïsmes résiduels positifs, qui persistaient encore et toujours, jusqu'à ce que, lentement, ces hautes vallées de montagne isolées aient appris au monde à vivre, leurs grandes fermes flottant sur des vagues vertes. Une colonne de soleil doré creva les nuages, tomba sur une butte, derrière une des fermes, et les pâturages se mirent à briller comme une énorme émeraude, d'un vert si vif que Nirgal se sentit désorienté, puis franchement étourdi. Il avait du mal à fixer ce vert tellement il était intense !

La colline majestueuse disparut. D'autres apparurent derrière les vitres, pareilles à des vagues vertes illuminées par leur propre réalité. A Interlaken, le train tourna et suivit une vallée si abrupte que par endroits la voie entrait dans un tunnel et faisait un tour complet sur elle-même dans la montagne avant de ressortir à l'air libre et au soleil, la locomotive se trouvant juste au-dessus du wagon de queue. Le train suivait des rails et non une piste parce que les Suisses n'étaient pas convaincus que la nouvelle technologie constituait un progrès suffisant pour justifier que l'on remplace ce qui existait déjà. C'est ainsi que le train vibrait et roulait bord sur bord alors qu'il gravissait la pente en grondant et en grinçant, l'acier raclant l'acier.

Ils s'arrêtèrent à Grindelwald, et Nirgal suivit ses gardes du corps vers un train beaucoup plus petit qui les mena toujours plus haut, au pied de l'immense paroi nord de l'Eiger. Sous ce mur de pierre, il ne semblait faire que quelques centaines de mètres d'altitude. Nirgal avait eu une bien meilleure impression de son immensité à cinquante kilomètres de distance, depuis le Monstre de Berne. Il attendait maintenant patiemment que le petit train entre en bourdonnant dans la paroi rocheuse et commence à décrire des spirales et des épingles à cheveux dans le noir que ne trouaient que les lumières intérieures des wagons et l'éclair fugitif d'une galerie latérale. Ses gardes, qui étaient une dizaine, parlaient entre eux avec l'accent guttural du suisse allemand.

Lorsqu'ils revirent la lumière, ils entraient dans une petite gare appelée Jungfraujoch, « la plus haute gare d'Europe », comme l'annonçait une pancarte rédigée en six langues, ce qui n'avait rien d'étonnant car elle était située dans un col glacé entre les deux grands sommets, le Monch et la Jungfrau, à 3 454 mètres au-dessus du niveau de la mer, sans autre but ou raison d'être que sa propre existence.

Nirgal descendit du train, ses gardes sur les talons, et sortit de la gare. Il y avait une petite terrasse sur le côté du bâtiment. L'air était léger, pur et frais, à 270 degrés kelvin environ. Nirgal n'en avait pas respiré de plus savoureux depuis qu'ils avaient quitté Mars. Il lui semblait si familier qu'il sentit des larmes lui picoter les yeux. Ça, c'était un endroit qui valait le détour !

Même avec ses verres filtrants, la lumière était extrêmement vive. Le ciel était d'un bleu cobalt intense. Les parois des montagnes étaient couvertes de neige, mais le granit apparaissait presque partout, surtout sur les parois nord qui étaient trop abruptes pour retenir la neige. Là-haut, les Alpes ne ressemblaient plus du tout à un escarpement. Chaque masse de pierre avait son aspect et une présence propres, séparée des autres par d'immenses espaces vides, parfois par des vallées glaciaires en forme de U d'une extraordinaire profondeur. Au nord, ces macro-tranchées étaient très profondes, et vertes, ou comblées par un lac. Au sud, au contraire, elles étaient hautes, et ne contenaient que de la neige, de la glace et des pierres. Ce jour-là, le vent dévalant la paroi sud apportait avec lui le froid de la glace.

Dans la vallée au sud de la passe, Nirgal voyait un énorme plateau blanc, ridé, où les glaciers se déversaient depuis les hauts bassins environnants pour former un gigantesque confluent. C'était Concordiaplatz, lui dirent-ils. Quatre glaciers s'y rencontraient, puis continuaient à descendre vers le sud et le Grosser Aletschgletscher, le plus long glacier de Suisse.

Nirgal alla jusqu'au bout de la terrasse afin de saisir en un coup d'œil le plus possible de ce désert de glace. Il s'aperçut qu'elle donnait sur un escalier taillé dans la neige durcie de la paroi, à l'endroit où elle montait vers le col. C'était un sentier qui menait au glacier, en dessous d'eux, et de là à Concordiaplatz.

Nirgal demanda à ses gardes de l'attendre dans la gare. Il voulait faire un petit tour tout seul. Ils protestèrent, mais il n'y avait pas de neige sur le glacier en été, les crevasses étaient bien visibles, la piste passait au large et il n'y avait personne en bas, par cette froide journée estivale. Ses gardes du corps ne savaient trop quelle conduite adopter, et deux d'entre eux insistèrent pour le suivre de loin, au cas où.

Nirgal accepta le compromis, tira sur les cordons de son capuchon et s'engagea dans l'escalier qui descendait, mettant péniblement un pied devant l'autre jusqu'à ce qu'il se retrouve sur l'étendue plate du Jungfraufirn. Les crêtes qui jalonnaient cette vallée de neige descendaient vers le sud depuis la Jungfrau et le Monch puis, après quelques kilomètres, retombaient abruptement vers Concordiaplatz. De la piste, la roche paraissait noire, peut-être par contraste avec la blancheur de la neige. Çà et là, il distinguait des taches très légèrement rosées sur le blanc : des algues. De la vie à cette altitude. Très peu, mais tout de même de la vie. Le reste était pour l'essentiel une image en noir et blanc sous le bol bleu de Prusse du ciel. Un vent glacial se ruait comme par un entonnoir dans le canyon qui s'élevait de Concordiaplatz. Il aurait voulu descendre jusque-là pour voir ça de ses propres yeux, mais il ne savait pas s'il en aurait le temps avant le coucher du soleil. Les distances étaient difficiles à apprécier. C'était peut-être plus loin qu'il n'y paraissait. Du moins pouvait-il marcher jusqu'à ce que le soleil soit à mi-chemin de l'horizon, à l'ouest, et alors faire demi-tour. Il descendit donc sur le névé, d'une aiguille orange à l'autre, traînant le deuxième corps qui était en lui, conscient de la présence des deux gardes qui le suivaient à deux cents mètres de distance.

Il avança ainsi un long moment. La marche n'était pas si pénible. La surface crénelée de la glace craquait sous ses bottes. Le soleil avait ramolli la surface, malgré le vent frais. Elle brillait tellement qu'il avait du mal à y voir, même avec ses lunettes. Des reflets noirs dansaient au rythme de sa marche.

Les crêtes à droite et à gauche commencèrent à descendre. Il émergea sur Concordiaplatz. Dans d'autres gorges, des glaciers montaient comme les doigts de glace d'une main tendue vers le soleil, le poignet descendant vers le sud et le Grosser Aletschgletscher. Il se trouvait dans la paume blanche, offerte au soleil, près d'une ligne de vie de moraines. La glace, à cet endroit, était piquetée, rugueuse et d'une couleur bleutée.

Une bise âpre, mesquine, s'acharna sur lui et fit un passage dans son cœur. Il pivota lentement sur lui-même, comme une petite planète, comme une toupie sur le point de tomber, essayant de tout englober, de faire face à chaque point à tour de rôle. Si grand, si étincelant, si plein de vent, si vaste, d'une masse tellement écrasante – la pure masse du monde blanc ! Et pourtant une sorte de noirceur planait derrière, comme le vide de l'espace, visible là, au fond du ciel. Il enleva ses lunettes pour voir les choses dans leur réalité, et la lumière fut si immédiate et si violente qu'il dut fermer les yeux, s'abriter le visage au creux du bras. De grandes barres blanches palpitèrent un moment sur sa rétine, et même l'image résiduelle était douloureuse par son intensité aveuglante.

– Waouh ! s'écria-t-il, et il se mit à rire, déterminé à refaire une nouvelle tentative dès que les images résiduelles auraient disparu mais avant que ses pupilles se soient à nouveau dilatées.

C'est ce qu'il fit, et la seconde tentative se solda d'une façon aussi désastreuse que la première. Comment oses-tu tenter de me voir tel que je suis vraiment ? hurlait silencieusement le monde.

– Mon Dieu ! beugla-t-il, bouleversé. Ka wow !

Il attendit d'avoir remis ses lunettes pour rouvrir les yeux et regarda à travers les images résiduelles bondissantes. Peu à peu, le paysage primitif de glace et de pierre se stabilisa entre les raies pulsatives noires, blanches et d'un vert fluorescent. Le vert et le blanc. Ça, c'était le blanc. Le monde nu de l'univers inanimé. Cet endroit avait un pouvoir tout à fait comparable à celui du paysage martien primitif. Aussi grand que sur Mars, oui, et même plus, avec ses horizons lointains et sa gravité écrasante. Plus abrupt et plus blanc, et les vents y étaient plus forts. Ka, le vent transperçait sa parka comme des lances de glace, plus fort, plus froid... Ah, Dieu ! comme un vent lui perçant le cœur, il fut pénétré de la soudaine certitude que dans son immensité, sa variété, la Terre avait des régions plus martiennes que Mars elle-même. Que parmi toutes ses façons d'être plus grande, elle arrivait à être plus martienne que Mars même.

Il fut paralysé par cette pensée. Il resta un moment immobile, à regarder, à tenter d'affronter cette idée. Le vent mourut un instant. Le monde aussi était immobile. Pas un mouvement, pas un bruit.

Lorsqu'il remarqua le silence, il commença à y faire attention, à guetter quelque chose, un bruit, mais il n'entendit rien, et le silence devint pour ainsi dire palpable. Il n'avait jamais rien entendu de pareil. Il y réfléchit. Sur Mars, il avait toujours été dans une tente, une combinaison, bref, de la mécanique, sauf pendant les rares marches à la surface qu'il avait faites ces dernières années. Et même alors, il y avait toujours eu du vent, ou des machines à proximité. Ou il ne l'avait tout simplement pas remarqué. Maintenant, il n'y avait qu'un immense silence, le silence de l'univers. Un silence inimaginable, même en rêve.

Puis il recommença à entendre des sons. La pulsation du sang dans ses oreilles. Le souffle de sa respiration. Le ronron de ses pensées, comme si elles faisaient du bruit. Son propre système végétatif, son corps, avec ses pompes organiques, ses ventilateurs, ses générateurs. Encore de la mécanique qui faisait son bruit de machine, mais intérieur, cette fois. Il était libre comme jamais il ne l'avait été, dans ce grand silence où il pouvait s'entendre fonctionner, rien que lui tout seul sur ce monde, un corps libre debout sur sa planète mère, libre, ceint de la pierre et la roche où tout avait commencé. Ma mère la Terre – il pensa à Hiroko, et cette fois sans le chagrin dévastateur qu'il avait éprouvé à Trinidad. Lorsqu'il retournerait sur Mars, il pourrait vivre comme ça. Il pourrait marcher dans le silence, être libre, vivre dehors, dans le vent, dans une chose semblable à cette immensité d'un blanc pur et sans vie, avec au-dessus de sa tête une chose comparable à ce dôme bleu sombre – le bleu, exhalaison visible de la vie, de l'oxygène, le bleu, couleur même de la vie. Tout là-haut, dominant la blancheur. Comme un signe. Le blanc et le vert, sauf qu'ici le vert était bleu.

Avec des ombres. Parmi les images résiduelles qui s'attardaient encore, fugitives, s'étendaient de longues ombres qui arrivaient en courant de l'ouest. Il était loin du Jungfraujoch et beaucoup plus bas aussi. Il fit demi-tour et commença à gravir le Jungfraufirn. Plus loin, sur la piste, ses deux gardes acquiescèrent et repartirent eux aussi vers le haut, d'un bon pas.

Ils furent vite dans l'ombre de la crête, à l'ouest, le soleil ayant maintenant disparu jusqu'au lendemain. Le vent se mit à tourner sur son dos, comme pour l'aider. Il faisait vraiment froid. Mais c'était la température à laquelle il était habitué, au fond ; le genre d'air qu'il aimait, juste un peu plus dense, mais ce n'était pas désagréable. Et c'est ainsi que, malgré le poids qui l'écrasait de l'intérieur, il s'engagea dans la montée d'un pas alerte, le sol craquant sous ses semelles, s'appuyant dessus, sentant les muscles de ses cuisses répondre au défi, retrouver leur rythme, le *lung-gom-pa* familier, ses poumons, son cœur pompant avec force pour assumer la masse supplémentaire. Mais il était fort, fort, et c'était l'une des petites régions d'altitude martienne de la Terre. Et c'est ainsi qu'il gravit le névé en se sentant plus fort de minute en minute, fort et impressionné, exalté, terrifié par cette planète infiniment surprenante, capable d'avoir tant de blanc et de vert à la fois, son orbite si délicieusement située qu'au niveau de la mer le vert jaillissait et qu'à trois mille mètres d'altitude elle disparaissait sous le blanc, une bande de vie de trois mille mètres de largeur, pas plus. La Terre tournait dans la bulle impalpable de cette biosphère, dans les quelques milliers de mètres dont elle avait besoin sur une orbite de cent cinquante millions de kilomètres de diamètre. C'était trop beau pour être vrai.

L'effort le réchauffa si bien qu'il avait chaud même aux pieds. Il commença à transpirer et sa peau à le picoter. L'air froid était délicieusement revigorant. Il sentait qu'il pourrait soutenir cette allure pendant des heures, mais ce ne serait malheureusement pas utile. Devant et un peu plus haut se trouvait l'escalier de neige, avec sa rampe de corde soutenue par des béquilles de fer. Ses guides marchaient d'un bon pas, devant lui, ils accélérèrent encore le rythme pour gravir la dernière pente. Il serait bientôt là, lui aussi, dans la petite gare de chemin de fer/station spatiale. Ils s'y connaissaient, ces Suisses, pour construire des choses ! Pouvoir visiter le stupéfiant Concordiaplatz, à une journée de train de la capitale ! Pas étonnant qu'ils soient tellement en phase avec Mars : ils étaient vraiment ce qu'il y avait de plus près de Mars sur cette planète, des bâtisseurs, des terraformeurs, des habitants de l'air impalpable et glacé.

Il se sentait donc on ne peut mieux disposé à leur égard lorsqu'il reprit pied sur la terrasse et fit irruption dans la gare où il eut l'impression d'être transformé en bouilloire. Et quand il s'approcha du groupe qui l'accompagnait et des passagers qui attendaient le petit train, il était tellement radieux, tellement exalté que les froncements de sourcils impatients (il comprit qu'il les avait fait attendre) laissèrent place à des sourires et ils se regardèrent en riant, en secouant la tête comme pour se dire : Qu'est-ce que vous voulez ? Eh oui, que voulez-vous, ils avaient tous été jeunes dans les Alpes pour la première fois, par un beau jour d'été, ils avaient éprouvé le même enthousiasme, ils savaient ce que c'était. Alors ils lui serrèrent la main, ils l'embrassèrent et le conduisirent dans le petit train qui démarra aussitôt, car c'était bien joli, mais il ne fallait pas faire attendre le train. Puis, une fois en chemin, ils remarquèrent ses mains et son visage brûlants, lui demandèrent où il était allé et lui dirent combien de kilomètres ça faisait, et combien de mètres de hauteur. Ils lui passèrent une fiasque de schnaps. Et tandis que le train entrait dans le petit tunnel qui ressortait par la face nord de l'Eiger, ils lui racontèrent l'histoire de la tentative de sauvetage ratée des alpinistes nazis condamnés, excités, émus qu'il soit si impressionné. Après ça, ils s'installèrent dans les compartiments éclairés du train qui s'enfonçait avec force grincements et couinements dans son tunnel de granit brut.

Debout à l'arrière d'une des voitures, Nirgal regardait les roches dynamitées qui défilaient à la vitesse de l'éclair puis, lorsqu'ils retrouvèrent la lumière, il leva les yeux vers l'Eiger qui les dominait de toute sa hauteur. Un passager passa près de lui en allant dans la voiture suivante, s'arrêta et dit, avec un drôle d'accent anglais :

– Si je m'attendais à vous voir ici ! Je suis tombé sur votre mère pas plus tard que la semaine dernière.

– Ma mère ? répéta Nirgal, troublé.

– Oui, Hiroko Ai. Je ne me trompe pas, c'est bien ça ? Elle était en Angleterre, elle travaillait avec des gens à l'embouchure de la Tamise. Je l'ai vue juste avant de venir ici. Drôle de coïncidence, je dois dire. D'ici que je commence à voir des petits hommes rouges... !

L'homme éclata de rire à cette idée et s'engagea dans la voiture suivante.

– Hé, l'appela Nirgal. Attendez !

Mais l'homme ne s'arrêta qu'un instant.

– Non, non, dit-il par-dessus son épaule. Je ne voulais pas m'imposer. Je n'en sais pas plus, de toute façon. Il faudra que vous la cherchiez. A Sheerness, peut-être.

Puis le train entra en grinçant dans la gare de Klein Scheidegg. L'homme descendit de la voiture suivante. Nirgal s'apprêtait à le suivre lorsque d'autres personnes lui passèrent devant le nez, et ses gardes du corps lui expliquèrent qu'ils devaient aller jusqu'à Grindelwald s'il voulait rentrer le soir même. Nirgal ne pouvait pas leur dire le contraire. Mais en regardant par la fenêtre alors que le train repartait, il vit l'Anglais qui lui avait adressé la parole s'engager d'un bon pas dans un chemin qui descendait vers la vallée crépusculaire.

Il atterrit dans un grand aéroport du sud de l'Angleterre d'où on l'emmena vers une ville au nord-est que ses gardes du corps appelaient Faversham, au-delà de laquelle les routes et les ponts étaient sous l'eau. Il s'était arrangé pour arriver incognito et n'être attendu à cet endroit que par une poignée de policiers, huit hommes et deux femmes silencieux, attentifs, qui se prenaient très au sérieux. Ils lui rappelaient davantage les forces de sécurité de l'ATONU de son monde que ses gardes du corps suisses. Au début, ils avaient dans l'idée de rechercher Hiroko en interrogeant les gens à son sujet. Nirgal était persuadé que ça l'inciterait à se cacher, et il insista pour partir à sa recherche aussi discrètement que possible. Il finit par les convaincre.

Ils prirent la route dans une aube grise, vers un nouveau front de mer, entre les bâtiments. En certains endroits, des rangées de sacs de sable étaient empilées entre les murs détrempés ; ailleurs, il n'y avait que des rues qui disparaissaient sous une eau noire, à perte de vue. Des planches avaient été jetées çà et là sur les mares et les flaques d'eau.

Enfin, de l'autre côté d'une rangée de sacs de sable, il vit une étendue d'eau brune sans aucun bâtiment au-delà. Des embarcations étaient attachées à une grille scellée à une fenêtre pleine de mousse sale. Nirgal suivit un de ses gardes dans une grande barque, et salua un homme noueux, à la trogne rougeaude, coiffé d'une casquette crasseuse. Une sorte de représentant de la police fluviale, apparemment. L'homme lui tendit une main molle et ils partirent à la rame sur l'eau opaque. Le reste des gardes suivaient, l'air préoccupé, dans trois autres bateaux. Le rameur de Nirgal dit quelque chose, et Nirgal dut lui demander de répéter. Le gaillard parlait comme si la moitié de sa langue avait été tranchée.

– Vous parlez cockney, c'est ça ?
– Cockney ! appuya l'homme en s'esclaffant.
Nirgal rit aussi et haussa les épaules. Il avait lu ce mot dans un livre et ne savait pas vraiment ce qu'il signifiait. Il avait déjà entendu un millier d'anglais différents, mais c'était probablement l'un des plus authentiques et c'est à peine s'il y comprenait quelque chose. L'homme parla plus lentement, ce qui n'y changea rien. Du bout de son aviron il lui indiquait les bâtiments inondés presque jusqu'au toit du quartier dont ils s'éloignaient à présent.
– Des oies sauvages, dit-il à plusieurs reprises.
Ils arrivèrent à une jetée flottante fixée à ce qui ressemblait à un panneau d'autoroute portant l'inscription : « OARE ». Plusieurs bateaux plus gros étaient amarrés à la jetée, ou au mouillage, non loin de là. L'homme de la police fluviale s'approcha à la rame d'un de ces navires et lui indiqua l'échelle métallique soudée au flanc rouillé.
– Montez !
Nirgal s'exécuta. Sur le pont se tenait un homme si petit qu'il dut lever le bras pour serrer la main de Nirgal, mais il avait une poigne de fer.
– Alors, comme ça, vous êtes martien, dit-il avec un accent aussi traînant que celui du rameur, et cependant plus compréhensible. Bienvenue à bord de notre petit navire de recherche. Il paraît que vous cherchez la vieille dame asiatique ?
– Oui, répondit Nirgal, et son cœur fit un bond dans sa poitrine. Elle est japonaise.
– Hum, fit l'homme en fronçant le sourcil. Je l'ai vue une fois. J'aurais plutôt dit qu'elle était du Bangladesh, par là. Il y en a partout depuis l'inondation. Mais on peut jamais savoir, hein ?
Quatre des gardes de Nirgal montèrent à bord. Le propriétaire du bateau fit démarrer le moteur en appuyant sur un bouton, puis tourna la roue qui se trouvait dans la timonerie et regarda attentivement vers l'avant alors qu'ils s'éloignaient des bâtiments submergés. Le ciel était bas, couvert, du même gris brunâtre que la mer.
– On va au quai, annonça le petit capitaine.
Nirgal hocha la tête.
– Comment vous appelez-vous ? demanda-t-il.
– Bly. B-L-Y.
– Moi, c'est Nirgal.
L'homme opina du chef.
– Alors c'étaient les docks ? demanda Nirgal.
– C'était Faversham. Là-bas, il y avait des marais. Ham, Mag-

den, il n'y avait que ça tout du long jusqu'à l'île de Sheppey. C'était la Swale. Plus de boue que d'eau, en réalité. Maintenant, les jours où il y a du vent, ça souffle tellement qu'on se croirait en mer du Nord. De Sheppey, il ne reste plus qu'une colline, là-bas. Pour une île, c'est une île, à présent.

– Et c'est là que vous avez vu...

Il ne savait quel nom lui donner.

– Votre grand-maman asiatique est arrivée par le ferry qui va de Vlissingen à Sheerness, de l'autre côté de cette île. Sheerness et Minster ont la Tamise en guise de rues ces temps-ci, et à marée haute, ils l'ont pour toits aussi. Là, on est au-dessus du marais de Magden. On va faire le tour du Shell Ness, la Swale est trop pleine de terre.

L'eau couleur de boue clapotait par endroits. Elle était bordée par de longs serpentins de mousse jaunâtre. A l'horizon, l'eau était grisâtre. Bly tourna la barre et ils coupèrent de petites vagues sournoises. L'embarcation se mit à tanguer, à monter, descendre, monter, decendre comme un bouchon. C'était la première fois que Nirgal prenait le bateau. Des nuages gris planaient au-dessus d'eux. Il n'y avait qu'une lame d'air entre le bas des nuages et l'eau houleuse. Un monde liquide.

– On a plus vite fait le tour qu'avant, remarqua le capitaine Bly sans lâcher la barre. Si l'eau était plus claire, vous pourriez voir Sayes Court, juste en dessous.

– C'est profond, ici ? demanda Nirgal.

– Ça dépend de la marée. L'île était à un pouce au-dessus du niveau de la mer avant l'inondation, alors... de combien on dit que l'eau a monté, déjà ? Vingt-cinq pieds ? Plus qu'il n'en faut à ma vieille barcasse, pour sûr. Elle a très peu de tirant d'eau.

Il inclina la barre vers la gauche et le bateau prit les vagues par le travers, de sorte qu'il se mit à rouler par saccades rapides, inégales. Il indiqua un cadran.

– Là, ça fait cinq mètres. Le marécage d'Harty. Vous voyez ce champ de patates, l'eau toute mâchurée là-bas ? Il va sortir à la mi-marée. On dirait un géant noyé, enterré dans la boue.

– Où en est la marée ?

– Elle est presque haute. Elle va tourner d'ici une demi-heure.

– On a peine à imaginer que la lune puisse attirer l'océan comme ça, aussi haut.

– Ben quoi, vous ne croyez pas à la gravité ?

– Oh si, j'y crois, elle m'écrase en ce moment même. Mais j'ai du mal à imaginer que quelque chose de si éloigné puisse exercer une telle attraction.

– Ouais, fit le capitaine en tentant de percer un banc de

brume, droit devant. Je vais vous dire ce que j'ai du mal à me figurer, moi : c'est qu'un tas d'icebergs puissent déplacer assez d'eau pour que tous les océans du monde montent autant.

– C'est difficile à croire, en effet.

– C'est stupéfiant, voilà ce que c'est. Mais on en a la preuve ici même, on flotte dessus. Ah, le brouillard se lève.

– Le temps est plus mauvais qu'avant?

Le capitaine éclata de rire.

– C'est rien de le dire!

De longues écharpes de brume filèrent de part et d'autre du bateau. Les vagues clapotantes se mirent à fumer et à siffler. Il faisait sombre. Tout à coup, Nirgal se sentit heureux, malgré la sensation désagréable que la décélération faisait naître dans son estomac à chaque creux de vague. Il faisait du bateau dans un monde aquatique, la lumière était enfin supportable. Il pouvait cesser de plisser les paupières pour la première fois depuis qu'il avait mis les pieds sur Terre.

Le capitaine donna un nouveau coup de barre et cette fois ils suivirent les vagues vers le nord-ouest et l'embouchure de la Tamise. Sur leur gauche, une crête d'un brun verdâtre émergea, ruisselante, de l'eau de la même couleur. Des bâtiments étaient massés sur les pentes.

– C'est Minster, ou ce qui en reste. C'était le seul endroit surélevé de l'île. Sheerness est par là, vous voyez : l'endroit où l'eau est toute hachurée.

Sous le brouillard qui s'effilochait, Nirgal vit ce qui ressemblait à un banc d'eau écumante, noire sous la mousse blanchâtre, qui projetait des éclaboussures dans tous les sens.

– C'est Sheerness?

– Ouais.

– Ils sont tous allés s'installer à Minster?

– Ou ailleurs. La plupart. Mais il y a des gens très têtus, à Sheerness.

Puis le capitaine se concentra sur l'approche du front de mer inondé de Minster. A l'endroit où la ligne de toits émergeait des vagues, un grand bâtiment avait été privé de sa toiture, de sa façade donnant sur la mer, et faisait maintenant office de marina, les trois murs restants abritant un rectangle d'eau, les étages supérieurs, à l'arrière, servant de dock. Trois autres bateaux de pêche étaient au mouillage et, comme ils abordaient, les hommes qui se trouvaient sur le pont leur firent de grands signes.

– Qui c'est? demanda l'un d'eux alors que Bly amenait le nez du bateau dans le dock.

– Un des Martiens. On essaie de trouver la dame asiatique qui aidait à Sheerness, l'autre semaine. Vous l'avez vue ici?

– Pas ces temps-ci. Ça remonte à plusieurs mois, en fait. J'ai entendu dire qu'elle était partie pour Southend. Ils le sauront, au sous-marin.

Bly hocha la tête.

– Vous voulez voir Minster? demanda-t-il à Nirgal.

– Je préférerais voir les gens qui savent peut-être où elle est, répondit-il en fronçant les sourcils.

– Ouais.

Bly fit machine arrière, sortit de la marina et vira bord sur bord. Par les interstices des planches qui obstruaient les fenêtres, Nirgal vit du plâtre taché, les étagères d'un bureau éventré, des notes punaisées à une poutre. Tout en repartant vers la partie inondée de Minster, Bly prit un micro qui pendait au bout d'un fil tire-bouchonné et appuya sur des boutons. Il eut un certain nombre de conversations radio très difficiles à suivre pour Nirgal, ponctuées de « Salut, matelot ! » et autres interjections, toutes les réponses entrecoupées de parasites.

– Bon, on va essayer Sheerness. La marée est bonne.

Ils repartirent très lentement dans les rues pleines d'eau spumeuse et de mousse qui giclait de partout dans la ville submergée. Au centre de l'écume, l'eau était plus calme. Des cheminées et des poteaux téléphoniques émergeaient de la grisaille. Nirgal entrevoyait de temps à autre des maisons et des bâtiments, mais l'eau était tellement couverte d'écume au-dessus et si boueuse en dessous qu'on ne voyait pas grand-chose : la pente d'un toit, la vision fugitive d'une rue, la fenêtre aveugle d'une maison.

De l'autre côté de la ville, un dock flottant était amarré à un pilier de béton qui dépassait des vagues.

– C'est le vieux quai des ferry-boats. Ils en ont coupé une section qu'ils ont mise à flotter puis ils ont pompé l'eau dans les bureaux en dessous et ils les ont réoccupés.

– Réoccupés ?

– Vous allez voir.

Bly sauta du plat-bord sur le quai, et tendit la main pour aider Nirgal à franchir le pas. Mais Nirgal tomba sur un genou en touchant terre.

– Allez, Spiderman, on descend.

Le pilier de béton auquel le dock était fixé lui arrivait à la poitrine. Il découvrit qu'il était creux et qu'une échelle de métal avait été scellée à la paroi intérieure. Des ampoules électriques pendaient au bout de douilles branchées sur un câble enduit de caoutchouc, entortillé autour d'un des montants de l'échelle. Le cylindre de béton se terminait trois mètres plus bas, mais l'échelle continuait à descendre dans une grande salle chaude, humide, qui puait le poisson. Des générateurs bourdonnaient dans une pièce ou un bâtiment voisin. Les murs, le sol, les plafonds, les fenêtres, tout était recouvert par ce qui semblait être une feuille de plastique ou un matériau transparent du même genre. Ils étaient dans une sorte de bulle immergée dans l'eau, boueuse, brunâtre, aussi bouillonnante que de l'eau de vaisselle dans un évier.

L'expression de Nirgal dut trahir sa surprise, car Bly dit, avec un bref sourire :

– C'était une bonne bâtisse solide. Ce matériau qu'on appelle feuille de roche ressemble à celui des bâches que vous utilisez sur Mars, sauf qu'il durcit. On a réoccupé quelques bâtiments de cette façon, quand ils avaient la profondeur et la taille adéquates. On met un tuyau et on envoie de l'air, comme si on soufflait du verre. Un tas de gens de Sheerness reviennent ici. Ils prennent la mer à partir du dock ou du toit. Les gens de la marée, on les appelle. C'est mieux que d'aller mendier en Angleterre, vous trouvez pas ?

– Et comment gagnent-ils leur vie ?

– Ils pêchent, comme ils l'ont toujours fait. Et ils récupèrent des choses. Eh, Karna ! Voilà mon Martien, dis-lui bonjour. Ils sont petits, là d'où il vient, hein ? Appelle-le Spiderman.

– Ma parole, mais c'est Nirgal qui vient me voir chez moi ! J' veux bien être pendu si je l'appelle Spiderman !

Et le dénommé Karna, un « Asiatique » à en juger par ses cheveux et sa peau sombres sinon par son accent, serra avec gentillesse la main de Nirgal.

La salle était vivement éclairée par deux énormes projecteurs tournés vers le plafond. Le sol luisant était encombré de tables, de bancs, de toutes sortes de machines à tous les stades du démontage : des moteurs de bateau, des pompes, des générateurs, des roues, d'autres éléments encore que Nirgal ne put identifier. Les générateurs avaient été relégués dans un couloir, ce qui ne semblait guère atténuer le bruit pour autant. Nirgal s'approcha d'un mur pour inspecter le matériau de la bulle. Il ne faisait que quelques molécules d'épaisseur, lui dit-on, et pourtant il pouvait supporter plusieurs tonnes de pression. Nirgal compara chaque kilo à un coup de poing, et imagina l'impact que pouvaient avoir des milliers de coups.

– Ces bulles seront encore là quand le béton aura disparu.

Nirgal l'interrogea au sujet d'Hiroko.

– Je n'ai jamais su son nom, répondit Karna en haussant les épaules. Je pensais qu'elle était tamoule, ou du sud de l'Inde. J'ai cru comprendre qu'elle était partie pour Southend.

– C’est elle qui vous a aidés à installer tout ça ?

– Ouais. Elle a amené les bulles de Vlissingen, avec quantité de gens comme elle. C’est génial ce qu’ils ont fait ici. Avant leur arrivée, on rampait à High Halstow.

– D’où venaient-ils ?

– J’en sais rien. Un genre de groupe d’aide côtier, sans doute. Sauf qu’ils n’ont pas atterri ici par hasard, ajouta-t-il en riant. Ils faisaient le tour des côtes, à construire des choses dans les ruines pour s’amuser, du moins c’est ce qu’on aurait dit. La civilisation d’entre les marées, ils appelaient ça. Pour rire, comme d’habitude.

– Salut, Karnasingh, salut, Bly, belle journée, là-haut, pas vrai ?

– Ouais.

– Vous voulez manger un morceau ?

La pièce voisine était une grande salle à manger pleine de tables et de bancs, avec un coin-cuisine. Une cinquantaine de personnes étaient déjà attablées. Karna cria : « Hé ! » et leur présenta Nirgal. Des murmures indistincts le saluèrent. Les gens dévoraient de pleins bols d’un ragoût de poisson puisé dans d’énormes chaudrons noirs qui donnaient l’impression de servir depuis des siècles. Nirgal s’assit et goûta ce qu’on lui présentait : c’était bon. Le pain était aussi dur que le dessus de la table. Les visages étaient rudes, grêlés, boucanés par le sel et les embruns. Nirgal n’avait jamais vu de figures plus vivantes. Laides, comme modelées par l’existence pénible dans la terrible pesanteur terrestre. Des conversations tonitruantes, des vagues de rire, des cris. On n’entendait pratiquement plus les générateurs. Des gens vinrent lui serrer la main et le regarder. Plusieurs avaient rencontré la femme asiatique et ses amis, et ils la lui décrivirent avec enthousiasme. Elle ne leur avait jamais dit son nom. Elle parlait bien l’anglais, lentement et clairement.

– Je pensais qu’ils étaient pakistanais. Ses yeux avaient pas l’air tout à fait orientaux, si vous voyez ce que je veux dire. Pas comme les vôtres, quoi. Pas de petit pli, là, dans le coin à côté du nez.

– L’épicanthus, espèce d’ignare.

Nirgal sentit son cœur cogner contre ses côtes. Il faisait chaud dans la salle, chaud et lourd.

– Et les gens qui l’accompagnaient ?

Certains étaient orientaux. Asiatiques, à part un ou deux Blancs.

– Grands ? demanda Nirgal. Comme moi ?

Non. Evidemment, si Hiroko et son groupe étaient revenus sur

Terre, il se pouvait que les plus jeunes soient restés en arrière. Même Hiroko n'aurait pu tous les convaincre de tenter une telle expérience. Frantz aurait-il quitté Mars ? Et Nanedi ? Nirgal en doutait. Revenir sur Terre quand elle avait besoin d'eux... Les plus vieux, oui. C'était assez le genre d'Hiroko. Il la voyait bien faire ça, voguer le long des nouvelles côtes de la Terre, organiser la réhabilitation...

– Ils sont allés à Southend. Ils avaient l'intention de remonter la côte.

Nirgal regarda Bly, qui acquiesça. Ils pouvaient passer, eux aussi.

Mais les gardes du corps de Nirgal voulaient d'abord vérifier certaines choses. Ils demandaient une journée pour s'organiser. En attendant, Bly et ses amis évoquèrent des projets de récupération sous l'eau et quand Bly entendit parler du délai requis par les gardes, il demanda à Nirgal s'il voulait assister à l'opération qui devait avoir lieu le lendemain matin.

– Faut savoir que c'est pas un travail très propre, évidemment.

Mais Nirgal accepta. Ses gardes n'y virent pas d'objection, à condition que certains d'entre eux les accompagnent. Condition qui fut acceptée.

Ils passèrent la soirée dans l'entrepôt sous-marin humide, bruyant. Bly et ses amis cherchèrent dans le matériel de quoi équiper Nirgal, puis ils remontèrent sur le bateau et dormirent dans les courtes et étroites couchettes, bercés par les vagues comme dans un grand berceau rustique.

Le lendemain matin, ils partirent en expédition dans un brouillard impalpable de la même couleur que sur Mars, des roses et des orange flottant de-ci de-là sur l'eau huileuse, vitreuse, vaguement mauve. La marée était presque étale. L'équipe de récupération ainsi que trois des gardes du corps de Nirgal suivirent le gros bateau de Bly dans des barques à moteur, manœuvrant entre les coiffes de cheminée, les panneaux indicateurs et les poteaux électriques, tout en discutant. Bly avait sorti un plan qui en avait manifestement vu de toutes les couleurs, sur lequel il repérait les rues de Sheerness. Ils cherchaient manifestement des entrepôts ou des magasins précis. Beaucoup de bâtiments de la zone portuaire avaient déjà été cannibalisés, apparemment, mais il y en avait d'autres entre les immeubles d'habitation, derrière le front de mer, et l'un d'eux était leur but, ce matin-là.

– C'est là que nous allons : 2, Carleton Lane.

C'était une bijouterie, près d'un petit marché.

– Nous allons essayer de trouver des bijoux et des boîtes de conserve. Un bon équilibre, je trouve.

Ils s'amarrèrent en haut d'un panneau d'affichage et coupèrent le moteur. Bly lança un objet au bout d'un câble pardessus bord, et regarda, avec trois de ses hommes, le petit écran d'IA de la passerelle. La poulie sur laquelle passait le câble grinçait sinistrement. Sur l'écran, l'image boueuse passait du brun au noir et vice versa.

– Vous y reconnaissez quelque chose ? avança Nirgal.

– Rien du tout.

– Mais là, il y a une porte, vous voyez ?

– Non.

Bly tapota sur un petit clavier.

– Allez, machin, tu rentres. Ça y est, on est dedans. Ça doit être le marché.

– Ils n'ont pas eu le temps d'emporter leurs affaires ? demanda Nirgal.

– Pas tout. L'évacuation de la côte est de l'Angleterre a été relativement précipitée. Les gens n'ont pu emporter que ce qui tenait dans leur voiture. Et encore. Ils ont laissé des tas de choses chez eux. Alors on remonte ce qui en vaut la peine.

– Et les propriétaires ?

– Oh, il y a un registre. On le consulte, on contacte les gens quand c'est possible, et on leur fait payer une taxe de sauvetage s'ils veulent récupérer leurs affaires. Ce qui n'est pas sur le registre est vendu dans l'île. Il y a des gens qui ont besoin de meubles et de choses comme ça. Tenez, regardez. On va voir ce que c'est que ça.

Il appuya sur une touche, augmentant la luminosité de l'écran.

– Tiens, un frigo. Ça peut toujours servir, mais à remonter, c'est l'enfer !

– Et la maison ?

– Bah, on la fait sauter. On tâche de faire ça proprement, en plaçant les charges comme il faut. Mais pas ce matin. Bon, on note ça et on repart.

Bly et un autre homme continuèrent à observer l'écran en discutant calmement de l'endroit où il convenait d'aller ensuite.

– C'était un trou perdu même avant l'inondation, expliqua Bly. Ils faisaient rien que picoler depuis des centaines d'années, depuis la fin de l'Empire.

– Depuis la fin de la marine à voile, tu veux dire, rectifia l'autre homme.

– C'est pareil. La vieille Tamise était de moins en moins utilisée, et ça faisait un moment que les petits ports de l'estuaire commençaient à se déglinguer.

Puis Bly coupa le moteur et regarda ses compagnons. Sur leurs visages mal rasés, Nirgal lisait un curieux mélange de morne résignation et de joyeuse anticipation.

– Bon, eh bien, ça y est.

Chacun commença à prendre son équipement de plongée : combinaison, bouteille, masque, casque pour certains.

– Celle d'Eric devrait vous aller, fit Bly. C'était un géant.

Il tira d'un placard bourré à craquer une longue combinaison noire sans pieds et sans gants. Il n'y avait pas de casque mais un masque et un capuchon.

– Voilà ses chaussons.

– Je vais les essayer.

Nirgal et deux autres hommes ôtèrent leurs vêtements et enfilèrent les combinaisons en tirant sur le matériau caoutchouté étroitement ajusté avec force soupirs et ahanements. Il y avait un accroc triangulaire sur le côté gauche de la combinaison de Nirgal, au niveau du torse, ce qui était une chance car autrement il n'aurait jamais réussi à rentrer dedans. Elle le serrait autour de la poitrine, mais elle était trop lâche autour des cuisses. L'un des plongeurs, Kev, rafistola la déchirure avec du ruban adhésif d'électricien.

– Ça devrait aller pour une plongée. Mais vous avez vu ce qui est arrivé à Eric, hein ? fit-il en lui tapotant les côtes. Faites gaffe à pas vous prendre dans un de nos câbles.

– Je tâcherai d'y penser.

Nirgal sentit qu'il avait la chair de poule sous l'accroc, qui lui parut soudain énorme. Pris par un câble mobile, attiré vers le béton ou le métal, la secousse fatale, ka, quelle agonie ! Combien de temps était-il resté conscient, une minute, deux ? Sombrer dans l'agonie, dans le noir...

Il s'arracha, un peu ébranlé, à la vision pénétrante de la mort d'Eric. Ils lui attachèrent un régulateur au gras du bras, l'adaptèrent à son masque de plongée, et il inspira tout à coup un air froid et sec. De l'oxygène pur. Le voyant trembler légèrement, Bly lui demanda s'il voulait vraiment descendre.

– Ça va, répondit Nirgal. J'aime bien le froid, et l'eau ne doit pas être si glacée. Et puis j'ai déjà trempé la combinaison de sueur.

Les autres acquiescèrent. Ils étaient eux-mêmes en nage. La préparation était toujours pénible. La plongée proprement dite était beaucoup plus facile. Descendre une échelle et, oh oui, enfin ! échapper à la pression, se sentir dans un état voisin de la pesanteur martienne, sinon plus léger encore. Quel soulagement ! Nirgal respirait l'oxygène froid de la bouteille avec volupté. Pour un peu il aurait pleuré de joie, la joie de sentir son corps soudain libre flotter vers le bas dans une obscurité confortable. Ah oui, vraiment ! son monde sur Terre était sous l'eau.

Au fond, en dehors du cône de lumière projeté par les lampes frontales de ses deux compagnons, les choses étaient aussi sombres et informes que sur l'écran. Nirgal nageait légèrement au-dessus et en retrait des deux plongeurs, ce qui lui procurait une meilleure visibilité. L'eau de l'estuaire était fraîche, autour de 285 degrés kelvin, estima-t-il, mais ses poignets et son capuchon n'en laissaient rentrer que très peu et, à force de se démener, il eut bientôt si chaud qu'en fin de compte ses mains, son visage et son flanc gauche le rafraîchissaient agréablement.

Les deux cônes de lumière se déplaçaient d'un côté à l'autre alors que les deux plongeurs tournaient la tête, regardant tantôt une chose, tantôt une autre. Ils longeaient une rue étroite. Entre ces bâtiments et ces trottoirs, ces caniveaux et ces rues, l'eau grise, boueuse, rappelait étrangement le brouillard de la surface.

Puis ils passèrent devant un immeuble de brique de trois étages en forme de part de tarte situé à l'angle de deux rues. Kev fit signe à Nirgal de rester au-dehors, et il accepta avec soulagement. L'autre plongeur entra dans la maison en tirant derrière lui un câble si fin qu'il en devenait presque invisible. Il attacha une petite poulie au chambranle de la porte et fit passer le câble dans la gorge. Un moment passa. Nirgal fit lentement le tour du bâtiment, regardant par les fenêtres des bureaux du premier étage, des pièces vides, des appartements. Des meubles flottaient sous le plafond. Un mouvement dans l'une des pièces le fit sursauter ; ce n'était que le câble et il était de l'autre côté de la vitre. Un peu d'eau s'engouffra dans son embout et il l'avala pour s'en débarrasser. Elle avait le goût du sel, de la boue, des plantes et une autre saveur désagréable qu'il ne put identifier. Il poursuivit son chemin.

Il retrouva Kev et l'autre homme devant la porte. Ils avaient trouvé un petit coffre-fort et s'efforçaient de le faire sortir. Quand il fut passé, ils le redressèrent à coups de pied et attendirent que le câble s'élève presque à la verticale au-dessus de leur tête. Puis ils firent le tour du carrefour à la nage pendant que le coffre-fort montait vers la surface et disparaissait. Kev retourna dans le bâtiment et en ressortit avec deux petits sacs. Nirgal s'approcha de lui, en prit un et se propulsa, à grandes ruades voluptueuses, vers le bateau. Il aurait aimé redescendre, mais Bly ne voulait pas rester plus longtemps, aussi Nirgal jeta-t-il ses palmes dans le bateau et gravit-il l'échelle de côté. Il s'assit sur un banc. Il était en sueur et il ôta son capuchon avec soulagement. Ses cheveux étaient collés sur son crâne. On l'aida à ôter sa peau de caoutchouc et il éprouva une sensation délectable à retrouver le contact de l'air gluant.

– Regardez sa poitrine ; on dirait un lévrier.

– Il a respiré des vapeurs toute sa vie.

Le brouillard se dissipa, révélant le ciel blanc à travers lequel le soleil faisait un trou d'une blancheur plus intense. Nirgal se sentait plus pesant que jamais. Il respira à fond une ou deux fois pour aider son organisme à retrouver son rythme de fonctionnement habituel. Il avait vaguement envie de vomir, ses poumons lui faisaient mal à chaque inspiration. Les choses tournaient un peu plus que ne le justifiaient les vaguelettes de l'océan. Le ciel devint de zinc, le disque du soleil émettait une lumière dure, aveuglante. Nirgal s'efforça de respirer plus vite et moins profondément.

– Ça vous a plu ?

– Oh oui ! répondit-il. Je voudrais que ce soit partout comme ça.

Ils éclatèrent de rire.

– Tenez, prenez une tasse.

Cette plongée avait peut-être été une erreur. Il ne supportait plus la gravité. Il avait du mal à respirer. Dans l'entrepôt, l'humidité était insupportable. Les murs ruisselaient et il avait l'impression qu'il lui aurait suffi de serrer le poing pour extraire l'eau contenue dans l'air. Il avait mal à la gorge et aux poumons. Il avait beau boire des litres de thé, sa soif ne s'étanchait en rien. Il ne comprenait goutte à ce que les gens disaient ; ce n'étaient que des *ay*, des *eh*, des *lor* et des *da*, rien qui ressemblât à l'anglais martien. Une langue différente. Ils parlaient tous des langues différentes, maintenant. Les pièces de Shakespeare ne l'avaient pas préparé à ça.

Il dormit à nouveau sur le bateau de Bly. Le lendemain, ses gardes du corps lui donnèrent le feu vert et ils quittèrent Sheerness pour prendre au nord, coupant l'estuaire de la Tamise dans un brouillard rose plus épais encore que celui de la veille.

Dans l'estuaire, il n'y avait rien à voir, que du brouillard et la mer. Nirgal s'était déjà retrouvé entouré de nuages, en particulier sur la pente ouest de Tharsis, où les fronts orageux escaladaient la paroi, mais jamais alors qu'il était sur l'eau, bien sûr. Et chaque fois la température était bien au-dessous du point de congélation ; les nuages formaient une sorte de neige très blanche, sèche et fine, qui volait dans l'air, roulait sur le sol, le couvrait de poussière blanche. Rien à voir avec ce monde liquide, où l'eau clapotante se confondait avec le brouillard qui tournoyait au-dessus, le liquide et le gazeux repassant inlassablement d'une phase à l'autre. Le bateau tanguait violemment, sur un rythme irrégulier. Des objets sombres apparaissaient en marge du brouillard, mais Bly n'y faisait pas attention. Il gardait les yeux braqués sur la vitre tout en surveillant ses écrans.

Soudain, Bly coupa tout et le roulis du bateau se changea en une succession d'embardées latérales vicieuses. Nirgal se cramponna à la paroi de la cabine et scruta la vitre perlée d'eau au point d'en être opaque en essayant de voir ce qui avait amené Bly à s'arrêter.

– C'est un gros bateau pour Southend, remarqua Bly en relançant la machine et en avançant très lentement.

– Où ça ?

– Le faisceau bâbord, dit-il en lui indiquant l'écran, puis un point sur la gauche.

Nirgal ne vit rien.

Bly les amena jusqu'à une longue jetée basse sur l'eau. Un grand nombre de bateaux étaient amarrés des deux côtés. La jetée courait vers le nord, jusqu'à la ville de Southend-on-Sea, invisible dans le brouillard.

Des hommes saluèrent Bly.

– Belle journée, hein ?

– Magnifique.

Tandis qu'ils commençaient à décharger les caisses emmagasinées dans la cale, Bly leur demanda s'ils savaient où était la femme asiatique de Vlissingen. Ils secouèrent la tête.

– La Jap ? Elle est pas là, mon vieux.

– A Sheerness, on nous a dit qu'elle était venue à Southend avec son groupe.

– Pourquoi on vous a dit ça ?

– Parce qu'on croyait que c'était vrai, sûrement.

– Voilà ce qui arrive quand on écoute les gens qui vivent sous l'eau.

– La grand-mère pakistanaise ? dirent ceux de la pompe à diesel, de l'autre côté de la jetée. Elle est partie pour Shoeburyness, il y a déjà un moment.

Bly jeta un coup d'œil à Nirgal.

– Ce n'est qu'à quelques milles à l'est. Si elle y était, ces hommes le sauraient.

– Eh bien, allons voir, suggéra Nirgal.

Après avoir fait le plein, ils quittèrent la jetée et repartirent vers l'est, toujours dans la purée de pois. Un flanc de colline couvert de bâtiments apparaissait de temps en temps sur leur gauche. Ils doublèrent un cap, virèrent au nord. Bly amena le navire à un autre quai flottant. Il y avait beaucoup moins de bateaux qu'à Southend.

– Les Chinois? s'écria un vieillard édenté. Ils sont allés à la Baie du Cochon, c'est là qu'ils sont allés pour sûr! Ils nous ont donné une serre! Quelque chose qui ressemble à une église!

La Baie du Cochon n'était que le quai voisin, annonça pensivement Bly alors qu'ils repartaient.

Ils remontèrent donc vers le nord. La ligne côtière, à cet endroit, était entièrement formée de bâtiments inondés. Ils avaient été construits si près de l'eau! Il n'y avait évidemment aucune raison de craindre une élévation du niveau de la mer. Elle avait pourtant eu lieu. D'où cette étrange zone amphibie, cette civilisation pareille à une laisse de marée, détrempée et qui oscillait dans le brouillard.

Une rangée d'immeubles aux fenêtres brillantes. Ils avaient été doublés intérieurement d'une bulle transparente, vidés de l'eau qu'ils contenaient et réoccupés, les étages supérieurs juste au-dessus des vagues écumantes, le rez-de-chaussée en dessous. Bly amena le bateau vers un ensemble de docks flottants reliés les uns aux autres, salua un groupe de femmes en robes amples et en cirés jaunes qui réparaient un grand filet noir. Il coupa les machines.

– Alors comme ça, la femme asiatique est venue vous voir aussi?

– Oh oui! Elle est là, en bas, dans le bâtiment du fond.

Nirgal sentit son cœur bondir dans sa poitrine. Il ne tenait plus debout, dut se raccrocher au bastingage. Mettre pied à terre. Suivre le quai. Jusqu'au dernier bâtiment, un garni du bord de mer ou quelque chose comme ça, maintenant très abîmé et luisant par toutes les fissures. Plein d'air. Rempli par une bulle. Des plantes vertes, vagues et brumeuses à travers l'eau grise, clapotante. Il avait une main sur l'épaule de Bly. Le petit homme lui fit passer une porte, descendre un escalier étroit, et le mena dans une pièce dont l'un des murs était ouvert sur la mer pareille à un aquarium sale.

Une petite femme en combinaison rouille entra par la porte du fond. Elle avait les cheveux blancs, des yeux noirs, rapides, perçants. Des yeux d'oiseau. Mais ce n'était pas Hiroko. Elle les dévisagea.

– C'est vous qui venez de Vlissingen? demanda Bly après un coup d'œil à Nirgal. C'est vous qui construisez ces sous-marins?

– Oui, répondit la femme. Je peux vous aider?

Elle avait une voix haut perchée, un accent anglais. Elle

regarda Nirgal d'un œil indifférent. Il y avait d'autres personnes dans la pièce, et il en venait toujours. Elle ressemblait au visage qu'il avait vu dans la paroi de la falaise, à Medusa Vallis. Peut-être y avait-il une autre Hiroko, différente, qui allait d'une planète à l'autre pour construire des choses...

Nirgal secoua la tête. L'air sentait la pourriture végétale. La lumière était si faible. Il remonta l'escalier à grand-peine. Bly se chargea de prendre congé selon les politesses d'usage. De nouveau dans le brouillard luisant. Puis sur le bateau. Dans les volutes de brume. On l'avait envoyé à la chasse au dahu. Une ruse pour l'éloigner de Berne. Ou une erreur de bonne foi.

Bly l'aida à s'asseoir sur la banquette de la cabine, à côté d'une rambarde.

– Enfin...

Tangage et embardées, à travers la brume poisseuse qui se refermait à nouveau sur eux. Une sombre et ténébreuse journée sur l'eau. Le clapotement du changement de phase, l'eau et le brouillard se muant l'un en l'autre. Pris en sandwich entre les deux, Nirgal somnolait. Elle était forcément retournée sur Mars. Elle faisait son travail là-bas avec sa discrétion habituelle, c'est ça. Il était absurde de croire autre chose. Quand il y retournerait, il la retrouverait. Oui : ce serait son but désormais, sa seule mission. Il la retrouverait, la ferait sortir de son trou. Il s'assurerait qu'elle avait survécu. C'était la seule façon de savoir, le seul moyen de soulager son cœur de ce poids terrible. Oui, il la retrouverait.

Comme ils fendaient les flots agités, le brouillard se leva. Des nuages gris, bas, filaient dans le ciel, au-dessus de leur tête, abandonnant des tourbillons de pluie dans les vagues. La marée se retirait, et le courant de la Tamise retrouva toute sa force alors qu'ils traversaient le grand estuaire. La surface brun grisâtre de l'eau était une bouillie saumâtre, agitée par les vagues venant de toutes les directions à la fois, une surface sauvage, bondissante, d'eau sombre, écumante, charriée rapidement vers l'est, dans la mer du Nord. Puis le vent tourna, se déversa sur la marée et toutes les vagues de la mer surgirent en même temps. Entre les longs bancs de mousse flottaient des objets disparates : des caisses, des meubles, des toits, des maisons entières, des bateaux renversés, des bouts de bois. Mille choses de flot et de mer. Les hommes de Bly se penchèrent par-dessus les bastingages avec des grappins et des jumelles, lui criant d'éviter certaines choses ou de tenter de s'en approcher, et s'absorbèrent dans la tâche consistant à les hisser à bord.

– Qu'est-ce que c'est que tout ça ? lui demanda Nirgal.

– C'est Londres, répondit Bly. Cette putain de Londres qui se déverse dans la mer.

Les nuages se ruaient vers l'est. En regardant autour de lui, Nirgal vit beaucoup d'autres petits bateaux sur l'eau tumultueuse du vaste estuaire, occupés à récupérer les épaves ou simplement à pêcher. Bly fit signe à certains d'entre eux en passant, donna un coup de sifflet au passage des autres. Le vent apportait des bruits de sirène sur l'estuaire tacheté de gris, sans doute des messages codés, que Bly commentait.

– Hé, c'est quoi, ça? s'exclama soudain Kev en indiquant quelque chose en amont sur le fleuve.

D'un banc de brouillard localisé sur l'embouchure de la Tamise avait émergé un bateau à voiles, un trois-mâts à gréement carré, un bâtiment mythique que Nirgal connaissait par cœur sans l'avoir jamais vu. Un récital de sirènes salua cette apparition : des sifflements déments, de longs coups de trompe à l'unisson, de plus en plus prolongés, comme si tous les chiens du voisinage brutalement sortis de leur sommeil aboyaient dans la nuit, s'excitant mutuellement. Juste au-dessus d'eux explosa un hurlement strident, pénétrant : Bly joignait sa corne de brume au concert. Nirgal en avait les oreilles cassées. Il n'avait jamais entendu un tel vacarme! L'air plus épais, des sons plus denses... Et Bly qui souriait, hilare, le poing levé vers le bouton de la corne de brume, les hommes d'équipage, tous debout le long du bastingage ou grimpés dessus, les gardes du corps même saluaient cette soudaine vision de hurlements inaudibles.

Finalement, Bly laissa retomber son bras.

– Qu'est-ce que c'est? demanda Nirgal.

Bly envoya la tête en arrière et éclata de rire.

– C'est le *Cutty Sark*! Il était scellé à Greenwich! Incrusté dans un jardin! Cette bande de dingues a dû le libérer. Quelle idée de génie! Ils ont dû le remorquer au-delà de la barrière d'inondation. Regardez-moi ces voiles!

Le vieux clipper avait quatre ou cinq voiles déferlées à chacun de ses trois mâts, quelques voiles triangulaires entre les mâts et jusqu'au beaupré. Il voguait par fort vent arrière, emporté par la marée descendante, de sorte que sa proue acérée fendait les flots, tranchant l'écume et les épaves en une rapide succession de vagues blanches. Nirgal vit qu'il y avait des hommes dans le gréement, la plupart penchés sur les bouts de vergue, agitant le bras en direction de la flottille d'embarcations hétéroclites entre lesquelles passait le navire. Des pavillons flottaient en haut des mâts, un grand drapeau bleu avec des croix rouges. Quand il arriva à portée du bateau de Bly, celui-ci actionna la corne de brume à plusieurs reprises, et les hommes se mirent à rugir. Un marin, à l'arrière de la grand-voile du *Cutty Sark*, leur fit de grands signes des deux bras, la poitrine collée sur le cylindre de bois poli. Puis il perdit l'équilibre, et ils virent la chose arriver comme au ralenti : le marin partit à la renverse, sa bouche faisant un petit O rond, il tomba dans l'eau écumante qui blanchissait sur les flancs du navire. Les hommes à bord du bateau de Bly poussèrent un seul cri, d'une seule voix : « NON ! » Bly jura tout haut et relança la machine qui fit soudain un bruit formidable en l'absence de la corne de brume. L'arrière du bateau s'enfonça dans l'eau et tous se précipitèrent en direction de l'homme qui était passé par-dessus bord, et qui était maintenant un point noir parmi les autres, un point noir qui agitait frénétiquement un bras au-dessus de sa tête.

Tous les bateaux sifflèrent, cornèrent, donnèrent des coups de trompe et de sirène, mais le *Cutty Sark* ne ralentit pas. Il s'éloigna de toute la vitesse de ses voiles gonflées par le vent. C'était un spectacle fabuleux. Le temps qu'ils atteignent le marin tombé à l'eau, la poupe du clipper était basse sur l'eau, à l'est, ses mâts n'étaient qu'une constellation de voiles blanches et de gréements noirs. Il disparut soudain dans un mur de brouillard.

– Quelle splendeur ! répétait l'un des hommes. Quelle splendeur !

– Une splendeur, ouais, c'est ça. Tiens, repêche-moi plutôt ce pauvre diable !

Bly inversa la machine et laissa tourner le moteur au ralenti. Ils lancèrent une échelle de corde sur le plat-bord et se penchèrent pour aider le marin trempé à passer par-dessus le bastingage. Il resta un moment plié en deux, accroché à la rambarde, tremblant dans ses vêtements trempés.

– Ah, merci, fit-il entre deux vomissements.

Kev et les autres membres de l'équipage l'aidèrent à ôter ses vêtements mouillés, l'enroulèrent dans une grosse couverture crasseuse.

– Espèce de pauvre con d'abruti ! hurla Bly du haut de la passerelle. T'étais sur le point de faire le tour du monde sur le *Cutty Sark* et tu te retrouves sur *La Fiancée de Faversham*. Faut vraiment en tenir une sacrée couche !

– Je sais, fit l'homme entre deux haut-le-cœur.

Les autres lui jetèrent des gilets sur le dos en riant.

– Bougre d'andouille, nous faire des signes comme ça !

Tout le temps du retour jusqu'à Sheerness ils brocardèrent la stupidité du naufragé tout en le laissant sécher à l'abri du vent, sous la passerelle. Ils l'avaient affublé de vêtements disparates trop petits pour lui. Il riait avec eux, maudissait sa déveine, décrivait la chute, la rejouait, leur expliquait comment il avait fait son coup. A Sheerness, ils l'aidèrent à descendre dans l'entrepôt submergé, lui donnèrent du ragoût brûlant et l'abreuvèrent de bière, tout en racontant aux gens qui étaient là et à tous ceux qui descendaient l'échelle l'histoire de sa chute et de sa disgrâce.

– Regardez-moi un peu ce taré qui est tombé du *Cutty Sark* cet après-midi. L'enfoiré ! Juste au moment où il courait sur la marée toutes voiles dehors jusqu'à Tahiti !

– Pitcairn, rectifia Bly.

Le marin, qui était rond comme une queue de pelle, raconta son histoire lui-même, plus souvent peut-être que ses sauveteurs.

– Je m'suis lâché des deux mains juste une seconde quand il a fait une petite embardée, et je me suis retrouvé en train de voler. Voler dans l'espace... J'pensais pas qu'ce serait grave, j'y croyais pas. Je m'étais lâché des deux mains tout le long de la Tamise. Burp ! s'cusez-moi, faut qu'j'aille dégueuler.

– Jésus Dieu, c'était une vision magnifique, une vraie splendeur, vraiment. Beaucoup plus de toile qu'il n'en fallait, vous pensez, c'était juste pour s'en aller avec panache, mais Dieu les bénisse pour ça. Quelle splendeur !

Nirgal se sentait abruti et attristé. La grande salle était plongée dans un noir brillant, sauf en quelques endroits illuminés par des traînées de lumière aveuglante. Ce n'était qu'un clair-obscur d'objets disparates, un Bruegel en noir et blanc. Et tout ce bruit...

– Je me rappelle l'inondation du printemps, en 13, la mer du Nord dans mon salon.

– Ah non, tu vas pas remettre ça ! Tu vas pas recommencer à nous bassiner avec l'inondation de 13 !

Il alla aux toilettes, un recoin caché par une maigre cloison dans l'angle de la salle, en se disant que ça lui ferait du bien de se soulager. Mais le naufragé qu'ils avaient récupéré était par terre, dans l'une des stalles, et vomissait tripes et boyaux. Nirgal battit en retraite, s'assit sur le premier banc venu et attendit. Une jeune femme passa près de lui et posa la main sur son front.

– Vous êtes brûlant !

Nirgal porta la main à son propre front, essaya de se concentrer.

– Au moins trois cent dix degrés, dit-il au jugé. Merde !

– Vous avez de la fièvre, reprit la femme.

L'un de ses gardes du corps s'assit à côté de lui. Nirgal lui dit qu'il avait de la température, et l'homme suggéra :

– Vous pourriez peut-être consulter votre bloc-poignet.

Nirgal acquiesça, demanda un relevé. *309 degrés kelvin.*
– Merde !
– Comment vous sentez-vous ?
– Lourd. Chaud.
– On ferait mieux de vous emmener voir quelqu'un.

Nirgal secoua la tête et fut pris de vertige. Il regarda ses gardes du corps s'organiser, prendre des dispositions. Bly s'approcha et ils lui posèrent des questions.

– De nuit ? demanda Bly.

Puis il y eut un conciliabule à voix basse. Bly haussa les épaules. Pas une bonne idée, disait ce haussement d'épaules, mais si vous y tenez... Les gardes du corps insistèrent, et Bly vida sa chope et se leva. Il avait la tête au même niveau que celle de Nirgal, sauf que Nirgal s'était laissé glisser à terre pour appuyer son dos contre la table. Une espèce différente, un amphibien puissant, trapu. Le savaient-ils, avant l'inondation ? le savaient-ils maintenant ?

Les gens lui écrasèrent la main ou la lui massèrent tendrement pour lui dire au revoir. Gravir l'échelle du pilier fut une véritable épreuve. Puis ils se retrouvèrent dehors, dans la nuit fraîche et humide, noyée de brouillard. Sans un mot, Bly les conduisit vers son bateau et il n'ouvrit pas la bouche tout le temps nécessaire pour lancer les machines et larguer les amarres. Ils repartirent vaille que vaille sur la mer houleuse. Le bateau se balançait tellement que Nirgal eut le mal de mer. La nausée était pire que la douleur. Il s'assit à côté de Bly sur un tabouret et regarda le cône gris d'eau et de brouillard illuminé devant la proue. Quand des objets sombres surgissaient de la brume, Bly ralentissait, faisait même parfois machine arrière. Une fois, il laissa échapper un sifflement entre ses dents. La traversée fut très longue. Le temps qu'ils s'amarrent au quai, dans les rues de Faversham, Nirgal était trop malade pour dire au revoir. Il ne put qu'étreindre la main de Bly, croiser brièvement son regard. L'éclair bleu de ses yeux. Il y avait des gens dont on pouvait déchiffrer l'âme rien qu'en les regardant. Le savaient-ils avant ? Puis il perdit Bly de vue et ils se retrouvèrent dans une voiture qui vrombissait dans la nuit. Nirgal pesait de plus en plus lourd, comme au cours de la descente dans l'ascenseur. S'engouffrer dans un avion. La montée dans les ténèbres, la descente dans les ténèbres, mal aux oreilles, mal au cœur, les tympans qui claquent. Ils étaient à Berne, Sax à côté de lui. Soulagement.

Il était dans un lit, brûlant, le souffle humide et pénible. Par la fenêtre, les Alpes. Le blanc faisant irruption dans le vert, comme la mort surgissant dans la vie, se ruant pour lui rappeler que la viriditas était une fusée verte qui exploserait un jour dans une blancheur de nova, retournant à l'éventail d'éléments qui la composaient avant que la tempête de sable ne l'emporte. Le blanc et le vert ; il avait l'impression que la Jungfrau lui poussait dans la gorge. Il aurait voulu dormir, fuir cette sensation.

Sax s'assit à côté de lui, lui prit la main.

– Je pense qu'il faudrait le remettre sous gravité martienne, disait-il à quelqu'un qui ne paraissait pas être dans la pièce. C'est peut-être une forme de mal de l'altitude. Ou une maladie microbienne. Une allergie. Une réponse systémique. Un œdème, de toute façon. Il faut tout de suite l'emmener dans une navette spatiale et le placer dans un anneau en rotation à la pesanteur martienne. Si j'ai raison, ça lui fera du bien ; si je me trompe, ça ne peut pas lui faire de mal.

Nirgal aurait voulu dire quelque chose, mais il ne put trouver assez de souffle. Ce monde l'avait infecté – écrasé – fait bouillir, mariner dans les microbes et la vapeur d'eau. Un coup au cœur ; il était allergique à la Terre. Il serra la main de Sax et inspira, autre coup de poignard en plein cœur.

– Oui, hoqueta-t-il, et il vit Sax plisser les paupières. Rentrer. Oui.

CINQUIÈME PARTIE

Chez soi, enfin

Un vieil homme assis au chevet d'un malade. Toutes les chambres d'hôpital se ressemblent. Propres, blanches, fraîches, vibrantes, fluorescentes. Sur le lit gît un homme, grand, la peau sombre, d'épais sourcils noirs. Il dort d'un sommeil agité. Le vieil homme est penché sur sa tête. Un doigt effleure le crâne derrière l'oreille. L'homme parle tout bas :

– Si c'est une réponse allergique, alors il faut convaincre ton système immunitaire que l'allergène ne pose pas un vrai problème. Mais aucun allergène n'a été mis en évidence. L'œdème pulmonaire est souvent associé au mal de l'altitude. Il aurait aussi pu être provoqué par un mélange de gaz, ou le mal des profondeurs. Il faut faire sortir l'eau des poumons. Ils y sont assez bien arrivés. La fièvre et les frissons peuvent être une rétroaction biologique. Une fièvre vraiment élevée est dangereuse, il ne faut pas l'oublier. Je me souviens du jour où tu es entré dans les bains après ta chute dans le lac. Tu étais bleu. Jackie s'était précipitée dedans avec toi – non, elle s'était peut-être arrêtée pour regarder. Tu nous tenais par le bras, Hiroko et moi, et nous avons tous vu comment tu t'es réchauffé. La thermogenèse sans frissons, tout le monde le fait, mais tu l'as fait volontairement et très puissamment, d'ailleurs. Je n'ai jamais rien vu de pareil. Je ne sais toujours pas comment tu t'y es pris. Tu étais un garçon merveilleux. On peut frissonner à volonté ; c'est peut-être la même chose, mais en dedans. Ça n'a pas vraiment d'importance, inutile que tu saches comment, fais-le, c'est tout. Si tu peux le faire dans l'autre sens. Abaisse ta température. Essaie. Essaie. Tu étais un garçon tellement merveilleux.

Le vieil homme prend le jeune homme par le poignet, le tient entre ses mains, le presse.

– Tu n'arrêtais pas de poser des questions. Tu étais très curieux, tu avais une bonne nature. Tu demandais toujours : Pourquoi, Sax,

pourquoi ? C'était drôle d'essayer de répondre à chaque fois. Le monde est comme un arbre, de chaque feuille on peut revenir aux racines. Je suis sûr qu'Hiroko le pensait, c'est probablement elle qui me l'a dit la première. Ecoute, ce n'était pas une mauvaise idée de partir à sa recherche. Je l'ai fait, moi aussi, et je recommencerai. Parce que je l'ai vue, une fois, à Daedalia. Elle m'a aidé alors que j'étais perdu dans une tempête de neige. Elle m'a tenu le poignet. Comme ça, exactement. Elle est vivante, Nirgal. Hiroko est en vie. Elle est là-bas. Tu la trouveras un jour. Remets ce thermostat interne en marche, fais baisser ta température et, un jour, tu la retrouveras...

Le vieil homme lui lâche le poignet. Il courbe les épaules, à moitié endormi, et continue à marmotter.

– Tu me demandais : Pourquoi, Sax, pourquoi ?

Sans le mistral qui soufflait, il aurait hurlé, car rien n'était plus pareil, rien. Michel était arrivé par une gare de Marseille qui n'existait pas lorsqu'il était parti, située à côté d'une petite ville nouvelle qui n'était pas là à l'époque, le tout construit dans un style architectural bulbeux, dégoulinant, à la Gaudi, mâtiné d'une sorte d'obsession bogdanoviste pour la forme circulaire, si bien qu'il se serait cru dans une ville hybride de Christianopolis et d'Hiranyagarba. Non, il ne reconnaissait rien. Le pays était curieusement aplati, vert, dépourvu de pierres, privé de cette chose indéfinissable qui en faisait la Provence. Il était parti depuis cent deux ans.

Mais le mistral soufflait sur tout ce paysage étranger, se déversant depuis le Massif central – froid, sec, poussiéreux et électrique, plein d'ions négatifs ou de cet élément, quel qu'il soit, qui lui conférait cette exaltation catabatique. Le mistral ! Peu importait que ça ne ressemble à rien, c'était forcément la Provence.

Les représentants locaux de Praxis lui parlaient français, et il avait du mal à les comprendre. Il les écoutait intensément, en espérant que sa langue natale lui reviendrait, que la *franglaisation* et la *frarabisation* dont il avait entendu parler n'avaient pas trop changé les choses. Il trouvait choquant de chercher ses mots dans sa langue natale, choquant aussi que l'Académie française n'ait pas fait son boulot et préservé la langue du XVIIe siècle comme elle était censée le faire. Une jeune femme qui encadrait les membres de Praxis semblait dire qu'ils pourraient parcourir la région, aller voir la nouvelle côte et tout ce qu'il souhaitait visiter.

– Parfait, répondit Michel.

Il les comprenait déjà mieux. Peut-être n'était-ce qu'une question d'accent ; l'accent du Midi. Ils lui firent traverser des cercles concentriques de bâtiments, puis ils se retrouvèrent sur un parking pareil à tous les parkings du monde. La jeune femme lui ouvrit la portière côté passager d'une petite voiture et se mit au volant. Elle s'appelait Sylvie. Elle était petite, séduisante, elle avait de la classe et elle sentait bon, mais son étrange français ne laissait pas de surprendre Michel. Elle mit le contact, quitta le parking, et ils s'engagèrent dans un grand bruit de moteur sur une route noire qui traversait un paysage plat, aux arbres et à l'herbe verts. Non, il y avait des collines dans le lointain, mais si petites ! Et l'horizon était si éloigné !

Sylvie descendit vers la côte. D'un rond-point en haut d'une colline ils virent la Méditerranée au loin, piquetée, ce jour-là, de gris et de brun, et qui brillait au soleil.

Après une minute de contemplation silencieuse, Sylvie repartit, coupant à l'intérieur des terres. Ils s'arrêtèrent sur une butte pour regarder ce qu'elle lui dit être la Camargue. Michel ne l'aurait pas reconnue. Le delta du Rhône était un large éventail triangulaire de plusieurs milliers d'hectares d'herbe et de marais salants. La Méditerranée avait rétabli son empire sur la région. L'eau était brunâtre, jonchée de bâtiments, mais c'était quand même de l'eau, coupée par une ligne bleuâtre : le Rhône. Arles, là, à la pointe de l'éventail, lui expliqua-t-elle. Elle était redevenue un port de mer actif, mais ils continuaient à renforcer le canal. Tout le delta, au sud d'Arles, de Martigues, à l'est, à Aigues-Mortes, à l'ouest, était sous l'eau, dit-elle fièrement. Aigues-Mortes était bel et bien morte, ses bâtiments industriels avaient été submergés. Les installations portuaires avaient été équipées de flotteurs et remorquées jusqu'à Arles ou Marseille. Ils se donnaient beaucoup de mal pour assurer des voies navigables. La Camargue et la plaine de la Crau, plus à l'est, étaient naguère jonchées de structures de toutes sortes, dont beaucoup dépassaient encore de l'eau, mais pas toutes. Et l'eau était trop opaque à cause de la vase pour qu'on voie ce qui s'y passait.

– Regardez, ça, c'est la gare, on voit les magasins, mais pas les bâtiments extérieurs. Et là, il y a un des canaux bordés de digues. Elles forment des sortes d'écueils, maintenant. Vous voyez la ligne grise, dans l'eau ? Les digues brisent encore le courant du Rhône qui passe au-dessus.

– Une chance que la marée soit très faible, remarqua Michel.

– C'est vrai. Si elle était plus forte, le chenal serait trop traître pour que les bateaux aillent jusqu'à Arles.

En fait, les pêcheurs et les navigateurs côtiers découvraient jour après jour les routes navigables. On s'efforçait d'assurer la sûreté de la navigation dans le canal principal du Rhône et de remettre aussi en service les canaux latéraux, de sorte que les bateaux ne soient pas obligés de remonter le fleuve à contre-courant. Sylvie lui indiqua des détails du paysage qui lui auraient échappé et lui parla des soudaines variations du canal du Rhône, de vaisseaux échoués, de bouées détachées, de coques déchirées, de sauvetages de nuit, de la pollution par les hydrocarbures, de lumières trompeuses – de faux phares, allumés par les contrebandiers pour piéger les naïfs – et même de la flibuste ordinaire en haute mer. La vie semblait passionnante, à la nouvelle embouchure du Rhône.

Puis ils reprirent la voiture et descendirent vers le sud-est et la côte, la vraie côte, entre Marseille et Cassis. Cette partie du littoral méditerranéen, comme la Côte d'Azur, plus à l'est, était une rangée de collines assez abruptes qui tombaient droit dans la mer. Elles se dressaient encore bien au-dessus du niveau de l'eau, évidemment, et la première impression de Michel fut que cette côte-là avait beaucoup moins changé que la Camargue inondée. Mais après quelques minutes d'observation il rectifia son opinion. La Camargue avait toujours été un delta, c'en était encore un à présent, de sorte qu'elle n'avait pas fondamentalement changé. Alors qu'ici...

– Les plages ont disparu, dit-il.

– Oui.

Il aurait dû s'y attendre, bien sûr. Mais les plages étaient l'essence de cette côte, les plages avec leurs longs étés dorés, leurs animaux humains dénudés, adorateurs du soleil, leurs nageurs, leurs bateaux à voile, aux couleurs de carnaval, et leurs longues nuits chaudes, vibrantes et fébriles. Tout ça avait disparu.

– Elles ne reviendront jamais.

Sylvie acquiesça d'un hochement de tête.

– C'est partout pareil, dit-elle platement.

Michel regarda vers l'est. Les collines tombaient dans la mer brune jusqu'à l'horizon. La vue semblait porter aussi loin que le cap Sicié. Au-delà, il y avait toutes les grandes villes touristiques balnéaires, Saint-Tropez, Cannes, Antibes, Nice, sa propre ville natale, Villefranche-sur-Mer, et les plages à la mode, grandes et petites, toutes submergées comme la plage au-dessous : la mer couleur de caramel clapotant contre une frange de roche pâle, déchiquetée, des arbres morts, jaunes, et des sentiers plongeant dans une écume d'un blanc sale. La même écume sale qui s'engouffrait dans les rues des villes désertes.

Le vent agitait les arbres verts sur la pierre blanchâtre de la nouvelle ligne de côte. Michel ne se souvenait pas que la roche était aussi blanche. Le feuillage pendait, bas et poussiéreux. La déforestation était un problème depuis quelques années, lui expliqua Sylvie, car les gens abattaient les arbres pour se chauffer. Mais Michel l'entendait à peine. Il regardait les plages inondées en essayant de se rappeler leur beauté sablonneuse, chaude, érotique. Disparu, tout ça. Même le souvenir des innombrables journées qu'il avait passées à y lézarder avait perdu de sa netteté, il s'en rendit compte en regardant les vagues sales. C'était comme le visage d'un ami mort. Il ne s'en souvenait plus.

Marseille avait survécu, elle, la seule partie de la côte que personne ne se serait soucié de préserver, la partie la plus vilaine, celle de la cité. Evidemment. Les quais étaient inondés, ainsi que les quartiers situés immédiatement derrière. Mais le sol montait vite, à cet endroit, et les quartiers situés sur les hauteurs avaient continué à vivre leur existence rude, sordide. Le port était encore plein de gros navires vers lesquels on approchait de longs docks flottants afin d'en vider les cales, pendant que les matelots se répandaient en ville et se défoulaient selon la mode du moment. Sylvie disait que c'était à Marseille qu'elle avait entendu le plus de récits d'aventures à faire dresser les cheveux sur la tête sur l'embouchure du Rhône et tout le pourtour de la Méditerranée, sur des endroits où les cartes ne voulaient plus rien dire : des histoires de maisons des morts entre Malte et la Tunisie, d'attaques par des corsaires de Barbarie...

– Marseille est plus elle-même qu'elle ne l'a été pendant des siècles, dit-elle avec un grand sourire.

Michel eut soudain une vision de sa vie nocturne, farouche et peut-être un peu aventureuse. Elle aimait Marseille. La voiture fit une embardée dans un des innombrables nids-de-poule de la route et il eut l'impression de sentir son propre pouls. Ils se ruaient, le mistral et lui-même, fasciné par la pensée de cette farouche jeune femme, vers la vieille Marseille laide.

Plus elle-même qu'elle ne l'avait été pendant des siècles... C'était peut-être vrai de toute la côte. Les touristes et l'idée même de tourisme avaient disparu avec les plages. Les grands hôtels, les immeubles pastel émergeaient maintenant de l'eau sale, pareils à des cubes abandonnés par des enfants à marée basse. Comme ils sortaient de Marseille, Michel remarqua que les étages supérieurs de beaucoup de ces bâtiments semblaient occupés. Par des pêcheurs, lui confirma Sylvie. Ils devaient garder leurs bateaux dans les étages du bas, comme les habitants des cités lacustres préhistoriques. Les vieilles coutumes resurgissaient.

Michel regardait par la vitre en essayant de retrouver l'idée qu'il se faisait de la Provence, d'assimiler le choc de tous ces changements. C'était sûrement très intéressant, même si ce n'était pas comme dans ses souvenirs. De nouvelles plages finiraient par se former, se disait-il pour se rassurer. Les vagues éroderaient le pied des falaises, les rivières, les fleuves charrieraient leurs alluvions vers le delta. Il se pouvait d'ailleurs qu'elles apparaissent assez vite, même si ce n'étaient au départ que des plages de terre ou de cailloux. Quant au sable doré... les courants en remonteraient peut-être un peu du fond, qui sait. Mais la majeure partie avait sûrement à jamais disparu.

Sylvie arrêta la voiture sur un autre rond-point surplombant la mer. L'eau était brune jusqu'à l'horizon, le vent du large leur faisait voir les vagues qui fuyaient la plage, et l'effet était très étrange. Michel tenta de se rappeler le bleu niellé de soleil d'autrefois. Il y avait toutes sortes de variétés de bleus méditerranéens, la pure clarté de l'Adriatique, la mer Egée et sa touche de vin homérique... Maintenant, tout était brun. Des falaises qui tombaient dans la mer brune, sans plages, les collines pâles, rocailleuses, désertiques, désertées. Un désert. Non, rien n'était plus comme avant. Rien.

Sylvie finit par remarquer son silence. Elle reprit la route d'Arles et le conduisit à un petit hôtel situé dans le centre-ville. Michel n'avait jamais habité à Arles, et n'avait jamais eu grand-chose à y faire, mais il y avait des bureaux de Praxis juste à côté de l'hôtel, et il n'avait aucune exigence particulière concernant son hébergement. Ils descendirent de voiture. La pesanteur était forte. Sylvie resta en bas pendant qu'il montait son sac dans sa chambre. Il se retrouva les bras ballants dans une petite chambre d'hôtel, tout vibrant du désir de rentrer chez lui, de retrouver son pays. Il ne le trouverait pas là.

Il redescendit et rejoignit Sylvie dans l'immeuble voisin, où elle vaquait à ses affaires.

– Il y a un endroit que je voudrais voir, lui annonça-t-il.

– Je vous emmène où vous voulez.

– C'est près de Vallabrix. Au nord d'Uzès.

Elle savait où c'était.

Lorsqu'ils y arrivèrent, l'après-midi tirait à sa fin. C'était une clairière située non loin d'une vieille route étroite, près d'une oliveraie où soufflait le mistral. Michel demanda à Sylvie de rester près de la voiture, sortit dans le vent et gravit la pente, entre les arbres, seul avec le passé.

Son vieux mas était à l'extrémité nord de la plantation, au

bord d'un entablement rocheux surplombant un ravin. Les oliviers étaient vieux et noueux. Le mas lui-même n'était qu'une coquille de maçonnerie qui disparaissait presque sous les ronces.

En regardant ces ruines, Michel découvrit qu'il se souvenait à peine de l'intérieur. Ou alors, de certaines parties seulement. Il y avait une cuisine. La table sur laquelle ils prenaient leurs repas était près de la porte. On passait sous une grosse poutre et on débouchait dans un salon avec des canapés et une table basse. Une porte, au fond, donnait sur la chambre. Il avait vécu là deux ou trois ans avec une femme, Eve. Il n'avait pas pensé à cet endroit depuis plus d'un siècle. Il lui était complètement sorti de la tête. Mais à présent qu'il se trouvait face à ces ruines, des fragments de cette époque lui revenaient à l'esprit, des ruines d'une autre sorte : dans ce coin, maintenant plein de plâtre écroulé, il y avait une lampe bleue. Un poster de Van Gogh était punaisé à ce mur, où ne se trouvaient plus maintenant que des blocs de pierre, des tuiles, des feuilles sèches poussées par le vent. La grosse poutre avait disparu, de même que ses supports dans les murs. Quelqu'un avait dû la retirer. C'était difficile à imaginer ; elle devait peser des centaines de kilos. Les gens faisaient parfois de drôles de choses. Mais avec la déforestation il ne devait pas rester beaucoup d'arbres assez gros pour tailler une poutre pareille. Pendant des siècles, des gens avaient vécu sur cette terre.

La déforestation pouvait cesser un jour d'être un problème. Dans la voiture, Sylvie lui avait parlé de l'hiver de l'inondation, du vent, de la pluie. Le mistral avait duré un mois. Certains disaient qu'il ne finirait jamais. En regardant la maison délabrée, Michel n'éprouvait aucune peine. Il avait besoin du vent pour s'orienter. C'était drôle comme la mémoire fonctionnait, ou ne fonctionnait pas. Il grimpa par-dessus le mur éboulé du mas, essaya de retrouver d'autres images de cet endroit, de sa vie ici avec Eve. La chasse aux souvenirs. Au passé. A la place, il lui revint des souvenirs d'Odessa, de sa vie avec Maya, de Spencer qui habitait plus loin, dans le couloir. Peut-être les deux vies partageaient-elles suffisamment d'aspects pour expliquer le rapprochement. Eve était soupe au lait, comme Maya ; quant au reste, la vie quotidienne était la vie quotidienne, en tous temps, en tous lieux, pour un individu donné. On s'installait dans ses habitudes comme dans ses meubles, on les emportait avec soi d'un endroit à l'autre. Qui sait.

Les murs intérieurs de la maison étaient de plâtre beige clair, propres, ornés de gravures. Maintenant les plaques de plâtre restantes étaient nues, délavées, semblables aux murs extérieurs d'une vieille église. Eve se mouvait dans la cuisine comme une ballerine à la barre, avec ses longues jambes, son dos puissant. Elle se retournait et le regardait en riant, faisant danser ses cheveux châtains. Oui, il se rappelait ses cheveux qui dansaient. Une image dépourvue de contexte. Il était amoureux. Et pourtant il l'avait fâchée. Elle avait fini par le quitter pour un autre, ah oui, un professeur d'Uzès. Quelle souffrance ! Il s'en souvenait, mais ça le laissait froid, maintenant. Une vie antérieure. Ces ruines ne la lui feraient pas retrouver. C'est tout juste si elles évoquaient des images. C'était terrifiant. Comme si la réincarnation était une réalité. Il se serait réincarné, il aurait des réminiscences d'une existence dont il serait séparé par plusieurs morts successives. Ce serait vraiment étrange si la réincarnation existait. Parler des langues qu'on ne connaissait pas, comme Bridey Murphy, sentir le tourbillon du passé traverser son esprit, éprouver des expériences passées... ça ferait exactement le même effet, en réalité. Mais ne rien retrouver de ses sentiments d'autrefois, n'éprouver que la sensation de ne plus rien éprouver...

Il quitta les ruines et rebroussa chemin, sous les oliviers.

La plantation donnait l'impression d'être entretenue. Les branches, au-dessus de sa tête, étaient toutes coupées au même niveau, et le sol, sous ses pieds, était bien plan, tapissé par une herbe courte, sèche et pâle, poussant entre des milliers de noyaux d'olive gris. Les arbres étaient plantés à égale distance les uns des autres, mais donnaient une impression de naturel quand même, on aurait pu croire qu'ils avaient poussé comme ça. Le vent soufflait, vibrant, entre les branches. De l'endroit où il se trouvait, il ne voyait que le ciel et les oliviers. Il remarqua à nouveau comment les feuilles passaient d'une couleur à l'autre dans le vent, gris puis vert, gris, vert...

Il leva le bras, attrapa un rameau, examina les feuilles. C'est vrai : de près, les deux côtés d'une feuille d'olivier étaient presque de la même couleur – un vert moyen, plat, et un kaki pâle. Mais une colline couverte d'arbres aux feuilles pareilles à celle-ci, oscillant dans le vent, était de ces deux couleurs distinctes, tel un clair de lune passant du noir à l'argent. Si on les regardait en plein soleil, la différence résidait surtout dans la texture, lisse ou brillante.

Il s'approcha du tronc, posa la main dessus, retrouva le contact familier. L'écorce était rugueuse, grossièrement réticulée en rectangles verdâtres, grisâtres, un peu comme le dessous des feuilles mais plus sombres, et souvent maculés d'un autre vert, celui du lichen, jaunâtre ou d'un gris militaire. Il y avait très peu d'oliviers sur Mars. Il n'y avait pas encore de Méditerranéens. Non, là, il était bien sur Terre. Et il avait une dizaine d'années. Il portait cet enfant en lui. Certains rectangles de l'écorce partaient en copeaux. Les fissures étaient peu profondes entre les rectangles. La vraie couleur de l'écorce, débarrassée du lichen, semblait être d'un beige pâle, ligneux. Il y en avait si peu que c'était difficile à dire. Les arbres recouverts de lichen; Michel ne s'en était pas rendu compte avant. Les branches et les rameaux au-dessus de sa tête étaient plus lisses, les fissures y formaient seulement des lignes couleur chair. Même le lichen y était plus lisse, semblable à une poussière verte.

Les racines étaient grosses et fortes. Les troncs se divisaient au pied, étendaient des protubérances pareilles à des doigts, séparés par des creux, si bien qu'on aurait dit des poings noueux enfoncés dans le sol. Aucun mistral ne déracinerait jamais ces arbres. Même un vent martien n'aurait pu les coucher à terre.

La terre disparaissait sous les noyaux et les olives noires, flétries, sur le point de se changer en noyaux. Il en ramassa une. La peau était encore lisse. Il la gratta avec ses ongles. Le jus violet lui tacha les doigts. Il le lécha. Un goût sauvage. Rien à voir avec celui des olives en saumure. Embaumées. Il mordit dans la chair, pareille à celle d'une prune. La saveur âpre, amère, qui ne rappelait celle de l'olive que par son vague arrière-goût huileux, lui revint soudain en mémoire. Comme un des déjà-vu de Maya : il avait déjà fait ça ! Quand il était enfant, ils y plantaient souvent leurs dents, espérant toujours retrouver le goût que l'olive avait à table. Ça leur aurait fait quelque chose à manger dans leur terrain de jeux, une manne dans leur petite jungle. Mais la chair de l'olive (plus claire auprès du noyau) était toujours immangeable. Le goût était gravé dans sa mémoire, amer et âcre. Aujourd'hui agréable, à cause de ces réminiscences. Peut-être était-il embaumé, lui aussi.

Le vent du nord soufflait en rafales, agitant les feuilles. Odeur de poussière. Une brume lumineuse, brunâtre, le ciel de bronze à l'ouest. Les arbres étaient deux ou trois fois plus hauts que lui. Les branches inférieures tombaient assez bas pour lui frôler le visage. A l'échelle humaine. L'arbre méditerranéen, l'arbre des Grecs, qui avaient vu tant de choses, si distinctement, vu les choses à leur vraie dimension, les avaient replacées dans une symétrie calibrée à l'échelle humaine : les arbres, les villes, tout leur monde matériel, les îles rocheuses de la mer Egée, les collines rocailleuses du Péloponnèse – un univers qu'on pouvait parcourir en quelques jours. Peut-être était-on chez soi n'importe où, dans l'échelle humaine. Dans l'enfance, souvent.

Chaque arbre était un oiseau aux plumes retroussées par le vent, aux serres fermement plantées dans le sol. Un flanc de colline de plumage miroitant sous les assauts du vent, ses soudaines bourrasques, son immobilité soudaine, inattendue, tout cela parfaitement révélé par les feuilles duveteuses. C'était la Provence, le cœur de la Provence. Dans son thalamus palpitaient toutes les sensations de son enfance, un immense presque-vu l'emplissait totalement. Une vie entière était contenue dans ce paysage, vibrant d'un poids et d'un équilibre propres. Il se sentit soudain allégé. Le bleu du ciel était la voix de cette précédente incarnation et disait Provence, Provence.

Au-dessus du ravin, des corbeaux noirs se mirent à tournoyer en criant *Ka, ka, ka!*

Ka. Qui avait inventé l'histoire du petit peuple rouge et du nom qu'il avait donné à Mars? Impossible à dire. Les histoires de ce genre n'avaient pas d'origine. Dans l'Antiquité, de l'autre côté de la Méditerranée, le ka était un double inquiétant du pharaon. Il descendait sur le pharaon sous la forme d'un faucon, d'une colombe ou d'un corbeau.

Le ka de mars descendait à présent sur lui, ici, en Provence. Ces mêmes oiseaux volaient imprudemment, puissamment, sous le cristal des tentes comme dans le mistral. Ils se fichaient d'être sur Mars, ils y étaient chez eux, c'était leur monde autant qu'un autre, et les gens en dessous étaient comme partout, de dangereux animaux rivés au sol, capables de tuer ou de vous emmener faire d'étranges voyages. Mais aucun oiseau de Mars ne se souvenait du voyage qui l'avait conduit là, non plus que de la Terre. Rien ne reliait les deux mondes en dehors de l'esprit humain. Sur Terre ou sur Mars, les oiseaux se contentaient de voler, de chercher leur pitance et de croasser comme ils l'avaient toujours fait et le feraient toujours. Ils étaient chez eux n'importe où, tournoyant dans le vent des aérateurs, planant sur les ailes du mistral, s'appelant les uns les autres – Mars, Mars, Mars! Et Michel Duval, ah, Michel... un esprit résidant dans deux mondes en même temps, ou perdu dans le néant entre les deux. La noosphère était d'une telle immensité. Où était-il, qui était-il? Comment allait-il vivre?

L'oliveraie. Le vent. Le soleil éclatant dans le ciel de bronze. Le poids de son corps, le goût âcre dans sa bouche : il se sentait prêt à s'enraciner dans le sol. C'est là qu'il était chez lui et nulle part ailleurs. Les choses avaient changé et en même temps rien ne changerait jamais – pas cette plantation, pas lui-même. Chez lui, enfin. Chez lui, enfin. Il pourrait vivre dix mille ans sur Mars, cet endroit serait encore chez lui.

Il appela Maya de sa chambre d'hôtel à Arles.

– Viens, Maya, je t'en prie. Je voudrais que tu voies ça.

– Je travaille, Michel. Je m'occupe de l'accord entre Mars et les Nations Unies.

– Je sais.

– C'est important.

– Je sais.

– Ecoute, c'est pour ça que je suis venue ici. Je suis en plein dedans. Je ne peux pas partir en vacances comme ça.

– Ça va, ça va. Mais tu n'auras jamais fini, tu le sais très bien. La politique, c'est sans fin. Tu pourrais prendre quelques jours de congé, le monde ne s'arrêterait pas de tourner. C'est chez moi, Maya, tu comprends ? Je voudrais que tu voies comment c'est. Tu n'as pas envie de me montrer Moscou ? Tu n'aimerais pas y aller ?

– Je n'y mettrais pas les pieds quand ce serait le dernier endroit épargné par l'inondation.

Michel soupira.

– Eh bien, je ne vois pas les choses de la même façon. Viens, je t'en supplie.

– Un peu plus tard, peut-être, quand nous aurons mené cette étape des négociations à bien. Nous sommes à un stade critique. Je t'assure, Michel, ce n'est pas le moment que je m'en aille. C'est plutôt toi qui devrais être ici.

– Je suis tous vos travaux sur mon bloc-poignet. Personne n'est obligé d'y assister en chair et en os. S'il te plaît, Maya.

Elle parut surprise par sa véhémence.

– Très bien. Je vais essayer. Mais pas tout de suite.

– Tant que tu me promets de venir...

Après ça, il passa ses journées à attendre Maya tout en s'efforçant de ne pas voir les choses sous cet angle. Tout au long des jours, il se promenait dans une voiture de location, tantôt avec Sylvie, tantôt seul. Malgré ce moment de grâce, dans l'oliveraie, à cause de ça aussi peut-être, il ne savait plus où il en était. La nouvelle ligne côtière l'attirait sans qu'il sache trop pourquoi. La façon dont les gens de la région s'y adaptaient le fascinait. Il y allait souvent, prenant des routes qui menaient à des falaises à pic, à de soudaines vallées marécageuses. Beaucoup de pêcheurs côtiers avaient des ancêtres algériens. La pêche ne marchait pas très bien, disaient-ils. La Camargue était polluée par les sites industriels immergés et les poissons évitaient l'eau brune. Ils restaient dans le bleu qui était à une bonne demi-journée de mer, avec tous les risques que ça présentait.

Quand il entendait parler français, quand il s'exprimait dans ce nouveau jargon étrange, il avait l'impression qu'on appliquait une électrode à certaines parties de son cerveau restées inactives depuis plus d'un siècle. Des cœlacanthes explosaient, des souvenirs fossiles de l'amour que des femmes avaient eu pour lui, de la cruauté dont il avait fait preuve envers elles. C'était peut-être pour ça qu'il était parti pour Mars, pour se fuir, pour échapper à cet individu qui paraissait si peu fréquentable.

Eh bien, si ce qu'il voulait c'était se fuir, il avait réussi. Il était un autre homme à présent. Un homme attentif aux autres, sympathique. Il pouvait se regarder en face. Il pouvait rentrer chez lui, se contempler dans la glace. Ce qu'il était devenu lui permettait d'affronter ce qu'il avait été. Et tout ça grâce à Mars.

La mémoire avait vraiment un étrange fonctionnement. Des fragments imperceptibles, acérés, faisaient parfois un mal sans commune mesure avec leur petitesse, comme ces minuscules aiguilles de cactus velus. Ses souvenirs les plus précis étaient ceux de sa vie sur Mars. Odessa, Burroughs, les abris souterrains dans le sud, les avant-postes dissimulés dans le chaos. Même Underhill.

S'il était rentré sur Terre à l'époque d'Underhill, les journalistes se seraient rués sur lui. Mais il avait rompu le contact en disparaissant avec Hiroko, et bien qu'il n'ait rien fait pour se cacher depuis la révolution, rares en France étaient ceux qui semblaient avoir remarqué sa réapparition. La gravité des événements dont la Terre avait été récemment le théâtre, ou le temps, tout simplement, avait entraîné une rupture partielle de la culture médiatique. La majeure partie de la population française était née après sa disparition; les Cent Premiers étaient de l'histoire ancienne pour eux, mais pas assez ancienne pour être vraiment intéressante. Si Voltaire, Louis XIV ou Charlemagne étaient reparus, l'événement aurait peut-être suscité un minimum d'attention – et encore –, mais un psychologue du siècle précédent qui avait émigré sur Mars, cette espèce d'Amérique sur laquelle tout avait été dit ? Non, ça n'intéressait personne. Des gens l'appelèrent, ou vinrent l'interviewer à son hôtel. On descendit même de Paris faire une ou deux émissions sur lui. Mais tout le monde s'intéressait bien plus à ce qu'il pouvait leur dire sur Nirgal qu'à sa personne. Nirgal était celui qui les fascinait ; il était charismatique.

C'était peut-être aussi bien, dans le fond. Même si Michel mangeait seul dans des cafés, aussi seul que s'il avait été dans son patrouilleur, au fin fond des highlands du Sud, et trouvait un peu décevant d'être à ce point ignoré. Un vieux comme tant d'autres, un de ces vieux dont la vie anormalement longue créait plus de problèmes logistiques que l'inondation, apparemment.

Oui, c'était mieux comme ça. Il pouvait s'arrêter dans les petits villages autour de Vallabrix, Saint-Quentin-la-Poterie, Saint-Victor-des-Oules, Saint-Hippolyte-de-Montaigu, et bavarder avec des boutiquiers qui ressemblaient à ceux qu'il avait connus. Sans doute leurs héritiers, si ce n'étaient pas eux-mêmes. Ils parlaient un français plus proche de celui du temps jadis sans s'occuper de lui, absorbés dans leurs propres conversations, leurs propres vies. Il n'était rien pour eux, aussi portait-il sur eux une vision claire. C'est ainsi qu'il voyait, dans les rues étroites, tous ces gens pareils à des gitans, sans doute à cause du sang nord-africain qui coulait dans leurs veines, comme après l'invasion des Sarrasins, mille ans plus tôt. Les Africains envahissaient le pays tous les mille ans à peu près. Ça aussi, c'était la Provence. Les jeunes femmes étaient belles : elles fleurissaient gracieusement dans les rues, leurs tresses noires brillant malgré la poussière du mistral. Tels étaient ces villages. Des enseignes de plastique poussiéreuses, des façades délabrées...

Il oscillait comme un pendule, passant du familier à l'étrange, du souvenir à l'oubli. Mais toujours plus seul. Dans un café, il commanda un cassis à l'eau et se rappela, à la première gorgée, s'être assis dans ce même café, à cette même table. Avec Eve. Proust avait bien raison de reconnaître dans le goût le principal agent de la mémoire involontaire, parce que les souvenirs à long terme se logeaient ou du moins étaient organisés dans l'amygdale, juste au-dessus du bulbe olfactif qui gouvernait les centres du goût et de l'odorat. C'est pour ça que les odeurs étaient intensément liées aux souvenirs et au réseau émotionnel du système limbique, qui ondoyait entre les deux zones. D'où la séquence neurologique, l'odeur suscitant le souvenir qui suscitait la nostalgie. La nostalgie, le regret intense du passé, non point tant parce qu'il avait été merveilleux que parce qu'il avait été, tout simplement, et qu'il était maintenant enfui. Il se rappela le visage d'Eve en train de lui parler, dans la salle pleine de monde. Mais pas de ce qu'elle disait, ou des circonstances dans lesquelles ils s'étaient retrouvés là. Evidemment pas. Ce n'était qu'un moment isolé, un piquant de cactus, une image entrevue comme à la faveur d'un éclair et aussitôt disparue, avec tout ce qui l'entourait. Tous ses souvenirs étaient de cette espèce. Voilà ce que devenaient les souvenirs avec le temps : des éclairs dans le noir, incohérents, à peu près dépourvus de signification et en même temps chargés d'une vague souffrance.

Il sortit à pas lourds du café de son passé, reprit la voiture et rentra à l'hôtel en passant par Vallabrix. Sous les grands platanes de Grand Planas, il tourna sans réfléchir vers son mas en ruines. Il descendit de voiture et marcha vers la maison, comme si elle avait pu revenir à la vie. Mais c'était toujours la même ruine poussiéreuse dans l'oliveraie. Alors il s'assit sur le mur, sans penser à rien.

Cet autre Michel Duval avait cessé d'être. Celui-ci disparaîtrait aussi. Il connaîtrait d'autres incarnations et oublierait ce moment-ci, oui, même cet instant d'une douleur aiguë, exactement comme il avait oublié tous les moments qu'il avait jadis vécus ici. Des éclairs, des images – un homme assis sur un mur écroulé, imperméable à tout sentiment. Rien d'autre. Ce Michel disparaîtrait donc aussi.

Les oliviers agitaient leurs bras, gris, vert, gris, vert. Au revoir, au revoir. Ils ne lui apportèrent rien, cette fois. La connexion euphorique avec le temps perdu n'eut pas lieu. Ce moment aussi avait passé.

Il regagna Arles dans un miroitement gris-vert. A l'hôtel, l'employé de la réception disait à quelqu'un que le mistral ne s'arrêterait jamais.

– Mais si, il s'arrêtera, dit Michel en passant.

Il monta dans sa chambre et rappela Maya. Je t'en prie, viens vite. Il s'en voulait d'en être réduit à l'implorer ainsi. Bientôt, disait-elle. Plus que quelques jours et ils auraient élaboré un traité, un accord *bona fide* entre les Nations Unies et le gouvernement martien indépendant. L'histoire en marche. Après ça, elle pourrait venir.

Michel se fichait pas mal de l'histoire en marche. Il se promena dans Arles en l'attendant. Il remonta l'attendre dans sa chambre. Il ressortit se promener.

Les Romains avaient utilisé le port d'Arles autant que celui de Marseille. César avait même rasé Marseille, qui avait soutenu Pompée, et fait d'Arles la capitale de la région, pour lui témoigner sa faveur. Les trois routes stratégiques qui se croisaient dans la ville avaient été utilisées des centaines d'années encore après le départ des Romains. Pendant tout ce temps, Arles avait été une ville importante vivante, prospère. Puis le Rhône avait déserté ses rives, la Camargue était devenue un marécage pestilentiel et l'on avait cessé d'emprunter les routes. La ville avait commencé à décliner. La Camargue avec ses herbes salées, balayées par les vents, et ses fameux troupeaux de chevaux blancs, avait été envahie par les raffineries de pétrole, les centrales atomiques, les usines chimiques.

Maintenant, avec l'inondation, le Rhône avait repris sa place et il était propre et clair. Arles était redevenue un port de mer. C'est là que Michel avait choisi d'attendre Maya précisément parce qu'il n'y avait jamais vécu auparavant. La ville ne lui rappelait rien, que l'instant présent. Il passait ses journées à regarder les gens vivre leur vie dans l'instant présent. Dans ce nouveau pays étranger.

Un certain Francis Duval l'appela à son hôtel. C'est Sylvie qui l'avait contacté. Il était le neveu de Michel, le fils de son défunt frère. Il habitait dans la rue du Quatre-Septembre, juste au nord de l'arène romaine, à quelques pâtés de maisons du Rhône en crue, pas loin de l'hôtel de Michel. Il l'invita chez lui.

Après une brève hésitation, Michel accepta. Le temps qu'il traverse la ville, s'arrêtant brièvement pour jeter un coup d'œil au théâtre et aux arènes, son neveu avait convoqué tout le quartier : une célébration improvisée, des bouchons de champagne sautant comme des chapelets d'amorces au moment où Michel franchit le seuil de la maison. Tout le monde l'embrassa, trois fois sur les joues, à la manière provençale. Il lui fallut un moment pour rejoindre Francis, qui le serra longuement, chaleureusement sur son cœur, sans cesser de parler, pendant que les gens braquaient sur eux les fibres optiques de leurs caméras.

– Vous ressemblez tellement à mon père ! disait Francis.

– Vous aussi ! répondit Michel en essayant de se rappeler si c'était vrai, en essayant de se rappeler le visage de son frère. Francis était un homme entre deux âges, Michel n'avait jamais vu son frère si vieux. C'était difficile à dire.

Mais tous les visages avaient une sorte de familiarité, la langue était assez compréhensible dans l'ensemble, et les phrases, les odeur du fromage, du vin pétillant firent surgir en lui des successions d'images. Le goût du vin en suscita plus encore. Francis était un amateur de grands vins. Il déboucha joyeusement un certain nombre de bouteilles poussiéreuses : du châteauneuf-du-pape, puis un sauternes centenaire, et sa spécialité, des premiers crus de Bordeaux, deux château-latour, deux château-lafite et un mouton-rothschild de 2064 avec une étiquette signée Pougnadoresse. Ces merveilles centenaires s'étaient métamorphosées, au fil du temps, en une chose qui était plus que du vin ; la palette d'arômes et d'harmonies était fabuleuse. Ils coulaient dans la gorge de Michel comme sa propre jeunesse.

La réception n'aurait pas été différente si elle avait été donnée en l'honneur d'un édile populaire. Michel avait fini par conclure que Francis ne ressemblait guère à son frère, mais il parlait exactement comme lui. Michel aurait juré avoir oublié cette voix, et pourtant elle lui revenait avec une netteté frappante. Il s'étonnait de l'accent traînant avec lequel Francis prononçait « normalement », pour désigner la façon dont les choses se passaient avant l'inondation. Par ce mot, il décrivait un mode hypothétique de fonctionnement en douceur inconnu dans la vraie Provence, mais il le prononçait exactement avec le même accent traînant, nor-male-ment...

Tout le monde voulait parler à Michel, ou au moins l'écouter, aussi faisait-il de petits discours rapides dans le style politicien, un verre à la main, complimentant les femmes sur leur beauté, expliquant aux gens combien il était heureux d'être parmi eux sans sombrer dans le sentimentalisme, ou avouant combien il était désorienté : une performance compétente, en souplesse, que ces Provençaux raffinés appréciaient, avec leur rhétorique plaisante et vive comme les combats de taureaux.

– Et comment c'est, sur Mars ? A quoi ça ressemble ? Qu'allez-vous faire maintenant ? Vous avez déjà des Jacobins ?

– Mars, c'est Mars, répondit Michel, éludant la question. Le sol est de la même couleur que les tuiles des toits d'Arles. Vous voyez ce que je veux dire.

Ils firent la fête tout l'après-midi, puis ils organisèrent un festin. D'innombrables femmes lui firent la bise, il était soûlé par leur parfum, leur peau, leur chair, leurs yeux noirs, liquides, souriants, qui le regardaient avec une curiosité amicale. Avec les filles nées sur Mars, il était toujours obligé de lever la tête, ce qui lui offrait une vue privilégiée sur le dessous de leur menton, l'intérieur de leurs narines. C'était un tel plaisir de baisser les yeux sur une raie impeccable séparant deux masses de cheveux noirs et luisants.

A la fin de la soirée, les gens se dispersèrent. Francis raccompagna Michel et ils gravirent les marches de pierre incurvées des tours médiévales entourant les arènes. Du petit belvédère en haut de l'escalier, ils regardèrent par une étroite meurtrière les toits de tuile, les rues sans arbres et le Rhône. La fenêtre sud donnait sur l'étendue d'eau tachetée qu'était la Camargue.

– La Méditerranée est revenue, dit Francis, profondément satisfait. L'inondation a peut-être été un désastre pour la plupart des gens, mais pour nous, quelle aubaine ! Les fermiers qui faisaient pousser du riz sont prêts à prendre le premier travail qui se présente. Ils viennent pêcher ici. Beaucoup de bateaux sont amarrés en pleine ville. Ils apportent des fruits de Corse, de Majorque, ils font du commerce avec Barcelone et la Sicile. Nous avons pris une bonne partie du trafic de Marseille. Maintenant, il faut leur laisser ça, ils sont en train de réagir. Mais quelle vie nous avons retrouvée ! Avant, tu sais, Aix avait l'université, Marseille le port et nous n'avions que ces ruines. Les touristes passaient la journée ici et repartaient. C'est vraiment un sale boulot, le tourisme. Ce n'est pas un métier pour des êtres humains. Ça consiste à héberger des parasites. Maintenant, nous revivons ! (Il était un peu gris.) Tiens, je devrais t'emmener voir le lagon en bateau.

– Ah, volontiers.

Ce soir-là, Michel rappela Maya.

– Il faut que tu viennes. J'ai retrouvé mon neveu, ma famille.

– Nirgal est en Angleterre, répondit sèchement Maya qui ne semblait guère impressionnée par la nouvelle. Il est allé chercher Hiroko. On lui a dit qu'elle était là-bas, et il est parti comme ça.

– Qu'est-ce que ça veut dire ? s'exclama Michel, choqué par la soudaine intrusion d'Hiroko dans la conversation.

– Oh, Michel, tu sais que ce n'est pas possible. C'est un bobard et c'est tout. Ça ne peut pas être vrai, mais il a filé ventre à terre.

– J'en aurais fait autant !

– Je t'en prie, Michel, j'ai assez d'un irresponsable sur les bras. Si Hiroko est vivante, elle est sur Mars. On a raconté cette histoire à Nirgal pour l'écarter des négociations. J'espère seulement que ce n'est pas pour des motifs plus graves. Il faisait trop d'effet aux gens. Et il parlait à tort et à travers. Tu devrais l'appeler et lui dire de revenir. Il t'écoutera peut-être, toi.

– A sa place, il m'en faudrait un peu plus, dit-il, en essayant de rayer de ses pensées le soudain espoir qu'Hiroko soit en vie.

Et en Angleterre, entre tous les endroits du monde. En vie n'importe où. Hiroko et donc Iwao, Gene, Rya... tout le groupe, sa famille. Sa vraie famille. Il s'ébroua. Il tenta de parler à Maya de sa famille à Arles, mais elle commençait à s'impatienter et les mots lui restèrent dans la gorge. Sa vraie famille avait complètement disparu quatre ans plus tôt, voilà la vérité. Pour finir, le cœur gros, il ne put que dire :

– Je t'en prie, Maya, je t'en supplie, viens.

– Bientôt. J'ai dit à Sax que je viendrais dès que nous aurions fini ici. Tout ça va lui retomber dessus, et il peut à peine parler. C'est ridicule. (Elle exagérait. Ils avaient une équipe diplomatique au grand complet, là-bas, et Sax était parfaitement compétent, à sa façon.) Mais bon, d'accord, je vais venir. Alors cesse de me harceler.

Elle arriva la semaine suivante.

Michel alla la chercher à la nouvelle gare et l'emmena aussitôt à Avignon. Il était très tendu. Il avait vécu trente ans avec elle à Odessa et à Burroughs, mais la Maya qui était assise à côté de lui, dans la voiture, cette femme qui avait été si belle, avec son regard impénétrable sous ses paupières lourdes, lui était étrangère. Elle lui raconta tout ce qui s'était passé à Berne par petites phrases courtes, saccadées. Ils avaient jeté les bases d'un traité avec les Nations Unies, qui leur avaient accordé l'indépendance. En échange, ils devaient permettre une certaine émigration, limitée à dix pour cent de la population martienne par an, certains transferts de ressources minérales, leur concours diplomatique.

– C'est bien, vraiment bien, répondit Michel en essayant de se concentrer sur les nouvelles qu'elle lui apportait.

Tout en parlant, elle jetait de temps à autre un coup d'œil aux bâtiments qui défilaient le long de la route, mais dans le soleil, la poussière et le vent, ils faisaient à vrai dire assez toc et elle ne paraissait pas impressionnée.

La mort dans l'âme, Michel se gara le plus près possible du Palais des Papes, à Avignon, et l'emmena le long du fleuve en crue, voir le pont qui s'arrêtait au beau milieu de l'eau, puis jusqu'à la large promenade qui menait vers le sud du palais, avec ses terrasses de cafés ombragées par des platanes centenaires. Ils déjeunèrent là. Michel savoura l'huile d'olive et le cassis, les faisant voluptueusement rouler sur sa langue tout en regardant sa compagne faire la chatte sur sa chaise de métal.

– C'est bien, ici, dit-elle, et il sourit.

Oui, c'était bien : raffiné et sans prétention, les mets et les boissons comme le décor. Mais le goût du cassis déchaînait en lui un cyclone de souvenirs, d'émotions remontant de ses vies antérieures, mêlés aux sensations qu'il éprouvait à présent, exaltant tout, les couleurs, les textures, le contact des chaises métalliques, du vent. Alors que pour Maya, le cassis n'était qu'une boisson faite avec des baies aigrelettes.

Il se dit, en la regardant, que le destin avait mené vers lui une compagne plus séduisante qu'aucune des Françaises qu'il avait connues dans son autre vie. Une femme plus grande en tout. Cela aussi il l'avait assez bien réussi sur Mars. Il avait suivi une voie plus large. Ce sentiment et sa nostalgie s'affrontaient dans son cœur pendant que Maya se régalait de bouillabaisse, de vin, de fromage, de cassis, de café, inconsciente du schéma d'interférences de ses vies, entrant et sortant de phase avec lui.

Ils parlaient à bâtons rompus. Maya était détendue, heureuse des résultats obtenus à Berne. Elle s'amusait bien et n'était pas pressée de bouger. Michel sentait courir dans ses veines une chaleur comparable à celle que procure l'omegendorphe. En la regardant, il retrouvait lentement le bonheur lui aussi, le simple bonheur. Le passé, l'avenir... ni l'un ni l'autre n'étaient réels. Juste ce déjeuner sous les platanes, à Avignon. C'était tout ce qui comptait.

– C'est si raffiné, disait Maya. Je ne me suis pas sentie aussi calme et détendue depuis des années. Je comprends que ça te plaise.

Elle le regarda en riant, et il sentit un sourire imbécile se plaquer sur sa figure.

– Tu ne voudrais pas revoir Moscou ? lui demanda-t-il.

– Ça non, alors. Sûrement pas.

Elle écarta cette idée comme une intrusion indésirable dans l'instant présent. Il se demanda comment elle ressentait son retour sur Terre. On ne pouvait pas être tout à fait indifférent à une telle chose.

Pour certains, *chez soi*, c'était chez soi, un ensemble de sentiments qui allaient bien au-delà du rationnel, une sorte de champ gravitationnel qui imprimait sa forme géométrique à la personnalité. Mais il y avait aussi des gens pour qui un endroit en valait un autre, pour qui l'individu affranchi de toute contrainte était le même où qu'il aille. Les uns vivaient dans l'espace courbe, einsteinien, de leur *chez eux*, les autres dans l'espace absolu, newtonien, de la liberté. Il était du premier type et Maya du second. On ne luttait pas contre ça. N'empêche qu'il voulait lui faire aimer la Provence. Ou du moins lui faire comprendre pourquoi il l'aimait, lui.

C'est pourquoi, après le déjeuner, il l'emmena vers le sud et les Baux, en passant par Saint-Rémy.

Elle dormit tout au long du trajet, et il n'en fut pas mécontent. La route entre Avignon et les Baux était bordée de vilains bâtiments industriels éparpillés sur une plaine poussiéreuse. Elle se réveilla juste au bon moment, alors qu'il négociait une route étroite et sinueuse grimpant dans une faille des Alpilles, vers le vieux village perché au sommet d'une colline. On se garait sur un parking, puis on montait à pied dans la ville. Ces dispositions avaient manifestement été prises pour des raisons touristiques, mais l'unique rue tortueuse, d'ailleurs pittoresque, du village était très calme en réalité, comme si l'endroit était abandonné. Le village était endormi dans la chaleur de l'après-midi, volets clos. Un dernier tournant, on traversait une place vide, pentue, et on arrivait au sommet de la colline, coiffé par des buttes de calcaire jaunâtre. Elles avaient été évidées par des ermites car il y avait jadis eu à cet endroit un ermitage qui se croyait protégé par son altitude des Sarrasins et autres dangers du monde médiéval. Au sud, la Méditerranée étincelait telle une feuille d'or. Un fin voile nuageux couleur de bronze passa dans le ciel, à l'ouest, et la lumière prit une teinte ambrée, métallique, comme s'ils marchaient dans une gelée de siècles.

Ils passèrent d'une cellule à l'autre, s'émerveillant de leur petitesse.

– On dirait un terrier de chiens de prairie, nota Maya en jetant un coup d'œil dans une petite grotte en forme de cube. Ça me rappelle notre parc de caravanes à Underhill.

De retour sur la place en pente, jonchée de blocs de calcaire, ils s'arrêtèrent pour regarder briller la Méditerranée. Michel lui indiqua la surface plus terne de la Camargue.

– Il n'y avait pas toute cette eau, avant.

La lumière s'assombrit, prit une teinte abricot, et la colline devint une sorte de forteresse au-dessus de l'immensité du monde et du temps. Maya le prit par la taille et se blottit contre lui en frissonnant.

– C'est beau. Mais je n'aurais pas pu vivre là-haut, comme eux. Je ne sais pas, je trouve ça trop exposé.

Ils retournèrent à Arles. Le samedi soir, le centre-ville devenait une sorte de festival gitan ou maghrébin. Dans les ruelles étaient dressés des éventaires de boissons et de nourriture. Il y en avait même sous les arches des arènes, qui étaient ouvertes à tous. Un orchestre y était installé. Maya et Michel se promenèrent bras dessus, bras dessous, dans les odeurs de friture et d'épices. Les gens, autour d'eux, s'interpellaient en deux ou trois langues.

– On se croirait à Odessa, dit Maya alors qu'ils faisaient le tour des arènes. Sauf que les gens sont si petits. C'est bien agréable de ne pas avoir l'impression d'être une naine, pour une fois.

Ils dansèrent dans les arènes, s'attablèrent à une buvette, sous les étoiles frémissantes. L'une d'elles était rouge, et Michel eut quelques soupçons, mais les garda pour lui. Ils rentrèrent à l'hôtel et ils firent l'amour sur son lit étroit. A un moment donné, Michel eut l'impression d'être plusieurs personnes à la fois, qui jouirent toutes en même temps. Etrange sensation qui lui arracha un cri d'extase... Maya s'endormit et il resta à côté d'elle, les yeux ouverts, parcouru d'une tristesse hors du temps, buvant l'odeur familière de ses cheveux, écoutant la cacophonie de la ville qui s'estompait lentement. Il était enfin chez lui.

Les jours suivants, il la présenta à son neveu et aux autres membres de la famille que Francis avait réunis. Tout le monde l'adopta, et on lui posa des kyrielles de questions par le truchement des IA de traduction. Ils semblaient avides de tout lui dire sur eux. C'était fréquent, pensa Michel. Les gens souhaitaient s'emparer du célèbre étranger dont ils connaissaient (ou croyaient connaître) l'histoire, et lui offraient la leur en échange, pour rééquilibrer la relation. Une sorte de témoignage, ou de confessionnal. Le partage réciproque des récits. Et les gens étaient naturellement attirés vers Maya, de toute façon. Elle les écouta en riant et les interrogea comme si tout ça la fascinait. Ils lui racontèrent pour la énième fois l'inondation, comment elle avait envahi leurs maisons, leurs vies, les expédiant dans le vaste monde, vers des amis et des parents qu'ils n'avaient pas vus depuis des années, les contraignant à de nouveaux schémas et de nouveaux rapports, rompant le moule de leurs vies, les projetant dans le mistral. Michel vit qu'ils avaient été galvanisés par ce processus, qu'ils étaient fiers de la façon dont ils avaient réagi, dont ils s'étaient serré les coudes, et tout aussi indignés par les contre-exemples d'arnaque ou d'insensibilité qui entachaient cette histoire autrement héroïque.

– Vous vous rendez compte ? Enfin, ça ne lui a pas porté bonheur parce que, une nuit, il a été agressé dans la rue et tout son argent a disparu.

– Ça nous a réveillés, vous comprenez ? Ça nous a obligés à sortir de notre léthargie.

Ils disaient ces choses à Michel en français, le regardaient hocher la tête, et guettaient la réaction de Maya, à qui son IA traduisait leurs propos en anglais. Elle opinait du chef à son tour, absorbée comme elle l'avait été par les jeunes indigènes du bassin d'Hellas, qui réorientaient leurs anecdotes en fonction de l'intérêt qu'elle manifestait. Ah, ils faisaient une sacrée paire, Nirgal et elle, ils étaient charismatiques. Ça devait venir du regard qu'ils portaient sur les autres, de la façon dont ils les mettaient en valeur. C'était peut-être ça, le charisme : le don d'offrir un miroir aux autres.

Des membres de la famille de Michel leur firent descendre le Rhône sur leur bateau, et Maya s'émerveilla de son impétuosité, des efforts faits pour le recanaliser dans le lagon étrangement encombré de la Camargue. Puis ils s'engagèrent sur l'eau brune de la Méditerranée, et plus loin encore, sur l'eau bleue éclaboussée de soleil, le petit bateau bondissant sur les vagues que le mistral coiffait d'écume. La vue de la côte au loin, par-delà tout ce bleu incrusté d'or, était stupéfiante. Michel se déshabilla et sauta dans les flots glacés, en faisant jaillir des gerbes de cristal. Il but un peu d'eau salée, retrouva la saveur amniotique de ses bains d'antan, à la plage.

Au cours de leurs pérégrinations, ils allèrent voir le pont du Gard. L'immuable aqueduc était le plus grand ouvrage d'art des Romains : trois étages de pierre, les arches inférieures, épaisses, solidement campées dans le fleuve, fières de leurs deux mille ans de résistance au courant. Les arcades plus légères, plus altières, du milieu, puis les plus petites tout en haut. La forme adaptée à la fonction avec une grâce infinie. La pierre piquetée, d'un blond de miel, qui faisait franchir l'eau à l'eau était très martienne à tout point de vue. On aurait dit l'arche de Nadia à Underhill, dressée dans cette gorge calcaire, d'un vert poussiéreux, là, en Provence. A présent, Michel se serait presque cru sur Mars plutôt qu'en France.

Maya aima son élégance.

– Regarde comme c'est humain, Michel. C'est ce qui manque aux constructions martiennes, elles sont trop grandes. Au moins ça, ça a été fait par des mains humaines, avec des moyens à l'échelle humaine. Des blocs, des outils, des calculs à la portée de l'homme, peut-être quelques chevaux. Et pas nos machines télécommandées, faites de matériaux bizarres, qui effectuent des tâches incompréhensibles et qu'on ne voit même pas.

– C'est vrai.

– Je me demande si nous serions encore capables de construire des choses de nos propres mains. Je voudrais que Nadia voie ça. Elle adorerait.

Michel était heureux. Ils pique-niquèrent sur place. Ils allèrent voir les fontaines d'Aix-en-Provence. Se rendirent à un point de vue surplombant la vallée du Gard. Fouinèrent dans les docks de Marseille. Visitèrent les sites romains d'Orange et de Nîmes.

Longèrent les plages submergées de la Côte d'Azur. Allèrent se promener, un soir, au mas en ruines de Michel, et dans la vieille oliveraie.

A la fin de ces rares et précieuses journées, ils rentraient à Arles et mangeaient au restaurant de l'hôtel ou, s'il faisait chaud, sous les platanes des cafés en terrasse. Puis ils remontaient dans leur chambre et faisaient l'amour. Ils se réveillaient à l'aube et faisaient l'amour à nouveau, ou descendaient chercher des croissants chauds et du café.

– C'est beau, lui dit Maya, dans le bleu du soir, en regardant les toits de tuile du haut de la tour des arènes.

Et elle le pensait. C'est ce qu'elle pensait de cet endroit, et de toute la Provence. Michel était heureux.

Puis ils reçurent un message sur leur bloc-poignet. Nirgal était malade ; très malade. Sax paraissait bouleversé. Il avait déjà fait remettre Nirgal sous gravité martienne, en environnement stérile, dans un vaisseau en orbite autour de la Terre.

– Je crains qu'il n'ait été trahi par son système immunitaire, et la pesanteur n'arrange pas les choses. Il a une infection, un œdème pulmonaire et beaucoup de fièvre.

– Il est allergique à la Terre, quoi, traduisit Maya, le visage sombre.

Elle lui fit part de ses projets et coupa la communication après avoir sèchement conseillé à Sax de rester calme, puis elle s'approcha du petit placard de la chambre et commença à jeter ses vêtements sur le lit.

– Dépêche-toi ! appela-t-elle en voyant Michel planté là. Il faut que nous partions.

– Ah bon ?

Elle l'écarta d'un geste et fouilla dans le placard.

– Moi, j'y vais, reprit-elle en lançant des sous-vêtements en vrac dans sa valise. Il est temps de repartir, de toute façon.

– Vraiment ?

Elle ne répondit pas. Elle appela les représentants locaux de Praxis sur son bloc-poignet et leur demanda de les faire transporter dans l'espace où ils retrouveraient Sax et Nirgal. Elle parlait d'une voix tendue, froide, professionnelle. Elle avait déjà oublié la Provence.

Lorsqu'elle vit que Michel n'avait pas bougé, elle explosa.

– Oh, allez, ne dramatise pas ! Ce n'est pas parce que nous devons partir maintenant que nous ne reviendrons jamais ! Nous allons vivre un millier d'années, tu pourras revenir aussi souvent que tu veux, cent fois si ça te chante ! Et puis, cet endroit est-il tellement mieux que Mars, au fond ? Pour moi, c'est Odessa tout craché, et tu y as été heureux, non ?

Michel ignora cette réplique. Il s'approcha en traînant les pieds de la fenêtre devant laquelle elle avait ouvert ses valises. Dehors, la rue était plongée dans un crépuscule bleuté. Une rue comme tant d'autres, à Arles : des dalles de pierre, des murs de stuc aux teintes pastel. Des cyprès. Des tuiles sur le toit, en face, étaient cassées. D'une couleur martienne. Des voix, en bas, s'interpellaient furieusement en français.

– Alors ? s'exclama Maya. Tu viens ?

– Oui.

SIXIÈME PARTIE

Ann dans l'outback

Ecoute, refuser de suivre le traitement de longévité, c'est un suicide.

Et alors ?

Eh bien, d'ordinaire, le suicide est considéré comme un signe de dysfonctionnement psychologique.

D'ordinaire.

C'est souvent vrai, tu sais. Le moins qu'on puisse dire, c'est que tu n'es pas heureuse.

C'est le moins qu'on puisse dire, en effet.

Et pourquoi ? Que veux-tu de plus ?

Le monde.

Tu vas encore, tous les soirs, voir le coucher du soleil.

Une habitude.

Tu attribues ta dépression à la destruction de la Mars primitive. Je pense que les raisons philosophiques invoquées par les gens souffrant de dépression sont des masques dissimulant des blessures plus graves, plus personnelles.

Toutes ces choses peuvent être réelles.

Tu veux dire, toutes les raisons ?

Oui. De quoi accusais-tu Sax ? De monocausotaxophilie ?

Touché. Mais ces choses ont généralement un point de départ. Parmi toutes les vraies raisons, il y en a une qui t'a fait dévier de ta route. Il faut souvent retourner à ce point de son parcours personnel pour pouvoir reprendre un autre chemin.

Le temps n'est pas l'espace. La métaphore de l'espace est une imposture en ce qui concerne le temps. On ne peut pas revenir en arrière.

Mais si, mais si. On peut revenir sur ses pas, métaphoriquement. Le voyage mental permet de rebrousser chemin, de voir où on a bifurqué et pourquoi, puis de repartir dans une direction différente grâce à cette espèce d'échangeur qu'est la compréhension. Mieux comprendre, c'est ajouter du sens. Quand tu prétends être avant tout préoccupée par le destin de Mars, je pense que c'est un déplacement si fort qu'il te fait perdre de vue la réalité. C'est aussi une métaphore. Peut-être réelle, oui. Mais les deux termes de la métaphore devraient être reconnus.

Je sais ce que je vois.

Mais tu ne le vois pas, justement ! Tu ne vois pas tout ce qui reste de Mars la Rouge, or il en reste énormément. Tu devrais aller le voir ! Ça te viderait la tête, tu verrais. Tu devrais sortir à basse altitude, marcher librement dans l'air, avec un simple masque facial. Ça te ferait du bien, physiologiquement parlant. Et puis au moins tu profiterais d'un des avantages du terraforming. Tu découvrirais la liberté que nous y avons gagnée, le lien que ça nous procure avec ce monde : pouvoir marcher nu à sa surface et survivre. C'est stupéfiant ! Nous faisons désormais partie de son écologie. Tout ça mérite d'être repensé. Tu devrais sortir afin d'y réfléchir, d'étudier le processus d'aréoformation.

Ce n'est qu'un mot. Nous avons pris cette planète et nous l'avons labourée. Elle fond sous nos pieds.

Dans une eau qui a toujours été là. Pas de l'eau importée de Saturne ou de je ne sais où, une eau qui faisait partie de la donne au départ, que je sache. Dégazée de la masse originelle de Mars. Elle fait maintenant partie de notre corps. Nos corps mêmes sont des structures aqueuses martiennes. Sans les oligo-éléments nous serions transparents. Nous sommes de l'eau martienne. Une eau qui était déjà à la surface de Mars, et qui jaillit en une apocalypse artésienne. Ces canaux sont si gros !

C'était le permafrost. Depuis deux milliards d'années.

Eh bien, nous l'avons aidée à remonter à la surface. La majesté des grands aquifères explosant. Nous étions là, nous en avons vu un de nos propres yeux, nous avons failli mourir dedans...

Oui, oui...

Tu as senti l'eau emporter la voiture, tu étais au volant...

Oui ! Et elle a emporté Frank à la place.

C'est vrai.

Elle a emporté le monde. Et elle nous a laissés sur le rivage.

Le monde est encore là. Il suffirait que tu sortes pour le voir.

Je ne veux pas le voir. Je l'ai déjà vu !

Pas toi. Un toi antérieur. Tu es un autre toi, aujourd'hui.

C'est ça, c'est ça.

Je pense que tu as peur. Peur d'entreprendre une transmutation, de te métamorphoser en quelque chose de nouveau. L'alambic est là, tout autour de toi. Le feu est allumé dessous. Tu fondrais, tu renaîtrais, qui sait si tu serais encore là après ?

Je n'ai pas envie de changer.

Tu ne veux pas cesser d'aimer Mars.

Non. Si.

Tu ne cesseras jamais d'aimer Mars. Pense aux roches métamorphiques : elles n'ont pas cessé d'exister. Elles sont même généralement plus dures que la roche dont elles sont issues. Tu aimeras toujours Mars. Ta mission devient de voir la Mars qui sera toujours là, sous l'épais ou le fin, le chaud ou le froid, le sec ou l'humide. Tout cela est éphémère alors que Mars perdurera. Ces inondations se sont déjà produites, n'est-ce pas ?

Oui.

Tous ces fluides sont l'eau même de Mars.

Sauf l'azote de Titan.

Eh oui. J'ai l'impression d'entendre parler Sax.

Allons, allons.

Vous vous ressemblez plus, tous les deux, que tu ne le penses. Nos fluides à tous sont les fluides de Mars.

Mais la destruction de la surface ? Elle est complètement ravagée. Tout a changé.

C'est l'aréologie. Ou l'aréophanie.

C'est la destruction. Nous aurions dû essayer de l'habiter comme elle était.

Mais nous ne l'avons pas fait. Et maintenant, être Rouge, ça veut dire s'efforcer de préserver un environnement aussi proche que possible des conditions d'origine, dans le cadre de l'aréophanie, le projet de création de biosphère qui permet aux êtres humains de vivre librement en surface, jusqu'à une certaine altitude. C'est ce que veut dire, aujourd'hui, le fait d'être Rouge. Mais il y a beaucoup de Rouges comme ça. Je crois savoir ce qui t'angoisse : tu te dis que si tu changes ne serait-ce que d'un iota, ce sera la fin du Rouge partout. Eh bien, le Rouge est plus fort que toi. Tu as contribué à son émergence, à sa définition, mais tu n'as jamais été seule. Si tu avais été seule, personne ne t'aurait écoutée.

On ne m'a pas écoutée !

Mais si. Parfois. Et même souvent. Le Rouge continuera, quoi que tu fasses. Tu pourrais quitter la scène, changer radicalement, tu pourrais devenir vert pomme, ce ne serait pas la fin du Rouge. Il se pourrait même qu'il devienne plus Rouge que tu ne l'as jamais imaginé.

Plus Rouge que je ne l'ai imaginé ? Impossible.

Songe à toutes les possibilités. Nous en vivrons une, et nous continuerons. Le processus de coadaptation avec cette planète se poursuivra pendant des milliers d'années. Nous sommes là, à présent. Tu devrais te demander à chaque instant ce qui manque encore et t'efforcer d'accepter ta réalité actuelle. C'est la santé mentale, c'est la vie. Il faut que tu imagines ta vie à partir de maintenant et au-delà.

Je ne peux pas. J'ai essayé et je n'y arrive pas.

Tu devrais regarder autour de toi, vraiment. Faire un tour. Voir tout ça de près. Même les mers de glace. Les examiner attentivement. Et sans hostilité. L'hostilité n'est pas forcément mauvaise, mais tu devrais commencer par jeter juste un coup d'œil. Effectuer une reconnaissance. Tu devrais monter un peu dans les collines. Tharsis. Elysium. Prendre de l'altitude, ce qui revient à remonter dans le temps. Ta mission consiste à trouver la Mars qui perdurera. C'est vraiment une tâche merveilleuse. Tout le monde n'a pas un rôle aussi exaltant à jouer, loin de là. Tu as de la chance, tu sais.

Et toi ?

Quoi, moi ?

Quel est ton rôle ?

Mon rôle ?

Oui, ton rôle.

... Je ne sais pas très bien. Je te l'ai dit, je t'envie d'avoir ce rôle à jouer. Le mien consiste à... C'est confus. Aider Maya, m'aider moi-même. Et tous les autres. Nous réconcilier... Retrouver Hiroko.

Tu es notre psy depuis longtemps.

Oui.

Plus de cent ans.

Oui.

Et tu n'as jamais obtenu le moindre résultat.

Eh bien, je veux croire que j'ai été d'une certaine aide.

Mais ça ne te vient pas naturellement.

Pas forcément.

Tu crois que les gens s'intéressent à la psychologie parce que ça ne tourne pas rond dans leur tête ?

C'est une théorie répandue.

Mais tu n'as jamais eu de psy.

Oh, j'ai eu des thérapeutes.

Ils t'ont aidé ?

Oui. Beaucoup ! Enfin, pas mal. Ils ont fait de leur mieux.

Mais tu ne connais pas ton rôle.

Non. Enfin... je voudrais rentrer chez moi.

Où ça, chez toi ?

C'est le problème. C'est difficile de ne pas savoir où on est chez soi, hein ?

Oui. Je pensais que tu resterais en Provence.

Non. C'est-à-dire... J'étais chez moi en Provence, mais...

Mais tu rentres sur Mars.

Oui.

Tu as décidé de revenir.

... Oui.

Tu ne sais pas où tu en es, hein ?

Non. Mais toi, si. Tu sais où tu es chez toi, et ça, c'est inestimable ! Tu devrais t'en souvenir, tu ne devrais pas refuser un don si précieux, ou le voir comme un fardeau ! Tu es stupide de penser ça. C'est une richesse, idiote, un bien inappréciable, tu comprends ce que je te dis ?

Il va falloir que j'y réfléchisse.

Elle quitta le refuge dans un patrouilleur météo du siècle dernier, un véhicule carré, haut sur pattes, au compartiment supérieur vitré sur les quatre côtés, un peu comme celui qu'ils avaient au pôle Nord, Nadia, Phyllis, Edmond, George et elle. Et comme depuis elle avait passé des milliers de jours dans des engins pareils, dès le départ elle eut l'impression de faire une chose ordinaire, dans la continuité de son existence.

Elle partit vers le nord-est en suivant un canyon qui la mena dans le lit d'un petit canal sans nom, par soixante degrés de longitude et cinquante-trois degrés de latitude nord. Cette vallée avait été sculptée par une résurgence aquifère, à la fin de l'ère amazonienne, et empruntait la faille formée par un graben antérieur, au pied du Grand Escarpement. Les effets abrasifs de l'inondation étaient encore visibles sur les parois du canyon, et dans les îles lenticulaires formées dans les roches du soubassement, au fond du canal.

Lequel courait maintenant vers le nord, et une mer de glace.

Elle sortit du véhicule équipée d'un coup-vent doublé de fibre, d'un masque à gaz carbonique, de lunettes et de bottes chauffantes. L'air était diaphane et froid, bien que ce soit maintenant le printemps dans le Nord, en ce Ls 10 de l'année M-53. Il faisait froid, il y avait du vent, et des lignes irrégulières de nuages bas, renflés, filaient vers l'est. Soit une ère glaciaire était en préparation, soit, si les manipulations des Verts aboutissaient, il fallait s'attendre à une année sans été, comme en 1810, sur Terre, lorsque l'éruption du Tambori avait plongé le monde dans l'hiver.

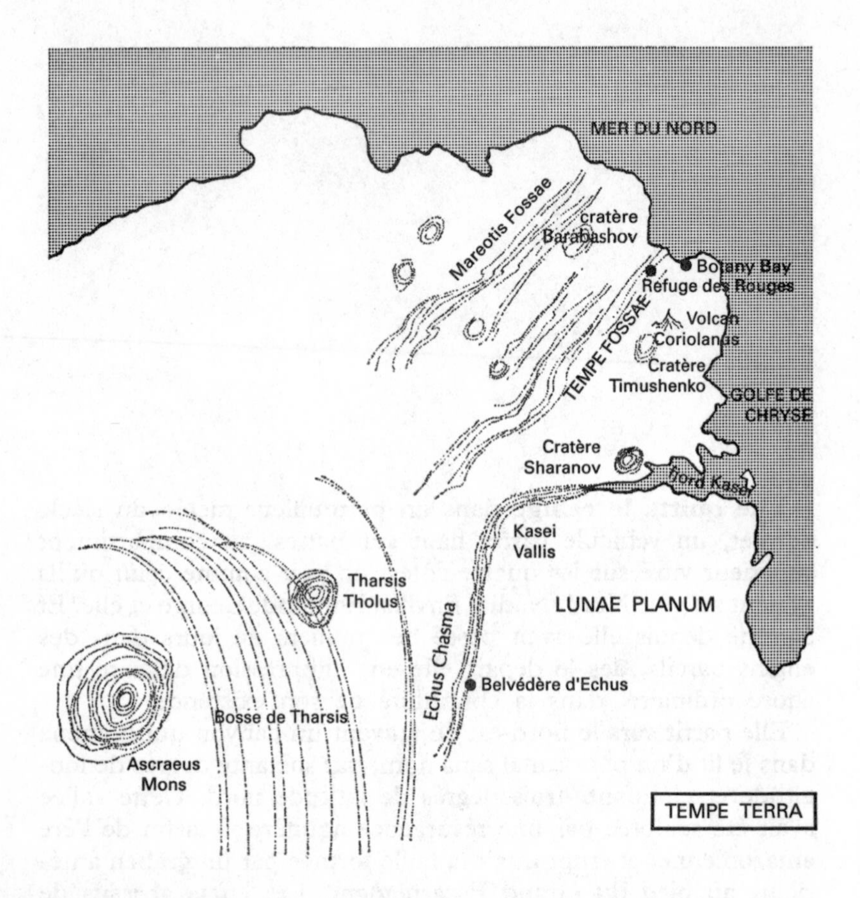

Elle se dirigea vers le rivage de la nouvelle mer, qui s'étendait au pied du Grand Escarpement, à Tempe Terra – un lobe d'anciennes highlands s'enfonçant au nord. Tempe avait échappé au bouleversement général de l'hémisphère Nord, sans doute parce qu'elle était à peu près à l'opposé du point d'impact de l'astéroïde qui avait heurté Mars au Noachien, et que la plupart des aréologistes s'accordaient à présent à situer près de Hrad Vallis, au-dessus d'Elysium. Enfin. Des collines accidentées surplombaient une mer couverte de glace. La roche ressemblait à une mer rouge fouettée par un gigantesque mixer. La glace évoquait une prairie au cœur de l'hiver. De l'eau indigène, comme disait Michel, de l'eau qui était là depuis le début, qui avait jadis coulé à la surface. C'était difficile à admettre. Ses pensées étaient fragmentaires, confuses, partaient dans toutes les directions à la fois. C'était une sorte de folie, et en même temps elle savait qu'il ne s'agissait pas de cela. Le vent qui bourdonnait et gémissait ne lui parlait pas sur le même ton que le conférencier du MIT. Elle n'avait pas l'impression d'étouffer quand elle respirait. Non, ce n'était pas ça. C'est plutôt que ses pensées étaient bousculées, disloquées, imprévisibles, comme cette volée d'oiseaux zigzaguant dans le ciel au-dessus de la glace, dans le vent d'ouest. Ah, sentir ce même vent sur son corps, être poussée par ce nouvel air épais comme une grosse patte d'animal...

Les oiseaux téméraires évoluaient avec habileté dans les bourrasques. Elle les contempla un instant : des mouettes pillardes, qui chassaient au-dessus des noires étendues d'eau à ciel ouvert. Ces polynies trahissaient la présence d'immenses ampoules d'eau sous la glace. Elle avait entendu dire qu'un courant ininterrompu circulait maintenant sous la glace tout autour du globe, tournait vers l'est au-dessus du vieux Vastitas, crevant souvent la surface. Ces trous pouvaient rester liquides pendant une durée allant d'une heure à une semaine. Même dans l'air glacial, les eaux souterraines étaient réchauffées par les moholes immergés de Vastitas, et la chaleur qui montait des milliers d'explosions thermonucléaires déclenchées par les métanats au tournant du siècle. Ces bombes avaient été placées assez profondément dans le mégarégolite pour piéger les retombées radioactives, en théorie du moins, mais pas la chaleur. Celle-ci remontait à travers la roche selon une pulsation thermique qui durerait des années. Non ; Michel pouvait toujours dire que c'était l'eau de Mars, cette nouvelle mer n'avait pas grand-chose de naturel.

Ann grimpa sur une crête pour avoir une vue plus large. Elle était bien là : de la glace, lisse la plupart du temps, parfois crevassée. Aussi immobile qu'un papillon sur une brindille, comme si la blancheur pouvait soudain battre des ailes et s'envoler. Les brusques virages des oiseaux, la course précipitée des nuages témoignaient de la force du vent. Tout dans le ciel se ruait vers l'est. Mais la glace restait inerte. Le vent rugissait d'une voix grave, profonde, raclant un milliard d'angles glacés. Une bande d'eau grise était hachée par les rafales, les griffures de la surface enregistrant avec précision la force de chacune d'entre elles, tout passage plus violent que le précédent cannelant les plus grosses vagues avec une délicatesse exquise. L'eau. Et, sous la surface hachurée, le plancton, le krill, les poissons, les calmars. Elle avait entendu dire que des établissements de pisciculture produisaient toutes les créatures de la courte chaîne alimentaire de l'Antarctique et les relâchaient dans la mer. L'eau grouillait de vie.

Les mouettes descendirent en tournoyant vers le rivage, derrière des rochers. Ann s'approcha et repéra leur cible dans un creux au bord de la glace : un phoque à demi dévoré. Un phoque !

La carcasse gisait sur l'herbe de la toundra, protégée du vent par une rangée de dunes, elles-mêmes abritées par une crête rocheuse qui courait vers la glace. Les os blancs tranchaient sur la chair rouge sombre, soulignée par la graisse blanche et la fourrure noire. Le ventre ouvert, offert au ciel. Les yeux arrachés.

Elle dépassa le cadavre, escalada une autre crête, une petite arête rocheuse qui s'avançait dans la glace. Il y avait une baie ronde, au-delà. Un cratère envahi par la glace, au niveau de la mer, et dont le bord était échancré, de sorte que l'eau et la glace s'étaient engouffrées dedans. Un jour, cela donnerait un port idéal, de trois kilomètres de diamètre environ.

Ann s'assit sur un rocher et regarda la nouvelle baie. Sa poitrine se soulevait, mue par des mouvements incontrôlables comparables aux contractions de l'accouchement. Des sanglots. Elle écarta son masque, se moucha dans ses doigts, s'essuya les yeux, tout cela sans cesser de pleurer à chaudes larmes. C'était son corps. Elle se rappela le jour – il y avait des lustres de ça – où elle avait vu, pour la première fois, l'eau s'engouffrer dans Vastitas. Elle n'avait pas pleuré, à ce moment-là, mais Michel avait dit que c'était le choc, l'engourdissement provoqué par le choc, comme quand on se blesse. Elle avait fui son propre corps, ses sentiments. Michel considérerait sûrement cette réaction comme plus saine, mais pour quelle raison ? Elle avait mal. Son corps était secoué de spasmes, de mouvements sismiques. Quand ce serait fini, aurait dit Michel, elle se sentirait mieux. Vidée. Toute tension évacuée. La tectonique du système limbique. Elle méprisait les analogies simplistes de Michel : la femme, une planète ? C'était absurde. N'empêche qu'elle était assise là, à renifler, regardant la baie glacée sous les nuages qui filaient, et elle se sentait vidée.

Rien ne bougeait en dehors des nuages au-dessus de sa tête et de l'eau que le vent rainurait et faisait virer du gris au mauve puis de nouveau au gris. L'eau s'agitait, mais le sol restait immobile.

Ann se releva et descendit vers une arête de shishovite durcie qui formait maintenant une étroite langue entre deux longues plages. En fait, si les choses étaient restées à peu près dans leur état primitif au-dessus de la glace, il n'en allait pas de même au niveau de l'eau. Tout l'été, le vent soufflant sur l'eau de la baie y avait formé des vagues assez violentes pour rompre les masses de glace subsistantes, provoquant la débâcle. Les fragments venaient s'échouer au-dessus du niveau actuel de la mer, pareils à des sculptures imitant le bois flotté. Et tout l'été cette glace en débâcle avait raviné le sable des nouvelles plages, y abandonnant une bouillie de glace, de boue, de sable, maintenant congelée par endroits en un vilain glaçage marron.

Ann s'avança lentement sur ce gâchis. Au-delà, il y avait un petit îlot, couronné de blocs de glace qui avaient atterri dans les creux et gelé à la surface de la mer. L'exposition au soleil et au vent les avait métamorphosés en une fantasia baroque de glace bleue, transparente, et rouge, opaque. On aurait dit une concrétion de saphir et de jaspe sanguin. Les parois sud des blocs avaient fondu avant les autres et l'eau de fonte avait regelé, formant des stalactites, des barbes, des draperies et des colonnes de glace.

Elle regarda le rivage, derrière elle, constata à quel point le sable était labouré, déchiqueté. Les dégâts étaient effroyables. Les sillons faisaient parfois deux mètres de profondeur. Il avait fallu une force incroyable pour creuser de telles tranchées ! Les buttes de sable devaient être du lœss, des dépôts de particules légères, dissociées, éoliennes. C'était maintenant un no man's land de boue gelée et de glace sale. On aurait dit que des bombes avaient dévasté les tranchées d'une malheureuse armée.

Elle s'engagea sur la glace opaque de la baie. Le monde semblait couvert de sperme. Une fois, la glace craqua sous sa botte.

Elle ressortit de la baie, s'arrêta, regarda autour d'elle. L'horizon étant très limité, elle grimpa sur un iceberg aplati qui offrait une bien meilleure vue sur la mer de glace, jusqu'au cercle formé par le tour du cratère, sous les nuages qui filaient dans le ciel. Bien que craquelée, bouleversée et ridée par des lignes de force, la glace traduisait l'horizontalité de l'eau qui se trouvait en dessous. Au nord, l'ouverture sur la mer était apparente. Des icebergs au sommet aplati dépassaient de la glace tels des châteaux déformés. Un désert blanc.

Après s'être vainement efforcée de dominer la scène, elle descendit de l'iceberg et rejoignit le rivage et son véhicule. Elle franchissait la petite arête rocheuse lorsqu'un mouvement attira son regard. Une chose blanche se déplaçait en bordure de la glace. Un homme à quatre pattes, en combinaison blanche. Non. Un ours. Un ours polaire.

Il avait repéré les ébats des mouettes au-dessus du phoque mort. Ann s'accroupit derrière un rocher, se coucha à plat ventre sur une langue de sable gelé. Elle sentit le froid contre son corps. Elle jeta un coup d'œil par-dessus le rocher.

La fourrure ivoire de l'ours était jaunie aux flancs et aux pattes. Il souleva sa lourde tête, prit le vent comme un chien, regarda autour de lui avec curiosité. Il se traîna lourdement jusqu'au cadavre du phoque, ignorant les oiseaux criaillants. Il dévora la chair du phoque tel un chien sa pâtée. Il redressa la tête ; il avait le museau ensanglanté. Le cœur d'Ann battait à tout rompre. L'ours s'assit sur son derrière, se lécha une patte puis se nettoya le museau avec une méticulosité de chat. Enfin il se remit sur ses pattes et gravit la paroi de pierre et de sable, vers Ann, tapie derrière le rocher. Il trottinait en déplaçant les deux pattes du même côté de son corps à la fois, gauche, droite, gauche.

Ann se laissa rouler de l'autre côté de l'arête rocheuse, se releva et remonta en courant la rigole formée par une fracture de faible amplitude menant vers le sud-ouest. Son patrouilleur était droit vers l'ouest, mais l'ours venait du nord-ouest. Elle gravit à quatre pattes la courte pente du canyon, franchit en courant une bande de sol surélevé donnant sur un autre petit canyon qui passait un peu plus à l'ouest que le précédent. Elle escalada la nouvelle élévation de terrain séparant deux fosses peu profondes et regarda derrière elle. Elle était à bout de souffle, et son patrouilleur était encore à deux bons kilomètres, à l'ouest et un peu au sud, derrière des collines déchiquetées. L'ours était au nord-est. S'il allait droit vers le véhicule, ils en étaient tous deux à peu près à la même distance. Chassait-il à la vue ou à l'odorat ? Avait-il assez de cervelle pour prévoir la trajectoire de sa proie et se déplacer pour lui couper la route ?

C'était probable. Elle était en nage sous son coupe-vent. Elle se précipita dans le canyon suivant et courut un moment vers l'ouest et un peu au sud. Puis elle vit une pente douce, la gravit en courant et se retrouva sur une sorte de large route surélevée séparant deux petits canyons. Elle jeta un coup d'œil par-dessus son épaule ; l'ours était planté sur ses quatre pattes, derrière elle, à deux canyons de distance. On aurait dit un très gros chien, ou un croisement de chien et d'être humain, à la fourrure d'un blanc jaunâtre. Elle était stupéfaite de voir un pareil animal en cet endroit. La chaîne alimentaire ne pouvait sûrement pas nourrir un aussi gros prédateur. Comment était-ce possible ? On devait lui apporter à manger à des stations de ravitaillement. C'était à espérer, car autrement il devait être affamé. Il se laissa tomber dans le canyon, disparaissant à sa vue. Ann se mit à courir sur la bande rocheuse menant vers son patrouilleur. Malgré les détours qu'elle avait faits, l'étroitesse de l'horizon, son irrégularité, elle avait suffisamment le sens de l'orientation pour savoir où il se trouvait.

Elle adopta une allure qu'elle se croyait capable de tenir sur la distance. Elle devait se retenir pour ne pas se mettre à courir à toutes jambes, mais non, non, ça ne pouvait que mener à la catastrophe. Calme-toi, se dit-elle en respirant par petites saccades. Descends de ce promontoire dans un graben de façon à être hors de vue. Oriente-toi, il ne manquerait plus que tu passes au sud de ce satané patrouilleur. Remonte sur cette arête, juste le temps de jeter un coup d'œil. Là, voilà, son patrouilleur était derrière cette colline aplatie qui avait été un petit cratère, avec une bosse du côté sud. Elle en était sûre bien qu'il soit encore invisible, et qu'il soit si facile de confondre un emplacement avec un autre sur ce terrain accidenté. Mille fois elle avait failli se perdre, hésitant le plus souvent sur l'endroit exact où se trouvait son véhicule. Mais ce n'était pas grave, le système de navigation de son bloc-poignet pouvait toujours l'aider à le retrouver. Comme il l'aurait pu à l'heure actuelle, mais elle était sûre qu'il était là, derrière la bosse de ce cratère.

L'air froid lui brûlait les poumons. Elle songea à son masque respiratoire d'urgence, cessa sa course et fouilla dans son sac à dos. Elle ôta son masque à gaz carbonique, plaça sur son nez et sa bouche le masque respiratoire dont l'armature contenait une petite réserve d'oxygène comprimé, le brancha et se sentit tout à coup plus forte, capable d'adopter un rythme plus soutenu. Elle longea en courant une bande de sol surélevé séparant deux canyons, dans l'espoir d'apercevoir son patrouilleur de l'autre côté du cratère. Ah ! il était là ! Elle inspira triomphalement l'oxygène frais. C'était un vrai nectar, mais il ne suffisait pas à l'empêcher de haleter. Elle avait l'impression qu'en descendant dans la rigole à sa droite, elle tomberait droit sur son patrouilleur.

Elle jeta un coup d'œil derrière elle et vit que l'ours polaire s'était mis à courir lui aussi, ses pattes esquissant maintenant une sorte de galop maladroit, pesant. Mais il avançait à vive allure, en se riant des obstacles. Il volait par-dessus les canyons comme un cauchemar blanc, beau et terrifiant, ses muscles liquides se mouvant avec souplesse sous son épaisse fourrure aux pointes jaunes. Elle vit tout cela dans un instant d'extrême lucidité, sans cesser de courir, en regardant bien où elle mettait les pieds pour ne pas trébucher sur un obstacle. C'est ainsi qu'elle vit, dans une image rémanente, l'ours voler sur la pente rouge, danser sur les pierres, les pattes comme des pistons. Il était rapide et le terrain lui convenait parfaitement, mais elle était un animal, elle aussi, elle avait passé des années sur le sol sauvage de Mars, beaucoup plus longtemps, en fait, que ce jeune ours, elle pouvait courir comme une antilope, d'un lit de pierres à un rocher, du sable au gravier, à bout de souffle, mais avec une coordination parfaite. Et d'ailleurs son patrouilleur était tout près. Plus qu'un canyon, la pente du cratère, et ça y était, elle faillit rentrer dedans, s'arrêta, se redressa, flanqua un coup de poing sur la paroi de métal incurvé, aussi fort que si c'était le museau de l'ours, puis un second coup plus mesuré sur la console de la serrure, et elle fut à l'intérieur. Et la porte extérieure se referma derrière elle.

Elle se rua dans l'escalier, vers la cabine de pilotage. Elle vit, à travers la paroi vitrée, l'ours polaire inspecter son véhicule à distance respectable. Hors de portée de flèche soporifique, reniflant pensivement. Ann était en nage, encore à bout de souffle, inspirant, expirant, inspirant, expirant. C'était fou le paroxysme de violence que la cage thoracique pouvait encaisser ! Enfin, elle était là, en sécurité sur le siège conducteur. Quand elle fermait les yeux, elle revoyait la figure héraldique de l'ours volant pardessus la roche. Mais elle n'avait qu'à les rouvrir pour que reparaisse le tableau de bord étincelant, brillant, artificiel, familier. Que c'était bizarre !

Elle mit plusieurs jours à s'en remettre. Il lui suffisait de fermer les yeux et de penser à l'ours polaire pour le revoir. Elle n'arrivait pas à se concentrer. La nuit, la glace de la baie craquait et gémissait, faisait parfois un bruit de tonnerre, alors elle rêvait de l'attaque de Sheffield et se mettait elle-même à gémir. Le jour, elle conduisait si imprudemment qu'elle dut se résoudre à brancher le pilote automatique du patrouilleur, lui ordonnant de suivre la rive du cratère.

Tout en roulant, elle arpentait le compartiment conducteur, l'esprit en révolution. Hors de contrôle. Et rien à faire, que d'en rire et de prendre son mal en patience. Flanquer des coups sur les murs, regarder par les vitres. L'ours était parti, et en même temps il était toujours là. Elle chercha ce mot : *Ursus maritimus*, ours des mers. Les Inuits l'appelaient Tôrnâssuk, « celui qui donne le pouvoir ». De même que le glissement long qui avait failli la tuer à Melas Chasma, il faisait maintenant partie de sa vie pour toujours. Face au glissement de terrain, pas un de ses muscles n'avait tressailli ; cette fois, elle avait couru comme si elle avait le diable aux trousses. Mars pouvait la tuer, et la tuerait sans doute, mais pas une grosse bête de cirque, pas si elle avait son mot à dire. Elle ne tenait guère à la vie, loin de là ; mais elle estimait qu'on devait pouvoir choisir sa mort. Comme elle l'avait choisie dans le passé, à au moins deux reprises. Mais Simon puis Sax – ces deux petits ours bruns – l'avaient arrachée à la mort. Elle ne savait pas encore ce qu'elle devait en penser, ce qu'elle devait ressentir. Ses idées se bousculaient dans sa tête. Elle se cramponna au dossier du siège conducteur. Enfin, elle se pencha sur le clavier du tableau de bord, composa un vieux numéro,

XY23, le code d'un des Cent Premiers, celui de Sax, et attendit que l'IA relaie l'appel vers la navette qui le ramenait vers Mars avec les autres. Au bout d'un moment, il fut là, son nouveau visage s'inscrivit sur l'écran.

– Pourquoi as-tu fait ça ? lui hurla-t-elle en pleine face. C'est à moi de choisir la mort qui me plaît !

Le message mit un moment à l'atteindre. Puis il sursauta, son image vacilla.

– Parce que... commença-t-il, et il s'interrompit.

Ann fut prise d'un frisson. C'était exactement ce que Simon lui avait dit, juste après l'avoir tirée du chaos. Ils n'avaient jamais de raison, juste ce stupide *parce que*.

Sax poursuivit :

– Je ne voulais pas... Je trouvais que c'était un tel gâchis. Quelle surprise de t'entendre. Je suis content.

– Va te faire foutre ! lança Ann.

Elle était sur le point de couper la communication quand il se remit à parler. Ils étaient en transmission simultanée, maintenant, et leurs messages alternaient.

– C'était pour pouvoir te parler, Ann. Je veux dire, j'ai fait ça pour moi, tu m'aurais manqué et je ne voulais pas. Je voulais que tu me pardonnes. Je voulais pouvoir encore discuter avec toi, te faire comprendre pourquoi j'avais fait tout ça.

Il s'interrompit aussi brutalement qu'il avait commencé, et puis il parut troublé, presque effrayé. Peut-être venait-il d'entendre son : « Va te faire foutre ! » Elle avait le pouvoir de lui faire peur, c'était indéniable.

– Quel merdier, dit-elle.

– Oui. Euh... comment ça va ? demanda-t-il au bout d'un moment. Tu as l'air...

Elle coupa la communication. Je viens d'échapper à un ours polaire ! hurla-t-elle silencieusement. J'ai failli être dévorée par la faute de l'un de tes stupides jeux !

Non. Elle ne lui dirait pas ça. Le salopard. Il avait besoin d'une lectrice pour ses contributions au *Métajournal d'histoire martienne*, ça se résumait à ça. Il voulait être sûr que ses articles scientifiques seraient revus par quelqu'un de compétent. Dans ce but, il foulerait aux pieds les désirs les plus intimes de l'individu, il lui refuserait le droit fondamental de choisir entre la vie et la mort, d'être un être humain libre !

Enfin, il n'avait pas essayé de nier.

Et puis... bah, elle était là. Furieuse, en proie à un remords irraisonné, à une angoisse inexplicable. Une exaltation curieusement douloureuse. Tous ces sentiments l'envahirent en même temps. Le système limbique en folie, vibrant, lardant chaque pensée d'émotions contradictoires, sauvages, déconnectées de leur contenu : Sax l'avait sauvée, elle le haïssait, elle éprouvait une joie farouche. Kasei était mort, mais Peter était en vie, ce n'était pas un ours qui aurait sa peau, et tant d'autres pensées... Que c'était étrange !

Elle repéra un petit patrouilleur vert perché sur un escarpement au-dessus de la baie de glace. Instinctivement, elle prit le volant et s'en approcha. Elle fit signe, à travers le pare-brise, à un petit visage qui la regardait : des yeux noirs, des lunettes, un crâne chauve. Comme son beau-père. Elle arrêta son patrouilleur à côté de celui de l'homme. Il lui suggéra de le rejoindre en levant une cuillère de bois. Il semblait légèrement égaré, comme s'il était plongé dans des pensées profondes.

Ann enfila une parka fourrée, franchit le sas et s'aventura entre les voitures. Il faisait si froid qu'elle eut l'impression d'être tombée dans un bain glacé. C'était bon de pouvoir se rendre d'un patrouilleur à un autre sans être obligé de mettre une combinaison, ou, pour aller au fond des choses, sans risquer la mort. Des tas de gens avaient péri à la suite d'une imprudence ou du mauvais fonctionnement d'un sas. Il était même étonnant qu'il n'y en ait pas eu davantage. Et maintenant, tout ce qu'on risquait, c'était un petit coup de froid.

Le chauve ouvrit son sas intérieur.

– Salut, dit-il en lui tendant la main.

– Salut, répondit Ann en la serrant. Je m'appelle Ann.

– Harry. Harry Whitebook.

– Hum. J'ai entendu parler de vous. Vous concevez des animaux.

– Oui, répondit-il avec un gentil sourire, sans le moindre embarras.

Il n'avait même pas l'air sur la défensive.

– J'ai été poursuivie par un de vos ours.

– Vraiment ? fit-il en ouvrant des yeux ronds. Ils courent vite !

– Pour ça oui. Mais ce ne sont pas de vrais ours polaires ?

– Ils ont des gènes de grizzly, à cause de l'altitude, sinon ce sont des *Ursus maritimus*. Des animaux très costauds.

– Beaucoup d'animaux sont comme ça.

– Oui, c'est merveilleux, hein ? Mais j'y pense ! Vous avez mangé ? J'ai fait de la soupe, vous en voulez ? De la soupe de poireaux, j'imagine que ça se sent.

Et comment.

– Avec plaisir, répondit Ann.

Tout en mangeant, elle l'interrogea sur l'ours polaire.

– Je doute que la chaîne alimentaire soit suffisante, par ici, pour permettre à une aussi grosse bête de vivre, n'est-ce pas?

– Détrompez-vous. La région est bien connue pour ça. C'est la première biorégion capable d'accueillir des ours. La baie est liquide, au fond, vous comprenez. Le mohole Ap est au centre du cratère, qui est devenu une sorte de lac sans fond. Il est gelé en hiver, évidemment, mais les ours y sont habitués dans l'Arctique.

– Les hivers sont longs?

– Oui. Les femelles creusent des repaires dans la neige, près de certaines cavernes dans des digues en surplomb, à l'ouest. Les ours n'hibernent pas vraiment, la température de leur corps tombe juste de quelques degrés, et ils peuvent se réveiller en l'espace d'une ou deux minutes s'ils doivent réadapter le nid pour avoir chaud. Ils restent à l'abri pendant l'hiver, ils se débrouillent pour trouver leur pitance comme ils peuvent, et au printemps nous dégageons une partie de la glace qui couvre la baie vers la mer, par l'échancrure, et les choses se développent à partir de là. Les chaînes de base sont antarctiques dans l'eau – du plancton, du krill, des poissons et des calmars –, et arctiques sur la terre ferme : des phoques de Weddell, des lièvres et des lapins, des lemmings, des marmottes, des souris, des lynx, des chats sauvages. Et les ours. Nous avons essayé d'acclimater des caribous, des rennes et des loups, mais il n'y a pas encore assez à manger pour des ongulés. Les ours sont là depuis quelques années à peine, la pression de l'air n'était pas suffisante avant. Mais on est à l'équivalent de quatre mille mètres maintenant, et les ours semblent s'y sentir très bien. Ils se sont vite adaptés.

– Les êtres humains aussi.

– Eh bien, on n'en voit pas beaucoup à quatre mille mètres. (Il voulait dire quatre mille mètres au-dessus du niveau de la mer sur Terre. Donc plus haut que l'habitat humain permanent, si elle se souvenait bien. Mais il poursuivait :) ... on finit toujours par constater le développement de la cavité thoracique, c'est inévitable...

Il parlait tout seul. Un grand gaillard massif, au crâne dégarni, entouré d'une frange de cheveux blancs. Des yeux noirs, liquides, nageant derrière des lunettes rondes.

– Vous avez rencontré Hiroko? lui demanda-t-elle.

– Hiroko Ai? Oui, une fois. Une belle femme. J'ai entendu dire qu'elle était retournée sur Terre, aider les gens à s'adapter à l'inondation. Vous la connaissiez?

– Oui. Je suis Ann Clayborne.

– C'est bien ce que je me disais. La mère de Peter, hein ?
– Oui.
– Il était à Boone, ces temps-ci.
– Boone ?
– La petite station de l'autre côté de la baie. Ici, c'est Botany Bay, la station s'appelle Boone Harbour. Une sorte de plaisanterie. Il y aurait, si j'ai bien compris, deux endroits de ce nom en Australie.
– Vraiment ? fit-elle en secouant la tête.

John serait toujours avec eux. Ils auraient pu être hantés par un fantôme plus malveillant.

Cet homme, par exemple, le fameux concepteur d'animaux. Il entrechoquait les ustensiles de cuisine comme s'il n'y voyait pas très bien. Il finit par poser une assiette devant elle et elle mangea sans cesser de l'observer du coin de l'œil. Il savait qui elle était et ne semblait en être aucunement gêné. Il n'essayait pas de se justifier. Elle était une aréologiste rouge, il concevait de nouveaux animaux martiens. Ils travaillaient sur la même planète. Et pour lui, ça ne voulait pas dire qu'ils étaient ennemis. Il mangeait avec elle sans penser à mal. Il y avait quelque chose de glaçant dans cette idée, quelque chose de violent, malgré ses manières benoîtes. L'oubli était si brutal. En même temps, il lui plaisait bien. Ce pouvoir vague, dépassionné... Il avait quelque chose. Il cessa de fourrager dans sa cuisine, prit place en face d'elle et mangea rapidement, avec bruit, le museau mouillé de bouillon. La soupe finie, ils arrachèrent des morceaux de pain à une longue miche. Ann lui posa des questions sur Boone Harbour.

– Il y a un bon boulanger, fit Whitebook en indiquant le pain. Et un bon labo. Pour le reste, c'est un avant-poste comme les autres. Nous avons fait tomber la tente l'an dernier, et maintenant il fait vraiment froid, surtout l'hiver. Nous ne sommes qu'à 46 degrés de latitude, mais on se croirait beaucoup plus au nord. A tel point qu'on parle de remonter la tente, au moins l'hiver. Et certains voudraient que nous la laissions jusqu'à ce que le climat se réchauffe.
– Jusqu'à la fin de l'ère glaciaire ?
– Je ne pense pas qu'il y ait une ère glaciaire. La première année sans la soletta a été terrible, évidemment, mais il devrait être possible de trouver des compensations. Ça se bornera à quelques années froides.

Il fit osciller une de ses grosses pattes, l'air de dire que la situation pouvait pencher d'un côté ou de l'autre. Frémissante, Ann se retint à grand-peine de lui lancer son bout de pain à la figure. Mieux valait éviter de l'énerver.

– Peter est encore à Boone ? demanda-t-elle entre ses dents.

– Sûrement, oui. Il y était ces jours-ci, en tout cas.

Ils parlèrent encore un peu de l'écosystème de Botany Bay. L'éventail de la vie végétale étant restreint, les concepteurs d'animaux étaient obligés de travailler dans des limites étroites, et la vie animale était plus proche de l'Antarctique que de l'Arctique. Peut-être de nouvelles méthodes de bonification des sols parviendraient-elles à accélérer l'arrivée de plantes d'un règne supérieur. Pour l'instant, il y avait surtout des lichens. Les plantes de la toundra suivraient.

– Ça ne vous plaît pas, observa-t-il.

– J'aimais comme c'était avant. Dans tout Vastitas Borealis il y avait de grandes dunes barkhanes de sable noir. Du sable de grenat.

– Il en restera sûrement près de la calotte polaire.

– La calotte polaire tombera droit dans la mer, comme dans l'Antarctique, pour reprendre votre comparaison. Non, les dunes et le terrain laminé seront submergés, d'une façon ou d'une autre. Tout l'hémisphère Nord disparaîtra.

– Il est là, l'hémisphère Nord.

– Une péninsule de terrain surélévé. Et elle a disparu aussi, dans une certaine mesure. Botany Bay était le cratère Ap d'Arcadia.

Il la scruta derrière ses lunettes.

– Peut-être que si vous viviez en altitude, ça vous rappellerait le bon vieux temps. Le bon vieux temps, avec de l'air en plus.

– Peut-être, convint-elle avec circonspection.

Il faisait le tour du compartiment à pas lourds, nettoyait de grands couteaux de cuisine dans l'évier. Ses doigts se terminaient par de courtes griffes émoussées. Même s'il les coupait à ras, il devait avoir du mal à manipuler les petits objets.

Elle se leva prudemment.

– Merci pour le dîner, dit-elle en se dirigeant vers la porte du sas.

Elle prit sa veste fourrée et claqua la porte sur son regard étonné. Enfila sa parka dans la gifle froide de la nuit. Ne jamais courir devant un prédateur. Elle regagna son véhicule sans se retourner.

Les antiques highlands de Tempe Terra étaient criblées de petits volcans. Il y avait donc des plaines de lave et des canaux partout. Ces highlands étaient aussi caractérisées par des plis fluides, visqueux, provoqués par la glaciation, et parfois un petit canal d'écoulement qui dévalait la paroi du Grand Escarpement ; sans parler de la collection habituelle d'impacts remontant au Noachien et de traces de déformation, si bien que, sur les cartes aréologiques, Tempe ressemblait à une palette de peintre, éclaboussée de couleurs censées indiquer les différents aspects de la longue histoire de la région. Trop bariolée pour Ann. Elle considérait les plus petites divisions en différentes unités aréologiques comme artificielles, une survivance de l'aréologie céleste, une tentative pour distinguer les régions plus creusées de cratères, plus disloquées ou plus crantées que les autres, alors que sur place tout ne faisait qu'un, les diverses signatures étant visibles partout. Le paysage était accidenté, et voilà tout. C'était le paysage noachien dans toute sa rudesse.

Même le fond des longs canyons rectilignes qui formaient Tempe Fossae était trop disloqué pour qu'on roule dessus, de sorte qu'Ann emprunta un chemin moins direct sur les hauteurs. Les coulées de lave plus récentes (elles n'avaient qu'un milliard d'années) étaient plus dures que les agrégats d'ejecta qu'elles avaient repoussés, et maintenant elles formaient de longues digues, ou des arêtes. Sur le sol plus tendre entre ces coulées, on repérait beaucoup de cratères d'éclaboussement, pareils à des châteaux de sable avec leur tablier manifestement formé de coulées liquides. Des îles faites d'alluvions usées émergeaient parfois de ces résidus, mais c'était pour l'essentiel du régolite, et tout trahissait la présence d'eau dans le sol, du permafrost invisible sous la surface. Avec la température qui montait, et peut-être la chaleur provoquée par les explosions souterraines de Vastitas, les affaissements étaient de plus en plus fréquents. On en constatait sans cesse de nouveaux : une piste Rouge bien connue avait disparu, ensevelie sous une rampe menant à Tempe 12. Les parois de Tempe 18 s'étaient effondrées des deux côtés, faisant un V d'un canyon en forme de U. Tempe 21 avait été comblée par l'affaissement de sa paroi ouest. Partout le sol fondait. Elle vit même quelques taliks, des zones liquéfiées au-dessus du permafrost, des marécages glacés. Et la plupart des puits ovales des grandes alases étaient occupés par des lacs qui fondaient le jour et regelaient la nuit, ce qui avait pour effet de disloquer encore davantage le sol.

Elle passa devant le tablier lobé du cratère Timushenko, dont la paroi nord était enfouie dans les vagues de lave les plus au sud de Coriolanus, le plus grand des innombrables volcans de Tempe. A cet endroit, le sol était criblé de trous. La neige avait fondu et regelé dans des myriades de bassins de captation. Le sol s'effondrait selon tous les schémas caractéristiques du permafrost : des crêtes de gravier polygonales, le remplissage concentrique des cratères, des pingos, des marques de solifluxion sur les flancs des collines. Dans chaque dépression, un étang ou une mare plein d'eau congelée. Le sol fondait.

Sitôt que les pentes exposées au sud étaient un peu abritées du vent, des arbres poussaient sur une sous-couche de mousse, d'herbe, de broussaille. Dans les creux ensoleillés, il y avait des forêts naines de krummholz, des arbres convulsés sur le matelas de leurs aiguilles. Dans les creux à l'ombre, de la neige sale et des névés. Un si vaste territoire, dévasté. Ravagé. Vide sans l'être. La roche, la glace, la plaine emplie de fondrières, tout cela bordé d'arêtes basses, fracassées. Des nuages surgissaient de nulle part, dans la chaleur de l'après-midi, et leurs ombres faisaient comme des reprises sur ce patchwork fou, rouge, noir, vert et blanc. Ça, personne ne se plaindrait jamais de l'homogénéité de Tempe Terra. Tout était parfaitement immobile sous la ruée des nuages. Pourtant, un soir, dans le crépuscule, une masse blanche glissa sous un bloc de pierre. Son cœur fit un bond dans sa poitrine, mais elle n'en vit pas davantage.

Il y avait quelque chose quand même : juste avant la nuit, on frappa à la porte. Le cœur frémissant, elle courut regarder par la fenêtre. Des silhouettes de la même couleur que la roche, qui agitaient la main. Des êtres humains.

C'était un petit groupe d'écoteurs Rouges. Ils avaient reconnu son patrouilleur, lui dirent-ils quand elle les fit entrer. On le leur avait décrit au refuge de Tempe. Ils espéraient bien tomber sur elle et étaient ravis de l'avoir trouvée. Ils riaient, bavardaient, s'approchaient d'elle pour la toucher; de jeunes indigènes de haute taille, aux canines de pierre, aux yeux luisants, des Orientaux, des Blancs, quelques Noirs. Tous heureux. Elle les reconnut, pas individuellement, mais leur groupe; les jeunes fanatiques de Pavonis Mons. Elle eut un frisson.

– Où allez-vous? leur demanda-t-elle.

– A Botany Bay, répondit une jeune femme. Nous allons prendre les labos de Whitebook.

– Et Boone Station, ajouta une autre.

– Ah non! fit Ann.

Ils se turent, la dévisagèrent. Comme Kasei et Dao à Lastflow.

– Qu'y a-t-il? lui demanda la jeune femme.

Ann respira profondément, tenta de réfléchir. Ils la regardaient en ouvrant de grands yeux.

– Vous étiez à Sheffield? leur demanda-t-elle.

Ils acquiescèrent. Ils voyaient ce qu'elle voulait dire.

– Alors vous auriez dû comprendre, reprit-elle lentement. Ce n'est pas en mettant la planète à feu et à sang que nous en ferons une Mars Rouge. Il faut trouver un autre moyen. Nous n'y arriverons pas en massacrant les gens, en tuant les plantes et les animaux, ou en faisant sauter les machines. Ça ne marchera pas. C'est destructeur. Ce n'est pas comme ça que vous emporterez l'adhésion des gens, vous comprenez? En fait, ce serait plutôt un repoussoir. Vous ne réussirez qu'à susciter des vocations de Verts. Ça va à l'encontre de nos intérêts. Et à partir du moment où on a compris ça, le faire quand même, c'est trahir la cause. Ce n'est pas agir pour la cause mais en fonction de sentiments personnels. Pour se faire plaisir. Parce qu'on est en colère. Ou pour s'amuser. Il faut trouver autre chose.

Ils l'écoutaient sans saisir le sens de ses paroles, ennuyés, choqués, méprisants. Mais fascinés. C'était Ann Clayborne, après tout.

– Je ne peux pas vous dire quelle pourrait être cette autre chose, poursuivit-elle. Je n'en sais trop rien moi-même. Mais je crois... je crois que c'est le premier élément auquel nous devrions réfléchir. Il faudrait que ça ressemble à une aréophanie rouge. L'aréophanie a toujours été perçue comme étant verte, depuis le début. A cause d'Hiroko, j'imagine, parce que c'est elle qui avait pris l'initiative de la définir. Et de lui donner une réalité. L'aréophanie a toujours été assimilée à la viriditas. Mais il n'y a aucune raison pour que cela soit. Nous devons changer ça, ou nous n'arriverons à rien. Nous devons apprendre aux gens à partager notre adoration pour cet endroit. Le Rouge de la planète primitive doit devenir un contre-pouvoir à la viriditas. Nous devons maculer ce vert jusqu'à ce qu'il devienne d'une autre couleur. La couleur de certaines pierres, comme le jaspe, ou la serpentine ferrique, vous voyez ce que je veux dire? Peut-être faudrait-il emmener les gens sur le terrain, dans les highlands, pour qu'ils voient de quoi il s'agit. Peut-être faudrait-il s'installer ici, partout, définir des droits d'occupation et d'intendance, pour que nous puissions parler au nom du sol, et qu'on soit obligé de nous écouter. Des droits de promenade, d'aréologie, de nomadisme. Voilà ce que pourrait être l'aréoformation. Vous comprenez?

Elle se tut. Les jeunes indigènes la regardaient maintenant d'un air un peu inquiet, peut-être. Inquiets pour elle, ou à cause de ce qu'elle leur avait dit.

– Nous avons déjà évoqué ce genre de chose, dit enfin l'un des garçons. Il y a des gens qui font ça. Nous-mêmes, parfois. Mais nous pensons que la résistance active est une part indispensable du combat. Sans ça, nous serons simplement récupérés. Tout deviendra vert.

– Pas si nous maculons tout. De l'intérieur, dans leur cœur même. Alors que le sabotage, le meurtre... Il n'en sortira que du vert, croyez-moi, j'ai déjà vu ça. Je me suis battue plus longtemps que vous, et je l'ai vu je ne sais combien de fois. Ecrasez la vie et elle repoussera plus forte.

Le jeune homme n'était pas convaincu.

– Ils nous ont accordé la limite des six kilomètres parce que nous leur avons fichu la trouille, parce que nous étions le moteur de la révolution. Sans nous, si nous ne nous étions pas battus, les métanats régiraient encore tout ceci.

– C'était différent. Quand nous avons combattu les Terriens, les Verts martiens ont été impressionnés. Quand nous luttons contre les Verts martiens, nous ne les impressionnons pas, nous les rendons enragés. Et ils sont plus nombreux que jamais.

Le groupe l'écoutait pensivement, découragé, peut-être.

– Que pouvons-nous faire, alors? demanda une femme aux cheveux gris.

– Installez-vous dans un endroit menacé. Pourquoi pas ici? suggéra Ann en indiquant la fenêtre. Ou quelque part près de la limite des six kilomètres. Installez-vous, bâtissez une ville, faites-en un sanctuaire primitif, un endroit merveilleux. On y viendra de partout, dans les highlands.

Ils méditèrent ses paroles dans un morne silence.

– Ou allez dans les villes, organisez des conférences, créez une fondation. Montrez la planète aux gens. Combattez tous les changements qu'ils proposent.

– Merde, fit le jeune homme en secouant la tête. Ça va être l'horreur.

– C'est vrai, acquiesça Ann. Ça va être un sacré boulot. Mais c'est de l'intérieur qu'il faut faire la conquête des gens. De l'endroit où ils vivent.

Ils restèrent encore un moment à bavarder, mais ils faisaient grise mine. Ils parlèrent de leur mode d'existence, de la façon dont ils auraient aimé vivre. De ce qu'ils pouvaient faire pour passer de l'un à l'autre. De l'impossibilité de la vie de guérilla depuis la fin de la guerre. Il y eut beaucoup de gros soupirs, quelques larmes, des récriminations, des encouragements.

– Venez avec moi, demain, proposa Ann. Je voudrais jeter un coup d'œil sur cette mer de glace.

Le lendemain, Ann et le groupe partirent vers le sud, par soixante degrés de longitude. La progression fut pénible. Les Arabes appelaient ça *al-Khali,* le Quart Vide. D'un côté, c'était beau. La désolation du paysage noachien avait quelque chose de grandiose. D'un autre côté, les écoteurs parlaient peu, à voix basse, comme s'ils effectuaient une sorte de pèlerinage funèbre. Ils arrivèrent au grand canyon de Nilokeras Scopulus et descendirent au fond par une large rampe naturelle, grossière. A l'est, Chryse Planitia était couverte de glace : un autre bras de la mer du Nord. Ils n'y couperaient pas. Devant eux, au sud, s'étendait Nilokeras Fossae, l'extrémité d'un complexe de canyons qui partait de très loin au sud, de l'énorme puits de Hebes Chasma. Hebes n'avait pas d'issue, et l'on considérait à présent que son effondrement était consécutif à la rupture de l'aquifère situé juste à l'ouest, au sommet d'Echus Chasma. Une énorme quantité d'eau s'était déversée dans Echus. Elle s'était heurtée à la paroi ouest, dure, de Lunae Planum et avait sculpté la haute falaise abrupte du Belvédère d'Echus ; puis elle avait trouvé une brèche dans cette falaise stupéfiante, s'était engouffrée dedans avec une violence fantastique, arrachant à la roche la grande courbe de Kasei Vallis et creusant un profond chenal vers l'auge de Chryse. C'était l'une des manifestations aquifères les plus spectaculaires de l'histoire de Mars.

La mer du Nord avait maintenant reflué dans Chryse, et l'eau remplissait à nouveau la partie terminale de Nilokeras et de Kasei. La colline au sommet aplati qui était le cratère Sharanov s'élevait, tel le donjon d'un château géant, sur le promontoire, au-dessus de l'embouchure de ce nouveau fjord. Au milieu se dressait une longue île en forme de larme, l'un des lemniscates de l'ancienne inondation à nouveau réduit à l'état d'île, obstinément rouge dans la mer de glace blanche. Ce fjord ferait un jour un port encore meilleur que Botany Bay. Ses parois étaient hautes, mais des épaulements ménagés çà et là pourraient devenir des villes portuaires. Le vent d'est qui se ruait dans Kasei comme dans un entonnoir poserait problème, certes, et il faudrait s'en occuper, de même que des assauts catabatiques qui maintenaient les voiliers au large du golfe de Chryse...

Que tout cela était bizarre... Elle mena ses Rouges silencieux le long d'une rampe qui descendait vers une large banquette, à l'ouest du fjord de glace. Et comme le soir approchait, ils sortirent des patrouilleurs et descendirent se promener le long du rivage, dans le soleil couchant.

Lorsque le soleil descendit sur l'horizon, ils étaient serrés les uns contre les autres, comme pour se réconforter, devant un bloc de glace isolé d'environ quatre mètres de hauteur, aux parois convexes, fondues, lisses comme des muscles. Ils restèrent là en attendant que le soleil brille à travers. Des deux côtés du bloc de glace, la lumière faisait étinceler le sable vitreux, mouillé. Une exhortation de lumière. Indéniable, d'une réalité éclatante ; qu'en feraient-ils ? Ils la contemplèrent sans bouger, sans mot dire.

Quand le soleil eut disparu, Ann repartit seule vers son patrouilleur. Elle jeta un coup d'œil vers la grève. Les Rouges étaient toujours là-bas, près de l'iceberg échoué. On aurait dit qu'ils entouraient un dieu blanc, teinté d'orange comme le drap blanc, froissé, de la baie de glace. Un dieu blanc, un ours blanc, une baie blanche, un dolmen de glace martienne : l'océan serait là, avec eux, pour toujours, aussi réel que la roche.

Le lendemain, elle remonta Kasei Vallis vers Echus Chasma, à l'ouest. Elle progressa sans réelle difficulté, grimpant une marche après l'autre jusqu'à l'endroit où Kasei s'incurvait sur la gauche et s'engageait sur le fond d'Echus. La courbe était l'une des traces les plus importantes, les plus évidentes, de l'action de l'eau sur la planète. Ann découvrit que le fond plat du fleuve à sec disparaissait maintenant sous des arbres nains, si petits qu'on aurait dit des broussailles : une écorce noire, des épines, des feuilles vert foncé, brillantes, tranchantes, pareilles à des feuilles de houx. De la mousse couvrait le sol sous ces arbres noirs, mais c'était à peu près tout. C'était une forêt à une seule espèce, qui couvrait Kasei Vallis d'une paroi à l'autre, emplissant le vaste canyon comme des flocons de suie hypertrophiés.

Ann ne put faire autrement que de passer sur cette forêt naine avec son patrouilleur. Le véhicule tangua et roula alors que les branches ployaient sous ses roues et se redressaient aussitôt, aussi dures que de la manzanita épineuse. Il était impossible de marcher dans ce canyon maintenant, se dit Ann, ce canyon profond, étroit, arrondi comme une sorte d'Utah imaginaire qui était devenu cette noire forêt de conte de fées, à laquelle on ne pouvait échapper, pleine de choses aux ailes noires, où l'on voyait détaler une forme blanche dans le crépuscule... Il n'y avait plus trace du complexe de sécurité de l'ATONU qui occupait naguère la courbe de la vallée. Que votre maison soit maudite jusqu'à la septième génération, comme avait été maudite cette terre innocente. Sax avait été torturé à cet endroit, il y avait semé des graines pyrophiles et y avait mis le feu, donnant naissance à une forêt d'épineux qui avait tout recouvert. Et on disait que les savants étaient des gens rationnels ! Que leur maison soit maudite aussi, se dit Ann, les dents serrées, qu'elle soit maudite jusqu'à la septième génération, et sept générations encore au-delà.

Elle siffla entre ses dents et poursuivit dans Echus, vers le cône volcanique abrupt de Tharsis Tholus. Une ville était blottie au pied du volcan, à l'endroit où la paroi devenait horizontale. L'homme-ours lui avait appris que Peter allait par là, aussi l'évita-t-elle. Peter, le sol inondé; Sax, le sol incendié. Il avait jadis été à elle. Sur cette pierre je bâtirai. Peter Tempe Terra, la Pierre de la Terre du Temps. Le nouvel homme, *Homo martial.* Qui les avait trahis. Rappelez-vous.

Elle gravit la bosse de Tharsis, au sud, jusqu'à ce que le cône d'Ascraeus s'offre à sa vue. Une montagne à l'échelle d'un continent, bouchant l'horizon. Pavonis avait été envahi à cause de sa position équatoriale, et du petit avantage que cela présentait pour le câble de l'ascenseur. Mais Ascraeus, qui se trouvait à cinq cents kilomètres seulement au nord-est de Pavonis, était resté désert. Personne n'y vivait. Seuls l'avaient escaladé quelques aréologistes venus étudier sa lave et les jaillissements occasionnels de cendres pyroclastiques, d'un rouge presque noir.

Elle s'engagea sur le bas de la pente, douce et ondulée. Ascraeus était un nom d'albédo classique. La montagne était si grosse qu'elle était aisément visible de la Terre, mais comme c'était pendant la folie des canaux, ils avaient décidé que c'était un lac. Ascraeus Lacus. A la même époque, Pavonis avait été baptisé Phoenicus Lacus, le lac du Phénix. Ascra, lut-elle, était le lieu de naissance d'Hésiode, « situé à droite du mont Hélicon, en un endroit élevé et accidenté ». Bien que croyant avoir affaire à un lac, ils lui avaient donc donné un nom de montagne. Peut-être avaient-ils inconsciemment analysé les images des télescopes, après tout. *Ascraeus* était, de façon générale, un nom poétique désignant la campagne, l'Hélicon, en Béotie, étant la montagne sacrée d'Apollon et des Muses. Hésiode avait un jour levé les yeux de sa charrue, il avait vu la montagne et décidé d'en raconter l'histoire. C'était bizarre de voir comment naissaient les mythes, bizarre de voir les vieux noms qui jalonnaient leur existence, en ignorant tout alors qu'ils continuaient à en raconter l'histoire, inlassablement, par leur vie même.

C'était le plus abrupt des quatre gros volcans de Mars, mais contrairement à Olympus Mons il n'y avait pas d'escarpement autour. Elle put donc, après avoir rétrogradé, monter régulièrement, au ralenti, comme si elle partait à l'assaut du ciel. Elle se cala confortablement dans son fauteuil et piqua un somme, détendue. Elle se réveillerait en haut, à vingt-sept kilomètres au-dessus du niveau de la mer, la même altitude que les trois autres cônes. Il n'y avait pas de plus hautes montagnes sur Mars. Ça devait être la limite isostatique, le point au-delà duquel la lithosphère cédait sous le poids de toute cette roche. Les quatre montagnes étaient allées aussi haut que possible. C'était dire leur taille et leur grand âge.

Elles étaient vieilles, certes, mais en même temps la lave qui recouvrait Ascraeus était parmi les plus récentes des roches ignées de Mars, et n'avait été que légèrement érodée par le vent et le soleil. En se refroidissant, au cours de la descente, les plaques de lave s'étaient rétractées, formant des bosses incurvées, de faible hauteur, qu'il fallait escalader ou contourner. Une piste tracée par des roues de patrouilleurs zigzaguait sur la pente, évitant les parties abruptes de ces coulées, profitant d'un ample réseau de rampes et de reflux. Au milieu des teintes permanentes, la poudreuse avait gelé, formant des bancs de neige sale, durcie. Les ombres étaient maintenant d'un blanc brumeux, noirâtre, et elle avait l'impression de rouler dans une photo en négatif. Au fur et à mesure qu'elle montait son moral tombait en chute libre, inexplicablement. Derrière elle apparaissait une portion de plus en plus vaste du flanc nord, conique, du volcan, plus loin elle voyait Tharsis et, encore au-delà, Echus, une ligne basse à une centaine de kilomètres de distance. Tout dans son champ de vision était taché par de la neige, du verglas, des congères. Blanc tavelé. Les flancs à l'ombre des cônes volcaniques finissaient souvent par geler en profondeur.

Là, sur la roche, une tache vert émeraude. De la mousse. Tout devenait vert.

Mais au fur et à mesure qu'elle montait, jour après jour, à une altitude qui passait l'imagination, les taches de neige s'affinèrent, se raréfièrent. Elle était à vingt kilomètres au-dessus du niveau moyen, vingt et un au-dessus du niveau de la mer de glace – près de soixante-dix mille pieds – deux fois plus haut que le sommet de l'Everest par rapport aux océans de la Terre, et pourtant le cône du volcan était encore à sept mille pieds au-dessus d'elle, dressé dans le ciel qui s'assombrissait, dans l'espace même.

Loin en dessous d'elle s'étendait une mer de nuages blancs, plats, qui masquaient Tharsis et semblaient la repousser toujours plus haut sur la pente. A cette altitude, il n'y avait plus de nuages, au moins ce jour-là. Parfois la partie supérieure des nuages d'orage montait le long de la montagne, ou bien les minces balafres de quelques cirrus. Aujourd'hui, le ciel était d'un violet indigo clair, teinté de noir, piqueté au zénith de quelques étoiles parmi lesquelles trônait Orion. A l'est du sommet planait un fin nuage pareil à une bannière, si impalpable qu'elle voyait les ténèbres du ciel à travers. L'humidité était faible à cette altitude, et l'atmosphère très raréfiée. La pression de l'air serait toujours dix fois plus élevée au niveau de la mer qu'en haut des grands volcans. A cette altitude, elle devait être de 35 millibars environ, à peine plus que lors de leur arrivée.

Elle repéra néanmoins de petits points, au sommet des roches, dans des trous qui retenaient la neige et beaucoup de soleil. Des lichens si petits qu'ils étaient presque invisibles à l'œil nu. Le lichen : une association symbiotique d'algue et de champignon, unissant leurs forces pour survivre, même par 30 millibars de pression. C'était inimaginable ce que la vie pouvait supporter. Vraiment bizarre.

A tel point qu'elle enfila une combinaison pour aller y voir de plus près. A cette altitude, toutes les vieilles précautions s'imposaient : vérifier son équipement et verrouiller le sas avant de sortir dans l'éclat aveuglant de l'espace.

Les pierres qui accueillaient les lichens étaient de ces solariums plats sur lesquels les marmottes se seraient prélassées si elles avaient pu vivre aussi haut, mais il ne s'y trouvait que de petites têtes d'épingle d'un vert jaunâtre ou grisâtre. Des flocules de lichen, disait son bloc-poignet. Des fragments arrachés par les orages, emportés par le vent sur ces roches auxquelles ils s'étaient cramponnés comme des pieuvres végétales. Le genre de chose que seule Hiroko aurait pu expliquer.

Des choses vivantes. Michel avait dit qu'elle aimait les pierres et non les hommes parce que son esprit avait souffert des mauvais traitements dont elle avait été victime. Un hippocampe sensiblement atrophié, des réactions de surprise plus vives, une tendance à la dissociation. Voilà pourquoi elle s'était trouvé un homme qui ressemblait à une pierre. Michel aussi avait aimé cette qualité chez Simon, lui avait-il dit. Quel soulagement, quel privilège ç'avait été, dans les années d'Underhill, que d'avoir un homme en qui on pouvait avoir confiance, un homme calme, solide, qu'on pouvait prendre dans sa main et dont on pouvait sentir le poids.

Mais Simon n'était pas seul de son espèce, avait souligné Michel. Les autres avaient aussi cette qualité, diluée, moins pure, mais quand même. Pourquoi ne pouvait-elle aimer cette endurance, cet endurcissement chez les autres, chez tous les êtres vivants ? Ils se contentaient d'exister, comme n'importe quelle pierre, comme n'importe quelle planète. Il y avait une obstination minérale en chacun d'eux.

Le vent gémissait dans son casque, sur les éclats de lave, bourdonnait dans son tube à air, couvrant le bruit de sa respiration. Le ciel était plus noir qu'indigo, sauf juste sur l'horizon, où s'étendait une brume violette, pourpre, surmontée par une bande bleu clair... Oh, qui aurait pu croire que les choses changeraient jamais à cet endroit, sur les pentes d'Ascraeus, pourquoi ne s'étaient-ils pas installés ici pour se souvenir de ce qu'ils étaient venus chercher sur Mars, de ce qu'ils y avaient trouvé et avaient dilapidé avec une telle prodigalité ?

Elle regagna son patrouilleur et poursuivit son escalade.

Elle était au-dessus des cirrus argentés, à l'ouest de la bannière diaphane qui partait du sommet du volcan. Dans le sillage du jet-stream. Grimper, c'était remonter dans le temps, au-dessus des lichens, de toutes les bactéries. Elle était sûre, pourtant, qu'il y en avait jusqu'ici, cachées à la surface de la roche. Une vie chasmoendolithique, comme le petit peuple rouge mythique, les dieux microscopiques qui avaient parlé à John Boone, leur Hésiode local. C'est ce que disaient les gens.

La vie était partout. Le monde devenait vert. Mais si on ne pouvait voir le vert, si la planète ne changeait pas, ce serait peut-être supportable. Des êtres vivants. Michel lui avait dit, tu aimes les roches pour ce que la vie peut avoir de rocheux ! Tout se ramène à la vie. Simon, Peter. Sur cette pierre je bâtirai mon église. Pourquoi ne pouvait-elle aimer la pierre qu'il y avait en toute chose ?

Son patrouilleur franchit les dernières terrasses concentriques de lave avec plus d'aisance maintenant qu'il contournait les méplats asymptotiques du large bord. De moins en moins haut à chaque tour de roue. Il grimpa sur la lèvre du cratère, puis sur la crête intérieure qui surplombait la caldeira.

Elle sortit du véhicule, les pensées palpitantes comme des mouettes.

Le complexe intérieur d'Ascraeus consistait en huit cratères qui se recoupaient, les nouveaux écrasant les anciens. La caldeira la plus grande et la plus récente se trouvait près du centre, les caldeiras plus anciennes des niveaux supérieurs enchâssant le pourtour comme les pétales d'un motif floral. Chaque caldeira était à un niveau légèrement différent, et caractérisée par un schéma de fractures circulaires. La perspective changeait selon l'endroit où l'on se trouvait. Les distances, les niveaux semblaient varier, comme s'ils planaient dans un rêve. L'ensemble était une véritable merveille. Une merveille de quatre-vingts kilomètres de diamètre.

On aurait dit un cours de mécanique volcanique. Chaque éruption vidait la cheminée active de son magma, et le fond de la caldeira finissait par s'effondrer. D'où cette succession de formes circulaires, au fur et à mesure que la cheminée active se déplaçait, au cours des âges. Rares étaient les endroits de Mars où l'on voyait des pentes aussi abruptes. Ces falaises arquées étaient presque parfaitement verticales. Des mondes annulaires, basaltiques. Un vrai paradis pour les amateurs d'escalade. Un jour, ils s'y précipiteraient.

La complexité d'Ascraeus était bien éloignée du trou unique, géant, de Pavonis. Pourquoi la caldeira de Pavonis s'était-elle toujours effondrée sans jamais changer de circonférence ? Sa dernière éruption aurait-elle effacé et nivelé tous les anneaux précédents ? Son réservoir magmatique était-il plus petit, ou se ventilait-il moins sur les parois ? La cheminée d'Ascraeus s'était-elle déplacée davantage ? Ann ramassa des pierres éparses au bord du cratère et les regarda. Des bombes volcaniques, les derniers météores d'ejecta, des ventifacts sculptés par les vents incessants. Toutes ces questions restaient à étudier. Rien de ce qu'ils pourraient faire ne perturberait jamais la volcanologie, à cette altitude, l'étude ne serait pas affectée. En fait, le *Journal d'études aréologiques* publiait beaucoup d'articles sur des sujets de ce genre, il lui arrivait encore de le constater. Michel le lui avait bien dit : les endroits élevés ressembleraient éternellement à ça. Gravir les grandes pentes reviendrait à remonter dans le passé préhumain, dans la pure aréologie, dans l'aréophanie elle-même, avec ou sans Hiroko. Avec ou sans lichen. Des gens avaient parlé d'assujettir un dôme ou une tente sur ces caldeiras, afin qu'elles demeurent totalement stériles, mais cela ne reviendrait qu'à en faire des zoos. Des réserves naturelles entourées de murs et de toits. Des serres vides. Non. Elle se redressa, parcourut du regard l'immense paysage circulaire qui s'offrait à l'espace. Elle fit un signe de la main à l'intention de la vie chasmoendolithique qui luttait peut-être pour survivre en cet endroit. Vis, chose. Elle dit le mot, et il résonna d'une façon étrange : « Vis. »

Mars pour toujours, rocheuse à la face du soleil. Et puis du coin de l'œil, elle aperçut l'ours blanc, qui se glissait derrière le bord déchiqueté d'un rocher. Elle sursauta : il n'y avait rien à cet endroit. Elle regagna son patrouilleur comme si elle avait besoin de se sentir protégée. Mais tout l'après-midi, sur l'écran de l'IA, des yeux vagues semblèrent l'observer derrière leurs lunettes, prêts à l'appeler d'une seconde à l'autre. Une sorte d'homme-ours, qui la dévorerait s'il parvenait à l'attraper. Mais rien ni personne ne lui mettrait la main dessus, elle pourrait disparaître à jamais dans cette forteresse imprenable de roche – libre elle était et libre elle resterait, être ou ne pas être selon son bon plaisir, tant que ce rocher résisterait. Et puis, encore une fois, devant la porte du sas, cet éclair blanc, du coin de l'œil. Ah, que c'était difficile !

SEPTIÈME PARTIE

Faire marcher les choses

Une mer prise par les glaces couvrait maintenant la majeure partie du nord. Vastitas Borealis, qui se trouvait un ou deux kilomètres en dessous du niveau moyen, trois kilomètres en certains endroits, était presque entièrement sous l'eau maintenant que le niveau de la mer s'était stabilisé au contour moins un. Si un océan d'une forme comparable avait existé sur Terre, il aurait été plus grand que l'Arctique. Il aurait couvert la majeure partie de la Russie, du Canada, de l'Alaska, du Groenland et de la Scandinavie, et il aurait fait deux incursions majeures vers le sud : des mers étroites qui seraient descendues jusqu'à l'équateur. Sur Terre, il en aurait résulté un Atlantique Nord étroit et un Pacifique Nord occupé en son centre par une grosse île de forme vaguement carrée.

Sur cet Oceanus Borealis émergeaient plusieurs grandes îles glacées et une longue péninsule basse qui interrompait la circumnavigation du globe, reliant le continent principal, au nord de Syrtis, à la queue d'une île polaire. Le pôle Nord était maintenant situé sur la glace du golfe d'Olympia, à quelques kilomètres au large de cette île.

Et voilà. Sur Mars, il n'y aurait pas d'équivalent du Pacifique Sud, de l'Atlantique Sud, de l'océan Indien ou de l'Antarctique. Au sud, il n'y avait qu'un désert, en dehors de la mer d'Hellas, une étendue d'eau à peu près égale en taille à la mer des Caraïbes. L'océan qui occupait soixante-dix pour cent de la surface de la Terre ne représentait que vingt-cinq pour cent de la surface martienne.

En 2130, la majeure partie d'Oceanus Borealis était recouverte de glace. Mais il y avait de grandes étendues d'eau à l'état liquide sous la surface et, en été, des lacs de fonte se répandaient à la surface ; il y avait aussi beaucoup de polyplaques, de failles et de fentes. Comme la majeure partie avait été pompée ou extraite d'une façon ou d'une autre du permafrost, elle avait la pureté de l'eau des profondeurs souter-

raines, autant dire qu'elle était aussi pure qu'une eau distillée : Borealis était un océan d'eau pure. On s'attendait pourtant à ce qu'il acquière bientôt une certaine salinité, car des fleuves parcouraient le régolite très salé et s'y déversaient avec leur charge saline. L'eau s'évaporait, se transformait en précipitations et le processus se renouvelait, déplaçant les sels du régolite dans l'eau jusqu'à ce qu'un équilibre soit atteint. Ce processus fascinait les océanographes, car le degré de salinité des océans de la Terre, stable depuis des millions d'années, n'était pas bien compris.

Les côtes étaient sauvages. L'île polaire, qui n'avait pas de nom auparavant, était tantôt appelée péninsule polaire, tantôt le Cheval de Mer, à cause de son tracé sur les cartes. En fait, elle disparaissait encore en de nombreux endroits sous la glace de l'ancienne calotte polaire, et partout elle était couverte de neige, à laquelle le vent donnait des formes fantastiques nommées sastrugi. Cette surface blanche, accidentée, s'enfonçait dans la mer sur des kilomètres et des kilomètres, jusqu'à ce que les courants sous-marins la fracturent. On arrivait alors à un « littoral » constitué de chenaux et de plissements dus à la pression, des bords chaotiques de grands icebergs tabulaires et d'étendues de plus en plus vastes d'eau à ciel ouvert. Plusieurs grandes îles volcaniques ou météoriques surgissaient de la dislocation de cette côte glacée, et notamment quelques boucliers de cratères, arc-boutés sur cette blancheur comme de vastes icebergs tabulaires noirs.

La côte sud de Borealis était beaucoup plus exposée et variée. Aux endroits où la glace léchait le pied du Grand Escarpement, il y avait plusieurs régions de mesas et de collines rondes qui étaient devenues des archipels au large, lesquels, comme le littoral du continent principal, se caractérisaient par un grand nombre de falaises à pic, d'escarpements, de baies de cratères, de fjords de fossae, et de longues plages. L'eau des deux grands golfes du sud était fondue en profondeur et, l'été, en surface aussi. Le golfe de Chryse était peut-être celui qui avait le rivage le plus spectaculaire : huit grands chenaux d'écoulement qui se jetaient dans Chryse s'étaient en partie remplis de glace, et sa fonte les avait changés en fjords aux parois abruptes. A l'extrémité sud du golfe, quatre de ces fjords s'entrecroisaient, tenant enlacées plusieurs îles aux immenses falaises, formant ainsi le plus spectaculaire des paysages marins.

De grandes colonies d'oiseaux survolaient toute cette eau. Des nuages filaient dans le vent, et leur ombre tavelait le blanc et le rouge. Des icebergs flottaient sur les mers en fusion, s'écrasaient sur la roche. Des orages terrifiants dévalaient le Grand Escarpement, déversant leur fardeau de grêle et d'éclairs. Il y avait maintenant près de quarante mille kilomètres de littoral sur Mars. Qui prenait vie dans la succession rapide du gel et du dégel, en fonction des jours et des saisons, sous l'abrasion du vent inlassable.

A la fin du congrès, Nadia n'avait qu'une envie : quitter Pavonis Mons. Elle en avait assez des prises de bec dans l'entrepôt, assez des discussions politiques, de la violence et des menaces, de la révolution, des sabotages, de la Constitution et de l'ascenseur. De la Terre et de la guerre. La Terre et la mort, voilà ce qu'était Pavonis Mons – la montagne du Paon, un nichoir à paons qui faisaient la roue et se pavanaient en criant *Moi Moi Moi*. C'était le dernier endroit sur Mars où elle avait envie d'être.

Elle voulait descendre de là et respirer à l'air libre, travailler sur des choses tangibles, construire, avec ses neuf doigts, son dos, son esprit, bâtir tout et n'importe quoi, pas seulement des structures, ce qui aurait été merveilleux, évidemment, mais aussi des choses comme l'air ou le sol, faire partie d'un projet nouveau pour elle, participer tout simplement au terraforming. Depuis sa première marche à l'air libre, au cratère DuMartheray, sans autre équipement qu'un petit masque à CO_2, elle avait fini par partager l'obsession de Sax. Elle était prête à le rejoindre et tous ceux qui étaient partie prenante du projet, d'autant que la suppression des miroirs orbitaux avait entraîné un long hiver et menacé de provoquer une ère glaciaire en bonne et due forme. Construire l'air, construire le sol, déplacer l'eau, introduire des plantes et des animaux : toutes les tâches qui s'apparentaient à ce genre de choses lui paraissaient fascinantes à présent. Mais elle était aussi attirée par les projets plus conventionnels. Quand la nouvelle mer du Nord aurait fondu et que sa côte se serait stabilisée, il y aurait des ports à fonder un peu partout, des quantités de ports avec des jetées et des fronts de mer, des canaux, des docks et des villes grimpant dans les collines, derrière. Aux altitudes plus élevées, il y aurait d'autres tentes à ériger, et des canyons à couvrir.

On parlait même de bâcher certaines des grandes caldeiras et de lancer des téléphériques entre les trois principaux volcans, ou d'élever des ponts au-dessus des détroits au sud d'Elysium. Il était question de viabiliser le continent insulaire du pôle. On envisageait de nouveaux concepts de biohabitat consistant à faire pousser des maisons, à construire directement à partir d'arbres conçus par le génie génétique, exactement comme Hiroko utilisait le bambou, mais à plus grande échelle. Oui, une bâtisseuse prête à se mettre au courant des techniques les plus récentes avait un millier d'années de projets magnifiques devant elle. Le rêve était en train de devenir réalité.

Puis un petit groupe vint lui annoncer qu'ils étudiaient les possibilités pour le premier conseil exécutif du nouveau gouvernement global.

Nadia les regarda de travers. Leur démarche lui faisait l'effet d'un gigantesque piège à combustion lente, et elle tenta de son mieux de prendre la fuite avant qu'il ne se referme sur elle.

– Il y a des tas de possibilités, dit-elle. Il y a près de dix fois plus de gens bien que de postes à pourvoir.

– Oui, répondirent-ils pensivement. Mais nous nous demandions si vous y aviez jamais songé.

– Non, répondit-elle, et elle commença à s'inquiéter pour de bon en voyant Art sourire d'une oreille à l'autre. Je projette de construire des choses, ajouta-t-elle fermement.

– Rien ne t'en empêcherait, répliqua Art. Le conseil n'est qu'un travail à temps partiel.

– Ben voyons !

– Non, je t'assure.

Il était vrai que le concept de gouvernement citoyen était inscrit partout dans la nouvelle Constitution, du gouvernement global aux conseils des villes sous tente. La plupart des gens travailleraient probablement à temps partiel. Mais Nadia était convaincue que le conseil exécutif n'entrerait pas dans cette catégorie.

– Les membres du conseil ne doivent-ils pas être élus parmi les députés ? demanda-t-elle.

Elus *par* les députés, rectifièrent-ils joyeusement. Normalement, ceux-ci devaient être élus, mais pas nécessairement.

– Eh bien, c'est une erreur de la Constitution ! s'exclama Nadia. Je me réjouis que vous l'ayez repérée si vite. Réduisez le choix aux députés élus, et vous restreindrez...

Vous restreindrez...

– Et vous aurez encore des tas de gens très bien, s'empressa-t-elle de dire, se livrant à un bel exercice de rétropédalage.

Mais ils revinrent à la charge, sous différentes formations, et Nadia voyait les dents du piège se refermer sur elle. Ils finirent par l'implorer. Toute une délégation. C'était le moment crucial pour le nouveau gouvernement, il leur fallait un conseil exécutif en qui tout le monde avait confiance, c'est lui qui allait lancer les choses, etc. Le sénat avait été élu, la douma constituée. Les deux chambres devaient maintenant élire les sept membres du conseil exécutif. Au nombre des candidats figuraient Mikhail, Zeyk, Peter, Marina, Etsu, Nanao, Ariadne, Marion, Irishka, Antar, Rashid, Jackie, Charlotte, les quatre ambassadeurs vers la Terre et plusieurs personnes que Nadia avait rencontrées dans l'entrepôt.

– Des tas de gens très bien, répéta Nadia.

C'était la révolution polycéphale.

Mais les gens n'étaient pas très chauds pour cette liste, ils le dirent et le répétèrent à Nadia. Ils avaient l'habitude qu'elle leur fournisse un point d'équilibre, pendant le congrès comme pendant la révolution, et déjà avant, à Dorsa Brevia, durant toutes les années de la clandestinité... depuis toujours, en fait. On voulait qu'elle participe au conseil pour y jouer un rôle modérateur. C'était une tête froide, un parti neutre, etc.

– Sortez ! s'écria-t-elle, soudain furieuse, sans trop savoir pourquoi, et elle vit que sa colère les inquiétait, les dérangeait. Je vais y réfléchir, ajouta-t-elle en les mettant dehors.

Elle resta seule avec Charlotte et Art, qui avaient pris un air grave et faisaient semblant de n'être pour rien dans tout cela.

– On dirait qu'ils tiennent à t'avoir au conseil exécutif, constata Art.

– Oh, ça va.

– Mais si. Ils veulent une personne en qui tout le monde a confiance.

– Ils veulent une personne qui ne leur fait pas peur, tu veux dire. Ils veulent une vieille babouchka incapable de lever le petit doigt, afin de tenir leurs adversaires à l'écart du conseil et d'agir comme ils l'entendent.

Art se renfrogna. Il n'avait pas réfléchi à ça. Il était trop naïf.

– Au fond, une Constitution est une sorte de plan, dit pensivement Charlotte. Le véritable acte de construction, c'est d'en tirer un gouvernement qui marche.

– Dehors ! fit Nadia.

Elle finit par accepter d'y siéger. Ils ne voulaient pas en démordre, ils étaient incroyablement nombreux et elle ne voulait pas leur donner l'impression de se défiler. Et c'est ainsi qu'elle laissa le piège se refermer sur sa jambe.

Les chambres se réunirent, les élections furent organisées. Nadia fut élue parmi les sept, avec Zeyk, Ariadne, Marion, Peter, Mikhail et Jackie. Le jour même, Irishka fut élue premier président de la cour environnementale, un coup magnifique pour elle, à titre personnel, et pour les Rouges en général. Ça faisait partie du Grand Geste qu'Art avait négocié à la fin du congrès pour obtenir l'appui des Rouges. La moitié des membres de la cour étaient d'ailleurs plus ou moins Rouges, ce qui conférait au geste une ampleur un peu exagérée, au goût de Nadia.

Immédiatement après ces élections, une autre délégation vint la trouver, menée cette fois par ses compagnons du conseil. Elle avait reçu le plus grand nombre de voix des deux chambres, lui annoncèrent-ils, aussi voulaient-ils l'élire présidente du conseil.

– Oh non ! dit-elle.

Ils hochèrent gravement la tête. Le président n'était qu'un membre du conseil comme les autres. Un titre honorifique, et voilà tout. Ce bras du gouvernement était calqué sur celui des Suisses, et les Suisses ne savaient généralement même pas qui était leur président, etc. Ils avaient juste besoin de son accord, lui dirent-ils, et à ces mots, une flamme brilla dans les yeux de Jackie.

– Dehors ! leur dit-elle.

Lorsqu'ils furent sortis, Nadia s'effondra dans son fauteuil, sonnée.

– Tu es la seule sur Mars en qui tout le monde a confiance, fit doucement Art avec un haussement d'épaules, comme pour dire qu'il n'y était pour rien, ce qui était un mensonge, elle le savait pertinemment. Que veux-tu ? fit-il en levant les yeux au ciel dans une attitude théâtrale. Donne-leur trois ans, et quand les choses seront sur des rails, tu leur diras que tu en as assez fait et que tu laisses tomber. Et puis, la première présidente de Mars ! Comment pourrais-tu résister ?

– Oh, sans problème.

Il attendit. Nadia le foudroyait du regard.

– Tu vas accepter, hein ? dit-il enfin.

– Tu m'aideras ?

– Evidemment ! Tout ce que tu voudras, ajouta-t-il en posant la main sur ses poings crispés. Je veux dire... Je suis à ta disposition.

– C'est une position officielle de Praxis ?

– Eh bien, oui. Je suis sûr que ça pourrait le devenir. Conseiller de Praxis auprès de la présidente de Mars ? Tu penses !

Allons, c'était peut-être jouable.

Elle poussa un gros soupir et essaya de se détendre. Elle avait un nœud à l'estomac. Elle pouvait accepter ce poste, puis faire exécuter la majeure partie du travail par Art et son équipe, quelle qu'elle soit. Elle ne serait pas la première présidente à faire ça. Et pas la dernière non plus.

– Conseiller de Praxis auprès de la présidente de Mars, répétait Art, aux anges.

– Oh, la ferme ! s'exclama-t-elle.

– Mais bien sûr.

Il la laissa un moment, le temps de se faire à cette idée, revint avec un pot de kava fumant et deux tasses. Il lui en tendit une et la regarda boire à petites gorgées le liquide amer.

– De toute façon, je suis ta chose, Nadia, dit-il. Tu le sais.

– Hum.

Elle le regarda laper son kava. Il ne parlait pas que de politique, elle le savait. Il l'aimait. Depuis le temps qu'ils travaillaient ensemble, qu'ils vivaient ensemble, voyageaient ensemble, partageaient le même espace. Et elle l'aimait bien. Un gros nounours, étrangement gracieux pour sa corpulence, débordant de joie de vivre. Qui adorait le kava, il fallait voir comment il le dégustait, la bouche en cul de poule. Il avait porté le congrès à bout de bras, grâce à sa bonne humeur contagieuse. Il avait réussi à leur faire croire qu'il n'y avait rien de plus amusant que d'écrire une Constitution. Absurde ! Mais ça avait marché. Et pendant le congrès, ils étaient devenus une sorte de couple, elle devait bien l'admettre.

Seulement elle avait cent cinquante-neuf ans, maintenant. Encore une absurdité, mais ce n'en était pas moins vrai. Et Art avait, elle ne savait pas trop, entre soixante-dix et quatre-vingts ans, bien qu'il en paraisse cinquante, comme souvent quand ils commençaient le traitement prématurément.

– Je pourrais être ta grand-mère, dit-elle.

Art haussa les épaules, un peu gêné. Il savait de quoi elle voulait parler.

– Je suis assez vieux pour être l'arrière-grand-père de cette femme, répliqua-t-il en indiquant une grande indigène qui passait devant la porte de leur bureau. Et elle serait assez vieille pour avoir des enfants. Alors tu sais... à partir d'un certain moment, ça ne veut plus rien dire.

– Peut-être pas pour toi.

– Non ! Mais c'est déjà la moitié des avis qui comptent.

Nadia ne répondit pas.

– Ecoute, reprit Art, nous allons vivre un sacré bon bout de temps. A un moment donné, les chiffres ont cessé d'avoir un sens. Je veux dire, je n'étais pas avec toi pendant les premières années, mais nous sommes ensemble depuis longtemps, maintenant, et nous en avons vécu des choses, tous les deux.

– Je sais, fit Nadia en regardant la table, le moignon de son doigt perdu, en pensant à certaines périodes de sa vie, disparues elles aussi.

Et voilà qu'elle se retrouvait présidente de Mars.

– Merde !

Art finit son kava, la regarda avec sympathie. Il l'aimait bien, elle l'aimait bien. Ils formaient déjà une sorte de couple.

– Je peux compter sur toi pour m'aider avec cette saleté de conseil ? fit-elle, déprimée de sentir tous ses fantasmes technologiques s'envoler en fumée.

– Et comment !

– Et puis... eh bien, on verra.

– On verra, répéta-t-il en souriant.

Et voilà, elle était coincée sur Pavonis Mons. Le nouveau gouvernement se constituait, déménageait des entrepôts vers Sheffield, s'installait dans les vastes bâtiments, aux façades de pierre polie, abandonnés par les métanats. La question se posa, évidemment, de savoir si elles seraient indemnisées pour l'occupation de leurs bâtiments et autres infrastructures, ou si tout avait été « globalisé », « coopté » par l'indépendance et le nouvel ordre.

– Qu'on les indemnise, grommela Nadia à Charlotte.

Mais la présidente de Mars n'était apparemment pas le genre de présidente devant qui l'on se mettait au garde-à-vous, le petit doigt sur la couture du pantalon...

En tout cas, le gouvernement prenait ses quartiers à Sheffield qui devenait, sinon la capitale, du moins le siège provisoire du gouvernement global. Burroughs étant submergée et Sabishii incendiée, aucun autre endroit ne s'imposait et, à vrai dire, Nadia n'avait pas l'impression que les villes sous tente se battaient pour les héberger. Il était question de construire une nouvelle capitale, mais ça prendrait du temps, et en attendant, il fallait bien qu'ils s'installent quelque part. Tout le monde se retira donc sous la tente de Sheffield, sous le ciel noir de Sheffield, l'ombre du câble de l'ascenseur montant de son quartier est, comme une faille dans la réalité.

Nadia trouva, dans la tente la plus à l'ouest, derrière le parc, un appartement au quatrième étage d'où elle avait une belle vue sur la terrible caldeira de Pavonis. Art prit un appartement au rez-de-chaussée du même immeuble, mais qui ouvrait sur l'arrière. La caldeira lui donnait le vertige. Le bureau de Praxis était dans un bâtiment voisin, un énorme cube de jaspe poli, aux fenêtres d'un bleu de chrome.

Enfin, elle était là. Le moment était venu de respirer un bon coup et de se mettre à la tâche. Elle avait l'impression de faire un cauchemar dans lequel le congrès constitutionnel se serait soudain prolongé pendant trois ans, trois années martiennes.

Elle avait, au départ, l'intention de descendre parfois de la montagne afin de participer à un projet de construction ou un autre. Evidemment, elle ferait son travail pour le conseil, mais contribuer à l'accroissement de la production de gaz à effet de serre, par exemple, semblait particulièrement judicieux : cela alliait les problèmes techniques et la politique de conformation au nouveau régime de régulation environnemental, et cela lui permettrait de retourner dans l'arrière-pays, où étaient localisées beaucoup d'installations. De là, elle pourrait participer aux travaux du conseil par bloc-poignet.

Mais tout conspira à la faire rester à Sheffield. Les événements s'enchaînèrent – rien de particulièrement important ou intéressant, comparé au congrès, rien que les petits détails qui faisaient marcher les choses. C'était comme l'avait dit Charlotte : après la phase de conception, les détails interminables de la construction.

Il fallait s'y attendre. Elle devrait être patiente. Elle expédierait les affaires urgentes, et puis elle s'en irait. Entre-temps, avec le processus de démarrage, les médias ne juraient que par elle, le nouveau bureau martien des Nations Unies voulait la voir pour parler avec elle de la nouvelle politique d'immigration et des procédures. Les autres membres du conseil ne pouvaient pas se passer d'elle. Où le conseil se réunirait-il ? A quel rythme ? Quelles étaient les règles de fonctionnement ? Nadia persuada les six autres conseillers d'embaucher Charlotte comme secrétaire du conseil et chef du protocole, après quoi Charlotte recruta toute une équipe d'assistantes de Dorsa Brevia. Ils avaient donc une amorce d'état-major. Et Mikhail avait une grande expérience du gouvernement acquise à Vishniac Bogdanov. Des tas de gens étaient donc plus aptes que Nadia à faire ce travail. Mais on l'appelait encore un million de fois par jour pour conférer, discuter, décider, nommer, arbitrer, administrer. Ça n'en finissait pas.

Et puis, quand Nadia trouva le temps de s'occuper un peu d'elle-même, elle découvrit que la présidente de Mars aurait le plus grand mal à mener son projet à bien. Tout ce qui était actuellement mis en œuvre l'était par une tente ou une coop. C'étaient souvent des entreprises commerciales, compromises dans des transactions impliquant pour partie des travaux publics à but non lucratif, et pour partie des marchés compétitifs. Le fait que la présidente participe au projet d'une coop risquait fort de passer pour un patronage officiel et devait être évité dans un souci d'équité. C'était un conflit d'intérêts.

– Et merde ! dit-elle en regardant Art d'un œil accusateur.

Il haussa les épaules, l'air de n'y avoir pas songé un seul instant.

Mais il n'y avait pas moyen d'en sortir. Elle était prisonnière de son pouvoir. Bien. Elle étudierait la situation comme n'importe quel problème d'engineering, comme n'importe quelle autre difficulté. Mettons qu'elle veuille construire une usine de production de gaz à effet de serre. Elle ne pouvait se joindre à une coop industrielle en particulier. Elle devait donc le faire d'une autre façon. Intervenir à un niveau plus élevé. Et si elle essayait de coordonner les coops ?

Ce n'étaient pas les raisons qui manquaient de promouvoir la production de gaz à effet de serre. L'Année Sans Eté avait été ponctuée par une série de violents orages qui s'étaient abattus du Grand Escarpement sur le nord, et la plupart des météorologistes voyaient dans ces tempêtes de Hadley transéquatoriales une conséquence de la suppression des miroirs orbitaux et de la soudaine baisse de luminosité qui s'en était suivie. La perspective de voir survenir une véritable ère glaciaire n'était pas exclue, et le pompage des gaz de serre semblait être l'un des meilleurs moyens de la combattre. Nadia demanda donc à Charlotte d'organiser une conférence destinée à envisager toutes les stratégies de lutte contre l'ère glaciaire. Charlotte contacta des gens de Da Vinci, de Sabishii et d'ailleurs, et elle mit bientôt sur pied un colloque qui devait se tenir à Sabishii, et que quelqu'un, un saxaclone sans doute, baptisa « Les Entretiens de M-53 sur les Moyens de Combattre les Effets de la Baisse de Luminosité ».

Ces entretiens, Nadia ne devait jamais y assister. Elle fut retenue à Sheffield par les affaires, et surtout par la mise en route du nouveau système économique qu'elle jugeait plus importante que tout le reste. Les députés votaient les lois d'économie qui devaient habiller le squelette défini par la Constitution. Ces lois imposaient aux coops qui existaient avant la révolution d'aider les filiales locales des métanats maintenant indépendantes à se transformer en organisations similaires. Ce processus, appelé horizontalisation, bénéficiait d'un très large soutien, surtout de la part des jeunes indigènes, et avançait sans heurt. Toute entreprise martienne devait maintenant appartenir à ses seuls collaborateurs. Aucune coop ne pouvait dépasser un millier de membres ; les entreprises plus importantes seraient composées d'associations de coops. Pour leur structure interne, la plupart des entreprises adoptaient l'une ou l'autre variante d'un modèle bogdanoviste, lui-même inspiré de la communauté basque de Mondragon, en Espagne. Les employés étaient copropriétaires de leur entreprise et accédaient à leur titre de propriété en versant l'équivalent d'une année de salaire environ au fonds d'équité de la firme, cette somme étant acquise lors de divers programmes d'apprentissage suivis en fin de scolarité. Ce versement était une sorte d'action dont la valeur augmentait à chaque année que le collaborateur passait dans la société. Elle lui était restituée sous forme de pension ou de capital de départ. Un conseil élu par le personnel désignait une direction, qu'il allait généralement chercher à l'extérieur, et qui avait ensuite tout pouvoir de décision, mais était assujettie au contrôle annuel du conseil. On pouvait obtenir du crédit et des capitaux auprès de banques coopératives centrales, du fonds de développement du gouvernement global ou d'organismes d'aide comme Praxis et les Suisses. Au niveau supérieur, les coops d'un même secteur d'activité pouvaient s'associer pour des projets plus importants et envoyer des représentants auprès de guildes qui instauraient des codes de déontologie, mettaient en place des centres d'arbitrage et de médiation, et assumaient généralement toutes les activités des syndicats professionnels.

La commission économique était aussi chargée de définir une monnaie martienne à usage interne et destinée aux échanges avec la Terre. La commission tenait à ce que cette monnaie résiste à la spéculation terrienne, mais, en l'absence de Bourse martienne, il était à craindre que le poids des investissements terriens ne retombe sur la devise martienne, avec les risques d'inflation que cela comportait. Avec le temps, on pouvait craindre une surévaluation du sequin martien sur le marché des changes terrien, au détriment de Mars. Mais les métanats en cours de dislocation poursuivaient la lutte contre le coopératisme sur Terre, et les échanges financiers terriens, désorganisés, avaient perdu de leur intensité. Le sequin se tenait donc bien sur Terre, sans excès, et sur Mars, ce n'était que de l'argent. Praxis fut d'une aide considérable tout au long du processus, en jouant un peu le rôle de banque fédérale pour la nouvelle économie, en lui accordant des prêts à taux zéro et en servant de trait d'union avec les Bourses terriennes.

Dans ce contexte, le conseil exécutif débattait pendant de longues heures, tous les jours, de problèmes législatifs et autres. Nadia en oublia presque la conférence dont elle était l'instigatrice et qui se déroulait en même temps à Sabishii. Parfois, le soir, elle passait enfin une heure ou deux devant l'écran avec ses amis de Sabishii. Les choses donnaient l'impression de bien se passer là-bas aussi. Beaucoup de savants environnementalistes de Mars étaient venus et ils s'accordaient à dire qu'un accroissement massif de l'émission de gaz à effet de serre contribuerait à atténuer les effets de la perte du miroir. Evidemment, les serres émettaient avant tout du dioxyde de carbone – dont ils s'efforçaient déjà de ramener la proportion dans l'atmosphère à un niveau respirable – mais ils estimaient généralement qu'il devait être possible de produire et de relâcher dans l'atmosphère des gaz plus complexes et plus puissants, selon des proportions idoines et sans que cela pose de problème sur le plan politique. La Constitution spécifiait que l'atmosphère ne devait pas dépasser 350 millibars à la limite de six kilomètres, mais ne disait rien sur la nature des gaz devant permettre d'arriver à cette pression.

Ils avaient calculé que s'ils arrivaient à augmenter la proportion de dérivés carbonés halogénés et autres gaz composant ce qu'ils appelaient « le cocktail de Russell » à cent parties par million au lieu des vingt-sept parties par million que comportait normalement l'atmosphère, la chaleur monterait de plusieurs degrés kelvin et la menace d'ère glaciaire serait écartée, ou du moins grandement réduite. Le plan prévoyait donc la production et le relâchement dans l'atmosphère de tonnes de tétrafluorure de carbone, d'hexafluoroéthane, d'hexafluorure de soufre, de méthane, d'oxyde d'azote et de traces d'autres éléments chimiques qui contribueraient à réduire le rythme auquel les rayons UV détruisaient ces halocarbones.

L'autre moyen de lutte le plus souvent mentionné au cours des entretiens consistait à faire fondre la glace de la mer du Nord. Tant qu'elle ne serait pas complètement liquide, l'albédo de la glace renverrait beaucoup d'énergie dans l'espace. S'ils parvenaient à obtenir un océan liquide, ou, selon sa latitude, un océan liquide en été, toute menace de glaciation serait écartée à jamais, et le terraforming pratiquement achevé : il y aurait des courants forts, des vagues, une évaporation, des nuages, des précipitations, une fonte, des fleuves, des rivières, des deltas – un cycle hydrologique complet. Toutes sortes de méthodes furent proposées pour accélérer la fonte de la glace : alimenter les océans avec la chaleur dégagée par les centrales nucléaires, répandre des algues noires à la surface, déployer des émetteurs chauffants à micro-ondes et à ultrasons, ou rompre les plaques les moins épaisses à l'aide de brise-glace.

L'accroissement de l'effet de serre irait bien entendu dans ce sens : la glace des océans fondrait toute seule à partir du moment où la température de l'air s'élèverait régulièrement au-dessus de 273 degrés kelvin. Mais ce projet n'allait pas sans inconvénients, ainsi que le soulignèrent les participants au colloque : il exigerait un effort industriel presque aussi important que les entreprises monstrueuses des métanats comme le transport d'azote de Titan, ou la soletta elle-même. Et ce n'était pas un mince problème : les gaz étaient constamment détruits par les rayons UV dans la stratosphère, de sorte qu'il faudrait les produire de façon excessive afin d'atteindre le niveau désiré, et même après, si on voulait qu'ils continuent à monter aussi haut. L'extraction des matières premières et la construction des usines nécessaires pour leur transformation étaient des projets énormes qui seraient essentiellement mis en œuvre grâce à la robotique : ça exigerait des mineurs robots et autorépliquants, des usines autoconstructibles et autorégulées, des drones échantillons dans la stratosphère. L'entreprise devait être entièrement automatisée.

Le problème ne résidait pas dans le défi technique que cela impliquait. Comme le fit remarquer Nadia, la technologie martienne était hautement robotisée depuis le début. Des milliers de petits véhicules automatisés erreraient seuls à la surface de Mars, à la recherche des meilleurs gisements de carbone, de soufre ou de fluorine, comme les Arabes des caravanes minières du Grand Escarpement. Puis, quand ils découvriraient des dépôts importants, les robots s'installeraient et construiraient de petites unités de transformation à partir de l'argile, du fer, du magnésium et des oligo-éléments trouvés à l'endroit de ces mêmes dépôts, apportant les pièces qu'ils ne pouvaient fabriquer sur place et assemblant le tout. Ils construiraient des flottilles de foreuses et de wagons automatisés afin de transporter les matières transformées vers les usines où elles seraient gazéifiées et relâchées à partir d'immenses silos mobiles. Ce n'était pas très différent du processus de forage antérieur de gaz atmosphérique, sinon sur le plan de l'échelle.

L'ennui, c'est que les dépôts les plus faciles à exploiter l'avaient déjà été. Et que le sol ne pouvait plus être creusé comme autrefois : il y avait des plantes presque partout, maintenant, et en de nombreux endroits, une sorte de dallage se développait à la surface du désert, par suite de l'hydratation, de l'action bactériologique et de réactions chimiques dans les argiles. Cette croûte contribuait grandement à réduire les tempêtes de sable, qui constituaient encore un grave problème. La gratter pour atteindre les dépôts de matière première qui se trouvaient en dessous n'était plus envisageable, ni sur le plan politique ni sur le plan écologique. Les membres rouges des instances gouvernementales exigeaient un moratoire sur ce genre de forage, et pour de bonnes raisons, même en termes de terraforming.

Qu'il était difficile, songea Nadia, un soir, en éteignant son écran, de se retrouver confronté aux effets antagonistes de ses actes... Les effets sur l'environnement étaient si étroitement liés qu'ils auraient du mal à les dissocier et à arrêter une marche à suivre. Et qu'il était difficile de rester prisonnier des règles qu'on avait soi-même édictées. Rien ni personne ne pouvait plus agir individuellement. Toute action était maintenant bien trop ramifiée. D'où la nécessité de réguler l'environnement, et l'utilité de la cour environnementale globale, déjà submergée par les dossiers. Elle allait être aussi obligée de réglementer tous les projets sortant de ces entretiens. Les jours du terraforming débridé étaient révolus.

Et en sa qualité de membre du conseil exécutif, Nadia devait se borner à dire qu'elle était pour l'augmentation de l'effet de serre. A part ça, elle devait rester en dehors du débat, sous peine de donner l'impression de marcher sur les plates-bandes de la cour environnementale, qu'Irishka défendait avec vigueur. De sorte que Nadia passait du temps à consulter, par écran interposé, des groupes qui concevaient de nouveaux robots extracteurs censés causer le moins de désordre possible, ou qui travaillaient sur des fixateurs de poussières susceptibles d'être vaporisés à la surface, ou d'y pousser. « Un dallage fin et rapide », comme ils disaient. N'empêche que le problème n'était pas près d'être réglé.

Ce fut toute la contribution de Nadia aux entretiens de Sabishii, qu'elle avait elle-même initiés. Enfin, toutes ces questions techniques étant engluées dans des considérations d'ordre politique, elle n'avait rien manqué, en fin de compte. Personne n'était arrivé à un résultat concret. Et pendant ce temps-là, à Sheffield, le conseil affrontait de réels problèmes : des difficultés imprévues dans l'instauration de l'éco-économie. Certains protestaient que la CEG outrepassait son autorité. D'autres se plaignaient de la nouvelle police et du système de justice criminelle. Les deux chambres adoptaient un comportement anarchique et stupide. Les Rouges, et d'autres, faisaient de la résistance dans l'outback, et Dieu sait quoi encore. Les embêtements couvraient tout le champ des possibles, du plus crucial au plus dérisoire, jusqu'à ce que Nadia commence à perdre la mesure des vrais problèmes dans cette galaxie.

C'est ainsi, par exemple, qu'elle passait une bonne partie de son temps à arbitrer les luttes intestines du conseil, qu'elle considérait comme triviales mais ne pouvait éluder. La plupart des conflits étaient provoqués par les manœuvres de Jackie visant à constituer une majorité qui la suivrait aveuglément, de façon à utiliser le conseil comme un porte-drapeau pour Mars Libre, autrement dit pour elle-même. Nadia s'efforça de mieux connaître les autres membres du conseil afin d'imaginer un moyen de travailler avec eux. Zeyk était une vieille connaissance. Nadia l'aimait bien. C'était un homme influent parmi les Arabes, il les représentait face à la culture générale et il avait remporté ce poste au nez et à la barbe d'Antar. C'était un homme gracieux, intelligent, gentil, et tous deux étaient d'accord sur la plupart des problèmes, y compris les plus fondamentaux, de sorte qu'ils entretenaient des relations très positives, presque amicales. Ariadne était une des prêtresses de la matriarchie de Dorsa Brevia, rôle qui lui allait comme un gant : c'était une idéologue impérieuse et rigide, et ses principes étaient probablement la seule chose qui l'empêchait de présenter une opposition sérieuse à la prééminence de Jackie auprès des indigènes. Marion était une Rouge ; une idéologue aussi, mais elle avait beaucoup évolué depuis les jours anciens de son radicalisme, même si elle argumentait avec une faconde incroyable, de sorte qu'il était difficile de lui river son clou. Peter, le petit garçon d'Ann, avait grandi et incarnait un certain pouvoir auprès de différentes factions de la société martienne, dont l'équipe spatiale de Da Vinci, l'underground Vert, les gens du câble et, à cause d'Ann, certains Rouges parmi les plus modérés. Cette versatilité faisait partie de sa nature, et Nadia avait toujours eu du mal à le cerner. Il gardait ses distances, comme ses parents, et il semblait se méfier de Nadia et des autres Cent Premiers. Un vrai nisei, jusqu'au bout des ongles. Mikhail Yangel était l'un des premiers issei à avoir suivi les Cent sur Mars, et il avait travaillé avec Arkady depuis le début. Il avait joué un rôle moteur dans la révolte de 61, et Nadia le tenait pour l'un des Rouges les plus extrémistes à l'époque, ce qui la mettait encore parfois en rage. C'était stupide, ça ne facilitait pas les rapports avec lui, mais elle n'y pouvait rien ; c'était plus fort qu'elle. Il avait pourtant beaucoup changé. C'était aujourd'hui un bogdanoviste prêt au compromis. Sa présence au conseil était une surprise pour Nadia. Elle y voyait une sorte de geste envers Arkady, et trouvait cela vaguement touchant.

Et puis il y avait Jackie, qui était peut-être la plus populaire et la plus puissante des politiciennes de Mars. En attendant le retour de Nirgal, du moins.

Nadia était donc amenée à négocier avec eux jour après jour et s'efforçait de comprendre leur mode de fonctionnement alors qu'ils abordaient l'un après l'autre les problèmes quotidiens, du plus important au plus dérisoire, de l'abstrait au personnel. Nadia avait l'impression que tout était lié. Non, le conseil n'était pas un travail à mi-temps. Il l'occupait du matin au soir, sans trêve ni relâche. Et des trois années martiennes de son mandat elle n'avait vécu que deux mois...

Art voyait bien que la situation lui pesait et faisait de son mieux pour l'aider. Il lui apportait son petit déjeuner tous les matins, comme une soubrette. Il le préparait souvent lui-même, et veillait à ce qu'elle se régale. Il arrivait en tenant haut son plateau et programmait du jazz sur son IA en guise de fond sonore à leurs agapes matinales. Pas seulement Louis Armstrong, que Nadia adorait, même s'il s'ingéniait à trouver, pour l'amuser, de vieux enregistrements comme *Give Peace a Chance* ou *Stardust Memories*, mais aussi des échantillons de jazz postérieur qu'elle n'appréciait guère jusque-là, parce qu'elle les trouvait trop frénétiques. Mais ça semblait être le tempo de l'époque. En tout cas, elle trouvait que Charlie Parker tournait et virevoltait d'une façon très impressionnante, et que Charlie Mingus donnait à son *big band* des accents comparables à ceux de Duke Ellington sous pandorphe – exactement ce qui manquait, disait-elle, au Duke et à tout le swing, une musique très amusante, agréable. Non, le plus beau de tous, c'était Clifford Brown qu'Art invitait souvent à partager leur petit déjeuner. C'est lui qui l'avait découvert pour elle, et il en était très fier. Il affirmait souvent que c'était l'héritier légitime d'Armstrong – une trompette vibrante, aux accents radieux, mélodiques comme celle de son cher Satchmo, aussi vive, brillante, intelligente et difficile. Du Parker, en plus joyeux. C'était le fond sonore idéal pour ces moments de folie, une musique stimulante, intense, aussi positive qu'il était possible de l'être.

Art lui apportait donc son petit déjeuner en chantant *All of Me* d'une assez belle voix, avec la vision pénétrante de Satchmo, pour qui la chanson américaine ne pouvait être traitée que comme une bonne blague : « *All of me*, moi tout entier, pourquoi ne pas me prendre tout entier, tu ne vois pas, que je ne vaux rien sans toi. » Leurs petits déjeuners musicaux étaient très gais.

Mais si bien que commencent les journées, le conseil lui bouffait la vie. Nadia en avait de plus en plus marre des chamailleries, des négociations, des compromis, des conciliations. De gérer les problèmes des gens, minute après minute. Elle commençait à en avoir plein le dos.

Art le voyait bien, évidemment, et il se faisait du souci pour elle. Un soir, après le travail, il invita Ursula et Vlad, qui étaient en ville pour affaires, à dîner chez Nadia, lui-même se chargeant de la cuisine. Nadia aimait beaucoup ses vieux amis ; cette invitation était une bonne idée. Art était un homme adorable, se disait Nadia en le regardant s'affairer dans la cuisine. Un diplomate consommé sous ses airs de bonne pâte. Ou le contraire. Une sorte de Frank débonnaire. Ou plutôt un mélange de Frank, avec sa rouerie, et d'Arkady, ce bon vivant. Elle se morigéna intérieurement pour cette sale habitude qu'elle avait de voir les gens en fonction des Cent Premiers, comme si tout le monde était, d'une façon ou d'une autre, une recombinaison des caractéristiques de cette famille originale.

Vlad et Art parlèrent d'Ann. Sax avait appelé Vlad depuis la navette qui filait vers Mars. Il avait été ébranlé par une conversation qu'il avait eue avec elle et voulait savoir si Vlad et Ursula seraient disposés à lui administrer le traitement qu'ils avaient fait subir à son cerveau après son attaque.

– Ann n'accepterait jamais, objectait Ursula.

– J'espère bien que non, fit Vlad. Ça irait trop loin. Son cerveau n'a pas été endommagé. Nous ignorons quel effet ce traitement pourrait avoir sur des tissus sains. Et on ne devrait entreprendre que ce qu'on comprend, à moins d'être vraiment désespéré.

– Peut-être qu'Ann est désespérée, avança Nadia.

– Non. C'est Sax qui est désespéré, rectifia Vlad avec un sourire fugace. Il voudrait trouver une Ann différente en rentrant.

– Tu ne voulais pas non plus faire subir le traitement à Sax, reprit Ursula.

– C'est vrai. Je ne l'aurais pas tenté sur moi-même. Mais Sax est vraiment un homme courageux. Impulsif. Nous devrions nous en tenir à des choses comme ton doigt, Nadia, fit Vlad en la regardant. Maintenant que nous savons comment les réparer.

– Qu'est-ce qu'il a, mon doigt? demanda Nadia, surprise.

Ils éclatèrent de rire.

– Celui qui te manque! répondit Ursula. Nous pourrions te le faire repousser, si tu voulais.

– Ka! s'exclama Nadia.

Elle s'appuya au dossier de sa chaise et regarda sa main gauche, le moignon de son petit doigt sectionné.

– A vrai dire, il ne me manque pas tant que ça.

Ils s'esclaffèrent de plus belle.

– Alors tu nous as bien eus! remarqua Ursula. Tu n'arrêtais pas de te plaindre de tout ce que tu ne pouvais plus faire sans lui!

– Moi?

Les autres acquiescèrent avec ensemble.

– Tu n'aimerais pas le retrouver pour nager? avança Ursula.

– Je ne nage plus beaucoup.

– Tu as peut-être arrêté à cause de ça.

Nadia regarda à nouveau sa main longue et fine.

– Ka. Je ne sais pas quoi vous dire. Vous êtes sûrs que ça marcherait?

– Et s'il te poussait une nouvelle main? avança Art. Une Nadia tout entière? Tu aurais une sœur siamoise.

Nadia lui enfonça son coude dans les côtes.

– Non, non, fit Ursula en secouant la tête. Nous avons déjà expérimenté la technique sur des amputés et un grand nombre d'animaux expérimentaux. Des mains, des bras, des jambes. Nous avons trouvé ça en observant des grenouilles. C'est assez formidable, en réalité. Les cellules se différencient exactement comme à la première pousse.

– Une démonstration très littérale de la théorie de l'émergence, fit Vlad avec un petit sourire.

Et Nadia comprit à ce sourire qu'il avait joué un rôle fondamental dans la mise au point du processus.

– Et ça marche? lui demanda-t-elle.

– Ça marche. Nous pourrions parfaitement faire pousser un nouveau doigt sur ton moignon en réalisant une combinaison de cellules de la souche embryonnaire et de la base de ton autre petit doigt. L'ensemble fonctionne comme l'équivalent des gènes homéobox du fœtus : il comporte les déterminants nécessaires pour que les nouvelles cellules-souches se différencient normalement. Une injection ultrasonique hebdomadaire de facteur de croissance fibroblastique, plus, au moment donné, quelques cellules de la jointure et de l'ongle... et le tour est joué.

Pendant ses explications, Nadia sentit naître en elle une petite lueur d'intérêt. Une personne entière... Art la regardait avec la curiosité bienveillante qui lui était coutumière.

– Eh bien, pourquoi pas? dit-elle enfin. C'est d'accord.

C'est ainsi que la semaine suivante ils effectuèrent une biopsie de son petit doigt restant, lui firent quelques injections dans le bras et dans le moignon de son petit doigt manquant et lui donnèrent quelques pilules. Ce fut tout. A part les injections hebdomadaires, ce n'était plus qu'une question de temps.

Puis toute l'affaire lui sortit de l'esprit, parce que Charlotte vint la trouver avec un gros problème : Le Caire ignorait un ordre de la CEG concernant le pompage de l'eau.

– Je crois que tu ferais bien de venir. On dirait que les Cairotes testent la cour, pour une faction de Mars Libre qui veut défier le gouvernement global.

– Jackie? avança Nadia.

– Tu m'as comprise.

Le Caire se dressait au bord d'un plateau qui surplombait une vallée en forme de U située tout au bout de Noctis Labyrinthus. En sortant de la gare, Art et Nadia traversèrent une plaza entourée de grands palmiers. Elle regarda autour d'elle. C'est là qu'elle avait vécu certains des pires moments de sa vie, lors de l'attaque de 2061. Sasha et tant d'autres avaient été tués, et elle avait fait sauter Phobos, tout ça quelques jours à peine après avoir découvert les restes calcinés d'Arkady. Elle n'y avait jamais remis les pieds. Elle détestait cet endroit.

Elle constata que la ville avait une nouvelle fois souffert au cours des récents troubles. Certaines parties de la tente avaient sauté et la station énergétique avait été gravement endommagée. Elle était en cours de reconstruction, et de nouveaux segments de tente étaient fixés sur l'ancienne, la ville s'étendant loin vers l'est et l'ouest, le long du plateau. Nadia trouvait étrange de voir une ville-champignon à cette altitude, dix kilomètres au-dessus du niveau moyen. Ils ne pourraient jamais se passer des tentes ou se promener au-dehors sans casque et sans combinaison, et Nadia la croyait condamnée au déclin, mais elle se trouvait à l'intersection de la piste équatoriale et de celle de Tharsis, qui allait du nord au sud. C'était le dernier endroit où l'on pouvait traverser l'équateur avant le chaos, un bon quart de la planète plus loin. Alors, à moins qu'on ne construise ce fameux pont trans-Marineris, Le Caire serait toujours un carrefour stratégique.

En attendant, carrefour ou non, ils avaient de plus en plus besoin d'eau. Après l'explosion, en 61, de l'aquifère de Compton, les canyons de Marineris avaient été inondés. C'était l'inondation qui avait manqué tuer Nadia et ses compagnons lors de leur fuite dans les canyons, après la prise du Caire. La majeure partie de l'eau avait soit gelé, créant un long glacier irrégulier, soit formé des mares et gelé dans le fond chaotique de Marineris. Une partie était évidemment restée dans l'aquifère. Au cours des années qui avaient suivi, cette eau avait été pompée et amenée dans les villes sur tout l'est de Tharsis, et le glacier de Marineris était lentement descendu dans le canyon, son extrémité supérieure, qui n'était plus alimentée par aucune source, reculant, laissant derrière elle un sol dévasté et une enfilade de lacs de glace de faible profondeur. Le Caire commençait donc vraiment à manquer de réserves d'eau. Ses services hydrologiques avaient posé dans l'auge de Chryse un pipeline qui amenait l'eau du grand bras sud de la mer du Nord. Jusque-là, il n'y avait pas de problème ; il fallait bien que les villes sous tente trouvent leur eau quelque part. Mais les Cairotes avaient depuis peu commencé à déverser de l'eau dans un réservoir situé en contrebas, dans le canyon Noctis, le trop-plein s'écoulant dans Ius Chasma, où il s'accumulait derrière l'extrémité supérieure du glacier de Marineris, ou coulait tout du long. Pratiquement, donc, ils avaient créé un nouveau fleuve courant dans l'immense système du canyon, loin de leur ville ; et maintenant ils établissaient un certain nombre de colonies de peuplement et de communautés agricoles en aval de la ville. Une délégation de Rouges était allée trouver la cour environnementale globale pour protester, arguant que Marineris Valles, qui était le plus grand canyon du système solaire, devait être protégé en tant que merveille naturelle. Si on laissait faire, le glacier finirait par glisser dans le chaos, et le fond des canyons se retrouverait à découvert. La CEG avait approuvé cette motion et mis son veto (Charlotte disait son « cego ») à l'écoulement de l'eau hors du réservoir du Caire. Les Cairotes avaient refusé d'obtempérer, décrétant que le gouvernement global n'avait pas à légiférer sur ce qu'ils appelaient « les problèmes vitaux de la cité », et construisaient des colonies en aval aussi vite qu'ils le pouvaient.

C'était une provocation manifeste, un défi lancé au nouveau système.

– C'est un test, marmonna Art, au milieu de la place. Ce n'est qu'un test. Si c'était une vraie crise constitutionnelle, on entendrait une sirène retentir sur toute la planète.

Un test. Exactement le genre de chose que Nadia n'était pas d'humeur à supporter. Si bien qu'elle traversa la ville de fort mauvaise humeur. Et la vue de la plaza, des boulevards, du mur de la cité, le long du canyon, n'arrangea rien : tout était exactement comme en 61 et lui rappelait ces terribles journées. La mémoire enregistrait mal, dit-on, la partie médiane de la vie. Eh bien, elle aurait joyeusement renoncé à ces souvenirs si elle l'avait pu. L'ennui, c'est que la peur et la rage semblaient agir comme autant de fixateurs de cauchemar. Car tout lui revenait à l'esprit avec une netteté surnaturelle : Frank tapant comme un malade sur ses moniteurs, Sasha mangeant une pizza, Maya hurlant avec fureur pour une raison ou une autre, les heures passées à se demander avec angoisse si les fragments de Phobos leur tomberaient dessus ou non. L'image du corps de Sasha, du sang aux oreilles. Le déclenchement de l'émetteur qui avait envoyé valdinguer Phobos.

Elle eut donc le plus grand mal à se contenir lors de la première réunion avec les Cairotes, d'autant que Jackie était parmi eux, et prenait leur parti. Qui plus est, elle était enceinte, et depuis plusieurs mois, apparemment. Elle était épanouie, rayonnante, éblouissante. Personne ne savait qui était le père, elle avait fait ça toute seule. Une tradition héritée de Dorsa Brevia et d'Hiroko. Un sujet d'irritation supplémentaire pour Nadia.

La réunion avait lieu dans un bâtiment situé près du mur de la cité, juste au-dessus du canyon en forme de U appelé Nilus Noctis. Le problème en cause était visible dans le canyon : un large réservoir aux parois de glace, fermé par un barrage invisible d'aussi haut juste avant la porte d'Illyrie et le nouveau chaos de Compton.

Charlotte était debout devant la fenêtre et posait aux officiels du Caire les questions mêmes que Nadia aurait posées, mais avec un calme qu'elle était loin d'éprouver.

– Vous vivrez toujours sous une tente. Les possibilités d'extensions sont limitées. Pourquoi inonder Marineris alors que ça ne vous rapportera rien ?

Personne ne se donna la peine de lui répondre. Pour finir, Jackie dit :

– Les gens qui vivront en bas en profiteront, et ils font partie du Grand Caire. L'eau sous toutes ses formes est une ressource à cette altitude.

– L'eau dévalant Marineris ne présente aucun intérêt pour personne, objecta Charlotte.

Les Cairotes arguèrent de l'utilité de l'eau dans Marineris. Il y avait aussi des représentants des colons d'en bas, dont un certain nombre d'Egyptiens. Ils firent valoir qu'ils étaient à Marineris depuis des générations, qu'ils avaient le droit de vivre là, que c'était la meilleure terre arable de Mars, qu'ils se feraient tuer plutôt que de partir, et ainsi de suite. A certains moments, Jackie et les Cairotes semblaient prendre fait et cause pour ces voisins ; à d'autres, ils paraissaient plutôt militer pour le droit d'utiliser Marineris comme réservoir. Et surtout, ils donnaient l'impression de défendre leur propre droit à faire ce qu'ils voulaient. Nadia commençait à en avoir jusque-là.

– La cour a rendu son jugement, dit-elle. Nous ne sommes pas venus pour en rediscuter mais pour faire appliquer sa décision.

Et elle quitta la réunion avant de prononcer des paroles irréparables.

Ce soir-là, elle dîna avec Charlotte et Art au restaurant de la gare. Elle était tellement hors d'elle qu'elle n'arrivait pas à se concentrer sur le délicieux repas éthiopien qu'on leur avait servi.

– Que veulent-ils ? demanda-t-elle à Charlotte.

Celle-ci haussa les épaules, avala ce qu'elle avait dans la bouche et dit :

– Tu as remarqué que la présidente de Mars n'avait pas une autorité phénoménale sur son peuple ?

– Il faudrait être sourde et aveugle pour ne pas s'en rendre compte.

– Oui. Eh bien, ça vaut pour l'ensemble du conseil exécutif. Tout se passe comme si, dans ce gouvernement, le vrai pouvoir était détenu par la cour environnementale. Irishka en a été nommée responsable au titre du Grand Geste, et elle a beaucoup fait pour légitimer la tendance Rouge modérée en adoptant des positions moyennes. Les développements sont généralement acceptés sous la limite des six kilomètres, mais, au-dessus, ils sont très stricts. C'est dans la Constitution, alors ils peuvent défendre ce point de vue, d'autant que les députés traînent les pieds. Ils n'ont révoqué aucune de leurs dispositions, pour l'instant. Alors tu penses si cette première session donne une image impressionnante d'Irishka et de ses magistrats.

– Et Jackie est jalouse, avança Nadia.

– C'est possible, acquiesça Charlotte en haussant les épaules.

– Plus que possible, renchérit Nadia d'un ton funèbre.

– Et puis il y a la question du conseil lui-même. Jackie croit peut-être pouvoir obtenir le soutien des trois autres sur la question, auquel cas le conseil serait encore un peu plus à sa botte. Le Caire est une arène où elle peut espérer que Zeyk votera avec elle à cause de la partie arabe de la ville. Il ne lui en manquera plus que deux. Et Mikhail et Ariadne sont tous les deux très partisans du régionalisme.

– Mais le conseil ne peut revenir sur des décisions de la cour, fit Nadia. Il n'y a que les députés qui puissent le faire, non ? En édictant de nouvelles lois.

– Exact, mais si Le Caire continue à défier la cour, eh bien, ce sera au conseil d'ordonner que la police vienne y mettre bon ordre. C'est le rôle de l'exécutif. Et si le conseil ne le fait pas, l'autorité de la cour en pâtira et Jackie prendra le contrôle effectif du conseil. C'est ce qui s'appelle faire d'une pierre deux coups.

Nadia rejeta le bout de pain qu'elle tenait.

– Je préférerais crever plutôt que de voir ça, dit-elle.

Ils restèrent un moment silencieux.

– Je n'aime pas ça du tout, reprit enfin Nadia.

– D'ici quelques années, il y aura une jurisprudence, fit Charlotte. Des institutions, des lois, des amendements à la Constitution et tout ce qui s'ensuit. Tout ce qui n'est pas dans la Constitution et qui se produit dans la pratique. Comme le rôle dévolu aux partis politiques. Pour l'instant, nous en sommes au stade de l'élaboration de toutes ces choses.

– Peut-être, n'empêche que je déteste ça.

– Imagine ça comme une méta-architecture. L'élaboration de la culture qui permet à l'architecture d'exister. Ce sera moins frustrant pour toi.

Nadia renifla.

– Pour moi, c'est clair, fit Charlotte. Le jugement a été rendu, ils n'ont qu'à s'y soumettre.

– Et s'ils refusent ?

– Ce sera à la police de faire son boulot.

– La guerre civile, en d'autres termes !

– Ils n'iront pas jusque-là. Ils ont ratifié la Constitution comme tout le monde, et ceux qui refusent d'accepter la règle générale sont des hors-la-loi, comme les écoteurs Rouges. Je ne pense pas qu'ils aillent aussi loin. C'est juste un test pour voir quelles sont nos limites.

Ça n'avait pas l'air de l'ennuyer. Les gens sont comme ça, semblait-elle dire. Elle n'en voulait à personne, elle n'était pas frustrée. Une femme très calme, cette Charlotte – détendue, confiante, capable. Depuis qu'elle coordonnait les dossiers, le travail du conseil était bien organisé, sinon facile. Si cette compétence était l'effet de l'éducation dans une matriarchie comme Dorsa Brevia, se dit Nadia, alors il fallait leur laisser plus de pouvoir. Elle ne pouvait s'empêcher de comparer Charlotte à Maya, avec ses sautes d'humeur, son *angst*, son amour du drame. Bon, il y avait des cas individuels dans toutes les cultures. Mais ça allait être intéressant d'avoir des femmes comme celle-ci pour régler toutes ces tâches.

Lors de la réunion du lendemain matin, Nadia se leva et dit :

– La cour globale a déjà statué contre la mise en eau de Marineris. Si vous persistez à inonder le canyon, c'est la police qui interviendra. Je ne pense pas que vous ayez envie de ça.

– Et moi, je ne pense pas que tu aies le pouvoir de t'exprimer au nom du conseil exécutif, fit Jackie.

– Si, rétorqua sèchement Nadia.

– Non, répliqua Jackie. Tu n'es qu'une des sept. Et la question ne regarde pas le conseil, de toute façon.

– C'est ce qu'on verra.

La réunion s'éternisa. Les Cairotes faisaient de l'obstruction. La situation déplaisait de plus en plus à Nadia. Leurs chefs étaient des membres influents de Mars Libre, et même si leur défi échouait, ils pourraient obtenir des concessions dans d'autres domaines, et le parti en retirerait un certain pouvoir. Charlotte convint que ça pouvait être leur motivation secrète. Le cynisme de cette attitude écœurait Nadia, et elle avait le plus grand mal à être ne serait-ce que polie avec Jackie. Laquelle affectait la cordialité bon enfant d'une reine enceinte naviguant parmi ses favoris tel un navire de haut bord au milieu d'une flottille de bateaux à rames : « Vraiment, tante Nadia, je suis désolée que tu te soies crue obligée de perdre du temps avec cette histoire. »

Ce soir-là, Nadia dit à Charlotte :

– Je ne veux pas que Mars Libre retire quelque profit que ce soit de cette affaire.

Charlotte eut un petit rire.

– Tu as parlé à Jackie, hein?

– Oui. Je ne comprends pas qu'elle soit si populaire. Ils lui mangent tous dans la main!

– Elle est aimable avec tout le monde. Elle se croit irrésistible.

– Elle me rappelle Phyllis, reprit Nadia. (Toujours les Cent Premiers...) Enfin, je ne sais pas... Et si nous imposions des pénalités à ceux qui intenteraient des actions sans fondement?

– On pourrait les condamner aux dépens, dans certains cas du moins.

– Regarde si tu pourrais leur coller ça sur le dos.

– Attendons d'abord d'être sûrs de gagner.

Les réunions se poursuivirent encore une semaine. Nadia laissa parler Charlotte et Art. Elle passait les réunions à regarder par les fenêtres le canyon en contrebas, et à frotter le moignon de son petit doigt, sur lequel il y avait manifestement une nouvelle bosse. Que c'était bizarre... Elle avait fait très attention, et pourtant elle ne se rappelait pas l'avoir vue apparaître. La protubérance était chaude, rose, d'un rose délicat, comme les lèvres d'un enfant. Il semblait y avoir un os au milieu. Elle n'osait pas appuyer dessus. Les langoustes ne pinçaient sûrement pas leurs membres quand ils repoussaient. Cette prolifération cellulaire avait quelque chose de dérangeant. Comme une sorte de cancer, mais contrôlé, dirigé. La démonstration du miraculeux pouvoir d'instruction de l'ADN. Du miracle de la vie même, qui s'épanouissait dans toute sa complexité. Et un petit doigt n'était rien par rapport à un œil, ou un embryon. C'était vraiment stupéfiant.

Dans tout ça, les réunions politiques étaient une véritable épreuve. Nadia sortit de l'une d'elles sans en avoir écouté un traître mot, tout en étant sûre que rien d'important ne s'était dit. Elle alla se promener jusqu'à un point de vue qui dépassait de l'extrémité ouest de la paroi de la tente. De là, elle appela Sax. Les quatre voyageurs se rapprochaient de Mars. Le délai de transmission n'était plus que de quelques minutes. Nirgal semblait de nouveau en pleine forme. Il était de bonne humeur. Michel paraissait en fait plus épuisé que lui. Sa visite sur Terre avait dû lui coûter. Nadia leva son petit doigt devant l'écran pour le saluer, et obtint le résultat escompté.

– Pour un petit riquiqui, comme disent les enfants, c'est un riquiqui !

– Ça, tu l'as dit.

– Tu n'as pas l'air de croire que ça va marcher.

– Non. J'ai beau faire, je n'y arrive pas.

– Je pense que nous sommes dans une période de transition, répondit Michel. A notre âge, il est difficile de croire qu'on est encore en vie, alors on fait comme si ça devait finir à tout moment.

– Ça pourrait bien arriver.

Elle pensait à Simon. A Tatiana Durova. Et à Arkady.

– Evidemment. Mais ça pourrait aussi continuer pendant des décennies, voire des siècles. Au bout d'un moment, nous serons bien obligés de nous rendre à l'évidence.

Il donnait l'impression d'essayer de s'en convaincre autant que de l'en persuader.

– Tu regarderas ta main intacte et tu ne pourras pas faire autrement que d'y croire. Et ce sera très intéressant.

Nadia remua la petite protubérance. L'empreinte digitale n'était pas encore visible sur la peau fraîche, translucide, mais elle était sûre que, lorsqu'elle apparaîtrait, ce serait la même que celle de l'autre petit doigt. C'était vraiment bizarre...

Art revint d'une réunion l'air soucieux.

– Je me suis renseigné, dit-il. Je voulais comprendre ce qu'ils avaient derrière la tête. J'ai mis des agents de Praxis sur le coup, dans le canyon, sur Terre et auprès de la direction de Mars Libre.

Des espions, songea Nadia. Voilà où nous en sommes. Des espions.

– ... semble indiquer qu'ils sont en train de conclure avec des gouvernements terriens des arrangements particuliers en matière d'immigration. Ils construisent des colonies de peuplement afin de permettre à des gens de s'installer. Des Egyptiens, c'est sûr, et sans doute aussi des Chinois. Ce sera donnant donnant, mais nous ne savons pas ce qu'ils attendent en retour de ces pays. Peut-être de l'argent.

Nadia poussa un gémissement.

Au cours des jours suivants, elle rencontra, par écran interposé ou en personne, chacun des membres du conseil exécutif. Marion était évidemment contre la mise en eau de Marineris, aussi Nadia n'avait-elle plus besoin que de deux voix. Mais Mikhail, Ariadne et Peter ne voulaient pas faire intervenir la police s'il y avait un autre moyen de leur faire entendre raison. Et Nadia les soupçonnait de n'être pas plus ravis que Jackie de la faiblesse relative du conseil. Ils semblaient disposés à toutes les concessions afin de ne pas avoir à faire appliquer par la force un jugement de la cour qu'ils n'appuyaient pas de toutes leurs forces.

Il était clair que Zeyk n'avait pas envie de soutenir Jackie, même si sa marge de manœuvre était limitée par le fait que toute la communauté arabe du Caire avait les yeux braqués sur lui. Le contrôle du sol et de l'eau était important pour eux. Mais les Bédouins étaient des nomades, et, par ailleurs, Zeyk était un fervent supporter de la Constitution. Nadia pensait pouvoir compter sur lui. Il n'y en avait plus qu'un à convaincre.

Les relations avec Mikhail ne s'étaient jamais arrangées. Il lui donnait l'impression de vouloir être un plus fidèle gardien de la mémoire d'Arkady qu'elle-même. Elle ne comprenait pas Peter. Elle n'aimait pas Ariadne, mais, d'une certaine façon, ça facilitait les choses, et Ariadne était au Caire, elle aussi. Alors Nadia décida de l'approcher avant les autres.

Ariadne était aussi attachée à la Constitution que n'importe qui à Dorsa Brevia, mais ces gens étaient aussi des régionalistes et espéraient sans doute conserver une certaine indépendance par rapport au gouvernement global. Et ils étaient eux aussi éloignés de leur approvisionnement en eau. Ce qui expliquait les raisons de ces tergiversations.

– Ecoute, lui dit Nadia dans une petite pièce, de l'autre côté de la plaza. Tu devrais oublier Dorsa Brevia et penser à Mars.

– Que crois-tu que je fais d'autre ?

La seule idée de cette rencontre l'exaspérait. Elle se retenait pour ne pas mettre Nadia dehors. Le fond du dossier lui importait peu. C'était une question de principe. Ils n'avaient pas de leçon à recevoir des issei. Avec eux, tout se ramenait à des histoires de préséance et de hiérarchie, ils avaient oublié les vrais problèmes. Et dans cette foutue ville, encore ! Tout à coup, Nadia perdit patience et lui dit, un ton plus haut peut-être qu'elle n'aurait voulu :

– Eh bien, non, ce n'est pas ce que tu fais ! C'est la première fois qu'on défie la Constitution, et la seule question que tu te poses, c'est quel avantage tu pourrais en tirer ! Je te préviens : si tu ne votes pas l'application de la décision de la cour, la prochaine fois qu'on nous soumettra un dossier qui te tient vraiment à cœur, il y aura des représailles ! Tu as compris ? s'écria-t-elle en brandissant un doigt menaçant sous le nez d'une Ariadne sidérée.

Sa physionomie en disait plus long qu'un roman : le choc initial laissa place à une véritable terreur qui tourna à la colère.

– Je n'ai jamais dit que je ne voterais pas l'application de la décision de justice ! s'écria-t-elle. Pourquoi fais-tu donner l'artillerie lourde, maintenant ?

Nadia retrouva un mode d'expression plus conforme aux lois de la bienséance, sans pour autant céder d'un pouce. Pour finir, Ariadne leva les bras au ciel.

– C'est ce que veut la majorité du conseil de Dorsa Brevia. J'allais voter pour, de toute façon. Tu n'as pas besoin de devenir hystérique.

Et elle quitta la pièce, très contrariée.

D'abord, Nadia éprouva une vague de triomphe, mais elle ne pouvait oublier cette lueur de crainte dans les yeux de la jeune femme, et elle finit par se sentir légèrement mal à l'aise. « Le pouvoir corrompt », lui avait dit Coyote, sur Pavonis. Voilà ce qui la hantait. Elle venait de faire usage de son pouvoir, pour le meilleur ou pour le pire.

Beaucoup plus tard, ce soir-là, elle était encore malade de dégoût et au bord des larmes lorsqu'elle raconta l'incident à Art.

– C'était peut-être une erreur, commenta-t-il gravement. Tu vas avoir de nouveau affaire à elle. La prochaine fois, contente-toi de tirer l'oreille des gens.

– Je sais, je sais. Ka, je déteste ça ! dit-elle. Je donnerais n'importe quoi pour fiche le camp d'ici, pour faire quelque chose de concret.

Il hocha pesamment la tête et lui tapota l'épaule.

Avant la réunion du lendemain matin, Nadia glissa à Jackie qu'elle avait ce qu'il fallait de voix au conseil pour faire stopper la mise en eau du canyon, en faisant intervenir la police si besoin était. Puis, elle profita de la réunion pour rappeler à tout le monde, sans s'appesantir, que Nirgal serait bientôt de retour, ainsi que Maya, Sax et Michel. Plusieurs membres de Mars Libre prirent l'air songeur – sauf Jackie, bien sûr, qui n'eut aucune réaction. Tandis qu'ils reprenaient leurs chicaneries, Nadia se frotta machinalement le doigt. Elle s'en voulait encore de son attitude envers Ariadne.

Le lendemain, les Cairotes acceptèrent de se plier au jugement de la cour environnementale. Ils cesseraient de rejeter l'eau de leur réservoir et les colonies qui se trouvaient en aval dans le canyon se contenteraient de l'eau apportée par le pipe-line, ce qui, à n'en pas douter, limiterait leur croissance.

– Parfait, commenta Nadia, encore amère. Tout ce cirque pour finir par obéir à la loi.

– Ils vont faire appel, avança Art.

– Je m'en moque. Ils sont cuits. Et même s'ils ne le sont pas, ils ont cédé. Bon sang ! ils pourraient gagner, pour ce que j'en ai à faire. C'est le procédé qui compte, et quoi qu'il arrive, nous avons remporté la victoire.

A ces mots, Art eut un sourire. Allons, elle avait fait un pas vers la compréhension de la vie politique. Ce que lui-même et Charlotte semblaient avoir fait depuis longtemps. Ce qui comptait pour eux, ce n'était pas l'issue d'un conflit isolé, mais la façon dont les négociations se déroulaient. Si Mars Libre avait maintenant la majorité – ce qui paraissait être le cas, puisque presque tous les indigènes, ces jeunes imbéciles, leur prêtaient serment d'allégeance –, le fait qu'ils acceptent de se plier à la Constitution signifiait qu'ils ne pouvaient se contenter de déplacer des groupes minoritaires par le poids du nombre. Si Mars Libre remportait une cause, ce serait sur le fond du dossier, parce que les différentes cours, constituées de magistrats de toutes les obédiences, en auraient reconnu la validité. C'était assez satisfaisant, en fait. Comme de voir une paroi faite de matériaux délicats supporter plus de poids qu'elle n'avait l'air de pouvoir le faire, grâce à une construction intelligente.

Mais elle avait eu recours à la menace pour dresser une poutre maîtresse, et toute cette affaire lui laissait un goût d'amertume.

– Je veux faire quelque chose de réel et concret.

– De la plomberie, par exemple ?

Elle hocha la tête sans l'ombre d'un sourire.

– Oui. De l'hydrologie.

– Je peux venir avec toi ?
– Comme apprenti plombier ?
– Ce ne serait pas la première fois, répondit-il en riant.
Nadia le regarda. Avec lui, elle se sentait mieux. C'était étrange, démodé : se rendre quelque part pour la simple raison d'être avec quelqu'un. Ça ne se faisait plus. On allait où on éprouvait le besoin d'aller, on retrouvait des amis sur place ou on s'en faisait de nouveaux. C'était comme ça, sur Mars. Enfin, peut-être n'était-ce comme ça que pour les Cent Premiers. Ou pour elle.
Une chose était sûre, en tout cas, s'ils voyageaient ensemble, ce ne serait plus seulement de l'amitié, ni peut-être même une simple aventure. Mais ce n'était pas si mal, décida-t-elle. En fait, ce n'était pas mal du tout. Elle devrait s'y accoutumer, et alors ? Il fallait sans cesse s'habituer à de nouvelles choses.
Un nouveau doigt, par exemple. Art lui tenait la main et massait doucement son petit doigt tout neuf.
– Ça fait mal ? Tu peux le plier ?
C'était sensible, mais elle pouvait le plier légèrement. Ils lui avaient injecté des cellules de jointure. La peau était encore rose comme une peau de bébé, et aussi lisse. Et il grandissait un peu plus tous les jours.
Art appuya doucement sur le bout, pour palper l'os.
– Tu sens quelque chose ? demanda-t-il, les yeux ronds.
– Oh oui ! Comme les autres doigts. Peut-être un peu plus, c'est tout.
– Parce qu'il est tout neuf.
– Sans doute.
Son doigt fantôme, qui avait disparu au fil des ans par manque de stimulation, reparaissait maintenant que des signaux lui parvenaient. Le doigt qu'elle avait dans la tête, comme disait Art. Un amas cellulaire de son cerveau devait être consacré à ce doigt. Les explications que Vlad lui avait fournies étaient complexes. En tout cas, ces jours-ci, quand elle palpait son doigt, il lui paraissait parfois aussi gros que celui de l'autre main, même quand elle le regardait bien. Elle avait alors l'impression qu'il était entouré d'une coque invisible. D'autres fois, elle le sentait tel qu'il était, petit, osseux et faible. Elle pouvait le plier au niveau de la paume, et juste un peu au milieu. La dernière jointure, juste avant l'ongle, n'était pas encore apparue, mais ça n'allait pas tarder. Elle poussait. Nadia évoqua en plaisantant l'idée qu'il n'arrête pas de grandir, bien que ce soit une idée terrifiante.
– Ce serait génial, fit Art. Il faudrait que tu achètes un chien.

Mais elle avait confiance. Tout irait bien. Son doigt semblait savoir ce qu'il faisait. Il avait l'air normal. Art était fasciné. Et pas seulement par ça. Il lui massait la main, le bras, les épaules. Il lui masserait tout le corps, si elle le laissait faire. Et à en juger par le bien que ça faisait à son doigt, son bras et ses épaules, ce serait une bonne idée. Il était si détendu. La vie, pour lui, était encore une aventure que l'on découvrait au jour le jour, pleine de merveilles et de gaieté. Il ne se passait pas une journée que les gens ne le fassent rire. C'était un don prodigieux. Un grand gaillard au visage rond, au corps rond, un peu comme Nadia elle-même par certains aspects. Un grand gaillard tout simple à l'aise dans son corps, au crâne un peu dégarni. Son ami.

Elle l'aimait, évidemment. Depuis Dorsa Brevia au moins. Il lui inspirait un peu le même sentiment que Nirgal, son neveu bien-aimé, son élève, son filleul, son petit-fils ou son fils. Et Art était un ami de son fils. En fait, il était un peu plus vieux que Nirgal, mais ils étaient tout de même comme deux frères. C'était le problème. D'un autre côté, leur longévité croissante réduisait tous ces calculs à néant. Quand il ne serait plus que cinq pour cent plus jeune qu'elle, est-ce que ça compterait encore ? Quand ils auraient vécu trente ans d'expériences intenses ensemble, comme ils l'avaient déjà fait, en tant qu'égaux, collaborateurs, architectes d'une proclamation, d'une Constitution et d'un gouvernement, amis intimes, confidents, aides, partenaires de massage, la différence d'âge qui les séparait depuis leur jeunesse aurait-elle encore une importance ? Non. Elle n'en aurait plus aucune. C'était évident, il suffisait d'y réfléchir. Restait à le ressentir aussi.

Ils n'avaient plus besoin d'elle au Caire, ils n'avaient pas besoin d'elle à Sheffield sur-le-champ. Nirgal serait bientôt de retour. Il tiendrait Jackie à l'œil. Ce ne serait pas une partie de plaisir, mais c'était son problème, et il devrait se débrouiller seul, personne ne pouvait l'aider. C'était difficile quand on cristallisait tout son amour sur une seule personne. Comme elle avec Arkady, pendant tant d'années, alors même qu'il était mort pour la plupart d'entre eux. Ça n'avait pas de sens, mais il lui manquait. Et elle lui en voulait toujours. Il n'avait même pas vécu assez longtemps pour se rendre compte de ce qu'il avait raté. L'imbécile heureux. Art était heureux aussi, mais ce n'était pas un imbécile. Enfin, pas complètement. Pour Nadia, tous les gens heureux étaient un peu stupides par définition. Comment auraient-ils pu être heureux, sinon ? Mais elle les aimait bien quand même, elle avait besoin d'eux. Ils étaient comme la musique de son cher Satchmo. Et puis, quand on voyait comment marchait le monde, il fallait beaucoup de courage pour être heureux. Ce n'était pas un ensemble de circonstances mais d'aptitudes.

– Eh bien, c'est d'accord : viens faire de la plomberie avec moi, dit-elle, et elle le serra fort fort fort contre elle, comme si on pouvait retenir le bonheur en le serrant dans ses bras.

Elle fit un pas en arrière et vit qu'il ouvrait de grands yeux surpris, comme quand il lui tenait le petit doigt.

Mais elle était encore présidente du conseil exécutif, et, malgré sa résolution, ils la ligotaient chaque jour un peu plus étroitement à son fauteuil, avec des « faits nouveaux » de toute sorte. Des immigrants allemands voulaient construire une nouvelle ville portuaire appelée Blochs Hoffnung sur la péninsule qui coupait la mer du Nord en deux, puis creuser un large canal à travers la péninsule. Les écoteurs Rouges, qui étaient opposés à ce projet, firent sauter la piste qui menait à la péninsule. Ils firent aussi sauter celle qui menait en haut de Biblis Patera, pour marquer leur opposition à ce projet aussi. Les écopoètes d'Amazonis menaçaient de provoquer de gigantesques feux de forêt. D'autres voulaient supprimer la forêt pyrophile que Sax avait plantée dans la grande courbe de Kasei (cette pétition était la première à recevoir l'approbation unanime de la CEG). Les Rouges qui vivaient autour de White Rock, une mesa d'un blanc pur, de dix-huit kilomètres de large, voulaient qu'on la déclare « kami », c'est-à-dire la faire radicalement interdire d'accès. Une équipe de design de Sabishii préconisait la construction d'une nouvelle capitale sur la côte de la mer du Nord, par zéro degré de longitude, au bord d'une baie profonde. New Clarke commençait à grouiller d'équipes qui ressemblaient de façon troublante aux fouineurs des services de sécurité des métanats. Les technos de Da Vinci suggéraient que l'on confie le contrôle de l'espace martien à une agence gouvernementale qui n'existait pas. Senzeni Na projetait de combler le mohole. Les Chinois demandaient l'autorisation de construire un nouvel ascenseur spatial près du cratère Schiaparelli afin d'accueillir leurs propres migrants et de le louer aux autres. L'immigration augmentait tous les mois.

Nadia traitait une affaire par demi-heure – l'ordre du jour était établi par Art –, et les journées passaient dans une sorte de tourbillon. Elle avait de plus en plus de mal à remettre les choses en perspective. Certains problèmes étaient pourtant beaucoup plus sérieux que d'autres. Par exemple, si on les laissait faire, les Chinois finiraient par envahir Mars, et les écoteurs Rouges avaient vraiment passé les bornes. Nadia avait même reçu des menaces de mort. Elle était maintenant accompagnée par des gardes du corps quand elle sortait de chez elle, et son appartement était discrètement surveillé. Elle continuait imperturbablement à examiner les dossiers et à travailler le conseil au corps lorsqu'ils devaient statuer sur des questions qui lui tenaient à cœur. Elle établit de bonnes relations de travail avec Zeyk et Mikhail, et même avec Marion. Les choses ne s'arrangèrent jamais vraiment avec Ariadne, mais elle avait appris la leçon, et on ne l'y reprendrait pas de sitôt.

Elle faisait donc son travail tout en regrettant de ne pas être à mille lieues de Pavonis. Art guettait le moment où elle allait tout envoyer promener. Elle savait, rien qu'à son expression, qu'elle devenait hargneuse, irascible, tyrannique, mais elle n'y pouvait rien. Après une audience avec des gens futiles ou qui faisaient de l'obstruction, il lui arrivait souvent de lâcher, les dents serrées, un chapelet de jurons, ce qu'Art trouvait manifestement démoralisant. Des délégations venaient demander l'abolition de la peine de mort, le droit de construire dans la caldeira d'Olympus Mons, ou la nomination d'un huitième membre au conseil exécutif, et dès que la porte se refermait, Nadia ronchonnait :

– Mais quelle bande de cons ! Ils n'ont seulement jamais réfléchi qu'il faut un nombre impair de voix, que prendre la vie de quelqu'un d'autre abroge son propre droit à la vie, et je ne parle pas du reste !

Un jour, la police captura un groupe d'écoteurs Rouges qui avaient encore essayé de faire sauter le Socle et n'avaient réussi qu'à tuer un planton, et elle n'eut pas de mots assez durs pour les condamner.

– Qu'on les exécute ! s'exclama-t-elle. Ecoute, quand on tue quelqu'un, on perd le droit de vivre. Qu'on les exécute ou qu'on les bannisse à vie, mais qu'on leur fasse payer leurs exactions d'une façon qui donnera à réfléchir aux autres Rouges.

– Mouais, fit Art, mal à l'aise. Mouais, évidemment.

Mais elle fulminait toujours. Elle ne s'arrêterait qu'une fois calmée. Et cela prenait de plus en plus de temps.

Un peu ébranlé, il lui conseilla de mettre sur pied une autre conférence comme celle de Sabishii, qu'elle avait manquée, et de se débrouiller pour y assister. Planifier le travail de différents organismes pour une bonne cause. Ce n'était pas vraiment construire, se disait Nadia, mais ce serait toujours mieux que rien.

La crise du Caire l'avait amenée à réfléchir au cycle hydrologique et à ce qui se passerait quand la glace commencerait à fondre. S'ils pouvaient jeter les bases d'un projet de cycle hydrologique, ne serait-ce que théorique, alors les conflits en matière d'eau se résorberaient d'eux-mêmes. Elle décida d'étudier la question.

Comme bien souvent ces derniers temps, lorsqu'elle s'intéressait à un problème général, elle éprouva l'envie d'en parler à Sax. Les ambassadeurs de retour de la Terre étaient si près, à présent, que le délai de transmission était insignifiant. Leurs conversations ressemblaient à celles qu'ils auraient pu avoir par blocpoignet interposé. Nadia passait donc ses soirées à s'entretenir avec Sax du terraforming. Plus d'une fois il la prit à contre-pied. Il la surprenait par ses prises de position, il était plus imprévisible que jamais.

– Je voudrais que les choses restent sauvages, dit-il un soir.

– Que veux-tu dire ? lui demanda-t-elle.

Son visage adopta l'expression perplexe qu'il prenait souvent quand il réfléchissait. Sa réponse lui parvint bien au-delà du délai normal de transmission :

– Beaucoup de choses. C'est un mot compliqué. Enfin... je veux dire... je voudrais conserver le paysage dans un état aussi primitif que possible.

Nadia parvint à retenir un gros rire, mais Sax ajouta :

– Qu'est-ce qui t'amuse comme ça ?

– Oh ! rien. C'est juste que tu me rappelles, je ne sais pas, certains Rouges. Ou les gens de Christianopolis. Ils m'ont dit à peu près la même chose pas plus tard que la semaine dernière. Ils voulaient conserver le paysage du grand Sud dans son état primitif. Je les ai aidés à monter une conférence pour parler des problèmes hydrologiques de l'hémisphère Sud.

– Je pensais que tu travaillais sur l'effet de serre ?

– On ne veut pas me laisser travailler. On veut que je fasse la présidente. Mais je vais participer à cette conférence.

– Bonne idée.

Les colons japonais de Messhi Hoko (ce qui voulait dire « Autosacrifice pour le bien du groupe ») vinrent demander au conseil d'accorder davantage de terre et d'eau à leur tente, qui se trouvait dans les hauteurs de Tharsis Sud. Après les avoir envoyés sur les roses, Nadia prit l'avion avec Art pour Christianopolis, tout au sud.

La petite ville (elle paraissait vraiment très petite après Sheffield et Le Caire) était située dans le quatrième cratère de l'anneau de Phillips, par 67 degrés de latitude sud. Pendant l'Année Sans Eté, le grand Sud avait essuyé beaucoup de tempêtes. Il était tombé jusqu'à quatre mètres de neige, ce qui était sans précédent. Le record était jusque-là de moins d'un mètre. En ce Ls 281, juste après le périhélie, c'était le plein été dans le Sud. Les différentes stratégies destinées à éviter une nouvelle glaciation semblaient fonctionner. Le printemps avait été chaud et la majeure partie de la nouvelle neige avait fondu. Il y avait maintenant des lacs ronds au fond de tous les cratères. Celui de Christianopolis faisait près de trois mètres de profondeur et trois cents mètres de diamètre. Les habitants de la ville étaient ravis ; c'était un beau lac. Mais si la même chose se renouvelait tous les hivers – et les météorologues étaient d'avis qu'il tomberait encore plus de neige dans l'avenir –, lors de la fonte, le quatrième cratère de Phillips déborderait et la ville serait inondée. Et ça valait pour tous les cratères de Mars.

La conférence de Christianopolis avait pour but d'envisager les stratégies possibles pour remédier à cette situation. Nadia s'était efforcée d'y faire participer les gens les plus compétents dans les domaines de la météorologie, de l'hydrologie et de l'ingénierie. Et peut-être Sax, dont le retour était imminent. La question du débordement des cratères n'était que le point de départ des discussions qui devaient englober le problème général des bassins hydrographiques et du cycle hydrologique de la planète tout entière.

Le problème spécifique des cratères serait résolu comme Nadia l'avait prédit : par la plomberie. Les cratères seraient traités comme des baignoires ; on creuserait un trou sur le côté pour les vider. La cuvette de brèche qui se trouvait sous le fond poussiéreux était extrêmement dure, mais les robots pourraient y forer des tunnels puis y installer des pompes, des filtres et aspirer l'eau soit pour conserver un lac ou un étang central, soit pour l'assécher complètement.

Mais que faire de l'eau ainsi pompée ? Les highlands du Sud étaient bosselées, fendillées, taraudées, crevassées, ondulées, accidentées, affaissées, fissurées et fracturées. En tant que bassins hydrographiques, elles étaient inutilisables. Rien ne menait nulle part. Il n'y avait pas de longues pentes. Tout le Sud était un plateau situé trois ou quatre kilomètres au-dessus du niveau moyen, avec juste des creux et des bosses localisés. Jamais Nadia n'avait plus clairement vu la différence entre ces highlands et n'importe quel continent terrien. Sur Terre, les mouvements tectoniques espacés de plusieurs millions d'années avaient soulevé des montagnes que l'eau dévalait en suivant la ligne de plus forte pente, retournant à la mer, sculptant des veines fractales qui devenaient des bassins hydrographiques. Même les régions les plus sèches de la Terre étaient couturées d'arroyos et semées de playas. Dans le sud de Mars, le bombardement météorique du Noachien avait férocement martelé le sol, abandonnant partout des cratères et des ejecta. Le désert anarchique, dévasté, avait ensuite subi deux milliards d'années d'abrasion sous l'action inlassable des vents chargés de poussière qui s'acharnaient sur le moindre relief. Déverser de l'eau sur ce sol ravagé ne formerait qu'un maillage insensé de petites rivières qui dévaleraient les pentes locales jusqu'au premier cratère sans rebord. Aucun fleuve, pratiquement, ne rejoindrait la mer du Nord, ni même les bassins d'Hellas ou d'Argyre, qui étaient tous les deux entourés de montagnes formées par leurs propres ejecta.

Il y avait tout de même quelques exceptions à cette règle : le Noachien avait été suivi par une brève période dite « chaude et humide », à la fin de l'Hespérien, une période de cent millions d'années à peine au cours de laquelle une atmosphère chaude et dense, chargée en gaz carbonique, avait amené un peu d'eau à courir sur la surface, creusant le lit de quelques rivières dans les pentes douces du plateau, entre les tabliers des cratères qui les repoussaient d'un côté et de l'autre. Ces chenaux avaient évidemment perduré quand l'atmosphère avait gelé, vidant les arroyos progressivement élargis par le vent. Les lits de ces fleuves fossiles, comme Nirgal Vallis, Warrego Valles, Protva Valles, Patana Valles ou Oltis Vallis, étaient des canyons étroits, sinueux, de vrais canyons de rivière et non des grabens ou des fossae. Certains d'entre eux disposaient même d'une amorce de système tributaire. Aussi les projets de macro-bassins hydrographiques pour le Sud utilisaient-ils naturellement ces canyons comme cours d'eau primaires, alimentés avec de l'eau pompée au départ de chaque tributaire. Ensuite, un certain nombre de vieux canaux de lave pourraient aisément devenir des rivières, la lave et l'eau ayant l'une comme l'autre tendance à suivre la ligne de plus forte pente. Enfin, il y avait, comme au pied d'Eridania Scopulus, un certain nombre de fractures, de failles et de grabens inclinés qui pourraient aussi être exploités.

Tout au long de la conférence, de grands globes martiens furent inlassablement redessinés en fonction des différents régimes hydrologiques envisagés. Il y avait aussi des pièces pleines de cartes topologiques en relief, autour desquelles des groupes réfléchissaient aux différents systèmes de bassins hydrographiques, débattaient de leurs avantages et de leurs inconvénients, se contentaient de les observer ou tapotaient frénétiquement sur des claviers afin d'en modifier le tracé. Nadia passait d'une salle à l'autre en regardant ces schémas hydrographiques, apprenant plus de choses sur l'hémisphère Sud qu'elle n'en avait jamais su. Il y avait une montagne de six kilomètres de haut près du cratère Richardson, tout au sud. La calotte polaire Sud elle-même était assez haute. Alors que Dorsa Brevia franchissait une dépression qui évoquait un rayon emprunté à l'impact d'Hellas, une vallée si profonde qu'elle serait inévitablement immergée, idée qui déplaisait évidemment aux gens de Dorsa Brevia. D'un autre côté, la zone pourrait sûrement être asséchée si tel était leur bon plaisir. Il y avait des dizaines et des dizaines de variantes à chacun des projets, et chaque système isolé paraissait très étrange aux yeux de Nadia. Elle n'avait jamais vu avec une telle clarté à quel point une fractale provoquée par la gravité était différente d'un impact dû au hasard. Dans le paysage météorique informe, presque tout était possible parce que rien ne s'imposait – rien, si ce n'est que, quel que soit le système retenu, il faudrait creuser des canaux et construire des réseaux de galeries. Son nouveau petit doigt la démangeait de mettre la main à la pâte et de piloter un bulldozer ou un tunnelier.

Peu à peu, les plans les plus performants, les plus logiques ou les plus esthétiquement séduisants commencèrent à émerger des propositions, les meilleurs pour chaque région étant ensuite rassemblés en une sorte de mosaïque. Dans le quart est du Sud profond, les cours d'eau suivaient une direction générale qui les menait vers le bassin d'Hellas puis, à travers quelques gorges, dans la mer d'Hellas, ce qui était parfait. Dorsa Brevia accepta que la crête de leur tunnel de lave devienne une sorte de barrage qui traverserait un bassin hydrographique de sorte qu'il y ait un lac en dessus et un fleuve en dessous, qui se jetterait dans la mer d'Hellas. Autour de la calotte polaire Sud, la neige ne fondrait pas, mais la plupart des météorologues prévoyaient que lorsque la situation se serait stabilisée il ne neigerait plus beaucoup sur le pôle, et ça deviendrait un désert glacé comparable à l'Antarctique. Ils se retrouveraient donc, en fin de compte, avec une vaste calotte polaire, dont une partie tomberait dans l'immense dépression de Promethei Rupes, autre vieux bassin d'impact partiellement effacé. S'ils ne voulaient pas que la calotte polaire soit trop importante, ils n'auraient qu'à la faire fondre et à pomper l'eau vers le nord, dans la mer d'Hellas, peut-être. Il suffirait d'effectuer un pompage similaire dans le bassin d'Argyre s'ils décidaient de le laisser à sec. Un groupe de juristes rouges modérés défendait précisément ce dossier devant la CEG, avançant que l'un des deux grands bassins d'impact de la planète devait être préservé avec ses dunes et ses ondulations. Cette demande semblait assurée de recevoir un avis favorable de la cour, et les bassins hydrographiques du périmètre d'Argyre devraient prendre ce fait en compte.

Sax avait conçu des schémas hydrologiques pour le Sud, qu'il fit parvenir à la conférence depuis la fusée qui entrait en approche orbitale, afin qu'ils soient étudiés avec les autres. Il réduisait la surface de l'eau, vidait la plupart des cratères, faisait une utilisation extensive des tunnels et canalisait presque toute l'eau drainée dans les canyons des fleuves fossiles. Dans son plan, de vastes zones du Sud demeuraient des déserts arides, offrant un hémisphère de plateaux secs, dénudés, profondément coupés par quelques canyons étroits au fond desquels couraient des fleuves.

– L'eau est renvoyée vers le nord, expliqua-t-il à Nadia lors d'une de leurs conversations. Depuis les plateaux, on devrait avoir l'impression qu'il en a toujours été ainsi ou presque.

Autrement dit : Et ça plairait à Ann.

– Bonne idée, approuva Nadia.

En fait, le plan de Sax n'était pas très différent du consensus auquel ils étaient arrivés à l'issue de la conférence. Un Nord humide, un Sud aride, encore un dualisme à ajouter à la grande dichotomie. Et l'idée de refaire courir de l'eau dans les vieux canaux avait quelque chose de satisfaisant pour l'esprit. Le projet avait bonne allure, compte tenu du terrain.

Mais les temps étaient depuis longtemps révolus où Sax – ou qui que ce soit – pouvait opter pour un projet de terraforming et passer à son application. Nadia voyait bien que Sax n'avait pas tout à fait compris cela. Depuis le début, lorsqu'il avait dispersé des éoliennes dans la nature sans prévenir quiconque en dehors de ses complices et sans demander l'avis de personne, il travaillait tout seul dans son coin. C'était une habitude mentale profondément inscrite en lui, et maintenant il semblait oublier le processus de révision que devrait subir tout projet avant d'être soumis aux cours environnementales. Or ce processus existait bel et bien, à présent, et il n'y couperait pas. Et à cause du Grand Geste, la moitié des cinquante magistrats de la CEG étaient des Rouges plus ou moins modérés. Tout projet hydrologique né d'une conférence à laquelle Sax Russell avait participé, même à distance, serait observé à la loupe.

Mais Nadia avait l'impression que si les Rouges examinaient attentivement sa proposition, ils seraient stupéfiés par son approche. C'était, en fait, une sorte de chemin de Damas, inexplicable si on songeait à l'histoire de Sax. Sauf quand on la connaissait dans sa globalité. Et Nadia comprenait : il s'efforçait de plaire à Ann. Nadia doutait qu'il y arrive, mais elle était contente de le voir essayer.

– C'est un homme plein de surprises, dit-elle un jour à Art.

– Sans doute une conséquence du traumatisme cérébral.

Quoi qu'il en soit, à l'issue de la conférence, ils avaient conçu toute une hydrographie, dessiné tous les lacs, les rivières et les principaux fleuves de l'hémisphère Sud. Le projet serait ensuite intégré aux projets équivalents de l'hémisphère Nord, en comparaison très désordonnés du fait de l'incertitude qui planait quant à la taille définitive de la mer du Nord. L'eau n'était plus activement pompée du permafrost et des aquifères. Les écoteurs Rouges avaient fait sauter beaucoup de stations de pompage lors de l'année écoulée, mais le niveau de l'eau continuait à monter un peu, sous le poids ajouté au sol par l'eau déjà pompée. Et l'écoulement estival se déversait un peu plus chaque année dans Vastitas, à la fois de la calotte polaire Nord et du Grand Escarpement. Vastitas était le bassin de captage d'énormes bassins hydrographiques, et des quantités phénoménales d'eau continueraient à s'y déverser chaque été. D'autre part, les vents arides provoquaient l'évaporation d'une quantité importante d'eau qui finissait par induire des précipitations ailleurs. Or l'eau s'évaporait beaucoup plus vite que la glace ne se sublimait actuellement aux endroits où il y en avait. Le calcul des apports et des déficits d'eau était du ressort des concepteurs de modèles mathématiques. Et la carte était encore couverte d'estimations, au sens propre du terme, dans la mesure où les différentes prévisions entraînaient des lignes de côte putatives éloignées, dans certains cas, de plusieurs centaines de kilomètres.

Cette incertitude retardait tous les « cego » destinés au Sud, se disait Nadia. Fondamentalement, la cour devrait s'efforcer de mettre en corrélation toutes les données connues et d'évaluer les modèles, puis prescrire un niveau de la mer et statuer sur tous les bassins hydrographiques en fonction de ces décisions. Le destin du bassin d'Argyre, en particulier, semblait impossible à arrêter tant qu'il n'y aurait pas de projet équivalent pour le Nord. Certaines perspectives prévoyaient de déverser dans Argyre l'eau de la mer du Nord si celle-ci se remplissait trop, afin d'éviter de submerger Marineris, Fossa Sud et les villes portuaires en cours de construction. Les Rouges radicaux menaçaient déjà de construire des colonies de peuplement tout le long de la rive ouest d'Argyre afin d'empêcher de telles manœuvres.

La CEG avait donc un autre gros problème sur les bras. Il était clair qu'elle était en passe de devenir l'organisme politique le plus important de Mars. Elle réglementait presque tous les aspects de leur avenir sur la planète en se fondant sur la Constitution et sur ses précédents arrêtés. Nadia trouvait normal qu'il en soit ainsi : les décisions qui avaient des prolongements globaux devaient être étudiées au niveau global, il n'y avait pas à revenir sur ce point.

En attendant, quelle que puisse être la décision des différentes cours, un projet pour l'hémisphère Sud avait enfin été formulé. Et à la surprise générale, la CEG rendit un jugement préliminaire positif très peu de temps après qu'il lui eut été soumis – parce que, précisait l'arrêté, il pouvait être mené par étapes, au fur et à mesure que l'eau tomberait sur le Sud, et qu'il procédait sans trop de variantes tout au long des premières étapes, quel que soit le niveau définitif de la mer du Nord. Il n'y avait donc pas de raison de retarder le début des travaux.

Art revint, rayonnant, lui apporter la nouvelle.

– Nous pouvons commencer nos travaux de plomberie ! annonça-t-il.

Nadia ne devait jamais y arriver, bien sûr, avec toutes ces réunions, ces décisions à prendre, tous ces gens à convaincre ou à circonvenir. Elle faisait son devoir, obstinément, avec ténacité, bon gré mal gré. Et à mesure que le temps passait, elle le faisait de mieux en mieux. Elle manœuvrait les gens avec une habileté croissante. Elle avait compris comment les amener à ses vues. A force de prendre des décisions, elle avait acquis une vision percutante des problèmes. Elle avait découvert qu'il était plus facile d'apprécier les dossiers en fonction de principes politiques sciemment affichés qu'en se fiant à son instinct, de même qu'il valait mieux avoir des alliés politiques fiables, au conseil et ailleurs, plutôt que de s'ingénier à passer pour neutre et indépendante. C'est ainsi qu'elle se rapprocha peu à peu des Bogdanovistes qui, à sa grande surprise, étaient, de tous les groupes martiens, les plus proches de sa philosophie politique. Il est vrai qu'elle avait une vision simpliste du bogdanovisme : justice à tous les niveaux, insistait Arkady, et tout le monde devait être libre et égal. Le passé n'avait pas d'importance, ils devaient faire du nouveau chaque fois que l'ancien paraissait injuste ou impraticable, ce qui arrivait souvent. Mars était la seule réalité qui comptait, au moins pour eux. Ces principes de base permettaient à Nadia de se faire rapidement une opinion sur les choses, d'adopter une ligne de conduite qu'elle n'avait plus qu'à suivre.

Elle s'était bien endurcie. Il lui arrivait encore parfois de constater combien le pouvoir pouvait corrompre et d'en éprouver un léger malaise, mais elle commençait à s'y habituer. Elle heurtait souvent Ariadne de front, et quand elle songeait aux remords qu'elle avait éprouvés après sa première algarade avec la jeune Minoenne, elle se trouvait rétrospectivement bien pusillanime. Elle n'hésitait plus, maintenant, à montrer les dents quand on la contredisait, à mettre en scène de micro-explosions d'une violence calculée qui remettaient les gens à leur place. En fait, elle avait découvert que plus elle malmenait les gens et leur témoignait son mépris, plus elle avait de contrôle sur eux et en faisait ce qu'elle voulait. Elle incarnait un pouvoir, les gens le savaient. Or, quelle que soit la façon dont on l'abordait, le pouvoir, c'était la puissance. Et Nadia n'avait plus guère de scrupules de ce point de vue. La plupart du temps, ils méritaient son poing dans la figure. Ah, ils avaient cru mettre sur le trône une vieille babouchka gâteuse qui les laisserait s'amuser sans les déranger, mais le trône était le siège du pouvoir – elle voulait bien être pendue si elle faisait ce boulot de merde sans en profiter un peu pour obtenir ce qu'elle voulait.

La laideur de la chose la dérangeait de moins en moins. Quand il lui arrivait d'y songer, effondrée dans son fauteuil, après avoir passé la journée à taper sur des tas de gens, pour un peu elle se serait mise à pleurer de dégoût. Elle n'avait fait que sept mois des trois années martiennes de son mandat. Dans quel état serait-elle quand elle serait libérée de cette corvée ? Elle commençait déjà à s'habituer au pouvoir ; d'ici là, elle en serait peut-être venue à l'aimer.

Art l'écoutait avec inquiétude raconter ses problèmes lors de leurs sacro-saints petits déjeuners.

– Eh bien, répondit-il un matin, après mûre réflexion, le pouvoir est le pouvoir. Tu es la première présidente de Mars. Alors, dans une certaine mesure, la fonction sera ce que tu en feras. Tu pourrais peut-être décréter que tu ne vas travailler qu'un mois sur deux, et déléguer les pouvoirs à ton équipe. Ou quelque chose dans ce goût-là.

Elle cessa de mastiquer et le regarda avec des yeux ronds.

Dès la fin de la semaine, elle quitta Sheffield et partit vers le sud avec une caravane qui allait de cratère en cratère pour mettre en place des installations de drainage. Chaque cratère était différent, bien sûr, mais le travail consistait généralement à choisir l'angle de sortie du tablier du cratère et à mettre les robots au travail. Von Karman, Du Toit, Schmidt, Agassiz, Heaviside, Bianchini, Lau, Chamberlin, Stoney, Dokuchaev, Trumpler,

Keeler, Charlier, Sues... Ils équipèrent tous ces cratères, et beaucoup d'autres qui n'avaient pas de nom, mais ça ne durerait pas car les cratères étaient baptisés plus vite qu'ils n'arrivaient à les forer : 85 Sud, Trop Noir, Espoir du Fou, Shanghai, Repos d'Hiroko, Fourier, Cole, Proudhon, Bellamy, Hudson, Kaif, 47 Ronin, Makoto, Kino Doku, Ka Ko, Mondragon. Le passage d'un cratère à l'autre rappelait à Nadia ses voyages autour de la calotte polaire Sud, dans les années de l'underground. Sauf que, maintenant, tout se passait au grand jour. Pendant les jours d'été où la nuit était presque inexistante, l'équipe se prélassait au soleil, dans la lumière crue reflétée par les lacs des cratères. Ils traversaient des fondrières dévastées, gelées, des flaques d'eau de fonte brillant au soleil, des prairies couvertes d'herbe, et toujours, bien sûr, le paysage rocailleux, rouille et noir sous le soleil éclatant, anneau après anneau, crête après crête. Ils équipaient les cratères de plomberie, déposaient des tuyaux de drainage et adaptaient des usines à gaz de serre aux excavateurs lorsque la roche contenait des réserves de gaz.

Mais ce n'était pas du travail au sens où Nadia l'entendait. Elle regrettait le bon vieux temps. Même si ce n'était pas un travail manuel que de conduire un bulldozer, le maniement de la lame était très physique, les changements de vitesse répétés étaient épuisants et on se sentait plus impliqué que lorsque le « travail » consistait à parler à des IA puis à aller se promener en laissant faire des équipes vrombissantes de robots fouisseurs guère plus hauts qu'un enfant, d'unités industrielles mobiles grandes comme un pâté de maisons, de tunneliers hérissés de dents de diamant pareilles à des dents de requin, tous faits d'alliages métalliques/biocéramiques plus durs que le câble de l'ascenseur, et qui se débrouillaient tout seuls. Ce n'était pas ce qu'elle espérait.

Elle ferait un autre essai. En attendant : Sheffield. S'immerger à nouveau dans les travaux du conseil, le dégoût se mêlant à un désespoir croissant. Guetter la moindre occasion d'en sortir. Sauter sur le premier projet vraisemblable. Foncer voir de quoi il retournait. Comme disait Art, elle avait le choix des armes. Le pouvoir, c'était aussi ça.

Pour sa seconde tentative, elle s'intéressa au sol.

– L'air, l'eau, la terre, disait Art. La prochaine fois, il s'agira de feux de forêt, c'est ça ?

Elle avait entendu dire que certains chercheurs de Vishniac Bogdanov essayaient de produire de l'humus, et cela l'intriguait. Aussi prit-elle l'avion pour Vishniac. Elle n'y avait pas mis les pieds depuis des années. Art l'accompagnait.

– Ce sera intéressant de voir comment ils s'adaptent, dans les vieilles cités underground, maintenant qu'ils n'ont plus besoin de se cacher.

– Si tu veux tout savoir, je ne comprends pas qu'on puisse vivre là-bas, fit Nadia alors qu'ils survolaient une vaste région disloquée. Ils sont si près du pôle Sud que leurs hivers n'en finissent pas. Six mois sans voir le soleil, qui pourrait supporter ça ?

– Des Sibériens.

– Les Sibériens ne sont pas assez bêtes pour aller s'installer dans un endroit pareil.

– Alors des Lapons. Des Inuits. Des gens qui aiment les régions polaires.

– Mouais. Il faut croire.

En réalité, l'hiver ne dérangeait pas les gens de Vishniac Bogdanov. Ils avaient remodelé le mont du mohole, formant un immense anneau circulaire, en gradins, tourné vers le trou. Cet amphithéâtre serait la Vishniac de la surface. L'été, ce serait une oasis de verdure et, dans la nuit hivernale, une oasis blanche. Ils prévoyaient de l'illuminer avec des centaines de lampadaires, offrant un jour de plateau de cinéma à cette cité qui se regardait le nombril par-delà un trou dans la planète ou contemplait, du haut des gradins, le chaos congelé des highlands polaires. Non, pour rien au monde ils n'iraient ailleurs. Ils étaient chez eux, ici.

Nadia fut accueillie à l'aéroport avec un tapis rouge, comme toujours quand elle allait chez les Bogdanovistes. Avant de rejoindre leur mouvement, elle avait toujours trouvé ça un peu ridicule, presque injurieux. Nadia, la petite amie du Fondateur ! Mais elle se laissa installer dans une suite réservée aux invités située juste au bord du mohole et dont les fenêtres en surplomb permettaient de plonger le regard jusqu'au fond, dix-huit kilomètres plus bas. Les lumières, tout en bas, ressemblaient à des étoiles vues à travers la planète.

Art était moins pétrifié par le spectacle que par l'idée même de ce qu'il voyait, et il refusait d'aller plus loin que le milieu de la chambre. Nadia se moqua de lui, mais quand elle se fut rassasiée de la vue, elle ferma les rideaux.

Le lendemain, elle alla voir les spécialistes du sol. Ils étaient ravis de l'intérêt qu'elle portait à leurs recherches. Ils voulaient pouvoir se nourrir par eux-mêmes, or un nombre sans cesse croissant de colons s'installaient dans le Sud, et ce serait impossible s'ils n'augmentaient pas la surface de sol cultivable. Mais c'était l'une des tâches les plus difficiles qu'ils aient jamais entreprises. Nadia fut stupéfaite. Allons donc, ils étaient les labos Vishniac, les leaders mondiaux dans le domaine des techno-écologies, et la couche superficielle du sol n'était, eh bien, que de la terre. Avec des additifs, sans doute, mais les additifs, c'était fait pour être ajouté.

Les savants durent comprendre ce qu'elle pensait, car l'homme appelé Arne qui lui faisait visiter les installations lui apprit d'un air excédé que l'humus était en fait très complexe. Près de cinq pour cent de la masse étaient constitués de matières vivantes, et dans ces cinq pour cent critiques on trouvait des populations denses de nématodes, de vers, de mollusques, d'arthropodes, d'insectes, d'arachnides, de petits mammifères, de champignons, de protozoaires, d'algues et de bactéries. Il y avait plusieurs milliers d'espèces différentes rien que de bactéries ; on pouvait compter jusqu'à cent millions d'individus par gramme de sol et les autres membres de la micro-communauté étaient presque aussi nombreux, tant en individus qu'en variétés.

Des écologies aussi complexes ne pouvaient être fabriquées en faisant pousser les ingrédients séparément et en les mélangeant dans une trémie, comme un gâteau. Ils ne connaissaient pas tous les composants, il y en avait qu'on ne pouvait faire pousser, et certains de ceux qu'on pouvait obtenir ainsi mouraient lorsqu'on les mélangeait.

– Les vers, notamment, sont très fragiles. Les nématodes aussi posent toutes sortes de problèmes. Tout le système a tendance à s'effondrer, et nous nous retrouvons avec des minéraux et des matières organiques mortes. C'est ce qu'on appelle le terreau. Nous sommes très bons pour fabriquer du terreau. Mais l'humus, lui, doit croître.

– Comme dans la nature ?

– Exactement. Nous ne pouvons qu'essayer de gagner du temps. L'assemblage et la production de masse sont impossibles. Et beaucoup des composants vivants croissent mieux en milieu naturel, de sorte que notre problème consiste aussi à obtenir des organismes nutritifs plus vite que la nature ne les produirait naturellement.

– Je vois, marmonna Nadia.

Arne lui fit faire le tour des laboratoires et des serres, remplis de centaines de colonnes, espèces d'éprouvettes géantes rangées dans des râteliers, pleines de compost ou de divers composants. C'était de l'agronomie expérimentale, et Nadia avait appris, au contact d'Hiroko, à se résigner à ne pas y comprendre grand-chose. Il arrivait parfois qu'elle se sente dépassée par certains domaines scientifiques, mais elle comprenait qu'ils procédaient là à des essais factoriels, modifiant les conditions de développement dans chaque colonne et observant le résultat. Arne lui montra une formule simple qui décrivait la question dans ses grandes lignes :

$$S = f\ (M_p,\ C,\ R,\ B,\ T)$$

dans laquelle n'importe quelle propriété du sol S était fonction (f) de variables semi-indépendantes : le matériau parent (M_p), le climat (C), la topographie ou le relief (R), le biotope (B) et le temps (T). Le temps était évidemment le facteur qu'ils s'efforçaient de réduire, et le matériau parent de la plupart de leurs essais était l'argile, omniprésente à la surface hautement diversifiée de Mars. Ils faisaient varier le climat et la topographie dans une simulation des différentes conditions locales. Ce qui impliquait une micro-écologie extrêmement sophistiquée, et Nadia commençait à entrevoir la difficulté de leur tâche. C'était véritablement de l'alchimie. Beaucoup d'éléments devaient subir une transmutation dans le sol afin de devenir un milieu de croissance pour les plantes, or chacun avait son cycle particulier, initialisé par tout un ensemble d'agents. Il y avait les substances macronutritives – le carbone, l'oxygène, l'hydrogène, l'azote, le phosphore, le soufre, le potassium, le calcium et le magnésium –, et les substances micronutritives comme le fer, le manganèse, le zinc, le cuivre, le molybdène, le bore et le chlore. Aucun de ces cycles nutritifs ne fonctionnait en circuit fermé, en raison des pertes dues au lessivage, à l'érosion, au moissonnage et au dégazage. Les apports étaient tout aussi nombreux et variés, qu'ils résultent de l'absorption, de la dégradation, de l'action microbienne ou de l'ajout d'engrais. Les conditions nécessaires à chacun de ces éléments pour achever son cycle étaient assez variées pour que chaque milieu soit plus ou moins favorable ou défavorable. Chaque type de sol avait un pH, une salinité, une compacité propres, et ainsi de suite. Il y avait donc des centaines de milieux de culture identifiés dans ce seul laboratoire, et des milliers d'autres sur Terre.

Evidemment, dans les laboratoires de Vishniac, le matériau parent martien servait de base à la plupart des expérimentations. Des millénaires de tempêtes de sable avaient dispersé ce matériau sur toute la planète, jusqu'à ce que sa composition soit à peu près la même partout : le sol martien typique était essentiellement composé de fines particules de fer et de silice. Au-dessus on trouvait souvent des particules libres. En dessous, différents degrés de cimentation interparticulaire avaient produit un matériau croûteux, qui se brisait en mottes et faisait bloc au fur et à mesure qu'on creusait.

En d'autres termes, de l'argile : des argiles de smectite, similaires à la montmorillonite et à la nontronite terriennes, additionnées de matériaux comme le talc, le quartz, l'hématite, l'anhydrite, la dieserite, la calcite, la beidellite, le rutile, le gypse, le maghémite et la magnétite. Le tout avait été recouvert d'oxyhydroxydes de fer amorphes et d'autres oxydes de fer plus cristallisés, auxquels le sol devait sa couleur rouge.

Tel était donc le matériau parent : une argile de smectite riche en fer. Sa structure peu compacte et poreuse supporterait des racines tout en leur laissant la place de se développer. Mais elle n'abritait aucun organisme vivant et était trop chargée en sels et pas suffisamment en azote. Aussi leur tâche fondamentale consistait-elle à réunir le matériau parent, à le laver de ses sels et de son alumine puis à y introduire de l'azote et la communauté biotique, ces opérations devant être effectuées le plus vite possible. C'était facile à dire, mais l'expression « communauté biotique » recouvrait une infinité de problèmes.

– Eh bien, ils ne sont pas sortis de l'auberge ! confia Nadia à Art, un soir. Autant essayer de faire marcher ce gouvernement !

Sur le terrain, les gens se contentaient d'introduire dans l'argile des bactéries, des algues et des lichens, des micro-organismes et enfin des plantes halophytes. Puis ils attendaient que ces biocommunautés – ou plutôt la vie et la mort d'une infinité de générations de micro-organismes – transforment l'argile en un sol cultivable. Ça marchait, ça marchait même maintenant sur toute la planète ; mais très lentement. Un groupe de Sabishii avait estimé qu'il se formait en moyenne un centimètre environ de sol cultivable tous les siècles. Et encore, grâce à la mise au point de populations génétiquement sélectionnées pour la rapidité de leur cycle biologique.

Dans les serres, l'humus utilisé avait été lourdement amendé par des nutriments et des additifs de toute sorte. Le résultat pouvait être comparé à celui que ces savants tentaient d'obtenir, mais la quantité d'humus utilisée dans les serres était infime par rapport à celle qu'ils voulaient répandre à la surface. La production de masse posait un problème plus complexe qu'ils ne l'avaient prévu, Nadia s'en rendait bien compte. Ils avaient cet air vexé du chien qui ronge un os trop gros pour lui.

Les connaissances requises en biologie, en chimie, en biochimie et en écologie dépassaient de loin les siennes, et elle ne pouvait leur être d'aucune aide. En bien des cas, elle ne comprenait même pas les processus en cause. Ça n'avait rien à voir avec la construction.

Mais toute méthode de production implique une part de construction, et là au moins Nadia pouvait saisir les enjeux. Elle s'intéressa donc à cet aspect des choses, à la conception mécanique des colonnes et des éprouvettes contenant les différents constituants vivants du sol. Elle étudia aussi la structure moléculaire des argiles mères, et découvrit que les smectites martiennes étaient des silicates d'alumine : chaque particule d'argile était constituée d'un film d'octaèdres d'aluminium pris en sandwich entre deux films de tétraèdres de silicone. Le schéma général changeait selon les différentes sortes de smectite, et plus il y avait de variations, plus l'eau s'infiltrait facilement entre les couches intermédiaires. L'argile de smectite la plus répandue sur Mars, la montmorillonite, comportait un grand nombre de variétés hydrophiles. Elle gonflait quand elle était imbibée d'eau et se rétractait en séchant au point de se craqueler.

Nadia trouva ça intéressant et en parla à Arne.

– Et si vous fabriquiez des colonnes comportant des matrices de veines nourricières, grâce auxquelles le biotope pourrait s'infiltrer dans le matériau parent ?

Elle leur suggéra de prendre un échantillon de matériau parent, de le mouiller et de le laisser sécher. Il se formerait un réseau de craquelures. Ils n'auraient plus qu'à y introduire la matrice de veines nourricières, les bactéries importantes et les autres constituants susceptibles d'y croître. Les bactéries et autres organismes vivants devraient sortir des veines nourricières en les dévorant, digérer le matériau en émergeant, se retrouver tous ensemble dans l'argile et réagir les uns par rapport aux autres. Bon, ça ne marcherait sûrement pas tout seul, bien des essais seraient nécessaires pour calibrer la quantité initiale des différents biotopes afin d'éviter les croissances anarchiques et les effondrements, mais s'ils réussissaient à les faire cohabiter dans leurs communautés habituelles, ils tiendraient leur humus, leur sol vivant.

– On utilise des systèmes de veines nourricières de ce genre pour certains matériaux de construction à prise rapide, et j'ai entendu dire que les médecins injectaient de la même façon de la pâte d'apatite dans les os brisés. Les veines nourricières sont faites de gel de protéine identique à la substance qu'elles vont contenir, et moulées dans les structures tubulaires appropriées.

Une matrice de croissance. Ça valait la peine d'être étudié, conclut Arne. Ce qui fit sourire Nadia. Elle continua sa visite, cet après-midi-là, dans un état proche de l'euphorie, et le soir, quand elle retrouva Art, elle lui dit :

– Hé, je me suis rendue un peu utile, aujourd'hui !

– Eh bien, répondit Art. Sortons fêter ça !

Ce n'était pas difficile, à Vishniac Bogdanov. C'était bien une cité bogdanoviste, aussi pleine de vitalité qu'Arkady. Tous les soirs c'était la fête. Ils allaient souvent se promener. Nadia aimait longer la plus haute terrasse, sentir qu'Arkady était là, d'une certaine façon, qu'il avait en quelque sorte survécu. Jamais elle n'en avait eu davantage l'impression que ce soir-là, à fêter le travail accompli. Elle tenait Art par la main, se penchait sur la rambarde, regardait de l'autre côté et en contrebas les cultures, les vergers, les piscines, les terrains de sport, les rangées d'arbres, les terrasses de café bondées sur les places en forme de croissant, les bars, les pavillons sous lesquels on dansait, les orchestres rivalisant pour occuper l'espace sonore, les gens massés autour, certains dansant, la plupart se promenant, comme elle-même. Tout ça sous une tente, une tente dont ils espéraient se passer un jour. En attendant, il faisait chaud, et les jeunes indigènes portaient une variété insensée de pantalons, de coiffes, de ceintures, de vestes et de colliers qui rappelaient à Nadia une vidéo de la réception de Nirgal et de Maya à Trinidad. Etait-ce une coïncidence, où s'agissait-il d'une culture supraplanétaire qui émergeait parmi les jeunes ? Cela voulait-il dire que leur Coyote, l'enfant de Trinidad, avait conquis les deux mondes sans qu'on s'en aperçoive ? Ou son Arkady, par une sorte d'humour posthume ? Arkady et Coyote, rois de la culture. Elle sourit à cette idée, prit la tasse d'Art, savoura deux gorgées de kavajava bouillant, la boisson qui s'imposait dans cette ville froide, et tous deux regardèrent les jeunes gens bouger comme des anges, dansant même lorsqu'ils ne dansaient pas, flottant en arcs gracieux de terrasse en terrasse.

– Quelle géniale petite ville, dit Art.

Puis ils tombèrent sur une vieille photo d'Arkady sur un mur, à côté d'une porte. Nadia s'arrêta et agrippa le bras d'Art.

– C'est lui ! C'est comme s'il était vivant !

Le photographe l'avait surpris en grande discussion devant la paroi d'une tente, ses cheveux et sa barbe formant comme une auréole, se fondant dans un paysage exactement de la même couleur que ses boucles désordonnées de sorte que son visage semblait sortir du flanc de la colline, les yeux bleus plissés dans la lumière rouge.

– C'est lui tout craché. S'il avait vu qu'on braquait un objectif sur lui, ça ne lui aurait pas plu et le cliché aurait été moins bon.

Elle regarda la photo avec une étrange exaltation. Quelle rencontre plus vraie que nature ! C'était comme de tomber sur quelqu'un qu'on n'avait pas vu depuis des années.

– Tu lui ressembles un peu, je trouve. En plus détendu.

– Je me demande comment on pourrait avoir l'air plus détendu que ça, nota Art en regardant attentivement la photo.

Nadia eut un sourire.

– Il y arrivait sans aucune difficulté. Il était toujours persuadé d'avoir raison.

– Ça, aucun de nous n'a ce problème-là.

– Tu es un bon vivant, comme lui, dit-elle en s'esclaffant.

– Et pourquoi pas ?

Ils poursuivirent leur promenade, Nadia pensant à son vieux compagnon, son image toujours présente à l'esprit. Elle avait tant de souvenirs, même si les sentiments qui leur étaient attachés s'estompaient. La douleur s'apaisait. Le fixateur n'avait pas tenu. La chair, le traumatisme n'étaient plus qu'un schéma parmi d'autres, une sorte de fossile. Rien à voir avec le moment présent, quand elle regardait autour d'elle, la main d'Art dans la sienne. Le présent était réel, éclatant, fugitif, en perpétuel mouvement – vivant. Tout pouvait arriver, tout était palpable.

– Si nous remontions dans notre chambre ?

Les quatre émissaires vers la Terre descendirent enfin du câble à Sheffield. Nirgal, Maya et Michel partirent chacun de son côté, mais Sax prit l'avion pour rejoindre Nadia et Art dans le Sud, attention qui combla Nadia de joie. Elle en était arrivée à se dire que, où que Sax se trouve, c'est là qu'était le cœur de l'action.

Il faisait la même tête qu'avant son départ pour la Terre, en plus silencieux et plus énigmatique encore, si c'était possible. Il voulait voir les laboratoires, dit-il. Ils les lui firent visiter.

– Intéressant. Oui. Mais je me demande, ajouta-t-il au bout d'un moment, ce que nous pourrions faire de plus.

– Pour le terraforming? demanda Art.

– Eh bien...

Pour faire plaisir à Ann, se dit Nadia. C'était ce qu'il voulait dire. Sacré Sax Russell... Elle le serra rapidement sur son cœur, à son grand étonnement, et elle laissa sa main sur son épaule noueuse alors qu'ils parlaient. C'était si bon de le revoir en chair et en os! Quand s'était-elle mise à tant l'apprécier, à tant compter sur lui?

Art aussi avait compris ce qu'il voulait dire.

– Vous en avez déjà pas mal fait, je trouve, reprit-il. Après tout, vous avez démantelé les monstres mis en place par les métanats, les bombes à hydrogène sous le permafrost, la soletta, les miroirs spatiaux, les navettes d'azote de Titan...

– Il en vient toujours, objecta Sax. Je ne vois même pas comment nous pourrions empêcher ça. A moins de les abattre avec des missiles... Enfin, nous avons bien besoin de cet azote. Je ne suis pas sûr que j'aimerais les voir s'arrêter.

– Mais Ann? demanda Nadia. Qu'est-ce qui pourrait lui faire plaisir?

Sax étrécit les paupières, retrouvant exactement la tête de rat qu'il avait dans le temps.

– Qu'aimeriez-vous, tous les deux? reformula Art.

– Difficile à dire, répondit-il d'un ton vague, incertain.

– Vous voudriez que la nature reste à l'état sauvage, avança Art.

– Sauvage, oui, c'est une idée. Ou une position éthique. Pas partout, ce n'est pas le but. Mais...

Il agita la main, se replongea dans ses pensées. Nadia, qui le connaissait depuis cent ans, eut pour la première fois l'impression qu'il ne savait pas sur quel pied danser. Il régla le problème en s'asseyant devant un écran et en tapotant des instructions comme s'il avait oublié leur présence.

Nadia pressa le bras d'Art. Il lui prit la main et appuya doucement sur son petit doigt. Il faisait près des trois quarts de sa taille définitive, et sa croissance était plus lente à présent. L'ongle avait commencé à apparaître, ainsi que, sur le bout charnu, le tracé délicat d'une empreinte digitale. Ça faisait l'effet normal quand on appuyait dessus. Elle croisa rapidement le regard d'Art, puis baissa les yeux. Il lui serra la main avant de la lâcher. Au bout d'un moment, quand il fut clair que Sax n'était plus avec eux, qu'il était retourné dans son monde pour un bon moment, ils repartirent sur la pointe des pieds vers leur chambre, leur lit.

Ils travaillaient le jour et sortaient la nuit. Sax leur faisait son numéro de rat de laboratoire aux yeux papillotants, comme autrefois. Il était inquiet parce qu'on n'avait aucune nouvelle d'Ann. Nadia et Art le réconfortaient de leur mieux, ce qui ne voulait pas dire grand-chose. Le soir, ils allaient se promener comme tout le monde. Il y avait un parc où les parents emmenaient leurs enfants, et les gens les regardaient en souriant comme s'il s'agissait de petits primates en train de jouer dans un enclos, au zoo. Sax passait des heures dans le parc à parler aux enfants et aux parents, puis il s'approchait des pistes de danse où il gambillait pendant des heures. Art et Nadia se tenaient par la main. Son petit doigt gagnait en force. Sa croissance était presque achevée, maintenant, et il fallait qu'elle le compare à celui de l'autre main pour voir la différence. Art le mordillait doucement parfois, quand ils faisaient l'amour, et la sensation qu'elle épouvait alors la rendait folle.

– Mieux vaut ne pas parler aux gens de cet effet, marmonnait-il. Ça pourrait avoir des conséquences terrifiantes : des gens se trancheraient certaines parties du corps pour les faire repousser, en plus sensible, tu vois ce que je veux dire !

– Pervers !

– Tu sais comment sont les gens. Ils feraient n'importe quoi pour se procurer des sensations.

– Pas un mot sur la question, d'accord ?

– D'accord.

Mais il était temps de reprendre le collier. Sax partit, pour retrouver Ann ou se cacher d'elle, ils ne savaient pas trop. Ils retournèrent en avion à Sheffield et Nadia se replongea jusqu'au cou dans la routine du conseil, chaque journée découpée en tranches de trente minutes passées à régler des problèmes triviaux. A ceci près que certains étaient loin d'être triviaux. Les Chinois qui avaient demandé l'autorisation d'établir un nouvel ascenseur spatial près de Schiaparelli étaient prêts à passer aux actes, et ce n'était là qu'une des nombreuses mesures d'immigration auxquelles ils se trouvaient confrontés. Les accords Mars-Nations Unies signés à Berne prévoyaient que Mars devait accueillir au moins dix pour cent de sa population d'immigrants chaque année, peut-être plus, tant que la croissance démographique persisterait. Nirgal en avait fait une sorte de promesse, il avait parlé avec beaucoup d'enthousiasme (et d'irréalisme, se disait Nadia) de Mars venant à la rescousse de la Terre, la sauvant de la surpopulation en lui offrant son territoire. Mais combien d'immigrants Mars pourrait-elle réellement recevoir, alors qu'ils n'étaient même pas capables de produire un sol cultivable ? Quelle était la capacité d'accueil de Mars, de toute façon ?

Personne ne le savait, et il n'y avait aucun moyen de le calculer. Et combien d'hommes la Terre pouvait-elle contenir ? Les estimations allaient de cent millions à deux cents trillions, et même les plus timorés parlaient de deux à trente milliards. En vérité, la capacité d'accueil était un concept abstrait, très vague, dépendant d'une foule de critères complexes qui se recombinaient entre eux, comme la biochimie du sol, l'écologie et la culture humaine. Il était donc pratiquement impossible de chiffrer exactement le nombre d'individus dont Mars pouvait assurer la survie. En attendant, la population de la Terre dépassait les quinze milliards, alors que Mars, avec une surface habitable presque équivalente, était mille fois moins peuplée, avec ses quinze millions d'habitants environ. La disparité était manifeste. Il fallait faire quelque chose.

Le transfert de masse était une possibilité, évidemment, mais son rythme même était limité par la taille des moyens de transport et la faculté de Mars à absorber les nouveaux migrants. Les Chinois et, d'ailleurs, les Nations Unies en général commençaient à dire que pour accélérer l'immigration ils pouvaient accroître de manière significative les moyens de transport. Un second ascenseur spatial sur Mars serait la première étape de ce projet en plusieurs étapes.

Sur Mars, la réaction était presque unanimement négative. Les Rouges étaient opposés à tout accroissement de l'immigration, bien sûr, et, s'ils en reconnaissaient l'inéluctabilité, ils se dressaient contre le développement du système de transfert, espérant ainsi retarder l'échéance. Cette position était conforme à leur philosophie, et Nadia la comprenait. Mais le point de vue de Mars Libre, au rôle autrement important, n'était pas aussi clair. Nirgal, qui était issu de Mars Libre, avait invité les Terriens à venir en masse. Qui plus est, historiquement parlant, Mars Libre avait toujours prôné le maintien de liens étroits avec la Terre, adoptant l'attitude dite de la queue qui remue le chien, ce qui revenait à dire que c'était le monde à l'envers. Or les chefs actuels du parti ne semblaient plus aussi favorables à cette stratégie. Et Jackie était au centre de ce nouveau groupe. Ils avaient évolué vers l'isolationnisme au cours du congrès constitutionnel, se rappelait Nadia, exigeant toujours plus d'indépendance de la Terre. D'un autre côté, ils avaient apparemment conclu des accords privés avec certains pays de la Terre. Aussi la politique de Mars Libre était-elle ambiguë, pour ne pas dire hypocrite. Elle semblait surtout conçue pour accroître sa propre emprise sur la scène politique martienne.

Pourtant, même en écartant Mars Libre et les Rouges, le sentiment isolationniste était très répandu : les anarchistes, les Bogdanovistes, les matriarches de Dorsa Brevia, les Mars-Unistes – tous avaient tendance à rejoindre les Rouges dans le débat. Si des millions et des millions de Terriens débarquaient sur Mars, disaient-ils, que deviendrait Mars ? Non seulement le paysage, mais la culture martienne, qui s'était formée au fil des années martiennes ? Ne serait-elle pas noyée sous les vieilles habitudes apportées par les nouveaux migrants qui submergeraient très vite la population indigène ? Le taux de natalité était en chute libre partout, et les familles sans enfants, ou avec un seul enfant, étaient aussi communes sur Mars que sur la Terre, aussi eût-il été vain d'espérer voir s'accroître rapidement la population indigène. Ils seraient vite engloutis.

Tels étaient du moins les arguments que Jackie avançait en public, de même que les gens de Dorsa Brevia et beaucoup d'autres. Nirgal, qui venait de rentrer de la Terre, ne semblait pas avoir beaucoup d'influence sur eux. Et si Nadia comprenait le point de vue de ses adversaires, elle avait aussi l'impression qu'étant donné la situation sur Terre il était irréaliste d'espérer fermer Mars à l'immigration. Mars ne sauverait pas la Terre, comme Nirgal semblait parfois l'avoir annoncé là-bas, mais un accord avec les Nations Unies avait été ratifié, et ils ne pouvaient faire autrement que de laisser venir au moins le quota de Terriens qu'ils s'étaient engagés à accepter. Le pont entre les mondes devait être élargi. S'ils ne respectaient pas leurs obligations, se disait Nadia, tout pouvait arriver.

C'est ainsi que, dans le débat sur l'autorisation de création d'un second câble, Nadia prit parti pour. Il accroissait, comme ils avaient promis de le faire, la capacité du système de transport, sinon directement du moins potentiellement. Et cela contribuerait à alléger la pression qui pesait sur la ville de Tharsis et ses environs. Sur les cartes de densité de population, Pavonis apparaissait comme l'œil toujours grandissant d'une cible dont les nouveaux arrivants avaient du mal à s'éloigner. Installer un câble de l'autre côté du monde rééquilibrerait un peu les choses.

Mais c'était un argument spécieux pour les adversaires du câble. Ils préféraient que la population reste localisée, contenue en un seul endroit, que sa dispersion soit ralentie. Ils se fichaient pas mal du traité. Aussi, quand le conseil fut consulté, seul Zeyk suivit Nadia dans son vote. C'était la plus grande victoire de Jackie à ce jour, et elle lui permit de conclure une alliance temporaire avec Irishka et les autres cours environnementales, en principe opposées à toutes les formes de développement rapide.

Nadia rentra chez elle, ce jour-là, découragée et soucieuse.

– Nous avons promis à la Terre de nous ouvrir à l'immigration, et nous avons relevé le pont-levis. Ça va nous attirer des ennuis.

Art acquiesça.

– Il faut que nous agissions.

– Agir ! cracha Nadia avec dégoût. Nous n'agissons pas, justement. Nous allons nous disputer, nous chamailler, nous bouffer le nez et nous étriper jusqu'à la fin des temps, soupira-t-elle. Je croyais que le retour de Nirgal nous aiderait, mais ça ne servira à rien s'il ne se joint pas à nous.

– Il n'a aucun rôle officiel, remarqua Art.

– Il pourrait en avoir un s'il le voulait.

– C'est vrai.

Nadia tourna et retourna le problème, le moral en berne.

– Tu sais, je n'ai effectué que dix mois de mon mandat. J'ai encore deux ans et demi à tirer. Des années martiennes.

– Je sais.

– Et les années martiennes sont interminables.

– C'est vrai. Mais les mois passent à toute vitesse.

Elle émit un bruit obscène et regarda, par la fenêtre de l'appartement, la caldeira de Pavonis.

– L'ennui, c'est que le travail n'est plus du travail. Tu sais bien que même si nous participons à n'importe quel projet, ce n'est plus du travail. Je veux dire, on ne sort plus pour faire les choses. Je me rappelle, quand j'étais jeune, en Sibérie. Ça, c'était vraiment du boulot !

– Tu idéalises peut-être un peu ces souvenirs.

– C'est sûr, mais même sur Mars... Je me rappelle avoir bâti Underhill de toutes pièces. Qu'est-ce qu'on s'amusait ! Un jour, nous sommes allés au pôle Nord, installer une galerie sous le permafrost... Je ne sais pas ce que je donnerais pour refaire un travail de ce genre, dit-elle en soupirant.

– Il y a encore beaucoup de chantiers de construction, objecta Art.

– Avec les robots.

– Tu pourrais peut-être entreprendre quelque chose de plus humain. Bâtir une maison à la campagne, n'importe quoi. Une de ces nouvelles villes portuaires, construites de main d'homme afin de mettre de nouvelles techniques à l'épreuve, des plans, des méthodes, ce que tu veux. Ça ralentirait le processus de construction, la CEG te suivrait.

– Peut-être. Après la fin de mon mandat, tu veux dire.

– Ou même avant. Pendant les interruptions entre les sessions, comme tu l'as déjà fait avec ces voyages. Tous étaient assez comparables à des travaux de construction, même si ça n'en était pas à proprement parler. Construire de vraies choses. Il faudrait que tu essaies, que tu ailles de l'un à l'autre.

– Il y aurait conflit d'intérêts.

– Pas s'il s'agissait de programmes d'intérêt public. Et le projet de construction d'une capitale administrative au niveau de la mer?

– Hum, hum, fit Nadia.

Elle sortit une carte et ils l'étudièrent. Le long du méridien zéro, le littoral de la mer du Nord s'avançait dans l'eau, au sud, formant une petite péninsule ronde avec une baie de cratère au centre. Elle était à peu près à mi-chemin de Tharsis et d'Elysium.

– Nous devrions aller voir.

– Oui... Allez, viens te coucher. Nous en reparlerons plus tard. Pour l'instant, j'ai une autre idée.

Quelques mois plus tard, alors qu'ils retournaient en avion de Bradbury Point à Sheffield, Nadia se remémora sa conversation avec Art. Elle demanda au pilote de se poser près d'une petite station, au nord du cratère Sklodowska, sur la pente du cratère Zm, qu'on appelait Zoom. En amorçant la descente, ils virent à l'est une grande baie envahie par la glace. De l'autre côté s'étendait le paysage rocailleux de Mamers Vallis et des Deuteronilus Mensae. La baie était une incursion dans le Grand Escarpement, qui s'affaissait à cet endroit situé par zéro degré de longitude et quarante-six degrés de latitude nord, assez loin de l'équateur, donc, mais les hivers du Nord étaient doux comparés à ceux du Sud. La mer de glace occupait une grande partie du paysage, au large d'un vaste littoral. La péninsule arrondie entourant Zoom était haute et lisse. La petite station située sur la rive hébergeait cinq cents âmes, qui s'affairaient à des travaux de construction avec un bulldozer, des grues et des dragues. Nadia et Art passèrent près d'une semaine à parler de la colonie avec les gens de l'endroit. Ils avaient entendu dire qu'on projetait de construire une nouvelle capitale sur la baie. Cette idée plaisait à certains, mais pas à la majorité. Ils pensaient appeler leur base Greenwich à cause de sa longitude, mais ils avaient entendu dire que les Anglais ne prononçaient pas *Green Witch* mais *Grenich*, et n'aimaient pas trop l'idée de donner à leur ville un nom qui s'écrivait d'une façon et se prononçait d'une autre. Et pourquoi pas Londres ? hasardaient-ils. Enfin, ils trouveraient bien quelque chose. La baie, quant à elle, s'appelait depuis longtemps la baie de Chalmers.

– Vraiment ? s'exclama Nadia en riant. C'est inespéré !

Elle était déjà conquise par le paysage : le tablier conique, lisse, de Zoom, la courbe de la grande baie. La pierre rouge tranchant sur la glace blanche, et sans doute un jour sur la mer bleue. Tout le temps de leur séjour, des nuages courant dans le vent d'ouest projetèrent leurs ombres sur la terre et la glace : des cumulus blancs, renflés comme de petites boules de coton, parfois des galions ou des motifs au point de croix qui ornaient le dôme sombre du ciel au-dessus de leurs têtes, et le sol rocheux, incurvé, en dessous d'eux. Ça pourrait faire une belle petite ville enserrant une baie, une ville aussi belle que San Francisco ou Sydney, mais plus humaine, sur le modèle bogdanoviste, construite de la main de l'homme. Enfin, pas tout à la main, bien sûr, mais ils pouvaient la concevoir à l'échelle humaine. Essayer d'en faire une sorte d'œuvre d'art, disait Nadia en se promenant avec Art au bord de la baie de glace, avec un simple masque à dioxyde de carbone, tout en observant la parade des nuages qui défilaient dans le ciel.

– Ça marcherait sûrement, approuva Art. N'importe comment, il y aura une ville à cet endroit, et c'est le principal. C'est l'une des plus belles baies de cette partie de la côte ; tôt ou tard on y fera un port. Ce ne serait donc pas une capitale installée au milieu de nulle part comme Canberra, Brasilia ou Washington. Elle aurait une vie propre, une vie portuaire.

– C'est vrai. Ce serait formidable.

Nadia poursuivit son chemin, galvanisée par cette idée. Il y avait des mois qu'elle ne s'était sentie aussi bien. Presque tous les partis représentés à Sheffield étaient d'accord pour établir une capitale quelque part, et cette baie avait déjà été proposée par les Sabishiiens, ce n'était donc pas une idée nouvelle. Le peuple était prêt à la soutenir. Et elle pourrait s'impliquer à fond dans sa construction, puisqu'il s'agirait d'un dossier de travaux publics. Ça participait de l'économie de cadeau. Peut-être réussirait-elle à imprimer sa patte au projet. Plus elle y pensait, plus cette idée lui plaisait.

Ils étaient allés très loin le long du littoral, entre la courbe de roche rouge et la mer qu'elle semblait saluer. Ils firent demi-tour et repartirent vers la petite station. Le vent chassait les nuages dans le ciel. Juste au-dessous, un V déchiqueté d'oies trompetantes filait vers le nord.

Plus tard, ce jour-là, alors qu'ils retournaient vers Sheffield, Art lui prit la main et inspecta son nouveau petit doigt.

– Tu sais, fit-il lentement, fonder une famille, c'est aussi une façon de bâtir quelque chose de ses propres mains.

– Quoi ?

– Tous les problèmes liés à la procréation sont maintenant connus.

– Qu'est-ce que tu racontes ?

– Je veux dire, tant qu'une femme est en vie, elle peut parfaitement avoir des enfants, d'une façon ou d'une autre.

– *Hein ?*

– C'est ce qu'on dit. Si tu voulais, tu pourrais en avoir un.

– Non.

– Si, si, je t'assure.

– Non.

– C'est une bonne idée, pourtant.

– Non.

– Enfin, écoute, construire... C'est génial, bien sûr, mais on ne peut pas faire de la plomberie toute sa vie. De la plomberie, de la menuiserie, conduire un bulldozer... c'est très intéressant, je te l'accorde, mais quand même. Nous avons une longue vie à remplir. Et le seul travail vraiment assez intéressant pour être poursuivi sur le long terme, ce serait d'élever un enfant, tu ne penses pas ?

– Non, je ne pense pas !

– Mais tu n'as jamais eu d'enfant ?

– Non.

– Eh bien, voilà.

– Oh, mon Dieu...

Son doigt fantôme la picotait. Mais ce n'était plus un doigt fantôme, à présent. Il était là pour de bon.

HUITIÈME PARTIE

Le Vert et le Blanc

Des cadres se rendirent à Xiazha, dans le Guangzhou, et dirent, Pour le bien de la Chine, vous allez reconstruire cette ville sur le Plateau de la Lune, sur Mars. Vous vous rendrez tous là-bas, avec votre famille, vos amis et vos voisins, tous les dix mille. Dans dix ans, vous pourrez décider de revenir si vous préférez, et d'autres iront vous remplacer à la nouvelle Xiazha. Vous devriez vous plaire, là-bas. C'est à quelques kilomètres du port de Nilokeras, près du delta de la Maumee. Le sol est fertile. Il y a déjà d'autres villages chinois implantés dans la région, et des quartiers chinois dans toutes les grandes villes. Il y a beaucoup d'espace disponible. Le voyage pourra commencer dans un mois, en train jusqu'à Hong Kong, le ferry jusqu'à Manille, puis dans l'ascenseur spatial. Six mois de traversée de l'espace jusqu'à Mars, jusqu'à leur ascenseur de Pavonis Mons, et un train spécial jusqu'au Plateau de la Lune. Qu'en dites-vous ? Votez pour à l'unanimité et partons du bon pied.

Plus tard, un employé de la ville appela Hong Kong et mit un agent de Praxis au courant. Le bureau de Hong Kong transmit l'information au groupe d'études démographiques du Costa Rica. Là-bas, une programmatrice appelée Amy joignit le rapport à une longue liste de rapports similaires, et y réfléchit toute la matinée. L'après-midi, elle appelait William Fort, qui faisait du surf autour d'un nouveau récif au Salvador. Elle lui exposa la situation.

– Le monde bleu est plein, dit-il. Le monde rouge est vide. Ça va poser des problèmes. Il faut que nous en parlions.

Le groupe démographique et une partie de l'équipe politique de Praxis, dont la plupart des Dix-Huit Immortels, rejoignirent Fort. Les démographes exposèrent la situation.

– Tout le monde reçoit le traitement de longévité, maintenant, dit Amy, nous sommes en plein âge malthusien.

La situation démographique était explosive. Les gouvernements de la Terre voyaient souvent dans l'émigration vers Mars une solution au problème. Même avec son nouvel océan, Mars disposait d'une surface habitable presque égale à celle de la Terre, et n'était pour ainsi dire pas peuplée. Amy dit au groupe que les nations vraiment surpeuplées y envoyaient déjà tous les gens qu'ils pouvaient. Les émigrants étaient souvent des membres de minorités ethniques ou religieuses mécontentes de leur sort et qui ne demandaient qu'à partir. En Inde, les cabines de l'ascenseur spatial basé dans l'atoll de Suvadiva, au sud des Maldives, étaient chaque jour pleines d'émigrants, essentiellement des Sikhs, des habitants du Cachemire, des musulmans et des hindous, mais aussi des Zoulous d'Afrique du Sud, des Palestiniens d'Israël, des Kurdes de Turquie et des Indiens d'Amérique du Nord qui tous voulaient s'installer sur Mars.

– On pourrait dire que Mars est en train de devenir la nouvelle Amérique, remarqua Amy.

– Et comme dans la vieille Amérique, ajouta une femme appelée Elizabeth, il y a déjà sur place une population indigène qui va encaisser le choc. Pensez un instant en terme de nombres : si, chaque jour, les cabines de tous les ascenseurs spatiaux sont pleines, comme il y a cent passagers par cabine, ça fait deux mille quatre cents personnes par ascenseur qui débarquent à l'autre bout, et comme il y a dix ascenseurs, ça fait vingt-quatre mille personnes par jour, soit huit millions sept cent soixante mille personnes par an.

– Disons dix millions, reprit Amy. Ça fait beaucoup, et pourtant, à ce rythme-là, il faudra un siècle pour transférer sur Mars un seul des seize milliards d'hommes qui peuplent la Terre. Ce qui ne changera pour ainsi dire rien pour nous. Ça ne tient pas debout ! Nous ne pourrons jamais transférer une partie significative de la population de la Terre sur Mars. Nous devons à tout prix essayer de résoudre les problèmes de la Terre sur Terre. Mars se bornera à jouer le rôle de vase d'expansion psychologique. Pour l'essentiel, nous sommes livrés à nous-mêmes.

– Il n'est pas utile que cela tienne debout, objecta William Fort.

– C'est vrai, acquiesça Elizabeth. Des tas de gouvernements terriens font ça, que ça ait un sens ou non. La Chine, l'Inde, l'Indonésie, le Brésil, ils marchent tous dans la combine, et si l'émigration se maintient à la capacité actuelle du système, la population martienne va doubler en près de deux ans et Mars sera totalement submergée sans que rien ne change ici.

L'un des Immortels nota que la première révolution martienne avait été provoquée par une poussée migratoire d'une envergure comparable.

– Et le traité Terre-Mars ? demanda quelqu'un d'autre. Je pensais qu'il interdisait spécifiquement des flux d'une telle importance.

– En effet, confirma Elizabeth. Il spécifie que l'immigration sera limitée à dix pour cent de la population martienne par année terrienne, mais que Mars devrait en accepter davantage si elle pouvait.

– Et puis, reprit Amy, depuis quand les traités ont-ils empêché les gouvernements de faire ce qu'ils voulaient ?

– Nous devons les envoyer ailleurs, fit William Fort.

Les autres le regardèrent.

– Où ça ? demanda Amy.

Personne ne répondit. Fort agita vaguement la main.

– Nous avons intérêt à trouver un endroit, répondit gravement Elizabeth. Même les Chinois et les Indiens, qui ont toujours été de bons alliés des Martiens, se fichent éperdument du traité. On m'a envoyé un enregistrement d'une réunion politique indienne sur le sujet : ils envisagent de mettre en action leur programme à pleine capacité pendant quelques siècles, et de voir ensuite comment ça se passe.

La cabine de l'ascenseur poursuivit sa descente, et Mars devint énorme sous leurs pieds. Puis ils ralentirent, juste au-dessus de Sheffield, et tout redevint normal. Ils retrouvèrent la gravité martienne, sans la force de Coriolis qui tirait tout sur le côté. Puis ils entrèrent dans le Socle. Ils étaient de nouveau chez eux.

Des amis, des reporters, des délégués, Mangalavid. A Sheffield, chacun vaquait fébrilement à ses affaires. Quelqu'un reconnaissait parfois Nirgal et lui faisait de grands signes amicaux. On s'arrêtait pour lui serrer la main, lui donner l'accolade, lui poser des questions sur son voyage ou sa santé.

– Content de vous revoir !

Et pourtant, dans la plupart des yeux... Il était si rare d'être malade. Quelques-uns détournaient le regard. Une pensée magique : Nirgal comprit soudain que, pour beaucoup d'entre eux, le traitement de longévité était un garant d'immortalité. Ils ne voulaient pas être obligés de revoir leur façon de penser, alors ils regardaient ailleurs.

Mais Nirgal avait vu Simon mourir, les os pleins de sa jeune moelle à lui. Il avait senti son corps entrer en déliquescence, senti la souffrance de ses poumons, de chacune de ses cellules. Il savait que la mort était une réalité. L'immortalité n'était pas leur lot et ne le serait jamais. Une sénescence retardée, disait Sax. Retardée, un point c'est tout. Nirgal le savait. Et les gens voyaient qu'il le savait et ils avaient un mouvement de recul. Il était impur. Ça le mettait en rage.

Il prit le train pour Le Caire et regarda défiler le vaste désert pentu de Tharsis Est. Sec et ferrique, le paysage originel de Mars la Rouge : son monde. Ses yeux le sentaient. Son cerveau, son corps, s'épanouissaient à cette vue : il était chez lui.

Mais les regards, dans le train, évitaient le sien. Il était l'homme qui n'avait pas pu s'adapter à la Terre. Le monde originel avait failli le tuer. Il était une fleur des Alpes, pas faite pour le monde réel, un être exotique pour qui la Terre était comme Vénus. Voilà ce que disaient leurs yeux fuyants. Un éternel exilé.

Et alors ? C'était aussi ça, être martien. Sur cinq cents indigènes qui allaient sur Terre, il en mourait un. C'était l'un des plus grands risques que pouvait courir un Martien : plus dangereux que le parapente, que d'aller dans le système solaire extérieur, qu'un accouchement. Une sorte de roulette russe, avec des tas de chambres vides dans le barillet, évidemment, mais il y avait une balle dans l'une d'elles.

Il y avait coupé. Pas de beaucoup, mais quand même. Il était en vie, il était chez lui ! Ces gens, dans le train, que savaient-ils ? Ils pensaient que la Terre l'avait terrassé, mais ils se disaient aussi qu'il était Nirgal le Héros, jusqu'alors invaincu. Pour eux, il n'était qu'une histoire, une idée, point final. Ils ne savaient rien de Simon, de Jackie, de Dao, d'Hiroko. Ils ignoraient tout de lui. Il avait vingt-six années martiennes, il était dans la force de l'âge et il avait enduré tout ce qui pouvait arriver à un homme de sa génération : la mort des parents, la perte de l'amour, la trahison. Ces choses-là arrivaient à tout le monde. Mais ce n'était pas le Nirgal que les gens voulaient.

Le train contourna les premières parois incurvées du Labyrinthe de la Nuit et entra bientôt dans la vieille gare du Caire. Nirgal alla se promener dans la ville sous tente. C'était la première fois qu'il y venait. Les petits bâtiments anciens l'intéressaient particulièrement. La station énergétique avait beaucoup souffert des déprédations causées par l'armée Rouge, lors de la révolution. Ses murs noircis n'avaient pas encore été restaurés. Il prit le large boulevard qui menait aux bureaux de la cité, les gens lui faisant des signes amicaux au passage.

Elle était là, dans le hall de l'hôtel de ville, près de la baie vitrée surplombant le canyon en U de Nilus Noctis. Nirgal s'arrêta, le souffle court. Elle ne l'avait pas encore vu. Son visage était plus plein, mais à part ça elle était toujours aussi grande et mince, vêtue d'une blouse de soie verte et d'une jupe vert foncé, d'un matériau plus épais, sa crinière noire cascadant dans son dos. Il ne pouvait en détacher ses yeux.

Puis elle le vit et il lui sembla qu'elle tiquait. L'image transmise par son bloc-poignet ne l'avait sans doute pas préparée aux changements provoqués par le mal de Terre. Ses mains se tendirent et elle les suivit, l'œil calculateur, la grimace qu'elle avait eue en le reconnaissant soigneusement corrigée pour les caméras qui l'entouraient en permanence. Mais il l'aima pour ces mains tendues vers lui. Il sentit la chaleur de son visage, ses joues qui rosissaient alors qu'ils s'embrassaient chastement, comme des diplomates qui se montrent amicaux. De près on ne lui aurait pas donné plus de quinze années martiennes, à peine plus que la fleur de la jeunesse, l'âge du plein épanouissement. On disait qu'elle avait commencé à suivre le traitement dès l'âge de dix ans.

– C'est donc vrai, dit-elle. La Terre a failli avoir ta peau.

– Enfin, un virus, plutôt.

Elle éclata de rire, mais son regard conserva cette expression calculatrice. Elle le prit par le bras, l'emmena vers ses compagnons comme un aveugle. Il connaissait plusieurs d'entre eux. Elle fit tout de même les présentations, pour bien lui faire sentir que la garde rapprochée du parti avait beaucoup changé depuis son départ. Mais il était trop occupé à se montrer jovial pour le remarquer. Soudain, les présentations furent interrompues par un vagissement retentissant. Il y avait un bébé parmi eux.

– Ah, fit Jackie en regardant son bloc-poignet. Elle a faim. Viens voir ma fille.

Une femme serrait contre elle un bébé de quelques mois, aux bonnes joues rondes, à la peau plus foncée que celle de Jackie et qui hurlait à pleins poumons. Jackie la lui prit des bras et disparut dans une pièce voisine.

Nirgal resta planté là. Il vit Tiu, Rachel et Frantz près de la fenêtre. Il s'approcha d'eux et suivit, du regard, la direction qu'avait prise Jackie. Ils levèrent les yeux au ciel, haussèrent les épaules. Jackie n'avait pas dit qui était le père, lui confia Rachel, tout bas. Ce n'était pas un comportement exceptionnel. Les femmes de Dorsa Brevia faisaient souvent ça.

La femme qui tenait l'enfant vint dire à Nirgal que Jackie voulait lui parler. Il la suivit dans une chambre qui donnait sur Nilus Noctis. Jackie était assise devant la fenêtre et donnait le sein à l'enfant en regardant le paysage. Le bébé était manifestement affamé. Il tétait de toutes ses forces, les yeux hermétiquement clos, en piaulant, ses petits poings noués en une sorte de comportement arboricole vestigiel comme si, dans une existence antérieure, il avait vécu accroché dans les arbres, cramponné à une branche ou à de la fourrure. Il y avait un monde de culture dans ce simple geste.

Jackie donnait ses instructions à des assistants qui se trouvaient dans la pièce, et par l'intermédiaire de son bloc-poignet.

– Ils peuvent dire ce qu'ils veulent à Berne, nous voulons conserver la possibilité d'infléchir les quotas si nécessaire. Il faudra bien que les Indiens et les Chinois s'y fassent.

Nirgal commençait à voir clair dans certaines choses. Jackie était membre du conseil exécutif, mais le conseil n'était pas particulièrement puissant. Elle était aussi l'un des chefs de Mars Libre, et le parti avait beau perdre de son influence sur la planète, le pouvoir se transférant peu à peu vers les tentes, il pouvait encore jouer un rôle déterminant dans les relations Terre-Mars. Et même s'il se contentait de coordonner la politique, il disposerait du pouvoir considérable dévolu aux coordinateurs. Nirgal n'en avait jamais eu davantage, au fond. Dans bien des cas, ce rôle pourrait revenir à faire la politique terrienne de Mars, le gouvernement global étant de plus en plus dominé par une majorité écrasante menée par Mars Libre pendant que les dirigeants locaux géraient leur fonds de commerce sur place. L'impression générale était évidemment que les relations Terre-Mars allaient réduire tout le reste à la portion congrue. Si bien que Jackie était peut-être en train de devenir une puissance interplanétaire...

Nirgal regarda le bébé. La princesse de Mars.

– Assieds-toi, fit Jackie en lui indiquant le banc à côté d'elle. Tu as l'air fatigué.

– Non, non, ça va, répondit Nirgal, mais il s'assit.

Jackie eut un mouvement de menton impérieux à l'intention d'un de ses assistants et ils se retrouvèrent seuls dans la pièce avec le bébé.

– Les Chinois et les Indiens croient que nous sommes un nouveau territoire à conquérir, remarqua Jackie. Ça ressort de tous leurs propos. Ils sont beaucoup trop amicaux.

– Peut-être qu'ils nous aiment bien, rectifia Nirgal. (Jackie eut un sourire, mais il poursuivit :) Nous les avons aidés à se débarrasser des métanats. Je doute qu'ils espèrent nous envoyer tout leur surplus de population. Ils sont trop nombreux pour que l'émigration change quoi que ce soit en ce qui les concerne.

– Peut-être, mais ils peuvent toujours rêver. Et avec les ascenseurs spatiaux, ils pourraient en envoyer un flux régulier. Ça ira plus vite que tu n'imagines.

Nirgal secoua la tête.

– Ça ne suffira jamais.

– Comment le sais-tu? Tu n'es allé dans aucun de ces endroits.

– Un milliard, ça fait un tas de gens, Jackie. Une quantité inimaginable. Et il y a dix-sept milliards d'hommes sur Terre. Ils ne peuvent pas en envoyer une fraction significative ici, ils n'ont pas les navettes nécessaires.

– Ils pourraient essayer quand même. Les Chinois ont inondé le Tibet de Chinois Han, ça n'a guère arrangé leur problème démographique, mais ça ne les a pas empêchés pour autant de le faire.

– Le Tibet est là-bas, répondit Nirgal en haussant les épaules. Nous garderons nos distances.

– D'accord, fit Jackie impatiemment, mais nous ne serons pas toujours là pour veiller au grain. S'ils vont à Margaritifer et s'ils concluent un accord avec les caravanes arabes de la région, qui y mettra le holà ?

– Les cours environnementales.

Jackie émit un bruit éloquent. Au même moment, le bébé cessa de téter et se mit à geindre. Jackie le changea de sein. Un globe olivâtre strié de veines bleuâtres.

– Antar ne croit pas que les cours environnementales fonctionneront longtemps. Nous avons eu un litige avec elles pendant que tu étais parti, et si nous avons cédé, c'est uniquement pour laisser au système une chance de marcher, mais c'est une aberration et elles n'ont aucun pouvoir. Quoi qu'on fasse, ça a un impact sur l'environnement, de sorte qu'elles sont censées arbitrer tous les problèmes. Mais les gens abattent les tentes dans les zones les moins élevées, et pas un responsable sur cent ne va trouver les cours pour demander la permission. Et pourquoi le feraient-ils ? Tout le monde est un écopoète, maintenant. Non. Cette histoire de cours ne marchera jamais.

– On ne peut pas en être sûrs, répliqua Nirgal. Alors c'est Antar le père, hein ?

Jackie haussa les épaules.

Tout le monde pouvait être le père : Antar, Dao, Nirgal lui-même, et merde, même John Boone si un échantillon de son sperme avait été conservé quelque part. Ce serait du Jackie tout craché. Sauf que, dans ce cas, elle l'aurait crié sur les toits. Elle tourna la petite tête de l'enfant vers elle.

– Tu penses vraiment que c'est bien d'élever un enfant sans père ?

– C'est comme ça que tu as été élevé, non ? Et je n'ai pas eu de mère. Nous sommes tous des enfants de parent isolé.

– Et tu crois que c'était bien ?

– Qui sait ? rétorqua Jackie avec une expression indéchiffrable, la bouche légèrement pincée par le ressentiment, la méfiance...

Impossible à dire. Elle savait qui étaient ses deux parents, mais un seul était resté à ses côtés, et Kasei n'était pas souvent là. Puis il était mort à Sheffield, en partie à cause de la réaction brutale à l'assaut des Rouges dont Jackie elle-même s'était faite l'avocate.

– Tu n'as su qu'à six ou sept ans, pour Coyote, pas vrai? reprit-elle.
– C'est vrai, mais ce n'était pas bien.
– Quoi?
– Ce n'était pas bien, répéta-t-il en la regardant droit dans les yeux.
Elle baissa le regard sur son bébé.
– Ça vaut mieux que de voir ses parents se déchirer.
– C'est ce que tu ferais avec le père?
– Qui sait?
– Alors dans ce cas, en effet, ça vaut mieux.
– Peut-être. En tout cas, il y a des tas de femmes qui font comme ça.
– A Dorsa Brevia.
– Partout. La famille biologique n'est pas une institution martienne, hein?
– Je ne sais pas, répondit Nirgal, songeur. En fait, j'ai vu beaucoup de familles dans les canyons. Nous venons d'un groupe inhabituel à ce point de vue.
– A de nombreux points de vue.
Le bébé détourna la tête, repu. Jackie rajusta son soutien-gorge puis son corsage.
– Marie? appela-t-elle, et son assistante entra. Je pense qu'il faudrait la changer.
Elle tendit le bébé à la femme qui sortit sans un mot.
– Des domestiques, maintenant? remarqua Nirgal.
Jackie pinça à nouveau les lèvres, se leva et appela :
– Mem? Mem, dit-elle à la femme qui se précipita dans la pièce, il faut que nous rencontrions les gens de la cour environnementale au sujet de la requête chinoise. Nous pourrions peut-être utiliser ça comme moyen de pression afin de faire reconsidérer le jugement sur l'attribution d'eau au Caire.
Mem hocha la tête et quitta la pièce.
– Tu viens de décider ça tout de suite? demanda Nirgal.
Jackie le congédia d'un geste de la main.
– Contente que tu sois de retour, Nirgal, mais essaie de te mettre un peu au courant de ce qui se passe, d'accord?

Se mettre au courant... Mars Libre était maintenant un parti politique, le plus puissant de Mars. Ça n'avait pas toujours été le cas. Au départ, ce n'était qu'un réseau d'amis, les membres de l'underground qui vivaient dans le demi-monde. Surtout des anciens étudiants de l'université de Sabishii et, plus tard, une association informelle regroupant des communautés de canyons sous tente, les clubs clandestins des villes, et ainsi de suite. Un terme vague englobant les sympathisants de l'underground, mais pas les membres d'un mouvement ou d'une philosophie politique particuliers. Juste une formule qui revenait souvent dans leurs conversations : « Mars Libre ».

C'était, par bien des côtés, une création de Nirgal. Beaucoup d'indigènes songeaient à l'autonomie et les différents partis issei fondés par l'un ou l'autre des premiers colons ne les attiraient pas. Ils voulaient du neuf. Nirgal avait donc fait le tour de la planète et passé un certain temps avec ceux qui organisaient des réunions et lançaient des discussions, si bien qu'au bout d'un moment les gens avaient fini par se chercher un nom. Les gens aimaient que les choses aient un nom.

Cela s'était donc appelé Mars Libre. Et, pendant la révolution, c'était devenu un cri de ralliement pour les indigènes dont l'émergence constituait un vrai phénomène de société. Ils étaient si nombreux que c'en était proprement incroyable. Des millions. La plupart des indigènes. La définition même de la révolution, en fait. La principale raison de son succès. Mars Libre était devenu un mot d'ordre, leur but. Et ils l'avaient atteint.

Mais Nirgal était parti pour la Terre, afin d'y faire valoir leur point de vue. Et pendant son absence, pendant le congrès constitutionnel, de mouvement, Mars Libre était devenu une organisation. C'était bien. Le cours normal des choses, une étape nécessaire de l'institutionnalisation de leur indépendance. Personne ne s'en serait plaint ou n'aurait regretté le bon vieux temps. Ç'aurait été exprimer la nostalgie d'une époque héroïque qui n'avait pas été vraiment héroïque – ou qui était aussi caractérisée par la répression, l'étroitesse d'esprit, la pesanteur et le danger. Nirgal n'éprouvait aucune nostalgie. Si la vie avait un sens, ce n'était pas dans le passé qu'ils le trouveraient mais dans le présent, dans l'expression et non dans la résistance. Il n'avait aucune envie de revenir en arrière. Il était heureux qu'ils aient pris leur destin en main, partiellement du moins. Ce n'était pas le problème. Il ne s'inquiétait pas non plus de l'hypertrophie du parti. Mars Libre semblait sur le point de constituer une majorité écrasante, trois des sept conseillers exécutifs venant de sa direction, d'autres membres occupant la plupart des postes au gouvernement global. Un pourcentage significatif de nouveaux immigrants rejoignaient maintenant le parti, mais aussi des vieux, des indigènes qui soutenaient de petits partis avant la révolution, et enfin pas mal de gens qui avaient défendu le régime de l'ATONU et cherchaient de nouveaux leaders. Tous ensemble, ils formaient une masse formidable. Dans les premières années d'un nouvel ordre socio-économique, cette conjonction de pouvoir politique, d'opinions et de convictions comportait des avantages indéniables. Ils avaient les moyens de faire des choses.

Mais Nirgal n'était pas sûr de vouloir les faire avec eux.

Un jour qu'il se promenait dans la ville en regardant à travers la paroi de la tente, il vit un groupe de gens qui s'activaient au bord de la falaise, à l'ouest de la cité. Ils entouraient différents engins volants individuels : des ailes volantes et des ultra-légers apparemment lancés par une sorte de catapulte, et qui s'élevaient dans les courants thermiques matinaux. De petits deltaplanes et toute une variété de monoplaces d'un nouveau modèle qui évoquaient un minuscule planeur attaché sous une espèce de bulle. Ces engins étaient à peine plus grands que les gens qui prenaient place dans les nacelles ou sous les ailes delta. Tous étaient manifestement construits avec des matériaux ultra-légers. Certains étaient transparents et presque invisibles, de sorte qu'une fois dans le ciel, on aurait dit que les gens flottaient par leurs propres moyens, assis ou à plat ventre. Mais d'autres étaient colorés, et on les voyait de très loin, pareils à des coups de pinceau vert ou bleu. De minuscules réacteurs étaient fixés aux courtes ailes robustes, ce qui permettait au pilote de contrôler sa direction et son altitude. De vrais petits avions, sauf qu'ils étaient supportés par une bulle, ce qui les rendait plus sûrs et plus maniables. Leurs pilotes se posaient à peu près n'importe où, et il semblait impossible qu'ils plongent – qu'ils s'écrasent, en d'autres termes.

Pourtant, les deltaplanes paraissaient toujours aussi dangereux. Ceux qui volaient ainsi étaient les plus casse-cou du groupe, comme il devait le constater un peu plus tard : des gens avides de sensations, qui s'élançaient de la falaise en hurlant, leur exaltation alimentée par l'adrénaline crépitant sur les intercoms. Ils se jetaient à bas d'une falaise, après tout, et quel que soit le dispositif auquel ils étaient arrimés, leur corps mesurait le risque. Pas étonnant que leurs cris aient ce retentissement particulier !

Nirgal quitta la tente par le passage souterrain et s'approcha, irrésistiblement attiré par le spectacle. Voler en liberté dans le ciel... On le reconnut, évidemment, et on lui serra la main. Il accepta d'essayer, pour voir l'effet que ça faisait. Des adeptes du deltaplane lui proposèrent de lui apprendre à voler, mais il répondit en riant qu'il préférait commencer par un des petits ULM. Une femme appelée Monica l'invita à faire un tour dans un appareil à deux places, un peu plus gros que les autres, qui attendait non loin de là. Elle le fit asseoir à côté d'elle, ils montèrent le long du mât, puis ils furent projetés, après un violent à-coup, dans les vents forts de l'après-midi. Ils dévalèrent la pente et planèrent au-dessus de la ville, qui lui apparaissait maintenant comme une petite tente pleine de verdure, perchée à l'extrême nord-ouest du réseau de canyons qui sculptaient la pente de Tharsis.

Voler au-dessus de Noctis Labyrinthus ! Le vent gémissait sur le matériau transparent, résistant, de l'ULM, et ils rebondissaient comme un bouchon sur l'eau tout en montant horizontalement en ce qui lui parut une spirale sans fin. Mais Monica se mit à rire, manipula les commandes, et ils filèrent vers le sud à travers le labyrinthe, empruntant les canyons l'un après l'autre, négociant leurs intersections irrégulières. Puis ils survolèrent le chaos de Compton et le paysage déchiqueté de la porte d'Illyrie, au niveau de la pointe inférieure du glacier de Marineris.

– Les réacteurs de ces appareils sont beaucoup plus puissants que nécessaire, fit la voix de Monica dans ses écouteurs. On pourrait voler contre un vent de deux cent cinquante kilomètres à l'heure, mais à quoi bon, hein ? On les utilise aussi pour compenser le pouvoir ascensionnel de la bulle et redescendre. Tenez, essayez. Ça, c'est la tuyère gauche, ça, celle de droite, et là, ce sont les stabilisateurs. La manipulation des réacteurs est d'une simplicité enfantine. Seul le stabilisateur requiert un peu de pratique.

Devant Nirgal se trouvait un second jeu de commandes. Il actionna les commandes des tuyères. La bulle pivota vers la droite, puis la gauche.

– Waouh !

– Il y a un système de guidage programmé ; un garde-fou électronique. Si on donne un ordre catastrophique, les commandes coupent automatiquement.

– Combien d'heures de vol faut-il pour apprendre à manier correctement ce genre d'engin ?

– Eh bien, c'est ce que vous êtes en train de faire, non ? répondit-elle en riant. Disons qu'il faut une centaine d'heures, mais tout dépend de ce qu'on entend par « correctement ». Il y a la mesa de la mort entre cent et mille heures, entre le moment où les gens commencent à se sentir à l'aise et celui où ils sont vraiment très habiles, de sorte qu'ils s'attirent des ennuis. Mais ça vaut surtout pour le deltaplane, et les simulateurs de ces engins sont d'un tel réalisme qu'on peut obtenir ses heures de vol dessus, et on peut prendre l'air avec le système de guidage programmé même si on ne les a pas officiellement atteintes.

– Intéressant !

Ça l'était, en effet. Noctis Labyrinthus déroulait son réseau de canyons en dessous d'eux. Les soudaines pertes d'altitude, les remontées tout aussi rapides, au gré des vents. Le bruit de l'air qui se ruait sur leurs nacelles partiellement fermées...

– C'est comme si on était changé en oiseau !

– Exactement.

Et il eut l'intuition fulgurante que tout irait bien. De se réjouir, jamais son cœur ne se lasserait.

Après cela, il passa du temps dans un simulateur de vol, en ville, et plusieurs fois par semaine il prenait une leçon avec Monica ou un de ses amis, au bord de la falaise. Ce n'était pas très difficile, et il se sentit bientôt de taille à voler seul. Ils lui conseillèrent d'être patient. Il persévéra. Les simulateurs donnaient vraiment l'impression de la réalité. Si on faisait une bêtise, pour voir, le siège tanguait et s'agitait d'une façon très convaincante. Plus d'une fois, on lui raconta l'histoire de quelqu'un qui avait imposé à un ultra-léger une spirale tellement désastreuse que le simulateur de vol avait rompu ses amarres et crevé la paroi de verre qui se trouvait à côté. Plusieurs personnes avaient été blessées et l'imprudent s'était cassé le bras.

Nirgal évitait ce genre d'erreur, comme la plupart des autres. Presque tous les matins, il assistait aux réunions de Mars Libre, et l'après-midi, il volait. Plus ça allait et plus les meetings matinaux lui semblaient une corvée. Une seule chose l'intéressait, maintenant : voler. Ils avaient beau dire, il n'avait pas fondé Mars Libre. Quoi qu'il ait fait pendant toutes ces années, ce n'était pas de la politique, pas au sens où ils l'entendaient. Cela comportait peut-être un aspect politique, mais surtout il avait vécu sa vie, parlé aux gens de l'existence qu'ils voulaient mener, de plaisir et de liberté. D'accord, c'était politique, tout était politique, mais il se rendait compte qu'il ne s'intéressait pas vraiment à la politique. Ou au gouvernement, il ne savait plus.

Ça l'intéressait d'autant moins que la chose était aux mains de Jackie et de sa bande. C'était un autre genre de politique. Il avait tout de suite compris que la garde rapprochée de Jackie ne voyait pas d'un bon œil son retour de la Terre. Il était parti pendant presque toute une année martienne, et pendant ce temps-là, un nouveau groupe s'était propulsé sur le devant de la scène, à la faveur de la révolution. Nirgal constituait une menace pour le groupe, pour le contrôle que Jackie exerçait sur lui et pour l'influence qu'il avait sur elle. Ces gens lui étaient subtilement mais fermement opposés. Non, pendant un moment, il avait été le chef charismatique de la tribu martienne, le fils d'Hiroko et de

Coyote, une hérédité mythique très puissante. Il aurait été très difficile de s'opposer à lui. Mais le temps avait passé. Maintenant, c'était Jackie qui était aux commandes, la descendante de John Boone avait elle aussi une hérédité mythique, elle aussi venait de Zygote, et en plus elle avait l'appui (partiel) du culte minoen de Dorsa Brevia.

Sans parler du pouvoir qu'elle exerçait sur lui, personnellement, dans leur dynamique intense. Mais ça, les conseillers de Jackie ne pouvaient pas le comprendre. Pour eux, mal de Terre ou non, il représentait une menace. Une éternelle menace pour leur reine indigène.

Alors il assistait aux réunions du matin en essayant d'ignorer les manœuvres mesquines et de s'intéresser aux problèmes qu'on leur posait de tous les coins de la planète, la plupart du temps des questions de territoire ou des querelles de clocher. Beaucoup de villes voulaient supprimer leur tente quand la pression de l'air le permettait, mais peu admettaient que les cours environnementales avaient leur mot à dire dans l'opération. Certaines zones étaient très arides, et les demandes d'attribution d'eau se multipliaient tant et si bien que le niveau de la mer du Nord aurait baissé d'un kilomètre s'il avait fallu satisfaire aux requêtes de toutes les cités assoiffées du Sud. Mille problèmes de ce genre mettaient à l'épreuve les innombrables liens entre l'autonomie locale et les considérations globales prévues par la Constitution. Les débats n'étaient pas près de finir.

Nirgal avait beau se moquer éperdument de la plupart de ces conflits, il les trouvait encore préférables aux intrigues partisanes qu'il voyait se développer au Caire. Il était revenu de la Terre sans position officielle, et il assistait aux manœuvres pour le caser soit à un poste honorifique comportant un pouvoir limité, soit, pour ceux qui le soutenaient (c'est-à-dire les adversaires de Jackie), en situation de pouvoir. Certains amis lui conseillaient d'attendre les élections sénatoriales pour se présenter, d'autres évoquaient le conseil exécutif, un poste au parti ou à la CEG. Tout cela lui paraissait également épouvantable, et quand il en parlait à Nadia par écran interposé, il voyait bien quel fardeau c'était pour elle. Elle semblait assez bien tenir le coup, mais il était évident que le conseil exécutif lui sortait par les yeux. Aussi écoutait-il, impassible et attentif, les conseils qu'on lui prodiguait.

Jackie se garda bien de lui donner son avis. Mais quand on suggérait à Nirgal de devenir une sorte de ministre sans portefeuille, son regard prenait une vacuité particulière, et il en déduisit que cette éventualité lui déplaisait plus que les autres. Elle tenait à ce qu'il assume une fonction bien définie qui, compte tenu de son propre poste, ne pourrait être qu'inférieure à la sienne. Alors que s'il jouait les électrons libres...

Elle restait donc assise là, comme une madone, avec sa fille. Qui était peut-être aussi la sienne. Antar la regardait du même air, en se disant la même chose. Et Dao en aurait fait autant s'il avait été encore en vie. Nirgal eut soudain une peine affreuse en pensant à son demi-frère, son tourmenteur, son ami. Aussi loin que ses souvenirs remontent, ils s'étaient bagarrés, Dao et lui, mais ils étaient frères quand même.

Jackie semblait avoir complètement oublié Dao, et Kasei avec. Tout comme elle oublierait Nirgal, s'il venait à se faire tuer. Elle faisait partie des Verts qui avaient prôné l'écrasement de la révolte des Rouges à Sheffield, elle avait pris le parti de la répression. Peut-être valait-il mieux qu'elle oublie les morts.

Le bébé se mit à pleurer. Il était impossible de distinguer dans son petit visage grassouillet la moindre ressemblance avec un adulte. La bouche rappelait celle de Jackie, en dehors de ça... C'était terrifiant, ce pouvoir créé par une paternité anonyme. Evidemment, un homme pouvait faire la même chose, prendre un œuf, le faire croître par ectogénèse, l'élever lui-même. Ça finirait bien par arriver, surtout si beaucoup de femmes suivaient la même démarche que Jackie. Un monde sans parents. Enfin, les amis étaient la seule vraie famille. Il frémit néanmoins à l'idée de ce qu'Hiroko avait fait, de ce que Jackie était en train de faire.

Il allait voler pour se vider la tête. Un soir, après de glorieuses évolutions au cœur des nuages, il se trouvait dans le pub au bord de l'aire d'atterrissage quand, au hasard de la conversation, une femme prononça le nom d'Hiroko.

– Il paraît qu'elle est à Elysium. Elle travaille à une nouvelle communauté de communautés là-haut.

– Qui vous a dit ça ? demanda Nirgal à la femme d'un ton sans doute un peu sec car elle le regarda d'un air surpris.

– Vous savez, ceux qui font le tour du monde en volant et qui sont arrivés la semaine dernière ? Ils étaient à Elysium, le mois dernier, et ils l'ont vue là-bas. Enfin, c'est ce qu'ils ont dit, ajouta-t-elle en haussant les épaules. Ça ne prouve rien.

Nirgal s'appuya au dossier de sa chaise. Toujours des informations de troisième main. Mais certaines des histoires collaient bien avec Hiroko. Et quelques-unes lui ressemblaient trop pour avoir été inventées. Nirgal ne savait plus que penser. Très peu de gens semblaient croire à sa mort. On rapportait aussi avoir vu le reste de son groupe.

– Ils voudraient qu'elle soit là, c'est tout, commenta Jackie quand Nirgal lui raconta l'incident, le lendemain.

– Et toi, tu ne voudrais pas ?

– Evidemment, répondit-elle (tu parles, se dit Nirgal), mais pas assez pour forger de toute pièce des histoires sur ce thème.

– Tu crois vraiment que ce sont des inventions ? Je veux dire, qui pourrait inventer sciemment ce genre de chose ? Ça n'a pas de sens.

– Les gens sont insensés, Nirgal, il serait temps que tu t'en rendes compte. Les gens voient une vieille Japonaise quelque part, ils trouvent qu'elle ressemble à Hiroko. Le soir, ils disent à leurs amis : « Je crois que j'ai vu Hiroko au marché, ce matin. Elle achetait des prunes. » Et le lendemain, au travail, le gars dit : « J'ai un ami qui a vu Hiroko, hier. Elle achetait des prunes ! »

Nirgal hocha la tête. C'était sûrement vrai pour la plupart des histoires. Mais les autres, celles qui ne rentraient pas dans la catégorie...

– En attendant, il faudrait que tu te décides pour ce poste à la cour environnementale, reprit Jackie. (C'était une cour régionale, très subalterne par rapport à la cour globale.) Nous pourrions faire en sorte que Mem obtienne un poste plus influent au parti, à moins que tu ne l'occupes, ou encore que tu ne prennes les deux, le tout c'est que nous le sachions.

– Ouais, ouais.

Des gens vinrent leur parler d'autre chose, et Nirgal se retira vers la fenêtre, près de la nurse et du bébé. Leurs agissements ne l'intéressaient pas. C'était moche et abstrait. Ils passaient leur temps à manipuler les autres et n'en retiraient jamais la satisfaction légitime du travail bien fait. C'est la politique, disait Jackie. Et il était clair qu'elle adorait ça. Mais pas Nirgal. C'était bizarre ; il avait œuvré toute sa vie pour en arriver là, à cette situation, et voilà qu'il n'en voulait pas.

Il pourrait sûrement apprendre à faire ce travail. A surmonter l'hostilité de ceux qui ne voulaient pas le voir revenir dans le parti, à se battre pour asseoir son pouvoir, c'est-à-dire à constituer un groupe de gens qui l'aideraient de par leurs positions officielles ; à leur faire accorder des faveurs pour se concilier leurs bonnes grâces, à les jouer les uns contre les autres de sorte que chacun fasse ses quatre volontés dans l'espoir d'établir sa prééminence sur les autres... Il voyait bien ce qui se passait ici même, dans cette pièce, quand Jackie rencontrait les conseillers l'un après l'autre, discutant de ce qui se passait dans leur zone d'influence, puis les manipulant pour asseoir plus fermement leur allégeance. Evidemment, disait-elle lorsqu'il le lui faisait remarquer. C'était la politique. Ils étaient aux commandes de Mars, maintenant, et il fallait bien que quelqu'un le fasse s'ils voulaient créer le nouveau monde qu'ils avaient rêvé. On ne pouvait pas faire la fine bouche, il fallait être réaliste, on se pinçait le nez et on y allait. C'était un mal nécessaire. Qui ne manquait pas d'une certaine noblesse, en fin de compte.

Nirgal s'interrogeait sur le bien-fondé de ces justifications. Ils se seraient donc battus toute leur vie pour rejeter la domination terrienne sur Mars à seule fin de mettre en place une version locale du même système ? La politique ne serait-elle jamais qu'un ramassis d'intrigues triviales, vulgaires, cyniques, tordues, moches ?

C'était la question qu'il se posait, assis là, près de la fenêtre, regardant la fille de Jackie qui dormait. A l'autre bout de la pièce, Jackie faisait grimper au cocotier les délégués d'Elysium. Maintenant que le massif était une île au milieu de la mer du Nord, ils étaient déterminés à imposer à l'immigration des limites qui les préserveraient d'un développement excessif.

– Tout ça, c'est bien joli, disait Jackie, mais c'est une très grande île, maintenant, un véritable continent entouré par un océan de sorte que l'eau ne viendra jamais à manquer, avec une côte de plusieurs milliers de kilomètres, des quantités d'emplacements idéaux pour des ports, pour la pêche, même, sûrement. Je comprends votre désir de maîtriser le développement, nous voulons tous le limiter, mais les Chinois ont exprimé le souhait de mettre certains de ces sites en valeur, et que voulez-vous que je leur dise ? Que les habitants d'Elysium n'aiment pas les Chinois ? Que leur aide sera la bienvenue en cas de crise, mais que nous ne voulons pas les voir s'installer dans le coin ?

– Ce n'est pas parce qu'ils sont chinois ! se récria le délégué.

– Je comprends, je vous assure. Ecoutez, retournez à Fossa Sud, expliquez-leur les problèmes auxquels nous sommes confrontés ici, et je ferai tout ce que je peux pour vous aider. Je ne puis vous garantir le résultat, mais je ferai tout ce qui est en mon pouvoir.

– Merci, dit le délégué en quittant la pièce.

Jackie se tourna vers son assistante.

– L'imbécile ! Qui est le prochain ? Ah, évidemment : l'ambassadrice de Chine. Eh bien, fais-la entrer.

Elle était assez grande pour une Chinoise. Elle parlait mandarin, et son IA traduisait ses paroles en un anglais clair et précis. Après quelques échanges d'amabilités, la femme évoqua la possibilité d'établir des colonies chinoises, pas trop loin de l'équateur de préférence.

Nirgal assista, fasciné, à l'échange. C'était comme ça que les colonies s'étaient installées, au départ : des groupes de Terriens étaient venus, ils avaient construit une ville sous tente ou un habitat troglodyte, ils avaient bâché un cratère... Mais Jackie répondait poliment :

– C'est possible. Il faudra bien entendu que nous soumettions le projet à l'approbation des cours environnementales. Il est vrai qu'il y a beaucoup de surface disponible sur le massif d'Elysium. Peut-être pourrions-nous arranger quelque chose dans la région, surtout si la Chine est prête à contribuer à l'infrastructure, à l'intégration et tout ce qui s'ensuit.

Elles évoquèrent les détails. Au bout d'un moment, l'ambassadrice partit. Jackie se tourna vers Nirgal.

– Nirgal, tu pourrais demander à Rachel de venir, s'il te plaît ? Et tâche de me dire rapidement ce que tu comptes faire, je te prie.

Nirgal quitta le bâtiment, traversa la ville et regagna sa chambre. Il emballa ses rares vêtements, ses objets de toilette, prit le tunnel qui menait à l'aire d'envol et demanda à Monica s'il pouvait emprunter un des petits ULM monoplaces. Il était prêt à voler sans assistance ; il avait passé assez d'heures dans des simulateurs et avec des moniteurs. Il y avait une autre aire de vol à Candor Mensa, dans Marineris. Il parla aux responsables du terrain. Ils voulaient bien le laisser partir avec la bulle volante. Quelqu'un d'autre la leur ramènerait plus tard.

C'était le milieu de la journée. Nirgal s'équipa, s'installa dans le siège du pilote. Le petit ULM gravit le mât de lancement, tiré par le nez, et fut propulsé dans le vent qui dévalait la pente de Tharsis et gagnerait en force au fur et à mesure que les heures passeraient.

Il s'éleva au-dessus de Noctis Labyrinthus, prit vers l'est et survola le labyrinthe des canyons. Un paysage craquelé par des forces telluriques souterraines. Sortir du dédale, tel un Icare qui se serait approché trop près du soleil, se serait brûlé les ailes, aurait survécu à la chute... et volerait à présent vers le bas, de plus en plus bas, encore et toujours. Voguant par vent arrière. Chevauchant une bourrasque, filant au-dessus du champ de glace sale, fracassée, qui marquait le chaos de Compton, l'endroit où la rupture du grand aquifère avait commencé, en 2061. L'immense flot avait tout submergé jusqu'à Ius Chasma. Mais Nirgal prit vers le nord, quittant la coulée du glacier, puis à nouveau vers l'est, à l'entrée de Tithonium Chasma, qui allait droit vers le nord, parallèlement à Ius Chasma.

Tithonium était, avec ses quatre kilomètres de profondeur et ses dix kilomètres de largeur, l'un des plus vastes canyons de Marineris. Nirgal aurait pu voler bien en dessous du niveau des plateaux et être encore à des milliers de mètres au-dessus du fond. Tithonium était plus haut qu'Ius, plus sauvage, plus vierge. Rares étaient ceux qui s'y aventuraient, parce que, à l'est, il finissait en cul-de-sac : il s'étrécissait, le sol et les parois se rapprochaient, le fond devenait impraticable puis montait et s'interrompait abruptement. Nirgal repéra la route en épingle à cheveux sur la paroi est. Il l'avait prise quelquefois dans sa jeunesse, quand il était chez lui sur toute la planète.

Le soleil déclinait dans son dos. Les ombres s'allongeaient sur le sol. Le vent continuait à souffler fort, martelant la bulle volante, gémissant, hurlant, implorant. Il se laissa emporter au-dessus du plateau, alors que Tithonium devenait un collier de perles ovales creusées dans la roche : la Catena de Tithonia, avec ses dépressions géantes en forme de bol.

Soudain, le monde s'effondra à nouveau : il survolait Shining Canyon le bien nommé, l'immense canyon ouvert de Candor Chasma, l'ambre et le bronze de sa paroi est brillant dans la lumière du couchant. Au nord se trouvait la profonde entrée donnant sur Ophir Chasma, au sud, la spectaculaire ouverture en arc-boutant de Melas Chasma, la géante centrale du système de Marineris. C'était la version martienne de Concordiaplatz, se dit-il, mais en beaucoup plus grand, plus sauvage. Un paysage intact, primitif, gigantesque, qui dépassait l'échelle humaine, à croire qu'il était remonté de deux siècles, ou de deux ères, dans le passé, à une époque précédant l'anthropogénèse. Mars la Rouge !

Et là, dans l'immensité de Candor s'élevait une large mesa en forme de losange, une île rocheuse qui dominait le fond du canyon de près de deux kilomètres. Dans la lueur brumeuse du couchant, Nirgal vit un nid de lumières, une ville sous tente, à la pointe sud du losange. Des voix lui souhaitèrent la bienvenue sur la fréquence commune de son intercom, puis le guidèrent vers l'aire de vol de la ville. Le soleil lui fit un clin d'œil juste au ras des falaises, à l'ouest, alors qu'il faisait virer son ULM, descendait lentement dans le vent et se posait au beau milieu de la silhouette de Kokopelli peinte sur le terrain d'atterrissage, en guise de cible.

Plus qu'un losange, Shining Mesa était un large cerf-volant de trente kilomètres de long et dix de large qui se dressait au milieu de Candor Chasma telle une mesa de Monument Valley dont on aurait forcé le trait. La ville sous tente n'occupait qu'une petite élévation du sol à la pointe sud du cerf-volant. C'était un fragment détaché du plateau fendu par les canyons de Marineris. On avait, de là-haut, une vue prodigieuse sur les immenses parois de Candor et les gorges vertigineuses d'Ophir Chasma au nord et de Melas Chasma au sud.

La beauté du spectacle avait bien évidemment agi comme un aimant, et la tente principale était maintenant entourée d'autres plus petites. La ville se trouvant à cinq kilomètres au-dessus du niveau moyen, elle était encore sous tente, mais on parlait de la supprimer. Le fond de Candor Chasma, qui n'était qu'à trois kilomètres d'altitude, était semé de forêts drues, vert foncé. Une bonne partie des habitants descendaient en ULM dans les canyons, le matin, pour travailler la terre ou herboriser, et remontaient en fin d'après-midi. Nirgal connaissait quelques-uns de ces sylviculteurs depuis l'underground, et ils furent ravis de l'emmener voir les canyons et ce qu'ils y faisaient.

Les canyons de Marineris étaient généralement orientés selon une direction est-ouest. A Candor, ils s'incurvaient autour de la grande mesa centrale puis se précipitaient dans Melas, au sud. Il y avait de la neige sur les parties les plus élevées du fond, surtout le long des parois ouest, où les ombres s'attardaient l'après-midi. L'eau de fonte décrivait un filigrane délicat, définissant de nouveaux bassins hydrographiques qui empruntaient d'anciens arroyos sablonneux, au tracé ramifié. De maigres rivières rouges, opaques, confluaient juste au-dessus de la faille de Candor et se ruaient, en torrents sauvages, écumants, sur le fond de Melas Chasma, où elles se heurtaient aux restes du glacier de 61, ensanglantant son flanc nord.

Des forêts avaient surgi sur les rives de ces cours d'eau. C'étaient, pour la plupart, des ochromes endurcis contre le froid et d'autres arbres tropicaux à croissance très rapide, qui formaient de nouveaux dais au-dessus des vieux krummholz. Ces jours-ci, il faisait chaud sur le fond du canyon, qui agissait comme un gigantesque bol reflétant le soleil et abrité du vent. Sous les frondaisons des ochromes croissaient toutes sortes de plantes et d'espèces animales et végétales. Les amis de Nirgal lui expliquèrent que c'était la communauté biotique la plus diversifiée de Mars. Ils portaient maintenant des pistolets à flèches soporifiques à cause des ours, des léopards des neiges et autres prédateurs. La marche devenait parfois difficile entre les bosquets de bambous des neiges et de trembles.

Toute cette végétation était favorisée par les énormes dépôts de nitrate de sodium des canyons de Candor et d'Ophir : de grandes terrasses horizontales blanches, faites de caliche extrêmement soluble dans l'eau. Ces minéraux étaient maintenant emportés par les cours d'eau, fournissant beaucoup d'azote aux nouveaux sols. D'importants dépôts de nitrate avaient malheureusement été enfouis sous des glissements de terrain – l'eau qui dissolvait le nitrate de sodium détrempait aussi les parois des canyons, accélérant leur dégradation et les déstabilisant. Les amis de Nirgal lui dirent qu'ils évitaient désormais le pied des parois : c'était trop dangereux. Et comme ils s'élevaient avec leurs ULM, Nirgal vit partout des traces d'éboulement. Des pans entiers de plantes de montagne avaient été ensevelis, et les méthodes de fixation des sols étaient l'un des nombreux sujets de conversation, le soir sur la mesa, quand l'omegendorphe coulait dans les veines. Ils ne pouvaient pas faire grand-chose, en fait. Si un pan d'une paroi rocheuse de dix mille pieds de haut voulait lâcher, rien ne pouvait l'arrêter. Alors, une fois par semaine environ, les habitants de Shining Mesa sentaient vibrer le sol, ils l'entendaient dans leur ventre avant de voir frémir la tente. Le glissement de terrain était souvent repérable au nuage de poussière terre de Sienne qui montait d'un canyon. Les hommes-oiseaux revenaient parfois, ébranlés et silencieux, ou rendus loquaces par le rugissement assourdissant qui les avait surpris en plein ciel. Un jour, Nirgal était à mi-chemin du sol quand il en fit lui-même l'expérience : on aurait dit le bang d'un avion supersonique qui se serait prolongé plusieurs secondes. L'air frémit comme de la gelée. Puis, aussi subitement qu'il avait commencé, le phénomène cessa.

Il partait à l'aventure le plus souvent seul, parfois avec ses vieux amis. L'ULM était le moyen de locomotion idéal pour le canyon : un engin lent, stable, facile à diriger, doté d'une portance et d'une puissance plus que suffisantes. Celui qu'il avait loué (avec l'argent de Coyote) lui permettait de suivre ses compagnons, le matin, pour longer les cours d'eau ou faire de la botanique dans les forêts. L'après-midi, il survolait les canyons. C'est d'en haut qu'on se rendait vraiment compte de l'immensité de Candor Mesa et du gigantisme de ses parois : la remontée était interminable jusqu'à la tente, ses longs repas et ses fêtes nocturnes. Jour après jour, Nirgal explorait les diverses régions des canyons, observait l'exubérante vie nocturne de la tente, mais il voyait tout comme par le petit bout de la lorgnette, une lorgnette en forme de question : « Est-ce la vie que j'ai envie de mener ? » Cette question miniaturisée par la distanciation ne cessait de lui revenir, l'aiguillonnait le jour alors qu'il se prélassait au soleil, le hantait la nuit pendant les longues heures sans sommeil qui précèdent l'aube. Que devait-il faire ? Le succès de la révolution l'avait laissé les mains vides. Toute sa vie il avait parcouru la planète, parlant aux gens d'une Mars libre, qu'ils habiteraient au lieu de la coloniser, du nouveau monde dont ils seraient les indigènes. Cette tâche avait maintenant pris fin, la planète était à eux, ils pouvaient y vivre comme ils voulaient. Mais dans cette nouvelle donne, il ne savait plus quelle carte jouer. Il devait trouver le moyen de s'insérer dans ce nouveau monde, non plus comme porte-parole d'une collectivité, mais en tant qu'individu responsable de sa propre vie.

Il ne voulait plus mener une tâche collective ; tant mieux s'il y avait des gens que ça intéressait, mais ce n'était pas son cas. En fait, il ne pouvait pas penser au Caire sans un sursaut de colère envers Jackie, et de tristesse, aussi, à l'idée de la vie publique, de tout ce monde à jamais disparu. Il était difficile de renoncer à être un révolutionnaire. Rien ne semblait en découler, ni logiquement ni émotionnellement. Mais il fallait faire quelque chose. La page était tournée. Il plongeait lentement vers le sol dans sa bulle volante quand il comprit soudain Maya et son obsession de l'incarnation. Il avait vingt-sept années martiennes, maintenant, il avait sillonné toute la planète, il était allé sur la Terre, il était revenu. Le moment était venu de la métempsycose suivante.

Il parcourait donc l'immensité de Candor en y cherchant sa propre image. Les parois fracturées, stratifiées, balafrées du canyon faisaient de stupéfiants miroirs minéraux. Il y vit clairement qu'il était une créature plus infime qu'un moucheron dans une cathédrale. En étudiant ce gigantesque palimpseste de facettes il détecta en lui deux pulsions très fortes, distinctes et contradictoires bien qu'encore inexprimées, comme le vert et le blanc. D'une part il voulait vivre en vagabond, voler, marcher, parcourir le monde à la voile, éternellement nomade, errant sans cesse jusqu'à ce que Mars n'ait plus de secret pour lui. Ah oui, cette idée faisait naître en lui une euphorie qui lui était familière. D'un autre côté, elle était familière justement parce qu'il l'avait toujours fait. Ce serait sa vie précédente, moins le contenu. Et il savait déjà combien cette existence était solitaire, il connaissait le détachement que procure le manque de racines. C'était ce qui lui donnait cette vision par le petit bout de la lorgnette. Venant de partout, il ne venait de nulle part. Il n'avait pas de chez-lui. Or il en voulait un, maintenant, autant que la liberté sinon plus. Un chez-lui. Se fixer, avoir une vie qui soit complète, choisir un endroit et y rester, apprendre à le connaître à fond, à chaque saison, cultiver sa nourriture, construire sa maison, fabriquer ses outils, appartenir à une communauté d'amis.

Ces deux envies coexistaient fortement en lui ou plutôt alternaient en une succession rapide, subtile, qui l'empêchait de dormir, le laissait fébrile, ébranlé. Il ne voyait pas comment les concilier. Elles s'excluaient mutuellement. Personne n'avait de suggestions à faire qui puissent lui être utiles pour résoudre la difficulté. Coyote ne croyait pas aux racines, mais ce nomade n'y connaissait rien. Art considérait la vie d'errance comme impossible, mais il aimait son confort, maintenant.

En dehors de la politique, les activités de Nirgal tournaient autour de l'ingénierie du mésocosme. Cela ne l'aidait pas beaucoup dans sa réflexion. Aux altitudes supérieures, ils vivraient toujours sous tente, et l'adaptation du mésocosme s'imposerait. Mais ça devenait plus une science qu'un art, et avec son expérience grandissante, les problèmes et les solutions tourneraient à la routine. D'ailleurs, souhaitait-il réellement embrasser une carrière qu'on menait sous une tente alors qu'on pouvait marcher librement sur une partie sans cesse croissante de la planète, aux altitudes les moins élevées ?

Non. Il voulait vivre en plein air. Apprendre à connaître un coin de sol avec ses plantes, ses animaux, son climat, son ciel, tout ça... Voilà ce qu'il voulait. Voilà ce que voulait une partie de lui. Une partie du temps.

Mais il commençait à se dire que, quoi qu'il choisisse, Candor Chasma n'était pas ce qu'il lui fallait. Son panorama phénoménal en faisait un endroit trop vaste, trop inhumain pour devenir un chez-soi. Le canyon demeurerait sauvage. Tous les ans, à la fonte des neiges, les fleuves dévasteraient les parois, foreraient de nouveaux canaux, seraient enfouis sous d'énormes glissements de terrain. C'était fascinant, mais ça ne faisait pas un foyer. Les gens du coin resteraient sur Shining Mesa, ils n'exploreraient le fond des canyons que pendant la journée. La mesa était leur vrai foyer, c'était un bon plan. Mais la mesa était une île dans le ciel, une destination touristique, on y viendrait pour les vacances, pour voler, faire la fête toutes les nuits. Il y aurait des hôtels de luxe destinés aux jeunes et aux amoureux... Ce serait un endroit parfait, merveilleux, mais bondé, trop couru – à moins qu'ils ne combattent l'afflux de visiteurs, qu'ils n'empêchent les gens enchantés par la vue sublime de s'installer. Des gens qui débarqueraient comme Nirgal lui-même, au crépuscule de leur vie, et ne s'en iraient plus jamais. Et les anciens résidents les regarderaient avec impuissance en marmonnant et en regrettant le bon vieux temps quand le monde était neuf et désert.

Non. Ce n'était pas le genre de vie qu'il voulait. Il aimait voir l'aube envahir les parois ouest, cannelées, de Candor, embrassant tout le spectre martien, le ciel qui devenait indigo, mauve ou d'un bleu céleste, terrestre, stupéfiant... Un endroit sublime, si beau que certains jours il était tenté d'y rester, de s'y établir, d'essayer de le préserver, de survoler le fond quotidiennement pour en apprendre la sauvagerie convulsée, ne remontant que le soir pour dîner. Ce travail lui permettrait-il de se sentir chez lui ? Et s'il aspirait à une vie sauvage, n'y avait-il pas d'autres endroits moins spectaculaires mais plus éloignés, et donc plus sauvages ?

Il parcourait la région en tous sens. Un jour, en survolant la faille de Candor, avec sa succession de cascades et de rapides écumants, opaques, il se souvint que John Boone était passé par là, juste après la construction de l'autoroute trans-Marineris. Qu'avait-il dit de cette région stupéfiante, ce maître de l'équivoque ?

Nirgal interrogea Pauline, l'IA de Boone, et trouva un journal enregistré au cours d'une plongée dans le canyon de Candor en 2046. Il laissa défiler la bande en contemplant le paysage d'en haut. Il écouta cette voix rauque, à l'accent américain familier, qui ne donnait pas l'impression de s'adresser à une IA, et se prit à regretter de ne pouvoir lui parler. Certaines personnes disaient que Nirgal marchait sur les traces de John Boone, qu'il avait fait le travail que John aurait fait s'il avait vécu. Si tel était le cas, qu'aurait fait John à sa place ? Comment aurait-il vécu ?

– C'est l'endroit le plus incroyable que j'aie jamais vu. Vraiment, c'est la première chose qui vient à l'esprit quand on voit Marineris Valles. Au niveau de Melas, le canyon est si large que du milieu on ne voit même plus les parois, elles sont sous l'horizon ! La courbure de cette petite planète produit des effets inimaginables. Les anciennes simulations étaient terriblement trompeuses, les verticales étant exagérées par un facteur de cinq à dix, si je me souviens bien, de sorte qu'on se serait cru dans un défilé. Ce n'est pas un défilé. Waouh ! La colonne rocheuse ! On dirait une femme en toge, la femme de Lot. Je me demande si c'est du sel. C'est blanc, mais ça ne veut rien dire, évidemment. Il faudra que je demande à Ann. J'aimerais bien savoir à quoi ces constructeurs de route suisses pensaient quand ils ont fait la route, elle n'est pas très alpine. On dirait des Alpes en négatif, des montagnes en creux, rouges au lieu d'être vertes, basaltiques et non granitiques. Enfin, ça a dû leur plaire quand même. Tiens, là, le sol est criblé de trous ! Le patrouilleur tangue et roule comme sur une mer en furie. Je vais passer sur le bas-côté de la route, il a l'air plus lisse que le milieu. Oui, c'est mieux, une vraie petite route... Euh, mais c'est la route ! J'en étais donc sorti... Je conduis à la main, pour le plaisir, mais c'est difficile de garder les yeux sur les transpondeurs quand il y a tant de choses à voir. Les transpondeurs sont beaucoup mieux adaptés au pilote automatique qu'à l'œil humain. Hé, voilà la rupture d'Ophir Chasma... Quelle immensité ! Cette paroi doit faire, je ne sais pas, vingt mille pieds de haut. Seigneur ! Bon, l'autre s'appelle la faille de Candor, alors j'imagine que ça, c'est la faille d'Ophir. La « porte d'Ophir » serait plus joli. Je vérifie sur la carte... Hmm, le promontoire du côté ouest de la faille s'appelle Candor Labes, ce qui veut dire lèvres, si je ne m'abuse... La gorge de Candor, ou... voyons, je ne sais pas. Ça fait un sacré trou. Des falaises à pic des deux côtés et vingt mille pieds de haut. C'est à peu près six ou sept fois plus haut que les falaises de Yosemite. Meeeerde... elles n'ont pas l'air si hautes que ça, à vrai dire. Evidemment, on les voit en raccourci. Disons qu'elles paraissent deux fois plus hautes, ou... je ne sais pas. J'ai oublié à quoi ressemblait Yosemite, en terme de taille, du moins. C'est le canyon le plus stupéfiant qu'on puisse imaginer. Ah, voilà Candor Mesa, sur ma gauche. De là, on voit bien qu'elle est détachée de la paroi de Candor Labes. On doit avoir une sacrée vue, de là-haut. Il faudrait y installer un hôtel où on arriverait par la voie des airs. Je donnerais cher pour voir ça ! Sacré endroit pour voler en ultraléger. Mouais. C'est peut-être une idée dangereuse. Je vois d'ici les tempêtes de sable qui doivent se lever dans le coin. Hé, il y a une colonne de lumière qui frappe la mesa à travers la poussière. On dirait une barre de beurre suspendue dans le vide. Ah, Dieu ! Quelle belle planète !

Nirgal ne pouvait qu'être d'accord avec lui. Il s'émerveillait d'entendre John parler de voler là-haut. Il comprenait mieux la façon dont les issei parlaient de Boone, leur souffrance que rien, jamais, ne viendrait apaiser. Comme il aurait aimé avoir John avec lui plutôt que ces enregistrements, quelle grande aventure ç'aurait été de regarder John Boone négocier l'histoire sauvage de Mars ! Lui épargnant à lui, Nirgal, le fardeau de ce rôle, entre autres choses. Enfin, la situation étant ce qu'elle était, ils n'avaient que cette voix amicale, heureuse. Et ça ne réglait pas son problème.

De retour sur Candor Mesa, les hommes volants se retrouvaient le soir dans les pubs et les restaurants installés le long de l'arc sud, élevé, de la paroi de la tente. Là, assis sur des terrasses situées juste en bordure de la tente, ils pouvaient contempler la vue imprenable de leur domaine forestier. Nirgal s'asseyait parmi eux, mangeait et buvait comme eux, les écoutait, parlait parfois, exprimait ses propres pensées, parfaitement détendu. Ils se fichaient de ce qui avait pu lui arriver sur Terre, peu leur importait même au fond qu'il soit là, avec eux. Ce qui tombait bien, parce qu'il était parfois distrait au point de ne pas prêter attention à ce qui l'entourait. Il sombrait dans une rêverie qui le ramenait une fois de plus dans les rues de Port of Spain, ou dans le complexe de réfugiés, sous la mousson torrentielle. Tout ce qui lui était arrivé depuis était tellement insignifiant par comparaison !

Mais un soir, il sortit de sa rêverie en entendant quelqu'un dire : « Hiroko ».

– Quoi donc ? releva-t-il.

– Hiroko. Nous l'avons rencontrée, quand nous volions autour d'Elysium, sur la pente nord.

C'était une jeune femme à l'air innocent, qui semblait ignorer à qui elle parlait.

– Vous l'avez vue de vos propres yeux ? demanda-t-il sèchement.

– Oui. Elle ne se cachait pas, ni rien. Elle a dit qu'elle aimait mon aile volante.

– Je ne sais pas, fit un homme plus vieux, à la voix rauque.

Un vétéran de Mars, un immigrant issei des premières années, au visage boucané par le vent et les rayons cosmiques au point de rassembler à du cuir.

– J'ai entendu dire qu'elle était dans le chaos où la première colonie s'était cachée, et qu'elle travaillait aux nouveaux ports de la baie sud.

D'autres voix s'élevèrent : on avait vu Hiroko par-ci, on l'avait vue par-là, sa mort avait été confirmée, elle était retournée sur Terre. D'ailleurs Nirgal l'y avait vue, sur Terre.

– Il est là, Nirgal, fit l'un des hommes en tendant le doigt avec un grand sourire. Il va pouvoir nous dire si c'est vrai ou pas.

Nirgal, interloqué, secoua la tête.

– Je ne l'ai pas vue sur Terre, dit-il. Ce n'étaient que des rumeurs.

– Comme ici, alors.

Nirgal haussa les épaules.

La jeune femme, toute rouge maintenant qu'elle savait à qui elle avait affaire, insista : elle avait bien rencontré Hiroko en personne. Nirgal la regarda attentivement. C'était différent; personne ne lui avait jamais dit une telle chose (sauf en Suisse). Elle paraissait ennuyée, sur la défensive, mais elle n'en démordait pas :

– Je lui ai parlé, je vous dis!

Pourquoi mentir sur un sujet pareil? Et comment aurait-elle pu se laisser abuser? Des imposteurs? Mais pourquoi?

Nirgal sentit son sang courir plus vite dans ses veines. Il avait très chaud, tout à coup. Hiroko aurait très bien pu faire quelque chose dans ce goût-là. Se cacher sans se cacher; vivre quelque part sans prendre la peine de donner signe de vie à la famille qu'elle laissait derrière elle. Ce serait insensé, bizarre, inhumain. Inhumain. Et tout à fait son genre. Sa mère était une sorte de folle, il y avait des années qu'il le savait. Un personnage charismatique qui avait mené les foules sans se fouler, une folle. Capable d'à peu près tout.

Si elle était en vie.

Il ne voulait pas recommencer à espérer. Il ne voulait pas se lancer à sa poursuite rien que parce qu'on avait prononcé son nom devant lui. Mais il regardait la fille comme s'il souhaitait lire la vérité sur son visage, ou capturer l'image d'Hiroko que ses pupilles avaient conservée. D'autres lui posèrent les questions qui lui brûlaient les lèvres, alors il garda le silence et écouta, soulagé de ne pas avoir à la mettre mal à l'aise. Lentement, elle leur raconta toute l'histoire : ils volaient autour d'Elysium avec quelques amis et ils s'étaient arrêtés pour la nuit sur la nouvelle péninsule formée par Phlegra Montes. En allant se promener sur le littoral gelé de la mer du Nord, ils avaient repéré une nouvelle colonie. Et là, sur le chantier de construction, ils avaient reconnu Hiroko. Plusieurs des ouvriers étaient ses vieux associés, Gene, Rya, Iwao et les autres Cent Premiers qui l'avaient suivie depuis l'époque de la colonie perdue. Les hommes volants avaient exprimé leur stupeur mais les colons perdus avaient été surpris de l'étonnement qu'ils manifestaient.

– Personne ne se cache plus, avait dit Hiroko à la jeune femme, après lui avoir fait compliment de son aile volante. Nous passons le plus clair de notre temps près de Dorsa Brevia, mais nous sommes ici depuis près d'un mois maintenant.

Et voilà. La femme semblait parfaitement sincère, il n'avait aucune raison de croire qu'elle mentait, ou qu'elle avait eu des visions.

Nirgal ne voulait plus y penser. Mais puisqu'il envisageait de quitter Shining Mesa, de toute façon, et d'aller voir ailleurs, eh bien... eh bien, il pouvait au moins jeter un coup d'œil. *Shigata ga nai!*

Le lendemain, toute l'affaire lui paraissait beaucoup moins sérieuse. Nirgal ne savait que penser. Il appela Sax par blocpoignet, pour le mettre au courant.

– Est-ce possible, Sax? Est-ce que c'est possible?

Le visage de Sax prit une expression étrange.

– C'est possible, dit-il. Oui, bien sûr. Je t'ai dit, quand tu étais malade et inconscient que... qu'elle... (Il cherchait ses mots comme il le faisait souvent, en plissant les paupières sous l'effort de concentration.) Je l'ai vue. Dans cette tempête de neige où j'étais perdu. Elle m'a ramené à mon véhicule.

Nirgal regarda la petite image vacillante.

– Je ne m'en souviens pas.

– Ah! Ça ne m'étonne pas.

– Alors tu... tu penses qu'elle a fui Sabishii.

– Oui.

– Tu penses que c'est possible, ou probable?

– J'ignore, euh... les probabilités. C'est difficile à dire.

– Mais tu crois qu'ils ont réussi à s'échapper?

– Le mont du mohole de Sabishii est un vrai labyrinthe.

– Alors, pour toi, ils auraient réussi à prendre la fuite?

Sax hésita.

– Je l'ai vue. Elle... elle m'a pris par le poignet. Je ne peux pas faire autrement que d'y croire. Oui, reprit-il, et son visage se crispa. Elle y est! Elle est là-bas! Je n'ai aucun doute! Aucun doute! Et elle s'attend à ce que nous allions la rejoindre.

Nirgal sut alors qu'il devait aller voir.

Il quitta Candor Mesa sans tambours ni trompettes. Ses amis comprendraient. Ils s'en allaient souvent ainsi eux-mêmes. Ils se retrouveraient un jour, pour voler dans les canyons et passer la soirée sur Shining Mesa. Il ne prévint donc personne de son départ. Il plongea dans l'immensité de Melas Chasma, suivit le canyon pendant un moment et prit vers l'est, longea Coprates pendant des heures, survola le glacier de 61, puis une baie après l'autre, contrefort après contrefort. Il franchit le Pas-de-Calais et arriva au confluent de Capri et d'Eos Chasma qui allait en s'élargissant. Au-delà se trouvait une zone chaotique, couverte de glace craquelée, beaucoup moins pourtant que le sol en dessous, et l'étendue ravagée de Margaritifer Terra. Il prit ensuite vers le nord, en suivant la piste qui menait à Burroughs, mais, avant d'arriver à la gare de Libya, il obliqua vers le nord-est et Elysium.

Le massif d'Elysium était maintenant un continent dans la mer du Nord. Le détroit qui le séparait du continent principal au sud était une étroite bande d'eau noire et d'icebergs blancs, tabulaires, ponctuée par un groupe d'îles qui avaient été naguère Aeolis Mensa. Il était important pour les hydrologues de la mer du Nord que ce détroit reste liquide, afin que les courants puissent passer de la baie d'Isidis à celle d'Amazonis. Pour cela, ils avaient installé à l'extrémité ouest du détroit un réacteur nucléaire dont ils envoyaient la chaleur dans l'eau, créant une polynye artificielle qui restait liquide d'un bout à l'autre de l'année, et un mésoclimat tempéré sur les pentes, de chaque côté. Les volutes de vapeur du réacteur étaient visibles au loin, en haut du Grand Escarpement. Nirgal descendit la pente en vol plané et traversa des forêts de pins et de ginkgos. Un câble était tendu en travers du détroit, à l'ouest, afin d'arrêter les icebergs entraînés par le courant. Il survola l'amas de glace pareil à un train de verre, puis l'eau noire. C'était la plus vaste étendue d'eau qu'il ait jamais vue sur Mars. Il parcourut une vingtaine de kilomètres au-dessus de l'eau, en poussant de grands cris d'enthousiasme. Soudain, il vit l'immense pont qui s'arquait gracieusement au-dessus du détroit. L'eau d'un violet presque noir était piquetée de ferries, de longues barges, de bateaux à voile, que suivait le V blanc de leur sillage. Nirgal les survola, fit deux fois le tour du pont pour admirer la vue. Il n'avait jamais rien vu de pareil sur Mars : de l'eau, la mer, tout un monde futur.

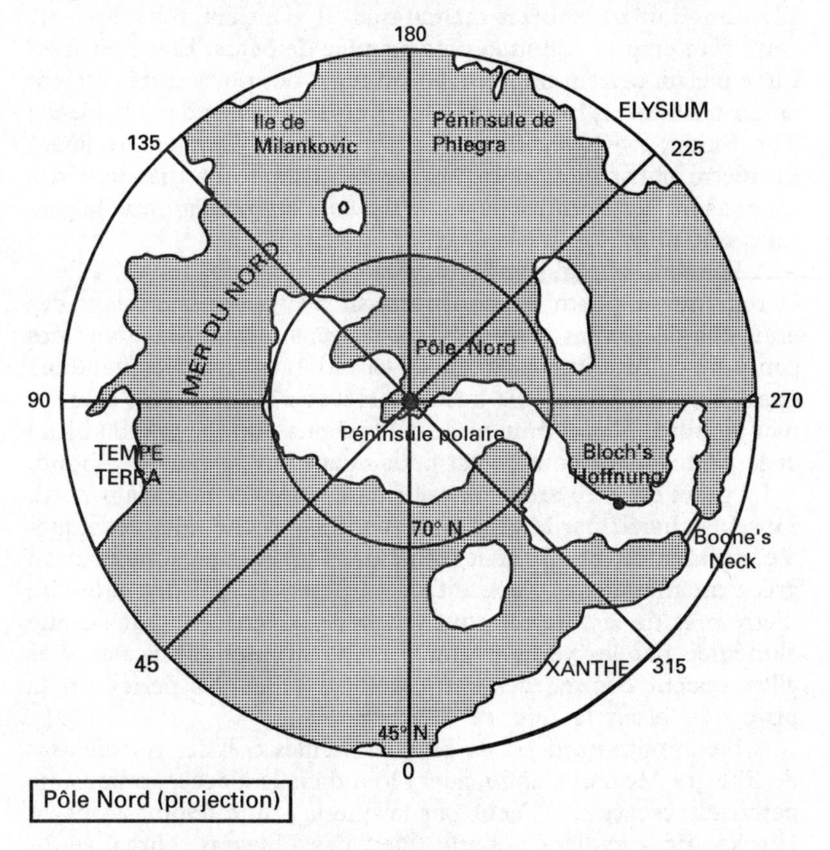

Pôle Nord (projection)

Il poursuivit vers le nord et les plaines de Cerberus, par-delà le volcan Albor Tholus, un cône de cendres abrupt fiché sur le côté d'Elysium Mons qui était tout aussi raide mais beaucoup plus grand et servait, avec ses faux airs de Fuji-Yama, de label à plus d'une coop agricole de la région. Car sur la plaine s'étendaient des fermes aux bords déchiquetés, souvent en terrasses, généralement divisées par des bandes de forêt ou piquetées de bosquets. Les parties surélevées étaient semées de jeunes arbres fruitiers encore improductifs. Plus près de la mer, il y avait de grands champs de blé ou de maïs, séparés par des oliviers et des eucalyptus en guise de brise-vent. Ils n'étaient qu'à dix degrés au nord de l'équateur et bénéficiaient d'un climat privilégié : des hivers doux, pluvieux, et de chaudes journées estivales. Les gens de la région l'appelaient la Méditerranée de Mars.

Nirgal monta toujours plus loin vers le nord en suivant la côte ouest. Le littoral émergeait des icebergs échoués qui bordaient la mer de glace. Force lui était de se rallier à l'opinion générale : Elysium était un endroit magnifique. Il avait entendu dire que cette côte était la région la plus peuplée de Mars. Elle était fracturée par un certain nombre de fossae, et des ports carrés étaient aménagés aux endroits où ces canyons se jetaient dans la glace : Tyr, Sidon, Pyriphlegethon, Hertzka, Morris. Derrière les jetées de pierre construites pour arrêter la glace se blottissaient des marinas où des flottilles de petits bateaux attendaient que le passage soit libre.

A Hertzka, Nirgal s'engagea vers l'intérieur des terres, à l'est, et remonta la pente douce du massif d'Elysium, survolant des enfilades de jardins. Des milliers de gens vivaient là, dans des zones de culture intensive. Celles-ci montaient vers les hauteurs entre Elysium Mons et la butte de Hecates Tholus qui l'éperonnait au nord. Nirgal franchit le col rocheux entre le grand volcan et la butte, filant comme un petit nuage sur le vent vagabond.

La paroi est d'Elysium n'avait rien à voir avec le versant nord. Le sable charrié par le vent avait scarifié la roche nue, déchiquetée, accidentée, et elle était restée dans un état presque primitif grâce au massif qui l'abritait de la pluie. Nirgal dut attendre d'être près de la côte est pour revoir de la verdure – sans doute alimentée par les vents portants et les brumes hivernales. Les villes étaient comme des oasis, enfilées telles des perles sur la piste qui faisait le tour de l'île.

A l'extrémité nord-est de l'île, les vieilles collines rocailleuses de Phlegra Montes s'enfonçaient loin dans la glace, formant une péninsule escarpée. C'était par là que la jeune femme avait vu Hiroko. En survolant la paroi ouest des Phlegras, Nirgal se dit que c'était bien le genre d'endroit sauvage où elle pouvait se trouver. Comme beaucoup de grandes chaînes de montagne martiennes, c'était tout ce qui restait de l'arc formé par le bord d'un ancien bassin d'impact. Les autres traces avaient depuis longtemps disparu, mais les Phlegras témoignaient encore d'un phénomène d'une inconcevable violence : l'impact d'un astéroïde de cent kilomètres de diamètre qui avait chassé sur le côté de gros blocs de lithosphère en fusion, projeté dans l'atmosphère des fragments qui étaient retombés en cercles concentriques, et instantanément métamorphosé la majeure partie de la roche en minéraux beaucoup plus durs que ceux d'origine. Après ce traumatisme, le vent s'était rué sur toute chose, ne laissant après son passage que ces rudes collines.

Le coin était peuplé, évidemment ; il y avait des maisons partout, dans les effondrements, les vallées en cul-de-sac et les passes surplombant la mer. Des fermes isolées, des hameaux de dix, vingt ou cent âmes qui rappelaient l'Islande. Certaines personnes aimaient la solitude. Un village perché sur une butte, à une centaine de mètres au-dessus de la mer, était appelé Nuannaarpoq, d'un mot inuit signifiant « qui prend un plaisir extrême à être en vie ». Les habitants, comme tous ceux des Phlegras, pouvaient aller à Elysium en ULM, suivre à pied la piste qui faisait le tour du massif et emprunter le premier véhicule qui venait à passer. La ville la plus proche était un port pittoresque appelé Firewater, situé à l'ouest des Phlegras, là où elles devenaient une péninsule. La ville était perchée sur un épaulement, au-dessus d'une baie vaguement carrée. Nirgal prit une chambre dans une pension située sur la place centrale, derrière la marina encadrée par les glaces.

Les jours suivants, il longea la côte dans tous les sens, visitant les fermes l'une après l'autre. Il rencontra quantité de gens intéressants, mais ni Hiroko ni aucun des membres de Zygote ou de leurs associés. Il commença à nourrir certains soupçons. Beaucoup d'issei vivaient dans la région, mais tous nièrent avoir jamais rencontré Hiroko ou l'un de ses acolytes. Pourtant, tous cultivaient leur ferme avec grand succès alors que le terrain rocheux paraissait pour le moins ingrat. Ils en avaient fait d'exquises petites oasis d'une productivité satisfaisante, menant l'existence de ceux qui croyaient à la viriditas, mais non, ils ne l'avaient jamais vue. C'est tout juste si son nom leur disait quelque chose. Un vieil Américain lui dit en riant :

– Qu'est-ce que tu crois, qu'on a un gourou ? Tu veux qu'on t'amène à not' gourou ?

Trois semaines plus tard, Nirgal n'avait pas trouvé trace de sa présence sur Phlegra Montes. Il allait être obligé de renoncer. Il n'avait pas le choix.

Une éternelle errance. Ça n'avait pas de sens de chercher un petit bout de femme comme ça sur tout un monde. C'était irréalisable. Mais des bruits couraient dans certains villages, des gens disaient l'avoir aperçue. Rien qu'une rumeur de plus, parfois un témoignage intéressant. Elle était partout et nulle part. Beaucoup de descriptions, mais jamais une photo, des tas d'histoires, mais pas un seul message au bloc-poignet. Sax était convaincu qu'elle était là. Coyote était sûr que non. Ça n'avait pas d'importance. Si elle était dans le coin, elle se cachait. Ou elle le faisait tourner en bourrique. Cette idée le mettait dans tous ses états. Il ne lui courrait pas après.

L'ennui, c'est qu'il ne tenait pas en place. Il lui était impossible de rester huit jours au même endroit. Il avait des fourmis dans les jambes, il était énervé comme il ne l'avait jamais été de sa vie. C'était comme une maladie qui irradiait à partir de son estomac. Tous ses muscles étaient tendus à bloc, sa température était anormalement élevée ; il était incapable de se concentrer sur la moindre pensée ; il éprouvait un besoin irrépressible de voler. Alors il volait, de ville en village, de gare en caravansérail. Certains jours, il allait où le vent le poussait. Il avait toujours vécu en nomade ; ce n'est pas aujourd'hui qu'il s'arrêterait. Quelle différence un changement dans la forme de gouvernement pourrait-elle bien faire en ce qui le concernait ? Les vents de Mars étaient stupéfiants. Forts, irréguliers, violents, incessants.

Parfois le vent le poussait vers la mer du Nord, et de toute la journée il ne voyait que de la glace et de l'eau, comme si Mars était un monde liquide. C'était Vastitas Borealis, le Vaste Nord, maintenant changé en glace. Plat par moments, chaotique à d'autres. Tantôt blanc, tantôt teinté. Noir ou vert jade à cause des algues, rougi par la poussière, ou d'un bleu cristallin. En certains endroits, d'incroyables tempêtes de poussière avaient déposé leur fardeau que le vent avait sculpté, formant de petits champs de dunes, et on se serait vraiment cru sur l'antique Vastitas. Parfois, la glace charriée par les courants s'était écrasée sur les récifs subsistants du bord d'un cratère, donnant des plissements circulaires. Ailleurs, les blocs de glace amenés par différents courants s'étaient rués les uns sur les autres, et les crans étaient rectilignes comme le dos d'un dragon.

L'eau était noire, ou de tous les violets du ciel. Il y en avait beaucoup : des polynyes, des fentes, des fissures, des taches. Un tiers environ de la surface de la mer était liquide, maintenant, mais l'essentiel de la surface visible était constitué de lacs de fonte à la fois blancs et couleur du ciel, ou se paraient d'un violet clair, étincelant, voire de deux couleurs. Oui, c'était une autre version du vert et du blanc, le monde encore replié sur lui-même, deux en un. Cette double couleur le dérangeait, le fascinait toujours. Le secret du monde.

Les Rouges avaient fait sauter plusieurs des grandes plates-formes de forage de Vastitas, et des épaves noires jonchaient la glace blanche. Celles qui étaient défendues par les Verts étaient maintenant utilisées pour faire fondre la glace : de grandes polynyes s'étendaient à l'est et l'eau à ciel ouvert fumait, comme si les nuages surgissaient d'un ciel sous-marin.

Dans les nuages, dans le vent. Le sud du nouvel océan était une succession de golfes et de promontoires, de baies et de péninsules, de fjords et de caps, d'isthmes et d'archipels. Nirgal suivit la côte pendant plusieurs jours, se posant en fin d'après-midi dans de petites colonies récemment installées le long de la mer. Il vit, au milieu de l'eau, des cratères dont le niveau intérieur était plus bas que celui de la glace et de l'eau qui les entouraient. Il vit des endroits où la glace semblait reculer, de sorte qu'elle était bordée de traînées noires, parallèles, tracées comme au peigne, descendant vers des dépôts d'alluvions, de roche ou de glace. Ces dépôts flotteraient-ils à nouveau un jour, où leur largeur irait-elle en s'accroissant? Personne dans ces villes côtières ne le savait, non plus que le niveau où le littoral se stabiliserait. Les colonies de cet endroit étaient conçues de façon à pouvoir se déplacer. Des polders entourés de digues montraient qu'ils testaient la fertilité du sol nouvellement exposé. Des rangées de cultures vertes bordaient la glace blanche.

Au nord d'Utopia, il survola une péninsule basse qui s'étendait du Grand Escarpement jusqu'à l'île polaire Nord et traversait presque de part en part l'océan qui faisait le tour du monde. Une grande colonie, à moitié bâchée, à moitié à ciel ouvert, appelée Boone's Neck, était installée là. Ses habitants travaillaient au forage d'un canal à travers la péninsule.

Nirgal fila vers le nord, poussé par le vent qui ronflait, rugissait, gémissait. Certains jours, il hurlait. La mer, des deux côtés de la longue péninsule, était jonchée d'icebergs tabulaires. De grandes montagnes de glace couleur de jade rompaient ces plaques blanches. Il n'y avait personne là-haut, mais Nirgal ne cherchait plus. La mort dans l'âme, il avait renoncé et se laissait emporter par les vents comme une graine de pissenlit. Sur la mer de glace, blanche et fracassée, sur l'eau violette, aux vagues incrustées de soleil. Puis la péninsule s'élargit et devint l'île polaire, une zone blanche, mamelonnée. Il n'y avait plus trace du dessin tourbillonnant primitif des vallées de fonte. Ce monde avait disparu.

De l'autre côté de la mer du Nord, sur l'île d'Orcas, par-delà le flanc est d'Elysium, et de nouveau vers le bas, le long de Cimmeria. Une graine emportée par le vent. Certains jours, le monde était en noir et blanc : des icebergs à contre-jour sur la mer; des cygnes de la toundra sur les falaises noires ; des guillemots noirs volant au-dessus de la glace, des oies des neiges. Et rien d'autre de toute la journée.

Une éternelle errance. Il fit deux ou trois fois le tour de la partie septentrionale du monde, scrutant le sol et la glace, observant les changements qui se produisaient un peu partout, les petites colonies blotties sous leurs tentes, ou à l'air libre, bravant les vents glacés. Mais il avait beau faire, rien n'aurait pu chasser son chagrin.

Un jour, dans une nouvelle ville côtière située à l'entrée du long fjord étroit de Mawrth Vallis, il tomba sur Rachel et Tiu, ses compagnons de crèche, qui s'étaient installés là. Nirgal les serra sur son cœur, et tout au long du dîner et de la soirée il regarda leurs visages si familiers avec un plaisir intense. Hiroko avait disparu, mais ses frères et ses sœurs étaient encore là, et c'était déjà ça. C'était la preuve que son enfance était bien réelle. Ils n'avaient pas changé, malgré les années. Rachel et lui étaient amis, à Zygote. Elle en pinçait pour lui, et elle lui avait donné un baiser dans les bains. Il se rappelait avec un petit frisson qu'elle l'avait embrassé dans une oreille, Jackie dans l'autre, et – ça lui revenait subitement – c'est avec Rachel qu'il avait perdu son pucelage, un après-midi dans les bains, peu avant que Jackie l'emmène dans les dunes auprès du lac. Oui, un après-midi, presque accidentellement, leurs baisers étaient soudain devenus impérieux, exploratoires, leurs corps agissant indépendamment de leur volonté.

C'était maintenant une femme de son âge, joyeuse et fière, qui le regardait avec affection, ses rides dessinant sur son visage une carte du rire. Peut-être se rappelait-elle aussi mal que lui leurs premières étreintes, difficile à dire quels souvenirs ses frères et sœurs avaient conservés de leur enfance commune, bizarre, mais elle donnait l'impression de n'en avoir rien oublié. Elle avait toujours été chaleureuse, et l'était encore. Il lui parla de ses vols autour du monde, emporté par les vents inlassables, plongeant lentement d'une petite habitation à une autre, posant aux gens des questions sur Hiroko.

Rachel secoua la tête avec un sourire ironique.

– Si elle est là, elle est là, mais tu pourrais la chercher jusqu'à la fin de tes jours et ne pas la trouver.

Nirgal poussa un soupir troublé et elle rit et lui ébouriffa les cheveux.

– Laisse tomber, va.

Ce soir-là, il alla se promener le long de la mer du Nord, pas tout à fait au bord du littoral ravagé, jonché d'icebergs, mais un tout petit peu plus haut dans les collines. Il sentait dans son corps le besoin de marcher, de courir. Voler était trop facile, c'était se dissocier du monde, ne le voir que de loin, en tout petit. Par le mauvais bout de la lorgnette, encore une fois. Il avait besoin de marcher.

Et pourtant il volait. Mais à présent, il regardait plus attentivement le sol. La bruyère, la lande, les prairies du bord des fleuves. La petite cascade d'un ruisseau se jetant dans la mer, un autre qui traversait une plage. En certains endroits, ils avaient planté des arbres dans l'espoir de décourager les tempêtes de sable qui naissaient dans la région. Les choses n'avaient guère changé de ce point de vue, mais du moins y avait-il des forêts de sapins. Hiroko ferait le tri dans tout ça. Ne la cherche pas. Regarde le sol.

Il retourna à Sabishii. Il y avait encore beaucoup de choses à faire là-bas : évacuer les décombres des bâtiments incendiés, en construire de nouveaux. Certaines coops du secteur acceptaient de nouveaux membres. L'une d'elles fabriquait aussi des ULM et d'autres engins volants, et des tenues d'homme-oiseau expérimentales. Il parla avec eux, évoqua les possibilités de collaboration.

Il leur laissa sa bulle volante et fit de longues courses dans les landes à l'est de Sabishii. Il avait couru dans ces steppes pendant ses années d'études. La région avait changé, mais bien des pistes qui longeaient la crête lui étaient encore familières. Un paysage sauvage, avec sa vie sauvage. De grosses pierres *kami* étaient dressées çà et là, comme des sentinelles, sur le sol fracturé.

Un après-midi, en courant le long d'une crête qu'il connaissait mal, il plongea le regard dans un petit bassin d'altitude, un bol peu profond, d'un kilomètre de diamètre, ouvert sur un terrain en contrebas, à l'ouest. On aurait dit un cirque glaciaire, mais c'était plus vraisemblablement un cratère érodé sur un côté, ce qui lui donnait une forme de fer à cheval. Juste une ride parmi toutes celles du massif de Tyrrhena. Du pourtour, l'horizon était lointain, le sol en dessous paraissait bosselé et irrégulier.

Cela lui disait quelque chose. Peut-être y avait-il passé la nuit quand il était étudiant. Il descendit lentement dans le bassin, avec l'impression d'être toujours en haut du massif, sans doute un effet de l'indigo intense du ciel, de la vue dégagée qu'on avait par la fente, à l'ouest. Des nuages filaient dans le ciel comme de grands icebergs ronds, laissant tomber une neige sèche, granuleuse, que le vent implacable chassait dans les creux ou complètement au-dehors. Sur le bord, près de la patte nord-ouest du fer à cheval, gisait un bloc de pierre pareil à une hutte. Il reposait en quatre points sur la crête, un dolmen usé, lisse comme une vieille dent, sous le ciel de lapis-lazuli.

En rentrant à Sabishii, Nirgal approfondit la question. Le bassin était inculte, d'après les cartes et les relevés du Conseil d'écopoésis et d'aréographie du massif de Tyrrhena, que son intérêt combla de joie.

– Les conditions sont rudes dans les bassins d'altitude, lui dit-on. Il n'y pousse pas grand-chose. Ce serait un projet de longue haleine.

– Parfait.

– L'essentiel de la production devra être cultivée dans des serres. Sauf les pommes de terre, bien sûr, quand il y aura assez d'humus...

Nirgal hocha la tête.

Ils lui demandèrent de s'assurer, au village de Dinboche, le plus proche du bassin, que personne n'avait de projet pour cet endroit.

Il remonta donc avec une petite caravane formée par Tariki, Rachel, Tiu et quelques amis prêts à l'aider. Dinboche était juché derrière une crête basse, sur un petit cours d'eau à sec pendant l'été et maintenant cultivé. Il avait neigé et le paysage offrait un spectacle étrange, tout blanc, quadrillé de noir : des champs de pommes de terre délimités par des murets de pierre noire. Les maisons étaient basses, tout en longueur, avec des toits de lauses et de grosses cheminées carrées. Le plus grand bâtiment du hameau était une maison de thé où les voyageurs pouvaient dormir à l'étage, dans une vaste pièce garnie de matelas.

A Dinboche, comme souvent dans les highlands du Sud, l'économie de cadeau était encore en vigueur, aussi la nouvelle que Nirgal et ses compagnons restaient pour la nuit fut-elle suivie d'un échange frénétique de présents. Les indigènes étaient très heureux qu'on les questionne sur le bassin, qu'ils appelaient le « petit fer à cheval » ou la « haute main ».

– Il aurait bien besoin qu'on s'en occupe, leur dirent-ils, et ils s'offrirent à aider Nirgal.

C'est ainsi qu'une petite caravane monta vers le bassin d'altitude avec tout un matériel qui fut déposé près du bloc de pierre pareil à une maison. Les nouveaux amis de Nirgal restèrent le temps de dégager un premier petit champ de ses pierres dont ils firent un muret. Ceux qui s'y connaissaient en construction commencèrent à évider le bloc de pierre. Pendant cette opération fort bruyante, certains indigènes de Dinboche sculptèrent en sanscrit, sur l'extérieur de la roche, l'inscription *Om Mani Padme Um*, qu'on pouvait lire sur d'innombrables pierres *mani* dans l'Himalaya, et un peu partout, maintenant, dans les highlands du Sud. Puis ils évidèrent la roche entre les grosses lettres en écriture cursive, de sorte qu'elles se détachent en relief sur le fond irrégulier, plus clair. Quant à la maison-rocher elle-même, une fois finie, elle comporterait quatre pièces, serait équipée de fenêtres à triple vitrage, de panneaux solaires destinés à lui fournir chaleur et énergie, de toilettes à compost et d'un dispositif d'évacuation des eaux usées, l'alimentation en eau étant assurée à partir d'un réservoir d'eau de fonte situé un peu plus haut sur la crête.

Puis ils repartirent, laissant le bassin à Nirgal.

Il en fit le tour pendant plusieurs jours en se contentant de regarder. Une minuscule partie du bassin serait sa ferme : de petits champs entourés de murets de pierre, une serre pour les légumes et un atelier, pour faire quoi, il ne le savait pas encore. Il ne serait pas autonome, mais ce serait un commencement d'installation. Un projet.

Et puis il y avait le bassin lui-même. Un petit canal courait dans l'ouverture, à l'ouest, évoquant une cascade. La roche qui faisait comme une main en coupe était déjà un microclimat, tournée vers le soleil, légèrement protégée des vents. Il serait écopoète.

Il devait d'abord apprendre à connaître le sol. Il s'émerveilla de tout ce qu'il avait à faire quotidiennement en vue de ce projet. Ça n'en finissait pas, mais d'un autre côté ses activités ne suivaient pas de plan préconçu et les choses se faisaient sans précipitation, sans programme, sans comptes à rendre. Tous les soirs il inspectait le bassin à la lumière déclinante du jour estival. Il était déjà colonisé par les lichens et par toutes sortes de plantes aventureuses : on remarquait des fellfields dans les creux, de petites mosaïques de sol arctique aux endroits exposés au soleil, des monticules de mousse verte accrochés sur un centimètre de sol rouge. L'eau de fonte courait par des chenaux naturels, s'accumulant dans des mares qui se déversaient sur des terrasses de prairie potentielles, formant de petites oasis à l'échelle des diatomées, dévalant le bassin et se rencontrant dans le gravier du cours d'eau à sec avant de tomber sur la zone plate située en contrebas du bord résiduel. Dans le bassin, des arêtes plus hautes constituaient des barrages naturels, et après réflexion, Nirgal y transporta des ventifacts et les assembla de telle sorte que leurs facettes se touchent, renforçant ces arêtes de la hauteur d'une ou deux pierres à peine. Les mares de la prairie étaient entourées de mousses. Il avait en tête quelque chose qui ressemblait aux landes de Sabishii, aussi appela-t-il des écopoètes qui vivaient là-bas et les interrogea-t-il sur la compatibilité des espèces, les rythmes de croissance, l'amendement des sols et mille choses encore. Dans son esprit se développait une vision du bassin. Puis lors du second mois de mars, l'automne vint, l'aphélie était proche. Il commençait à entrevoir l'effet que le vent et l'hiver auraient sur le paysage.

Il dispersa des graines et des spores à la main, avec l'impression confuse de se trouver dans un tableau de Van Gogh ou dans un verset de l'Ancien Testament. C'était une sensation étrange, faite d'un mélange de puissance et d'impuissance, d'action et de fatalisme. Il fit déverser des camions d'humus dans quelques petits champs, et l'étendit en couche mince, à la main. Il fit venir des vers de la ferme universitaire de Sabishii. Des vers en bouteille, c'est ainsi que Coyote avait toujours appelé les gens des villes, et en observant la masse grouillante de tubules nus, humides, Nirgal eut un frisson. Il les lâcha dans ses nouveaux petits enclos. Va, petit ver, prospère sur cette terre. Il n'était lui-même, marchant dans le soleil matinal après une douche, qu'un ensemble de tubules nus, humides, reliés les uns aux autres. Des vers pensants, voilà ce qu'ils étaient, en bouteille ou à l'air libre.

Après les vers viendraient les taupes, les campagnols et les souris. Puis les lièvres des neiges, les hermines et les marmottes. Peut-être ensuite certains chats des neiges qui erraient dans les landes. Ou des renards. Le bassin était haut, mais ils espéraient atteindre à cette altitude une pression de quatre cents millibars, avec quarante pour cent d'oxygène, et ils n'en étaient pas loin. Les conditions étaient un peu comparables à celles de l'Himalaya. La flore et la faune alpines s'acclimateraient sûrement ici, ainsi que les nouvelles variantes nées du génie génétique. Et avec tous les écopoètes qui entretenaient des zones d'altitude comparables, la question se ramenait à la préparation des sols, à l'introduction de l'écosystème de base désiré et à son entretien, puis à voir ce qui arrivait sur les ailes du vent, ou à pattes. Toute intrusion pouvait poser problème, évidemment, et on parlait beaucoup, par écran interposé, d'invasion biologique et de gestion intégrée du microclimat. L'adaptation de son coin de terre à la région environnante était une partie importante du processus continu d'écopoésis.

Nirgal s'intéressa plus encore au problème de la dispersion au printemps suivant, en novembre-1, lorsque les dernières boues glacées fondirent sur les terrasses plates du côté nord du bassin et que des brins d'heuchères apparurent. Ce n'était pas lui qui les avait plantées, il n'en avait seulement jamais entendu parler et, en fait, il ne fut sûr de son identification que lorsque son voisin, Yochi, qui était venu passer une semaine, la lui confirma : *Heuchera nivalis*. Apportée par le vent, lui dit-il. Il y en avait beaucoup dans le cratère Escalante, au nord, et très peu entre les deux. Un saut de dispersion en sa faveur.

Une dispersion par saut, régulière ou par les fleuves : les trois étaient communes sur Mars. Les mousses et les bactéries se propageaient régulièrement, les plantes hydrophiles étaient déposées par les cours d'eau sur les flancs des glaciers et les nouvelles côtes, tandis que les lichens et un certain nombre d'autres plantes voyageaient sur les vents forts. L'espèce humaine se propageait de la même façon, remarqua Yoshi alors qu'ils se promenaient dans le bassin : régulièrement à travers l'Europe, l'Asie et l'Afrique, le long des fleuves et des côtes en Amérique et en Australie, et par bonds vers les îles du Pacifique (ou vers Mars). Il n'était pas rare de voir des espèces hautement adaptables utiliser ces trois méthodes. Le massif de Tyrrhena était exposé aux vents d'ouest et aux alizés d'été, de sorte que les deux côtés du massif recevaient des précipitations ; jamais plus de vingt centimètres par an, ce qui en aurait fait un désert sur Terre, mais dans l'hémisphère Sud de Mars, c'était un îlot de précipitations. De cette façon aussi, c'était un îlot de dispersion, et donc hautement colonisable.

Enfin. Une haute terre rocailleuse, dénudée, saupoudrée de neige à l'abri du soleil, si bien que les ombres y étaient souvent blanches. Peu de traces de vie en dehors des bassins, où les écopoètes aidaient leurs petites collections à prospérer. Les nuages surgissaient de l'ouest en hiver, de l'est en été. Les saisons étaient accentuées dans l'hémisphère Sud par le cycle périhélie-aphélie, et voulaient vraiment dire quelque chose. Sur Tyrrhena, les hivers étaient rudes.

Nirgal explorait le bassin après les tempêtes, pour voir ce que le vent y avait apporté. D'ordinaire, il n'y avait qu'une couche de poussière glacée, mais un jour, il trouva une touffe de valériane bleu pâle coincée entre les aspérités d'une roche en forme de miche. Il demanda à des botanistes comment elle s'entendrait avec la végétation existante. Dix pour cent des espèces introduites survivaient, puis dix pour cent de celles-ci devenaient des plantes parasites, c'était la règle des dix-dix de l'invasion biologique, lui dit Yoshi, une sorte de règle numéro un de la discipline.

– Par dix, il faut comprendre de cinq à vingt, évidemment.

Il arriva que Nirgal dut arracher une invasion printanière de paturin, craignant qu'il n'envahisse tout. La chose se reproduisit avec des chardons. Une autre fois, le vent d'automne apporta une épaisse couche de poussière. Ces vents de sable étaient insignifiants comparés aux anciennes tempêtes globales de l'été austral, mais il arrivait que des vents particulièrement forts entament la surface du désert et emportent la poussière du dessous. La densité de l'atmosphère augmentait rapidement ces temps-ci, de quinze millibars par an en moyenne. Chaque année les vents étaient plus forts, et la croûte risquait d'être arrachée même aux endroits où elle était la plus épaisse. En contrepartie, la poussière qui retombait formait une mince couche, souvent riche en nitrates ; c'était donc une sorte d'engrais, que les prochaines pluies feraient pénétrer dans le sol.

Nirgal acquit un poste dans la coop de construction sur laquelle il s'était renseigné. Il allait donc souvent à Sabishii, où il participait à la restauration des bâtiments. Quand il regagnait son bassin d'altitude, il faisait de l'assemblage dans l'appentis de pierre, coiffé de plaques de grès, où il avait installé son atelier, et il testait des ULM monoplaces. Entre ces travaux, la culture de la serre, son carré de pommes de terre et l'écopoésis du bassin, ses journées étaient bien remplies.

Il se déplaçait avec les bulles volantes qu'il construisait. A Sabishii, il dormait dans un petit studio, à l'étage d'une maison de la vieille ville que Tariki, son vieux professeur, avait reconstruite et où il vivait avec d'anciens issei qui parlaient comme Hiroko et lui ressemblaient beaucoup. C'est là qu'Art et Nadia élevaient leur fille, Nikki. Il retrouva Vijjika, Reull et Annette, de vieux amis du temps où il était étudiant, et puis il y avait l'université, bien sûr. On ne disait plus l'université de Mars mais Sabishii College. C'était une petite école qui avait conservé l'esprit anar du demi-monde, de sorte que les étudiants un tant soit peu ambitieux allaient à Elysium, à Sheffield ou au Caire. Seuls restaient à Sabishii ceux que fascinait la mystique de ces années, ou qui s'intéressaient au travail de l'un des professeurs issei.

Tous ces gens, toutes ces activités, lui donnaient l'impression étrange, presque inconfortable, d'être chez lui. Il passait de longues journées à faire du plâtre ou à effectuer de menus travaux sur divers chantiers. Il mangeait dans des bars à riz ou des pubs. Il dormait au-dessus du garage de Tariki, et pensait au moment où il pourrait enfin regagner son bassin.

Une nuit, il rentrait chez lui après avoir dîné dans un pub, lorsqu'il passa devant un petit homme endormi sur un banc du parc : Coyote.

Nirgal s'arrêta net, s'approcha du banc et resta planté là, en ouvrant des yeux ronds. Certaines nuits, il entendait des coyotes hurler dans le bassin. C'était son père. Il songea à toutes les journées qu'il avait passées à courir après Hiroko, sans savoir par où commencer. Et voilà que son père dormait sur un banc du parc. Nirgal pouvait l'appeler quand il voulait, il avait toujours ce sourire éblouissant, craquelé, Trinidad en personne. Des larmes lui piquèrent les yeux. Il secoua la tête, se composa une expression. Un vieillard qui dormait sur un banc. On en voyait souvent.

Beaucoup d'issei s'étaient littéralement perdus dans l'arrière-pays, et quand ils venaient en ville, ils dormaient dans les parcs.

Nirgal s'assit à l'extrémité du banc, juste derrière la tête de son père. Avec ses dreadlocks grises, feutrées, on aurait dit un ivrogne. Nirgal resta simplement assis là, à côté de lui, à regarder par en dessous les frondaisons des tilleuls. Tout était calme. Des étoiles scintillaient entre les feuilles.

Coyote sursauta et se démancha le cou pour le regarder.

– C'est qui ?

– Salut, fit Nirgal.

– Salut ! répéta Coyote en se redressant, puis il se frotta les yeux. Nirgal, mon vieux ! Tu m'as fait peur.

– Pardon. Je passais quand je t'ai vu. Qu'est-ce que tu fais là ?

– Je dors.

– Ha ! ha !

– Je ferais mieux de dire que je *dormais*.

– Enfin, Coyote, tu n'as nulle part où aller ?

– Ben non.

– Et ça ne te gêne pas ?

– Non. J'suis comme cet affreux programme vidéo, ajouta-t-il avec un sourire. Le monde est ma maison.

Nirgal secoua la tête. Voyant que ça ne l'amusait pas, Coyote le regarda un long moment entre ses paupières plissées, en respirant profondément. On n'entendait pas un bruit dans la ville.

– Mon garçon, dit-il enfin d'un ton rêveur, en marmonnant comme s'il allait se rendormir. Que fait le héros à la fin de l'histoire ? Il descend la cascade à la nage et il se laisse emporter par le courant.

– Quoi ?

Coyote rouvrit les yeux en grand, se pencha vers Nirgal.

– Tu te rappelles quand on a amené Sax à Tharsis Tholus ? Tu es resté à son chevet, et après ils ont dit que tu l'avais ramené à la vie. Ce genre de chose, quand on y réfléchit... (Il secoua la tête et s'appuya au dossier du banc.) Ce n'est pas vrai. C'est de la blague. Pourquoi s'en faire pour une histoire qui n'est pas la tienne, de toute façon ? Ce que tu fais maintenant est mieux. Tu peux tourner le dos à ces salades. T'asseoir dans un parc, la nuit, comme n'importe qui. Aller où bon te chante.

Nirgal hocha la tête d'un air indécis.

– Ce que j'aimerais faire, reprit Coyote d'une voix ensommeillée, c'est m'installer à une terrasse et prendre un kava en regardant la tête des gens. Me promener dans les rues et regarder leur figure. J'aime regarder les femmes. Si belles. Et certaines si... si je ne sais quoi. Je les aime. Tu trouveras ta façon de vivre, conclut-il en se rendormant.

Des amis venaient parfois le voir dans le bassin, dont Sax, Coyote, Art, Nadia et Nikki. Nikki était déjà plus grande que Nadia, et semblait voir en elle une sorte de nounou, ou d'arrière-grand-mère, un peu comme Nirgal la considérait déjà à Zygote. Nikki avait hérité du sens de l'humour d'Art, qui cultivait ce don, l'asticotant, conspirant avec elle contre Nadia, tout cela en la regardant d'un air parfaitement extatique. Une fois, ils étaient tous les trois assis sur le mur de pierre à côté de son carré de pommes de terre quand Art dit une chose qui leur fit piquer un fou rire, et Nirgal éprouva un pincement au cœur tout en riant lui-même. Ses vieux amis étaient mariés et avaient un enfant, conformément au plus ancien des schémas. A côté de ça, sa vie proche de la nature semblait moins substantielle. Mais qu'y pouvait-il? Seules quelques personnes en ce monde avaient la chance de rencontrer un véritable partenaire. Ça exigeait une chance insensée, plus l'intelligence de s'en rendre compte, et celle de favoriser les événements. Rares étaient les individus à qui tout cela arrivait, puis pour qui les choses se passaient bien ensuite. Les autres étaient condamnés à faire avec.

Il vivait donc dans ce bassin d'altitude, faisant pousser une partie de ses légumes et travaillant sur les projets de la coop pour payer le reste. Une fois par mois, il retournait à Sabishii dans un nouvel appareil, profitait au mieux de son séjour d'une ou deux semaines et rentrait chez lui. Art, Nadia et Sax venaient souvent le voir, et il avait de temps en temps la visite de Maya, Michel et Spencer, qui vivaient à Odessa. Zeyk et Nazik lui apportaient des nouvelles du Caire et de Mangala qu'il essayait de ne pas entendre. Quand ils repartaient, il grimpait sur la crête en forme de fer à cheval, s'asseyait sur une des pierres qui paraissaient faites pour ça, regardait la prairie qui couvrait tout le talus et se concentrait sur son univers, sur ce monde de sensations, de roches, de lichens et de mousses.

Le bassin évoluait. Il y avait des taupes dans la prairie et des marmottes dans le talus. Les hivers étaient longs et les marmottes sortaient tôt de leur hibernation, presque mortes de faim, car leur horloge interne était encore réglée sur la Terre. Nirgal leur mettait à manger dans la neige et les regardait grignoter depuis les fenêtres du haut de sa maison. Elles avaient besoin d'aide pour attendre le printemps. Elles considéraient sa maison comme une source de nourriture et de chaleur. Deux familles de marmottes vivaient juste en dessous, et donnaient l'alerte en sifflant quand quelqu'un approchait. Un jour, elles lui signalèrent l'arrivée de membres du comité de Tyrrhena sur l'introduction de nouvelles espèces. Ils l'interrogèrent sur les souches locales, et lui demandèrent une évaluation approximative. Ils avaient entrepris de dresser la liste des « espèces indigènes », afin de se faire une opinion sur l'introduction d'espèces à croissance rapide. Nirgal était ravi de participer à cette tâche, de même, apparemment, que tous les écopoètes du massif. En tant qu'îlot de précipitation, situé à des centaines de kilomètres du prochain, ils mettaient au point leur mélange de faune et de flore d'altitude. On considérait généralement ce mélange comme « naturel » pour Tyrrhena, et à ne modifier que sur la base du consensus.

Les gens du comité s'en allèrent, laissant Nirgal seul avec ses marmottes, en proie à une impression étrange.

– Eh bien, leur dit-il. Nous sommes des indigènes, maintenant.

Il était heureux dans son bassin, au-dessus du monde et de ses tracas. Au printemps, de nouvelles plantes arrivaient de nulle part. Il en accueillait certaines avec une truelle de compost, arrachait les autres et en faisait de l'humus. Les verts du printemps ne ressemblaient pas aux autres, c'étaient le vert jade, lumineux, électrique, le vert tendre des bourgeons et des jeunes feuilles, le vert émeraude des brins d'herbe, le bleu-vert des orties, le vert teinté de rouge de certaines feuilles. Puis, plus tard, les fleurs, cette terrifiante dépense d'énergie végétale, qui dépassait le simple besoin de survie, la pulsion reproductrice dominant toute chose... Quand Nadia et Nikki revenaient de promenade en tenant des bouquets miniatures dans leurs grandes mains, Nirgal avait parfois le sentiment que le monde avait un sens. Il les regardait, il pensait aux enfants et il sentait surgir en lui un élan sauvage qui lui était d'ordinaire étranger.

Ce sentiment semblait assez généralement partagé. Le printemps durait cent quarante-trois jours dans l'hémisphère Sud, mais le chemin était long depuis le dur hiver de l'aphélie. Des plantes différentes apparaissaient alors que le printemps avançait, d'abord les plus précoces, comme le mélilot et la trinitaire des neiges, puis les phlox et les bruyères, les saxifrages et la rhubarbe du Tibet, les mousses et la paronyque des Alpes, les bleuets et les edelweiss, et ainsi de suite jusqu'à ce que tout le tapis vert du bassin soit couvert de points brillants bleus, roses, jaunes ou blancs, chaque couleur formant une couche qui oscillait à une hauteur donnée, selon celle de la plante qui l'arborait, toutes brillant dans le crépuscule comme des gouttes de lumière surgies du néant, une Mars pointilliste, une avalanche de couleurs qui soulignait l'arête du bassin. Il se dressait dans une paume de roche que les eaux de fonte dévalaient en suivant la ligne de vie, avant de courir dans le vaste monde loin en dessous, le monde ombreux qui s'élevait, brumeux et bas, sous le soleil, à l'ouest. Les dernières lueurs du jour semblaient briller légèrement vers le haut.

Par un clair matin, Jackie apparut sur l'écran de son IA. Elle lui annonça qu'elle était sur la piste qui allait d'Odessa à Libya, et s'arrêterait chez lui en passant. Nirgal acquiesça avant d'avoir eu le temps de réfléchir.

Il descendit jusqu'au sentier qui longeait le chenal pour l'accueillir. Son petit bassin d'altitude... Il y avait un million de cratères exactement identiques dans le Sud. Un petit impact ancien. Rien ne le distinguait des autres. Il songea à Shining Mesa, à la vue qu'on avait de là-haut, au jaune stupéfiant de l'aube.

Ils arrivèrent dans trois véhicules, en faisant la course, comme des gamins. Jackie était au volant de la première voiture, et Antar arriva en deuxième position, mais il donnait l'impression de s'en fiche. Ils riaient à gorge déployée en mettant pied à terre. Ils étaient avec tout un groupe de jeunes Arabes. Jackie et Antar semblaient étonnamment jeunes. Il y avait longtemps que Nirgal ne les avait vus, mais ils n'avaient pas changé du tout. Le traitement. La sagesse populaire voulait qu'on le subisse le plus tôt et le plus souvent possible, afin de s'assurer une jeunesse perpétuelle et d'éviter ces maladies rares qui tuaient encore parfois. D'éviter la mort tout court, peut-être. Tôt et souvent. On ne leur aurait pas donné plus de quinze années martiennes. Pourtant, Jackie avait un an de plus que Nirgal, qui avait près de trente-trois années martiennes, à présent, et il se sentait plus vieux. En regardant leurs visages hilares, il se dit qu'il devrait refaire une cure, lui aussi, un de ces jours.

Il leur fit faire le tour du propriétaire, et ils marchèrent sur l'herbe en poussant des oh et des ah devant les fleurs ; et le bassin semblait de plus en plus petit à chacune de leurs exclamations. Vers la fin de leur visite, Jackie le prit à part.

– Nous avons du mal à tenir les Terriens à distance, commença-t-elle gravement. Tu avais dit qu'ils ne pourraient jamais nous en envoyer un million par an, eh bien, ça y est, c'est ce qu'ils font, et ces nouveaux arrivants n'adhèrent plus à Mars Libre comme dans le temps. Ils soutiennent tous leurs gouvernements d'origine. Mars ne les change pas assez vite. Si ça continue, l'idée d'une Mars libre ne sera plus qu'une vieille blague. Je me demande parfois si nous n'aurions pas dû abattre le câble.

(Elle fronça les sourcils et prit vingt ans d'un seul coup. Nirgal réprima un frémissement.) Si seulement tu nous aidais au lieu de te terrer ici, ragea-t-elle soudain, balayant le bassin d'un revers de main. Nous avons besoin de l'aide de tout le monde. Les gens se souviennent encore de toi, mais d'ici quelques années...

Il n'avait donc plus que quelques années à attendre, se dit-il. Il la regarda. Elle était belle, oui. Mais la beauté était une question d'esprit, d'intelligence, de vivacité, d'empathie. De sorte que si Jackie devenait de plus en plus belle, elle l'était en même temps de moins en moins. Encore un mystère. Et Nirgal n'était pas content, pas content du tout, de voir Jackie s'appauvrir intérieurement. Ce n'était qu'une note de plus dans le chœur de souffrance qu'elle lui inspirait. Il ne voulait pas que cela soit.

– Ce n'est pas en acceptant davantage d'immigrants que nous les aiderons, reprit-elle. Ce que tu as dit sur Terre était faux. Ils le savent aussi. Ils le voient sûrement mieux que nous. Mais ils nous en envoient toujours plus. Et tu sais pourquoi ? Tu veux que je te le dise ? Pour tout foutre en l'air ici, et rien d'autre. Pour que personne ne s'en sorte nulle part. C'est la seule raison.

Nirgal haussa les épaules. Il ne savait pas quoi dire. Il y avait peut-être du vrai là-dedans, mais les gens avaient des millions d'autres raisons de venir. Rien ne justifiait qu'on se focalise sur celle-là.

– Alors tu ne veux pas revenir ? dit-elle enfin. Tu t'en fiches ?

Nirgal secoua la tête. Comment lui dire que ce n'était pas pour Mars qu'elle s'inquiétait, mais pour elle et son pouvoir ? Ce n'était pas à lui de le faire. Elle ne le croirait pas. Et peut-être n'était-ce vrai que pour lui, de toute façon.

Elle cessa soudain d'essayer de le toucher. Un regard impérial à Antar, et celui-ci commença à faire remonter leur petite coterie dans les véhicules. Un dernier regard interrogateur ; un baiser, en plein sur la bouche, sans doute pour enquiquiner Antar, ou lui, ou les deux. Comme un choc électrique à l'âme. Et elle repartit.

Il passa l'après-midi et la journée du lendemain à tourner en rond. Il s'asseyait sur les pierres plates et regardait les petites rigoles dévaler la pente en bondissant. Il se souvint de la violence de la pluie, sur Terre. Surnaturelle. Non. Mais c'était son chez-lui, celui qu'il connaissait et qu'il aimait, avec ses dryades et ses lichens, la lenteur de l'eau qui gouttait des pierres en formant des petites flaques argentées, lisses. Le contact de la mousse sous le bout de ses doigts. Pour ses visiteurs, Mars ne serait jamais qu'une idée, un Etat naissant, une situation politique. Ils vivaient sous tente mais ils auraient aussi bien pu vivre n'importe où.

Leur dévotion, si elle était réelle, était dédiée à une cause, une idéologie, une Mars de l'esprit. C'était bien joli. Seulement, pour Nirgal, aujourd'hui, c'était la réalité qui comptait, les endroits où l'eau arrivait comme ça, transportée par la roche dix mille fois millénaire sur les petits coussins de mousse neuve. Laissons la politique aux jeunes, il avait eu sa part. Il ne voulait plus en entendre parler. Du moins pas tant que Jackie serait là. Le pouvoir était comme Hiroko, il vous échappait toujours. En attendant, il avait son bassin, pareil à une main tendue.

Et puis, un matin, à l'aube, alors qu'il sortait se promener, il remarqua un changement. Le ciel était clair, du violet le plus pur, mais il trouva le genévrier un peu jaune, de même que la mousse et les feuilles de pommes de terre sur leurs monticules.

Il préleva les aiguilles, les rameaux et les feuilles les plus jaunes, et les emporta dans sa serre. Il passa deux heures à les observer au microscope, à l'aide de son IA, sans détecter aucune altération. Alors il retourna chercher des échantillons de racines, d'autres aiguilles, des feuilles, des brins d'herbe, des fleurs. La majeure partie de l'herbe semblait fanée, et pourtant il ne faisait pas chaud.

Le cœur battant, l'estomac noué, il travailla toute la journée jusque tard dans la nuit. Il ne trouva rien. Pas d'insectes, aucun pathogène. Mais les feuilles de pommes de terre étaient particulièrement jaunes. Ce soir-là, il appela Sax et lui exposa la situation. Sax, qui était justement à l'université de Sabishii, arriva le lendemain matin dans un petit patrouilleur, le dernier modèle de la coop de Spencer, mit pied à terre et parcourut les environs du regard.

– Joli, commenta-t-il, puis il examina les échantillons de Nirgal dans la serre. Hum, dit-il. Je me demande...

Il avait apporté des instruments. Ils les transportèrent dans la maison-rocher et il se mit au travail. Au bout d'une longue journée, il dit :

– Je ne vois rien. Il faudrait emporter des échantillons à Sabishii.

– Tu ne vois vraiment rien ?

– Aucun pathogène, pas de bactéries ni de virus. Regardons les pommes de terre, dit-il avec un haussement d'épaules.

Ils allèrent déterrer quelques pommes de terre. Certaines étaient tordues, allongées, fendues.

– Qu'est-ce que c'est ? s'exclama Nirgal.

Sax fronça les sourcils.

– On dirait la maladie des tubercules en fuseau.

– Et d'où ça vient ?
– C'est provoqué par un viroïde.
– Un quoi ?
– Un simple fragment d'ARN. Le plus petit des agents infectieux connus. Bizarre.
– Ka, fit Nirgal en sentant son estomac se nouer. Et comment ça a pu arriver ici ?
– Apporté par un parasite, sans doute. Celui-ci semble infecter l'herbe. Il faut que nous trouvions ce que c'est.
Ils recueillirent donc des échantillons et retournèrent à Sabishii.
Nirgal s'assit sur un futon dans le salon de Tariki. Il se sentait physiquement mal. Tariki et Sax parlèrent un long moment après dîner, commentant la situation. On avait constaté une dispersion rapide de viroïdes à partir de Tharsis. Ils avaient apparemment réussi à franchir le cordon sanitaire de l'espace, à débarquer sur un monde qui en était jusque-là dépourvu. Ils étaient plus petits que des virus, et beaucoup plus rudimentaires. De simples brins d'ARN, disait Tariki, de cinquante nanomètres de long environ. Un poids moléculaire de cent trente mille alors que le poids moléculaire des plus petits virus connus était de plus d'un million. Ils étaient si petits qu'il fallait les centrifuger à cent mille g pour arriver à les séparer de la suspension.
Le viroïde du tubercule en fuseau de la pomme de terre était bien connu, leur dit Tariki en tapotant sur son écran et en commentant les schémas qui apparaissaient au fur et à mesure. Une chaîne de trois cent cinquante-neuf nucléotides, pas plus, alignés en un seul brin fermé, auquel étaient attachés de courts segments à deux brins. Des viroïdes comme celui-ci causaient plusieurs maladies des plantes, dont la mosaïque du concombre, le rabougrissement du chrysanthème, l'enroulement chlorotique, le cadang-cadang et l'exocortis des agrumes. On était aussi parvenu à faire la preuve que des viroïdes étaient à l'origine de maladies du système nerveux central des animaux comme la tremblante du mouton, ou des humains comme le kuru et la maladie de Creutzfeldt-Jakob. Les viroïdes utilisaient des enzymes hôtes pour se reproduire, et investissaient le noyau des cellules à la place des molécules régulatrices, perturbant notamment la production de l'hormone de croissance.
Le viroïde spécifique du bassin de Nirgal, lui expliqua Tariki, était un mutant du tubercule en fuseau de la pomme de terre. Ils poursuivaient les recherches dans les labos de l'université, mais l'herbe malade lui permettait d'affirmer qu'ils allaient trouver autre chose, quelque chose de nouveau.

Rien que d'entendre le nom de ces maladies, Nirgal en était malade lui-même. Il regarda ses mains. Il les avait plongées jusqu'aux poignets dans les plantes infectées. A travers la peau, le long des nerfs. Une sorte d'encéphalopathie spongiforme, des excroissances champignonesques qui poussaient partout dans le cerveau.

– Il y a un moyen de le combattre ? demanda-t-il.

Sax et Tariki le regardèrent.

– Pour ça, fit Sax, il faudrait déjà savoir ce que c'est.

Ce ne fut pas facile. Au bout de quelques jours, Nirgal remonta chez lui. Là, au moins, il pouvait se rendre utile. Sax lui avait suggéré d'arracher toutes les pommes de terre. C'était une tâche fastidieuse et salissante, une sorte de chasse au trésor à l'envers. Il exhuma les tubercules malades, l'un après l'autre. Sans doute le sol lui-même était-il infecté. Il serait peut-être obligé d'abandonner le champ, voire le bassin. Au mieux, d'y planter autre chose. Personne ne savait au juste comment les viroïdes se reproduisaient. Et la conclusion de Sabishii était qu'il ne s'agissait peut-être même pas d'un viroïde comme ceux qu'on connaissait jusque-là.

– Le brin est plus court que d'habitude, fit Sax. Soit c'est un nouveau viroïde, soit c'est quelque chose qui y ressemble, en encore plus petit.

Dans les labos de Sabishii, on l'appelait le « virid ».

Une longue semaine plus tard, Sax remonta au bassin.

– On peut essayer de s'en débarrasser physiquement, dit-il en dînant. Puis planter des espèces différentes, résistantes aux viroïdes. C'est ce qu'il y a de mieux à faire.

– Ça a des chances de marcher ?

– Les plantes sensibles à une infection donnée sont assez spécifiques. Elles peuvent être frappées par autre chose, mais si tu changes d'herbes, d'espèce de pommes de terre... Tu devrais peut-être recycler une partie du sol de ton carré de patates, fit Sax en haussant les épaules.

Nirgal retrouva l'appétit qui lui avait manqué toute la semaine passée. L'idée même qu'il y avait peut-être une solution le soulageait d'un poids énorme. Il but un peu de vin et se sentit de mieux en mieux.

– Ces choses-là sont bizarres, hein ? fit-il après un cognac. Qu'est-ce que la vie va encore inventer ?

– Si on peut appeler ça la vie.

– Comme tu dis.

Sax ne répondit pas.

– J'ai regardé les infos sur le réseau, reprit Nirgal. Il y a des tas d'infestations. Je n'y avais jamais fait attention. Des parasites, des virus...

– Oui. Il y a des moments où je me prends à redouter une peste globale. Quelque chose que nous ne pourrons pas arrêter.

– Ka ! Ça pourrait arriver?

– Il y a tant d'invasions possibles. La démographie qui explose, des extinctions soudaines. La disparition totale. Le déséquilibre. La rupture d'équilibres dont nous n'avions même pas connaissance. Des choses que nous ne comprenons pas.

Cette pensée le rendait toujours malheureux.

– Les biomes finiront bien par trouver un équilibre, suggéra Nirgal.

– Je ne suis pas sûr que ça existe.

– L'équilibre?

– Oui. On pourrait parler de... d'équilibre ponctuel, ajouta Sax en remuant les mains comme des mouettes. Sans équilibre.

– Un changemen› ponctuel?

– Un changement perpétuel. Un changement entremêlé, parfois une vague de changement...

– Comme une recombinaison en cascade?

– Peut-être.

– J'ai entendu dire qu'il s'agit là de mathématiques qu'une douzaine de personnes seulement peuvent réellement comprendre.

Sax eut l'air surpris.

– Ce n'est jamais vrai. Ou alors, c'et vrai de toutes les mathématiques. Tout dépend de ce qu'on entend par comprendre. Enfin, je vois de quoi tu veux parler. On pourrait les utiliser pour modéliser une partie du problème, mais pas pour le prévoir. Et je ne sais pas comment elles pourraient nous aider à préparer un... la riposte. Je ne suis pas persuadé qu'on puisse s'en servir pour ça.

Il parla un moment des *holons*, une idée de Vlad : des ensembles organiques divisibles en sous-ensembles et qui étaient eux-mêmes des sous-ensembles de holons plus grands, chaque niveau émergeant d'une recombinaison du précédent, tout le long de la grande chaîne de la vie. Vlad avait mis au point des descriptions mathématiques de ces émergences, qui se révélaient exister sous plus d'une forme, avec des familles et des propriétés différentes selon les espèces. S'ils pouvaient obtenir assez d'informations sur le comportement d'un niveau de holons et de celui qui se trouvait juste au-dessus, ils pourraient essayer de leur appliquer ces formules mathématiques, et peut-être en déduire des moyens de les dissocier.

– C'est la meilleure approche que l'on puisse envisager pour des choses aussi petites.

Le lendemain, ils appelèrent des serres à Xanthe, et demandèrent qu'on leur envoie de nouveaux plants et des caissettes d'une espèce d'herbe originaire de l'Himalaya. Le temps qu'ils arrivent, Nirgal avait retiré toutes les laîches du bassin, et l'essentiel de la mousse. Ce travail le rendait malade, c'était plus fort que lui. Une fois, voyant une grand-mère marmotte pépier d'un air inquiet en le regardant, il s'assit et éclata en sanglots. Sax s'était cantonné dans son silence habituel, ce qui n'arrangeait rien. En le voyant, Nirgal pensait toujours à Simon, et à la mort. Il lui aurait fallu une Maya ou une autre interprète courageuse, éloquente, de la vie intérieure, de l'angoisse et de la force d'âme ; et c'est Sax qui était là, perdu dans des pensées qui semblaient se dérouler dans une sorte de langue étrangère, dans un idiolecte privé qu'il n'était pas disposé à traduire.

Ils plantèrent la nouvelle herbe de l'Himalaya sur tout le bassin, et plus particulièrement le long de la rivière et des ruisselets au tracé pareil à des veines. Il gelait à pierre fendre, ce qui était une bonne chose, en fait, car le froid tuait les plantes infectées plus vite que les plantes saines. Ils incinérèrent les plantes arrachées dans un four en contrebas, sur le massif. Les gens des environs vinrent leur donner un coup de main, leur apporter des plants de remplacement pour plus tard.

Deux mois passèrent et la violence de l'invasion s'atténua. Les plantes survivantes semblaient plus résistantes ; les nouvelles n'étaient pas contaminées et ne mouraient pas. On se serait cru en automne bien que ce fût le milieu de l'été, mais les plantes du bassin tenaient le coup. Les marmottes semblaient amaigries, et plus inquiètes que jamais. Ces créatures étaient du genre anxieux. Et Nirgal les comprenait. Le bassin donnait l'impression d'avoir été ravagé. Mais le biome paraissait devoir survivre. Le viroïde reculait. Ils avaient beau centrifuger les échantillons longtemps et à très grande vitesse, c'est à peine s'ils en retrouvaient trace. L'intrus semblait avoir quitté le bassin, aussi mystérieusement qu'il était arrivé.

Sax secoua la tête.

– Si les viroïdes qui infectent les animaux gagnent en force et en robustesse... commença-t-il en soupirant. Je ne sais pas ce que je donnerais pour pouvoir en parler à Hiroko.

– J'ai entendu dire qu'elle était au pôle Nord, fit amèrement Nirgal.

– Oui.

– Mais ?

– Je ne pense pas qu'elle y soit. Et... je doute qu'elle ait envie de me parler. Enfin, je suis toujours... J'attends.

– Qu'elle appelle ? demanda Nirgal sarcastiquement.

Sax opina du chef.

Ils regardèrent la flamme de la lampe d'un air sombre. Hiroko – mère, amante – les avait abandonnés tous les deux.

Mais le bassin survivait. Au moment de repartir, quand Sax remonta dans son patrouilleur, Nirgal le serra dans ses bras comme un ours, le soulevant de terre et le secouant.

– Merci.

– Pas de quoi, répondit Sax. Très intéressant.

– Que vas-tu faire maintenant ?

– Je pense que je vais parler à Ann. Essayer de lui parler.

– Ah ! Bonne chance.

Sax hocha la tête comme pour dire qu'il en aurait bien besoin. Puis il s'éloigna, fit un signe de la main avant de la reposer sur le volant. Une minute plus tard, il avait disparu derrière l'arête.

Nirgal entreprit donc la lourde tâche consistant à restaurer le bassin et à essayer de lui donner une plus grande résistance aux pathogènes. Plus de diversité, de parasites indigènes. Des habitants des roches chasmoendolithiques aux insectes et aux microbes apportés par les courants aériens. Un biome plus riche, plus fort. Il allait rarement à Sabishii. Il remplaça la terre du carré de pommes de terre, en planta une espèce différente.

Sax et Spencer étaient de passage quand une tempête de sable se leva dans la région de Claritas, près de Senzeni Na, à la même latitude mais de l'autre côté du monde. Ils en entendirent parler par les infos, la suivirent pendant plusieurs jours sur les photos des satellites météo. Elle venait vers eux, elle avançait toujours, elle continuait à approcher. Puis ils eurent l'impression qu'elle allait passer au sud. Et puis, au dernier moment, elle remonta vers le nord.

Ils étaient assis dans le salon de sa maison-rocher quand elle arriva. C'était une masse sombre qui bouchait le ciel. Nirgal eut une soudaine impression de menace. C'était comme les décharges d'électricité statique qui arrachaient un petit cri à Spencer quand il touchait certaines choses. C'était irraisonné, il avait essuyé des dizaines de tempêtes de sable. Ce n'était qu'une angoisse résiduelle, due à l'alerte du viroïde. Et il s'en était sorti.

La lumière devint marron et il fit bientôt aussi noir qu'en pleine nuit, une nuit chocolat, qui hurlait au-dessus du rocher et faisait trembler la paroi extérieure des vitres.

– Les vents sont devenus si forts, nota pensivement Sax.

Le vent finit par s'apaiser, mais il faisait toujours aussi sombre. Nirgal sentit croître son malaise au fur et à mesure que le hurlement du vent diminuait, si bien que, lorsque l'air fut parfaitement immobile, il ne tenait plus debout. Les tempêtes de poussière globales se comportaient parfois ainsi : elles cessaient brusquement quand le vent rencontrait un obstacle formant contrevent ou une forme de relief particulière. Elles laissaient alors tomber leur fardeau de poussière et de fines. Il pleuvait d'ailleurs de la poussière, à présent, et les vitres du rocher étaient d'un gris sale comme si le monde disparaissait sous la cendre. Dans le temps, marmonna Sax en cherchant ses mots, même les plus grandes tempêtes de sable n'auraient abandonné que quelques millimètres de fines en bout de course. Mais l'atmosphère était tellement plus dense maintenant, et les vents si puissants qu'ils soulevaient d'énormes quantités de poussière. Et si tout retombait au même endroit – ça arrivait parfois – la couche pouvait atteindre une épaisseur bien supérieure à quelques millimètres.

Une heure plus tard, hormis une poudre insaisissable qui restait en suspension dans l'air, tout était retombé. Ce n'était plus qu'un après-midi brumeux, sans un souffle de vent. L'air paraissait charrier une sorte de fumée impalpable mais qui n'empêchait pas de voir l'ensemble du bassin. Tout était enfoui sous une molle couche de poussière.

Nirgal mit son masque, se rua au-dehors et se mit à creuser désespérément, d'abord avec une pelle, puis à mains nues. Sax le suivit tant bien que mal à travers les bancs mous et posa la main sur son épaule.

– Je ne crois pas qu'il y ait grand-chose à faire.

La couche de poussière faisait un bon mètre d'épaisseur.

Avec le temps, d'autres vents en chasseraient une partie. La neige tomberait sur le reste. Quand elle fondrait, la boue résiduelle coulerait dans les rigoles, et un nouveau système de chenaux tracerait un schéma fractal assez semblable au précédent. L'eau emporterait la poussière et les fines vers le bas du massif et le reste du monde. Mais d'ici là, toutes les plantes, tous les animaux du bassin seraient morts.

NEUVIÈME PARTIE

Histoire naturelle

A la suite de cette tempête, Nirgal suivit Sax à Da Vinci et s'installa chez son vieil ami. Coyote fit son apparition une nuit. Il n'y avait que lui pour débarquer chez les gens à des heures pareilles. Nirgal lui raconta brièvement ce qui était arrivé à son bassin d'altitude.

– Ah ouais ? fit Coyote.

Nirgal détourna le regard.

Coyote alla dans la cuisine et se mit à fouiller dans le réfrigérateur.

– A quoi t'attendais-tu sur un flanc de colline battu par les vents comme ça ? beugla-t-il, la bouche pleine. Ce monde n'est pas un jardin, bonhomme. Chaque année, une partie se retrouve ensablée, ça ne fait pas un pli. Une autre tempête te le nettoiera, ton bassin, dans un an ou dans dix.

– Tout sera mort, à ce moment-là.

– C'est la vie. Maintenant, il faut passer à autre chose. Qu'est-ce que tu faisais avant de t'installer là-haut ?

– Je cherchais Hiroko.

– Merde. (Il apparut dans l'encadrement de la porte et pointa un grand couteau de cuisine vers Nirgal.) Pas toi, quand même.

– Ben si, tu vois.

– Enfin, vraiment ! Quand est-ce que tu grandiras ? Hiroko est morte. Tu devrais te faire une raison.

Sax sortit de son bureau en clignant des yeux comme une chouette.

– Hiroko est vivante, dit-il.

– Oh non, tu ne vas pas t'y mettre aussi ! s'écria Coyote. Deux gosses, je vous jure, voilà ce que vous êtes, tous les deux : des gosses.

– Je l'ai vue sur la paroi sud d'Arsia Mons, dans une tempête de neige.

– Bienvenue au club, bonhomme.

Sax le regarda en cillant.

– Qu'est-ce que tu veux dire ?

- Va te faire foutre.

Coyote retourna dans la cuisine.

– Tu n'es pas seul à l'avoir vue, fit Nirgal à Sax. Ce serait même assez fréquent.

– Je sais...

– Pas fréquent : quotidien ! hurla Coyote depuis la cuisine, puis il fonça dans le salon. C'est tous les jours que quelqu'un dit l'avoir vue ! Ses apparitions sont signalées par un point sur le bloc-poignet. La semaine dernière, elle est apparue, la même nuit, à Noachis et sur Olympus ! A deux endroits diamétralement opposés de cette planète !

– Ça ne prouve rien, fit obstinément Sax. On disait la même chose de toi, et tu es bien vivant.

Coyote secoua violemment la tête.

– Je suis l'exception qui confirme la règle. Quand on commence à voir les gens en deux endroits à la fois, ça veut dire qu'ils sont morts. Ça ne rate pas. Elle est morte ! gueula-t-il en levant une main pour prévenir la réplique de Sax. Quand verras-tu enfin la réalité en face ? Elle est morte dans l'attaque de Sabishii ! Les troupes d'assaut de l'ATONU l'ont coincée avec Iwao, Gene, Rya et tous les autres, ils ont appuyé sur la détente ou ils les ont emmenés dans une pièce et ils l'ont dépressurisée. C'est comme ça que ça s'est passé ! Qu'est-ce que tu crois ? Que la police secrète n'a jamais éliminé de dissidents et fait disparaître les corps de sorte que personne ne les retrouve ? Putain, bien sûr que si, c'est arrivé, ici même, sur ta chère Mars, et plutôt deux fois qu'une ! Tu sais que c'est vrai ! C'est comme ça que ça s'est passé. Tu connais les gens. Ils seraient capables de tout, même de tuer, sous prétexte de gagner leur vie, de nourrir leurs enfants et de leur donner un monde plus sûr. Voilà ce qui s'est passé. Ils ont tué Hiroko, et tous les autres avec elle.

Nirgal et Sax le dévisageaient, les yeux ronds. Coyote tremblait de tous ses membres. On aurait dit qu'il allait poignarder le mur. Sax s'éclaircit la gorge.

– Ecoute, Desmond... Comment peux-tu en être aussi sûr ?

– Je le sais parce que je l'ai cherchée ! Je l'ai cherchée comme personne ne pouvait la chercher. Elle n'est dans aucune de ses caches. Elle n'est plus nulle part. Elle ne s'en est pas sortie. Personne ne l'a vraiment vue depuis Sabishii. C'est pour ça que tu n'as plus jamais eu de ses nouvelles. Elle n'est pas inhumaine au point de nous laisser si longtemps sans donner signe de vie.

– Mais je l'ai vue, insista Sax.

– Dans une tempête, tu dis ? J'imagine que tu étais en danger. Tu l'as vue un instant, juste le temps de te sortir de cette mauvaise passe. Et elle a disparu.

Sax cilla.

Coyote eut un rire rauque.

– C'est bien ce que je pensais. Ecoute, c'est parfait. Rêve d'elle tant que tu voudras. Mais ne confonds pas le rêve et la réalité. Hiroko est morte.

Le regard de Nirgal passait de l'un à l'autre, mais les deux hommes étaient muets à présent.

– Moi aussi, je l'ai cherchée, reprit-il, et, remarquant l'air accablé de Sax, il ajouta : Enfin, tout est possible.

Coyote secoua la tête et retourna dans la cuisine en marmonnant entre ses dents. Sax regardait Nirgal. Il le regardait sans le voir.

– Je ferais peut-être aussi bien de repartir à sa recherche, dit Nirgal.

Sax hocha la tête.

– Ça ou le jardinage, après tout... commenta Coyote, depuis la cuisine.

Harry Whitebook avait trouvé le moyen d'accroître la tolérance des mammifères au gaz carbonique en leur greffant un gène qui encodait certaines caractéristiques de l'hémoglobine du crocodile. Le crocodile pouvait rester très longtemps sous l'eau car, au lieu de s'accumuler dans son sang, le dioxyde de carbone se dissociait en ions bicarbonate liés à des acides aminés de l'hémoglobine, complexe qui conduisait l'hémoglobine à émettre des molécules d'oxygène. La tolérance accrue au CO_2 était ainsi associée à une efficacité accrue de l'oxygénation. Une fois que Whitebook leur eut montré la voie, cette adaptation très élégante se révéla assez simple à introduire chez les mammifères grâce aux dernières découvertes du génie génétique : des brins de photolyase, l'enzyme de réparation de l'ADN, furent spécialement assemblés afin de greffer la description de ce segment de génome au cours du traitement gérontologique, modifiant légèrement les caractéristiques de l'hémoglobine du sujet.

Sax fut l'un des premiers à se faire greffer ce segment. Il aimait l'idée de pouvoir se promener sans masque facial. Il passait beaucoup de temps au-dehors. Le niveau de dioxyde de carbone dans l'atmosphère était encore de 40 millibars sur les 500 de la pression totale au niveau de la mer, le reste étant composé de 260 millibars d'azote, de 170 millibars d'oxygène et de 30 millibars de divers gaz rares. La proportion de CO_2 était donc trop importante encore pour que les hommes puissent respirer sans masque filtrant. Mais depuis qu'on lui avait greffé ce trait, il pouvait marcher librement en plein air et observer les animaux qui avaient déjà été génétiquement modifiés. Rien que des monstres, tous autant qu'ils étaient, des monstres blottis dans leur niche écologique, en un amas confus de pulsions, de morts, d'invasions et de retraites, tous cherchant en vain un équilibre impossible, étant donné le changement de climat. A peu près comme sur Terre, en d'autres termes, si ce n'est que tout se produisait à un rythme beaucoup plus rapide, accru par les variations, les modifications, les ajouts, les recodages et les recombinaisons entrepris et provoqués par les êtres humains, les interventions qui marchaient et celles qui faisaient long feu – les effets indésirables, non prévus, pas remarqués - au point que nombre de savants scrupuleux avaient renoncé à toute tentative de contrôle.

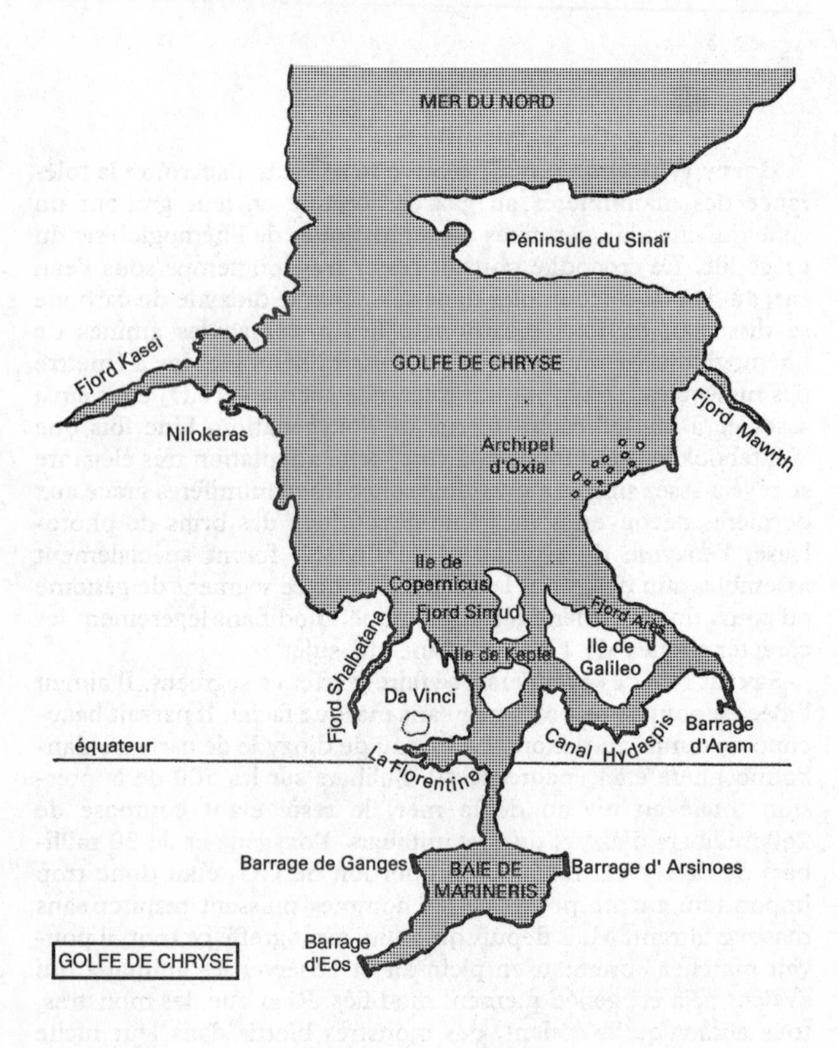

– Advienne que pourra, disait Spencer quand il en avait un coup dans le nez.

Ce qui offensait Michel, pour qui tout avait un sens. Il n'y pouvait rien ; il aurait fallu modifier ce qui, pour lui, avait un sens. Le flux de la vie était devenu contingent ; en un mot, c'était l'évolution. D'un mot latin qui signifiait « déroulement d'un livre ». Ce n'était pas non plus une évolution dirigée, loin de là. Une évolution influencée, peut-être, accélérée certainement (à certains points de vue, en tout cas). Mais ni maîtrisée, ni dirigée. Ils ne savaient plus ce qu'ils faisaient. D'aucuns avaient du mal à s'y faire.

C'est ainsi que Sax parcourut la péninsule de Da Vinci, un rectangle de terre entourant la lèvre ronde du cratère de Da Vinci, et mit le cap vers les fjords Simud, Shalbatana et Ravi qui se jetaient dans la partie sud du golfe de Chryse. Deux îles, Copernicus et Galileo, émergeaient à l'ouest, à l'embouchure des fjords Arès et Tiu. Un riche maillage de mer et de terre, idéal pour le foisonnement de la vie. Les techniciens de Da Vinci n'auraient pu choisir un meilleur site, même si Sax était persuadé qu'ils n'avaient pas pris la mesure de leur environnement quand ils avaient choisi le cratère pour y installer les labos aérospatiaux secrets de l'underground. Le cratère avait un bord large et était situé à une bonne distance de Burroughs et de Sabishii, c'est tout. Ils étaient tombés sur le paradis par hasard. Toute une vie d'observation possible, sans mettre le nez dehors.

L'hydrologie, la biologie invasive, l'aréologie, l'écologie, les sciences des matériaux, la physique des particules, la cosmologie : tous ces domaines intéressaient vivement Sax, mais, pendant toutes ces années, il s'était essentiellement consacré au temps. La péninsule de Da Vinci avait un climat dramatique : des orages de pluie balayaient le golfe vers le sud, des vents secs, catabatiques, descendaient des hauts plateaux du Sud et des canyons des fjords, soulevant de grandes vagues dirigées vers le nord. Comme ils étaient tout près de l'équateur, le cycle périhélie/aphélie les affectait beaucoup plus que les saisons normales. L'aphélie faisait chuter les températures de vingt degrés au moins au nord de l'équateur, alors qu'au périhélie l'équateur était aussi brûlant que le Sud. En janvier et février, l'air du Sud réchauffé par le soleil montait dans la stratosphère, tournait vers l'est à la tropopause et rejoignait le jet-stream qui faisait le tour de la planète. Ce jet-stream se divisait au niveau de la bosse de Tharsis ; le courant sud se chargeait en humidité au-dessus de la baie d'Amazonis, humidité qu'il déversait sur Daedalia et Icaria, parfois sur la paroi ouest des montagnes du bassin d'Argyre, où se formaient des glaciers. Le courant nord soufflait sur les hauts plateaux de Tempe Mareotis puis sur la mer du Nord, captant l'humidité des orages qui se succédaient. Au nord, sur la calotte polaire, l'air se refroidissait et retombait sur la planète en rotation, suscitant des vents de surface venant du nord-est. Ces vents froids, secs, couraient parfois sous les vents d'ouest tempérés, plus chauds, plus humides, donnant naissance à d'énormes fronts orageux de vingt kilomètres de hauteur qui montaient au-dessus de la mer du Nord.

L'hémisphère Sud étant plus uniforme que le Nord, ses vents obéissaient plus nettement encore aux lois gouvernant les flux aériens sur une sphère en rotation : de l'équateur à une latitude de trente degrés, les vents venaient du sud-est ; de trente à soixante degrés, les vents d'ouest étaient dominants, et de soixante degrés au pôle, le vent soufflait de l'est. Il y avait de vastes déserts dans le Sud, surtout entre le quinzième et le trentième parallèle, où l'air montant de l'équateur retombait, provoquant des zones de haute pression et d'air chaud chargé en vapeur d'eau qui ne parvenait pas à la condensation. Il ne pleuvait presque jamais dans cette bande qui comprenait les provinces hyperarides de Solis, Noachis et Hesperia. Dans ces régions, les vents soulevaient la poussière du sol desséché, et les tempêtes de sable, si elles étaient plus localisées qu'avant, étaient aussi plus denses, ainsi que Sax l'avait malheureusement observé sur Tyrrhena avec Nirgal.

Telles étaient les principales caractéristiques du climat martien : violent vers l'aphélie, doux au moment des équinoxes. Le Sud était l'hémisphère des extrêmes, le Nord celui de la modération. C'est du moins ce que suggéraient certains modèles. Sax aimait introduire dans ses réflexions les données d'où sortaient ces modèles, tout en sachant qu'ils avaient un rapport au mieux relatif avec la réalité. Chaque année était une exception en soi, les conditions changeant à chaque stade du terraforming. L'avenir de leur climat était impossible à prévoir, même si on figeait les variables en partant du principe que le terraforming s'était stabilisé, ce qui était loin d'être le cas. Sax regardait inlassablement défiler des millénaires climatiques radicalement différents chaque fois qu'il modifiait un paramètre. La faible gravité, la hauteur résultante de l'atmosphère, les immenses verticales de la surface, la présence de la mer du Nord qui pouvait ou non prendre en glace, l'air qui se densifiait, le cycle périhélie/aphélie, l'excentricité qui précédait lentement les saisons dues à l'inclinaison proprement dite ; toutes ces variables avaient des effets prévisibles, peut-être, mais leur combinaison rendait le temps martien très difficile à appréhender, et plus Sax l'étudiait, moins il avait l'impression de le comprendre. Mais c'était fascinant, et il pouvait passer ses journées à observer le jeu des interactions.

Ou bien il restait assis sur Simshal Point à regarder les nuages filer dans le ciel jacinthe. Dans le fjord Kasei, au nord-ouest, soufflaient les bourrasques catabatiques les plus fortes de la planète. Ces hurlevents, comme les appelaient les hommes-oiseaux du Belvédère d'Echus, se déversaient dans le golfe de Chryse à une vitesse qui atteignait parfois 500 kilomètres-heure. Sax voyait alors s'élever des nuages couleur cannelle sur la ligne d'horizon, au nord. Dix ou douze heures plus tard, de grosses vagues déferlaient du nord, s'enflaient et pilonnaient les falaises, des murailles d'eau de cinquante mètres se ruaient sur la roche jusqu'à ce que l'air autour de la péninsule deviennent blanc, épais. Il était dangereux d'être en mer par un temps pareil, ainsi qu'il l'avait constaté une fois, en longeant le littoral, au sud du golfe, dans un petit catamaran qu'il avait appris à manœuvrer.

Il était beaucoup plus agréable d'observer les tempêtes depuis les falaises. Pas de hurlevents, aujourd'hui ; rien qu'une brise forte, régulière ; le balai noir, distant, d'un grain sur l'eau au nord de Copernicus ; la chaleur du soleil sur sa peau. La température globale moyenne changeait tous les ans, à la hausse ou à la baisse, mais plutôt à la hausse. Si le temps était un axe horizontal, une chaîne de montagnes s'élevant. L'Année Sans Eté était maintenant un vieil accident. En fait, elle avait duré trois ans, mais les gens n'allaient pas changer un si beau nom pour ça. Trois Années Inhabituellement Froides – non. Ça n'allait pas. Ce n'était pas assez synthétique pour laisser une empreinte forte dans la mémoire. La pensée symbolique. Les gens aimaient les rapprochements. Sax le savait. Il passait beaucoup de temps à Sabishii, avec Michel et Maya. Les gens aimaient les drames. Maya plus que les autres, sans doute, mais ils avaient une valeur d'exemple. Des cas limites. Il s'inquiétait de l'influence qu'elle avait sur Michel. Michel ne donnait pas l'impression d'aimer la vie. La nostalgie, des mots grecs *nostos*, « retour » et *algos* « douleur ». La douleur du retour. Une description très précise. Malgré leurs zones de flou, les mots pouvaient parfois être très précis. C'était un paradoxe apparent, mais quand on regardait comment fonctionnait le cerveau, cela en devenait moins surprenant. Un modèle de l'interaction de l'esprit avec la réalité physique, un peu flou sur les bords. La science devait l'admettre, même si ça n'interdisait pas d'essayer de comprendre les choses !

– Viens avec moi, procéder à des observations sur le terrain, disait-il à Michel.

– Bientôt.

– Concentre-toi sur le moment présent, suggérait Sax. Chaque instant a sa réalité propre. Son eccéité. On ne peut pas prévoir, mais on peut expliquer. Ou tout au moins essayer. Si on est observateur, et avec un peu de chance, on peut dire : c'est pour ça que ça arrive ! C'est très intéressant.

– Dis donc, Sax, je ne te savais pas poète !

Sax ne sut que répondre. Michel était encore plein de son immense nostalgie.

– Prends le temps de venir sur le terrain, dit-il enfin.

Quand l'hiver était doux et les vents cléments, Sax faisait du bateau dans le sud du golfe de Chryse. Le golfe d'or. Le reste de l'année, il ne quittait pas la péninsule. Il partait de Da Vinci à pied ou dans un petit véhicule où il pouvait passer la nuit. Il procédait surtout à des observations météorologiques, mais évidemment il ne pouvait s'empêcher de tout regarder. Sur l'eau, il demeurait assis tandis que le vent gonflait la voile et le poussait d'une anfractuosité de la côte à une autre. Sur terre, il conduisait le matin, cherchait un bon endroit, s'arrêtait et mettait pied à terre.

Un pantalon, une chemise, un coupe-vent, des bottes, son vieux chapeau, il ne lui en fallait pas plus par cette belle journée de M-65, et il ne cessait de s'en émerveiller. Il faisait dans les 280 degrés kelvin, plutôt frisquet, mais il trouvait ça revigorant. La moyenne globale tournait autour de 275 degrés. Une bonne moyenne, à son avis, au-dessus de la température de congélation. Une sacrée impulsion thermique pour le permafrost. A ce rythme-là, d'ici dix mille ans il aurait fondu. Et ce n'était bien entendu pas le seul facteur en cause.

Il se promenait sur la mousse et les salicornes de la toundra, l'herbe et les laîches. Drôle de chose que la vie sur Mars. Que la vie tout court, d'ailleurs. Pourquoi apparaissait-elle ? Ça ne tenait pas de l'évidence. C'était un sujet auquel Sax avait récemment réfléchi. Pourquoi constatait-on un ordre croissant dans toutes les parties du cosmos ? On se serait plutôt attendu à de l'entropie. Ce phénomène l'intriguait prodigieusement. Spencer avait improvisé une explication autour d'une chope de bière, un soir, sur la corniche d'Odessa : dans un univers en expansion, lui avait-il dit, l'ordre n'était pas vraiment l'ordre, mais seulement la différence entre l'entropie constatée et le maximum d'entropie possible. C'était cette différence que les humains considéraient comme l'ordre. Sax avait été surpris d'entendre une notion cosmologique aussi intéressante dans la bouche de Spencer, mais Spencer était un homme surprenant. Même s'il buvait trop.

Allongé sur l'herbe, à regarder les fleurs de la toundra, on ne pouvait s'empêcher de s'interroger sur la vie. Dans la lumière du soleil, les petites fleurs se dressaient sur leurs tiges brillant d'anthracène, aux couleurs saturées. Des idéogrammes de l'ordre. Elles n'avaient pas l'air d'une simple différence de niveau d'entropie. Les pétales avaient une si jolie texture. Ainsi inondée de lumière, elle paraissait presque visible molécule par molécule : là une molécule blanche, là une mauve, là une bleue. Ces taches pointillistes n'étaient évidemment pas des molécules, qui étaient bien en dessous de la limite de résolution. Et même si elles avaient été visibles, les particules constitutives du pétale étaient tellement infimes qu'on avait du mal à les imaginer. Elles étaient au-delà de la limite de résolution conceptuelle. Les théoriciens de Da Vinci s'étaient pourtant mis récemment à réfléchir intensément aux développements de la théorie des supercordes et de la gravité quantique. Ils en étaient au stade des prédictions vérifiables, qui, historiquement, étaient la grande faiblesse de la théorie des cordes. Intrigué par ce recoupement avec l'expérimentation, Sax s'était efforcé de comprendre ce qu'ils faisaient. Ce qui l'avait obligé à renoncer à la mer et aux falaises pour s'enfermer dans des salles de séminaire, mais il avait profité de la saison des pluies pour assister aux réunions de l'après-midi, suivre les conférences et les discussions, étudier les symboles mathématiques qui couvraient les écrans, et passer ses matinées à travailler sur les surfaces de Riemann, les groupes de Lie, les équations d'Euler, la topologie des espaces compacts à six dimensions, la géométrie différentielle, les variables de Grassmann, les opérateurs émergents de Vlad et tous les autres domaines mathématiques nécessaires pour parvenir à suivre les recherches actuelles.

Un de ces domaines concernait les supercordes auxquelles il avait déjà eu l'occasion de s'intéresser. La théorie avait près de deux siècles maintenant, mais elle avait été avancée de façon spéculative bien avant que les mathématiques ou les moyens expérimentaux ne permettent de procéder aux investigations correctes. Elle décrivait les plus petites particules de l'espace-temps non comme des points géométriques mais comme des objets mathématiques exotiques ayant les propriétés d'une corde. De même qu'une corde de violon possède plusieurs harmoniques, les supercordes avaient plusieurs états de vibration. Elles vibraient dans dix dimensions, dont six étaient localisées autour des cordes. Les théoriciens du XXIe siècle avaient formulé l'espace quantique dans lequel elles vibraient sous la forme de champs appelés réseaux de spin, dans lesquels les lignes de forces du champ gravitationnel agissaient un peu comme les lignes de forces magnétiques autour d'un aimant, permettant aux cordes de vibrer selon certaines harmoniques seulement. Ces cordes supersymétriques, vibrant en harmonie dans des réseaux de spin à dix dimensions, expliquaient très élégamment et de façon très plausible les diverses forces et particules observées au niveau subatomique, les bosons et les fermions, ainsi que leurs effets gravitationnels. La théorie élaborée à partir de là prétendait résoudre le problème de la gravitation quantique qui occupait les physiciens depuis plus de deux siècles.

Tout cela était bien joli. C'était même très excitant. Mais le problème pour Sax, et bien d'autres sceptiques, tenait à la difficulté de confirmer ces belles hypothèses mathématiques par l'expérimentation, en raison de l'extrême petitesse des cordes et des champs décrits par la théorie. Tout se passait à une échelle si petite, de l'ordre de 10^{-33} centimètre – la constante de Planck –, qu'elle était difficilement imaginable. Un noyau atomique faisait environ 10^{-13} centimètre de diamètre, soit un millionième de milliardième de centimètre. Sax avait vainement essayé de se représenter cette distance, ne serait-ce que pour entretenir un instant dans son esprit cette petitesse inconcevable. Et se rappeler ensuite qu'il était question, dans la théorie des cordes, de distances près de 10^{20} plus petites, des objets mille millards de milliards de fois plus petits qu'un noyau atomique ! Sax essaya de trouver un ratio. Il faudrait aligner autant de cordes pour parvenir à la taille d'un atome que d'atomes pour atteindre la taille... du système solaire. Même ce ratio, la raison avait peine à l'appréhender.

L'ennui, surtout, c'est que tout cela était trop petit pour être détecté par les moyens expérimentaux, et pour Sax, c'était le nœud de la question. Les physiciens avaient procédé à des expériences dans des accélérateurs de particule à des niveaux d'énergie de l'ordre de 100 GeV, soit cent fois l'équivalent d'énergie de la masse d'un proton. Ces expériences leur avaient permis de mettre au point, après des années d'efforts, ce qu'on appelait un modèle standard révisé de la physique des particules. Ce modèle standard révisé constituait réellement une avancée spectaculaire : il expliquait beaucoup de choses et en prédisait d'autres qui pouvaient être démontrées ou infirmées par l'expérimentation en laboratoire ou des observations cosmologiques. Ces prédictions étaient si variées et avaient été si souvent confirmées que les physiciens pouvaient avancer avec confiance toutes sortes d'hypothèses sur l'histoire de l'univers depuis le big bang. Ils remontaient jusqu'au premier millionième de seconde.

Mais les théoriciens des cordes envisageaient de faire un bond fantastique au-delà du modèle standard révisé, à la constante de Planck qui était le plus petit royaume possible, le mouvement quantique minimal, au-dessous duquel on ne pouvait descendre sans entrer en contradiction avec le principe d'exclusion de Pauli. On pouvait raisonnablement se dire que c'était la dimension minimale des choses. Mais voir effectivement ce qui se passait à cette échelle exigerait des niveaux d'énergie expérimentale d'au moins 10^{19} GeV, et ils ne les obtiendraient jamais avec aucun accélérateur. Seul le cœur d'une supernova pourrait la leur procurer. Non. Un abîme infranchissable les séparait du royaume de Planck. Ils étaient condamnés à ignorer éternellement ce niveau de réalité.

C'est du moins ce que soutenaient les sceptiques. Mais ceux qui s'intéressaient à la théorie n'avaient jamais renoncé. Ils en cherchaient une confirmation indirecte tant au niveau cosmologique que subatomique, lequel, vu sous cet angle, paraissait également gigantesque. Les anomalies constatées dans les phénomènes que le standard révisé ne parvenait pas à expliquer pouvaient l'être dans le royaume de Planck, grâce à des prédictions faites par la théorie des cordes. Mais ces prédictions étaient rares, et les phénomènes annoncés difficiles à voir. On n'avait pas trouvé le vrai déclic. Pourtant, au fil des décennies, quelques fanatiques des cordes avaient continué à explorer les nouvelles structures mathématiques dans l'espoir de voir émerger d'autres ramifications de la théorie, ou qu'elles prédiraient des résultats indirects plus faciles à déceler. Ils ne pouvaient pas aller plus loin ; et Sax trouvait ce chemin très hasardeux pour la physique. Il croyait dur comme fer à la vérification expérimentale. Si on ne pouvait mettre les théories à l'épreuve, ça restait des mathématiques, belles mais intouchables. Il y avait des tas de domaines mathématiques exotiques, d'une beauté bizarre. Seulement, si elles ne permettaient pas d'établir un modèle du monde des phénomènes, ça ne l'intéressait pas.

Et voilà qu'après des dizaines d'années de travail ils commençaient à faire des progrès dans des domaines que Sax trouvait intéressants. Au nouveau superaccélérateur du cratère Rutherford, ils avaient découvert la seconde particule Z que la théorie des cordes avait depuis longtemps décrite. Et un détecteur de monopôle magnétique en orbite solaire hors du plan de l'écliptique avait capturé une trace de ce qui paraissait être une particule non confinée, porteuse d'une charge fractionnelle, d'une masse comparable à celle d'une bactérie – un aperçu très rare d'une particule lourde à interaction faible. La théorie des cordes prédisait l'existence de ces particules, alors que le standard révisé ne la prévoyait pas. C'était excitant pour l'esprit, parce que la forme des galaxies révélait qu'il y avait des masses gravitationnelles dix fois plus importantes que ne le montrait leur rayonnement visible. Si on parvenait à prouver que le corps noir était composé de particules lourdes à interaction faible, se disait Sax, la théorie qui parvenait à ce beau résultat méritait pour le moins d'être considérée comme intéressante.

Une autre information intéressante, quoique à un niveau différent, était que l'une des théoriciennes de pointe dans ce domaine travaillait ici même, à Da Vinci, et faisait partie, depuis un an, du groupe impressionnant dont Sax suivait les travaux. Elle s'appelait Bao Shuyo, et elle était originaire de Dorsa Brevia. Elle avait des ancêtres japonais et polynésiens. Elle était petite pour une indigène, bien que dépassant Sax de cinquante centimètres. Des cheveux noirs, la peau mate, des traits réguliers, un peu quelconques, typiques du Pacifique. Elle était timide avec Sax, timide avec tout le monde. Il lui arrivait même parfois de bégayer, ce que Sax trouvait irrésistible. Mais quand elle se levait pour procéder à une démonstration, elle retrouvait toute son assurance et couvrait l'écran d'équations aussi vite que si elle écrivait en sténo. Chacun, dans ces moments-là, l'écoutait avec attention, quasiment pétrifié, et tous ceux qui avaient assez de jugeote pour comprendre ce genre de chose voyaient bien que son nom resterait gravé au panthéon, et qu'ils assistaient au spectacle de l'histoire en train de se faire.

De jeunes turcs l'interrompaient pour lui poser des questions, évidemment – il y avait beaucoup de cervelles bien faites dans ce groupe – et, tout ego oublié, ils s'embarquaient dans des explications qui faisaient appel aux gravitons et aux gravitinos modélisés, au corps noir et au corps fantôme. C'étaient des sessions pleines de créativité, très excitantes. Et il était clair que Bao en était le pivot, la force agissante, celle sur qui tout reposait, celle avec qui ils devaient compter.

C'était un peu déconcertant. Sax avait déjà rencontré des femmes dans des départements de maths et de physique, mais c'était la seule mathématicienne de génie dont il ait jamais entendu parler dans l'histoire des mathématiques. Lesquelles, maintenant qu'il y réfléchissait, étaient une affaire d'hommes. Y avait-il, dans la vie, une chose plus monstrueusement mâle que les mathématiques ? Et pourquoi en était-il ainsi ?

Il y avait plus déconcertant encore : Bao avait fondé ses recherches sur les travaux non publiés d'un mathématicien thaï du siècle dernier, un jeune déséquilibré du nom de Samui qui avait vécu dans les bordels de Bangkok et s'était suicidé à vingt-trois ans, laissant derrière lui plusieurs problèmes dignes du théorème de Fermat, et affirmant jusqu'à la fin que tout lui avait été dicté par des extraterrestres télépathes. Bao avait ignoré le folklore pour ne s'intéresser qu'à l'essentiel, et elle avait expliqué certains des calculs les plus obscurs de Samui. Partant de là, elle avait défini un groupe d'expressions, appelées opérateurs avancés de Rovelli-Smolin, qui lui permettaient d'établir un système de réseaux de spin qui s'intégrait très harmonieusement avec les supercordes. C'était enfin la Grande Unification, la réconciliation de la mécanique quantique et de la gravité. Si c'était vrai. Et même si ça ne l'était pas, c'était assez puissant puisque ça avait permis à Bao de faire plusieurs prédictions spécifiques dans le domaine plus vaste de l'atome et du cosmos. Dont quelques-unes avaient reçu une confirmation depuis.

C'était dont la reine de la physique – la première reine de la physique. Les chercheurs du monde entier étaient en liaison avec Da Vinci, avides de recevoir d'autres suggestions de sa part. Une tension, une excitation palpables planaient sur les sessions de l'après-midi. Max Schnell lançait le débat et finissait, à un moment ou à un autre, par appeler Bao. Alors elle se levait et s'approchait de l'écran, sur le devant de la salle de séminaire. Simple, gracieuse, ferme et réservée. Son stylo volait sur l'écran alors qu'elle leur expliquait comment calculer avec précision la masse du neutrino ou leur décrivait avec un luxe de détails la façon dont les cordes vibraient pour former les différents quarks, les champs quantiques ou les trois familles de gravitinos, et Dieu sait quoi encore. Ses collègues et amis, une vingtaine d'hommes et une autre femme, intervenaient pour demander des précisions, ajouter des équations qui expliquaient des problèmes annexes ou exposer les dernières avancées de Genève, de Palo Alto ou de Rutherford. Et pendant cette heure, tous avaient conscience d'être au centre du monde.

Dans tous les labos de Mars, de la Terre et de la ceinture d'astéroïdes qui suivaient ses travaux, on remarquait des ondes inhabituelles de gravité dans des expériences très délicates ; des schémas géométriques particuliers apparaissaient dans les fluctuations infimes de la radiation du fond cosmique. Partout on traquait les particules lourdes à interaction faible du corps noir et les antiparticules à interaction faible du corps fantôme. On décrivait les diverses familles de leptons, de fermions et de leptoquarks. On résolvait provisoirement l'amas galactique de la première expansion, et bien d'autres choses encore. La physique semblait enfin sur le point de connaître sa Théorie Définitive. Ou, du moins, un grand pas en avant avait été fait.

Les travaux de Bao étaient d'une telle portée que Sax n'osait pas lui parler. Il craignait de lui faire perdre son temps avec des problèmes triviaux. Mais un après-midi, lors d'une pause kava sur l'un des balcons en arcade surplombant le lac du cratère de Da Vinci, c'est elle qui s'approcha, encore plus timide et balbutiante que lui, au point qu'il se retrouva dans le rôle très inhabituel pour lui consistant à mettre l'autre à l'aise, finissant ses phrases à sa place et ainsi de suite. Il s'évertua tant et si bien qu'ils finirent par se retrouver en train de bafouiller à qui mieux mieux sur le thème de ses anciens diagrammes de Russell décrivant les gravitinos, qu'il croyait maintenant caducs et dont elle lui dit qu'ils l'aidaient toujours à visualiser l'action gravitationnelle. Et puis, quand il lui posa une question sur le séminaire de la journée, elle se détendit. Il aurait dû y penser plus tôt. C'est ce qu'il préférait lui-même.

A la suite de cela, ils prirent l'habitude de se parler de temps en temps. C'était toujours un sacré boulot que de la faire sortir de sa coquille, mais c'était un boulot intéressant. Aussi, quand la saison sèche revint et qu'il recommença à faire du bateau dans le petit port Alpha, il lui demanda en bégayant un peu si elle aimerait l'accompagner, et ils se lancèrent dans un dialogue bredouillant d'où il ressortit que, la prochaine fois qu'il ferait beau, il l'emmènerait dans l'un des nombreux petits catamarans du labo.

Quand il passait la journée sur l'eau, Sax restait dans la petite baie appelée la Florentine, au sud-est de la péninsule, où le fjord Ravi s'élargissait avant de devenir la baie d'Hydroates. C'est là que Sax avait appris à faire du bateau et qu'il se sentait encore le plus à l'aise avec les vents et les courants. Lorsqu'il s'aventurait plus loin, c'était pour explorer l'éventail de fjords et de baies, au bout du système de Marineris, et à trois ou quatre reprises, il avait poussé jusqu'à l'extrémité est du golfe de Chryse, jusqu'au fjord Mawrth et à la péninsule du Sinaï.

Mais ce jour-là, il resta dans la Florentine. Le vent venant du sud, il réquisitionna l'aide de Bao pour tirer des bords. Ni l'un ni l'autre ne parla beaucoup. Pour dire quelque chose, Sax finit par mettre la physique sur le tapis. Ils discutèrent des cordes, qui étaient l'essence même de l'espace-temps et pas seulement des points dans une grille rigoureusement abstraite.

En réfléchissant, Sax dit :

– Vous ne craignez pas que ce domaine où l'expérimentation est impossible ne se révèle une sorte de château de cartes, qui pourrait être renversé par une simple erreur de calcul, ou par une théorie ultérieure, différente, qui ferait mieux l'affaire, ou trouverait plus facilement confirmation ?

– Non, répondit Bao. Une aussi belle chose est forcément vraie.

– Hum, fit Sax en lui jetant un coup d'œil. Je préférerais, personnellement, qu'un indice un peu plus solide pointe le bout de son nez. Quelque chose comme la planète Mercure d'Einstein : une invraisemblance de la théorie précédente que la nouvelle viendrait résoudre.

– Pour certaines personnes, le corps fantôme manquant répond à cette définition.

– Possible.

Elle éclata de rire.

– Je vois qu'il vous en faudrait davantage. Une chose faisable, peut-être.

– Pas forcément, rectifia Sax. Ce serait merveilleux, bien sûr. Plus convaincant, je veux dire. Mieux comprendre les choses permet de mieux les manipuler. Comme le plasma dans les réacteurs à fusion.

C'était le problème récurrent d'un autre laboratoire de Da Vinci.

– On comprendrait peut-être mieux les plasmas si on les modélisait selon des schémas imposés par les réseaux de spin.

– Vraiment ?

– Je pense.

Elle ferma les yeux, comme si tout pouvait être résolu derrière ses paupières. Comme si tous les problèmes du monde y trouvaient une solution. Sax éprouva un pincement au cœur. D'envie. Il aurait tout donné pour avoir une vision pénétrante de ce genre. Et voilà que quelqu'un l'avait, juste à côté de lui, dans le bateau. Le génie était vraiment une chose étrange à contempler.

– Vous pensez que cette théorie marquera l'aboutissement de la physique ? demanda-t-il.

– Oh non ! On pourra toujours s'interroger sur les grands principes. Les lois fondamentales. Et puis, toutes les avancées posent de nouveaux problèmes en amont. Les travaux de Taneiev ne font qu'effleurer la surface, dans ce domaine. C'est comme les échecs. On peut apprendre toutes les règles et ne pas être un très bon joueur à cause des propriétés émergentes. Vous voyez ce que je veux dire : certaines pièces sont plus fortes quand elles se trouvent au centre de l'échiquier ; ce n'est pas une règle, c'est un effet de l'accumulation des règles.

– C'est comme le temps.

– Oui. Nous comprenons mieux les atomes que le temps, en fait. L'interaction entre les éléments est trop complexe pour qu'on puisse la suivre.

– Il y a l'holonomie, l'étude des systèmes complexes.

– Ce n'est encore qu'un ensemble de spéculations. Les premiers balbutiements d'une science, si elle donne quelque chose un jour.

– Comme les plasmas, non ?

– Les plasmas sont très homogènes. Il n'y a que très peu de facteurs en jeu. On devrait donc pouvoir les aborder par l'analyse des réseaux de spin.

– Vous devriez en parler au groupe de fusion.

– Vraiment ? dit-elle, l'air surprise.

– Oui.

Puis une forte brise se leva, et ils passèrent quelques minutes à observer la réaction du bateau, le mât rétractant ses voiles avec un bourdonnement jusqu'à ce qu'elles soient rajustées comme il convenait pour négocier le coup de vent. Le soleil faisait briller les beaux cheveux noirs de Dao, sagement retenus sur sa nuque. Derrière, les falaises de Da Vinci. Des réseaux, frémissants sous le soleil. Non, qu'il ait les yeux ouverts ou fermés, il ne verrait jamais tout ça.

Il dit prudemment :

– Vous ne vous êtes jamais demandé... Je veux dire, ça doit faire drôle d'être l'une des premières grandes mathématiciennes, non ?

Elle sembla étonnée, puis détourna la tête. Il comprit qu'elle y avait déjà réfléchi.

– Les atomes du plasma se déplacent selon des schémas qui sont de grandes fractales du réseau de spin, dit-elle.

Sax hocha la tête et lui posa d'autres questions à ce sujet. Il la croyait en mesure d'aider le groupe de fusion de Da Vinci à résoudre certains problèmes que leur posait la mise au point d'un réacteur à fusion allégé.

– Vous ne vous êtes jamais intéressée aux travaux des ingénieurs ? Ou des physiciens ?

– Je suis physicienne, répliqua-t-elle, comme sur la défensive.

– Enfin, vous faites de la physique théorique. Je pensais à l'application pratique des choses.

– La physique, c'est de la physique.

– D'accord.

Il tenta de revenir sur la question, mais par la bande, cette fois.

– Quand avez-vous commencé à vous intéresser aux mathématiques ?

– Ma mère m'a fourni mes premières équations du second degré et toutes sortes de jeux mathématiques quand j'avais quatre ans. Elle était statisticienne, très portée sur les maths.

– Et les écoles de Dorsa Brevia...

– Elles n'étaient pas mauvaises. Je faisais surtout des maths en lisant, et en correspondant avec le département de Sabishii.

– Je vois.

Ils en revinrent aux derniers résultats du CERN. Puis au temps, et à la façon dont le bateau à voile se dirigeait dans le vent, avec une précision presque parfaite. La semaine d'après, il l'emmena sur les falaises de la péninsule. Il prit un grand plaisir à lui montrer la toundra. Et avec le temps, le menant pas à pas, elle réussit à le convaincre qu'ils étaient peut-être sur le point de comprendre ce qui se passait au niveau de Planck. C'était vraiment stupéfiant, se dit-il, éprouver une intuition à ce niveau, puis faire les spéculations et les déductions nécessaires pour donner corps à cette intuition et comprendre ce qui se passait, bâtir une théorie physique puissante, infiniment complexe, pour décrire un domaine si petit, si éloigné de l'appréhension par les sens. C'était presque terrifiant, au fond. L'étoffe même de la réalité. Ils reconnaissaient tous les deux que, exactement comme dans les théories précédentes, nombre de questions fondamentales restaient sans réponse. C'était inévitable. Ils pouvaient donc s'allonger côte à côte dans l'herbe, au soleil, et regarder intensément une fleur d'un bleu étincelant ; quoi qu'il arrive au niveau de Planck, en cet instant et à cet endroit, le pouvoir qu'elle avait d'attirer le regard conservait tout son mystère.

Ce que le simple fait de s'allonger dans l'herbe permettait surtout d'apprécier, c'est à quel point le permafrost fondait. Mais il fondait au-dessus d'un socle encore gelé, de sorte que la surface saturée devenait boueuse. Quand Sax se releva, la brise soufflant sur son ventre qui avait été en contact avec le sol lui donna aussitôt une impression de froid. Il écarta les bras, les offrit au soleil. Une pluie de photons, vibrant dans les réseaux de spin. Dans quantité de régions, la chaleur émise par les centrales nucléaires était dirigée dans le permafrost par des galeries capillaires, dit-il à Bao alors qu'ils regagnaient le patrouilleur. Ce qui posait des problèmes dans certaines régions humides, qui avaient tendance à se saturer en surface. Le sol fondait, des marécages instantanés se formaient. Le biome était très actif. Au grand dam des

Rouges. Mais la majeure partie du sol qui aurait été affecté par la fonte du permafrost était maintenant sous la mer du Nord, de toute façon. Le peu qui restait au-dessus devait être aussi soigneusement préservé que les marais et les étangs.

Le reste de l'hydrosphère subissait une mutation presque aussi importante. On n'y pouvait rien. L'eau était un grand sculpteur de pierre, si incroyable que cela semble quand on voyait un imperceptible filet d'eau goutter le long d'une falaise et se changer en buée avant même d'atteindre l'océan. Certes. Mais il y avait aussi les vagues géantes, hurlantes, qui s'abattaient si violemment sur les falaises que le sol tremblait sous leurs pieds. Quelques millions d'années de ces coups de boutoir et le profil de ces falaises serait méconnaissable.

– Vous avez vu les canyons fluviaux? lui demanda-t-elle.

– Oui, j'ai vu Nirgal Vallis. C'est fou le bien que ça fait de voir de l'eau au fond. Cela lui va si bien.

– Je ne savais pas qu'il y avait autant de toundra par ici.

Il lui expliqua que la toundra était l'écologie dominante de la majeure partie des highlands du Sud. La toundra et le désert. Dans la toundra, les fines étaient très efficacement fixées au sol. Le vent ne pouvait pas soulever la boue ou les sables mouvants, relativement communs, de sorte qu'il était dangereux de traverser certaines régions. Mais dans le désert, les vents puissants soulevaient de grandes quantités de poussière, qui assombrissaient le ciel et rafraîchissaient la température, posant de graves problèmes. Nirgal en savait quelque chose. Soudain, il demanda avec curiosité :

– Vous avez déjà rencontré Nirgal?

– Non.

Les tempêtes de poussière n'avaient plus rien à voir avec la Grande Tempête que tout le monde avait quasiment oubliée, mais c'était encore un facteur à prendre en considération. Le pavage du désert à l'aide de microbactéries était une solution très prometteuse, même si elle avait l'inconvénient de ne fixer que le centimètre supérieur de dépôts, de sorte que si le vent arrachait le bord du pavage, le dessous risquait d'être emporté. Le problème n'était pas simple. Ils subiraient des tempêtes de sable pendant des siècles encore.

Enfin, l'hydrosphère était très active. Ce qui impliquait la prolifération de la vie.

La mère de Bao mourut dans un accident d'avion de tourisme et Bao, qui était sa plus jeune fille, dut rentrer chez elle s'occuper de tout. Elle héritait de la maison de famille. La succession par ultimogéniture, selon le modèle du matriarcat hopi, lui dit-on. Bao ne savait pas quand elle reviendrait. Il se pouvait même que son départ soit définitif, dit-elle avec un naturel confondant. C'était comme ça, et voilà tout. Elle était déjà ailleurs, dans un monde intérieur. Sax ne put que lui faire au revoir de la main et regagna sa chambre en secouant la tête. Ils comprendraient les lois fondamentales de l'univers avant d'avoir la moindre prise sur la société. Un objet d'étude particulièrement récalcitrant. Il appela Michel sur son écran, lui fit part de cette idée, et Michel répondit :

– C'est parce que la culture progresse sans cesse.

Sax eut l'impression de voir ce que Michel voulait dire. Les attitudes changeaient rapidement dans bien des domaines. Bela appelait ça le *Werteswandel*, la mutation des valeurs. En attendant, ils vivaient dans une société en butte à des archaïsmes de toutes sortes. Des primates se groupant en tribus, gardant un territoire, implorant un dieu comme un parent de dessin animé.

– Il y a des moments où je me demande vraiment si nous allons dans le sens du progrès, répondit-il, se sentant étrangement mélancolique.

– Voyons, Sax, réfléchis, protesta Michel. Ici, sur Mars, nous avons vu et la fin du patriarcat et celle de la propriété. C'est l'un des plus grands progrès de l'histoire de l'humanité.

– Si c'est vrai.

– Tu ne crois pas que les femmes ont autant de pouvoir que les hommes, maintenant ?

– Pour ce que j'en vois, si.

– Peut-être même encore plus, si on pense à la reproduction.

– Ce qui serait logique.

– Et le sol est sous la gestion commune de la famille humaine. Nous possédons encore des objets personnels, mais le territoire n'a jamais appartenu à personne, ici. C'est une nouvelle réalité sociale, nous y sommes confrontés tous les jours.

C'était vrai. Sax songea à la dureté des conflits d'autrefois, quand la propriété et le capital étaient la norme. Michel avait peut-être raison. Le patriarcat et la propriété avaient vécu et n'étaient plus. Sur Mars, et pour le moment du moins. C'était peut-être comme la théorie des cordes, il faudrait du temps pour mettre de l'ordre dans tout ça. Au fond, Sax lui-même, qui était radicalement dépourvu de préjugés, n'en était pas revenu de voir une femme faire des maths. Ou, pour être tout à fait honnête, une femme géniale. Qui l'avait littéralement hypnotisé, à dire le vrai, de même que tous les autres hommes du séminaire, au point que son départ les avait laissés désemparés. Il dit, un peu mal à l'aise :

– Sur Terre, il paraît que ça se bagarre toujours autant.

– La pression démographique, convint Michel avec un geste du bras comme pour écarter le problème. Il y a trop de gens, là-bas, et il y en a de plus en plus. Tu as vu comment c'était, quand nous y sommes allés. Tant que la Terre sera dans cette situation, Mars sera menacée. Et ça se bagarre ici aussi.

Sax comprit son argument. D'un certain côté, c'était rassurant. Le comportement humain n'était ni irrémédiablement mauvais ni stupide, c'était une réponse semi-rationnelle à une situation historique, à un danger donné. Les gens faisaient ce qu'ils pouvaient, en se disant qu'il n'y en aurait pas assez pour tout le monde. Ils faisaient de leur mieux pour protéger leurs enfants. Au risque, évidemment, de mettre tous les enfants en danger par l'accumulation d'actions égoïstes individuelles. Mais au moins pouvait-on appeler cela une tentative de raisonnement, une première approche.

– Enfin, ça commence à s'arranger, reprit Michel. Même sur Terre, les gens ont beaucoup moins d'enfants. Et ils se réorganisent plutôt bien collectivement, par rapport à l'inondation et à tout ce qui l'a précédée. Il y a beaucoup de nouveaux mouvements sociaux là-bas, souvent inspirés par ce que nous faisons ici. Et par Nirgal. Ils le suivent toujours, ils l'écoutent, même quand il ne dit rien. Les propos qu'il a tenus pendant notre visite là-bas font encore leur effet.

– Ça, je veux bien le croire.

– Ah, tu vois ! Ça va mieux, tu ne peux pas faire autrement que de l'admettre. Et quand le traitement de longévité cessera d'agir, les décès équilibreront les naissances.

– Ça ne devrait pas tarder, prédit Sax d'un ton funèbre.

– Pourquoi dis-tu ça ?

– Les signes ont tendance à se multiplier. Des gens meurent d'une chose ou d'une autre. La sénescence n'est pas le seul problème. Rester en vie quand le vieillissement aurait dû faire son œuvre... Le résultat auquel nous sommes parvenus est déjà miraculeux. Il y a probablement une raison à la sénescence. Eviter la surpopulation, peut-être. Permettre à un nouveau matériel génétique de remplacer l'ancien.

– Ce n'est pas très rassurant pour nous.

– Nous avons déjà une espérance de vie deux fois plus longue que celle de nos parents.

– D'accord, mais quand même. Qui a envie que ça finisse ?

– Personne. Alors justement : concentrons-nous sur l'instant présent. Si tu m'accompagnais sur le terrain ? Je serai aussi optimiste que tu voudras. Et tu verras, c'est très intéressant.

– Je vais essayer de me libérer. J'ai beaucoup de clients.
– Tu as beaucoup de temps libre. Je t'assure.

Le soleil était haut dans le ciel où planaient des nuages ronds, dodus, qui ne reviendraient jamais, et qui pourtant, à ce moment précis, étaient aussi massifs que du marbre, et aussi sombres en dessous. Des cumulonimbus. Il était de nouveau perché sur la falaise ouest de la péninsule de Da Vinci, et regardait par-delà le fjord Shalbatana la falaise qui marquait le bord est de Lunae Planum. Derrière lui se dressait la colline au sommet aplati qui était le bord du cratère Da Vinci. Son camp de base. Il y avait longtemps qu'il vivait là, maintenant. Ces temps-ci, leur coop fabriquait des satellites et les lanceurs pour les mettre en orbite, en collaboration avec le laboratoire de Spencer à Odessa et bien d'autres encore. Une coopérative calquée sur le modèle Mondragon régissait les laboratoires et les maisons d'habitation entourant le cratère, de même que les champs et les lacs du fond. Certains se plaignaient des restrictions imposées par les cours à leurs projets, parmi lesquels figuraient de nouvelles centrales qui produiraient trop de chaleur. Depuis quelques années, la CEG distribuait ce que l'on appelait des « rations K », c'est-à-dire le droit d'ajouter une fraction de degré kelvin au réchauffement global. Quelques communautés Rouges s'efforçaient de se faire attribuer des rations K qu'elles n'utilisaient pas, et cette rétention, alliée aux conséquences de l'écotage, empêchait la température de s'élever très vite. C'était du moins ce que prétendaient les autres communautés. Mais les écocours étaient encore parcimonieuses avec les rations K. Les dossiers étaient jugés par les écocours régionales et le jugement était ensuite soumis à l'arbitrage de la CEG, la seule possibilité d'appel consistant à faire signer une pétition par cinquante autres communautés, et encore l'appel s'engluait-il alors dans les fondrières du gouvernement global, où son destin dépendait de la foule indisciplinée de la douma.

Le progrès était lent, mais Sax trouvait que ce n'était pas plus mal. La température moyenne se situait au-dessus du point de congélation, ce qui lui convenait parfaitement. Sans les contraintes imposées par la CEG, la chaleur aurait risqué de grimper trop vite. Non, il n'était pas si pressé que ça. Il était devenu un avocat de la stabilisation.

C'était une belle journée du périhélie. Il faisait une température revigorante de 281 degrés kelvin. Il se promenait sur le sentier du bord de la falaise de Da Vinci en regardant les fleurs des Alpes dans les failles des alluvions et, plus loin, le lustre quantique du fjord ensoleillé, quand une grande femme portant un masque facial, un survêtement et de grosses bottes vint vers lui. Ann. Il la reconnut aussitôt. Son pas, sa démarche ; aucun doute, c'était Ann Clayborne, en chair et en os.

La surprise fit fulgurer deux souvenirs : Hiroko surgissant de la neige pour le raccompagner à son patrouilleur, puis Ann venant à sa rencontre dans l'Antarctique. Mais pour quoi faire ?

Troublé, il essaya de suivre cette pensée. La double image, une seule image fugitive...

Puis Ann fut devant lui et les souvenirs disparurent, effacés comme un rêve.

Il ne l'avait pas revue depuis qu'il lui avait fait subir de force le traitement gérontologique à Tempe, et il se sentait extrêmement mal à l'aise. C'était peut-être une réaction de crainte. Même s'il était peu probable qu'elle l'agresse physiquement, bien que ça lui soit déjà arrivé. Ce n'était pas ce genre d'agression qui l'ennuyait. Cette fois-là, dans l'Antarctique... Il tenta de retrouver le souvenir qui lui échappait, en vain. On avait beau essayer, quand les choses vous échappaient, on n'arrivait jamais à remettre le doigt dessus. Quant à savoir pourquoi, mystère. Il ne savait que dire.

– Tu es immunisé contre le dioxyde de carbone, maintenant ? demanda-t-elle à travers son masque.

Il lui parla du nouveau traitement de l'hémoglobine en cherchant péniblement ses mots, comme après son attaque. Il n'était pas à la moitié de son explication qu'elle éclatait d'un grand rire.

– Du sang de crocodile, maintenant ! Et puis quoi encore ?

– Oui, fit-il, devinant ce qu'elle pensait. Du sang de crocodile, une cervelle de rat.

– D'une centaine de rats.

– Des rats spéciaux, ajouta-t-il dans un souci de précision.

Après tout, les mythes obéissaient à une logique propre, rigoureuse, comme l'avait montré Lévi-Strauss. Il aurait voulu lui dire que c'étaient des rats de génie, une centaine de rats géniaux, pas un de moins. Même ses misérables étudiants diplômés avaient dû l'admettre.

– Des cerveaux modifiés, dit-elle, suivant le cours de ses pensées.

– Oui.

– Donc doublement modifiés, après ton problème cérébral, remarqua-t-elle.

– C'est vrai. (Vu comme ça, c'était une pensée déprimante. Ces rats avaient fait du chemin, depuis.) Un traitement plastique. Tu as... ?

– Non, pas moi.

C'était toujours la même vieille Ann. Il espérait qu'elle aurait essayé les drogues en connaissance de cause, qu'elle aurait vu clair. Mais non. En réalité, la femme qui se trouvait devant lui n'était plus tout à fait la même Ann. Il y avait quelque chose. Une lueur dans le regard. Depuis leurs affrontements sur l'*Arès*, et peut-être même avant, il s'était fait à l'idée de lire une certaine haine dans ses yeux. Depuis le temps, il avait appris à la reconnaître.

Et maintenant, avec ce masque, cette expression différente autour des yeux, c'était presque un autre visage. Elle l'observait avec attention, mais la peau autour des yeux n'était plus aussi crispée. Ridés, ils ne pouvaient pas l'être plus tous les deux, mais le réseau de rides était celui d'une physionomie détendue. Peut-être même le masque dissimulait-il un petit sourire. Il ne savait qu'en penser.

– Tu m'as fait subir le traitement gérontologique, dit-elle.

– Oui.

Devait-il dire qu'il était navré alors que ce n'était pas vrai ? La langue paralysée, la mâchoire serrée, il la regardait comme un oiseau hypnotisé par un serpent, espérant un indice montrant que tout allait bien, qu'il avait bien fait.

Elle esquissa tout à coup un geste englobant le paysage.

– Qu'essaies-tu de faire maintenant ?

Il s'efforça de comprendre ce qu'elle voulait dire. Sa question lui semblait aussi gnomique qu'un koan [1].

– Je regarde, dit-il, à court de réponse.

Le langage, tous ces beaux mots précieux, s'étaient soudain évanouis, envolés, comme une volée d'oiseaux effrayés. Hors d'atteinte. Toute signification abolie. Juste deux animaux, debout là au soleil. Regarder, regarder, regarder !

Elle ne souriait plus – si tant est qu'elle ait jamais souri. Elle n'avait pas l'air hostile non plus. Elle semblait plutôt le soupeser du regard, comme s'il était un caillou. Un caillou. Venant d'Ann, c'était sûrement signe de progrès.

Puis elle se détourna et repartit le long de la falaise, vers le petit port de Zed.

1. Koan : question absurde posée par un maître zen à son élève pour l'amener, par la constatation de ladite absurdité, à mieux appréhender la réalité. *(N.d.T.)*

Sax retourna à Da Vinci un peu sonné. Dans le cratère, ils tenaient ce qu'ils appelaient leur partie de Roulette Russe annuelle, c'est-à-dire qu'ils désignaient ceux qui allaient les représenter dans les coops et les diverses instances gouvernementales. Le rituel consistait à tirer les noms d'un chapeau, à remercier ceux qui avaient effectué ces corvées l'an passé, à consoler ceux que le sort avait frappés cette année et, pour la plupart, à se réjouir d'y avoir coupé une fois de plus.

Le tirage au sort était le seul moyen qu'ils avaient trouvé pour obliger les gens à effectuer les tâches administratives de Da Vinci. Ce qui était pour le moins paradoxal. Après le mal qu'ils s'étaient donné pour apprendre aux citoyens à s'assumer, les chercheurs de Da Vinci s'étaient révélés allergiques à tout travail administratif. Ils n'étaient bons qu'à une chose : chercher.

– Nous devrions laisser l'administration aux IA, disait Konta Araï, comme chaque année, en vidant une énorme chope de bière.

Et Aonia, la représentante de l'année passée à la douma, prévenait les heureux élus de cette année :

– A Mangala, on ne fait que s'engueuler à longueur de réunion pendant que des collaborateurs se tapent tout le boulot. De toute façon, la plupart des dossiers sont soumis au conseil, aux cours ou aux partis. Ce sont les apparatchiks de Mars Libre qui mènent la planète, en réalité. Mais c'est une très jolie ville, et c'est bien agréable de faire de la voile dans la baie en été et du bateau à glace en hiver.

Sax s'éloigna. Quelqu'un se plaignait du nombre de ports qui surgissaient du néant dans le golfe du Sud, trop proches à leur goût. La politique sous sa forme la plus répandue : les jérémiades. Personne ne voulait s'occuper de rien, mais quand il s'agissait de râler, tout le monde disait présent. Ce concert de lamentations se poursuivrait pendant près d'une demi-heure, puis ils se remettraient à parler boutique. Un groupe en était déjà à ce stade, Sax pouvait l'affirmer rien qu'à leur ton. En s'approchant, il découvrit qu'ils parlaient fusion. Il s'arrêta. Ils avaient l'air tout excités par leurs récents progrès dans le domaine du moteur à fusion pulsée. La fusion nucléaire avait été mise au point des décennies plus tôt, mais elle exigeait des tokamaks d'un volume monstrueux, des installations d'un poids et d'un coût trop importants pour être utilisables dans la plupart des cas. Alors que ce laboratoire s'efforçait de faire imploser des granules de combustible en rafale afin d'utiliser l'énergie résultante pour propulser des engins.

– Vous en avez discuté avec Bao ? demanda Sax.

– Eh bien, oui, avant de partir, elle est venue nous parler des schémas de plasma. Ça ne nous a pas été immédiatement utile, nous faisons vraiment de la macro par rapport à ses travaux, mais elle est tellement intelligente, et l'une des choses qu'elle a dites a donné à Yananda une idée de la façon de confiner l'implosion sans empêcher l'échappement consécutif.

Ils bombardaient les granules de toute part avec des rayons laser, mais il fallait aussi laisser une ventilation pour que les particules chargées puissent s'échapper. Bao avait apparemment été intéressée par le problème. Bref, une discussion animée s'engagea sur la question, qu'ils pensaient avoir enfin résolue. Si bien que, lorsque quelqu'un entra dans le cercle et évoqua les résultats du tirage au sort, ils l'envoyèrent promener :

– Ka, pas de politique, par pitié !

Sax poursuivit son petit tour en écoutant distraitement les conversations au passage et fut à nouveau frappé par l'apolitisme de la plupart des savants et des techniciens. Ils étaient vraiment allergiques à la politique, et il devait bien avouer qu'il partageait ce sentiment. La politique avait quelque chose d'intrinsèquement subjectif et impliquait beaucoup de compromis, ce qui était radicalement contraire à la méthode scientifique. Mais était-ce bien vrai ? Cette impression, ce préjugé étaient eux-mêmes subjectifs. Et si on considérait la politique comme une sorte de science, disons une longue série d'expériences de vie communautaire dont toutes les données seraient contaminées en permanence ? Les gens faisaient des hypothèses sur le système de gouvernement, l'essayaient, étudiaient l'effet qu'il produisait, en changeaient et renouvelaient l'expérience. Certaines constantes, certains principes semblaient avoir émergé au fil des siècles, au fur et à mesure des expérimentations et des paradigmes, alors que s'affinait l'approche des systèmes qui privilégiaient, par exemple, le bien-être physique, la liberté individuelle, l'égalité, la gestion du sol, les marchés régulés, la force de la loi, la compassion envers autrui. Après des expériences répétées, il était devenu clair – sur Mars au moins – que toutes ces finalités, parfois contradictoires, étaient mieux servies par la polyarchie, système complexe qui répartissait le pouvoir entre le plus grand nombre possible d'institutions. En théorie, ce système à la fois centralisé et décentralisé était le meilleur garant des libertés individuelles et le plus producteur de richesse collective.

D'où la notion de science politique. C'était bien joli, en théorie. Mais, dans la pratique, les gens devaient consacrer une certaine partie de leur temps à l'exercice du pouvoir. C'était l'autogouvernement, par tautologie ; ils s'autogouvernaient. Et ça prenait du temps. « Ceux qui accordent un prix à la liberté doivent faire l'effort nécessaire pour la défendre », disait Tom Paine. Sax avait lu cela dans le couloir où Bela avait pris la mauvaise habitude d'afficher des professions de foi d'une haute élévation. « La Science est de la Politique par d'Autres Moyens », disait, assez énigmatiquement, une autre inscription.

Mais à Da Vinci, peu de gens avaient envie de passer du temps à ça. « Le socialisme ne marchera jamais », avait dit Oscar Wilde (message calligraphié sur un autre panneau), « Ça prend trop de soirées. » Et comment ! La solution était de faire en sorte que vos amis y passent leurs soirées à votre place. D'où l'idée du tirage au sort, un risque calculé, parce qu'on pouvait se faire soi-même piéger un jour. Mais le risque se révélait généralement payant, ce qui expliquait la gaieté de cette fête annuelle. Les gens entraient et sortaient par les portes qui donnaient sur les terrasses ouvertes surplombant le lac du cratère, parlant avec animation. Même ceux qui avaient été enrôlés commençaient à retrouver le moral, grâce au kavajava, à l'alcool, et peut-être à la pensée qu'après tout le pouvoir c'était le pouvoir. D'accord, il était imposé, mais les « volontaires » jouiraient de certains privilèges auxquels ils songeaient sans doute à ce moment même : chercher des poux dans la tête à leurs adversaires ou faire des fleurs aux gens qu'ils voulaient impressionner. Le système marcherait donc encore une fois. Des organismes vivants empliraient l'arène polyarchique, les conseils régionaux, agricoles et hydrologiques, l'ordre des architectes, le conseil de surveillance des projets, le groupe de coordination économique, le conseil du cratère qui définissait les tâches de chaque bureau, le groupe d'experts des délégués globaux, tout ce réseau politico-administratif que des théoriciens progressistes avaient imaginé au fil des siècles, empruntant certains aspects à l'antique socialisme associatif britannique, aux conseils ouvriers yougoslaves, au collectivisme tel qu'il était pratiqué à Mondragon, au régime foncier du Kerala, etc. Une expérience de synthèse. Jusque-là, cela semblait relativement bien fonctionner. Les techniciens de Da Vinci paraissaient presque aussi déterminés et heureux que pendant les années de l'underground où tout se faisait (ou semblait se faire) d'instinct ou, plus exactement, sur la base du consensus (mais la population de Da Vinci était beaucoup moins importante à l'époque).

Ils avaient l'air contents, en tout cas. Dehors, sur les terrasses, ils faisaient la queue devant les grands pots de kavajava et d'Irish coffee, ou les tonnelets de bière, formaient des groupes bavards, et leurs voix faisaient un bruit stupéfiant, comme dans n'importe quel cocktail. Un brouhaha pareil au ressac des vagues. Un chœur de conversations. Une musique que Sax était seul à écouter consciemment, à ce qu'il lui semblait, puis il se dit que ce fond sonore contribuait inconsciemment au plaisir – le plaisir d'être ensemble ? – des gens qui assistaient à ces fêtes. Réunissez deux cents individus qui parlent fort de sorte que chacun puisse suivre les paroles échangées par son petit groupe, et ils feront une musique incroyable.

Da Vinci constituait donc une expérience de gouvernement réussie, même si les citoyens ne se bousculaient guère pour assumer ledit gouvernement. D'ailleurs, auraient-ils été plus heureux si ça les avait intéressés ? Peut-être le fait d'ignorer le gouvernement était-il une bonne stratégie. Et si le meilleur gouvernement était justement celui qu'on pouvait tranquillement ignorer « pour retourner enfin à son travail ! » comme le disait allègrement, à l'instant même, un ex-chef du conseil hydrologique ? Participer au gouvernement n'était pas considéré comme faisant partie de son travail !

Il y avait des gens à qui ça plaisait, bien sûr, qui aimaient l'interaction entre la théorie et la pratique, qui aimaient les arguties, résoudre des problèmes, le travail de groupe, se rendre utiles, les discussions interminables et le pouvoir. Ces gens-là effectuaient deux années de service, trois si on les y autorisait, puis ils s'investissaient dans une autre mission, toujours sur la base du volontariat. En fait, la plupart d'entre eux exerçaient plusieurs métiers à la fois. Bela, par exemple, qui déclarait hautement en avoir par-dessus la tête de présider le labo des labos, venait d'entrer au groupe d'experts, qui avait du mal à pourvoir certains postes. Sax s'approcha de lui :

– Penses-tu, comme Aonia, que Mars Libre domine la politique globale ? lui demanda-t-il.

– Ça ne fait pas un pli. Ils sont si nombreux, aussi... Ils sont chez eux dans les cours, et ils se sont fabriqué des règles sur mesure. Je pense qu'ils veulent s'assurer le contrôle de tous les astéroïdes nouvellement colonisés. Et de la Terre, par la même occasion. Tous les jeunes indigènes ambitieux se jettent là-dedans comme un phoque sur un poisson.

– Essayer de dominer d'autres colonies...

– Oui ?

– Ça veut dire des ennuis en perspective.

– C'est le moins qu'on puisse dire.

– Tu as entendu parler du moteur à fusion léger dont il est question ?

– Oui, un peu.

– Tu devrais essayer de pousser un peu ce projet. Si on pouvait équiper des vaisseaux spatiaux de moteurs pareils...

– Oui, Sax ?

– L'accélération des transports risquerait de faire voler en éclats l'hégémonie d'un parti unique.

– Tu crois vraiment ?

– En tout cas, ça lui compliquerait les choses.

– C'est vrai. Hum, il va falloir que je voie ça de plus près.

– Oui. La science est la politique par d'autres moyens, tu te souviens ?

– C'est vrai, ça ! C'est bien vrai !

Et Bela mit le cap sur les tonnelets de bière en marmonnant, puis salua un groupe qui s'approchait de lui.

La caste de bureaucrates qui avait été la terreur de tant de théoriciens de la politique émergeait donc spontanément ici : les experts qui prenaient le contrôle de la politique et ne lâchaient plus jamais prise. Mais au profit de qui l'auraient-ils lâchée ? Il ne voyait pas qui cela aurait pu intéresser. Bela pouvait rester au bureau des experts jusqu'à la fin des temps si ça lui chantait. Expert, du mot latin *experiri*, expérience. Un gouvernement d'expérimentateurs. Le gouvernement par ceux que ça intéressait. En réalité, une autre sorte d'oligarchie. Mais quelle solution de remplacement avaient-ils ? A partir du moment où ils étaient obligés de désigner des volontaires pour participer au gouvernement, la notion d'autogestion comme garante de la liberté individuelle devenait un peu paradoxale.

Hector et Sylvia, deux participants au séminaire de Bao, arrachèrent Sax à ses réflexions et l'invitèrent à écouter leur groupe de musique interpréter des airs tirés de *Maria de Buenos Aires*. Sax les suivit de bonne grâce.

Devant le petit amphithéâtre, il s'arrêta à un éventaire de boissons et prit une tasse de kava. La liesse était générale. Hector et Sylvia filèrent se préparer, jubilant à l'avance. En les regardant, Sax pensa à Ann, à leur récente rencontre. Il s'en voulait de n'avoir rien trouvé à lui dire. Il s'était comporté comme un parfait imbécile. Si seulement il avait pensé à redevenir Stephen Lindholm, ça l'aurait peut-être aidé. Où était Ann, maintenant, que pensait-elle ? Que faisait-elle ? Se contentait-elle d'errer sur Mars comme un fantôme, allant d'une station rouge à une autre ? D'ailleurs, que faisaient les Rouges, à présent, comment vivaient-ils ? S'apprêtaient-ils à bombarder Da Vinci, cette rencontre due au hasard avait-elle signé la fin d'un raid ? Sûrement pas. Il y avait toujours des écoteurs dans le coin, qui sabotaient les projets, mais avec les limites légales imposées au terraforming, la plupart des Rouges avaient plus ou moins réintégré la société. C'était un courant politique comme les autres, vigilant, procédurier, beaucoup plus intéressé par le jeu politique que les gens moins idéologiquement engagés, certes, mais par là même normalisé. Comment Ann s'inscrivait-elle là-dedans ? Avec qui s'était-elle associée ?

Bah, il pouvait toujours l'appeler et le lui demander.

Mais il avait peur de la joindre, peur de lui poser la question. Peur de lui parler ! Par bloc-poignet interposé, en tout cas. Et, apparemment, aussi de vive voix. Elle ne lui avait pas dit si elle était contente ou non qu'il lui ait administré le traitement contre son gré. Pas de remerciements, pas d'imprécations ; rien. Que pensait-elle ? Que pouvait-elle bien penser ?

Il poussa un soupir, dégusta son kava. En bas, les autres commençaient. Hector déclamait un récitatif en espagnol, d'une voix si musicale, d'un ton si expressif que Sax avait l'impression d'en comprendre les paroles.

Ann, Ann, Ann. Cet intérêt obsessionnel pour des pensées autres que les siennes était on ne peut plus inconfortable... Il était tellement plus facile de se concentrer sur la planète, les pierres, l'air, la biologie. Cela, Ann elle-même l'aurait compris. Et il y avait dans l'écopoésis quelque chose de fondamentalement mystérieux. La naissance d'un monde. Hors de tout contrôle. N'empêche qu'il se demandait encore ce qu'elle en faisait. Peut-être la rencontrerait-il à nouveau.

En attendant, le monde. Il retourna sur le terrain. Le sol ravagé sous le dôme bleu du ciel. A l'équateur, le ciel printanier changeait de couleur tous les jours, il lui aurait fallu un nuancier pour identifier les différents tons. Certains jours, il était d'un bleu violet profond – clématite, jacinthe, lapis-lazuli, ou indigo.

Ou bleu de Prusse, un pigment fabriqué à partir de ferrocyanide ferrique – chose intéressante, car il y avait sûrement beaucoup d'ions ferriques dans la région. Bleu fer. Légèrement plus violacé que le ciel qu'on voyait au-dessus de l'Himalaya sur les photos, mais identique au ciel de la Terre vu d'une certaine altitude. Tout s'alliait au paysage rocailleux, déchiqueté, pour donner une impression de hauteur : la couleur du ciel, les aspérités de la pierre, l'air froid, si pur, si léger. Tout était si haut. Il marcha dans le vent, sous le vent, en travers du vent, et chaque fois l'impression était différente. Le vent faisait à ses narines l'effet d'une drogue douce qui envahissait son cerveau. Il marchait sur les roches incrustées de lichens, de pierre en pierre, comme sur l'allée d'un jardin qui aurait magiquement surgi de ce monde chaotique, en haut, en bas, pas après pas, attentif à l'eccéité de l'instant. D'instant en instant, chacun discret, comme les cordes spatio-temporelles de Bao, comme les positions successives de la tête d'un pinson, d'un petit oiseau passant d'une pose quantique à l'autre. Il était évident, quand on faisait attention, que les instants n'étaient pas des unités d'égale durée mais de longueur variable en fonction des événements. Le vent tomba. Pas un oiseau n'était en vue. Le silence se fit soudain, un silence parfait, seulement troublé par un bourdonnement d'insectes. Ces moments pouvaient durer plusieurs secondes. Au contraire, quand des hirondelles harcelaient un corbeau, ils étaient presque simultanés. Il fallait être très attentif. Parfois, c'était un courant, parfois le ploc-ploc-ploc du calme individuel.

Savoir. Il y avait toutes sortes de connaissances, mais aucune n'était aussi satisfaisante, décida Sax, que la connaissance directe par les sens. Là, dans la lumière brillante du printemps et le vent glacial, il parvint au bord d'une falaise et plongea le regard vers le fjord Simud, étendue outremer qu'argentaient mille millions d'éclats de lumière ricochant sur l'eau. Les falaises de l'autre côté étaient rayées par des lignes de stratification. Certaines étaient devenues des crêtes vertes et soulignaient le basalte. Des mouettes, des macareux, des sternes, des guillemots, des orfraies tournaient et viraient dans les golfes d'air, sous ses pieds.

En apprenant à connaître les différents fjords, il s'aperçut qu'il avait ses préférés. La baie de la Florentine, juste au sud de Da Vinci, était un joli ovale bleu cerné d'une sorte de marche sur laquelle on pouvait se promener, et le spectacle était fabuleux tout du long. Une herbe épaisse comme un tapis poussait sur cet épaulement. C'était un peu l'image que Sax se faisait de la côte irlandaise. Les aspérités du paysage s'adoucissaient alors que la terre et la flore commençaient à envahir les interstices, se cramponnant aux reliefs d'une façon qui défiait la gravité, de sorte qu'on mettait les pieds sur des coussinets de terre qui faisaient des bourrelets entre les dents acérées des roches encore dénudées.

Des nuages venaient de la mer, au nord, et des pluies diluviennes se déversaient sur l'intérieur des terres, détrempant tout. Le lendemain, l'air fumait, le sol gargouillait et ruisselait, et chaque pas hors de la rocaille soulevait une gerbe de magma visqueux. Boue, marécages et fondrières. De petites forêts convulsées dans les grabens, en contrebas. Un renard brun, furtif, aperçu du coin de l'œil alors qu'il filait se tapir derrière un genévrier. Le fuyant ? Pourchassant quelque chose ? Sax ne le saurait jamais. Ça ne le concernait pas. Des vagues se ruaient sur les falaises, rebondissaient vers le large, créant des schémas d'interférence avec celles qui arrivaient. On les aurait crues sorties d'une machine à vagues de labo de physique. Si belles. Et qu'il était étrange de voir le monde se conformer avec une telle précision à la formulation mathématique. L'efficacité des mathématiques était déraisonnée. Elles étaient au cœur du Grand Inexplicable.

Chaque coucher de soleil était différent, à cause des fines en suspension dans la troposphère. Elles planaient si haut qu'elles étaient souvent illuminées par le soleil bien après que tout le reste fut plongé dans l'obscurité. Sax restait assis sur la falaise, fasciné, jusqu'à ce que le ciel soit complètement noir, et il était parfois récompensé par l'apparition de nuages noctiluques, de larges traînées nacrées comme des coquilles d'abalones, trente kilomètres au-dessus de la planète.

Le ciel d'étain fondu d'une journée brumeuse. Le coucher de soleil fulgurant, comme un coup de poignard. La chaleur du soleil sur sa peau, dans le calme d'une fin d'après-midi. Le dessin des vagues sur la mer, en dessous. Le contact du vent, son spectacle.

Mais une fois, dans un crépuscule indigo, sous le déploiement étincelant de grosses étoiles floues, il éprouva une sorte de malaise. « Les pôles neigeux de Mars sans lune », avait écrit Tennyson. Mars sans lune. C'était à cette heure-ci que Phobos apparaissait normalement à l'horizon comme un étendard flamboyant. Un moment fort de l'aréophanie s'il y en avait jamais eu un. La peur et la menace. Et il avait achevé la désatellisation lui-même. Ils auraient pu se contenter de faire sauter les bases militaires de Deimos, qu'avait-il en tête ce jour-là ? Il ne savait plus. Une sorte de désir de symétrie. En haut, en bas. Les mathématiciens appréciaient peut-être plus la symétrie que les autres. En haut. Deimos était encore en orbite autour du soleil, quelque part. « Hum... » Il consulta son bloc-poignet. Beaucoup de nouvelles colonies s'installaient là-bas. Des gens évidaient des astéroïdes, les faisaient tourner pour créer un effet gravitationnel et s'y installaient. De nouveaux mondes.

Un mot retint son regard : *Pseudophobos*. Il revint en arrière. C'était le nom populaire d'un astéroïde qui ressemblait un peu, par la taille et la forme, à la lune disparue. « Hum-hum... » Sax tapota les touches de son bloc-poignet et une image apparut. La ressemblance était superficielle : un ellipsoïde triaxial... Bon, ils l'étaient tous. Un patatoïde de la même taille, qui aurait pris un bon coup à un bout, un cratère comme celui de Stickney. Stickney... Il y avait une belle petite colonie blottie au fond. Que recouvrait un nom ? Mettons qu'on laisse tomber le *pseudo*. Des moteurs-fusées, des IA, quelques propulseurs... Le moment inoubliable où Phobos avait jailli au-dessus de l'horizon, à l'ouest.

– Hum-hum-hum, fit Sax.

Les jours passaient, les saisons passaient. Il étudiait la météorologie – les effets de la pression atmosphérique sur la formation des nuages –, et procédait à des observations sur le terrain, ce qui l'amenait à faire le tour de la péninsule pour lancer des ballons et des cerfs-volants. Les ballons-sondes de cette époque étaient très élégants : dix grammes d'instruments à peine, qu'une enveloppe de huit mètres de long pouvait emporter jusque dans l'exosphère.

Sax adorait disposer l'enveloppe sur une étendue plane de sable ou d'herbe, le dos au vent, puis s'asseoir et, tout en maintenant le ballon, actionner le détendeur de la bouteille d'hydrogène, le regarder se gonfler et monter droit dans le ciel. Il avait appris à lâcher le câble de guidage rapidement pour ne pas être soulevé de terre, et à mettre des gants pour ne pas avoir la paume des mains arrachée. Il lâchait donc prise, reprenait son équilibre et regardait le point rond et rouge filer dans le vent jusqu'à n'être plus qu'une tête d'épingle qu'il perdait bientôt de vue. Ce qui arrivait en règle générale vers 1 000 mètres, tout dépendait de la qualité de l'air. Une fois, il avait disparu dès 479 mètres, une autre fois il l'avait suivi jusqu'à 1 352 mètres, mais la journée était vraiment exceptionnellement claire. Une fois la sonde lancée, il déchiffrait une partie des données sur son bloc-poignet en se prélassant au soleil avec l'impression qu'un petit bout de lui-même montait dans l'espace. C'était fou le genre de chose dont le bonheur était fait.

Les cerfs-volants étaient tout aussi jolis. Un peu plus compliqués à manier que les ballons, mais ils lui procuraient un plaisir particulier en automne, quand les vents dominants soufflaient avec force et régularité. Il montait sur la falaise, à l'ouest, et courait dans le vent pour faire décoller un grand cerf-volant cellulaire orange, agité de mouvements saccadés. Le cerf-volant parvenu à une certaine altitude, les courants aériens étaient plus réguliers et l'engin se stabilisait. Sax dévidait alors le câble et percevait les sautes du vent comme de subtils frémissements dans ses bras. Ou bien il enfonçait un bâton avec un dérouleur dans une faille, définissait la tension et regardait le cerf-volant monter, monter, monter puis disparaître. Le câble était presque invisible. Il s'échappait du dévidoir avec un vrombissement, et s'il le tenait à ce moment-là, les fluctuations du vent se communiquaient à lui comme une sorte de musique. Le cerf-volant pouvait rester en l'air des semaines d'affilée, hors de vue, ou, s'il était assez bas, à peine visible dans le ciel comme un point minuscule qui transmettait continuellement des données. Un objet carré était visible de plus loin qu'un objet rond de même dimension. L'esprit était un drôle d'animal.

Michel appela pour parler de tout et de rien. C'était le genre de conversation qui posait le plus de problèmes à Sax. Michel regardait vers le bas et à droite, et il pensait manifestement à autre chose en parlant. Il n'avait pas l'air heureux. Sax devait prendre l'initiative d'une façon ou d'une autre.

– Viens faire un tour avec moi, répéta Sax. Tu devrais vraiment venir, je t'assure. (Comment pouvait-on dire ça de façon plus convaincante ?) Je pense vraiment que tu devrais venir. (Effectuer des rapprochements.) Da Vinci ressemble à la côte ouest de l'Irlande. Le bout de l'Europe. Une grande falaise verte dressée sur une immensité d'eau.

Michel hocha la tête d'un air indécis.

Mais, quelques semaines plus tard, il était là, dans un couloir de Da Vinci.

– J'ai eu envie de voir le bout de l'Europe.

– Brave bonhomme.

Ils partirent donc pour une promenade qui prendrait la journée. Sax l'emmena vers les falaises de Shalbatana, à l'ouest, puis ils continuèrent à pied vers Simshal Point, au nord. C'était un tel plaisir d'être en compagnie de son vieil ami dans cet endroit magnifique. Revoir n'importe lequel des Cent Premiers rompait agréablement la routine. C'était un événement rare et précieux. Les semaines passaient dans leur ronde confortable, puis tout à coup l'un des membres de la vieille famille apparaissait, et c'était comme de rentrer chez soi sans pour autant avoir de chez-soi. Il devrait peut-être s'installer à Sabishii ou Odessa, un jour, afin de pouvoir éprouver plus souvent ce merveilleux sentiment.

Aucune compagnie ne lui était plus agréable que celle de Michel. Mais ce jour-là il restait à la traîne, l'air ailleurs, perturbé. Sax se demanda ce qu'il pouvait faire pour lui. Michel l'avait tellement aidé au cours des longs mois où il avait redécouvert la parole. Il lui avait réappris à penser, à tout voir différemment. Il aurait aimé pouvoir lui rendre ce cadeau, même en partie seulement.

Mais pour ça, il fallait qu'il lui dise quelque chose. Aussi, quand ils s'arrêtèrent pour préparer le cerf-volant, Sax tendit le dévidoir à Michel.

– Tiens, dit-il. Je vais arranger le cerf-volant. Tu vas le lancer. Comme ça, dans le vent.

Il tint le grand cerf-volant à caissons pendant que Michel s'éloignait sur les monticules couverts d'herbe puis, quand le câble fut tendu, Sax lâcha le cerf-volant tandis que Michel commençait à courir. Le cerf-volant prit le vent et monta, monta, monta toujours plus haut.

Michel revint avec un grand sourire.

– Tiens, touche le câble. On sent le vent.

– C'est vrai, fit Sax. On le sent.

La ligne presque invisible vibrait entre ses doigts.

Ils s'assirent, ouvrirent le panier d'osier de Sax et en sortirent le pique-nique qu'il avait apporté. Michel redevint silencieux.

– Il y a quelque chose qui ne va pas ? risqua Sax pendant qu'ils mangeaient.

Michel agita un bout de pain, avala ce qu'il avait dans la bouche.

– Je voudrais retourner en Provence.

– Pour toujours ? demanda Sax, choqué.

– Pas forcément, répondit Michel en fronçant les sourcils. Pour voir. Je commençais juste à me sentir bien quand nous avons dû repartir, la dernière fois.

– Il fait lourd, sur Terre.

– C'est vrai. Mais je m'y suis très bien fait.

– Hum.

Sax n'avait pas apprécié le retour à la gravité terrestre. L'évolution avait adapté leur corps à une certaine pesanteur, et il était vrai que de vivre par 0,38 g posait toutes sortes de problèmes médicaux. Mais il était tellement habitué à la gravité martienne, maintenant, qu'il n'y faisait même plus attention. Et quand il y pensait, c'était pour se dire qu'il trouvait ça bien agréable.

– Sans Maya ? demanda-t-il.

– Bien obligé. Elle ne veut pas y retourner. Elle dit qu'elle ira un jour, mais elle remet toujours ça à plus tard. Elle travaille pour la banque de crédit coop de Sabishii, et elle se croit indispensable. Non, je ne suis pas juste. C'est plutôt qu'elle ne veut rien rater ici.

– Tu ne pourrais pas transformer l'endroit où tu vis en une sorte de Provence ? Planter une oliveraie ?

– Ce ne serait pas pareil.

– Non, mais...

Sax ne savait que dire. La Terre ne lui manquait absolument pas. Quant à la vie avec Maya, il avait autant de mal à l'envisager que l'existence dans un tambour de machine à laver. Ça devait faire à peu près le même effet. D'où peut-être le besoin de solidité qu'éprouvait Michel, son désir de sentir la Terre sous ses pieds.

– Alors il faut y aller, répondit Sax. Attends quand même un tout petit peu. S'ils mettent au point ces moteurs à fusion pulsée et s'ils en équipent les vaisseaux spatiaux, tu y seras en moins de deux.

– Ça risque de poser des problèmes avec la gravité terrestre. Je pense que tous ces mois de voyage ne sont pas de trop pour s'y préparer.

Sax acquiesça.

– Ce qu'il te faudrait, c'est une sorte d'exosquelette dans lequel tu te sentirais soutenu, comme sous une faible gravité. Ces nouvelles tenues d'homme-oiseau dont on parle doivent ressembler un peu à ça, sinon on ne pourrait pas maintenir les ailes en position.

– Une carapace articulée en fibre de carbone, répondit Michel avec un sourire. Une carapace flottante.

– Oui. Marcher avec une chose de ce genre ne devrait pas être trop contraignant.

– Alors, si je te suis bien, nous commençons par nous installer sur Mars où nous devons porter des scaphandres pendant cent ans, puis quand nous avons assez évolué pour pouvoir rester assis ici, en plein air, et n'éprouver qu'une agréable impression de fraîcheur, nous retournons sur Terre où nous devons de nouveau porter des scaphandres pendant un siècle.

– Ou pour toujours, fit Sax. Exactement.

Michel éclata de rire.

– Eh bien, si c'est comme ça, je vais peut-être y aller. Un jour, ajouta-t-il en secouant la tête, nous pourrons vivre comme nous voulons, hein ?

Le soleil se trouvait au-dessus d'eux. Le vent caressait la pointe des herbes, et chacune était un éclair éblouissant. Michel parla de Maya pendant un moment, d'abord pour râler, puis pour lui trouver des excuses, enfin pour énumérer les qualités qui la rendaient irremplaçable et faisaient d'elle la lumière de sa vie. Sax hochait dûment la tête à chaque déclaration, quand bien même elle contredisait chacune des précédentes. Il avait l'impression d'écouter un drogué. Enfin, les gens étaient comme ça ; et il n'était pas à l'abri de ce genre de contradictions.

Un ange passa.

– Comment crois-tu qu'Ann voit ce genre de paysage, maintenant ? demanda enfin Sax.

Michel haussa les épaules.

– Je ne sais pas. Il y a des années que je ne l'ai vue.

– Elle n'a pas suivi le traitement de plasticité du cerveau.

– Non. Elle a la tête dure, hein ? Elle veut rester elle-même. Mais dans ce monde, j'ai bien peur que...

Sax opina du chef. Si on considérait tous les signes de vie du paysage comme une contamination, comme une horrible moisissure qui infectait la pure beauté du monde minéral, alors même le bleu de l'oxygène du ciel passerait pour une souillure. Il y avait de quoi devenir fou. C'est aussi ce que pensait Michel :

– J'ai peur qu'elle ne retrouve jamais la raison. Ou pas complètement.

– Je vois ce que tu veux dire.

D'un autre côté, qu'est-ce qui leur permettait d'affirmer une chose pareille ? Michel était-il fou parce qu'il était obsédé par une région située sur une autre planète, ou amoureux d'une personne relativement compliquée ? Sax était-il fou parce qu'il avait du mal à parler et à effectuer certaines opérations mentales, par suite d'une attaque et d'un traitement expérimental ? En tout cas, il n'en avait pas l'impression. Mais Desmond avait beau dire, il était fermement convaincu qu'Hiroko l'avait sauvé d'une tempête de neige. Et quant à cela, on pouvait y voir, disons, des événements purement mentaux qui semblaient avoir une réalité externe. Ce qui passait souvent pour un symptôme de folie, si Sax avait bonne mémoire.

– Comme ces gens, qui croient avoir vu Hiroko, murmura-t-il, pour voir ce que répondrait Michel.

– Ah ! oui. La pensée magique. C'est un mode de pensée tenace. Ne te laisse jamais aveugler par le rationalisme au point de ne plus voir que la pensée magique gouverne la majeure partie de ce que nous pensons. Qui suit souvent des schémas archétypaux, comme dans le cas d'Hiroko. Son histoire rappelle celle de

Perséphone, ou du Christ. Ça s'explique : quand un personnage de cette qualité disparaît, le choc provoqué par sa mort est tellement insupportable qu'il suffit qu'un ami ou un disciple rêve de lui et se réveille en criant qu'il l'a vu pour qu'en une semaine tout le monde soit persuadé que le prophète est revenu, ou qu'il n'était pas vraiment mort. C'est ce qui se passe avec Hiroko et ses apparitions régulières.

Mais je l'ai vraiment vue, aurait voulu dire Sax. *Elle m'a pris par le poignet.*

D'un autre côté, il était profondément troublé. Les explications de Michel paraissaient sensées. Et elles collaient assez bien avec celles de Desmond. Hiroko leur manquait cruellement à tous les deux, du moins Sax le supposait-il, et pourtant ils devaient bien affronter la réalité de sa disparition et son explication la plus probable. Et les événements mentaux inhabituels pouvaient parfaitement être dus à la tension physique. Peut-être avait-il rêvé quand il avait cru la voir. Mais non, non, non, ce n'était pas une hallucination : il s'en souvenait avec netteté, chaque détail était gravé dans son esprit.

Mais ce n'était qu'un fragment, se dit-il, comme ces lambeaux de rêve dont on se souvient au réveil, le reste disparaissant comme une chose visqueuse, fuyante, avec un giclement presque audible. Ainsi, il ne se rappelait pas très bien ce qui s'était passé juste avant l'apparition d'Hiroko, ou après. Non plus que les détails.

Il claqua nerveusement des dents. Il y avait toutes sortes de folies, bien sûr. Ann errant seule dans le vieux monde. Et eux tous titubant dans le nouveau monde comme des fantômes, se débattant pour mettre sur pied une forme d'existence ou une autre. Peut-être Michel avait-il raison, peut-être avaient-ils du mal à affronter leur longévité, peut-être ne savaient-ils pas quoi faire de tout ce temps, comment construire leur vie.

Enfin... Ils étaient là, assis sur les falaises de Da Vinci. Il n'y avait pas de quoi se torturer les méninges. Comme aurait dit Nanao, qu'auraient-ils pu vouloir de plus ? Ils avaient le ventre plein, ils ne souffraient pas de la soif, ils étaient au soleil, dans le vent, regardant un cerf-volant monter loin au-dessus d'eux, dans le ciel de velours bleu nuit. De vieux amis qui bavardaient, assis dans l'herbe. Qu'auraient-ils bien pu vouloir de plus ? La tranquillité d'esprit ? Nanao aurait été mort de rire. La présence d'autres amis de longue date ? Eh bien, ils avaient tout le temps pour ça. En attendant, en ce moment précis, ils étaient assis sur une falaise, les deux frères d'armes. Après toutes ces années de combat, ils pouvaient rester là tout l'après-midi si ça leur chantait, à faire voler un cerf-volant et à bavarder. A parler de leurs vieux compagnons, de la pluie et du beau temps. Il y avait eu des problèmes avant, il y en aurait encore, mais ils étaient là, aujourd'hui présents, et voilà.

– John aurait adoré ça, reprit Sax, un peu haletant, c'était si difficile de parler de ces choses. Je me demande s'il aurait pu amener Ann à voir tout ça. Ce qu'il peut me manquer ! Et comme je voudrais qu'elle le voie. Pas comme moi je le vois, non, juste qu'elle voie que ce n'est pas mal. Que c'est beau, à sa façon. En soi, la façon dont tout cela s'organise. Nous disons que c'est notre œuvre, mais ce n'est pas vrai. C'est trop complexe. Nous l'avons juste amené ici. Après, ça s'est fait tout seul. Maintenant, nous essayons de le pousser dans une direction ou une autre, mais la biosphère totale... Elle s'organise toute seule. Il n'y a rien d'anormal là-dedans.

– Ça... éluda Michel.

– Absolument rien ! Nous pouvons raconter ce que nous voulons, nous ne sommes que des apprentis sorciers. Tout a pris une vie propre.

– Mais il y avait une vie avant, fit Michel. C'est ça qu'Ann vénère. La vie des roches et de la glace.

– La vie ?

– Une sorte de lente existence minérale. Appelle ça comme tu voudras. Une aréophanie de roches. Et puis, qui dit que ces pierres n'ont pas une sorte de conscience qui leur soit propre ?

– Je pense que la conscience est une question de cerveau, répliqua sèchement Sax.

– Peut-être, mais qui peut l'affirmer ? Ou, à défaut de conscience telle que nous l'entendons, disons au moins une existence. Une valeur intrinsèque, simplement parce que ça existe.

– Cette valeur n'a pas disparu, dit Sax.

Il ramassa une pierre de la taille d'une balle de base-ball, un fragment d'ejecta dont les aspérités révélaient l'impact d'une météorite ; aussi commune que la terre, et même beaucoup plus que la terre cultivable. Il la regarda attentivement. Salut, pierre, A quoi penses-tu ?

– Tout est encore là. Rien n'a disparu, dit-il.

– Mais ce n'est pas pareil.

– Rien n'est jamais pareil. Tout est en perpétuel changement. Quant à la conscience minérale, c'est trop mystique pour moi. Ce n'est pas que je sois systématiquement contre le mysticisme, mais là...

Michel se mit à rire.

– Tu as beaucoup changé, Sax. Mais tu es toujours le même.

– J'espère bien ! Cela dit, je ne crois pas qu'Ann soit très mystique non plus.

– Alors ?

– Alors, je ne sais pas ! Vraiment pas. Une... une scientifique comme elle, ne pas... ne pas supporter que les données soient contaminées ? C'est une façon stupide de voir les choses. Une peur du phénomène. Tu comprends ce que je veux dire ? De l'idolâtrie, voilà ce que c'est. Vivez avec, adorez-le, mais n'essayez pas d'y changer quoi que ce soit, ce serait du gâchis, vous casseriez tout. Je ne sais pas. Mais je voudrais bien comprendre.

– Tu veux toujours tout comprendre.

– Exact. Mais ça, j'ai plus envie de le comprendre que n'importe quoi d'autre. Plus que tout au monde. Vraiment !

– Ah, Sax... fit Michel avec un grand sourire. Je veux la Provence, tu veux Ann. Nous sommes tous les deux dingues !

Ils éclatèrent de rire. Des photons pleuvaient sur leur peau, la plupart les traversaient sans s'arrêter. Et ils se tenaient là, transparents au monde.

DIXIÈME PARTIE

Werteswandel

Il était plus de minuit, et les bureaux étaient déserts. Le conseiller s'approcha du samovar et distribua de petites tasses de café. Trois de ses adjoints étaient debout autour d'une table sur laquelle étaient posés des écrans manuels.

– Les macrotomes de deutérium et d'hélium sont donc frappés, les uns après les autres, par la batterie de lasers, dit le conseiller. Ils implosent, déclenchant la fusion. La température au moment de l'allumage est de sept cents millions de degrés kelvin, mais c'est sans problème, car la réaction est très localisée, et très brève.

– Une question de nanosecondes.

– Parfait. Je trouve ça réconfortant. Bon, l'énergie résultante est donc libérée entièrement sous forme de particules chargées, qui peuvent être contenues par des champs électromagnétiques – pas de neutrons susceptibles de s'échapper et de rôtir les passagers. Les champs font office d'écran, de bouclier poussoir, ainsi que de système de récupération d'énergie afin d'alimenter les lasers. Toutes les particules chargées sont dirigées vers l'arrière, traversent le système de miroirs orientés qui concentrent les rayons, et assurent également la collimation des produits de la fusion.

– Exactement. Et c'est le plus beau de l'affaire, confirma l'ingénieur.

– Très bien. Quelle est la consommation ?

– Pour obtenir une accélération équivalente à la gravité martienne, c'est-à-dire 3,73 mètres-seconde au carré, la consommation d'un vaisseau de mille tonnes – trois cent cinquante tonnes pour les passagers et le vaisseau, six cent cinquante pour le système de propulsion et le combustible – sera de trois cent soixante-treize grammes à la seconde.

– Ka ! C'est énorme, non ?

– Ça fait près de trente tonnes par jour, mais l'accélération est énorme, aussi. Les voyages sont brefs.

– Et ces macrotomes font quelle dimension ?

– Un centimètre de rayon, répondit le physicien. Masse, vingt-neuf grammes. Nous en brûlerons mille deux cent quatre-vingt-dix à la seconde. Les passagers devraient avoir une impression d'accélération continue.

– J'imagine. Mais l'hélium est assez rare, non ?

– Un collectif de Galilée a commencé à en recueillir dans la stratosphère de Jupiter, répondit l'ingénieur. On pourrait faire de même au voisinage de la Lune, mais ça ne se passe pas très bien. Et puis Jupiter en a plus qu'il ne nous en faudra jamais.

– Les vaisseaux transporteraient cinq cents passagers ?

– C'est une hypothèse de calcul. Elle pourra toujours être ajustée, évidemment.

– Alors, le vaisseau accélère jusqu'à mi-chemin, fait demi-tour et décélère pendant toute la seconde moitié du trajet.

– Pour les trajets les plus courts, oui, acquiesça le physicien. Pour les plus longs, il suffira d'accélérer pendant quelques jours pour atteindre la vitesse voulue et la partie médiane du trajet s'effectuera à la vitesse de croisière afin d'économiser le combustible.

Le conseiller hocha la tête et ravitailla les autres en café. Ceux-ci dégustèrent le breuvage.

– La durée des voyages va changer radicalement, poursuivit la mathématicienne. Trois semaines de Mars à Uranus. Dix jours de Mars à Jupiter. Trois jours de Mars à la Terre. Trois jours ! (Elle regarda les autres en fronçant le sourcil.) Le système solaire va ressembler à l'Europe au XIX*e* *siècle. Les voyages en train. Les paquebots qui traversent l'océan.*

Tout le monde opina du chef.

– Nous sommes maintenant voisins des habitants de Mercure, d'Uranus et de Pluton, fit l'ingénieur.

Le conseiller haussa les épaules.

– Et d'Alpha du Centaure, si vous allez par là. Pas de problème. Le contact est une bonne chose. Contentez-vous d'établir le contact, dit le poète [1]*. Eh bien, établissons le contact. Maintenant, nous avons rendez-vous avec une vengeance, fit-il en levant sa tasse. A votre santé !*

1. Edward Morgan Forster (1879-1970), romancier et humaniste anglais (*Chambre avec vue*), dans *Retour à Howard's End* : « Only connect the prose and the passion, and both will be exalted... » *(N.d.T.)*

Nirgal prenait le rythme et le gardait toute la journée. *Lung-gom-pa*. La religion de la course, la course en tant que méditation ou prière. Zazen, ka zen. Une partie de l'aréophanie, comme la gravité martienne. L'effort que le corps humain était capable de fournir aux deux cinquièmes de la pesanteur pour laquelle l'évolution l'avait prévu était une euphorie de tous les instants. Courir comme un pèlerin, mi-adorateur, mi-dieu.

Cette religion comptait pas mal d'adhérents, ces temps-ci, des solitaires qui couraient en tous sens. Ils organisaient parfois des courses, des compétitions : Dévaler le Dédale, le Cross-Chaos, la Trans-Marineris, le Mar(s)athon. Et entre deux, la discipline quotidienne. L'activité sans but; pour la beauté du geste. Pour Nirgal, c'était une adoration, une méditation, l'oubli. Son esprit vagabondait, se focalisait sur son corps, ou sur la piste. Ou se vidait de tout. A ce moment-là, il courait en musique, sur Bach, sur Bruckner ou sur Bonnie Tyndall, une néoclassique d'Elysium dont la musique coulait comme les jours, d'amples chœurs décrivant une modulation interne régulière, un peu à la façon de Bach ou Bruckner, mais plus lente, plus régulière, plus inexorable et grandiose. Une bonne musique pour courir, même s'il ne l'entendait pas consciemment pendant des heures d'affilée. Il courait, c'est tout.

Le moment approchait du Mar(s)athon, qui avait lieu un périhélie sur deux. Les concurrents partaient de Sheffield et faisaient le tour de Mars sans bloc-poignet ni aucun autre système de navigation, en se fiant à leurs seuls sens, avec, pour tout bagage, un petit sac contenant de quoi boire, manger et assurer le couchage. Ils pouvaient choisir leur trajet, partir vers l'est ou vers l'ouest, pourvu qu'ils ne s'écartent pas de plus de vingt degrés de l'équateur (ils étaient suivis par satellite, et disqualifiés s'ils s'en éloignaient davantage). Ils avaient le droit de prendre tous les ponts, y compris celui de Ganges Catena, qui rendait compétitives les routes tant vers le nord que vers le sud de Marineris, de sorte qu'il y avait presque autant d'itinéraires possibles que de concurrents. Nirgal avait gagné cinq des neuf Mar(s)athons précédents, grâce à son sens de l'orientation plus qu'à la qualité de sa course. Beaucoup de concurrents malheureux considéraient le « Nirgalweg » comme une sorte d'aboutissement mystique, une chose surnaturelle, extravagante, qui allait contre toute logique. Les deux dernières fois, des coureurs l'avaient suivi dans l'espoir de le dépasser dans la dernière ligne droite. Mais chaque année il empruntait un chemin différent, prenant souvent des directions qui paraissaient tellement aberrantes que certains de ses poursuivants renonçaient pour se rabattre sur des voies plus prometteuses. D'autres ne pouvaient tenir le rythme pendant les deux cents jours et les vingt et un mille kilomètres de la course. Il fallait toute l'endurance d'un coureur de fond, être capable de subvenir à ses propres besoins, et de courir tous les jours.

Nirgal adorait ça. Il voulait gagner le prochain Mar(s)athon, pour pouvoir dire qu'il avait remporté plus de la moitié des dix premiers. Il étudiait le parcours, les nouvelles pistes. Il s'en construisait beaucoup, tous les ans. La mode était, depuis peu, d'aménager des pistes en escalier dans les parois des canyons, des dorsae et des escarpements qui couturaient l'outback. La piste qu'il suivait n'existait pas lors de son dernier passage dans la région. Elle descendait le long de la falaise abrupte d'une dépression du chaos d'Aromatum, et il y en avait une autre, symétrique, sur la paroi opposée. Traverser Aromatum ajouterait un segment vertical au parcours, mais tous les chemins plus horizontaux passaient loin au nord ou au sud, et Nirgal pensait que l'escalade pouvait se révéler payante.

La nouvelle piste suivait les anfractuosités de la falaise. Les marches étaient ajustées comme les pièces d'un puzzle, et si régulières qu'il avait l'impression de dévaler l'escalier ménagé dans la muraille du château en ruines d'un géant. Dresser des pistes à flanc de paroi était un art, un travail élégant auquel Nirgal avait parfois participé, aidant à déplacer les blocs de roche taillée avec une grue afin de les encastrer les uns au-dessus des autres. Il avait passé des heures, suspendu dans le vide, à tirer sur des filins verts de ses mains gantées, afin de positionner d'énormes polygones de basalte. Le premier constructeur de pistes que Nirgal avait rencontré était une femme qui traçait une route sur l'aileron dorsal de Geryon Montes, la longue crête qui se dressait au fond d'Ius Chasma. Il l'avait aidée tout un été. Elle était encore quelque part dans Marineris, à sculpter des pistes avec ses outils : des scies manuelles ultra-puissantes, des systèmes de poulies aux filins super-résistants et des rivets adhésifs plus durs que les pierres qu'ils assemblaient. Elle était encore là-bas, à exhumer de la roche une passerelle ou un escalier, des routes ressemblant à des voies romaines ou à des reliefs naturels placés là comme par miracle, des ponts d'une majesté pharaonique ou précolombienne, faits d'énormes blocs ajustés avec une précision millimétrique, enjambant des gouffres ou des étendues chaotiques.

Trois cents marches plus bas – il les avait comptées –, il arriva au fond du canyon dans l'heure précédant le coucher du soleil. Le ciel était réduit à une bande de velours violet, tout là-haut, entre les parois sombres. Il n'y avait pas de piste sur le sable plongé dans l'ombre, et il dut bien regarder où il mettait les pieds entre les pierres et les plantes, sans se laisser distraire par les fleurs éclatantes perchées sur les cactées en forme de tonneau, aussi brillantes que le ciel. Son corps brillait lui aussi dans la fin de cette journée passée à courir, il allait enfin assouvir la faim qui le rongeait de l'intérieur, l'affaiblissait plus désagréablement à chaque instant.

Il s'engagea dans l'escalier de la paroi ouest et le gravit en rétrogradant quelque peu, mais de la même allure régulière, tournant tantôt à gauche, tantôt à droite, au gré de la route en épingle à cheveux, admirant l'élégance avec laquelle la piste était intégrée au réseau de failles de la falaise, abritée du côté du vide par un muret de roche qui lui arrivait à la taille, sauf pendant l'ascension d'un passage dénudé, lisse comme le dos de la main, qui avait obligé les bâtisseurs à river à coups de boulons une échelle de magnésium massif. Il la gravit à toute allure, à croire que ses quadriceps s'étaient mués en élastiques géants. Il était fatigué.

Sur une plinthe, à gauche de l'escalier, était ménagée une étendue plate d'où on avait une vue en enfilade sur le long et étroit canyon en dessous. Il s'assit sur une pierre aussi accueillante qu'un fauteuil. Il y avait du vent. Il déploya le champignon transparent de sa petite tente dans le crépuscule et chercha de quoi manger dans son paquetage. Il en tira un sac de couchage, une lampe et un lutrin patinés par des années de bons et loyaux services et aussi légers qu'une plume. Tout compris, son nécessaire de survie pesait moins de trois kilos. Et chaque chose était là, à sa place – le réchaud, la nourriture et la gourde.

Le crépuscule passa avec une majesté himalayenne tandis qu'il se préparait une soupe lyophilisée, assis sur son sac de couchage, adossé à la paroi transparente de la tente, tout à la volupté de reposer ses muscles las. Encore une belle journée.

Il dormit mal cette nuit-là, se leva en frissonnant dans le vent froid qui précédait l'aurore, remballa ses affaires en vitesse et repartit en courant vers l'ouest. Il sortit du chaos d'Aromatum et arriva à la baie de Ganges. Il continua à courir, l'étendue bleu sombre de la mer sur sa gauche. Les longues plages étaient adossées à de larges dunes de sable, couvertes par une herbe courte sur laquelle il était facile de courir. Nirgal suivait son rythme en regardant tantôt la mer, tantôt les forêts de la taïga à sa droite. Des millions d'arbres avaient été plantés le long de cette côte afin de stabiliser le sol et d'éviter les tempêtes de sable. La grande forêt d'Ophir était l'une des régions les moins peuplées de Mars. Rares étaient ceux qui y étaient allés au cours des premières années de son existence, et personne n'y avait jamais implanté de ville. Les épais dépôts de poussières et de fines ne facilitaient pas les voyages. Maintenant, ces dépôts étaient un peu fixés par la forêt, mais les cours d'eau étaient bordés par des marécages et des sables mouvants, et les bancs de lœss non stabilisé provoquaient des ruptures dans les frondaisons. Nirgal restait à la lisière de la forêt et de la mer, sur les dunes ou entre les plus petits arbres. Il franchit l'embouchure de plusieurs rivières. Il passa la nuit sur la plage et s'endormit bercé par le bruit du ressac.

Le lendemain, à l'aube, il suivit la piste sous le dais de feuilles vertes, la côte s'étant arrêtée au barrage de Ganges Chasma. La lumière était crépusculaire et fraîche. A cette heure du jour, toute chose ressemblait à l'ombre d'elle-même. Des pistes à peine esquissées gravissaient les collines, sur sa gauche. La forêt, à cet endroit, était surtout composée d'arbres à feuilles persistantes : de grands séquoias, des pins et des genévriers. Le sol était couvert d'aiguilles sèches. Dans les endroits humides, des fougères crevaient le tapis brun, ponctuant de leurs fractales archaïques le sol tavelé de soleil. Un torrent serpentait entre des îles étroites, couvertes d'herbe. On n'y voyait pas à plus de cent mètres. Les couleurs dominantes étaient le vert et le brun, parfois tachés de rouge par l'écorce velue des séquoias. Des puits de lumière dansaient sur le sol de la forêt, pareils à des êtres vivants filiformes. Nirgal courait comme en état d'hypnose, coupant ces pinceaux de lumière. Il traversa, en sautant de pierre en pierre, un ruisseau peu profond qui murmurait dans une clairière couverte de fougères. Il eut l'impression de traverser une pièce d'où seraient partis des couloirs menant à des pièces similaires en amont et en aval. Une petite cascade gargouillait à sa gauche.

Il s'arrêta pour boire et, en se redressant, il vit une marmotte qui se dandinait sur la mousse, sous la chute d'eau. Il eut un pincement au cœur. La marmotte but, se lava les pattes et le museau. Elle ne vit pas Nirgal.

Puis les feuilles s'agitèrent. La marmotte tenta de fuir, mais il y eut un frémissement de fourrure tachetée et de dents blanches. Un gros lynx lui avait enserré la gorge entre ses puissantes mâchoires. Il la secoua impitoyablement et l'écrasa sous une de ses grosses pattes.

Nirgal avait sursauté à l'instant de l'attaque, et le lynx regarda dans sa direction comme s'il venait seulement de prendre conscience de son mouvement. Les yeux de l'animal étincelaient dans la pénombre, il avait du sang sur les babines. Nirgal frémit. Le félin le repéra, croisa son regard. Nirgal le vit courir, bondir sur lui, ses dents acérées brillant dans la maigre lumière...

Et puis non. Il disparut avec sa proie, ne laissant derrière lui qu'une fougère frémissante.

Nirgal maintint l'allure. Il régnait sous les arbres une pénombre que les nuages seuls ne pouvaient expliquer. Une pénombre maligne. Il devait se concentrer pour ne pas perdre la piste. Des éclairs de lumière trouaient l'obscurité, le blanc perçant le vert. Le chasseur et le chassé. Des mares bordées de glace dans l'ombre. La mousse sur l'écorce. Du coin de l'œil, il voyait là le dessin des fougères, ici un tas de pommes de pin, ou une plaque de sables mouvants. La journée était fraîche, la nuit serait glaciale.

Il courut toute la journée, son paquetage tressautant dans son dos. Il n'avait presque plus rien à manger. Il avait hâte d'atteindre sa cachette suivante. Il lui arrivait, quand il courait, de ne prendre que quelques poignées de céréales et de se nourrir de ce qu'il trouvait en chemin, ramassant des pignons de pin, pêchant. Il consacrait alors la moitié de son temps à chercher sa pitance, et on ne trouvait pas grand-chose. Quand les poissons mordaient, un lac était une providence. Les gens des lacs... Mais pour cette course, il avait prévu d'aller ventre à terre d'une cache à l'autre. Il ingérait sept ou huit mille calories par jour, et il mourait encore de faim tous les soirs. Aussi lorsqu'il découvrit, en arrivant au petit arroyo où il avait constitué une réserve, qu'il y avait eu un glissement de terrain, que la paroi s'était effondrée sur ses provisions, il poussa un cri de désespoir et de colère. Il fouilla un moment dans les roches éboulées. Ce n'était pas un effondrement très important, mais il avait déplacé plusieurs tonnes de terrain. Rien à faire. Il devrait courir de toutes ses forces jusqu'à sa cache suivante, et le ventre vide. Il repartit sans perdre de temps.

Tout en courant, il scrutait les environs à la recherche de la moindre chose comestible : des pignons, des oignons sauvages, n'importe quoi. Il mangea lentement ce qui restait dans son paquetage, en mâchant le plus longtemps possible. Il savoura chaque bouchée en essayant d'imaginer qu'elle avait une valeur nutritive bien supérieure à la réalité. La faim le tenait éveillé la majeure partie de la nuit, et il ne dormait vraiment qu'au cours des dernières heures qui précèdent l'aube.

Le troisième jour de ce jeûne inattendu, il ressortit de la forêt juste au sud de Juventa Chasma, dans une zone ravagée par l'inondation de l'ancien aquifère. Ce n'était pas une mince affaire que de courir en ligne droite sur ce sol chaotique, et il ne se rappelait pas avoir jamais eu aussi faim de sa vie, or la prochaine cache se trouvait encore à deux jours de là. Il avait l'impression que son corps avait dévoré toutes ses réserves de graisse et se nourrissait maintenant de sa substance musculaire. Cet autocannibalisme donnait à chaque objet une acuité surnaturelle, l'auréolait de gloire, une lueur blanche irradiait les choses comme si la réalité elle-même devenait translucide. Bientôt – il en avait déjà fait l'expérience –, le *lung-gom-pa* laisserait place à des hallucinations. Dans son champ de vision grouillaient déjà des vers, des papillons noirs, de petits cercles de champignons bleus, des choses vertes, sous la forme de lézard, qui fuyaient dans le sable, juste devant les taches floues de ses pieds, et cela pendant des heures d'affilée.

Il devait consacrer toute son énergie à choisir son chemin sur le sol inégal. Il observait à la fois les pierres sur lequelles il mettait les pieds et le terrain qui s'étendait devant lui dans un mouvement de va-et-vient qui n'avait pas grand-chose à voir avec la pensée consciente, son regard allant du proche au lointain selon un rythme qui lui était propre. Le chaos de Juventa, en contrebas, sur sa droite, était une dépression peu profonde, erratique, au-dessus de laquelle il voyait l'horizon lointain comme à travers une immense boule de cristal brisée. Devant, le sol était accidenté et inégal, blocs de pierre et bancs de sable alternant dans les creux et les bosses, les ombres trop noires, la clarté trop vive. Sombre, et en même temps aveuglant. Le coucher du soleil approchait, et la lumière lui blessait les yeux. En haut, en bas, en haut, en bas. Il arriva à une ancienne dune de sable et la descendit comme dans un rêve, gauche, droite, gauche, se calant les pieds dans le sable, sur des pierres placées selon un angle défiant les lois de la gravité, chaque pas lui faisant dévaler plusieurs mètres. Mais c'était trop facile. Lorsqu'il se retrouva en terrain plat, il eut grand mal à reprendre un rythme normal, et la colline suivante, pourtant modeste, eut un effet dévastateur. Il fallait qu'il trouve un endroit où bivouaquer, peut-être dans le creux suivant, ou sur la prochaine étendue sablonneuse, près d'un banc de pierre. Il mourait de faim, il était affaibli par le manque de nourriture et son paquetage ne contenait plus que quelques oignons sauvages trouvés en chemin. Enfin, il n'allait pas se plaindre d'être fatigué ; il aurait moins de mal à s'endormir. L'épuisement l'emportait toujours sur la faim.

Il gravissait une butte entre deux rochers grands comme une maison lorsque, dans un éclair blanc, une femme nue se dressa devant lui, agitant une écharpe verte. Il s'arrêta net, tituba, abasourdi, puis inquiet de voir ses hallucinations lui échapper à ce point. Mais elle était bien là, aussi vive qu'une flamme, des rigoles de sang maculant ses seins et ses jambes, agitant silencieusement son écharpe verte. D'autres personnages passèrent en courant devant elle, suivant la direction qu'elle leur indiquait, à ce qu'il lui sembla, du moins. Elle regarda Nirgal, tendit le bras vers le sud comme pour lui dire de les suivre et se remit à courir, son corps blanc, mince, volant tel un objet visible dans une infinité de dimensions, le dos robuste, les jambes longues, les fesses rondes, déjà loin, l'écharpe verte volant de-ci, de-là, leur montrant la voie.

Soudain, trois antilopes bondirent sur une colline à l'ouest, se découpant en ombre chinoise sur l'horizon où se couchait le soleil. Ah, des chasseurs ! Ils étaient déployés en arc de cercle et repoussaient les antilopes vers l'ouest en agitant des écharpes du haut des rochers. Tout cela en silence, comme si le bruit avait déserté le monde : pas un souffle de vent, pas un cri. Les antilopes s'arrêtèrent sur la colline, et l'espace d'un instant tout le monde, chasseurs et chassés, cessa de bouger, en éveil mais immobile, figé en un tableau qui pétrifia Nirgal. Il retint son souffle, de crainte que la scène entière ne disparaisse à la faveur d'un battement de cils.

Le mâle du troupeau bougea, rompant la stase. Il s'avança prudemment, pas à pas. La femme à l'écharpe verte le suivit, toute droite, bien en vue. Les autres chasseurs reparurent, puis disparurent à nouveau, se déplaçant comme des pinsons d'un point à un autre. Ils étaient pieds nus et portaient des pagnes ou des cache-sexe. Certains avaient le visage ou le dos peint en rouge, en noir ou en ocre.

Nirgal leur emboîta le pas. Ils obliquèrent vers l'ouest, de sorte qu'il se retrouva sur leur gauche. Le hasard voulut que le chef du troupeau d'antilopes tente une percée de son côté, et Nirgal put lui barrer la route en agitant les bras. Les trois antilopes filèrent à nouveau vers l'ouest, d'un seul mouvement. Les chasseurs les pistèrent en courant plus vite que Nirgal au mieux de sa forme, conservant leur formation en arc de cercle. Nirgal pressa l'allure pour ne pas se laisser distancer. Pieds nus ou non, ils allaient incroyablement vite. Ils se perdaient dans les longues ombres et ne faisaient aucun bruit. Sur l'autre aile de l'arc, quelqu'un poussa un jappement. Ce fut le seul bruit audible en dehors du crissement du sable et du gravier, du souffle rauque dans leurs gorges. Ils couraient, disparaissaient, reparaissaient, les antilopes gardant leur avance par petits bonds coulés. Nul être humain ne les rattraperait jamais. Nirgal suivait la chasse quand même, en haletant. Il repéra à nouveau les bêtes vers l'avant. Ah, elles s'étaient arrêtées au bord d'une falaise, en haut d'un canyon. Il vit le gouffre, la paroi opposée. Une fosse peu profonde, le haut des pins dépassant du bord. Les antilopes en connaissaient-elles l'existence ? Etaient-elles de la région ? Le canyon n'était pas visible à plus de quelques mètres...

Elles n'eurent pas l'air prises au dépourvu. Avec une grâce fluide, animale, elles longèrent la falaise vers le sud à petites foulées élastiques, sautèrent sur une corniche qui dominait un ravin abrupt et s'engouffrèrent dedans. Tous les chasseurs se précipitèrent vers le bord et les regardèrent dévaler le ravin en une succession de bonds d'une puissance et d'un équilibre stupéfiants, leurs sabots claquant de pierre en pierre. L'un des chasseurs hurla : « Aouuuuuh ! » et tous les autres se jetèrent dans le ravin en jappant et en grommelant. Nirgal les suivit, se ruant pardessus le bord, et tous s'absorbèrent dans la folle descente. Nirgal avait beau être épuisé après ces interminables journées de *lung-gom*, ses jambes ne le trahirent pas, car il en dépassa plus de la moitié en sautant d'un rocher sur une coulée de gravier, dérapant, bondissant, reprenant son équilibre, se rattrapant avec les mains, se démenant comme tous les autres, et comme eux intensément absorbé dans l'effort consistant à descendre le plus vite possible en évitant la chute.

Lorsqu'il fut en sûreté au fond du ravin, il leva les yeux sur la forêt qu'il avait à peine vue d'en haut : de grands pins et des épicéas dressés sur un tapis de neige jonché d'aiguilles et, en amont, vers le sud, les troncs formidables, à nuls autres pareils, de séquoias géants, si gigantesques que le ravin semblait soudain peu profond, bien que la descente lui ait pris un long moment. C'étaient ces arbres qui dépassaient du canyon : des séquoias de deux cents mètres de haut, œuvres du génie génétique, dressés comme de grands saints silencieux, chacun embrassant dans ses branches ses enfants, les pins et les épicéas, les plaques de neige et les flaques d'aiguilles brunes.

Les antilopes avaient trotté vers le sud du canyon, dans cette forêt primitive. Avec de joyeux ululements, les chasseurs les suivirent entre les troncs immenses. A côté des cylindres massifs d'écorce rouge, lacérée, tout le reste paraissait minuscule. Ils couraient, pareils à de petits animaux, des souris, sur le sol neigeux, dans la lumière déclinante. Nirgal haletait, la tête vide. La peau de son dos, de ses flancs, le picotait, il se ressentait encore de la décharge d'adrénaline consécutive à la descente du ravin. Il était évident qu'ils ne rattraperaient jamais les antilopes, il ne comprenait pas ce qu'ils faisaient. Il suivait pourtant les chasseurs entre les arbres stupéfiants. Les suivre, il n'en demandait pas plus.

Puis les séquoias s'espacèrent, comme à la limite d'un îlot de gratte-ciel, et il n'en resta plus que quelques-uns. Nirgal s'arrêta net : entre les troncs de ces derniers monstres, après une étroite clairière, le canyon était fermé par un mur d'eau. Un mur impalpable, cristallin, occupait tout le fond du canyon, masse lisse, transparente, dressée au-dessus d'eux.

Le bassin de retenue. On construisait depuis peu des barrages de feuilles transparentes, des résilles de diamant scellées dans des fondations de béton. Nirgal voyait l'épais socle blanc courant sur le fond du canyon, entre les deux falaises.

La masse d'eau les dominait majestueusement, pareille à la paroi d'un gigantesque aquarium. Des algues flottaient dans la boue claire du fond. Des poissons d'argent aussi gros que les antilopes voletaient d'une paroi à l'autre, puis repartaient dans les profondeurs obscures, mouvantes.

Les trois antilopes allaient et venaient nerveusement devant cette barrière, la biche et le faon suivant les évolutions du mâle. Comme les chasseurs se refermaient sur eux, l'étalon fit soudain un bond en avant et, d'une poussée de tout le corps, donna un violent coup de tête sur le barrage – *thwack!* firent ses cornes, comme des couteaux en os. Nirgal et les chasseurs se figèrent, horrifiés par cette manœuvre farouche, désespérée, presque humaine. L'étalon rebondit, étourdi, se retourna et fonça sur eux. Des bolas tournoyèrent. La corde s'enroula autour de ses pattes, juste au-dessus du genou. Il bascula vers l'avant, s'écrasa au sol. Certains des chasseurs se précipitèrent sur lui, d'autres abattirent la biche et le faon sous une volée de pierres et de lances. Un cri strident retentit, aussitôt interrompu. Nirgal vit une dague d'obsidienne trancher la gorge du faon, le sang jaillir sur le sable, devant le barrage. Les gros poissons filaient comme l'éclair, au-dessus d'eux, les regardaient.

La femme à l'écharpe verte était invisible. Un chasseur vêtu en tout et pour tout de colliers lança la tête en arrière et poussa un hurlement, rompant l'étrange silence dans lequel s'effectuait cette tâche. Il se mit à danser sur place, puis courut vers le mur transparent du barrage et y jeta sa lance. Le javelot rebondit. Le chasseur exultant courut vers la dure membrane transparente et y flanqua un coup de poing.

Une femme aux mains ensanglantées tourna la tête et lui jeta un coup d'œil méprisant.

– Cesse de faire l'idiot, lança-t-elle.

– Ne t'inquiète pas, répliqua l'homme en riant. Ces barrages sont cent fois plus solides que nécessaire.

La femme secoua la tête d'un air écœuré.

– Je trouve stupide de défier le sort, dit-elle.

– C'est stupéfiant de voir le genre de superstitions qui peuvent survivre dans certains esprits timorés.

– Tu n'es qu'un imbécile, rétorqua la femme. La chance est aussi réelle que n'importe quoi.

– La chance ! Le sort ! Ka !

L'homme récupéra sa lance, courut vers le barrage et la lança à nouveau. Elle ricocha, manquant le heurter, et il éclata d'un rire dément.

– Quel coup de bol ! La chance sourit aux audacieux, pas vrai ?

– Un peu de respect, espèce de trou du cul !

– Du respect pour ce mâle, alors. Se jeter sur le mur comme ça...

L'homme partit d'un rire rauque.

Les autres dépeçaient les animaux sans prendre garde à leur conversation.

– Merci beaucoup, ô frère. Merci beaucoup, ô sœur.

Nirgal les regardait, les mains tremblantes. L'odeur du sang le faisait saliver. Les viscères fumaient dans l'air froid. Des perches de magnésium télescopiques sortirent des sacs de ceinture et les antilopes décapitées y furent attachées par les pattes. Les chasseurs prirent les tiges par les bouts et les soulevèrent.

– Tu ferais bien de nous aider à les porter si tu veux en manger ! cria la femme aux mains ensanglantées à l'intention du lanceur de javelot.

– Va te faire foutre !

Mais il se mit néanmoins en tête de ceux qui transportaient le mâle.

– Viens, fit la femme à Nirgal.

Et ils repartirent à vive allure vers l'ouest, sur le fond du canyon, entre le grand mur d'eau et les derniers séquoias. Nirgal les suivit, affamé.

La paroi ouest du canyon était ornée de pétroglyphes à peine visibles dans le crépuscule : des animaux, des lingams, des yonis, des empreintes de main, des comètes et des vaisseaux spatiaux, des dessins géométriques, Kokopelli, le joueur de flûte bossu. Un escalier était taillé dans la paroi, une piste en épingle à cheveux qui épousait les anfractuosités de la roche. Nirgal retrouva le rythme de l'escalade, son estomac le dévorant de l'intérieur. Il avait la tête qui tournait. Une antilope noire apparut sur la roche à côté de lui.

Quelques séquoias géants isolés se dressaient au bord du canyon, tout en haut. Quand ils arrivèrent au sommet, dans les derniers rayons du soleil, il vit que ces arbres formaient un cercle, neuf arbres pareils à de gigantesques monolithes de bois entourant une immense fosse à feu.

Le groupe entra dans le cercle, alluma le feu et débita les antilopes, coupant de grosses tranches dans les cuissots. Nirgal les regarda en salivant, les jambes tremblantes. Il déglutissait en humant les effluves qui s'élevaient dans la fumée, vers les premières étoiles. Les flammes dansaient dans l'obscure clarté du crépuscule, changeant le cercle d'arbres en une nef vacillante, à ciel ouvert. La lumière qui palpitait sur les aiguilles des séquoias rappelait la circulation du sang dans les capillaires. Des escaliers de bois montaient en spirale autour du tronc de certains arbres, se perdaient dans les branches. Tout en haut, des lampes s'allumèrent, des voix se firent entendre, alouettes dans les étoiles.

Trois ou quatre chasseurs lui offrirent des galettes d'avoine, puis une liqueur forte dans des jarres en argile. Ils lui dirent qu'ils avaient trouvé ce Stonehenge de bois quelques années auparavant.

– Qu'est-il arrivé à la... la femme qui menait la chasse? demanda Nirgal en la cherchant du regard.

– Oh, la diane ne peut dormir avec nous ce soir.

– D'ailleurs, elle a tout foutu en l'air. Elle n'a pas le cœur à ça.

– Sûr que non. Vous connaissez Zo, elle a toujours un prétexte.

Ils rirent, se rapprochèrent du feu. Une femme tira un steak charbonneux des braises, l'agita au bout de son bâton pour le refroidir.

– Je vais te manger, petite sœur, dit-elle avant de mordre dans la viande.

Nirgal s'engloutit dans la chaleur humide de la chair, dévorant à belles dents, la tête vide, le corps vibrant. Manger ! Manger !

Le second morceau, il le savoura davantage, en regardant les autres. Il commençait à être rassasié. Il se rappela comment ils avaient dévalé le ravin, s'émerveilla de ce que le corps était capable de faire dans certaines situations. C'était une expérience de désincarnation, ou plutôt une expérience si profonde qu'elle était proche de l'inconscience, une plongée dans le cervelet, sans doute, dans ce cerveau reptilien qui savait comment faire les choses. Un état de grâce.

Une branche résineuse cracha une gerbe d'étincelles. Sa vue ne s'était pas encore accoutumée, les choses floues bondissaient, pleines d'images résiduelles. Le lanceur de javelot et un autre homme s'approchèrent de lui en riant, lui pressèrent une outre de peau contre les lèvres.

– Tiens, frère, bois ça, dirent-ils, et une boisson laiteuse, amère, lui coula dans la bouche. Prends un peu de frère blanc.

Un groupe ramassa des pierres et commença à les heurter selon des rythmes différents unissant les graves et les aigus. Les autres se mirent à danser autour du feu, en hurlant, en chantant ou en fredonnant : « Auqakuh, Quahira, Harmakhis, Kasei. Auqakuh, Mangala, Ma'adim, Bahram. » Nirgal dansa avec eux, toute fatigue évanouie. La nuit était froide, mais on pouvait s'approcher ou s'éloigner du feu, le sentir rayonner sur sa peau nue, glacée, retourner dans le froid. Quand tout le monde fut en sueur, ils repartirent en titubant dans la nuit vers le canyon, le long de la falaise, au sud. Une main se referma sur le bras de Nirgal, et il eut l'impression que la diane était revenue, qu'elle était là, à côté de lui, claire dans l'obscurité, mais il faisait trop noir, il n'y voyait rien. Puis ils se précipitèrent dans l'eau glaciale du réservoir, s'enfoncèrent dans le sable et la vase qui leur arrivaient à la taille, d'un froid à figer le sang. Il se releva, regagna la berge en s'ébrouant, tous les sens frémissants, hoquetant, riant, mais une main lui prit la cheville et il retomba à plat ventre dans l'eau, hilare. Dans l'eau noire, glacée, des orteils se heurtèrent : « Aïe ! aïe ! » Ils regagnèrent le cercle des grands arbres, se remirent à danser, ruisselants, les bras tendus vers la chaleur du feu, étreignant son rayonnement, leurs corps rougeoyant à la lueur des flammes, bondissant au rythme des percussions, les aiguilles des séquoias jetant des éclairs entre les étoiles tournoyantes.

Quand ils se furent réchauffés et que le feu mourut, ils le menèrent vers un escalier qui grimpait dans l'un des séquoias. Dans les grosses branches du haut étaient nichées de petites plates-formes à ciel ouvert, entourées de parois basses. Le plancher oscillait légèrement sous ses pas, au gré d'une brise fraîche qui éveilla un chœur de voix aériennes, profondes, dans les frondaisons. Nirgal resta seul sur ce qui lui parut être l'une des plus hautes plates-formes. Il déroula son sac de couchage, s'allongea et s'endormit rapidement, bercé par le chant du vent dans les aiguilles des séquoias.

Il se réveilla en sursaut, peu avant l'aube. Il s'adossa au muret de sa plate-forme, surpris que toute la soirée n'eût point été qu'un rêve, et regarda par-dessus le bord. Le sol était très, très loin en bas. Il eut d'abord l'impression d'être dans le nid-de-pie d'un gigantesque bateau, puis dans sa chambre de bambou, à Zygote, mais tout, ici, était infiniment plus vaste : le dôme étoilé du ciel, l'horizon distant, déchiqueté. Le sol, en bas, était une couverture noire, froissée, sur laquelle était brodé un filigrane d'argent : l'eau du réservoir.

Il descendit l'escalier. Quatre cents marches. L'arbre faisait peut-être cent cinquante mètres de hauteur, et se dressait au bord d'un canyon tout aussi profond. Il alla regarder le ravin dans lequel ils avaient essayé de précipiter l'antilope, vit la paroi qu'ils avaient dévalée, le barrage de cristal, l'énorme retenue d'eau.

Il retourna au cercle d'arbres. Quelques-uns des chasseurs étaient levés et ranimaient le feu en frissonnant dans le petit jour glacial. Nirgal leur demanda s'ils se rendaient quelque part aujourd'hui. En effet. Ils allaient vers le golfe de Chryse, au nord, en traversant le chaos de Juventa. Après, ils ne savaient pas.

Nirgal demanda s'il pouvait les accompagner un moment. Ils eurent l'air surpris. Le regardèrent, se regardèrent, parlèrent entre eux dans une langue qu'il ne reconnut pas. Nirgal se demanda pourquoi il leur avait posé cette question. Il voulait revoir la diane, oui. Mais il y avait autre chose. Jamais son *lung-gom-pa* n'avait ressemblé à cette dernière demi-heure de chasse. Evidemment, l'expérience s'était déroulée dans un contexte particulier, il y avait la faim, l'épuisement, mais ce n'était pas tout. Le sol enneigé de la forêt, la poursuite entre les arbres primitifs, la descente dans le ravin, la scène sous le barrage...

Les hommes le regardèrent à nouveau en hochant la tête. Il pouvait venir avec eux.

Toute la journée ils remontèrent vers le nord, en suivant un itinéraire compliqué à travers le chaos de Juventa. Le soir, ils arrivèrent, par une route de montagne, à une petite mesa au sommet couvert de pommiers. Les arbres avaient été taillés en forme de verre à cocktail, et de nouvelles pousses droites montaient des branches anciennes, convulsées. Ils passèrent l'après-midi à dresser des échelles sur les arbres, à supprimer les pousses et à cueillir de petites pommes lisses, dures, aigrelettes.

Au centre du verger se trouvait une structure ronde, ouverte à tous les vents : une maison-disque, lui dirent-ils. Nirgal en admira la conception. Elle était posée sur une dalle ronde de ciment, poli comme du marbre. Le toit rond reposait sur deux cloisons intérieures en forme de T : un diamètre et un rayon. Le demi-cercle servait d'espace à vivre et de cuisine. Les quartiers étaient réservés aux chambres et à la salle de bains. La maison, à présent ouverte, pouvait être fermée lorsqu'il faisait mauvais, en tirant tout autour une bâche transparente.

Il y avait des maions-disques partout sur Lunae, dit à Nirgal la femme qui avait dépecé l'antilope. Plusieurs groupes utilisaient les mêmes, s'occupant du verger quand ils passaient par là. Ils faisaient partie d'une coop assez souple, qui menait une vie nomade, vivant de chasse, de cueillette, cultivant le sol. Ils préparaient à présent de la compote avec les petites pommes afin de les conserver. D'autres rôtissaient des tranches d'antilope sur le feu, au-dehors, ou travaillaient dans un fumoir.

Ils se levèrent à l'aube et s'attardèrent un moment autour du feu à bavarder en buvant du café et du kava, en reprisant des vêtements et en s'affairant dans la maison-disque. Puis, ils réunirent leurs maigres biens, éteignirent le feu et repartirent. Tout le monde portait un paquetage sur le dos ou à la taille, mais la plupart voyageaient aussi léger que Nirgal sinon plus, avec pour tout bagage un mince sac de couchage et un peu de nourriture. Quelques-uns avaient une lance, un arc ou un carquois passé sur une épaule. Ils marchèrent à vive allure pendant toute la matinée, se divisant en petits groupes pour ramasser des pignes, des glands, des oignons et du maïs sauvage, ou pour chasser la marmotte, le lapin, la grenouille, parfois une plus grosse bête. C'étaient des gens minces, aux côtes et aux pommettes saillantes. Une femme lui dit qu'ils aimaient ne jamais manger tout à fait à leur faim. Les mets n'en paraissaient que meilleurs. Et, de fait, chaque soir de cette marche forcée, Nirgal engloutissait sa nourriture comme lorsqu'il courait, tremblant et affamé ; et tout avait un goût d'ambroisie. Ils parcouraient d'énormes distances tous les jours, pendant leurs grandes chasses ils traversaient souvent des zones où courir eût été désastreux tant elles étaient accidentées, et il leur fallait parfois cinq ou six jours pour se retrouver à la maison-disque suivante. Comme Nirgal ignorait leur emplacement, il devait rester près de l'un ou l'autre des chasseurs. Un jour, ils lui demandèrent d'aider les quatre enfants du groupe à traverser le sol piqueté de cratères de Lunae Planum. Chaque fois qu'ils eurent un choix à faire, ce furent les enfants qui lui dirent quel chemin prendre, et ils arrivèrent les premiers à la maison-disque. Les enfants adorèrent ça. Le groupe les consultait souvent sur le moment où ils devaient repartir.

– Alors, les enfants, on y va ?

Ils répondaient oui ou non avec aplomb, en quelques secondes, et d'une seule voix. Un jour, deux adultes qui s'étaient bagarrés leur exposèrent le problème, et les enfants prirent parti pour l'un, contre l'autre.

– Nous leur enseignons, et ils nous jugent, lui expliqua la dépeceuse. Ils sont sévères, mais justes.

Ils cueillaient une partie des fruits des vergers : des pêches, des poires, des abricots, des pommes. Si la récolte était trop mûre, ils cueillaient tout, faisaient de la compote ou du chutney, et laissaient les bocaux dans de grands celliers sous la maison-disque, pour le jour où ils repasseraient par là, ou pour d'autres groupes. Puis ils repartaient, toujours vers le nord. Enfin, ils arrivèrent au Grand Escarpement, extrêmement spectaculaire en ce lieu précis : le haut plateau de Lunae tombait dans le golfe de Chryse, cinq mille mètres plus bas, sur quelque cent kilomètres à peine.

L'avance était on ne peut plus périlleuse sur le sol incliné, plissé et ondulé par un million de petits accidents. Aucune piste n'avait été construite à cet endroit, et le chemin montait, redescendait, tournait, remontait et repartait, en bas, en haut. Il n'y avait guère de gibier, pas de maison-disque à proximité et peu de chose à manger. L'un des jeunes glissa en traversant une rangée de cactus-corail qui couturait le sol comme une barrière de fil de fer barbelé, et mit le genou sur une boule de piquants. Les perches de magnésium servirent alors à confectionner un brancard, et ils poursuivirent vers le nord en portant l'enfant éploré. Les meilleurs chasseurs entouraient le groupe avec leur arc et leurs flèches, dans l'espoir de tuer un animal effrayé par leur passage. Ils en ratèrent plusieurs, puis une longue flèche atteignit un lièvre en pleine course. Un tir magnifique, qui leur arracha des hurlements de joie. Ils brûlèrent plus de calories à fêter cet exploit que ne leur en procura le petit lambeau de chair constituant la ration de chacun.

– Le cannibalisme rituel de notre frère rongeur. Quand on me dit que la chance n'existe pas... ironisa la dépeceuse en mangeant sa part, mais le lanceur de javelot la regarda un riant, et les autres semblèrent réjouis par leur bouchée de viande.

Plus tard le même jour, ils tombèrent sur un jeune caribou isolé. S'ils parvenaient à l'attraper, leur problème de nourriture était résolu, mais il était méfiant, malgré son air égaré. Il resta hors de portée même des arcs les plus puissants et sema le groupe en descendant le Grand Escarpement, tous les chasseurs bien visibles sur la pente, au-dessus.

Pour finir, tout le monde se retrouva à quatre pattes, en train de ramper laborieusement sur la pierre brûlante du plein midi, dans l'espoir d'encercler le caribou. Mais ils avaient le vent dans le dos, et le caribou descendait la pente en se jouant, ou se déplaçait transversalement en paissant et en se retournant pour regarder ses poursuivants d'un air de plus en plus étonné, comme s'il se demandait à quel jeu ils se livraient. Nirgal commença à se poser des questions, lui aussi. Et apparemment, il n'était pas le seul. Le scepticisme du caribou semblait être contagieux. Une variété de sifflements plus ou moins subtils retentirent : sans doute une controverse sur la stratégie à suivre. Nirgal comprit alors que la chasse était difficile, que ça ne marchait pas toujours. Que le groupe n'était peut-être pas très doué. Tout le monde cuisait au soleil sur ces pierres, et ils n'avaient pas mangé convenablement depuis des jours. C'était la vie, pour ces gens. Mais aujourd'hui, elle était trop dure pour être drôle.

Au bout d'un moment, l'horizon, à l'est, sembla se dédoubler : l'étendue bleue, étincelante, du golfe de Chryse apparut très loin en bas. Au fur et à mesure qu'ils descendaient la pente à la poursuite du caribou, la mer envahit le paysage. Le Grand Escarpement était tellement abrupt, à cet endroit, que même la forte courbure de Mars ne pouvait interrompre la longue perspective, et la vue portait à des kilomètres sur le golfe. La mer, la mer bleue !

Ils pourraient peut-être acculer le caribou sur le rivage. Mais voilà qu'il se dirigeait vers le nord, coupant la pente par le travers. Ils le suivirent en rampant sur une petite crête lorsque, tout à coup, ils aperçurent la côte, en bas : une frange de forêt verte, de petits bâtiments blanchis à la chaux entre les arbres et l'eau. Un phare blanc sur une butte.

Ils poursuivaient l'animal vers le nord lorsqu'une courbure de la côte leur dissimula l'horizon. Juste derrière, une ville côtière était enroulée autour d'une baie en demi-lune au sud de ce qui leur apparaissait maintenant comme un détroit, ou plus précisément un fjord, car de l'autre côté d'un étroit goulet se dressait une muraille encore plus abrupte que la pente sur laquelle ils se trouvaient : trois mille mètres de roche rouge arc-boutée au-dessus de la mer, une immense paroi abrupte qui ressemblait au bord d'un continent, faite de bandes horizontales profondément entaillées par les vents durant un milliard d'années. Nirgal comprit soudain où ils se trouvaient : cette énorme falaise était la péninsule de Sharanov, ils étaient devant le fjord Kasei, et la ville était Nilokeras. Ils avaient fait un sacré bout de chemin.

Les sifflements qu'échangeaient les chasseurs devinrent particulièrement bruyants et expressifs. La moitié d'entre eux s'assirent sur la pente, forêt de crânes plantés sur un champ de pierres, se regardèrent comme si la même idée leur était passée par la tête, puis ils se relevèrent et, laissant tranquillement ruminer le caribou, descendirent la pente menant à la ville. Au bout d'un moment, ils se mirent à gambader, à faire des cabrioles et à pousser de grands cris de joie, abandonnant le garçon blessé et les brancardiers derrière eux.

Ils s'arrêtèrent plus bas, sous de grands pins de Hokkaido, à la périphérie de la ville, et les attendirent pour s'engager sous les pins, traverser quelques vergers et emprunter les rues du haut de la ville. Une bande de chahuteurs, passant devant de jolies maisons aux baies vitrées donnant sur le port. Ils mirent le cap sur une clinique, comme s'ils savaient où ils allaient. Ils y laissèrent le petit éclopé et se rendirent aux bains publics, après quoi ils se dirigèrent vers la rue commerçante qui jouxtait les docks et prirent d'assaut trois ou quatre restaurants adjacents avec des parasols en terrasse et des guirlandes d'ampoules multicolores. Nirgal s'attabla avec les jeunes, dans un restaurant de fruits de mer. Le petit blessé les rejoignit bientôt, le genou et le mollet bandés, et ils burent et mangèrent comme quatre : des crevettes, des palourdes, des moules, des truites, du pain frais, du fromage, des salades composées, le tout arrosé de litres d'eau, de vin et d'ouzo, si bien que, leurs agapes terminées, ils s'éloignèrent en titubant, l'estomac tendu comme un tambour.

Certains filèrent droit vers ce que la dépeceuse appelait leur hôtel habituel, pour dormir ou vomir. Les autres s'affalèrent sur l'herbe d'un parc où on donnait *Phyllis Boyle*, un opéra de Tyndall. Après la représentation, on danserait.

Nirgal, qui avait opté pour le parc et l'opéra, fut fasciné – comment ne pas l'être ? – par la virtuosité des chanteurs, la beauté sublime de l'orchestration que Tyndall était seule à manier de la sorte. Après la représentation, certains avaient suffisamment digéré leur festin pour danser, et Nirgal se joignit à eux. Au bout d'une heure, il se mêla à l'orchestre, ainsi que plusieurs membres de l'assistance, et il joua des percussions jusqu'à ce que tout son corps vibre comme le magnésium des timbales.

Il avait tout de même trop mangé, et quand certains membres du groupe regagnèrent leur hôtel, il les suivit. En les voyant, des gens dirent : « Regarde les farouches », ou quelque chose dans ce goût-là. Le lanceur de javelot poussa un hurlement et se jeta sur eux, aussitôt imité par quelques-uns des jeunes chasseurs. Ils bousculèrent les passants, les collèrent contre un mur et les injurièrent copieusement.

– Tenez votre langue ou on vous la fait bouffer, sacs à merde ! beugla joyeusement le lanceur de javelot. Espèces de rats d'égouts, bande de camés, somnambules, putains de vers de terre ! Vous croyez pouvoir comprendre ce qu'on vit en vous shootant ? On va vous botter le cul, vous allez voir si ça vous fait des sensations ! Vous allez voir !

– Allons, allons, du calme ! fit Nirgal en l'entraînant.

Les passants rendirent alors coup pour coup en gueulant, et ils n'avaient pas trop bu, eux, et ils ne faisaient pas ça pour rire. Les jeunes chasseurs durent battre en retraite, puis se laissèrent entraîner par Nirgal quand les gens s'estimèrent satisfaits de les avoir mis en fuite. Ils s'éloignèrent en chancelant sans cesser de proférer des invectives, en massant leurs plaies et leurs bosses, riant et reniflant, gonflés à bloc.

– Bougre d'endormis, empaquetés de première ! On va vous botter le cul, vous allez voir ! On va vous faire sortir de vos maisons de poupées à coups de pompe dans le train et vous jeter à la baille ! Foutus connards de moutons, va !

Nirgal les fit avancer à grand renfort de taloches, en gloussant malgré lui. Ils étaient ivres, ils déliraient, et il ne valait pas beaucoup mieux lui-même. En arrivant à leur hôtel, il repéra la dépeceuse dans le bar, de l'autre côté de la rue, et la rejoignit avec sa bande de durs. Il resta un long moment assis à les regarder, en faisant rouler son cognac sur sa langue. Les passants les avaient appelés *farouches*. La dépeceuse le lorgnait, l'air de se demander ce qu'il pensait. Beaucoup plus tard, il se leva péniblement et suivit les autres en titubant. Ils traversèrent la rue en chantant à tue-tête *Swing Low, Sweet Chariot.* Les étoiles montaient et descendaient sur l'eau d'obsidienne du fjord Kasei. L'esprit et le corps comblés de sensations. Une douce fatigue, un état de grâce.

Le lendemain matin, ils se levèrent tard, avec une gueule de bois carabinée. Ils traînèrent un moment dans leur dortoir, à boire du kavajava à petites lampées. Puis ils descendirent et, tout en déclarant haut et fort ne rien pouvoir avaler, ils engloutirent un petit déjeuner monumental. Entre deux bouchées, ils décidèrent d'aller voler. Les vents qui soufflaient dans le fjord Kasei étaient parmi les plus puissants de la planète, et les adeptes des sports aériens venaient à Nilokeras pour en profiter. Bien entendu, un hurlevent pouvait se mettre subitement à souffler et priver tout le monde d'amusement, hormis les amateurs d'émotions fortes, mais les vents étaient en général d'une force idéale.

Le camp de base des hommes-oiseaux était une île-cratère appelée Santorini. Après le petit déjeuner, le groupe descendit sur les quais et prit un ferry. Une demi-heure plus tard, ils débarquaient sur la petite île en forme de croissant et suivaient les autres passagers vers l'aire de vol.

Nirgal n'avait pas volé depuis des années, et c'est avec une joie immense qu'il se sangla dans la nacelle d'une bulle volante, monta le long du mât, se laissa éjecter et emporter par les courants ascendants qui soufflaient le long de la paroi intérieure, abrupte, de Santorini. En s'élevant, il constata que la plupart des hommes volants portaient des combinaisons munies de larges ailes dans lesquelles ils ressemblaient à des renards volants ou à des hybrides mythiques, sortes de pégases ou de griffons. Il y avait des hommes-oiseaux de toutes les espèces : des albatros, des aigles, des martinets, des vautours. L'individu était gainé dans un exosquelette qui répondait à ses sollicitations, conservait les positions qu'il lui imprimait et effectuait certains mouvements en les amplifiant, de sorte que des muscles humains suffisaient à faire battre les grandes ailes, ou à leur permettre de résister aux torsions des vents les plus violents tout en maintenant casque et plumes caudales en position correcte. Les IA intégrées à la tenue aidaient les hommes volants en cas de besoin, et pouvaient même faire office de pilote automatique, mais la plupart des hommes-oiseaux préféraient se débrouiller grâce à leurs propres ressources et contrôlaient l'exosquelette comme des bras mécaniques, qui décuplaient leurs forces.

Assis dans sa bulle volante, Nirgal regardait avec plaisir et excitation ces hommes-oiseaux le frôler à toute vitesse, plonger vers la mer et redresser au dernier moment, déployer leurs ailes, tourner, virer et remonter en profitant d'un courant ascendant. Nirgal eut l'impression qu'évoluer ainsi n'était pas donné à tout le monde. Les bulles volantes comme la sienne paraissaient infiniment plus faciles à manœuvrer. Quelques-unes s'élevaient au-dessus de l'île et décrivaient des courbes beaucoup plus douces afin de profiter du spectacle comme d'agiles aéronautes.

Soudain, Nirgal reconnut, montant à côté de lui en spirale, le visage de la diane, la femme qui avait mené la chasse des farouches. Elle l'avait repéré elle aussi. Elle leva le menton, esquissa un rapide sourire, puis replia ses ailes et se laissa tomber, la tête la première, dans un bruit déchirant. Nirgal la regarda avec une excitation proche de la terreur, puis une franche épouvante alors qu'elle plongeait juste au bord de la falaise de Santorini. L'espace d'un instant, il crut qu'elle allait s'y écraser, mais elle remonta en vrille sur le courant ascendant. Ses évolutions étaient si gracieuses qu'il eut envie d'apprendre à voler ainsi, même si son cœur qui s'était emballé en la voyant plonger n'avait pas encore retrouvé son rythme normal. Plonger et reprendre son essor. Aucune bulle volante ne permettait de telles évolutions. La chasseresse volait comme un oiseau. En plus de tout le reste, voilà que les gens étaient devenus des oiseaux.

Elle s'approcha de lui, s'éloigna, lui tourna autour comme si elle exécutait une de ces danses nuptiales auxquelles s'adonnent certaines espèces pour séduire leur partenaire. Au bout d'une heure environ, elle lui dédia un dernier sourire, s'éloigna à petits battements d'ailes et dériva en cercles paresseux vers la piste de Phira. Nirgal descendit à sa suite et, une demi-heure plus tard, il négociait une élégante courbe dans le vent et se posait juste auprès d'elle. Elle l'attendait, les ailes étendues sur le sol.

Elle décrivit, à pied, un cercle autour de lui, poursuivant sa cour. Elle s'approcha de lui, ôta son capuchon, et ses cheveux noirs brillèrent au soleil comme l'aile d'un corbeau. La chasseresse. Elle se dressa sur la pointe des pieds, l'embrassa sur la bouche et recula pour le regarder gravement. Il la revit en train de courir nue devant les chasseurs, une écharpe verte à la main.

– Petit déjeuner? demanda-t-elle.

On était en plein après-midi, et il mourait de faim.

– Et comment!

Ils mangèrent au restaurant de l'aire de vol en regardant la petite baie de l'île, les immenses falaises de Sharanov et les acrobaties des hommes-oiseaux. Ils parlèrent des joies du vol et de la course sur la terre ferme, de la poursuite des trois antilopes, des îles de la mer du Nord et du grand fjord Kasei qui déversait ses vents sur eux. Ils flirtèrent. Nirgal éprouva par anticipation le plaisir voluptueux de ce qu'ils allaient faire. Il y avait si longtemps. Ça aussi, ça faisait partie du retour à la ville, à la civilisation. Le flirt, la séduction... Qu'il était doux, quand on était intéressé, de voir que l'autre l'était aussi! Il se dit qu'elle devait être assez jeune, mais elle avait le visage brûlé par le soleil, la peau ridée autour des yeux, ce n'était plus une enfant. Elle était allée sur les lunes de Jupiter, dit-elle, elle avait enseigné à la nouvelle université de Nilokeras, et pour le moment elle courait avec les farouches. Vingt années martiennes, peut-être plus, c'était devenu difficile à dire. Une adulte, en tout cas. Pendant ces vingt premières années, les gens acquéraient la majeure partie de ce que l'expérience leur apporterait jamais; après ça, l'histoire se répétait. Ils étaient tous les deux adultes, contemporains. Et ils étaient là, dans l'expérience partagée du présent.

Nirgal la dévisageait en parlant. Insouciante, intelligente, confiante. Une Minoenne : la peau sombre, les yeux noirs, le nez aquilin, une lèvre inférieure impressionnante. Une hérédité méditerranéenne, peut-être, grecque, arabe, indienne. Impossible à dire, comme chez la plupart de ces yonsei. Une Martienne, tout simplement, qui parlait l'anglais de Dorsa Brevia. Et cette lueur dans le regard quand elle l'observait... Combien de fois dans ses errances était-ce arrivé, une conversation qui déviait à un moment donné, et tout à coup il décrivait avec une femme les longues envolées de la séduction, la danse nuptiale menant à un lit ou à un creux caché dans les collines...

– Hé, Zo! appela la dépeceuse en passant. Tu viens avec nous voir l'ancêtre?

– Non, répondit Zo.

– L'ancêtre? releva Nirgal.

– Boone's Neck, répondit Zo. Sur la péninsule polaire.

– Mais pourquoi l'ancêtre?

– C'est l'arrière-petite-fille de Boone, expliqua la dépeceuse.

– Comment ça? demanda Nirgal en regardant Zo.

– Je suis la fille de Jackie Boone, répondit-elle.

– Ah, parvint à articuler Nirgal.

Il s'appuya au dossier de son fauteuil. Le bébé à qui Jackie donnait le sein, au Caire. La ressemblance aurait dû lui sauter aux yeux. Il en avait la chair de poule. Il se frictionna les bras en frissonnant.

– Je dois me faire vieux, dit-il.

Elle eut un sourire, et il comprit tout à coup qu'elle savait qui il était. Elle avait joué avec lui comme le chat avec la souris, lui tendant un petit piège. Pour voir, peut-être, pour faire bisquer sa mère, ou pour une autre raison qu'il ne pouvait imaginer. Pour s'amuser.

Elle le regardait à présent en fronçant les sourcils.

– Ça n'a aucune importance, dit-elle d'un air qu'elle espérait sérieux.

– Non, acquiesça-t-il.

Après tout, ce n'étaient pas les farouches qui manquaient dans le coin.

ONZIÈME PARTIE

Viriditas

C'était une époque troublée. La pression démographique gouvernait tout. Le plan visant à surmonter le problème était clair et ne se déroulait pas si mal ; chaque génération était moins nombreuse que la précédente. En attendant, il y avait maintenant dix-huit milliards d'hommes sur Terre, il en naissait tous les jours, il en partait toujours plus pour Mars, où ils étaient à présent dix-huit millions. Et sur les deux mondes les gens criaient : « Ça suffit ! ça suffit ! »

Quand les Martiens élevaient suffisamment la voix et que les Terriens les entendaient, certains se fâchaient. Le concept de capacité ne voulait rien dire au regard des nombres et des images qui s'inscrivaient sur les écrans. Le gouvernement global martien s'efforçait de gérer cette colère au mieux. Il expliquait que Mars, avec sa biosphère fragile, ne pouvait nourrir autant de gens que la bonne grosse Terre. Il orienta aussi l'industrie aérospatiale martienne vers la fabrication des navettes et accéléra le processus de transformation des astéroïdes en cités flottantes. Cette mesure était une conséquence inattendue d'une partie du programme carcéral martien. Pendant des années, les crimes de sang commis sur Mars avaient été sanctionnés par le bannissement à perpétuité qui débutait par quelques années de travaux forcés sur une nouvelle colonie astéroïde. Tant que les exilés ne revenaient pas sur Mars après avoir payé leur dette à la société, le gouvernement martien se fichait de savoir où ils allaient échouer. C'est ainsi qu'un flux régulier de gens arrivaient sur Hébé, faisaient leur temps et retournaient dans le système intérieur ou partaient pour les satellites extérieurs encore peu peuplés et souvent s'installaient dans les astéroïdes évidés. Da Vinci ainsi que d'autres coops ou organisations fabriquaient et distribuaient le matériel nécessaire au lancement de ces colonies. Le programme était assez simple en réalité. Les équipes d'audit avaient trouvé dans la ceinture des astéroïdes des milliers de planétoïdes qui se prêtaient à la transformation et laissé sur les meilleurs l'équipement adéquat. Une équipe de robots fouisseurs autoreproductibles creusaient l'astéroïde, rejetant la majeure partie des gravats dans l'espace et utilisant le reste pour fabriquer et alimenter en énergie d'autres fouisseurs. Quand le planétoïde était évidé, l'ouverture était fermée par une porte et on lui imprimait une rotation afin que la force centrifuge recrée à l'intérieur une gravité artificielle. De puissantes lampes étaient allumées au centre de ces cylindres évidés, afin de fournir un niveau de luminosité équivalent au jour martien ou terrestre, la pesanteur étant généralement ajustée en conséquence, de sorte qu'il y avait des cités calquées sur le modèle des petites villes martiennes ou terrestres et toute la gamme entre les deux ou au-delà, au moins du côté éclairé. Beaucoup de petits mondes procédaient à des expériences à faible gravité.

Ces nouvelles petites cités-Etats concluaient des alliances entre elles, et parfois avec les organisations fondatrices sur leur monde d'origine, mais il n'y avait pas de structure générale à l'ensemble. Les astéroïdes indépendants, surtout ceux qui étaient occupés par les exilés martiens, avaient d'abord manifesté un comportement très hostile, tentant d'imposer aux vaisseaux spatiaux des droits de péage exorbitants. Mais les navettes se déplaçaient très vite, à présent, et légèrement au-dessus ou au-dessous du plan de l'écliptique afin d'éviter les poussières et les gravats qui devenaient de plus en plus denses avec l'évidement des planétoïdes. Il était difficile d'exiger un péage de ces bâtiments sans risquer de les détruire, ce qui aurait donné lieu à des mesures de rétorsion, aussi les pirates avaient-ils vite renoncé à cette pratique.

Face à la pression démographique de plus en plus intense tant sur Terre que sur Mars, les coops martiennes s'efforçaient d'encourager le développement de ces nouvelles cités astéroïdes. Elles construisaient aussi de grandes colonies sous tente sur les lunes de Jupiter, de Saturne et plus récemment d'Uranus. Neptune et peut-être Pluton devaient bientôt suivre. Les gros satellites des géantes gazeuses étaient de véritables petites planètes, et tous étaient maintenant peuplés de gens qui projetaient de les terraformer à plus ou moins long terme, en fonction des données locales. Le terraforming prendrait du temps, mais il paraissait possible partout, à un degré ou à un autre, et offrait dans certains cas la perspective tentante de mondes complètement nouveaux. Titan, par exemple, commençait à sortir de son brouillard d'azote, alors que les colons vivant sous tente sur les petites lunes voisines aspiraient l'oxygène qui l'entourait et le réchauffaient. Titan disposait des gaz nécessaires au terraforming, et son éloignement du soleil – il ne recevait que le centième de l'ensoleillement de la Terre – était compensé par une importante série de miroirs. On étudiait sur place la possibilité de placer en orbite des lanternes à fusion au deutérium, les Saturniens étant hostiles à la solution de la lanterne à gaz. Des lanternes de ce genre flottaient maintenant dans la stratosphère de Jupiter et d'Uranus, collectant et brûlant l'hélium et d'autres gaz dont la lumière était réfléchie vers l'extérieur par des disques électromagnétiques. Les Saturniens avaient refusé cette possibilité pour ne pas modifier l'aspect de la planète aux anneaux.

Les coops martiennes se démenaient donc pour aider Martiens et Terriens à émigrer vers ces nouveaux petits mondes. Le processus marcha si bien qu'une centaine puis un millier d'astéroïdes et de petites lunes reçurent des colons et un nom, puis il s'emballa, devenant ce que d'aucuns appelèrent la diaspora explosive, d'autres l'accelerando. L'idée faisait son chemin dans la tête des gens, les projets se multipliaient, dégageant une énergie qu'on ressentait partout, exprimant le pouvoir créatif croissant de l'humanité, sa vitalité, sa diversité. L'accelerando devait être la réponse de l'humanité à la crise démographique suprême, une crise si grave qu'à côté l'inondation terrienne de 2129 ressemblait à une grande marée. C'était une crise qui aurait pu provoquer un désastre final, une plongée dans le chaos et la barbarie, et voilà qu'à la place elle donnait lieu à la plus grande efflorescence de la civilisation dans l'histoire, une nouvelle Renaissance.

Beaucoup d'historiens, de sociologues et autres analystes tentèrent d'expliquer la nature vibrante de cette période qui se cherchait. Pour une école d'historiens appelée le Groupe du Déluge, la nouvelle Renaissance était due à la grande inondation terrienne, qui avait imposé un saut à un niveau plus élevé. Une autre école de pensée avança une prétendue Explication Technique : l'humanité avait accédé à un nouveau palier de compétence technologique, comme tous les demi-siècles ou à peu près depuis la première révolution industrielle. Le Groupe du Déluge utilisait de préférence le terme diaspora, *les Techniciens préférant celui d'*accelerando. *Puis, dans les années 2170, l'historienne martienne Charlotte Dorsa Brevia publia une métahistoire analytique – selon son propre terme – très dense, en plusieurs volumes. Pour elle, la grande inondation n'avait été qu'un déclencheur et le progrès technique un simple mécanisme. Le caractère spécifique de la nouvelle Renaissance était dû à un événement beaucoup plus fondamental : le passage d'un système socio-économique global à un autre. Elle décrivait ce qu'elle appelait un « complexe résiduel/émergent de paradigmes superposés », dans lequel chaque grande ère socio-économique était constituée à parts égales du système précédent et du système suivant. Cela dit, les périodes concernées n'étaient pas seules en cause. Elles formaient un système aux composantes contradictoires, comportant des éléments importants issus de systèmes plus archaïques particulièrement tenaces, et aussi des notions balbutiantes d'évolutions qui ne s'épanouiraient que beaucoup plus tard.*

Pour elle, le féodalisme, par exemple, était la résultante d'un conflit entre la monarchie religieuse absolue résiduelle et le système émergent du capitalisme, auquel s'ajoutaient des échos importants d'un système de caste tribal plus archaïque et de discrètes préfigurations d'un humanisme individualiste plus tardif. Ces forces s'étaient diversement heurtées dans le temps, jusqu'à ce que la Renaissance, au XVIe *siècle, donne naissance à l'ère capitaliste. Le capitalisme d'alors était composé d'éléments conflictuels du féodalisme résiduel et d'un ordre futur émergent qu'on venait seulement de définir comme étant la démocratie. Selon Charlotte, ils étaient à présent, au moins sur Mars, dans l'ère démocratique proprement dite. Le capitalisme était donc, comme toutes les autres époques, la résultante de deux systèmes violemment opposés. L'incompatibilité de ses composantes était soulignée par l'expérience malheureuse de l'ombre critique du capitalisme, le socialisme, qui avait théorisé la vraie démocratie et s'en était réclamé, mais avait utilisé, pour la mettre en pratique, les méthodes en vigueur à l'époque, des méthodes féodales qui prévalaient dans le capitalisme lui-même, si bien que les deux versions du mélange s'étaient révélées à peu près aussi destructrices et injustes que leur parent résiduel commun. Les hiérarchies féodales du capitalisme s'étaient reflétées dans les expériences socialistes vécues, et toute l'époque était restée un combat chaotique démontrant plusieurs versions différentes de la lutte dynamique entre le féodalisme et la démocratie.*

Enfin, sur Mars, l'ère démocratique avait fini par émerger de l'ère capitaliste. Or, suivant la logique du paradigme de Charlotte, cette ère était elle-même la résultante d'un conflit entre le résiduel et l'émergent, de la lutte entre les résidus antagonistes, compétitifs, du système capitaliste et certains aspects émergents d'un ordre situé au-delà de la démocratie, qui ne pouvait pas être encore plus précisément défini, car il n'avait jamais existé, mais que Charlotte s'aventurait à appeler Harmonie ou Bonne Volonté Générale. Elle se fondait, pour formuler cette hypothèse, sur l'observation des divergences entre l'économie coopérative et le capitalisme. Ainsi que sur une perspective métahistorique plus large, en identifiant un vaste mouvement que les analystes avaient appelé le Grand Balancier, et qui oscillait entre des pulsions résiduelles profondes remontant au système hiérarchique des primates de la savane et l'émergence très lente, incertaine, pénible, encore indéterminée, de l'harmonie et de l'égalité pures qui caractériseraient la vraie démocratie. Ces deux éléments conflictuels à long terme avaient toujours existé, affirmait Charlotte. L'équilibre entre les deux se déplaçait lentement, par à-coups, depuis le début de l'histoire de l'humanité jusqu'à l'époque actuelle. Tous les systèmes avaient été sous-tendus par une hiérarchie de domination, mais en même temps les valeurs démocratiques avaient toujours été un espoir et un but, de même que l'individu, si primitif soit-il, avait toujours éprouvé du ressentiment envers la hiérarchie qui s'était imposée par la force. Et tandis que le balancier de cette métahistoire oscillait au fil des siècles, les tentatives manifestement imparfaites pour instituer la démocratie avaient lentement gagné en force. Un très petit pourcentage d'êtres humains avaient donc pu se considérer comme vraiment égaux dans les sociétés qui pratiquaient l'esclavage, telles la Grèce antique ou l'Amérique révolutionnaire, et le cercle des vrais égaux n'avait fait que s'élargir davantage dans les « démocraties capitalistes » plus récentes. Au fur et à mesure que les systèmes se succédaient, le cercle des citoyens égaux s'était agrandi jusqu'à l'époque actuelle où non seulement tous les humains (en théorie, du moins) étaient égaux, mais où l'on envisageait encore d'étendre cette égalité à certains animaux, aux plantes, aux écosystèmes et même aux éléments. Charlotte considérait ces dernières extensions de la « citoyenneté » comme préfigurant le système émergent susceptible de succéder à la démocratie per se, *la période qu'elle imaginait comme « l'Harmonie » utopique, mais ce n'était encore qu'une vague hypothèse. Sax Russell dévora son œuvre jusqu'à la dernière ligne, à la recherche d'un paradigme général apte à clarifier l'histoire au moins pour lui, et se demanda si cette ère putative d'harmonie universelle et de bonne volonté verrait jamais le jour. Il croyait volontiers que l'histoire humaine tendait vers une sorte d'asymptote – le lest du corps, peut-être – qui empêcherait la civilisation de s'élever au-dessus de l'ère de la démocratie. Elle retomberait toujours dedans. Il lui semblait malgré tout que cet état suffirait à jeter les bases d'une civilisation plutôt réussie. Assez valait aussi bien que trop, dans le fond.*

Quoi qu'il en soit, la métahistoire de Charlotte joua un rôle considérable en fournissant à la diaspora une sorte de récit étalon, à partir duquel les gens pouvaient s'orienter, et elle ajouta son nom à la brève liste des historiens dont les travaux avaient influencé leur propre époque, comme Platon, Plutarque, Bacon, Gibbon, Chamfort, Carlyle, Emerson, Marx, Spengler – et sur Mars, avant elle, Michel Duval. Il était maintenant clair pour tous que le capitalisme avait été le choc du féodalisme et de la démocratie, que le présent, l'ère démocratique, était le choc du capitalisme et de l'harmonie, mais aussi que l'époque actuelle pouvait devenir autre chose, car pour Charlotte il n'y avait pas de déterminisme historique, seuls existaient les efforts répétés des gens pour réaliser leurs aspirations ; c'était la reconnaissance rétroactive de ces espoirs concrétisés qui créait l'illusion du déterminisme. Tout était possible ; ils auraient pu sombrer dans l'anarchie générale, succomber à la tentation de la dictature pour « contrôler » les années de crise. Mais les métanationales terriennes s'étaient transformées en coopératives détenues, sur le modèle de Praxis, par des membres responsables de leur propre travail. C'était donc la démocratie, jusque-là. Ils avaient réalisé cet espoir.

Et voilà que leur civilisation démocratique réussissait une chose dont le système précédent n'aurait jamais été capable : survivre à une crise démographique majeure. Il apparaissait maintenant que ce changement fondamental de systèmes était en train de s'accomplir au XXIIe siècle. Ils modifiaient l'équilibre afin de survivre aux nouvelles conditions. Dans l'économie démocratique coopérative, tout le monde voyait que les enjeux étaient élevés. Tout le monde se sentait responsable du destin collectif ; et tout le monde bénéficiait de l'explosion frénétique de construction coordonnée que l'on constatait partout dans le système solaire.

Cette civilisation en plein épanouissement ne comprenait pas seulement le système solaire au-delà de Mars mais aussi les planètes intérieures. Dans ce jaillissement d'énergie et de confiance, l'humanité retournait vers des zones jusque-là considérées comme inhabitables. Vénus attirait dorénavant une foule de nouveaux terraformeurs qui, suivant l'exemple donné par Sax Russell lors du repositionnement des grands miroirs de Mars, avaient en tête une vision gigantesque pour cette planète, la sœur de la Terre en bon nombre de choses, et prévoyaient même son peuplement.

Même Mercure avait sa colonie. Evidemment, à bien des égards, Mercure était trop près du soleil. Sa journée durait cinquante-neuf jours terrestres, son année, quatre-vingt-huit jours terrestres, de sorte que son année équivalait à un jour et demi. Ce schéma n'était pas une coïncidence mais un point nodal qui gouvernait ses mouvements comme ceux de la Lune autour de la Terre. La combinaison de ces deux mouvements giratoires procurait à Mercure un lent balancement quotidien, au cours duquel l'hémisphère éclairé devenait brûlant et celui plongé dans l'obscurité glacial. L'unique cité de la planète était donc une sorte de train gigantesque qui circulait sur des rails fixés le long du quarante-cinquième parallèle. Ces rails étaient faits d'un alliage métallocéramique qui supportait les huit cents degrés kelvin du plein midi (c'était la première d'une longue série de trouvailles alchimiques des physiciens de Mercure). La cité, appelée Terminator, parcourait ces rails à la vitesse de trois kilomètres-heure environ. La zone d'ombre qui précédait la nuit faisait en moyenne une vingtaine de kilomètres de largeur. La légère dilatation des rails exposés au soleil matinal, à l'est, poussait la cité vers l'ouest car elle reposait sur des manchons à frottement doux qui glissaient devant la zone en expansion. Ce mouvement était tellement inexorable que la résistance provoquée sur certains segments générait une énergie électrique considérable, comparable à celle des capteurs solaires qui suivaient la cité ou qui, placés au sommet du Mur de l'Aube, recevaient les premiers rayons du soleil aveuglant. Même dans une civilisation où l'énergie était bon marché, Mercure était particulièrement gâtée. C'est ainsi qu'elle per-

mit à l'humanité d'aller toujours plus loin, et devint l'un de ses plus brillants fleurons. Une centaine de nouveaux mondes se créaient tous les ans, des cités volantes, de petites cités-Etats, chacun avec son mélange de colons, sa charte particulière, son paysage, son style.

Pourtant, en dépit de ce foisonnement d'efforts humains et de confiance dans l'accelerando, la tension, la menace étaient palpables. Malgré toutes les constructions, l'émigration, les colonies de peuplement, il y avait toujours dix-huit milliards d'hommes sur Terre et dix-huit millions sur Mars. Et la membrane semi-perméable entre les deux planètes était rudement malmenée par la pression osmotique du déséquilibre démographique. Les relations entre les deux mondes étaient tendues, et beaucoup craignaient que la rupture de cette membrane ne fasse tout voler en éclats. Dans cette situation critique, l'histoire offrait un médiocre réconfort. Ils s'en étaient bien sortis jusque-là, mais jamais l'humanité n'avait répondu avec sagesse à une crise vitale durable. On avait déjà observé des phénomènes de folie collective. Les animaux humains étaient exactement les mêmes qu'aux siècles précédents. Confrontés à des problèmes de subsistance et de survie, ils s'étaient entre-tués sans discrimination. Ce qui pourrait très bien se reproduire. Alors les gens bâtissaient, se disputaient, regardaient les enfants d'un œil noir et s'énervaient en attendant, mal à l'aise, de voir mourir les super-vieillards. Une renaissance crispée, et très vite, à la marge, un âge d'or frénétique. L'Accelerando. Et personne ne pouvait dire ce qui allait arriver ensuite.

Zo était assise au fond d'une pièce bourrée de diplomates et regardait par la fenêtre. Terminator, la cité ovale, roulait majestueusement sur le désert de Mercure. L'espace semi-ellipsoïdal formé par le dôme de cristal de la ville aurait été idéal pour les hommes-oiseaux, mais les autorités locales avaient décrété que c'était trop dangereux. Ce décret était l'une des nombreuses règles fascistes qui régissaient la vie dans cet endroit. L'Etat-nounou. La mentalité d'esclave que Nietzsche avait si justement définie était encore bien vivante à la fin du XXIIe siècle, plus vivante que jamais, en fait. La hiérarchie rétablissait sa structure réconfortante dans toutes les nouvelles colonies provinciales, Mercure, les astéroïdes, les systèmes extérieurs. Partout, sauf sur la noble Mars.

C'était particulièrement pénible ici, à Terminator. Il y avait des semaines que les délégués de Mars et de Mercure palabraient, et Zo en avait par-dessus la tête. Surtout des représentants de Mercure, des mollahs oligarchiques imbus de leur personne, hautains et cependant falots, qui n'avaient rien compris au nouvel ordre des choses dans le système solaire. Elle aurait voulu les oublier, leur petit monde et eux, rentrer chez elle et voler.

D'un autre côté, elle avait réussi, en se faisant passer pour une sous-fifre, à ne prendre aucune part aux négociations, et maintenant qu'elles étaient au point mort, bloquées par l'incompréhension obstinée de ces esclaves heureux, c'était à elle de jouer. Alors que les participants se dispersaient, elle prit à part l'assistant du plus haut dignitaire de Terminator, qui portait le nom pittoresque de Lion de Mercure, et lui demanda un entretien particulier. Le jeune homme, un ex-Terrien, accepta – Zo savait qu'elle ne lui était pas indifférente – et ils se retirèrent sur une terrasse, hors des bureaux de la cité.

Zo lui mit une main sur le bras et dit doucement :

– Nous craignons que, si Mercure et Mars ne parviennent pas à établir un partenariat étroit, la Terre ne sème la zizanie entre nous. Nous sommes les deux derniers gisements importants de métaux lourds du système solaire, et plus la civilisation s'étend, plus nos ressources prennent de la valeur. Or, avec l'Accelerando, la civilisation n'a pas fini de s'étendre. Les métaux sont précieux.

Si les ressources naturelles de Mercure étaient difficiles à extraire, elles étaient stupéfiantes : la planète n'était guère plus grosse que la Lune mais sa gravité, presque égale à celle de Mars, témoignait de la présence d'un cœur de fer et d'un large éventail de métaux plus précieux, disséminés sur toute la surface criblée d'impacts météoriques.

– Oui... ? fit le jeune homme.

– Nous pensons qu'il serait bon d'établir des liens plus explicites...

– Un cartel ?

– Un partenariat.

– Nous ne craignons pas de nous retrouver aux prises avec Mars, répondit le jeune homme en souriant.

– Cela semble manifeste. Mais nous, ça nous inquiète.

Au début de sa colonisation, Mercure était apparue comme un véritable Eldorado. Non seulement la planète regorgeait de métaux, mais, avec la proximité du soleil, l'énergie y abondait. La seule friction des manchons sur les rails dilatés en créait d'énormes quantités, et le potentiel était illimité. Les capteurs en orbite autour de Mercure avaient commencé à projeter un peu de cette lumière vers les nouvelles colonies du système solaire extérieur. De la première flotte de voitures poseuses de rails, en 2142, à la construction de Terminator, vers 2150, et jusque dans les années 70, les Mercuriens s'étaient crus riches.

Mais en 2181, avec la vulgarisation des centrales à fusion, l'énergie était bon marché, et la lumière ne manquait pas. On construisait dans tout le système extérieur des lampes-satellites et des lanternes à gaz comme celles qui brûlaient dans la stratosphère des géantes gazeuses, si bien que les énormes ressources énergétiques de Mercure avaient perdu tout intérêt. Mercure était, encore une fois, un endroit riche en métaux mais terriblement froid et chaud, une véritable colonie pénitentiaire. Et impossible à terraformer, pour tout arranger.

C'était un sacré revers de fortune, ainsi que Zo le rappelait sans aucune subtilité au jeune homme. Cela voulait dire qu'ils avaient intérêt à coopérer avec leurs alliés les plus commodément situés dans le système.

– Sans cela, la Terre risque fort d'établir à nouveau sa domination.

– La Terre est trop obnubilée par ses propres problèmes pour menacer qui que ce soit, rétorqua le jeune homme.

Zo secoua doucement la tête.

– Plus la Terre aura d'ennuis, plus grand sera le danger pour nous tous. C'est un réel souci. Enfin, si vous ne voulez pas traiter avec nous, nous n'aurons qu'à construire une autre cité et un autre réseau de rails sur Mercure, dans l'hémisphère Sud, où se trouvent les plus importants gisements de métaux.

Le jeune homme parut un peu ébranlé.

– Vous ne pourriez pas faire ça sans notre autorisation.

– Ah bon ?

– Aucune cité ne pourrait exister sur Mercure si nous y étions opposés.

– Vraiment ? Et que feriez-vous ?

Le jeune homme ne répondit pas.

– N'importe qui peut faire ce qu'il veut, hein ? reprit Zo. C'est vrai pour tout individu qui a jamais vu le jour.

Le jeune homme réfléchit à la question.

– Il n'y a pas assez d'eau.

– Non.

Les réserves d'eau de Mercure se bornaient à de petits champs de glace localisés dans les cratères, aux deux pôles, qui restaient perpétuellement dans l'ombre. Ils contenaient assez d'eau pour Terminator, mais guère plus.

– Quelques comètes dirigées vers les pôles régleraient la question.

– A moins que leur impact n'éjecte toute l'eau des pôles dans l'espace ! Non, ça ne marcherait pas. La glace de ces cratères polaires n'est qu'une infime fraction de l'eau des comètes qui ont heurté la planète pendant des milliards d'années. La majeure partie s'est perdue dans l'espace ou vaporisée au moment de l'impact. Il n'y a pas de raison que les choses se passent différemment aujourd'hui. C'est l'échec assuré.

– Les IA ont modélisé toutes sortes de possibilités. Nous pourrions toujours les essayer, nous verrions bien.

Le jeune homme eut un mouvement de recul, choqué. Non sans raison. La menace était explicite. Mais, dans la morale des esclaves, bon voulait souvent dire bête, et la subtilité n'était pas de mise. Zo s'efforça à l'impassibilité, bien que l'indignation très théâtrale du jeune homme fût en fin de compte assez amusante. Elle se rapprocha pour bien lui faire sentir leur différence de taille. Elle mesurait un bon demi-mètre de plus que lui.

– Je transmettrai votre message au Lion, dit-il entre ses dents.

– Merci, répondit Zo en se penchant pour lui planter un baiser sur la joue.

Ces esclaves s'étaient inventé une caste dirigeante de prêtres physiciens qui paraissaient incompréhensibles à ceux du dehors, mais dont les interventions extérieures étaient fortes et prévisibles, comme dans toute oligarchie qui se respecte. Ils comprendraient et ils agiraient en conséquence. Une alliance serait conclue. Zo quitta donc les bureaux et marcha avec entrain dans les rues en escalier du Mur de l'Aube. Elle avait fait son travail. La délégation repartirait bientôt pour Mars.

Elle envoya un message à Jackie depuis le consulat martien pour lui faire savoir qu'elle avait poussé son pion, puis elle sortit sur le balcon fumer une cigarette.

Sous l'effet des visions colorées induites par les chromotropiques, la petite ville devint stupéfiante, une fantaisie cubiste. Contre le Mur de l'Aube, les terrasses s'élevaient en bandes de plus en plus étroites jusqu'aux niveaux supérieurs (occupés par les bureaux des huiles de la cité, évidemment), qui étaient réduits à une simple rangée de fenêtres sous les Grandes Portes et le dôme de cristal, tout en haut. En dessous d'elle, des toits de tuile, des balcons garnis de mosaïques étaient nichés sous de vertes frondaisons. Tout en bas, dans le plat ovale qui contenait la majeure partie de la ville, les toits étaient plus grands et plus rapprochés, des touffes de verdure brillaient dans la lumière renvoyée par les miroirs filtrants du dôme. On se serait cru dans un grand œuf de Fabergé, compliqué, coloré, joli comme l'étaient toutes les villes. Mais être prisonnier où que ce soit, comme ça... Enfin, elle avait intérêt à passer le temps aussi agréablement que possible, jusqu'à ce qu'elle reçoive l'ordre de rentrer. Après tout, le sens du devoir était une forme de noblesse.

Elle descendit les degrés menant au Dôme pour faire la fête avec Miguel, Arlene, Xerxes et le groupe de compositeurs, de musiciens, d'écrivains, d'artistes et autres esthètes qui ne décoinçaient pas du café. Une bande de dingues. Les cratères de Mercure avaient tous reçu, des siècles auparavant, les noms des plus célèbres artistes de l'histoire de la Terre, et tout en roulant, Terminator passait devant Dürer, Mozart, Phidias, Purcell, Tourgueniev et Van Dyck. Ailleurs, on trouvait Beethoven, Imhotep, Mahler, Matisse, Murasaki, Milton et Mark Twain. Homère et Holbein étaient voisins. Ovide étoilait le bord du gigantesque

Pouchkine, dans un bel exemple de renversement d'importance. Goya empiétait sur Sophocle, Van Gogh était à l'intérieur de Cervantes, Chao Meng-fu était plein de glace, et ainsi de suite, de façon aléatoire, comme si le comité de parrainage de l'Union astronomique internationale s'était monstrueusement soûlé un soir et s'était mis à lancer des fléchettes portant des noms sur une carte. Ils avaient d'ailleurs conservé un indice commémoratif de cette soirée, un énorme escarpement baptisé Pourquoi Pas.

Zo approuvait cette méthode sans réserve. Mais elle avait, sur les artistes qui vivaient alors sur Mercure, un effet absolument désastreux. La confrontation perpétuelle avec le canon culturel inégalable de la Terre les paralysait : l'angoisse de se laisser influencer, n'est-ce pas. Mais leurs fêtes étaient d'une qualité inversement proportionnelle à celle de leur œuvre, et Zo les appréciait beaucoup.

Ce soir-là, après avoir bu comme des trous au Dôme pendant que la cité roulait de Stravinski à Vyasa, le groupe partit à l'aventure et à la recherche d'histoires dans les ruelles de Terminator. Ils tombèrent sur une cérémonie de Mithriaques ou de Zoroastriens, des adorateurs du soleil, en tout cas, qui avaient une certaine influence sur le gouvernement local, s'ils n'en étaient pas les opérateurs. Leurs cris d'animaux mirent rapidement fin à la réunion et déclenchèrent une bataille rangée. Ils durent prendre la poudre d'escampette pour ne pas être arrêtés par la maréchaussée locale, la spasspolizei, comme l'appelaient les habitués du Dôme.

Ils allèrent ensuite à l'Odéon, mais se firent éjecter pour conduite tapageuse. Alors ils hantèrent les allées du quartier des plaisirs et dansèrent devant un bar où on jouait une musique industrielle nulle, qui cassait les oreilles. Ce n'était pas ça. La gaieté forcée avait quelque chose de pathétique, se disait Zo en regardant leurs visages luisants de sueur.

– Sortons, suggéra-t-elle. Allons à la surface jouer de la cornemuse aux portes de l'aube.

Seul Miguel exprima un quelconque intérêt. Des vers dans une bouteille ; voilà ce qu'ils étaient. Ils avaient oublié l'existence du sol. Mais Miguel lui avait promis plusieurs fois de l'emmener dehors, elle ne resterait plus très longtemps sur Mercure, et il s'ennuyait finalement assez pour accepter d'y aller.

Terminator roulait sur d'innombrables rails, des cylindres gris qui s'élevaient à plusieurs mètres au-dessus du sol, soutenus par de gros pylônes. Dans sa majestueuse avance vers l'ouest, la cité passait sur de petites plates-formes stationnaires menant à des salles d'échange souterraines, des pistes de navettes spatiales ballardiennes et des refuges ménagés dans les bords des cratères. On ne quittait pas la cité comme ça (ce qui n'avait rien d'étonnant), mais Miguel avait un passe qui ouvrait la porte sud. Ils entrèrent dans un sas, traversèrent une station souterraine appelée Hammersmith où ils revêtirent un scaphandre énorme mais flexible, sortirent par un autre sas menant à un tunnel et prirent pied sur la surface calcinée de Mercure.

Rien n'aurait pu être plus nu, plus net que cette étendue noire et grise. Dans un tel contexte, les gloussements avinés de Miguel ennuyèrent Zo plus que d'ordinaire, et elle baissa l'intercom de son casque, les réduisant à un murmure.

Il était dangereux de marcher à l'est de la cité, et même de se tenir immobile, mais c'était le seul moyen si on voulait voir le bord du soleil. Ils marchaient vers le sud-ouest, pour voir la cité sous un certain angle. Zo flanquait des coups de pied dans les cailloux. Elle aurait voulu voler sur ce monde noir. C'était sans doute possible en ULM, mais personne ne s'était donné la peine d'en mettre un au point. Ils continuèrent à avancer tout en regardant vers l'est. Très bientôt le soleil se lèverait sur cet horizon. Au-dessus d'eux, dans l'atmosphère impalpable néon-argon, l'impact du soleil changeait en un léger brouillard blanc la fine poussière soulevée par le bombardement d'électrons. Derrière eux, le sommet du Mur de l'Aube était un éclair de pure blancheur, impossible à regarder même à travers l'épais filtre différentiel de leur visière.

Puis, à l'est, près du cratère Stravinski, l'horizon plat, rocheux, se changea en une image en négatif de lui-même. Zo regarda, fascinée, cette ligne dansante, d'une phosphorescence explosive, et la couronne solaire pareille à une forêt d'argent incendiée juste au-dessus de l'horizon. Elle avait l'esprit pareillement embrasé. Elle aurait volé comme Icare dans le soleil si elle avait pu. Il lui semblait être un papillon attiré par la flamme, en proie à une sorte de faim sexuelle, spirituelle. Et, de fait, elle laissait échapper des cris de jouissance. Tout ce feu, une telle beauté. L'ivresse solaire, comme on disait dans la cité, et à juste raison. Miguel l'éprouvait aussi; il bondissait d'un rocher à l'autre, les bras largement étendus, comme Icare s'essayant à décoller.

Puis il retomba lourdement dans la poussière. Zo entendit son cri alors que son intercom était presque coupé. Elle se précipita, vit l'angle impossible que faisait son genou gauche, se mit à crier elle-même et s'agenouilla à ses côtés. A travers le scaphandre, le sol était glacé. Elle l'aida à se relever et remonta le volume de son intercom. Il geignait comme un perdu.

– Tais-toi, lui dit-elle. Concentre-toi sur ce que tu fais.

Ils prirent le rythme, progressant par petits bonds vers l'ouest et le Mur de l'Aube. Le sommet de son immense dôme encore incandescent reculait devant eux. Il n'y avait pas de temps à perdre. Mais ils tombaient à chaque instant. La troisième fois, étalé dans la poussière, le paysage changé en un mélange aveuglant de blanc pur et de noir absolu, Miguel poussa un cri de douleur et hoqueta, à bout de souffle :

– Vas-y, Zo, sauve-toi ! Il n'y a pas de raison que nous soyons deux à mourir ici !

– Epargne-moi ces conneries ! fit Zo en se relevant.

– Va-t'en !

– Pas question ! Maintenant, ferme-la, je vais te porter.

Il pesait à peu près le même poids que sur Mars, soixante-dix kilos avec le scaphandre, estima-t-elle. C'était plus une question d'équilibre qu'autre chose. Tandis qu'il bredouillait hystériquement : « Laisse-moi, Zo, la vérité est la beauté, la beauté vraie, c'est tout ce que tu sauras jamais et tout ce que tu auras jamais besoin de savoir », elle se pencha, passa ses bras sous son dos et ses genoux, lui arrachant un hurlement.

– Boucle-la ! cria-t-elle. En ce moment précis, la vérité c'est ça, donc c'est beau.

Elle éclata de rire et se mit à courir en le portant dans ses bras. Du fait de son fardeau, elle ne pouvait voir où elle mettait les pieds, de sorte qu'elle devait regarder plus loin dans le mélange de ténèbres et de lumière aveuglante, la sueur lui coulant dans les yeux. Ce n'était pas une mince affaire, et elle tomba encore deux fois, mais elle avançait rapidement vers la cité.

Puis le soleil lui picota le dos, malgré la paroi isolante du scaphandre. Une décharge massive d'adrénaline. Un éblouissement. Une sorte de vallée alignée avec l'aube. De nouveau la zone de lumière tachetée, ombres trouées de clarté, un *chiaroscuro* de fou. Puis le lent retour à Terminator, où tout était obscur et crépusculaire à l'exception du mur farouche de la cité, éclatant loin audessus d'eux. Elle hoquetait, à bout de souffle, suant à grosses gouttes, brûlante de l'effort fourni plus qu'à cause du soleil. Pourtant, la vue de l'arc incandescent au sommet de la ville aurait suffi à convertir n'importe qui au culte de Mithra.

Ils se retrouvèrent juste au-dessous de la cité – et ne purent évidemment y rentrer. Elle dut poursuivre jusqu'à la prochaine station souterraine. Se concentrer complètement sur la course, pendant plusieurs minutes d'affilée. La douleur de l'acide lactique. Mais elle était là, droit devant, sur l'horizon, une porte dans une butte, à côté des rails. Et pan et pan sur le régolite lisse.

A force de frapper, elle réussit à les faire admettre tous les deux dans le sas, puis à l'intérieur, où on les arrêta. Zo rit au nez de la spasspolizei, enleva son casque, celui de Miguel qui sanglotait, l'embrassa plusieurs fois pour sa peine. Il souffrait tant qu'il ne s'en aperçut même pas. Il était cramponné à elle comme un noyé à son sauveteur. Elle dut flanquer une tape sur son genou blessé pour lui faire lâcher prise. Il poussa un cri de douleur et elle éclata de rire, une pulsion lui parcourant tout le corps. Tant d'adrénaline, c'était de loin plus beau, plus rare, que n'importe quel orgasme, donc plus précieux. Alors elle couvrit Miguel de baisers qu'il ne remarqua pas, et fonça sur la spasspolizei, faisant valoir son statut diplomatique pour exiger que l'on fasse vite.

– Donnez-lui quelque chose pour calmer la douleur, bande de cons ! dit-elle. La navette pour Mars repart demain. Il faut que je la prenne.

– Merci, Zo ! s'écria Miguel. Merci ! Tu m'as sauvé la vie !

– Je vais réussir à repartir, dit-elle, hilare, en voyant la tête qu'il faisait, et elle l'embrassa à nouveau. C'est moi qui devrais te remercier ! Merci pour le spectacle. Merci, merci.

– C'est moi qui te remercie.

– Non, c'est moi !

Et malgré la douleur, il ajouta en riant :

– Je t'aime, Zo !

– Moi aussi, je t'aime.

Mais elle devait se presser, sinon elle raterait la navette.

La fusée était propulsée par un moteur à fusion pulsée. Ils arriveraient sur Terre le surlendemain, et tout le trajet se ferait sous une gravité correcte, sauf pendant le retournement.

Le soudain rétrécissement du système solaire avait toutes sortes de conséquences. D'abord, Vénus n'était plus un tremplin gravifique pour le voyage interplanétaire. C'est donc par hasard que la navette, le *Nike de Samothrace*, passait assez près de la planète plongée dans l'ombre. Zo rejoignit les autres dans la grande salle de bal pour la regarder. Les nuages de l'atmosphère surchauffée étaient sombres. La planète apparaissait comme un vaste disque gris sur le fond noir de l'espace. Le terraforming de Vénus suivait son cours. Elle tournait à l'ombre d'un parasol : les miroirs de l'ancienne soletta avaient été repositionnés afin de renvoyer la lumière dans l'espace, contrairement à ce qu'ils faisaient pour Mars. Vénus tournait dans le crépuscule.

C'était la première étape d'un projet de terraforming que bien des gens considéraient comme insensé. Vénus n'avait pas d'eau, l'atmosphère surchauffée, d'une densité phénoménale (95 bars à la surface !), était composée de dioxyde de carbone, son jour était plus long que son année et la température au sol aurait fait fondre le plomb et le zinc. Ce n'étaient pas des conditions préliminaires très prometteuses, certes, mais il en aurait fallu davantage pour arrêter l'humanité. L'homme cherchait à saisir plus de choses encore qu'il ne le pouvait, même si ses pouvoirs étaient devenus équivalents à ceux d'un dieu. Zo trouvait ça merveilleux. Les initiateurs du projet prétendaient le mener à bien plus vite que le terraforming de Mars. A vrai dire, depuis cinquante ans qu'elle était abritée de la lumière solaire, la température de l'atmosphère diminuait de cinq degrés kelvin par an. Bientôt, la

Grande Pluie commencerait à tomber, et d'ici quelques siècles à peine le dioxyde de carbone recouvrirait entièrement les parties les plus basses de la planète, sous forme de glace sèche qui serait alors scellée sous une couverture de diamant ou de pierre ponce. Après cela, on introduirait des océans en amenant de l'eau d'ailleurs, car celle dont disposait Vénus n'aurait guère suffi à submerger la planète de plus d'un centimètre. Les terraformeurs vénusiens, des mystiques d'une nouvelle viriditas, négociaient actuellement avec la Ligue saturnienne le droit d'amener Enceledus, la lune de glace, en orbite autour de Vénus et de la rompre en plusieurs passages successifs à travers l'atmosphère. L'eau de cette lune créerait des océans peu profonds sur près de soixante-dix pour cent de la surface de la planète, couvrant entièrement les glaciers de dioxyde de carbone. Une atmosphère d'oxygène et d'hydrogène serait préservée, on laisserait filtrer un peu de lumière à travers le parasol, et à ce stade il deviendrait possible d'implanter des colonies humaines sur les deux continents, Ishtar et Aphrodite. Puis, ils seraient confrontés aux mêmes problèmes de terraforming que sur Mars, mais aussi à des projets à très long terme, spécifiquement vénusiens, comme la suppression des plaques de glace sèche de la planète et la façon de lui imprimer une rotation suffisante pour la doter d'un cycle diurne raisonnable. On pouvait simuler des jours et des nuits à court terme en utilisant le parasol comme un gigantesque store vénitien circulaire, mais à long terme ils ne voulaient pas dépendre de quelque chose de si fragile. Zo comprenait ça. Elle imaginait, d'ici quelques siècles, une Vénus avec sa biosphère et sa civilisation, des milliards d'hommes et d'animaux sur ses deux continents ; un jour, le parasol avait une défaillance, et *ssss*, un monde entier rôtissait. Ce n'était pas une perspective réjouissante. Ils essayaient donc, sans attendre la mise en eau et le ravinement de la Grande Pluie, d'installer autour de la planète des armatures métalliques matérialisant les parallèles. Une flotte de générateurs alimentés par le soleil serait ensuite placée en orbite fluctuante autour de la planète, tel un gigantesque moteur électrique créant un champ magnétique qui accélérerait sa rotation. Pour les concepteurs du dispositif, le temps qu'ils dotent Vénus d'une atmosphère et d'un océan, la vitesse acquise par ce moteur Dyson aurait suffisamment accru sa rotation pour que son jour ne dure plus qu'une semaine. Ils obtiendraient donc d'ici trois cents ans peut-être un monde transfiguré, cultivable. La surface serait extrêmement érodée, bien sûr, et encore très volcanique, une masse phénoménale de CO_2 serait emprisonnée sous les mers, prête à exploser et à les empoisonner, ils auraient tout le temps de geler ou de rôtir pendant la journée d'une semaine, mais ils auraient au moins obtenu ce résultat-là, sur un monde dépouillé, tout cru, tout neuf.

C'était vraiment un projet insensé. C'était sublime. Zo regardait le globe gris, bossu, en sautant d'un pied sur l'autre tant elle était excitée, horrifiée, admirative, avide d'entrevoir à travers le dôme de la salle de bal les petits points des nouveaux astéroïdes où vivaient les mystiques du terraforming, ou peut-être la couronne du miroir annulaire qui était jadis celui de Mars. Mais il n'y avait que le disque gris de l'étoile du soir plongée dans l'ombre, le sceau de ces gens engagés dans une tâche qui reconfigurait l'humanité comme une sorte de bactérie divine, dévorant les mondes, préparant le terrain pour la vie future, grandiosement nanifiée dans un schème cosmique, un héroïsme/masochisme presque calviniste. Un rhabillage parodique du projet martien, et pourtant tout aussi magnifique. Ils étaient des têtes d'épingle dans cet univers, mais quelles idées ils avaient! Les gens feraient n'importe quoi pour une idée, n'importe quoi.

Même aller sur Terre. Fumante, grumeleuse, sanieuse, une fourmilière humaine dans laquelle on aurait enfoncé un bâton. La pullulation panique continuant dans le terrible hachoir de l'histoire. Le cauchemar de Malthus en pire. Chaud, humide et lourd. Et malgré tout ça, ou à cause de tout ça, un endroit fabuleux à visiter. Jackie voulait qu'elle rencontre certaines personnes en Inde. Zo avait donc pris le *Nike*. Elle retournerait ensuite sur Mars.

Mais avant d'aller en Inde, elle fit son pèlerinage rituel en Crète, pour voir les ruines qu'on appelait encore minoennes sur place. A Dorsa Brevia, on préférait dire arianéennes, Ariane étant la fille de Minos, qui avait mis à bas l'antique matriarcat. Encore une déviation de l'histoire : pourquoi les civilisations disparues portaient-elles toujours le nom de leur destructeur? Enfin, on pouvait toujours les rebaptiser.

Elle portait un exosquelette de location, conçu pour les visiteurs des autres mondes oppressés par la gravité. Si la gravité était la destinée, comme elle l'avait entendu dire, la Terre en avait à revendre. Le costume ressemblait à une tenue d'homme-oiseau sans ailes. C'était une combinaison qui suivait les mouvements du corps en lui fournissant un support invisible, comme un soutien-gorge. Il ne supprimait pas tous les effets de la gravité : respirer était toujours une épreuve, on pesait des tonnes, le tissu du costume gainait désagréablement les membres. Zo s'était habituée à marcher ainsi affublée lors de ses voyages précédents. C'était un exercice intéressant au début, comme l'haltérophilie, mais on en avait vite fait le tour. Enfin, elle avait essayé de s'en passer, et c'était pire. On ne pensait qu'à ça, on ne se sentait pas vraiment là.

Elle parcourut donc le site antique de Gournia avec l'impression de planer sous l'eau avec son costume. Gournia était de toutes les ruines arianéennes celle qu'elle préférait. Le seul village ordinaire de cette civilisation qui ait été exhumé. Les autres sites étaient tous des palais. Ce village était probablement un satellite du palais de Malia ; c'était aujourd'hui un dédale de murets de pierre qui lui arrivaient à la taille, érigés en haut d'une colline surplombant la mer Egée. Les pièces étaient petites, souvent d'un mètre sur deux, et des ruelles couraient entre les murs mitoyens. De petits labyrinthes assez semblables aux villages blanchis à la chaux encore disséminés dans la campagne. Les gens disaient que la Crète avait durement souffert de l'inondation, tout comme les Arianéens après l'explosion de Thera. Les jolis petits ports de pêche étaient plus ou moins inondés, en effet, et les ruines arianéennes de Zakros et de Malia étaient totalement submergées. Mais ce que Zo voyait en Crète, c'était une inaltérable vitalité. Aucun autre endroit de la Terre n'avait aussi bien encaissé le choc démographique. Partout les villages entourés de champs et de vergers s'accrochaient au sol comme des essaims, comblant les vallées, couvrant les collines qui formaient l'épine dorsale de l'île. Il y avait plus de quarante millions d'habitants sur l'île, et pourtant elle n'avait pour ainsi dire pas changé. Il y avait plus de villages, c'est tout, construits pour se fondre non seulement dans ceux qui existaient, mais aussi dans les anciens comme Gournia et Itanos. Un urbanisme planifié sur cinq mille ans, en continuité avec ce premier pic de civilisation ou ce dernier pic de la préhistoire, d'une telle immensité que même la Grèce classique l'avait entrevu, mille ans plus tard. La transmission orale en avait assuré la survivance dans le mythe de l'Atlantide ainsi que dans la vie de tous ceux qui leur avaient succédé – jusque sur Mars, dans les noms utilisés à Dorsa Brevia. Parce que cette culture valorisait le matriarcat arianéen, un lien s'était établi entre Mars et la Crète. Beaucoup de Martiens se rendaient en Crète pour visiter les sites antiques, et de nouveaux hôtels avaient été construits à une échelle légèrement supérieure, afin d'accueillir les jeunes pèlerins de haute taille qui faisaient le tour des lieux saints : Phaïstos, Gournia, Itanos, Malia, Zakros, maintenant sous l'eau, et même la ridicule « restauration » de Knossos. Ils venaient voir comment tout avait commencé, au matin du monde. Comme Zo, plantée dans la lumière égéenne d'un bleu éblouissant sur une allée de pierre de cinq mille ans, les échos de cette grandeur entrant en elle, dans les pierres rouges, spongieuses, sous ses pieds, dans son propre cœur. Cette noblesse ne finirait jamais.

Mais le reste de la Terre, c'était Calcutta. Enfin, pas tout à fait. Seule Calcutta était vraiment Calcutta. Une humanité fétide, dense au dernier degré. Où qu'elle aille, dès qu'elle sortait, Zo avait au moins cinq cents personnes dans son champ de vision, souvent des milliers. La vue de ces rues grouillantes avait quelque chose de terriblement exaltant. Un monde de nains qui se collaient contre elle comme de petits oiseaux se précipitant vers le parent qui allait les nourrir. Zo admettait toutefois que la ruée était généralement plus amicale que ça, née de la curiosité plus que de la faim – en fait ils semblaient plus intéressés par son exosquelette que par elle-même. Et ils avaient l'air assez heureux, maigres sans être émaciés, même s'il était évident qu'ils vivaient dans les rues. Lesquelles étaient des coops, maintenant : les gens en avaient la jouissance, les balayaient, régulaient les millions de petits marchés, cultivaient les places et dormaient au milieu. Telle était la vie sur Terre à la fin de l'Holocène. Depuis Ariane, ils n'avaient fait que descendre la pente.

Zo monta à Prahapore, une enclave dans les collines au nord de la ville. C'est là qu'habitait l'un des espions terriens de Jackie, dans un dortoir bourré de fonctionnaires harassés qui vivaient devant leur écran et dormaient sous leur bureau. Le contact de Jackie était programmatrice d'IA de traduction et elle parlait le mandarin, l'ourdou, le dravidien et le vietnamien, en plus de ses langues maternelles, l'hindi et l'anglais. C'était quelqu'un d'important parce qu'elle avait la possibilité d'écouter à une multitude de portes et pouvait tenir Jackie au courant de ce que l'Inde et la Chine se disaient au sujet de Mars.

– Elles vont continuer, l'une comme l'autre, à envoyer toujours plus de gens vers Mars, dit-elle à Zo dans le petit jardin de simples du complexe. C'est évident. Mais les deux gouvernements donnent l'impression de tenir la solution à long terme du problème de surpopulation. Personne ne s'attend à avoir plus d'un enfant. Ce n'est pas seulement la loi, c'est la tradition.

– La loi utérine, fit Zo.

– Possible, fit la femme en haussant les épaules. Une tradition fortement ancrée, en tout cas. Les gens voient bien ce qui se passe, ils comprennent le problème. Ils savent qu'on leur administrera un implant de stérilité lors du traitement de longévité. En Inde, ils peuvent s'estimer heureux de recevoir l'autorisation d'avoir un enfant, et quand ils l'ont, ils savent qu'ils seront stérilisés pour de bon. Même les fondamentalistes hindous ont évolué sur la question. La pression sociale était trop forte. Quant aux Chinois, il y a des siècles qu'ils en sont là. Le traitement de longévité n'a fait que renforcer leur comportement normal.

– Mars a donc moins à craindre d'eux que Jackie ne le pense.

– Ils vont tout de même envoyer des émigrants là-haut. Ça fait partie de la stratégie globale. Et la résistance à la règle de l'enfant unique est plus forte dans les pays catholiques et musulmans. Plusieurs de ces nations voudraient encore coloniser Mars comme si elle était vide. La menace bascule donc de l'Inde et de la Chine aux Philippines, au Brésil et au Pakistan.

– Hum, fit Zo.

Elle se sentait toujours mal à l'aise en matière d'immigration. Elle avait l'impression d'être cernée par des lemmings.

– Et les ex-métas ?

– Le vieux Groupe des Onze se reforme pour soutenir les plus fortes. Elles vont chercher des endroits où se développer. Elles sont beaucoup moins puissantes qu'avant l'inondation, mais elles ont toujours une énorme influence en Amérique du Nord, en Russie, en Europe et en Amérique du Sud. Dis à Jackie de surveiller le Japon au cours des prochains mois, elle comprendra.

Elles connectèrent leurs blocs-poignet et la femme effectua un transfert de données détaillées pour Jackie.

– Bon, fit Zo.

Elle se sentait tout à coup épuisée comme si une sorte de bibendum s'était insinué dans son exosquelette avec elle et la tirait vers le bas. Quel fardeau, la Terre ! Certaines personnes disaient aimer ça, à croire qu'elles avaient besoin de ce poids pour se sentir exister. Zo n'était pas comme ça. La Terre était d'un exotisme forcené. C'était bien joli, mais elle aurait donné n'importe quoi pour se retrouver chez elle. Elle débrancha son bloc-poignet en pensant à cette voie médiane parfaite, le test idéal de la volonté et de la chair : l'exquise gravité de Mars.

Il y eut la descente par l'ascenseur spatial de Clarke, trajet qui prenait plus de temps que le vol depuis la Terre, et elle regagna le monde, le seul monde réel, Mars la magnifique.

– Il n'y a que chez soi qu'on est bien, disait Zo à la foule massée dans la gare de Sheffield, et elle s'assit avec soulagement dans le train qui descendait de Tharsis, puis montait vers le nord et le Belvédère d'Echus.

La petite ville avait peu changé depuis qu'elle avait été désignée comme quartier général du terraforming. Elle était loin de tout, et construite dans la paroi est, abrupte, d'Echus Chasma, de sorte qu'on n'en voyait pas grand-chose : le sommet de la falaise était séparé du fond par trois kilomètres d'à-pic, et ils n'étaient pas visibles l'un de l'autre. C'étaient deux villages séparés, reliés par un métro vertical. En fait, sans les hommes-oiseaux, le Belvédère d'Echus serait sans doute devenu un monument historique endormi, comme Underhill, Senzeni Na ou les cachettes glacées du Sud. Mais la paroi est d'Echus Chasma se dressait toute droite sur le chemin des vents d'ouest dominants qui se déversaient de la bosse de Tharsis, et les faisait rebondir selon de stupéfiants courants ascendants. Ce qui en faisait un paradis pour les hommes-oiseaux.

Zo devait rendre compte à Jackie et à ses apparatchiks de Mars Libre, mais avant de se retrouver embringuée dans ces corvées, elle voulait voler. Alors elle retira de la consigne de l'aire de vol la vieille tenue de faucon qu'elle avait à Santorini, se changea dans le vestiaire et retrouva avec soulagement la texture lisse, nerveuse, de l'exosquelette flexible. Elle suivit le sentier en traînant les plumes de sa queue derrière elle, jusqu'au Plongeoir, un surplomb naturel qui avait été artificiellement prolongé par une dalle de ciment. Elle s'approcha du bord et regarda, trois mille mètres plus bas, le sol d'ambre d'Echus Chasma. Elle se pencha en avant, envahie par la vague habituelle d'adrénaline, et fondit, la tête la première, vers le pied de la falaise. Elle atteignait la vitesse limite lorsque le vent la cueillit avec un *whoosh* familier sur son casque. Alors elle étendit les bras et sentit le costume se raidir pour aider ses muscles à maintenir ses ailes écartées. Soulevée par une bourrasque irrésistible, elle partit à l'assaut du soleil, tourna la tête, cambra le dos, tendit les pointes des pieds, étala les plumes de sa queue, gauche droite gauche, et le vent l'emporta toujours plus haut, plus haut, plus haut. Elle bougea les bras et les jambes à l'unisson, tomba en feuille morte, vit les falaises puis le sol de la faille tourner, tourner, tourner... et remonter. Zo le faucon, sauvage et libre. Elle riait de bonheur, et des larmes maculaient ses lunettes, chassées par la vitesse.

Il n'y avait presque personne au-dessus d'Echus, ce matin-là. Après avoir surfé sur les courants ascendants, la plupart des hommes-oiseaux s'égaillaient vers le nord, montant ou plongeant dans l'une des anfractuosités de la paroi, où l'air était moins chaud, le courant ascendant moins fort et où l'on pouvait décrire des plongeons et des virages d'une grande vélocité. Zo en fit autant. En arrivant à près de cinq mille mètres au-dessus du Belvédère, respirant alors l'oxygène pur du circuit fermé de son casque, elle tourna la tête vers la droite, vira sur l'aile et se cambra dans l'exaltation d'une course contre le vent, le sentant gémir sur son corps en une rapide caresse. Il n'y avait aucun bruit, hormis le rugissement du vent dans ses ailes. La pression somatique du vent sur tout son corps était un massage subtil, sensuel. Elle le sentait à travers le costume moulant comme si elle était nue, ce qu'elle aurait tant voulu. Cette impression était renforcée par la qualité de la tenue. Il y avait trois ans qu'elle avait celle-ci, et elle lui allait comme un gant. C'était merveilleux de la retrouver.

Elle monta à la façon d'un cerf-volant et replongea, effectuant une figure appelée la Chute de Jésus. Mille mètres de chute libre, écarter les ailes et donner des coups de queue, comme un dauphin, pour accélérer le redressement dans le vent gémissant, hurlant. Elle franchit le niveau du plateau à une vitesse vertigineuse. Le bord de la falaise marquait la limite du plongeon et le moment d'amorcer le rétablissement, parce que, si haute que soit la falaise, à cette allure le fond de la faille vous arrivait comme un coup mortel en plein visage, et il fallait un moment pour redresser, malgré toute sa force, son habileté, son sang-froid – et l'aide du costume. Elle cambra le dos, étendit les ailes et sentit la tension dans ses pectoraux et ses biceps, une pression terrible alors même que sa tenue amplifiait ses mouvements en raison logarithmique de l'effort fourni. Les plumes de la queue pointées vers le bas – piquer –, quatre grands coups d'aile et elle esquiva le sol sablonneux du gouffre de si peu qu'elle aurait pu y ramasser une souris.

Elle vira et remonta en spirale dans les nuages en formation. Le vent était erratique aujourd'hui, et c'était un plaisir enivrant que d'y évoluer. C'était le sens de la vie, le but de l'univers : la joie pure, l'oubli de soi, l'esprit réduit à l'état de miroir du vent. L'exubérance. Elle volait comme un ange, selon leur expression. On volait parfois comme un bourdon, parfois comme un oiseau. Et puis, exceptionnellement, on volait comme un ange. Ça faisait si longtemps...

Elle se ressaisit et redescendit doucement le long de la paroi vers le Belvédère. Elle en avait plein les bras. Soudain, elle repéra un faucon. Comme beaucoup d'hommes-oiseaux, lorsqu'il y avait un volatile en vue, elle le suivait, l'observait avec une attention dont aucun ornithologiste n'eût fait preuve, copiant le moindre de ses battements d'aile dans l'espoir d'apprendre le génial secret du vol. Parfois, un faucon tournait innocemment au-dessus de la falaise à la recherche d'une proie, et toute une escadrille d'hommes-oiseaux se lançait à sa poursuite, étudiant chacun de ses mouvements, essayant de les reproduire. C'était amusant.

Elle faisait à présent de l'ombre au faucon. Tournant quand il tournait, imitant la position de ses ailes et de sa queue. Sa maîtrise des airs était un don qu'elle mourait d'envie d'avoir et n'aurait jamais. Mais elle pouvait toujours essayer : le soleil brillant dans les nuages qui filaient dans le ciel indigo, le vent sur son corps, les petits orgasmes ventraux de l'apesanteur quand elle stoppait net sa descente... Des moments éternels sans une pensée. Le meilleur, le plus pur usage du temps humain.

Mais le soleil descendait à l'ouest et elle commençait à avoir soif, alors elle laissa le faucon vivre sa vie et retourna en décrivant de grandes arabesques paresseuses vers le Belvédère, ponctua son atterrissage d'un coup d'aile, d'un pas, en plein sur Kokopelli, comme si elle n'était jamais partie.

Derrière l'aire de vol se trouvait un quartier appelé Topside, un entassement de dortoirs et de restaurants bon marché, essentiellement fréquentés par les hommes-oiseaux et les touristes qui venaient les regarder, et tout ce monde-là mangeait, buvait, faisait la fête, parlait, dansait et cherchait quelqu'un avec qui passer la soirée. Ses compagnons de vol, Rose, Imhotep, Ella et Estavan, étaient à l'Adler Hofbrauhaus, déjà bien éméchés et ravis de la revoir. Ils prirent un verre pour fêter leurs retrouvailles, puis ils allèrent au Belvédère et s'assirent sur la rambarde pour bavarder, échanger les dernières nouvelles, se passer un énorme pétard à la pandorphe, faire des commentaires égrillards sur les gens qui passaient sous la rambarde et appeler les amis repérés dans la foule.

Pour finir, ils quittèrent le Belvédère et descendirent se mêler à la foule de Topside. Ils firent lentement la tournée des bars et entrèrent dans une maison de bains. Ils s'entassèrent dans le vestiaire pour se déshabiller et s'aventurèrent tout nus dans le sombre dédale humide et chaud, de l'eau jusqu'à la taille, les chevilles, la poitrine – chaude, froide, tiède –, se séparant, se retrouvant, faisant l'amour avec des étrangers à peine entrevus, Zo passant lentement d'un partenaire à un autre, jouissant, ronronnant avec volupté lorsque son corps se nouait sur lui-même et que son esprit l'abandonnait. Le sexe, le sexe, il n'y avait rien de meilleur, sauf voler, ce qui y ressemblait beaucoup : une ivresse de tout le corps, tel un écho du big bang, ce premier orgasme. La joie de voir les étoiles dans le ciel, au-dessus de sa tête, de sentir l'eau chaude, et ce garçon entrer en elle, y rester, presque dur, se raidir trois minutes plus tard et se cambrer à nouveau en riant à l'approche d'un orgasme éblouissant. Après ça, elle pataugea jusqu'à la pénombre du bar où elle retrouva les autres, Estevan déclarant que le troisième orgasme de la nuit était généralement le meilleur, avec son exquise approche vers le moment crucial, et encore assez de sperme à éjaculer.

– Après, ça reste pas mal, mais ça demande plus d'effort. Y a du retard à l'allumage, et puis c'est plus comme le troisième, de toute façon.

Zo, Rose et les autres femmes approuvèrent et dirent que dans ce domaine comme dans bien d'autres les femmes étaient avantagées. En une nuit aux bains elles avaient généralement plusieurs orgasmes merveilleux, et encore, ce n'était rien à côté du *status orgasmus*, une sorte d'orgasme continu qui pouvait durer une demi-heure avec un peu de chance et un bon partenaire. C'était toute une technique qu'elles étudiaient assidûment, mais ça restait plus un art qu'une science, ils étaient tous d'accord là-dessus : il fallait planer, mais pas trop, en groupe mais pas trop nombreux... Ils étaient devenus assez bons à cet exercice, dirent-ils à Zo, et Zo demanda allègrement à en avoir la preuve.

– Allez, faites-moi la table.

Estavan poussa un hurlement, et ils allèrent tous ensemble dans une pièce où une grande table était entourée d'eau. Imhotep s'allongea dessus, afin de servir de matelas humain à Zo. Les autres la soulevèrent, l'allongèrent sur lui, et tout le groupe s'occupa d'elle, une langue dans chaque oreille et dans sa bouche, des mains, des lèvres et des organes génitaux partout. Ce ne fut bientôt plus qu'une masse indifférenciée de sensations érotiques, un environnement sexuel total. Zo ronronnait tout haut. Puis, quand elle commença à jouir, s'arquant comme sous la violence d'une crampe, rompant le contact avec Imhotep, ils continuèrent, mais plus subtilement, à l'exciter, pour ne pas la laisser retomber. Elle était au septième ciel, elle volait, le contact d'un petit doigt la faisait repartir, tant et si bien qu'elle s'écria : « Arrêtez, je n'en peux plus ! » Ils éclatèrent de rire, répondirent : « Mais si, mais si ! » et son orgasme se poursuivit jusqu'à ce que les muscles de son estomac finissent par se nouer pour de bon. Elle se laissa alors brutalement rouler à bas d'Imhotep. Rose et Estavan durent la rattraper. Elle ne tenait plus debout. Quelqu'un dit qu'elle avait joui pendant vingt minutes. Il lui avait semblé que ça durait deux minutes, ou l'éternité. Elle avait mal à tous les muscles du ventre, des fesses et des cuisses.

– Bain froid, balbutia-t-elle, et elle se traîna dans la pièce voisine.

Après la table, peu de choses avaient encore un attrait aux bains. Tout orgasme supplémentaire était une souffrance. Elle aida à tabler Estavan et Xerxes, puis une femme mince qu'elle ne connaissait pas. Bon, c'était amusant au début, mais ça finissait par devenir lassant. La chair, la chair, la chair. Parfois, après la table, on en réclamait encore. Toujours plus. Ou bien on ne voyait plus que de la peau, des poils, de la chair, des choses qui rentraient, des choses dans lesquelles on entrait. Quel intérêt ?

Elle alla au vestiaire, se rhabilla, sortit. C'était le matin. Le soleil brillait sur les plaines dénudées de Lunae. Elle plana à travers les rues vides vers son hôtel, elle se sentait détendue, propre, somnolente. Un gigantesque petit déjeuner, se jeter sur son lit, dormir voluptueusement.

Mais Jackie était au restaurant de l'hôtel.

– Hé, mais c'est notre Zoya !

Elle avait toujours détesté le nom que Zo s'était choisi.

– Tu m'as suivie ? demanda Zo, surprise.

– C'est aussi ma coop, je te rappelle, répondit Jackie d'un air écœuré. Pourquoi n'es-tu pas venue me voir en arrivant ?

– J'avais envie de voler.

– Ce n'est pas une excuse.

– Je ne cherche pas d'excuse.

Zo s'approcha du buffet, remplit une assiette d'œufs brouillés et de muffins. Elle retourna à la table de Jackie, lui planta un baiser sur le sommet du crâne.

– Tu as l'air en forme.

En fait, elle avait l'air plus jeune que Zo, avec sa peau boucanée par le soleil. Elle avait l'air plus jeune, mais comme momifiée. On aurait dit une sœur jumelle de Zo qui aurait passé des années dans un bocal. Zo ignorait combien de fois elle avait subi le traitement de longévité – elle ne voulait pas le lui dire –, mais d'après Rachel elle essayait toutes les nouvelles variantes, il en sortait deux ou trois par an, et elle se faisait administrer le régime de base tous les trois ans au moins. Résultat, bien qu'elle soit dans sa cinquième décennie martienne, on l'aurait prise pour une fille de la génération de Zo, en dehors de ce côté embaumé, qui était moins physique que mental – une lueur dans le regard, une certaine dureté, une raideur, une méfiance ou une lassitude. C'était dur d'être la femelle alpha, plus dur d'année en année, un combat héroïque. Sa condition avait laissé des traces visibles, sa peau pouvait être lisse comme celle d'un bébé, elle pouvait être toujours aussi belle – ça, il n'y avait pas à dire –, elle commençait à vieillir. Bientôt, les jeunes gens qu'elle menait par le bout du nez lui tourneraient le dos et s'éloigneraient.

En attendant, elle avait encore une sacrée présence, et en ce moment précis, elle semblait d'assez mauvaise humeur. Les gens donnaient l'impression de craindre qu'elle les foudroie du regard, ce qui faisait rigoler Zo. Ce n'était peut-être pas la façon la plus courtoise de fêter les retrouvailles avec sa mère bien-aimée, mais que voulez-vous? Elle était trop bien dans sa peau pour s'énerver. Enfin, rire au nez de sa mère n'était peut-être pas la meilleure chose à faire quand même.

Jackie la regarda avec froideur jusqu'à ce qu'elle reprenne son sérieux.

– Raconte-moi comment ça s'est passé sur Mercure.

Zo haussa les épaules.

– Je te l'ai dit. Ils se croient investis de la mission de donner le soleil au système solaire extérieur; ça leur a monté à la tête.

– J'imagine qu'ils auraient bien besoin d'énergie solaire, là-bas.

– L'énergie peut toujours être utile, mais les satellites extérieurs devraient pouvoir en générer autant que nécessaire, maintenant.

– Les Mercuriens restent donc avec leurs métaux.

– Exactement.

– Et que souhaitent-ils en échange?

– Tout le monde désire la liberté. Aucun de ces nouveaux

petits mondes n'est assez grand pour se suffire à lui-même, alors s'ils veulent rester libres il faut bien qu'ils aient une monnaie d'échange. Mercure a l'énergie solaire et les métaux, les astéroïdes ont les métaux, les satellites extérieurs ont des gazéifiables à défaut d'autre chose. Chacun conditionne ce qu'il a de plus précieux et tente de le monnayer contre une alliance pour éviter la domination par Mars ou la Terre.

– Il ne s'agit pas de domination.

– Bien sûr que non, fit Zo, parfaitement impassible. Mais les grands mondes, tu sais ce que c'est...

– Certes, acquiesça Jackie. Sauf que, additionnés, tous ces petits mondes seraient grands, eux aussi.

– Qui s'en chargerait? rétorqua Zo.

Jackie ignora la question. La réponse était évidente : Jackie. Elle était engagée dans une partie de bras de fer dont l'enjeu pouvait se résumer au contrôle de Mars. Elle s'efforçait de préserver leur planète de l'invasion terrestre. Et tandis que l'humanité continuait à se répandre dans le système solaire, Jackie considérait les nouvelles petites colonies comme des atouts dans son jeu. S'ils n'étaient pas assez nombreux, l'issue de la partie risquait de s'en trouver modifiée.

– Il n'y a vraiment pas de quoi s'en faire pour Mercure, la rassura Zo. C'est un trou perdu dirigé par un culte. Il ne s'y installera jamais beaucoup de gens. Même si nous réussissons à les embrigader, ils ne pèseront pas lourd.

Jackie arbora une expression d'infinie lassitude, comme si l'analyse de Zo était puérile, comme s'il y avait sur Mercure des sources de pouvoir occulte. C'était irritant, mais Zo se garda bien de trahir son agacement.

Antar arriva. Il eut un sourire en les repérant, s'approcha et donna un rapide baiser à Jackie, un plus long à Zo. Ils firent des messes basses, Jackie et lui, pendant un moment, puis Jackie lui signifia son congé.

Zo y vit une nouvelle preuve de l'autoritarisme de Jackie. Faire venir Antar pour rien; c'était un abus de pouvoir fréquent chez de nombreuses femmes nisei, des femmes qui avaient grandi dans des familles patriarcales et en voulaient aux hommes. Elles n'avaient toujours pas compris que le patriarcat n'était plus rien et n'avait peut-être jamais eu d'importance, qu'il avait toujours été soumis à l'étau de la loi utérine, dont la puissance biologique agissait hors du patriarcat, que la simple politique ne pouvait contrôler. L'emprise féminine sur le plaisir sexuel masculin, sur la vie tout court, était aussi réelle pour les patriarches que pour n'importe qui, malgré toutes leurs répressions, leur peur de la femme qui s'était traduite de tant de façons, le purdah, l'excision, le bandage des pieds, etc. C'était en fait une réaction défensive brutale, un combat d'arrière-garde, perdu d'avance. Cela avait fonctionné un certain temps, sans doute, mais c'était irrémédiablement terminé. Les malheureux hommes devaient se battre tout seuls, maintenant, et c'était un combat ardu. Les femmes comme Jackie leur menaient la vie dure. Les femmes comme Jackie aimaient ça.

– Je veux que tu ailles dans le système uranien, disait Jackie. Ils commencent juste à s'installer là-bas, et je veux les tenir dès le début. Tu pourras dire deux mots aux Galiléens aussi. Ils sortent du rang.

– Il faudrait que je travaille un peu pour la coop, fit Zo, ou il va devenir évident que ce n'est qu'une façade.

Après des années passées à courir avec une coop de farouches basée sur Lunae, elle avait rejoint une coop qui servait en partie de couverture à Mars Libre, lui permettant, à elle ainsi qu'aux autres opérationnels, de réserver leur activité principale au parti sans que ça se voie. La coop de Zo construisait et installait des écrans de cratères, mais elle n'avait pas accompli une seule vraie mission pour eux depuis plus d'un an.

Jackie acquiesça.

– Consacre-leur un peu de temps et pose un congé. D'ici un mois, par là.

– Okay.

Zo s'intéressait aux satellites extérieurs, aussi ce projet lui convenait-il. Mais Jackie eut un simple hochement de tête, comme s'il était impensable que Zo puisse ne pas être d'accord. Sa mère n'était pas une personne très imaginative, au bout du compte. Aucun doute que Zo devait cette qualité à son père, Ka le bénisse. Zo ne voulait pas savoir qui c'était ; à ce stade, ça n'aurait été qu'une hypothèque sur sa liberté, mais elle éprouvait une vague de gratitude envers lui pour ses gènes, pour lui avoir épargné d'être en tout point identique à Jackie.

Zo se leva, trop épuisée pour supporter sa mère plus longtemps.

– Tu as l'air fatiguée, et je suis crevée, dit-elle. Je t'aime. Tu devrais peut-être te refaire administrer le traitement, ajouta-t-elle en l'embrassant sur la joue.

Sa coop était basée dans le cratère Moreux, dans les Protonilus Mensae, entre Mangala et Bradbury Point. C'était un vaste cratère qui ponctuait la longue pente du Grand Escarpement à l'endroit où il descendait vers la péninsule de Boone's Neck. La coop se consacrait au développement de nouvelles fibres moléculaires destinées à remplacer les bâches des anciennes tentes. Celle qu'ils avaient installée sur Moreux était le dernier cri du génie génétique. Sa matière – du polyhydroxybutyrate – était extraite d'une variété de soja modifiée afin de produire le PHB dans ses chloroplastes. Sa structure retenait l'équivalent de la couche osmotique quotidienne, ce qui avait pour effet d'accroître de près de trente pour cent la densité de l'air dans le cratère et d'en élever sensiblement la température. Les bâches de ce genre permettaient aux biomes de supporter le passage brutal de la tente à l'air libre, et créaient, quand elles étaient installées de façon permanente, des mésoclimats agréables à des altitudes ou des latitudes élevées. Moreux était situé sur le quarante-troisième parallèle, et les hivers hors du cratère seraient toujours rigoureux. Grâce à la bâche, ils cultivaient une forêt tropicale constituée de plantes exotiques obtenues par génie génétique à partir de spécimens recueillis sur les pentes des volcans d'Afrique de l'Est, de Nouvelle-Guinée et de l'Himalaya. Les journées étaient très chaudes, l'été, au fond du cratère, et les arbres en fleurs, hérissés de redoutables épines, répandaient un parfum suave.

Les habitants du cratère vivaient dans des appartements spacieux forés dans l'arc nord du bord, sur quatre niveaux de balcons en terrasses, dont les baies vitrées surplombaient les vertes frondaisons de la forêt du Kilimandjaro située en dessous. Les balcons étaient baignés par le soleil en hiver, et ombragés par des treillis couverts de vigne vierge en été, quand la température diurne montait jusqu'à 305 degrés kelvin et que les gens parlaient vaguement de troquer la bâche contre une autre, moins isolante, afin de permettre à la chaleur de s'échapper, ou de trouver le moyen de la rouler comme une bâche de piscine en été.

Zo passait le plus clair de son temps sur le tablier extérieur ou dessous, expédiant le maximum de travail avant de repartir pour les satellites extérieurs. Sa mission était intéressante, cette fois. Elle l'amenait à faire de longs voyages souterrains dans des galeries minières, à suivre les veines et les filons. L'impact avait créé toutes sortes de roches métamorphiques utiles, et le tablier du cratère regorgeait de minéraux utilisables dans les usines de gaz à effet de serre. La coop travaillait sur de nouvelles méthodes de forage qui n'altéreraient en rien la surface alors que l'on exploiterait intensivement le régolite du sous-sol. Tout en s'efforçant de réaliser des améliorations commercialisables, elle extrayait certaines matières premières utilisées pour la fabrication des bâches. La majeure partie du travail était évidemment effectuée par des robots, mais il y aurait toujours dans les activités minières des tâches que les hommes feraient mieux. Zo adorait fouiller dans les profondeurs obscures de Mars, passer toute la journée dans les boyaux de la planète, entre de grandes plaques de roche noire, rugueuse, piquetée de cristaux que les puissantes lampes faisaient étinceler. Examiner des échantillons, explorer de nouvelles galeries, se faufiler entre les colonnes de magnésium placées par les excavateurs robots. Travailler comme une troglodyte, chercher des trésors rares sous terre. Puis émerger de la cabine de l'ascenseur, cligner des yeux comme une chouette dans la lumière aveuglante de la fin de l'après-midi, l'air couleur de bronze, saumon, ambré. Le soleil qui brillait dans le ciel violacé comme un vieil ami les réchauffait alors qu'ils gravissaient la pente du tablier vers la porte donnant sur le bord, la forêt ronde de Moreux s'étendant à leurs pieds, un monde perdu, peuplé de jaguars et de vautours. Une fois sous la bâche, un téléphérique les emportait vers les habitations, mais Zo préférait généralement aller à la loge de garde, ôter sa tenue d'homme-oiseau de son casier, l'enfiler, tirer le zip et courir au bout d'une plate-forme d'envol, étendre les ailes et voler en spirales paresseuses vers la ville basse du bord nord. Puis dîner sur l'une des terrasses en regardant les perroquets et les cacatoès filer en tous sens dans l'espoir de chiper quelque chose à manger. Il y avait des vies plus désagréables. Et elle dormait comme un bébé.

Un jour, un groupe de spécialistes de l'atmosphère vinrent voir combien d'air filtrait de la bâche de Moreux dans la chaleur du plein midi, en été. Il y avait un certain nombre de vieux dans le groupe, des gens aux yeux rouges et aux manières diffuses des aréologistes qui avaient passé beaucoup de temps sur le terrain. L'un de ces issei, un petit homme chauve au nez crochu et à la peau ridée comme les tortues qui rampaient sur le fond du cratère, était Sax Russell, l'un des personnages les plus célèbres de l'histoire de Mars. Zo le regarda en ouvrant de grands yeux. Elle n'en revenait pas. C'était comme s'il était sorti d'un livre d'histoire pour lui dire bonjour, comme si George Washington ou Archimède lui était tombé dessus, fantôme du passé vivant toujours parmi eux, en permanence confondu par tous les nouveaux développements.

Pour être confondu, Russell était confondu. Il assista à la réunion d'orientation dans un total ébahissement, laissa les questions sur l'atmosphère à ses collègues et passa son temps à regarder la forêt sous la ville. Quand quelqu'un, au dîner, lui présenta Zo, il la regarda en clignant des yeux avec la vague intelligence d'une tortue.

– J'ai eu votre mère comme élève, dans le temps.
– Oui, répondit Zo.
– Vous voulez bien me faire visiter le fond du cratère? demanda-t-il.
– Généralement, je vole au-dessus, répondit Zo, surprise.
– J'espérais faire ça à pied, fit-il en clignant des yeux de plus belle.
C'était tellement nouveau qu'elle accepta de le guider.

Ils partirent à la fraîche, en suivant l'ombre du bord est. Des ochromes et des halimodendrons se rejoignaient au-dessus de leur tête, formant un dais élevé dans lequel des lémuriens bondissaient en poussant des cris. Le vieil homme marchait lentement tout en regardant les créatures insouciantes de la forêt. Il parlait peu, sauf pour demander à Zo le nom des arbres et des fougères. Elle ne put lui dire que celui des oiseaux.
– Le nom des plantes m'entre par une oreille et me ressort par l'autre, admit-elle sans complexe. Mais je pense que ça m'aide à mieux les voir, ajouta-t-elle en voyant son front se plisser à cette idée.
– Vraiment. (Il regarda autour de lui comme pour expérimenter cette technique.) Vous voulez dire que vous ne voyez pas les oiseaux aussi bien que les plantes?
– Ils sont différents. Ce sont mes frères et mes sœurs, ils doivent avoir un nom. Ça fait partie d'eux-mêmes. Mais toutes ces choses-là... fit-elle en englobant d'un geste les frondes vertes qui les entouraient, les fougères géantes sous les arbres en fleurs. Elles n'ont pas vraiment de nom. On leur en invente, mais ça ne sert à rien.
Il médita sa réponse.
– Où volez-vous? demanda-t-il, un kilomètre plus loin dans la piste envahie par la végétation.
– Partout.
– Vous avez des endroits favoris?
– J'aime bien le Belvédère d'Echus.
– Les courants ascendants sont bons?
– Excellents. C'est là que j'étais quand Jackie m'est tombée dessus et m'a remise au travail.
– Ce n'est pas votre travail?
– Oh si, si, mais ma coop est en pointe pour l'application du temps partiel.
– Ah! Alors vous allez rester là un moment?
– Seulement jusqu'au départ de la navette pour Galilée.
– Vous comptez émigrer?

– Non, non. Juste faire un tour. Pour Jackie. En mission diplomatique.

– Ah! Vous irez voir Uranus?

– Oui.

– Je voudrais bien voir Miranda.

– Moi aussi. C'est un peu pour ça que je vais là-bas.

– Ah!

Ils traversèrent un ruisseau en posant les pieds sur des pierres plates émergées. Les oiseaux s'appelaient, les insectes bourdonnaient. Le soleil baignait tout le bol intérieur du cratère, maintenant, mais, sous le dais de la forêt, il faisait encore frais. L'air était troué par des colonnes et des câbles de lumière jaune, inclinés. Russell s'accroupit pour regarder au fond de la rivière qu'ils venaient de traverser.

– Comment était ma mère quand elle était petite? demanda Zo.

– Jackie?

Il réfléchit. Ça faisait si longtemps... Au moment où Zo concluait avec exaspération qu'il avait oublié sa question, il répondit :

– Elle courait vite. Elle posait sans arrêt des questions. Pourquoi, pourquoi, pourquoi? J'aimais bien ça. C'était l'aînée de cette génération d'ectogènes, je crois. Leur chef, en tout cas.

– Elle était amoureuse de Nirgal?

– Je ne sais pas. Pourquoi, vous avez rencontré Nirgal?

– Il me semble. Avec les farouches, une fois. Et Peter Clayborne, elle était amoureuse de lui?

– Amoureuse? Après, plus tard, peut-être. Quand ils étaient plus vieux. A Zygote, je ne pense pas.

– Vous ne m'aidez pas beaucoup.

– Non.

– Vous avez tout oublié?

– Pas tout. Mais ce dont je me souviens est... difficile à exprimer. Je me rappelle que Jackie m'avait posé des questions sur John Boone, un jour, exactement comme vous m'en posez sur elle. Elle m'interrogeait souvent. Elle était contente d'être sa petite-fille. Elle était fière de lui.

– Elle l'est encore. Et je suis fière d'elle.

– Et... je l'ai vue pleurer, une fois.

– Pourquoi? Et ne me répondez pas que vous ne savez pas!

Il en resta abasourdi. Pour finir, il leva les yeux vers elle et la regarda avec un sourire presque humain.

– Elle était triste.

– Quel scoop!

– Parce que sa mère était partie. Esther?
– C'est ça.
– Kasei et Esther avaient rompu. Esther était partie pour... je ne me rappelle plus. Mais Kasei et Jackie étaient restés à Zygote, et un jour où je faisais cours, elle est arrivée à l'école en avance. Elle demandait toujours pourquoi. Ce jour-là aussi elle m'a demandé pourquoi. Au sujet de Kasei et d'Esther. C'est là qu'elle s'est mise à pleurer.
– Que lui avez-vous dit?
– Je ne... rien, j'imagine. Je ne savais pas quoi lui dire. Hum... Je me demande s'il n'aurait pas mieux valu qu'elle suive Esther. Le lien avec la mère est crucial.
– Bah!
– Vous n'êtes pas d'accord? Je pensais que toutes les jeunes indigènes comme vous étaient sociobiologistes.
– C'est quoi, ça?
– Euh... ce sont des gens qui croient que la plupart des données culturelles ont une explication biologique.
– Oh non! Sûrement pas. Nous sommes beaucoup plus libres que ça. La maternité peut revêtir toutes sortes d'aspects. Certaines mères ne sont que des incubatrices.
– C'est bien possible.
– Vous pouvez me croire sur parole.
– ... en tout cas, Jackie pleurait.

Ils poursuivirent leur promenade en silence. Comme dans bon nombre de grands cratères, il y avait à Moreux plusieurs bassins hydrographiques en forme de part de tarte qui convergeaient vers un marais et un lac centraux. Le lac était petit, en forme de rognon, incurvé autour des buttes rugueuses, basses, d'un complexe de monticules centraux. Zo et Russell sortirent de l'abri des arbres et suivirent une piste mal tracée qui s'engageait dans d'immenses herbes. Ils se seraient vite perdus sans le cours d'eau, qui serpentait d'abord dans une prairie puis vers le lac boueux. Même la prairie disparaissait sous les herbes, de grandes touffes rondes bien plus hautes qu'eux, de sorte qu'ils ne voyaient souvent rien d'autre, en dehors du ciel. Les longues herbes luisaient dans la lumière éclatante, lilas, de la mi-journée. Russell emboîtait le pas à Zo, ses lunettes rondes faisant comme des miroirs dans son visage, si bien que lorsqu'il tournait la tête, les touffes d'herbe se reflétaient dedans. Il avait l'air complètement ahuri, sidéré par ce qui l'entourait, et il marmonnait dans un vieux bloc-poignet qui pendait au bout de son bras comme une menotte.

Une dernière boucle avant le lac avait donné naissance à une jolie plage de sable et de gravier. Après s'être assurée, du bout d'un bâton, que ce n'était pas une zone de sables mouvants, Zo enleva son maillot trempé de sueur et s'engagea dans l'eau, qui était d'une fraîcheur agréable à quelques mètres du rivage. Elle plongea, nagea sous l'eau, se cogna la tête. Il y avait un rocher au fond. Elle l'escalada et plongea de là trois ou quatre fois, se redressant juste après être entrée dans l'eau. Ce plongeon difficile et gracieux lui procurait au creux de l'estomac une agréable sensation d'apesanteur. Elle n'avait jamais éprouvé une sensation non orgasmique aussi proche de l'orgasme. Elle plongea ainsi plusieurs fois, jusqu'à ce que l'impression disparaisse, et qu'elle soit rafraîchie. Puis elle ressortit du lac, s'allongea sur le sable, sentit sa chaleur et le rayonnement solaire la cuire sur les deux faces. Un vrai orgasme aurait été parfait, mais elle avait beau être étalée devant lui comme un atlas du sexe, Russell était assis en tailleur au bord de l'eau, apparemment absorbé par la boue. Il était tout nu à part ses lunettes et son bloc-poignet, petit primate ratatiné, tanné comme un paysan, chauve, comme l'image qu'elle se faisait de Gandhi ou de l'*Homo habilis*. Il était tellement différent, si antique et petit, qu'il réussissait à être un peu excitant à sa façon : le mâle d'une espèce de tortue sans carapace. Elle écarta l'un de ses genoux, fit basculer son bassin dans une posture d'offrande. Impossible de s'y méprendre. Le soleil était chaud sur sa vulve exposée.

– Quelle boue stupéfiante, dit-il. Je n'ai jamais vu un biome pareil.

– Ah bon.

– Ça vous plaît ?

– Le biome ? J'imagine. Il fait un peu chaud, il y a un peu trop de plantes, mais c'est intéressant. Ça change.

– Alors vous n'êtes pas contre. Vous n'êtes pas Rouge.

– Rouge ? dit-elle en riant. Moi, je suis une libérale.

Il réfléchit à sa réponse.

– Vous voulez dire que les Verts et les Rouges ne sont plus une division politique contemporaine ?

Elle eut un geste de la main englobant l'herbe de la pampa et les halimodendrons qui bordaient la prairie.

– Comment pourraient-ils l'être ?

– Très intéressant, fit-il en s'éclaircissant la gorge. Quand vous irez sur Uranus, vous pourriez emmener une amie ?

– Peut-être, fit Zo en reculant un peu les hanches.

Il saisit l'allusion et, au bout d'un moment, se pencha et commença à caresser la cuisse qui se trouvait le plus près de lui. Ça faisait la même impression que de petites pattes de singe, intelligent, avisé. Sa main disparaissait complètement dans sa toison pubienne, phénomène qu'il parut apprécier, car il le répéta plusieurs fois et entra en érection. Elle serra fortement son pénis dans sa main tout en jouissant. C'était loin de valoir la table, évidemment, mais un orgasme était toujours bon à prendre, surtout dans la pluie chaude du soleil. Et bien qu'il la prenne d'une façon basique, il ne manifesta pas ce penchant pour la jouissance simultanée que tant de vieux affectaient, sentimentalisme qui interférait avec le plaisir beaucoup plus intense que l'on pouvait éprouver l'un après l'autre. Quand elle eut cessé de vibrer, elle roula sur le côté et prit son sexe dans sa bouche – comme un index, elle pouvait l'entourer complètement avec sa langue – tout en lui procurant une bonne vue de son corps. Elle s'arrêta une fois pour se regarder : grande, riche, des courbes pleines, et constata qu'elle avait les hanches presque aussi larges que ses épaules à lui. Puis elle se remit à la tâche, *vagina dentata*, quelle connerie que ces mythes patriarcaux terrifiants, les dents étaient complètement superflues, un python, un pilon avaient-ils besoin de dents ? Vous prenez ces pauvres créatures par le zizi et vous serrez jusqu'à ce qu'ils se mettent à pleurnicher, que voulez-vous qu'ils fassent ? Ils pouvaient tenter de rester hors d'atteinte, mais comme c'était l'endroit où ils avaient le plus envie d'être, ils erraient dans la confusion pathétique et le déni de ce double lien. Et se plaçaient à portée des dents, de toute façon, à la première occasion. Elle le mordilla, pour lui rappeler la situation, puis le laissa jouir. Les hommes avaient de la chance de ne pas être télépathes.

Après ça, ils plongèrent à nouveau dans le lac, et se rassirent sur le sable où il tira un pain de son paquetage. Ils rompirent la miche en deux et mangèrent.

– Vous ronronniez, tout à l'heure ? demanda-t-il entre deux bouchées.

– Mm hmm.

– Vous vous êtes fait insérer ce caractère génétique ?

Elle hocha la tête, avala.

– La dernière fois que j'ai subi le traitement.

– Ce sont des gènes de chat ?

– De tigre.

– Ah !

– Ça se traduit par une petite modification du larynx et des cordes vocales. Vous devriez essayer, c'est vraiment agréable.

Il clignait des yeux. Il ne répondit pas.

– Qui est l'amie que vous voudriez que j'emmène sur Uranus ?

– Ann Clayborne.

– Ah ! Votre vieille Némésis.
– Quelque chose dans ce goût-là.
– Qu'est-ce qui vous fait penser qu'elle viendra ?
– Il se peut qu'elle refuse. Mais il est possible aussi qu'elle accepte. Michel dit qu'elle essaie des nouvelles choses, et Miranda devrait l'intéresser. Une lune fendue par un impact, puis ressoudée, la lune et le projectile solidarisés. C'est une image que je... je voudrais qu'elle voie ça. Toute cette roche, vous comprenez. Elle adore les pierres.
– Il paraît, oui.
Russell et Clayborne, le Vert et la Rouge, deux des plus célèbres antagonistes des premières années de la colonisation. Les premières années... Une situation claustrophobique dont la seule idée faisait frémir Zo. L'expérience avait manifestement fragmenté l'esprit de tous ceux qui l'avaient endurée. Puis Russell avait été encore plus ébranlé par la suite, si elle se souvenait bien. Mais elle mélangeait un peu les détails de la saga mélodramatique des Cent Premiers : la Grande Tempête, la colonie perdue, les trahisons de Maya. Cette longue séquelle de conflits, d'aventures, de meurtres et de révoltes. Des histoires sordides, entrecoupées de rares moments de joie, pour ce qu'elle en savait. Comme si les vieux avaient été des bactéries anaérobies, vivant dans le poison, excrétant lentement les conditions nécessaires à l'émergence d'une vie totalement oxygénée.
Sauf peut-être pour Ann Clayborne qui paraissait, d'après ce qu'elle avait entendu dire, avoir compris que pour vivre heureux dans un monde rocheux, il fallait aimer les pierres. Zo aimait cette attitude.
– Je lui en parlerai, bien sûr, dit-elle. A moins que vous ne préfériez le faire ? Ça vaudrait peut-être mieux. Dites-lui que je suis d'accord. On lui trouvera toujours de la place dans le groupe diplomatique.
– C'est un groupe de Mars Libre ?
– Oui.
– Hum, hum.
Il lui posa des questions sur l'ambition politique de Jackie, et elle répondit comme elle put, en regardant son corps et ses courbes, les muscles durs lissés par la graisse sous la peau – les hanches encadrant le ventre, le nombril, la toison pubienne, noire, bouclée (elle en chassa quelques miettes d'un revers de main), les longues cuisses puissantes. Le corps des femmes était beaucoup plus harmonieusement proportionné que celui des hommes. Michel-Ange s'était trompé sur toute la ligne, encore que son David plaidât assez bien pour sa cause. Un corps d'homme-oiseau s'il y en avait jamais eu un.

– Dommage que nous ne puissions rentrer en volant, dit-elle.
– Je ne sais pas voler avec une tenue d'homme-oiseau.
– Je vous aurais pris sur mon dos.
– Vraiment ?
Elle lui jeta un rapide coup d'œil. Trente ou trente-cinq kilos tout au plus...
– Vraiment. Ça dépend de la tenue.
– Ces tenues sont capables de choses stupéfiantes.
– Elles ne sont pas seules en jeu.
– Non. Mais nous n'avons pas été conçus pour voler. Avec nos os lourds et tout ça, vous voyez ce que je veux dire.
– Oh oui, je vois. Il est vrai qu'elles nous sont indispensables. Mais elles ne suffisent pas.
– Oui. C'est intéressant de voir la taille que les gens peuvent atteindre, dit-il en la regardant.
– Surtout leurs organes génitaux.
– Vous croyez ?
Elle s'esclaffa.
– Je disais ça pour vous taquiner.
– Ah !
– Cela dit, il serait logique de voir grandir les organes soumis à une utilisation accrue, non ?
– Oui. J'ai lu que la capacité thoracique avait augmenté.
– La faible densité de l'air, hein ? dit-elle en riant.
– Sans doute. C'est vrai dans les Andes, en tout cas. La distance séparant la colonne vertébrale du sternum est presque deux fois plus importante chez les indigènes des Andes que chez ceux qui vivent au niveau de la mer.
– Vraiment ! Ils auraient une cage thoracique d'oiseau, alors ?
– Quelque chose comme ça.
– Ajoutez-y de gros pectoraux, de gros seins...
Il ne répondit pas.
– Nous évoluons donc vers une espèce voisine des oiseaux.
Il secoua la tête.
– C'est phénotypique. Si vous éleviez vos enfants sur la Terre, leur poitrine reprendrait son volume normal.
– Je doute d'avoir jamais des enfants.
– Ah... A cause du problème de surpopulation ?
– Oui. Il faudrait que les issei comme vous commencent à mourir. Tous ces nouveaux petits mondes ne nous servent pas à grand-chose. La Terre et Mars deviennent des fourmilières. Vous nous avez pris notre monde. Vous êtes des kleptoparasites.
– C'est un terme redondant.
– Non. Il désigne les animaux qui volent la nourriture de leurs jeunes pendant les hivers exceptionnellement durs.

– C'est bien trouvé.
– Nous devrions vous tuer quand vous atteignez cent ans.
– Ou dès que nous avons des enfants.

Elle eut un grand sourire. Il était tellement imperturbable !

– Au choix.

Il acquiesça comme si c'était une suggestion sensée. Elle rit, bien que ce soit en même temps vexant.

– Evidemment, nous ne le ferons jamais.
– Ce ne sera pas nécessaire.
– Ah bon ? Vous prévoyez de vous jeter du haut d'une falaise, comme les lemmings ?
– Non. On voit apparaître des maladies résistantes au traitement. Les plus vieux commencent à mourir. Ça devait arriver.
– Vraiment ?
– Je crois, oui.
– On trouvera bien le moyen de soigner ces nouvelles maladies, d'aller toujours plus loin, vous ne pensez pas ?
– Dans certains cas. Mais la sénescence est un phénomène complexe, et tôt ou tard...

Il haussa les épaules.

– C'est une idée sinistre, fit Zo.

Elle se leva, enfila son maillot. Il se rhabilla à son tour.

– Vous avez déjà rencontré Bao Shuyo ? demanda-t-il.
– Non. C'est qui ?
– Une mathématicienne de Da Vinci.
– Non. Pourquoi cette question ?
– Je me demandais, c'est tout.

Ils retraversèrent la forêt, s'arrêtant de temps à autre pour suivre des yeux un animal furtif. Un gros volatile sauvage, une sorte de hyène solitaire qui les regardait, plantée sur un éboulis... Zo s'aperçut qu'elle s'amusait bien. L'issei était imperméable aux taquineries, inébranlable, et son avis était imprévisible, ce qui n'était pas fréquent chez les vieux. Chez personne, en vérité. La plupart des anciens que Zo avait rencontrés semblaient particulièrement coincés dans le carcan de leurs valeurs. Et comme ils les respectaient en proportion inverse de la rigueur qui gouvernait leur existence, tous ces vieux devenaient fatalement des espèces de tartufes, des hypocrites qui l'agaçaient. Elle méprisait les vieux et leurs sacro-saintes valeurs. Mais celui-ci ne semblait pas en avoir. Il lui donnait envie de parler plus longtemps avec lui.

Quand ils regagnèrent le village, elle lui tapota le crâne.

– C'était rigolo. Je parlerai à votre amie.
– Merci.

Quelques jours plus tard, elle appela Ann Clayborne. Le visage qui apparut sur l'écran était aussi aimable qu'une tête de mort.

– Salut. Zoya Boone.

– Oui ?

– C'est mon nom, reprit Zo. C'est comme ça que je m'appelle.

– Boone ?

– La fille de Jackie.

– Ah.

Il était clair qu'elle n'aimait pas Jackie. Classique. Jackie était tellement merveilleuse que des tas de gens ne pouvaient pas la supporter.

– Je suis aussi une amie de Sax Russell.

– Ah.

Impossible de décrypter ses sentiments sur la base de cette seule syllabe.

– Quand il a su que je m'apprêtais à partir pour le système uranien, il m'a dit que ça pourrait vous intéresser de venir avec moi.

– Il a dit ça ?

– Oui. Alors je vous ai appelée. Je vais sur Jupiter et Uranus, et je compte passer deux semaines sur Miranda.

– Miranda ! s'exclama-t-elle. Qui êtes-vous, déjà ?

– Zo Boone ! Qu'est-ce que vous avez, vous êtes sénile ?

– Vous avez dit Miranda ?

– Oui. Deux semaines. Peut-être plus si ça me plaît.

– Si ça vous plaît ?

– Oui. Je ne reste pas dans les endroits moches.

Clayborne hocha la tête comme si tout cela était parfaitement logique, et Zo ajouta d'un ton à la fois solennel et moqueur, comme si elle parlait à une gamine :

– Il y a beaucoup de pierres, là-bas.

– Oui. Oh oui.

Un long silence. Zo étudia le visage sur l'écran. Décharné, ridé, comme celui de Russell, sauf que chez elle tous les plis ou presque étaient verticaux. Une tête taillée dans un tronc d'arbre.

– Je vais réfléchir, dit-elle enfin.

– Il paraît que vous essayez de nouvelles choses, lui rappela Zo.

– Comment ?

– Vous m'avez très bien entendue.

– C'est Sax qui vous a dit ça ?

– Non. J'ai parlé de vous avec Jackie.

– Je vais réfléchir, répéta-t-elle, et elle coupa la communication.

Eh bien, voilà, se dit Zo. Enfin, elle avait fait ce qu'elle pouvait, et elle se sentait l'âme vertueuse, sensation qu'elle trouvait désagréable. Ces issei avaient le chic pour vous attirer dans leur réalité. Et ils étaient tous dingues.

Et imprévisibles, pour couronner le tout. Le lendemain, Clayborne la rappela. Elle avait décidé de venir.

Dans la réalité, Ann Clayborne se révéla aussi ratatinée et boucanée que Russell, mais plus silencieuse et plus bizarre encore : acerbe, laconique, soupe au lait. Elle se présenta au dernier moment avec, pour tout bagage, un sac à dos et un bloc-poignet noir, extraplat, dernier modèle. Sa peau acajou était pleine de kystes, de verrues et de cicatrices aux endroits où elle s'en était déjà fait enlever. Une longue vie passée en plein air, au début surtout, quand le bombardement d'UV était intense. Bref, elle était archicuite. Carbonisée, comme ils disaient à Echus. Elle avait les yeux gris, une bouche de lézard, réduite à une fente, et les rides qui reliaient ses narines aux commissures de ses lèvres semblaient taillées à la machette. Aucun visage n'aurait pu être plus sévère que celui-ci.

Elle passa toute la semaine que dura le voyage vers Jupiter dans le petit parc du vaisseau, à marcher entre les arbres. Zo préférait la salle à manger et le grand dôme panoramique où un petit groupe se réunissait le soir pour avaler des cachets de pandorphe, jouer au go ou fumer de l'opium en regardant les étoiles. Elle vit donc très peu Ann à l'aller.

Ils survolèrent la ceinture des astéroïdes, légèrement hors du plan de l'écliptique, et il est probable qu'ils passèrent sans les voir au-dessus de plusieurs petits mondes évidés. Les patatoïdes rocheux qui traversaient les écrans du vaisseau pouvaient receler de somptueuses villes paysagées ou des coquilles vides s'il s'agissait de mines épuisées ; des sociétés anarchiques et dangereuses, d'autres peuplées par des groupes religieux ou des communautés utopiques, plus ou moins pacifiques. L'existence d'une telle variété de systèmes, coexistant dans un état semi-anarchique, amenait Zo à douter que Jackie réussisse jamais à rallier les satellites extérieurs sous la bannière martienne. Elle avait plutôt l'impression que la ceinture des astéroïdes préfigurait l'organisation politique de tout le système solaire. Mais Jackie n'était pas d'accord. La ceinture des astéroïdes était comme elle était, disait-elle, à cause de sa nature particulière, dispersée sur une large bande tout autour du soleil. Les satellites extérieurs, quant à eux, étaient regroupés autour de leurs géantes gazeuses. Il fallait s'attendre à les voir se liguer entre eux. Et il y avait des mondes si vastes, par rapport aux astéroïdes, que bien des choses dépendraient des alliances qu'ils concluraient dans le système intérieur.

Zo n'était pas convaincue. Mais elle aurait l'occasion de mettre les théories de Jackie à l'épreuve dans le système jovien, où ils commençaient à décélérer. Le vaisseau traversa l'espace galiléen, ce qui le ralentit encore et leur permit de voir les quatre grosses lunes de près. Elles faisaient toutes les quatre l'objet de projets de terraforming ambitieux, en cours d'application. Les conditions de départ étaient similaires sur les trois plus lointaines, Callisto, Ganymède et Europe, qui étaient couvertes de couches d'eau glacée, Callisto et Ganymède sur mille kilomètres de profondeur, Europe sur cent kilomètres. L'eau n'était pas rare dans le système solaire extérieur, mais elle n'était pas très fréquente non plus, de sorte que ces petits mondes avaient quelque chose à monnayer. De grandes quantités de roche étaient éparpillées à la surface glacée des trois lunes, des restes d'impact météorique pour l'essentiel, un gravier de chondrite carbonée qui constituait un matériau de construction très utile. Lors de leur arrivée, une trentaine d'années martiennes auparavant, les colons des trois lunes avaient fondu les chondrites et construit des armatures de tente en nanotube de carbone – le matériau dont était fait le câble de l'ascenseur spatial martien –, et tendu dessus des bâches multicouches de vingt ou trente kilomètres de diamètre. Sous ces tentes, ils avaient répandu de la roche broyée pour créer une mince couche d'humus – le dernier cri du permafrost – entourant en certains endroits des lacs de glace fondue.

La ville-tente construite selon ce modèle sur Callisto s'appelait Lake Geneva. C'est là que les délégués martiens devaient rencontrer les chefs et groupes politiques de la Ligue jupitérienne. Comme d'habitude, Zo faisait de la figuration en guettant l'occasion de transmettre le message de Jackie aux gens susceptibles de servir ses fins.

Cette rencontre entrait dans le cadre des réunions semestrielles au cours desquelles les Jupitériens discutaient du terraforming des galiléennes. Le contexte se prêtait donc particulièrement à l'expression des intérêts de Jackie. Zo se posta au fond de la pièce, à côté d'Ann, qui avait décidé d'assister aux entretiens. Les problèmes techniques posés par le terraforming de ces lunes étaient considérables par le volume, mais simples dans leur principe. Callisto, Ganymède et Europe recevraient au départ le même traitement : des réacteurs à fusion mobiles circulaient à la surface, réchauffant la glace et renvoyant les gaz dans l'atmosphère primitive d'hydrogène et d'oxygène. Ils espéraient créer ainsi des ceintures équatoriales constituées de roches broyées afin de créer un sol sur la glace. La température atmosphérique resterait proche de la glaciation, afin que les écologies de toundra puissent être établies autour d'une chaîne de lacs équatoriaux, dans une atmosphère respirable composée d'oxygène et d'hydrogène.

Io, la plus proche des galiléennes, posait un problème plus complexe, mais plus intéressant. Des lanceurs y projetaient d'énormes missiles de glace et de chaldates depuis les trois autres grosses lunes. Très proche de Jupiter, elle n'avait que très peu d'eau, sa surface était constituée de couches de basalte entrelardé de soufre, lequel jaillissait à la surface en volutes volcaniques spectaculaires, chassées par l'attraction de Jupiter et des autres galiléennes. Le terraforming d'Io prendrait plus de temps que la moyenne, et reposait en partie sur l'infusion de bactéries mangeuses de soufre dans les sources sulfureuses bouillantes qui entouraient les volcans.

Tous ces projets étant freinés par le manque de lumière, on construisait des miroirs spatiaux d'une taille phénoménale aux points de Lagrange de Jupiter, où les champs gravitationnels du système jovien étaient moins complexes. Ces miroirs dirigeraient la lumière solaire vers l'équateur des quatre lunes. Elles présentaient toujours la même face à Jupiter, en raison du freinage exercé par les forces de marée de la planète. Leur rotation sur elles-mêmes avait une durée identique à celle de leur révolution autour de Jupiter, de sorte que la durée de leur jour dépendait de la longueur de leur orbite autour de Jupiter, qui allait de quarante-deux heures pour Io à quinze jours pour Callisto. Quelle que soit la longueur de leur journée, elles ne recevaient que quatre pour cent de l'ensoleillement de la Terre, mais la quantité de soleil qui frappait la Terre était excessive. Quatre pour cent faisait en fait beaucoup de lumière, en terme de visibilité – c'était dix-sept mille fois plus que la pleine lune sur Terre –, mais peu de chaleur pour le terraforming. Ils s'ingéniaient donc à capturer l'énergie solaire par tous les moyens possibles. Lake Geneva et toutes les colonies des autres lunes étaient situées face à Jupiter, pour profiter de la lumière réfléchie par ce globe géant, et des lanternes à gaz avaient été placées dans la stratosphère de Jupiter. Elles brûlaient un peu de l'hélium de la planète. Après ces brûleurs, des disques réfléchissants électromagnétiques furent positionnés de façon à renvoyer la lumière dans le plan de l'écliptique de la planète. La vision de la monstrueuse balle rayée était plus spectaculaire que jamais avec la vingtaine de points lumineux qui parcouraient sa surface, trop intenses pour qu'on les regarde plus d'une seconde.

Malgré les miroirs spatiaux et les lanternes à gaz, les colonies recevraient moitié moins de lumière solaire que Mars, mais on n'y pouvait rien. C'était la vie dans le système solaire extérieur, une affaire plutôt ténébreuse, tout bien considéré, se disait Zo. Encore ce piètre résultat exigerait-il la mise en place d'une impressionnante infrastructure. C'est là que la délégation martienne entrait en jeu. Jackie était prête à leur proposer beaucoup d'aide : des réacteurs à fusion, des lanternes à gaz et l'expérience martienne dans le domaine des miroirs spatiaux et du terraforming, celle-ci devant être fournie par une association de coops aérospatiales désireuses d'entreprendre de nouveaux projets, maintenant que la situation dans l'espace martien était à peu près stabilisée. Elles devaient apporter des capitaux et leur technique en échange d'accords commerciaux préférentiels, de fourniture d'hélium recueilli dans la stratosphère de Jupiter, et de l'autorisation d'explorer et d'exploiter les dix-huit petites lunes de Jupiter, voire de participer aux efforts de terraforming sur ces lunes.

Des capitaux, de l'expérience, des échanges ; c'était la carotte, et elle était grosse. Il était clair qu'en mordant à l'appât les Galiléens acceptaient le principe d'une association, que Jackie pourrait ensuite faire suivre d'alliances politiques de tout poil, pour attirer les lunes de Jupiter dans sa sphère d'influence. Cela dit, c'était clair aussi pour les Jupitériens, et ils s'efforçaient d'obtenir le maximum en donnant le minimum en échange. On pouvait être sûr qu'ils feraient bientôt de la surenchère avec les ex-métas et autres organisations terriennes.

C'est là que Zo intervenait. Elle était le bâton. La carotte publique, le bâton privé. Telle avait toujours été la méthode de Jackie, en toutes circonstances.

Zo distilla les menaces de Jackie au compte-gouttes (elles n'en paraissaient que plus redoutables). Elle eut un bref entretien avec les délégués d'Io. Le projet écopoétique, lâcha-t-elle incidemment, était beaucoup trop lent. Les bactéries mettraient des milliers d'années à changer le soufre en gaz utiles, et d'ici là le champ radio intense de Jupiter, qui enveloppait Io et décuplait ses problèmes, les ferait si bien muter qu'elles deviendraient méconnaissables. Ils avaient besoin d'eau, d'une ionosphère, peut-être même de placer la lune sur une orbite plus haute autour de leur grand dieu de gaz. Mars, la capitale du terraforming, la civilisation la plus saine, la plus riche du système solaire, pouvait les aider dans tous ces domaines, leur apporter un appui spécifique. Ou même proposer aux autres galiléennes d'être les maîtres d'œuvre du projet afin de lui faire prendre de la vitesse.

Après ça, elle eut des conversations informelles avec différents délégués des lunes de glace : dans les cocktails qui suivaient les réunions, dans les bars après les cocktails, et à la sortie des bars, quand les délégués flânaient par petits groupes le long de l'illustre promenade de Lake Geneva, sous les lampadaires sonoluminescents accrochés à l'armature de la tente. Les délégués d'Io, leur dit-elle, cherchaient à conclure un accord séparé. Tout bien considéré, leur situation était la plus prometteuse : ils avaient un sol sur lequel se tenir debout, de la chaleur, des métaux lourds, un fort potentiel touristique. Zo insinua qu'ils semblaient prêts à utiliser ces avantages pour jouer leur carte et faire éclater la Ligue jupitérienne.

Zo laissa Ann assister à quelques-unes de ces conversations, curieuse de voir ce qu'elle en tirerait. Ann les accompagna donc sur la promenade du lac, qui longeait le bord du cratère météorique inférieur contenant le lac. Les cratères d'éclaboussement de cet endroit surpassaient tous ceux de Mars, et de loin. Le bord glacé de celui-ci n'était qu'à quelques mètres au-dessus du niveau moyen de la lune. De sa lèvre ronde on pouvait contempler l'eau du lac, les rues plantées d'herbe de la ville, ou, au-delà de la tente, la plaine de glace accidentée qui s'incurvait vers l'horizon tout proche. L'extrême platitude du paysage hors de la tente donnait une indication de sa nature : un glacier couvrant un monde entier, sur mille kilomètres de profondeur, de la glace qui dévorait les impacts météoriques et lissait les fentes causées par les forces de marée.

De petites vagues noires formaient des schémas d'interférence à la surface plane du lac. L'eau était blanche comme la glace du fond, mais teintée de jaune par Jupiter qui les dominait tel un gros ballon aplati d'un côté. Des tourbillons étaient visibles à la limite entre les bandes orange ou d'un jaune crémeux, de même qu'autour des points brillants des lanternes.

Ils passèrent devant une rangée de bâtiments en bois. Le bois venait des forêts plantées sur les îles qui flottaient, pareilles à des radeaux, de l'autre côté du lac. L'herbe des rues était vert émeraude. Derrière les bâtiments, de véritables jardins poussaient dans d'immenses bacs, sous de longues lampes éblouissantes. Tout en marchant, Zo montra un bout du bâton à leurs compagnons, des fonctionnaires troublés de Ganymède ; elle fit allusion à la puissance militaire de Mars, insinua à nouveau qu'Io envisageait de se désolidariser de la Ligue.

Les Ganymédiens allèrent dîner, l'air un peu abattus.

– Que de subtilité, commenta Ann quand ils furent hors de portée de voix.

– Vous êtes bien sarcastique, ironisa Zo.

– Et vous, vous n'êtes qu'une tueuse à gages.

– Je devrais peut-être m'inspirer de la subtile diplomatie Rouge. Ou mieux, demander qu'on m'envoie du monde pour faire sauter deux ou trois trucs ici.

Ann fit entendre un bruit obscène. Elle poursuivit son chemin, et Zo lui emboîta le pas.

– Ça me fait drôle que la Grande Tache Rouge ne soit plus là, nota Zo alors qu'elles arrivaient à un pont enjambant un canal au fond blanc. On dirait une sorte de signe. Je m'attends toujours à la voir reparaître.

L'air était froid et humide. La population était surtout d'origine terrienne, une partie de la diaspora. Des hommes-oiseaux décrivaient des spirales langoureuses dans le ciel, près de l'armature de la tente. Zo les regarda traverser le disque de la grande planète. Ann s'arrêtait tous les trois pas pour examiner les parois de roche taillée, ignorant la ville posée sur la glace et sa population, la grâce aérienne et les vêtements aux couleurs de l'arc-en-ciel d'une bande de jeunes indigènes qui passaient auprès d'elles en courant comme des lévriers.

– Vous vous intéressez vraiment plus aux pierres qu'aux gens, remarqua Zo avec un mélange d'admiration et d'irritation.

Ann la regarda. De vrais yeux de basilic ! Mais Zo haussa les épaules, la prit par le bras et l'entraîna.

– Ces jeunes indigènes ont moins de quinze années martiennes. Toute leur vie ils ont vécu sous une gravité de 0,10 g. Ils se fichent pas mal de Mars ou de la Terre. Ils croient aux lunes de Jupiter, à l'eau, ils croient au fait de nager et de voler. Leur vue s'est adaptée à la faible luminosité. Certains commencent à avoir des branchies. Ils ont pour ces lunes un projet de terraforming qui leur prendra cinq mille ans. C'est la prochaine étape de l'évolution, et vous, pour l'amour de Ka ! vous êtes là, à regarder des cailloux qui sont exactement pareils que partout ailleurs dans la galaxie. Vous êtes vraiment dingue !

Cela ricocha sur Ann comme un galet sur l'eau.

– J'ai l'impression de m'entendre parler quand j'essayais d'arracher Nadia à Underhill, dit-elle.

Zo haussa les épaules.

– Venez. J'ai une autre réunion.

– La mafia ne se repose jamais, hein?

Mais elle la suivit en regardant autour d'elle. Une naine dans une drôle de combinaison. Ou un bouffon de cour ratatiné.

Quelques membres du conseil de Lake Geneva les saluèrent avec un soupçon de nervosité, près des quais. Ils prirent un petit ferry, qui louvoya entre les bateaux à voile. Le vent soufflait fort sur le lac. De grands tecks, des ochromes, se dressaient sur le paillasson marécageux qu'était le sol chauffé de l'île flottante. Sur le rivage, les bûcherons s'activaient devant une petite scierie. Malgré l'isolation phonique, le gémissement assourdi des scies accompagnait toutes les conversations. Flottant sur un lac, sur une lune de Jupiter, l'éloignement du soleil imprimant une sorte de grisaille à toutes les couleurs : Zo éprouvait de petites vagues d'ivresse comme lorsqu'on volait, et elle le dit aux indigènes.

– C'est vraiment magnifique! Je comprends que des gens pensent à faire d'Europe un monde marin, avec de l'eau partout. Ils pourraient même en envoyer vers Vénus. En s'abaissant, le niveau de l'eau découvrirait des îles. Je ne sais pas s'ils vous en ont parlé. Ce ne sont peut-être que des idées en l'air comme celle qui consisterait à créer un petit trou noir et à le laisser tomber dans la stratosphère de Jupiter. Stellariser Jupiter! Vous auriez toute la lumière que vous voudriez, du coup!

– Mais Jupiter ne serait pas consumée? demanda l'un des autochtones.

– Bah, ça prendrait un moment. On parle de plusieurs millions d'années.

– Et ça finirait dans une nova, souligna Ann.

– C'est vrai. Tout disparaîtrait, sauf Pluton. Enfin, d'ici là, c'est nous qui aurons disparu depuis longtemps. Et puis, ils trouveront bien quelque chose.

Ann eut un rire rauque. Les autres, plongés dans leurs pensées, ne semblèrent pas l'entendre.

Ann et Zo regagnèrent la rive du lac et poursuivirent leur promenade.

– On vous voit venir, avec vos gros sabots.

– C'est très malin, au contraire. Ils ne savent pas si je parle pour moi, pour Jackie ou pour Mars. Ou pour ne rien dire. Mais ça leur rappelle le contexte général. Il leur serait trop facile de se laisser emporter par la situation de Jupiter et d'oublier tout le reste. Le système solaire dans son ensemble, en tant qu'organisme politique unique. Les gens n'arrivent pas à conceptualiser ça ; il faut les aider à s'en souvenir.

– C'est vous qui auriez bien besoin d'aide. Ce n'est pas l'Italie de la Renaissance, vous savez.

– Machiavel est toujours d'actualité, si c'est ce que vous voulez dire. Et ils ont besoin qu'on le leur rappelle ici.

– Vous me rappelez Frank.

– Frank ?

– Frank Chalmers.

– Voilà un issei que j'admire, convint Zo. Ce que j'ai lu sur lui, en tout cas. C'était le seul de vous tous qui n'était pas hypocrite. Et c'est lui qui a fait le plus de choses.

– Vous n'y connaissez rien, lâcha Ann.

Zo haussa les épaules.

– Le passé est le même pour nous tous. J'en sais aussi long que vous sur la question.

Un groupe de Jupitériens passa. Des hommes pâles, aux yeux immenses, absorbés dans leur conversation. Zo fit un geste :

– Regardez comme ils sont concentrés. Je les admire, vraiment. Se jeter à corps perdu dans un projet qui n'aboutira que longtemps après leur mort... C'est une attitude absurde, un geste de défi et de liberté, une divine folie. On dirait des spermatozoïdes se tortillant follement vers un but inconnu.

– Comme nous tous, fit Ann. C'est l'évolution. Bon, et Miranda, quand est-ce qu'on y va ?

Uranus était quatre fois plus éloigné du soleil que Jupiter, et son ensoleillement était quatre cents fois inférieur à celui de la Terre, ce qui posait un problème d'énergie pour les projets de terraforming majeurs. Zo découvrit néanmoins en entrant dans le système uranien que le soleil fournissait encore assez de lumière pour qu'on y voie. Il était treize cents fois plus brillant que la pleine lune sur Terre, c'était un petit point aveuglant sur la voûte noire, étoilée, et si les objets étaient un peu flous et décolorés, on les voyait quand même. Le grand pouvoir de discernement de l'œil et de l'esprit humain fonctionnait encore très bien aussi loin de chez lui.

Mais il n'y avait pas de grosses lunes autour d'Uranus pour justifier un effort majeur de terraforming. Le système uranien comportait quinze très petites lunes. Les deux plus grandes, Titania et Obéron, faisaient six cents kilomètres de diamètre, et les autres étaient bien moins vastes. Il s'agissait, en fait, de minuscules astéroïdes qui portaient presque tous des noms d'héroïnes féminines de Shakespeare et gravitaient autour de la plus débonnaire des géantes gazeuses, Uranus la bleu-vert, tournant sur ses pôles dans le plan de l'écliptique, ses onze étroits anneaux de graphite à peine visibles. Ce n'était pas un système très prometteur pour la colonisation.

Et pourtant, des gens étaient venus s'y installer. Zo n'en était pas étonnée. Il s'était bien trouvé des gens pour explorer Triton, Pluton et Charon, et pour y ériger des constructions. Si on découvrait une dixième planète, la première chose sur laquelle tomberaient les explorateurs en débarquant serait une ville-tente dont les habitants se chamailleraient et qui s'efforceraient déjà de parer à toute tentative d'ingérence dans leurs affaires. Telle était la vie dans la diaspora.

La principale ville-tente du système uranien se trouvait sur Obéron, la plus grande et la plus éloignée des quinze lunes. Zo, Ann et les autres émissaires martiens entrèrent en orbite planétaire juste au-dessus d'Obéron et prirent une navette afin de rendre une brève visite à la colonie.

Cette ville, Hippolyta, était construite sur l'une des grandes vallées cannelées caractéristiques de toutes les grosses lunes uraniennes. La gravité étant encore plus faible que la lumière, la ville était conçue comme un espace à trois dimensions, avec des rampes, des cordes de rappel, des monte-charge en forme de cloche, munis de contrepoids, des balcons à flanc de paroi et des ascenseurs, des toboggans et des échelles, des plongeoirs et des trampolines, des restaurants suspendus et des pavillons en corniche, illuminés par des globes flottants, d'un blanc éblouissant. Zo comprit aussitôt qu'avec tous ces obstacles il était impossible de voler sous la tente, mais que la mini-gravité devait faire ressembler la vie quotidienne à une sorte de vol, et alors qu'elle bondissait en l'air d'une simple flexion du pied, elle décida de faire comme les autochtones et se mit à danser. Rares étaient, en fait, ceux qui tentaient de marcher comme sur la Terre. Ici, les mouvements humains étaient naturellement planants et sinueux, pleins de sauts compliqués, de plongeons en vrille et de longues envolées dignes de Tarzan. Le niveau inférieur de la cité était couvert d'un filet.

Les gens qui vivaient là venaient de tous les coins du système, avec une majorité de Martiens et de Terriens. Personne n'était encore né sur Uranus, mais il y avait une crèche pour les enfants dont la mère avait contribué à la construction de la colonie. Six lunes étaient maintenant peuplées, et ils avaient récemment lâché dans la stratosphère d'Uranus un certain nombre de lanternes à gaz, qui tournaient autour de son équateur. Elles brûlaient maintenant dans le bleu-vert de la planète comme de petits soleils pas plus gros que des têtes d'épingle, formant une rivière de diamants autour de la taille de la géante. Ces lanternes avaient suffisamment augmenté la luminosité dans le système pour que tout le monde sur Obéron s'émerveille des couleurs des choses, mais il en aurait fallu davantage pour impressionner Zo.

– Je me félicite de ne pas avoir vu comment c'était avant, dit-elle à l'un de ces enthousiastes. C'est Monochromomundos, ici.

En réalité, tous les bâtiments de la ville étaient peints de couleurs bariolées, mais Zo aurait été incapable de les montrer sur un nuancier. Il lui aurait fallu un dilatateur de pupille.

En tout cas, les gens avaient l'air ravis. Evidemment, quand les villes uraniennes seraient terminées, certains parlaient d'aller sur Triton – « le grand problème suivant » –, sur Pluton ou sur Charon. C'étaient des bâtisseurs. Mais d'autres s'installaient pour de bon, s'administrant des drogues et des transcriptions géniques afin de s'adapter à la faible gravité, d'accroître leur acuité visuelle et tout ce qui s'ensuit. On parlait d'amener des comètes du nuage d'Oort pour apporter de l'eau, et peut-être de provoquer une collision entre deux ou trois des plus petites lunes inhabitées afin de créer des masses plus importantes, et plus chaudes, sur lesquelles travailler. « Des Miranda artificielles », comme dit un jour quelqu'un.

Ann quitta la réunion en s'accrochant à une rampe, car elle n'arrivait pas à s'adapter à la mini-gravité. Au bout d'un moment, Zo la suivit sur l'herbe verte des rues. Elle leva les yeux. De vagues anneaux géants, minces, couleur d'aigue-marine ; une vision froide, de mauvais augure, qui n'avait rien d'attirant selon les critères humains, et qui pouvait s'avérer insupportable à long terme du fait de la gravité de la petite lune. Mais au cours de la réunion, des Uraniens avaient glorifié les subtiles beautés de la planète, inventant une esthétique pour les apprécier, alors même qu'ils prévoyaient de modifier tout ce qu'ils pouvaient. Ils faisaient le panégyrique des ombres subtiles, de la fraîcheur de l'air sous la tente, des mouvements si semblables au vol, à un rêve de danse... Certains s'en étaient même entichés au point de s'élever contre la transformation radicale. Ils voulaient préserver cet endroit inhospitalier au-delà de toute raison.

Et voilà que quelques-uns de ces conservateurs étaient tombés sur Ann. Ils vinrent la trouver en délégation, se bousculèrent pour lui serrer la main, la serrer contre leur cœur, lui effleurer le sommet du crâne de leurs lèvres. L'un alla jusqu'à se mettre à genoux pour lui baiser les pieds. Zo éclata de rire en voyant la tête qu'elle faisait. « Allons, allons », dit-elle au groupe, à qui était apparemment dévolu une sorte de statut de gardien de la lune Miranda. Une version locale des Rouges qui avait vu le jour ici, longtemps après qu'ils eurent cessé de jouer un rôle sur Mars. Ça n'avait aucun sens. Puis ils planèrent ou se halèrent vers une table dressée sur une mince colonne, et mangèrent tandis que la discussion s'étendait à tout le système. La table était une oasis dans l'air peu dense de la tente, la rivière de diamants dans son écrin rond, couleur de jade, projetant des ombres sur eux. Ça paraissait être le centre de la ville, mais Zo vit, suspendues dans le vide, d'autres oasis identiques, qui semblaient aussi en être le cœur. Obéron pourrait supporter des quantités de petites villes comme Hippolyta, de même que Titania, Ariel et Miranda. Si petits qu'ils soient, ces satellites avaient tous une surface de plusieurs centaines de kilomètres carrés. Et ces lunes désertées par le soleil offraient l'attrait d'un espace vierge, d'un nouveau monde, d'une frontière, l'impossible rêve de fonder une société en repartant de zéro. Pour les Uraniens, cette liberté avait plus de prix que la lumière ou la gravité. Ils avaient donc réuni les programmes et les robots nécessaires pour tout démarrer et mis le cap vers cette nouvelle frontière avec le projet d'établir une tente, une Constitution, et d'être leurs Cent Premiers à eux.

C'était exactement le genre de gens que les projets d'alliance à l'échelle du système ne pouvaient pas intéresser. D'autant qu'ils étaient en proie, localement, à des dissensions relativement importantes. Les émissaires de Jackie avaient de sérieux ennemis parmi leurs interlocuteurs, Zo le voyait bien. Elle les regarda attentivement alors que le chef de la délégation martienne, Marie, exposait leur proposition en termes généraux : une coalition visant à traiter le problème posé par l'énorme centre de gravité historique, économique et numérique qu'était la Terre, la Terre immense, dominatrice, submergée par les eaux, embourbée dans son passé comme un cochon dans sa bauge, mais aussi, malgré tout, la force dominante de la diaspora. Toutes les colonies avaient intérêt à faire bloc avec Mars, à se serrer les coudes pour contrôler leur propre immigration, leur commerce, leur croissance – pour contrôler leur destinée.

Sauf que les Uraniens, en dépit de leurs désaccords internes, avaient l'air unanimement sceptiques. Une femme d'un certain âge, la mairesse d'Hippolyta, prit la parole et même les « Rouges » de Miranda acquiescèrent : la Terre, ils s'en occuperaient eux-mêmes. La Terre et Mars étaient tout aussi dangereuses pour leur liberté. Ils entendaient traiter sans conditions les problèmes d'alliances potentielles ou de confrontations, en collusion ou en opposition temporaire avec des égaux, selon les circonstances. Ils n'estimaient tout simplement pas utile de conclure des arrangements plus formels.

– Toutes ces histoires de coalition puent l'ingérence, conclut la femme. Vous n'en voulez pas sur Mars, pourquoi voudriez-vous que nous l'acceptions ici ?

– C'est ce que nous faisons sur Mars, objecta Marie. Ce niveau d'intervention est dû à la petitesse des systèmes émergents. Il est bien utile pour régler les problèmes au niveau holistique, et maintenant interplanétaire. Vous confondez la totalisation avec le totalitarisme, c'est une grave erreur.

Ils n'avaient pas l'air convaincu. La raison devait être forcée à l'aide d'un levier, Zo était là pour ça. Et le levier était d'autant plus facile à actionner que le raisonnement avait déjà été exposé.

Ann n'ouvrit pas la bouche de tout le dîner, jusqu'à ce que le groupe de Miranda commence à lui poser des questions. Alors ce fut comme si on avait tourné un bouton, elle s'anima et les interrogea à son tour sur la planétologie locale : la classification des différentes régions de Miranda en tant que résultantes de la collision de deux planétésimaux, la théorie selon laquelle les petites lunes, Ophélie, Desdémone, Bianca et Puck, étaient des fragments éjectés lors de la collision, et ainsi de suite. Ses questions étaient détaillées et documentées ; les Gardiens, aux anges, ouvraient de grands yeux de lémuriens. Les autres Uraniens étaient tout aussi ravis de l'intérêt qu'elle portait à leur système. C'était Ann, la Rouge ; Zo voyait maintenant ce que ça signifiait. Elle était l'une des figures les plus célèbres de l'histoire. Et il semblait qu'en tout Uranien sommeillait un petit Rouge. Contrairement aux colons des systèmes jovien et saturnien, ils n'avaient pas de projet de terraforming à grande échelle, ils envisageaient de vivre sous tente, sur la roche primitive, jusqu'à la fin de leurs jours. Pour eux, pour le groupe des Gardiens, du moins, Miranda était si extraordinaire qu'elle devait être préservée telle quelle. C'était une idée Rouge, évidemment. Tout ce que les humains pourraient faire là-bas, disait l'un des Rouges uraniens, ne servirait qu'à en amoindrir la valeur. Miranda avait une valeur intrinsèque qui transcendait celle du spécimen planétologique. Elle avait une dignité. A la façon dont elle les regardait, Zo comprit qu'Ann n'était pas d'accord, qu'elle ne comprenait même pas ce qu'ils racontaient. Pour elle, c'était un problème scientifique alors qu'ils lui parlaient morale. Zo se sentait plus proche de la vision des indigènes que de celle d'Ann, avec sa crispation sur l'objet. Mais le résultat était le même, ils exprimaient tous l'éthique Rouge sous sa forme la plus pure : pas de terraforming de Miranda, évidemment, pas de dômes non plus, et ni tentes ni miroirs. Juste une station pour les visiteurs et un terrain pour les fusées (ce qui était déjà sujet à controverse pour le groupe des Gardiens). Tout était interdit sauf les trajets à pied qui ne pouvaient nuire à l'environnement et le passage des fusées assez haut dans l'atmosphère pour éviter de soulever la poussière. Les Gardiens concevaient Miranda comme une réserve. On pouvait la traverser mais pas y vivre, et on ne devait rien y changer. Un monde d'alpinistes ; mieux : d'hommes-oiseaux. On pouvait regarder mais pas toucher. Une œuvre d'art naturelle.

Ann les approuvait. C'était donc ça, se dit Zo, ce n'était pas une peur paralysante mais de la passion. Une passion pour la pierre, pour ce monde de pierre. Tout pouvait donner lieu à un culte fétichiste. Et ces gens partageaient manifestement le même. Zo se sentait étrangère. Mais ils l'intriguaient. En tout cas, son point d'appui devenait évident. Le groupe des Gardiens avait prévu d'emmener Ann sur Miranda, afin de la lui montrer. Et rien qu'à elle. Une visite privée de la plus étrange de toutes les lunes, pour la plus étrange de toutes les Rouges. Zo ne put s'empêcher de rire.

– Je voudrais vous accompagner, dit-elle sérieusement.

Et le Grand Non dit oui : Ann sur Miranda.

C'était la plus petite des cinq grosses lunes d'Uranus. Son diamètre n'était que de 470 kilomètres. Au cours de sa genèse, 3,5 milliards d'années auparavant, son précurseur, de petite taille, était entré dans une autre lune d'à peu près la même taille, ils s'étaient fracassés, les morceaux s'étaient amalgamés et, dans la chaleur de la collision, fondus en une seule boule. Mais la nouvelle lune s'était refroidie avant que la fusion soit tout à fait achevée.

Le résultat était un paysage onirique, violemment disloqué et désorganisé. Il y avait des régions aussi lisses que la peau d'un enfant, d'autres ridées comme une vieille pomme. On reconnaissait à certains endroits la surface métamorphosée des deux protolunes, à travers la matière intérieure mise à nu. Et puis il y avait des zones profondément crevassées, où les fragments se rencontraient anarchiquement. Dans ces zones, des systèmes extensifs de stries parallèles se heurtaient selon des angles aigus, des chevrons dramatiques qui témoignaient des distorsions phénoménales impliquées par la collision. Les grandes failles étaient si larges qu'elles étaient visibles de l'espace comme des coups de hache, des indentations de plusieurs kilomètres de profondeur à la surface de la sphère grise.

Ils se posèrent sur un plateau, près de la plus vaste de ces hachures, appelée la faille de Prospero. Ils revêtirent leur combinaison, quittèrent le vaisseau et s'approchèrent du bord. Un sombre abysse, si profond que le fond semblait être sur un autre monde. Alliée à la micro-gravité, cette vision donna à Zo l'impression de voler, mais comme elle le faisait parfois en rêve, toutes les conditions martiennes abolies en faveur d'un ciel de l'esprit. Au-dessus de sa tête planait Uranus, ronde et verte, baignant Miranda dans une lueur de jade. Zo dansa le long du bord. Une pression des orteils et elle flottait, planait, redescendait, les genoux fléchis, ivre de beauté. Qu'elles étaient bizarres, ces lanternes à gaz. On aurait dit des diamants étincelants surfant sur la stratosphère d'Uranus, d'un vert fantastique. Une guirlande de lumières accrochées sur une lanterne de papier. On ne pouvait que deviner les profondeurs de l'abîme. Chaque détail irradiait d'une lueur verte, interne, la viriditas surgissant de toute part – et pourtant tout était immobile, à jamais inerte, en dehors d'eux, les intrus, les observateurs. Et Zo dansait.

Ann se déplaçait beaucoup plus aisément que sur Hippolyta, avec la grâce inconsciente de ceux qui ont longtemps marché sur la roche. Un ballet de roche. Elle tenait un long marteau angulaire dans sa main gantée, et ses poches étaient pleines d'échantillons. Elle ne répondait ni aux exclamations de Zo ni à celles du groupe des Gardiens. Elle les ignorait complètement. On aurait dit une actrice jouant le rôle d'Ann Clayborne. Zo eut un petit rire. Cette image pourrait devenir un tel cliché !

– Si on mettait un dôme sur ce recul obscur et caverneux du temps [1], ça ferait un bel endroit où vivre, dit-elle. Une surface énorme pour la quantité de bâche employée, non ? Et la vue... Ce serait une merveille.

Personne ne réagit à cette vulgaire provocation, bien sûr. Mais ça les fit réfléchir. Zo suivait le groupe des Gardiens comme un albatros. Ils descendirent un escalier taillé dans la pierre, le long d'une lèvre étroite, qui s'étendait très loin à partir de la paroi de la faille, comme un pli de tissu drapé sur une statue de marbre. Ce pli s'achevait en une sorte de bouillonné, à plusieurs kilomètres du mur et un kilomètre environ en dessous du bord, après quoi il tombait en chute libre vers le fond de la faille, vingt kilomètres plus bas. Vingt kilomètres ! Vingt mille mètres, soixante-dix mille pieds ! La grande Mars elle-même ne pouvait s'enorgueillir d'une telle muraille.

La déformation qu'ils suivaient n'était pas la seule de la paroi. Il y avait des plis de serviette, des draperies, comme dans une caverne de calcaire, mais ceux-ci étaient nés dans la violence. La paroi avait fondu, la roche en fusion était tombée dans l'abîme jusqu'à ce que le froid glacial de l'espace la fige à jamais. Au bord de la lèvre avait été scellée une rampe, à laquelle ils étaient tous accrochés par des cordes elles-mêmes reliées au harnais de leur combinaison spatiale. C'était une précaution utile, car le bord de la lèvre était étroit, et au moindre faux pas les promeneurs auraient pu tomber dans le gouffre. Le

1. « Dark backward and abysm of time », Prospero à Miranda, *La Tempête*, de Shakespeare, acte I, scène 2. *(N.d.T.)*

petit vaisseau aux pattes d'araignée qui les avait amenés reviendrait les chercher au pied de l'escalier, sur le méplat qui y était aménagé. Ils pouvaient descendre sans s'inquiéter de la remontée. Ils descendirent donc, dans un silence qui n'avait rien de complice. Zo ne put retenir un sourire. Elle entendait grincer les rouages de leur cerveau, devinait les noires pensées qu'elle leur inspirait. Ann mise à part, qui s'arrêtait tous les dix pas pour inspecter les fissures entre les marches abruptes.

– Cette obsession pour les pierres est vraiment pathétique, lui dit Zo sur une longueur d'ondes privée. Etre si vieille et en même temps si petite. Vous limiter au monde de la matière inerte, un monde qui ne vous surprendra jamais, ne fera jamais rien. Evidemment, il ne risque pas de vous faire du mal. L'aréologie est une sorte de lâcheté. C'est vraiment triste.

Un bruit sur l'intercom : de l'air sifflant entre des dents. Du dégoût.

Zo éclata de rire.

– Vous êtes bien impertinente, lança Ann.

– Pour ça, oui.

– Impertinente et stupide.

– Ça, sûrement pas !

Zo s'étonna de sa propre véhémence. Puis elle vit que le visage d'Ann était convulsé de colère derrière sa visière. Sa voix grinçait dans l'intercom, en courtes et âpres rafales.

– Ne gâchez pas cette promenade, lança-t-elle.

– J'en avais marre d'être ignorée.

– Tiens donc, c'est vous qui avez peur, maintenant !

– Peur de m'ennuyer.

Un autre sifflement de dégoût.

– Petite mal élevée !

– A qui la faute ?

– Oh, la vôtre ! La vôtre. Mais c'est nous qui en pâtissons.

– Eh bien, pâtissez donc. C'est moi qui vous ai amenée ici, vous vous rappelez ?

– C'est Sax qui m'a fait venir, béni soit ce petit cœur.

– Tout est petit, avec vous.

– Comparé à ça...

Sa tête casquée se tourna vers l'abîme.

– Cette immobilité muette dans laquelle vous êtes tellement en sûreté.

– C'est le cataclysme résultant d'une collision très similaire au heurt d'autres corps planétésimaux dans le système solaire primitif. Mars en a connu, la Terre aussi. C'est la vie matricielle dévoilée au grand jour. Une fenêtre sur le passé, vous comprenez ?

– Je comprends, mais je m'en fous.
– Vous ne trouvez pas ça important.
– Rien n'a d'importance. Pas comme vous l'entendez. Rien de tout ça n'a de signification. Ce n'est qu'un incident du big bang.
– Je vous en prie, fit Ann. Ce nihilisme est tellement ridicule !
– Ça vous va bien de dire ça ! C'est vous la nihiliste. Rien n'a de signification ou de valeur pour la vie ou pour vos sens. C'est un nihilisme mou, le nihilisme des lâches, si tant est qu'on puisse imaginer une chose pareille.
– Brave petite nihiliste.
– Oui, je suis lucide. Et puis je profite de tout ce qui se présente.
– C'est-à-dire ?
– Le plaisir. Les sens, leur input. Je suis une sensuelle, en fait. Je crois qu'il faut du courage pour affronter la souffrance, pour risquer la mort afin de faire vraiment vibrer les sens...
– Vous croyez avoir affronté la souffrance ?
Zo se rappela un atterrissage raté au Belvédère, la douleur au-delà de la douleur que lui causaient ses jambes et ses côtes brisées.
– Oh ! oui.
Silence radio. Les parasites du champ magnétique uranien. Peut-être Ann lui reconnaissait-elle l'expérience de la douleur, ce qui, étant donné son omniprésence, n'était pas d'une grande générosité. En fait, ça mettait Zo hors d'elle.
– Vous croyez vraiment qu'il faut des siècles pour devenir humain, que personne n'était humain avant votre arrivée à vous, les gériatres ? Keats est mort à vingt-cinq ans. Avez-vous jamais lu *Hypérion* ? Vous pensez que ce trou dans la pierre est aussi sublime qu'une seule phrase d'*Hypérion* ? Les issei de votre espèce me font vraiment horreur. Surtout vous. Quand je pense que vous osez me juger alors que vous n'avez pas changé d'un iota depuis que vous avez mis les pieds sur Mars...
– Une sacrée réussite, hein !
– Un enterrement de première classe, oui. Ann Clayborne, la plus grande morte qui ait jamais vécu.
– Trêve d'impertinence. Regardez plutôt le grain de cette roche, tordue comme un bretzel.
– Que les roches aillent se faire foutre !
– Je mets cette réplique sur le compte de votre sensualité débordante. Non, regardez cette roche. Elle n'a pas changé pendant trois milliards et demi d'années. Mais quand elle s'y est mise, Seigneur, quel bouleversement !

Zo regarda la roche de jade sous ses pieds. Un peu vitreuse. Rien d'extraordinaire en dehors de ça.

– Vous êtes une obsédée, conclut-elle.

– Peut-être. Mais j'aime mes obsessions.

Elles poursuivirent la descente en silence. La journée était bien avancée quand ils arrivèrent au terrain d'atterrissage du fond, à un kilomètre sous le bord du plateau. Le ciel était une bande étoilée au-dessus de leur tête. Uranus trônait, énorme, au milieu, et le soleil brillait, tel un joyau éclatant, sur le côté. Sous ce déploiement de splendeurs, la profondeur du gouffre était sublime, stupéfiante. Zo eut à nouveau envie de voler.

– Vous avez placé une valeur intrinsèque au mauvais endroit, dit-elle sur la bande commune. C'est comme un arc-en-ciel. Si aucun observateur n'est placé à un angle de 23 degrés par rapport à la lumière qui se reflète sur un nuage de gouttelettes sphériques, il n'y a pas d'arc-en-ciel. Tout l'univers est comme ça. Notre esprit fait un angle de 23 degrés avec l'univers. De nouvelles choses se créent au contact du photon et de la rétine, un espace créé entre la roche et l'esprit. Sans esprit, il n'y a pas de valeur intrinsèque.

– Ça revient à dire qu'il n'y a pas de valeur intrinsèque, répondit l'un des gardiens. C'est de l'utilitarisme. Mais l'intervention humaine n'a rien à voir là-dedans. Ces endroits existaient avant nous, ils existeraient encore sans nous, c'est leur valeur propre. Lorsque nous arrivons, nous devons honorer leur préséance si nous voulons adopter une attitude positive envers l'univers, si nous voulons le voir en réalité.

– Mais je le vois, répondit allègrement Zo. Ou du moins, je le vois presque. Quant à vous, vous serez obligés de sensibiliser vos yeux grâce à un ajout au traitement génétique. En attendant, c'est une vision fabuleuse, vraiment. Mais ce qu'elle a de fabuleux est dans notre esprit.

Ils ne répondirent pas. Au bout d'un moment, Zo poursuivit :

– Toutes ces questions se sont déjà posées, sur Mars. Le problème de l'éthique environnementale a été élevé à un niveau supérieur par l'expérience martienne. Il est maintenant au cœur même de nos actions. Bon, vous voulez protéger cet endroit, en faire une sorte de réserve, et je comprends ça. Mais je suis martienne, c'est pour ça que je comprends. Beaucoup d'entre vous sont martiens, ou vos parents l'étaient. Vous avez cette éthique, car, en fin de compte, la vie sauvage est une éthique. Les Terriens ne vous comprendront pas comme moi. Ils viendront ici, et ils construiront un immense casino sur ce promontoire. Ils couvriront ce gouffre d'un bord à l'autre, et ils tenteront de le terraformer comme partout ailleurs. Les Chinois sont serrés comme des sardines chez eux, et ils se foutent pas mal de la valeur intrinsèque de la Chine, alors une petite lune dénudée aux confins du système solaire... Ils ont besoin d'espace, et il y en a ici. Ils viendront, ils noieront la surface sous des bâtiments et que pourrez-vous faire pour vous y opposer? Recourir au sabotage, comme les Rouges sur Mars? Allons, ils vous éjecteraient comme vous le feriez vous-mêmes si les rôles étaient inversés, sauf qu'ils ont un million de colons à envoyer pour remplacer ceux qui pourraient laisser leur peau dans la bagarre. C'est de ça qu'il est question quand on parle de la Terre. Nous sommes des Lilliputiens face à Gulliver. Nous devons faire cause commune pour le ligoter avec toutes les petites lignes que nous pourrons trouver.

Silence de mort.

– Enfin, reprit Zo en soupirant, c'est peut-être aussi bien. Que les gens se répandent ici, ce sera toujours ça de moins sur Mars. Il devrait être possible de conclure avec les Chinois des accords leur laissant toute liberté de s'installer ici moyennant quoi nous réduirions l'immigration sur Mars. Ce n'est pas une mauvaise idée.

Les autres restèrent cois.

– Fermez-la, dit enfin Ann. Laissez-nous regarder tout ça tranquillement.

– Oh, mais bien sûr.

Ils arrivèrent au bout de la lèvre, sur un promontoire jeté au-dessus d'un vide inexprimable. Ils levaient la tête vers le disque de jade incrusté de pierreries et le petit solitaire de diamant brillant en dessous, ces objets célestes réalisant la triangulation du système solaire tout entier, révélant la vraie taille des choses, lorsque des étoiles mouvantes apparurent au-dessus de leur tête. Les tuyères de leur vaisseau spatial.

– Vous voyez, fit Zo. Les Chinois, qui viennent jeter un coup d'œil.

Soudain, l'un des Gardiens se jeta sur elle avec fureur et lui flanqua un coup en plein sur la visière. Zo éclata de rire. Mais elle avait oublié qu'elle ne pesait rien sur Miranda, et eut la surprise de se sentir soulevée du sol par ce choc ridicule qui lui fit perdre l'équilibre. Elle heurta la rampe avec l'arrière de ses genoux, bascula cul par-dessus tête, se débattit pour se rattraper et prit un bon coup sur le crâne. Son casque la protégeait, heureusement, et elle ne perdit pas conscience, mais elle dévala la pente au bout du promontoire. Au-delà, c'était le néant. Elle éprouva une peur panique, telle une décharge électrique. Elle tenta frénétiquement de retrouver son équilibre, mais elle continua à tomber, incapable de se retenir. Il y eut une secousse – ah oui, son harnais ! Mais elle eut aussitôt la sensation nauséeuse de continuer à glisser. Le mousqueton avait dû lâcher. Une seconde décharge de peur à l'état pur. Elle se tourna vers l'intérieur et se cramponna de toutes ses forces à la roche qui glissait devant elle. La même gravité ultra-légère qui l'avait envoyée valdinguer lui permit de se rattraper du bout des doigts, d'interrompre brutalement, miraculeusement, sa chute.

Elle était juste au bord d'une longue paroi abrupte. Des lumières étincelantes dans les yeux, le cœur chaviré, les ténèbres autour. Elle ne voyait pas le fond de la faille, c'était un puits insondable, une image de rêve, une chute dans le néant...

– Ne bougez pas, fit la voix d'Ann à ses oreilles. Tenez bon. Surtout ne bougez pas.

Au-dessus d'elle, un pied, puis des jambes. Très lentement, Zo leva la tête pour voir. Une main agrippa son poignet droit, fermement.

– Là. C'est bon. Il y a une prise à cinquante centimètres au-dessus de votre main gauche. Plus haut. Là. Très bien. Grimpez. Vous, là-haut, remontez-nous !

On les tira de là, comme des poissons au bout d'une ligne.

Zo s'assit par terre. Le petit ferry de l'espace se posa sans un bruit, sur une plaque, de l'autre côté de la zone aplanie. Le bref éclair de lumière de ses fusées. Le regard inquiet des Gardiens penchés sur elle.

– Votre plaisanterie n'était pas très drôle, dit Ann.

– Non, convint Zo en réfléchissant au parti qu'elle pouvait tirer de l'incident. Merci de m'avoir aidée.

Elle n'en revenait pas de la rapidité avec laquelle Ann avait bondi à son secours. Elle n'était pas surprise qu'elle l'ait fait, c'était une sorte de code d'honneur, on avait des obligations envers ses pareils, et les ennemis comptaient autant que les amis, ils étaient nécessaires ; c'était ce qui permettait aux amis d'être des amis. Non, c'était l'exploit physique qui l'impressionnait.

– Vous avez de sacrés réflexes.

Lors du vol de retour vers Obéron, personne ne souffla mot, jusqu'à ce que l'un des employés du ferry se tourne vers Ann et lui dise qu'Hiroko et certains membres de son groupe avaient été récemment signalés dans le système uranien, sur Puck.

– Foutaises ! s'exclama Ann.

– Pourquoi dites-vous ça ? demanda Zo. Elle a peut-être

décidé de s'éloigner autant que possible de la Terre et de Mars. On ne peut pas lui en vouloir.

– Ce n'est pas un endroit pour elle.

– Elle l'ignore peut-être. Elle n'a peut-être pas compris que c'était votre jardin de pierre privé.

Mais Ann écarta ses objections d'un geste de la main.

Mars, enfin, la planète rouge, le plus beau monde du système solaire. Le seul vrai monde.

Leur navette accéléra, se retourna, plana pendant quelques jours, décéléra, et deux semaines plus tard ils étaient à la verticale de Clarke, puis dans l'ascenseur. Qu'elle était lente, la descente finale ! Zo revit Echus, au nord-est, entre le rouge de Tharsis et le bleu de la mer du Nord. C'était si bon de le revoir. Elle avala plusieurs cachets de pandorphe alors que l'ascenseur approchait de Sheffield, si bien qu'elle quitta le Socle et s'engagea dans les rues bordées de façades luisantes en proie à un véritable délire aréophanique. Elle aimait chacun des visages qu'elle voyait, tous ses grands frères, ses grandes sœurs, leur beauté sculpturale, leur grâce phénoménale, et même les Terriens qui grouillaient sous ses pieds. Elle avait quelques heures devant elle avant le départ du train pour Echus, aussi elle arpenta inlassablement le parking du bord en scrutant les profondeurs de la caldeira de Pavonis Mons. Elle était aussi spectaculaire que Miranda tout entière même si elle était moins profonde que la faille de Prospero. Elle contempla l'infini avec ses rayures horizontales de toutes les nuances du rouge et du jaune – écarlate, rouille, ambre, marron, cuivre, brique, terre de Sienne, paprika, sang-de-bœuf, cannelle, vermillon –, toutes resplendissantes sous le ciel sombre, clouté d'étoiles, de l'après-midi. Son monde. Mais Sheffield était et serait toujours une ville sous tente. Et elle avait envie de se retrouver dans le vent.

Elle prit donc le train pour Echus. Elle le sentit voler le long de la piste, descendre l'immense cône de Pavonis vers le paysage désertique de Tharsis Est, puis Le Caire, avec un changement d'une précision suisse pour le train qui remontait vers le nord et le Belvédère d'Echus. Elle y arriva vers minuit, se présenta à la réception de l'hôtel de la coop et alla à pied jusqu'à l'Adler, les derniers effets de la pandorphe vibrant en elle telle une plume au chapeau de son bonheur. Toute la bande était là comme si elle n'était jamais partie. Ils poussèrent de grands cris de joie en la voyant, la serrèrent contre eux, un par un, puis tous ensemble, l'embrassèrent, la firent asseoir, lui donnèrent à boire, lui posèrent des questions sur son voyage, la mirent au courant des conditions éoliennes et la caressèrent tant et si bien que l'heure précédant l'aube arriva très vite. Tout le monde alla jusqu'à la crête, s'équipa et décolla dans le ciel noir, la poussée exaltante du vent. Tous les automatismes revinrent instantanément comme la respiration ou le sexe, la masse noire de l'escarpement d'Echus se dressant à l'est, tel le bord d'un continent, le fond indistinct d'Echus Chasma si loin en dessous – le paysage de son cœur, avec ses sombres lowlands, son haut plateau, la falaise vertigineuse entre les deux et, au-dessus de tout ça, les violets intenses du ciel, le lavande et le mauve à l'est, l'indigo presque noir à l'ouest, l'arc entier s'éclairant et prenant des couleurs à chaque seconde, les étoiles s'éteignant, de hauts nuages à l'ouest s'embrasant de rose. Plusieurs piqués l'ayant emmenée bien en dessous du niveau du Belvédère, elle se rapprocha de la paroi et profita d'un courant ascendant pour remonter et se laisser emporter en une vrille serrée, sans bouger et pourtant violemment agitée par le vent, jusqu'à ce qu'elle surgisse de l'ombre de la falaise, dans les jaunes crus du jour naissant, une alliance jubilatoire de sensations kinesthésiques et visuelles, des sens et du monde. Tout en montant dans les nuages, elle pensa : Maudite sois-tu, Ann Clayborne, tes pareils et toi-même, vous pouvez ruminer à jamais vos impératifs moraux, votre éthique issei, vos valeurs, vos buts, vos structures, vos responsabilités, vos vertus, vos grands buts dans la vie, vous pouvez déverser votre hypocrisie et votre peur jusqu'à la fin des temps, vous ne ressentirez jamais rien de pareil, la grâce de sentir le corps, l'esprit et le monde en parfaite harmonie. Vous pouvez débiter vos fadaises calvinistes jusqu'à plus soif, dire aux humains ce qu'ils devraient faire de leurs brèves vies, comme si vous pouviez le savoir, bande de sadiques, salauds ; tant que vous ne viendrez pas ici voler, planer, grimper, sauter, vous risquer d'une façon ou d'une autre dans le vide, dans la pure grâce du corps, vous ne comprendrez jamais rien. Vous feriez mieux de la boucler. Vous êtes esclaves de vos idées, de vos hiérarchies, vous ne voyez pas qu'il n'y a pas de plus noble but que celui-ci, le but ultime de l'existence, du cosmos lui-même : le jeu libre du vol.

Dans le printemps du Nord, les vents dominants soufflaient, chassant les alizés et humidifiant les courants ascendants d'Echus. Jackie était sur le Grand Canal, distraite de ses manœuvres interplanétaires par les aléas de la politique locale. Elle semblait à vrai dire agacée, tendue, et n'avait manifestement pas envie d'avoir Zo dans les pattes. Celle-ci alla donc travailler dans les mines de Moreux pendant un moment, puis elle rejoignit un groupe d'amis qui volaient sur la côte de la mer du Nord, au sud de Boone's Neck, près de Blochs Hoffnung, où les vagues ébranlaient les falaises d'un kilomètre de haut. A la fin de l'après-midi, une petite harde d'hommes-oiseaux décrivait des arabesques sur la brise du large, effleurant les vagues qui montaient, descendaient, montaient, descendaient, tissant une tapisserie d'écume d'un blanc pur sur la mer sombre comme du vin.

Ce groupe d'hommes-oiseaux était mené par une jeune femme que Zo n'avait jamais rencontrée, une fille de neuf années martiennes seulement, appelée Melka. Zo n'avait jamais vu personne voler comme elle. Quand elle prenait l'air et menait leurs évolutions, on aurait dit qu'un ange était descendu parmi eux, filant à travers eux tel un oiseau prédateur plongeant sur des colombes, à d'autres moments leur faisant effectuer les manœuvres délicates qui rendaient si drôle le vol en groupe. Zo travaillait donc le jour à la filiale de sa coop et tous les soirs, elle venait voler, le cœur gonflé d'exaltation. Au point qu'une fois elle appela Ann Clayborne pour lui parler du vol, lui expliquer ce que c'était. Mais la vieille avait oublié qui elle était et ne parut pas intéressée même quand Zo réussit à lui rappeler où et comment elles s'étaient rencontrées.

Cet après-midi-là, elle vola en proie à une souffrance intérieure. Le passé était lettre morte, évidemment ; mais que les gens puissent devenir des fantômes à ce point...

Rien de tel contre ces moroses pensées que le soleil et l'air salé, le jaillissement toujours renouvelé de l'écume qui assaillait les falaises, retombait et recommençait. Soudain, Melka plongea. Zo la poursuivit, transportée d'affection pour toute cette beauté. Mais en l'apercevant Melka fit un brusque écart, heurta du bout de l'aile le sommet d'un écueil et tomba comme un oiseau abattu. Choquée par la brutalité de l'accident, Zo referma les ailes, fondit, le corps ondulant à la façon d'un dauphin, et cueillit la fille dans ses bras. Elle battit des ailes juste au-dessus des vagues bleues, tandis que Melka se débattait en dessous d'elle. Puis elle comprit qu'elles étaient bonnes pour le plongeon.

DOUZIÈME PARTIE

Ça va si vite

Ils se promenaient dans les dunes, au-dessus de la Florentine. Il faisait nuit, l'air était calme et frais, les étoiles par milliers formaient des bouquets dans le ciel. Ils marchaient côte à côte sur la piste, en regardant les plages en contrebas. L'eau noire était lisse, éclaboussée par la lumière des étoiles, striée de longues lignes brisées par les reflets de Pseudophobos qui se couchait à l'est, attirant l'œil vers la masse de terre sombre, indistincte, de l'autre côté de la baie.

Je suis inquiet. Très inquiet, même. Mortellement inquiet.

Pourquoi ?

C'est Maya. Son esprit. Ses problèmes mentaux. Emotionnels. Ils empirent.

Quels sont les symptômes ?

Les mêmes, en pire. La nuit, elle n'arrive pas à dormir. Elle est pleine de dégoût pour son aspect physique. Elle est encore plongée dans un de ses cycles maniaco-dépressifs, mais ce n'est pas tout à fait comme d'habitude. Je ne saurais dire pourquoi. Elle donne l'impression de ne plus savoir où elle en est. Elle se débat comme une mouche dans un bocal. Elle oublie des choses. Des tas de choses.

Comme nous tous.

Certes. Mais Maya oublie des choses qui sont, je dirais, essentiellement de Maya. Et on dirait qu'elle s'en fiche. C'est ça le pire ; elle donne l'impression d'être indifférente à tout.

Ça, j'ai du mal à l'imaginer.

Moi aussi. C'est peut-être seulement la phase dépressive de son cycle qui prédomine maintenant. Mais il y a des jours où elle perd tout affect.

C'est ce que tu appelles le jamais-vu, *non ?*

Pas exactement, bien qu'elle ait aussi ce genre d'incidents. On dirait parfois certains symptômes annonciateurs de l'attaque. Je sais, je te l'ai déjà dit, mais j'ai peur. Je ne vois pas ce que c'est, je n'arrive pas à mettre le doigt dessus. Elle a des jamais-vu *qui ressemblent aux signes précurseurs de l'attaque. Elle a aussi des* presque-vu. *Dans ces moments-là elle se sent au bord d'une révélation qui ne vient jamais. C'est fréquent chez les épileptiques, au moment de l'aura qui précède la crise.*

Ça m'arrive à moi aussi.

Oui, je suppose qu'il nous arrive à tous d'avoir l'impression fugitive que tout va s'expliquer. Mais chez Maya, c'est très intense, comme tout le reste.

C'est mieux que la perte d'affect.

Ça, je suis bien d'accord. Le presque-vu, *ce n'est pas si grave. Le pire, c'est le* déjà-vu, *et elle a des périodes de* déjà-vu *continu qui peuvent durer jusqu'à une semaine. Ces périodes sont dévastatrices pour elle. Elles privent le monde d'une chose sans laquelle elle ne peut pas vivre.*

La contingence. Le libre arbitre.

Peut-être. En tout cas, ces symptômes ont pour effet de la plonger dans un état apathique. Presque catatonique. Elle s'efforce de les éviter en se retenant d'éprouver les choses. En ne ressentant plus rien.

On dit que l'une des maladies habituelles des issei est de sombrer dans la panique.

Oui, j'ai lu quelque chose à ce sujet. La perte des fonctions affectives, l'anomie, l'apathie. On traite ça comme la catatonie, ou la schizophrénie, par un complexe de sérotonine et de dopamine, des stimulants du système limbique. Un cocktail monumental, tu t'en doutes. La chimie du cerveau... J'avoue que je lui ai donné tout ce que j'ai pu imaginer – je tiens un journal ; je lui fais subir des tests, parfois avec sa coopération, parfois sans qu'elle s'en rende compte ou presque. J'ai fait tout ce que je pouvais, je te jure.

J'en suis sûr.

Mais ça ne marche pas. Elle perd pied. Oh, Sax...

Il s'arrêta, se cramponna à l'épaule de son ami.

Je ne pourrais pas supporter qu'elle s'en aille. Elle toujours si légère... Nous sommes la terre et l'eau, le feu et l'air. Maya planait au-dessus de nous. Un esprit tellement élevé, volant au-dessus de nous, sur ses propres courants aériens. Je ne peux pas supporter de la voir tomber comme ça !

Enfin...

Ils poursuivirent leur promenade.

Ça fait plaisir de revoir Phobos.

Oui, tu as eu une bonne idée.

C'était la tienne, en fait. C'est toi qui m'en as donné l'idée.

Vraiment ? Je ne m'en souviens pas.

Mais si.

En dessous d'eux, la mer s'écrasait mollement sur les rochers.

Ces quatre éléments, la terre, l'eau, le feu et l'air. Encore un de tes carrés sémiotiques ?

Ça vient de la Grèce antique.

Comme les quatre humeurs ?

Oui. C'est Thalès qui a fait cette hypothèse. Le premier savant.

Mais il y a toujours eu des savants, c'est toi qui me l'as dit. Il y en avait déjà dans la savane.

C'est vrai.

Et les Grecs – loués soient-ils – étaient manifestement de grands esprits. Mais ils faisaient seulement partie d'un continuum de savants, tu sais. On a fait du chemin, depuis.

Je le sais, oui.

Enfin, une partie du travail accompli depuis pourrait t'être utile, dans ta schématique conceptuelle. Elle pourrait t'aider à dresser pour nous la carte du monde. A imaginer de nouvelles façons de voir les choses qui te permettraient peut-être de résoudre des problèmes comme ceux de Maya. Parce qu'il y a plus de quatre éléments. Cent vingt, plus ou moins. Peut-être y a-t-il aussi plus de quatre humeurs. Peut-être y en a-t-il cent vingt, qui sait ? Et la nature de ces élements... Eh bien, les choses sont devenues étranges depuis les Grecs. Tu sais que les particules subatomiques sont caractérisées par leur spin qui, mesuré en unités du quantum de Planck, est un multiple d'un demi ? Et que tout objet de notre monde visible doit effectuer un spin de 360 degrés pour reprendre sa position originelle ? Eh bien, les particules avec un spin demi-entier, comme le proton ou le neutron, doivent effectuer une rotation de 720 degrés pour retrouver leur position de départ.

Comment ça ?

Elles doivent effectuer une double rotation par rapport aux objets ordinaires pour revenir à leur position initiale.

Tu veux rire ?

Non, non. Il y a des siècles qu'on sait ça. La géométrie de l'espace est simplement différente pour les particules de spin demi-entier. Elles vivent dans un autre monde.

Et alors...

Eh bien, je ne sais pas. Mais je trouve que ça ouvre la voie à toutes sortes de spéculations. Je veux dire, si tu utilises des données physiques comme modèles de nos états mentaux, si tu les rapproches selon tes schémas habituels, tu devrais peut-être réfléchir à ces modèles physiques un peu plus nouveaux. Imaginer Maya comme un proton, peut-être, une particule avec un spin demi-entier, vivant dans un monde deux fois plus grand que le nôtre.

Ah !

Et il y a encore plus bizarre. C'est un monde à dix dimensions, Michel. Dix. Les trois du macroespace que nous percevons, plus celle du temps, et six autres microdimensions concentrées autour des particules fondamentales d'une façon qu'on peut décrire mathématiquement, mais pas visualiser. Des convolutions, des topologies. Une géométrie différentielle, invisible mais réelle, au niveau ultime de l'espace-temps. Tu devrais y réfléchir. Ça pourrait te mener à des systèmes de pensée tout à fait nouveaux. Un élargissement considérable de ton esprit.

Ce n'est pas pour mon esprit que je m'en fais; c'est pour celui de Maya.

Oui. Je sais.

Ils regardèrent un moment l'eau étoilée. Au-dessus d'eux s'incurvait le dôme étoilé. Et dans le silence, l'air respirait, la mer marmonnait. Le monde semblait un endroit immense, sauvage et libre, sombre et mystérieux.

Au bout d'un moment, ils rebroussèrent chemin et repartirent le long de la piste.

Une fois, j'étais dans le train qui allait de Da Vinci à Sheffield, et comme il y avait des problèmes sur la piste, nous nous sommes arrêtés à Underhill. Je suis descendu et je me suis promené dans le vieux parc à caravanes. Et j'ai repensé à des tas de choses. Rien qu'en regardant autour de moi. Je n'ai fait aucun effort pour ça. Mais quantité de choses me sont revenues.

Un phénomène habituel.

Oui, c'est ce que j'ai compris. Mais je me demande si ça ne pourrait pas aider Maya de faire quelque chose comme ça. Pas à Underhill en particulier, mais dans tous les endroits où elle a été heureuse. Où vous avez été heureux tous les deux. Vous habitez à Sabishii, maintenant, mais pourquoi ne pas retourner à un endroit comme Odessa?

Elle ne veut pas.

Elle a peut-être tort. Pourquoi n'essaieriez-vous pas d'aller vivre à Odessa, et de revenir de temps en temps à Underhill ou Sheffield. Au Caire, ou pourquoi pas à Nicosia? Les villes du pôle Sud, Dorsa Brevia. Une plongée à Burroughs. Un tour en train du bassin d'Hellas. Ce genre de plongée dans le passé pourrait l'aider à se reconstruire, à voir où votre histoire a commencé. Où nous avons été formés pour le meilleur ou pour le pire, dans le matin du monde. Ça lui ferait peut-être du bien, qu'elle en ait conscience ou non.

Hum.

Bras dessus, bras dessous, ils retournèrent vers le cratère, le long de la piste à peine visible dans les fougères sombres.

Béni sois-tu, Sax. Béni sois-tu.

L'eau de la baie d'Isidis était d'un bleu d'ecchymose ou de clématite, éclaboussée de soleil. La houle venant du nord décoiffait les vagues écumantes, faisait tanguer et rouler le bateau à moteur qui se dirigeait cap au nord-ouest depuis le port de DuMartheray. Ce Ls 51 de M-79, 2181 sur Terre, était une belle journée de printemps.

Assise sur le pont, Maya se soûlait d'air et de soleil, tout au plaisir d'être sur l'eau, loin de la brume et du chaos de la rive. La mer ne pouvait être ni domptée, ni changée en aucune façon, et c'était merveilleux. Comme était merveilleuse la façon dont on était bercé sur ce bleu sauvage, toujours le même quoi qu'il puisse arriver en ce monde. Elle aurait pu voguer ainsi tout le jour, tous les jours, l'âme éprouvant un instant d'apesanteur à chaque descente dans le creux d'une vague.

Mais ils n'étaient pas venus là pour ça. Devant eux, les vagues écumantes se brisaient sur une vaste zone. Le capitaine du bateau tourna un peu la barre, réduisit l'allure. La zone écumante marquait le sommet de Double Decker Butte, devenue un récif signalé par une bouée noire qui faisait un bruit métallique assourdissant : *Bongbong, bongbong, bongbong.*

Des bouées d'amarrage ponctuaient cet immense clocher aquatique. Leur pilote mit le cap sur la plus proche. Aucun autre bateau n'était en vue. Ils étaient seuls au monde. Michel remonta de la cabine et posa la main sur l'épaule de Maya alors que le pilote coupait les machines. Un marin fixa une amarre à la bouée. Le bateau dériva au gré du courant, jusqu'à ce que le bout se tende, les renvoyant dans une vague qui les gifla brutalement et les aspergea d'écume blanche. Ils étaient juste au-dessus de Burroughs.

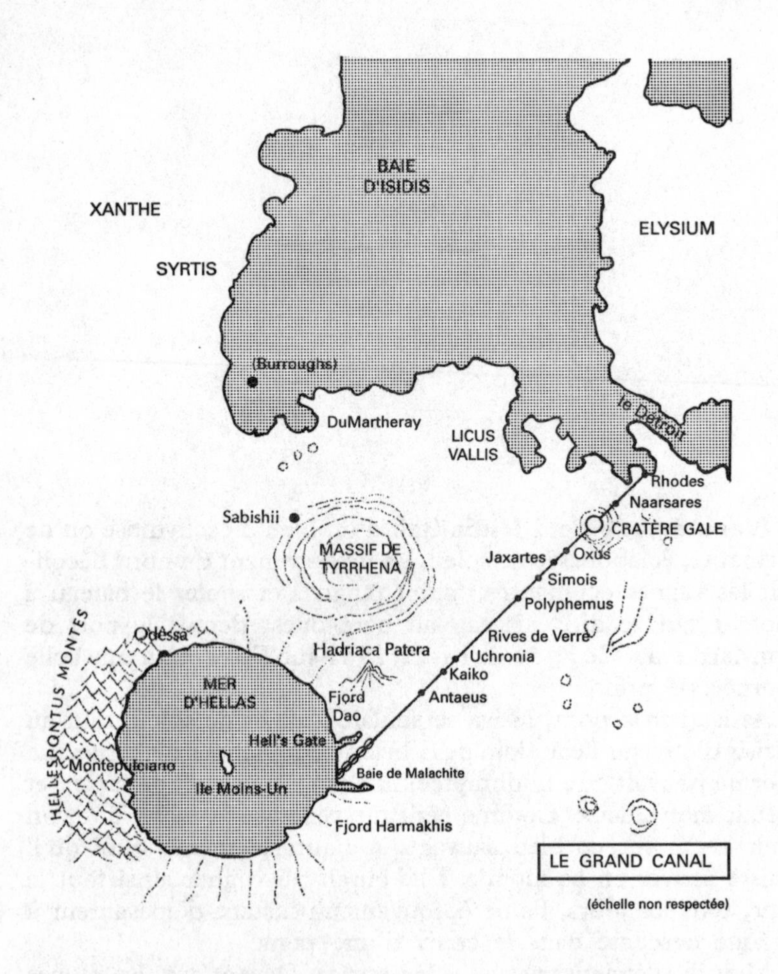

Dans la cabine, sous le pont, Maya se déshabilla et enfila une combinaison orange, souple – le capuchon, les chaussons, le réservoir, le casque, les gants. Elle avait appris à plonger spécialement pour l'occasion et tout était encore nouveau pour elle, à part la sensation d'apesanteur comparable à celle qu'on éprouve dans l'espace, aussi ne fut-elle pas dépaysée, une fois dans l'eau : c'était la même descente, due cette fois à la ceinture plombée. Elle savait que l'eau autour d'elle était froide mais ne le sentait pas vraiment. Respirer sous l'eau était étrange, mais ça marchait. Elle tourna le dos au petit point lumineux du soleil et s'enfonça vers les profondeurs ténébreuses.

Plus bas, toujours plus bas, devant le bord supérieur de Double Decker Butte et ses rangées de fenêtres argentées ou cuivrées, pareilles à des extrusions minérales ou des miroirs sans tain abritant des observateurs d'une autre dimension. La pénombre les engloutit rapidement, et elle continua à tomber, plus bas, toujours plus bas, comme avec un parachute de rêve. Michel et quelques autres la suivaient, mais il faisait tellement sombre qu'elle ne les voyait pas. Puis un chalut robot semblable à un gros cadre de lit les rattrapa, ses phares puissants projetant devant eux de longs cônes d'une fluidité cristalline, diffuse, qui voletait mollement, révélant les fenêtres métalliques d'une mesa distante, puis les toits couverts de boue noire du vieux canal de Niederdorf. Un éclair de dents blanches – les colonnes de Bareiss, d'un blanc immuable sous leur couche de diamant, à moitié enfouies dans le sable et la boue noire. Elle s'arrêta, battit des pieds pour stopper sa descente et se stabilisa en appuyant sur un bouton qui envoya de l'air comprimé dans sa ceinture lestée. Elle plana au-dessus du canal comme un fantôme. Il lui sembla qu'elle avait été projetée dans le rêve de Scrooge, le chalut était une sorte de robot des Noëls Passés, illuminant le monde immergé du temps perdu, la ville qu'elle avait tant aimée. De soudaines flèches de douleur lui lardèrent les côtes, mais elle était incapable d'éprouver le moindre sentiment. C'était trop étrange, trop incompréhensible, ou incroyable. Cette Atlantide engloutie au fond d'une mer martienne ne pouvait pas être Burroughs, sa Burroughs.

Agacée par son insensibilité, elle donna de grands coups de palmes et descendit vers le parc du canal, au-dessus des colonnes de sel et plus loin vers l'ouest. Là, sur Hunt Mesa, à gauche, c'est là qu'ils avaient vécu, Michel et elle, au-dessus d'un studio de danse. Puis la vaste montée noire du boulevard du Grand Escarpement. Et là, devant, c'était le parc de la Princesse où, lors de la seconde révolution, elle s'était dressée sur une estrade et avait fait un discours à une foule immense, juste là, en dessous de l'endroit où elle passait à présent. C'est là qu'ils avaient parlé, Nirgal et elle. C'était maintenant le fond noir d'une baie. C'était sa vie, longtemps auparavant – si longtemps. Ils avaient éventré la tente, quitté la ville et tout inondé sans un regard en arrière. Oui, Michel avait raison, absolument raison. Cette plongée était une image parfaite du processus boueux de la mémoire. Peut-être cela l'aiderait-il. D'un autre côté... elle se sentait comme anesthésiée, et elle doutait. La cité était submergée, certes. Mais elle était encore là. Quand ils voudraient, s'ils le voulaient, ils pourraient reconstruire la digue, assécher ce bras de la baie, et la cité reparaîtrait, trempée, fumant au soleil, soigneusement enclose dans un polder comme une ville des Pays-Bas. Ils pourraient laver les rues boueuses, y planter de l'herbe et des arbres, nettoyer l'intérieur de la mesa et des maisons, les boutiques du Niederdorf et des larges boulevards, les vitres, et tout redeviendrait comme avant – Burroughs étincelante, à la surface de Mars. Ils pourraient le faire. Ce n'était pas une idée insensée, étant donné tous les travaux d'excavation qui avaient été effectués dans les neuf mesas et l'absence de tout autre bon port dans la baie d'Isidis. C'était possible. Mais personne ne le ferait jamais. Donc ce n'était pas le passé, ça n'avait rien à voir.

Se sentant engourdie et glacée, Maya renvoya un peu d'air dans sa ceinture de lestage, fit demi-tour et retourna vers le parc du canal et le chalut lumineux. Elle revit la rangée de colonnes de sel et se sentit attirée dans cette direction. Elle nagea juste au-dessus du sable noir, le remous de ses palmes troublant la surface ridée. Les colonnes de Bareiss donnaient l'accolade au vieux canal. Elles paraissaient plus délabrées que jamais maintenant que l'enfouissement partiel rompait leur symétrie. Elle se rappela les promenades de l'après-midi, dans le parc, vers l'ouest et le soleil, puis leur retour, la lumière coulant sur leur dos. C'était un endroit magnifique. Au pied de la grande mesa, on se serait cru dans une cité géante, aux innombrables cathédrales.

Au-delà des colonnes, sur une rangée de bâtiments était ancrée une ligne de varech. De longues tiges montaient des toits dans l'eau glauque, leurs larges feuilles ondulant doucement dans le courant paresseux. Il y avait un café au bout de ce bâtiment, un café avec une terrasse, partiellement ombragée par un treillis couvert de glycine. La dernière colonne de sel servait de point de repère, et Maya était sûre de ne pas se tromper.

Elle nagea laborieusement en position debout, et un souvenir lui revint. Frank lui avait crié quelque chose et était parti en courant, sans raison, comme d'habitude. Elle s'était habillée et l'avait retrouvé là, attablé devant un café. Oui. Elle avait provoqué une explication et ils s'étaient chamaillés. Elle lui avait reproché avec véhémence de ne pas être parti à Sheffield. Elle avait fait valser sa tasse. L'anse s'était cassée, était tombée de la table en tournoyant. Frank s'était levé. Ils étaient partis en se querellant, et ils étaient retournés à Sheffield. Mais non, non. Ça ne s'était pas passé comme ça. Ils s'étaient disputés, ça oui, mais ils s'étaient raccommodés. Frank s'était penché sur la table, lui avait pris la main, lui ôtant un énorme poids de la poitrine. Un bref moment de grâce, le sentiment d'aimer et d'être aimée.

C'était l'un ou l'autre. Mais lequel...

Elle ne se souvenait pas. Elle ne savait plus. Tant de querelles avec Frank, tant de réconciliations. Les deux avaient pu arriver.

Impossible de garder une trace, de se rappeler ce qui s'était passé, à quel moment. Tout était flou, brouillé dans son esprit, réduit à de vagues impressions, des moments déconnectés. Le passé, à jamais aboli. De petits cris de bête blessée. Ah, c'était elle qui faisait ça avec sa gorge. Gémissant, miaulant, sanglotant. Engourdie et en même temps sanglotante, c'était absurde. Quoi qu'il leur soit arrivé, elle voulait seulement que ça revienne.

– Fuh...

Elle ne pouvait pas prononcer son nom. Elle avait mal, comme si on lui avait enfoncé une épingle dans le cœur. Ah... ça, c'était une sensation ! Impossible de le nier. Elle avait tellement mal qu'elle hoquetait. On ne pouvait pas dire le contraire.

Elle battit lentement des pieds, s'éleva au-dessus du sable, loin des toits auxquels était accroché le varech. Qu'auraient-ils pensé, tristement assis à cette table de café, s'ils avaient su que cent vingt ans plus tard elle nagerait au-dessus, et que Frank serait mort depuis tout ce temps ?

La fin du rêve. La désorientation au passage d'une réalité à une autre. Flotter dans l'eau noire la replongea en partie dans son engourdissement. Mais il y avait cette douleur aiguë, là, au fond d'elle-même, enchâssée, insistante. Elle devait s'y cramponner de toutes ses forces, saisir tous les sentiments à sa portée, toutes les sensations susceptibles d'être extraites de cette gadoue, n'importe quoi. Tout plutôt que l'engourdissement. Sangloter de douleur était une volupté, à côté.

C'était la preuve que Michel avait raison, une fois de plus. Le vieil alchimiste. Elle le chercha du regard. Il s'était éloigné à la nage, effectuant son propre pèlerinage. Un long moment avait passé, les autres se retrouvaient dans le cône de lumière devant le chalut, comme des poissons tropicaux dans un bassin noir, glacial, attirés par la lumière dans l'espoir qu'elle leur apporterait la chaleur. Rêveusement, une lente apesanteur. Elle pensa à John, flottant tout nu sur l'espace noir et les étoiles de cristal, mais c'en était trop, trop de sensations. Impossible de supporter plus d'une écharde de passé à la fois. Cette cité engloutie. Elle avait fait l'amour avec John, ici, dans un dortoir, quelque part, au cours des premières années – avec John, avec Frank, avec cet ingénieur dont elle ne se rappelait plus le nom, avec d'autres aussi, sans doute, tous oubliés, ou presque. Elle devrait creuser ça. Les enchâsser tous, précieuses échardes de sentiment incrustées en elle à jamais, jusqu'à ce que la mort fasse son office. Encore plus haut, toujours plus haut, parmi les poissons tropicaux multicolores, leurs bras, leurs jambes, remonter dans la lumière du jour, le soleil bleu et, Seigneur ! oui, le claquement des tympans, une impression d'ébriété, peut-être l'ivresse des profondeurs. L'ivresse des profondeurs humaines, plutôt, comme ils vivaient, ce qui les faisait courir, ces géants plongeant à travers les années. Michel remontait derrière elle. Elle battit des pieds pour l'attendre, le serra contre elle, fort fort fort. Ah, comme elle aimait ce corps solide dans ses bras, cette preuve de réalité. Elle le serra contre elle en pensant merci, Michel, sorcier de mon âme, merci pour Mars, pour ce qui perdure en nous, même englouti ou enchâssé. Tout là-haut, dans le glorieux soleil, dans le vent, ôter la combinaison avec des doigts glacés, maladroits, s'extirper de cette espèce de chrysalide, indifférente au pouvoir de la nudité féminine sur l'œil masculin, puis en prendre soudainement conscience, leur offrir cette vision stupéfiante de chair dans le soleil, de sexe dans l'après-midi, respirer profondément dans le vent, la chair de poule, la sensation choquante d'être vivante.

– Je suis moi, Maya, dit-elle à Michel avec fermeté, en claquant des dents.

Elle croisa les bras sur ses seins et s'essuya, le luxe de l'éponge sur sa peau mouillée. Elle s'habilla, hurlant dans la fraîcheur du vent. Le visage de Michel était l'image du bonheur, la déification, le masque de la joie, le vieux Dionysos, riant tout haut du succès de son plan, devant l'ivresse de sa compagne et amie.

– Qu'as-tu vu ?

– Le café, le parc, le canal. Et toi ?

– Hunt Mesa, le studio de danse. Thot Boulevard, la montagne de la Table.

Dans sa cabine, il avait mis une bouteille de champagne à rafraîchir dans un seau à glace. Il fit sauter le bouchon qui vola dans le vent, atterrit en douceur sur l'eau et dériva sur les vagues bleues.

Mais elle refusa d'en dire plus, de raconter sa plongée. Les autres le firent, et elle aurait dû sacrifier au rite. Ils la regardaient comme des vautours, avides de s'approprier son histoire. Elle but son champagne sans mot dire, en regardant les vagues aux amples courbes. Les vagues avaient un drôle d'air sur Mars. Elles étaient grosses et molles, impressionnantes. Elle jeta un coup d'œil à Michel pour le rassurer ; elle allait bien, il avait eu une bonne idée de la faire descendre, mais elle conserva le silence. Qu'ils se repaissent de leurs propres expériences, ces rapaces.

Le bateau retourna au port de DuMartheray, un petit croissant d'eau entouré de marinas, incurvé sous le tablier du cratère. La pente du tablier était couverte de bâtiments et de verdure jusqu'au rivage.

Ils mirent pied à terre, marchèrent jusqu'à la ville, mangèrent dans un restaurant au bord du cratère et regardèrent le soleil couchant embraser l'eau de la baie d'Isidis. Le vent du soir tomba sur l'escarpement et souffla vers le large, retroussant les vagues, arrachant à leur crête des plumets d'écume blanche irisée de brefs arcs-en-ciel. Maya s'assit à côté de Michel, la main posée sur sa cuisse ou son épaule.

– Stupéfiant, dit quelqu'un, de voir les colonnes de sel briller encore en bas.

– Et les fenêtres dans les mesas ! Vous avez vu celle qui était cassée ? Je serais bien entré jeter un coup d'œil, mais j'ai eu peur.

Maya fit la grimace et se concentra sur l'instant présent. Des gens, de l'autre côté de la table, parlaient à Michel d'un nouvel institut concernant les Cent Premiers et les colons de la première heure – une sorte de musée, un conservatoire de la tradition orale, un comité destiné à préserver les premiers bâtiments de la destruction, mais aussi un programme d'aide aux plus âgés. Evidemment, ces graves jeunes gens (les jeunes gens peuvent être si graves quand ils veulent) étaient très désireux d'obtenir l'appui de Michel, de retrouver et d'enrôler, d'une façon ou d'une autre, les Cent Premiers encore vivants. Ils n'étaient plus que vingt-trois, disait-on. Michel se montra naturellement d'une parfaite courtoisie et parut vivement intéressé par le projet.

Rien n'aurait pu faire plus horreur à Maya que cette idée. Une plongée dans les ruines du passé pouvait avoir le même effet qu'une bouffée de sels d'ammoniaque : un vrai repoussoir, mais revigorant. Très bien. C'était tolérable, et même sain. Mais se laisser obnubiler par le passé, se focaliser dessus, ça, c'était répugnant. Elle aurait volontiers balancé ces graves jeunes gens à l'eau. Et Michel qui acceptait de parler aux Cent Premiers survivants, de participer au lancement du projet... Maya se leva et alla s'accouder à la rambarde, un peu plus loin. En dessous, sur l'eau noire, des volutes d'écume lumineuses jaillissaient du sommet des vagues inlassables.

Une jeune femme s'approcha et appuya les coudes sur la rambarde à côté d'elle.

– Je m'appelle Vendana, dit-elle à Maya tout en regardant les vagues. Je suis la représentante locale des Verts pour l'année.

Elle avait un beau profil, net et bien dessiné, dans un visage indien classique : la peau olivâtre, les sourcils noirs, le nez long et la bouche petite. Des yeux bruns, subtils, intelligents. C'était drôle de voir tout ce que pouvait dire un visage. Maya arrivait à saisir l'essentiel d'une personne au premier coup d'œil. C'était un don. Il lui était bien utile compte tenu du fait qu'elle ne comprenait rien à ce que les jeunes indigènes racontaient ces temps-ci.

Mais elle comprenait qu'on soit vert, ou elle pensait le comprendre. Elle trouvait même que c'était un terme archaïque, Mars étant complètement verte à présent. Vert et bleu.

– Que voulez-vous ?

– Jackie Boone et les candidats de Mars Libre pour la zone font campagne dans le secteur en prévision des prochaines élections, répondit Vendana. Si Jackie représente une fois de plus le parti au conseil exécutif, elle œuvrera encore pour le projet de Mars Libre qui consiste à interdire toute immigration de la Terre. Elle défend avec force l'idée selon laquelle l'immigration terrienne pourrait être dirigée vers d'autres destinations dans le système solaire. C'est faux, mais c'est une position qui passe très bien dans certains quartiers. Sur Terre, évidemment, on n'aime pas beaucoup ça. Si Mars Libre l'emporte largement avec un programme isolationniste, on peut craindre que la Terre le prenne très mal. Ils ont déjà les plus grandes difficultés à surmonter leurs problèmes, ils ont besoin du peu d'aide que nous pouvons leur apporter. Ils diront que c'est une rupture du traité et ça pourrait aller jusqu'à la déclaration de guerre.

Maya acquiesça. Michel avait beau dire, elle sentait que les relations se tendaient entre la Terre et Mars. Elle savait que ça finirait mal, elle le voyait venir.

– Jackie est appuyée par un certain nombre de groupes, et Mars Libre a une majorité écrasante dans le gouvernement global depuis maintenant des années. Ils ont mis tout ce temps à profit pour placer des amis à eux dans les cours environnementales, et si elle propose d'interdire l'immigration, ils la soutiendront. Nous voulons maintenir la politique définie par le traité que vous avez négocié, voire élargir un peu les quotas d'immigration pour aider la Terre dans toute la mesure du possible. Mais il sera difficile d'arrêter Jackie. Pour vous dire la vérité, je ne sais pas comment faire. Alors je me suis dit que j'allais vous le demander.

– Comment arrêter Jackie ? répéta Maya, surprise.

– Oui. Ou, d'une façon plus générale, vous demander votre aide. Je pense qu'il faudrait lui mettre des bâtons dans les roues, et je me suis dit que ça pouvait vous intéresser.

Elle tourna la tête pour regarder Maya avec un sourire entendu.

Il y avait quelque chose de vaguement familier dans le retroussis ironique des lèvres pleines, quelque chose d'un peu agressif, mais de loin préférable à l'enthousiasme béat des jeunes historiens qui harcelaient Michel. Et plus Maya y réfléchissait, plus la proposition lui plaisait. C'était de la politique contemporaine, un engagement dans le présent. La trivialité du débat public actuel l'écœurait passablement, mais elle supposait que la politique du moment avait toujours l'air mesquine et stupide. Elle ne gagnait la respectabilité dévolue aux choses de l'Etat, à l'Histoire, qu'avec le recul du temps. L'enjeu pouvait se révéler important, comme l'avait dit la jeune femme. Ça lui permettrait de reprendre pied dans la réalité. Et puis, bien sûr – mais ça, elle ne se le dit pas consciemment –, tout ce qui pouvait entraver les desseins de Jackie était bon à prendre.

– Si vous me racontiez un peu tout ça? fit Maya en s'éloignant, hors de portée de voix des autres.

Et la grande jeune femme ironique la suivit.

Michel avait toujours rêvé de faire un tour sur le Grand Canal, et il avait récemment parlé à Maya de quitter Sabishii pour Odessa, espérant ainsi lutter contre ses divers problèmes mentaux. Ils pourraient même prendre un appartement dans le complexe de Praxis où ils avaient vécu avant la seconde révolution. C'était le seul endroit où Maya se considérait comme chez elle, en dehors d'Underhill, où elle refusait catégoriquement de mettre les pieds. Or Michel pensait que cela l'aiderait de retourner quelque part où elle se sentait chez elle. Donc à Odessa. Maya accepta. Cela lui était égal. Et l'idée de Michel d'y aller en empruntant le Grand Canal lui convenait aussi. Elle s'en fichait. Elle n'était sûre de rien, ces temps-ci, elle n'avait plus d'avis sur grand-chose, de rares préférences ; c'était tout son drame.

Et Vendana venait lui dire que la campagne de Jackie devait suivre le Grand Canal dans un bateau de croisière en guise de quartier général. Ils étaient justement à l'extrémité nord du canal.

Aussi, quand Maya retourna auprès de Michel, sur la terrasse, après le départ des historiens, elle dit :

– Tu ne m'avais pas proposé d'aller à Odessa par le Grand Canal ?

Michel fut ravi. Il parut, en fait, sortir des ténèbres qui l'avaient englouti après la plongée dans Burroughs submergée. Il se réjouissait de l'effet qu'elle avait eu sur Maya, mais elle n'avait peut-être pas été aussi bénéfique pour lui. Il était, à ce sujet, d'un laconisme plutôt rare chez lui. Il paraissait oppressé, comme étouffé sous le poids de ce que la grande capitale sous les eaux représentait dans sa propre vie. Difficile à dire. En tout cas, voir Maya réagir aussi positivement à l'expérience et s'entendre soudain proposer de voir le Grand Canal – une vaste blague, de l'avis de Maya – le faisait rire. Et elle aimait le voir rire. Michel pensait que Maya avait terriblement besoin d'aide, ces temps-ci, mais pour elle, c'était lui qui avait le plus de problèmes.

C'est ainsi que, quelques jours plus tard, ils montaient la passerelle d'un long bateau à voile élancé, dont le mât et l'unique voile formaient une courbe de matière blanche, mate, en forme d'aile d'oiseau. Ce bateau faisait le tour de la mer du Nord par l'est. Quand tout le monde fut à bord, le capitaine lança les machines, ils quittèrent le petit port de DuMartheray et mirent cap à l'est en longeant la côte. Le mât-voile du navire était flexible, mobile dans à peu près toutes les directions, et son IA lui faisait adopter, en réponse aux sollicitations du vent capricieux, des courbures rappelant celles d'une aile d'oiseau.

Le deuxième après-midi de leur voyage dans le Détroit, le massif d'Elysium éleva sur l'horizon de jacinthe, devant eux, sa masse rose comme les cimes des Alpes au lever du soleil. Le continent se dressait maintenant au sud, comme s'il tendait le cou pour voir le grand massif de l'autre côté de la baie : des falaises alternant avec des marécages, puis une longue étendue fauve terminée par un rebord de plus en plus haut. Les strates rouges, horizontales de cette paroi étaient rayées de noir et d'ivoire, tandis que les crêtes étaient soulignées de vert par l'herbe et de blanc par le guano. Les vagues se jetaient sur la roche nue au pied de ces falaises et rebondissaient, refluaient, heurtaient les vagues qui arrivaient dans un rapide jaillissement. Cette traversée était un enchantement, avec ses longues glissades dans le creux des vagues, le vent qui paraissait produit par une centrale offshore et, surtout l'après-midi, les embruns, l'odeur salée de l'air – car la mer du Nord commençait à être salée –, le vent dans les cheveux, le V de tapisserie blanche dans le sillage du bateau, lumineux sur la mer indigo : des journées magnifiques. Maya aurait voulu faire le tour du monde et recommencer, ne jamais accoster, ne jamais rien changer... Elle avait entendu dire que des gens vivaient ainsi, maintenant, sur des vaisseaux-serres géants complètement autonomes, de véritables thalassocraties qui sillonnaient l'océan...

Mais devant eux se trouvait le goulet du Détroit. Le voyage arrivait à son terme. Pourquoi les bonnes journées étaient-elles toujours si courtes ? D'un instant à l'autre, d'un jour à l'autre – si remplis, si beaux, et à jamais disparus, disparus avant qu'on ait le temps de s'en imprégner comme il aurait fallu, de les vivre vraiment. Voguer dans la vie en regardant le sillage derrière soi, la haute mer, le grand vent... Le soleil était bas, à présent, la lumière oblique sur les falaises soulignait leurs sauvages irrégularités, les surplombs, les grottes, les parois lisses, propres, se jetant droit dans la mer, la roche rouge dans l'eau bleue, la roche qu'aucune main humaine n'avait effleurée (à ceci près que la mer elle-même était l'œuvre de l'homme). Des éclats de splendeur soudaine qui se fichaient en elle. Mais le soleil allait disparaître. La rupture dans les falaises, devant, marquait le premier grand port du Détroit, Rhodes, où ils devaient jeter l'ancre. Le soir tomberait. Ils dîneraient dans un café du port, près de l'eau, dans le long crépuscule, et la glorieuse journée de mer ne reviendrait jamais. Cet étrange regret de l'instant qui venait de passer, de la soirée encore à venir.

« Ah, je revis ! » se dit-elle, émerveillée de ce miracle.

Michel et ses trucs... Depuis le temps, son salmigondis psycho-alchimique aurait dû la laisser de marbre. C'en était trop pour un cœur humain. Enfin, une chose était sûre : tout était préférable à l'engourdissement. Cette sensation aiguë avait une beauté douloureuse, et la douleur était supportable, presque jouissive, d'une certaine façon, par accès. Les couleurs saturées de cette fin d'après-midi possédaient une intensité sublime. Et sous ce déferlement de lumière nostalgique, le port de Rhodes était magnifique – le grand phare sur le cap ouest, les deux bouées à cloche rouge et verte, tribord et bâbord. Là, descendre vers le miroir noir d'un mouillage, et les barques, loin en bas, dans la lumière déclinante, traverser les ténèbres liquides, franchir une forêt de vaisseaux à l'ancre, tous différents, car la construction navale vivait une période d'innovation rapide ; les nouveaux matériaux permettant presque tout, les anciens modèles étaient constamment revus et modifiés, puis on y revenait. Là, un clipper, là, une goélette, plus loin, une chose qui ressemblait à un espar en saillie... Heurter enfin un quai de bois plein de monde, dans l'ombre.

La nuit, les villes portuaires se ressemblaient toutes. Une corniche, un parc étroit, incurvé, des rangées d'arbres, un croissant d'hôtels et de restaurants délabrés, le long des quais... Ils prirent une chambre dans un de ces hôtels et se promenèrent sur les quais, dînèrent sous un vélum, comme Maya l'avait imaginé. Elle se détendit dans la stabilité concrète, matérielle de son fauteuil, regardant la lumière liquide s'échouer sur l'eau noire, visqueuse, du port, écoutant Michel parler aux gens de la table voisine, savourant l'huile d'olive et le pain, le fromage et l'ouzo. Elle n'en revenait pas que la beauté puisse être aussi douloureuse, et même le bonheur. Et pourtant, elle espérait que l'avachissement paresseux accompagnant la digestion dans leurs fauteuils ne finirait jamais.

C'était évidemment impossible. Ils allèrent se coucher, la main dans la main, et elle garda Michel en elle un temps infini. Le lendemain, ils portèrent leurs sacs de l'autre côté de la ville, vers le port intérieur, juste au nord de la première écluse du canal, puis dans un grand bateau long et lascif, une sorte de barge transformée en bateau de plaisance. Une centaine de passagers montèrent à bord; et parmi eux se trouvaient Vendana et ses amis. Quelques écluses plus loin, sur un bateau privé, Jackie et sa cour s'apprêtaient eux aussi à descendre vers le sud. Certaines nuits, ils se retrouveraient amarrés au même ponton, le long du canal.

– Intéressant, fit Maya d'une voix traînante, et à ce mot, Michel parut à la fois content et inquiet.

Le lit du Grand Canal avait été creusé par une loupe spatiale concentrant le soleil renvoyé par la soletta. La loupe planait très haut dans l'atmosphère, au-dessus des nuages thermiques formés par la roche fondue et volatilisée. Elle avançait en ligne droite, et avait tracé un chemin de feu dans le sol, sans prendre garde aux détails topographiques. Maya se souvenait vaguement avoir vu des vidéos du processus, à l'époque, mais les images étaient forcément prises de loin, et ne permettaient pas d'imaginer la taille du canal. Leur long bateau à moteur, bas sur l'eau, entra dans la première écluse. Il fut soulevé par l'eau entrante, sortit à l'autre bout du sas... et ils se retrouvèrent sur un lac ridé par le vent, de deux kilomètres de large, qui allait tout droit vers le sud-ouest et la mer d'Hellas, à deux mille kilomètres de là. Un grand nombre de bateaux, gros et petits, se croisaient en tenant leur droite, comme sur une route. Presque tous les bâtiments étaient motorisés, même si plusieurs étaient gréés en goélette. Les plus petits avaient parfois de grandes voiles triangulaires et pas de moteur : « Des dhows », fit Michel en tendant le doigt. Un modèle arabe, sans doute.

Quelque part devant eux se trouvait le vaisseau de campagne de Jackie. Maya l'ignora et se concentra sur les rives du canal. Il était visible que la roche disparue n'avait pas été excavée mais s'était tout simplement transformée en poussière. La température, sous l'intense lumière de la loupe spatiale, atteignait 5 000 degrés kelvin, et la roche s'était dissociée en ses atomes constitutifs, lesquels s'étaient rapidement élevés dans l'air. En se refroidissant, la matière était retombée sur les berges et une petite quantité avait coulé dans la tranchée comme de la lave, formant un canal au fond plat bordé de rives de quelques centaines de mètres de haut et de plus d'un kilomètre de large : des levées de scories noires, arrondies, sur lesquelles ne poussait pas grand-chose, de sorte qu'elles étaient presque aussi nues et noires à présent que lorsqu'elles s'étaient refroidies, une quarantaine d'années martiennes plus tôt. Seules de rares fissures emplies de sable éclataient de verdure. L'eau du canal qui paraissait noire le long des berges prenait la teinte du ciel au milieu, ou plutôt une couleur un peu plus sombre que le ciel, sans doute à cause du fond sombre, le tout strié de bandes vertes.

L'étendue rectiligne d'eau sombre entre deux parois d'obsidienne. Des bateaux de toutes les tailles, mais souvent longs et effilés pour maximiser l'espace dans les écluses. Puis, à quelques heures de distance les unes des autres, des villes en bordure du canal, incrustées sur la berge et étalées sur les terres au-delà. La plupart d'entre elles portaient les noms déjà existants sur les anciennes cartes de Lowell et Antoniadi, noms que ces astronomes entichés de canaux avaient choisis parmi les rivières de l'antiquité classique. Les premières villes devant lesquelles ils passèrent étaient assez près de l'équateur, et entourées de palmeraies. Derrière les quais en bois se trouvaient de petits quartiers portuaires grouillants d'activité, eux-mêmes chapeautés d'agréables quartiers en terrasses. Puis la masse des villes sur la partie plate des berges. La loupe avait coupé tout droit à travers le Grand Escarpement, vers les hautes plaines d'Hesperia, ce qui représentait une dénivellation de quatre kilomètres. Aussi le canal était-il ponctué par des écluses éloignées les unes des autres de quelques kilomètres. Comme partout, à cette époque, les barrages étaient transparents, leurs parois paraissaient aussi fines que de la Cellophane, et pourtant on disait qu'ils étaient dix fois plus résistants que nécessaire, compte tenu de la masse d'eau qu'ils retenaient. Maya se sentait agressée par leur transparence. Elle y voyait une manifestation d'hubris. Ce caprice recevrait forcément son châtiment. Un jour, l'une des minces parois exploserait comme un ballon, semant la ruine et la désolation alentour, et les gens en reviendraient au bon vieux béton et à la fibre de carbone.

En attendant, ils voguaient vers une écluse, un mur d'eau pareil à la mer Rouge s'ouvrant pour laisser passer le peuple d'Israël, des poissons filant au-dessus d'eux tels des oiseaux primitifs, vision surréaliste, digne d'un dessin d'Escher. Ils entrèrent dans le sas, véritable tombe aux parois liquides. Ils montèrent, montèrent, montèrent, entourés par ces poissons-oiseaux, et émergèrent enfin au niveau supérieur de la grande rivière aux parois rectilignes, qui traversait le sol noir.

– Bizarre, dit Maya après la première écluse, puis après la deuxième et la troisième.

Et Michel ne pouvait que sourire et hocher la tête.

La quatrième nuit, ils mouillèrent dans une petite ville appelée

Naarsares. De l'autre côté du canal s'élevait une ville encore plus petite nommée Naarmalcha. Des noms à consonance mésopotamienne. Du restaurant en terrasse juché sur la berge on avait une bonne vue sur le canal et les highlands arides qui l'entouraient, et, plus loin, sur l'endroit où le canal traversait le cratère Gale. Gale était maintenant une bulle greffée sur le canal, un bassin ouvert pour les bateaux et les marchandises.

Après dîner, Maya resta sur la terrasse à regarder dans la faille qui donnait sur Gale. Dans l'encre poudreuse du crépuscule, Vendana et certains de ses compagnons s'approchèrent d'elle.

– Comment trouvez-vous le canal ? lui demandèrent-ils.

– Très intéressant, répondit sèchement Maya.

Elle n'aimait ni qu'on lui pose des questions, ni se retrouver au milieu d'un groupe. Elle avait trop l'impression d'être un objet de musée. Ils ne tireraient rien d'elle. Elle les foudroya du regard. L'un des jeunes gens abandonna la partie et commença à parler avec la femme qui se trouvait à côté de lui. Il avait un visage d'une beauté extraordinaire, les traits fins sous une crinière noire. Un sourire doux, un rire spontané. En tous points, fascinant. Jeune, mais pas au point d'avoir l'air inachevé. Quelque chose d'indien, peut-être, la peau sombre, les dents blanches, régulières, fort et mince comme un lévrier, plus grand qu'elle, mais pas un de ces nouveaux géants. Il était encore à l'échelle humaine, solide et gracieux sans ostentation. Sexy.

Elle s'approcha lentement de lui alors que le groupe adoptait une formation plus détendue, comme dans un cocktail, les gens se déplaçant pour bavarder, pour regarder le canal et les quais. Elle eut enfin l'occasion de lui parler, et il ne réagit pas comme si elle était Hélène de Troie ou Lucy, le chaînon manquant. Ce serait merveilleux d'embrasser cette bouche. Hors de question, évidemment, et elle n'en avait pas vraiment envie. Mais cette idée lui plaisait, et le seul fait d'y penser lui donnait des idées. Les visages avaient une telle force.

Il s'appelait Athos. Il était de Licus Vallis, à l'ouest de Rhodes. Un sansei, d'une famille de marins, des grands-parents grecs et indiens. Il avait contribué à la refonte du parti Vert et il était convaincu que le seul moyen de rester hors du maelström était d'aider la Terre à surmonter son problème. Une approche controversée – l'éternelle histoire de la queue qui remue le chien, il l'admettait volontiers, avec un beau sourire. Il était candidat à la représentation des villes de la baie de Nepenthes, et participait d'une façon générale à la coordination de la campagne des Verts.

– Il paraît que nous allons rattraper la campagne de Mars Libre d'ici quelques jours ? demanda plus tard Maya à Vendana.

– Oui. Nous avons prévu de débattre avec eux dans un meeting à Gale.

Puis, alors qu'ils remontaient la passerelle menant à leur bateau, les jeunes se détournèrent d'elle et se dirigèrent ensemble vers le pont avant pour continuer à faire la fête. Oubliée, Maya. Elle n'était pas des leurs. Elle les regarda s'éloigner et rejoignit Michel dans leur petite cabine, à l'arrière. Elle n'y pouvait rien, ça la faisait chaque fois bouillir de colère. Il y avait des moments où elle détestait les jeunes.

– Je les exècre, dit-elle à Michel.

Tout ça parce qu'ils étaient jeunes. Elle pouvait toujours dire qu'elle avait une aversion pour leur insouciance, leur stupidité, leur désinvolture, leur indécrottable provincialisme. Ce n'était pas faux, mais ce qu'elle abhorrait par-dessus tout, c'était leur jeunesse. Pas seulement leur perfection physique, non, juste leur âge, une simple question de chronologie, le fait qu'ils avaient la vie devant eux. Tout était meilleur dans l'anticipation, tout. Elle rêvait encore parfois qu'elle regardait Mars du haut de l'*Arès*, alors qu'ils venaient d'entrer en orbite martienne et s'apprêtaient à descendre. Et dans le choc du réveil, du retour au présent, elle se rendait compte qu'elle n'avait jamais été aussi heureuse que dans cette fièvre anticipatrice alors qu'un nouveau monde s'étendait à leurs pieds, que tout était possible. C'était ça, la jeunesse.

– Pense que ce sont des compagnons de route, lui conseilla alors Michel, comme il l'avait déjà fait à plusieurs reprises, lorsque Maya lui avait avoué ce sentiment. Ils ne seront pas jeunes plus longtemps que nous, un claquement de doigts, et voilà ! ils seront vieux et ils cesseront d'être tout court. Nous passons tous par là. Un siècle de différence n'est rien. Et de tous les humains qui ont jamais existé et qui existeront jamais, ces gens sont les seuls qui vivront en même temps que nous. Ça fait d'eux tes contemporains. Et tes contemporains sont les seuls qui te comprendront jamais.

– Je sais, je sais, fit Maya (et c'était vrai). Mais je les exècre quand même.

La loupe spatiale avait creusé un chenal d'une profondeur à peu près constante partout, aussi la tranchée qu'elle avait ouverte dans le bord du cratère Gale, au nord-est et au sud-ouest, était-elle plus haute que le lit du canal. Il avait donc fallu l'approfondir, puis on y avait installé des écluses et le cratère intérieur avait été transformé en un lac d'altitude, un bulbe dans l'interminable thermomètre du canal. L'ancien système lowellien de nomenclature ne semblait pas s'appliquer ici, et les écluses du nord-est étaient entourées par une petite ville divisée en deux appelée Tranchée du Bouleau, alors que la ville plus vaste qui entourait l'écluse du sud-ouest s'appelait Berges. Berges était construite sur la zone de fonte de la brûlure, s'élevait en larges terrasses incurvées sur le bord non fondu de Gale et surplombait le lac intérieur. C'était une ville sauvage, où descendaient les équipages et les passagers des bateaux pour se joindre à la fête plus ou moins continue. Cette nuit-là, l'animation était concentrée sur l'arrivée de la campagne de Mars Libre. Une grande place plantée d'herbe, perchée sur une large saillie au-dessus de l'écluse du lac, était pleine de gens. Certains écoutaient les orateurs discourir sur une estrade, d'autres, ignorant le tumulte, faisaient des courses ou se promenaient, buvaient, dansaient ou exploraient les hauteurs de la ville.

Maya assista à tous les discours de la campagne du haut d'une terrasse surplombant l'estrade, ce qui lui permettait de voir Jackie et les dirigeants de Mars Libre grenouiller, parler et écouter en attendant leur tour de se retrouver sous les feux des projecteurs. Antar et Ariadne étaient là, ainsi que d'autres que Maya reconnaissait plus ou moins pour les avoir vus aux infos. Les observer de la coulisse pouvait être très révélateur. Elle voyait se déployer la dynamique de domination des primates dont Frank lui rebattait les oreilles. Deux ou trois hommes tournaient autour de Jackie, et, pour d'autres motifs, quelques femmes aussi. L'un des hommes, un certain Mikka, siégeait depuis peu au conseil exécutif global, en tant que chef de Mars-Un. Mars-Un était l'un des plus vieux partis politiques de Mars, formé pour contester les termes du renouvellement du premier traité de Mars. Maya croyait se souvenir d'y avoir participé. La politique martienne était maintenant organisée selon un schéma qui rappelait celui des démocraties parlementaires européennes, avec un large spectre de petits partis gravitant autour de quelques coalitions centristes, dans leur cas Mars Libre, les Rouges et les gens de Dorsa Brevia, les autres leur emboîtant le pas, comblant les vides ou courant sur les côtés, tous se déplaçant d'un bord à l'autre au gré des alliances temporaires, pour faire progresser leur petite cause. Dans ce dispositif, Mars-Un était devenu une sorte d'aile politique des écoteurs Rouges qui sévissaient encore, une organisation déplaisante, expéditive, sans scrupules, acoquinée à la majorité écrasante de Mars Libre sans véritable raison idéologique. Il devait y avoir un accord quelconque derrière tout ça. Ou quelque chose de plus personnel. La façon dont Mikka suivait Jackie, la regardait. Un amant, ou un ex-amant de fraîche date. Maya en aurait mis sa tête à couper. Elle en eut plus tard la confirmation par des rumeurs.

Leurs discours évoquaient toujours la belle, la merveilleuse Mars, qui allait finir anéantie par la surpopulation, à moins qu'ils ne la ferment à toute immigration. C'était un point de vue qui disait quelque chose au public, ainsi qu'en témoignaient les acclamations de la foule. Attitude profondément hypocrite, car la plupart de ceux qui approuvaient ce programme gagnaient leur vie grâce aux touristes terriens, et tous étaient des immigrants ou des enfants d'immigrants, mais ça ne les empêchait pas d'applaudir. C'était un bon programme électoral. Surtout quand on ignorait le risque de guerre, l'immensité de la Terre et sa primauté en matière de civilisation humaine. La défier ainsi... Mais ça n'avait pas d'importance. Ces gens se fichaient pas mal de la Terre et ne comprenaient rien, de toute façon. Et puis cette attitude de défi faisait paraître Jackie plus brave et plus belle, la championne de Mars Libre. Elle reçut une véritable ovation. Elle avait beaucoup appris depuis ses discours maladroits de la seconde révolution. Elle était devenue assez bonne, pour ne pas dire excellente.

Les orateurs Verts se levèrent à leur tour et plaidèrent en faveur d'une Mars ouverte. Bien entendu, ils évoquèrent le danger de la politique de fermeture, mais la réaction fut beaucoup moins enthousiaste. Leur prise de position ressemblait à de la lâcheté, à vrai dire, et la vision d'une Mars ouverte paraissait naïve. Avant d'arriver à Berges, Vendana avait proposé à Maya de prendre la parole, mais elle avait refusé, et elle venait de recevoir la confirmation de ce qu'elle pensait. Elle n'enviait pas ces orateurs de devoir soutenir une position impopulaire devant une foule qui allait en s'amenuisant.

A la suite des discours, les Verts tinrent une petite soirée post-mortem, et Maya critiqua sévèrement leur prestation.

– Je n'ai jamais vu une incompétence pareille. Vous essayez de leur faire peur et vous ne réussissez qu'à donner l'impression d'être terrifiés. Le bâton est nécessaire, mais il faut aussi une carotte. Si le risque de guerre est le bâton, il faut aussi que vous leur disiez sans avoir l'air idiot pourquoi les Terriens doivent pouvoir continuer à venir. Vous devez leur rappeler qu'ils sont tous d'origine terrienne, que nous sommes toujours des immigrants ici et que nous ne pouvons pas abandonner la Terre.

Ils acquiescèrent. Athos semblait pensif. Puis Maya prit Vendana à part et l'interrogea sur les récentes liaisons de Jackie. Mikka était bien l'un de ses derniers partenaires, et l'était probablement encore. Mars-Un était peut-être plus opposé à l'immigration que Mars Libre. Maya hocha la tête ; elle commençait à entrevoir les grandes lignes d'un plan.

Après la réunion, Maya alla se promener en ville avec Vendana,

Athos et les autres. Ils passèrent devant un orchestre qui jouait ce qu'on appelait du Sheffield. La musique n'était que du bruit pour Maya : vingt percussionnistes ayant chacun son rythme propre sur des instruments qui n'avaient pas été conçus pour les percussions, ou pour un quelconque usage musical. Mais cela servait ses intentions, car dans le bruit et le tintamarre, elle put guider ses jeunes compagnons comme si de rien n'était vers Antar, qu'elle avait repéré de l'autre côté de la piste de danse. Quand ils furent près de lui, elle s'exclama :

– Tiens, mais c'est Antar ! Salut, Antar ! Voici les gens avec qui je descends le canal. Nous sommes juste derrière vous, apparemment. Nous allons vers Hell's Gate, et puis Odessa. Comment marche la campagne ?

Antar déploya le charme princier qui lui était coutumier. C'était un homme auquel on avait du mal à s'opposer, même quand on savait à quel point il pouvait être réactionnaire et qu'il avait été l'instrument des nations arabes de la Terre. Il avait dû apprendre à tourner le dos à ces vieux alliés, encore un aspect dangereux de cette stratégie anti-immigration. Il était curieux de voir de quelle façon la direction de Mars Libre avait décidé de défier le pouvoir terrien tout en essayant de dominer chaque nouvelle colonie du système solaire extérieur. L'hubris. Ou peut-être se sentaient-ils seulement menacés : Mars Libre avait toujours été le parti des jeunes indigènes, et si une immigration débridée amenait des millions de nouveaux issei, son statut, sa supermajorité et même sa majorité tout court seraient menacés. Ces nouvelles hordes, avec leur fanatisme intact – leurs églises, leurs mosquées, leurs drapeaux, leurs caches d'armes, leurs guerres ouvertes –, constituaient indéniablement une cause à défendre pour Mars Libre, car l'immigration intensive de la décennie écoulée avait de toute évidence engendré l'émergence d'une autre Terre tout aussi absurde que la première. John serait devenu dingue. Frank aurait bien rigolé. Arkady aurait lancé : Je vous l'avais bien dit, et il aurait suggéré une autre révolution.

Mais il fallait être réaliste ; on ne pouvait pas faire disparaître la Terre d'un coup de baguette magique. En attendant, Antar était si chaleureux, si courtois qu'il donnait l'impression de penser que Maya pourrait lui être utile. Il suivait toujours Jackie comme un petit chien, aussi Maya ne fut-elle pas étonnée de voir apparaître Jackie et quelques autres. Tout le monde se salua. Maya fit un signe de tête à Jackie, et celle-ci répondit d'un sourire sans défaut. Maya prit soin de lui présenter un à un ses nouveaux compagnons. En arrivant à Athos, elle vit que Jackie l'observait, et celui-ci lui dédia un regard amical. Maya demanda à Antar, en passant, comment allaient Zeyk et Nazik, qui vivaient sur la baie d'Acheron. Les deux groupes se déplaçaient lentement vers la musique, et bientôt, s'ils continuaient à avancer, le bruit serait tel qu'elle ne pourrait plus suivre la conversation des autres.

– J'aime le rythme du Sheffield, dit Maya à Antar. Tu m'aides à approcher de la piste de danse ?

Comme si elle avait besoin de qui que ce soit pour traverser une foule. Mais Antar la prit par le bras, sans voir – ou en feignant de ne pas voir – que Jackie parlait à Athos. C'était de l'histoire ancienne pour lui, de toute façon. Mais ce Mikka, qui avait l'air très grand et très costaud de près (une hérédité scandinave, peut-être), semblait avoir la tête près du bonnet. Il suivait le groupe d'un air boudeur. Maya eut une moue satisfaite. Ça commençait bien. Si Mars-Un était encore plus isolationniste que Mars Libre, une bisbille entre les deux pouvait être utile.

Alors elle dansa avec un enthousiasme qu'elle n'avait pas éprouvé depuis des années. En fait, si on se concentrait sur les tambours de basse, leur rythme rappelait celui d'un cœur battant la chamade. Et le charivari des bouts de bois, ustensiles de cuisine et cailloux ronds qui se greffait sur cette pulsation fondamentale n'était que le bruit éphémère d'un grondement d'estomac ou d'une pensée fugitive. Cela semblait suivre une certaine logique. Pas une logique musicale au sens où elle l'entendait, mais une sorte de logique rythmique. Danser, suer, regarder Antar bouger gracieusement. Il devait être idiot, mais ça ne se voyait pas. Jackie et Athos avaient disparu. De même que Mikka. Il allait peut-être disjoncter et tous les tuer ? Maya eut un grand sourire et tourna de plus belle sur la piste.

Quand Michel s'approcha, elle l'accueillit avec un sourire radieux et le serra sur son cœur. Elle était en sueur, mais Michel aimait ça. Il en fut ravi et intrigué.

– Je croyais que tu détestais ce genre de musique ?

– Il y a des moments où je l'adore.

Au sud-ouest de Gale, le canal montait, par un système d'écluses, jusqu'au plateau d'Hesperia. Il traversait les highlands à l'est du massif de Tyrrhena à l'altitude à peu près constante de quatre kilomètres au-dessus du niveau de la mer, de sorte que les écluses n'étaient plus nécessaires. Pendant plusieurs jours d'affilée, ils suivirent le canal soit aux machines, soit propulsés par les petits mâts-voiles du vaisseau, s'arrêtant dans toutes les villes qui bordaient le canal : Oxus, Jaxartes, Scamander, Simois, Xanthus, Steropes, Polyphemus. Ils restèrent à distance constante du bateau de Mars Libre, ainsi que de la plupart des barges et des yachts qui se dirigeaient vers Hellas. Tout s'étendait, immuable, d'un horizon à l'autre, si ce n'est que, dans cette région, le canal n'était pas foré dans le régolite de basalte habituel, de sorte qu'on observait des variations dans les berges, des strates d'obsidienne et d'autres roches sidérolithiques, des volutes de porphyre marbré, brillant, aux couleurs étincelantes, des jaunes de soufre violents, des conglomérats granuleux, et même une longue section vitreuse, transparente, cristalline, qui bordait le canal sur les deux côtés, déformant les hauts plateaux qui se trouvaient derrière et reflétant la couleur du ciel. Cette bande, appelée Rives de Verre, était évidemment très peuplée. Entre les villes qui longeaient le canal à cet endroit serpentaient des chemins de mosaïque bordés de villas aux pelouses entourées de haies, ombragées par des palmiers plantés dans de gigantesques pots de céramique. Les maisons de Rives de Verre étaient blanchies à la chaux, avec des portes et des persiennes de teintes pastel, éclatantes, des toits de tuiles bleues, vernissées. Les restaurants avaient des tentures bleues surmontées d'enseignes lumineuses multicolores. C'était une sorte de Mars de rêve, un cliché de l'ancien paysage onirique, mais non moins beau pour autant, son évidence faisant en fait partie du plaisir. Lorsqu'ils traversèrent cette région, il faisait chaud et il n'y avait pas un souffle de vent, de sorte que la surface de l'eau était aussi lisse et claire que les rives : un monde de verre. Assise sur le pont avant, sous un auvent de toile, Maya observait, comme tout le monde, les barges de marchandises et les bateaux à aubes chargés de touristes qu'ils croisaient, les berges de verre et les villes colorées qui les bordaient. C'était l'un des plus grands centres touristiques martiens, la destination favorite des visiteurs des autres mondes : ridicule, mais vrai. Et il fallait admettre que c'était joli. Elle comptait bien gagner son pari, mais quel que soit le parti qui remporterait les élections, se disait Maya en regardant défiler le paysage, quelle que soit l'issue de la bataille de l'immigration, ce monde continuerait à briller comme un jouet au soleil.

Alors qu'ils poursuivaient vers le sud, l'automne austral rafraîchit un peu l'air. Sur les rives redevenues basaltiques commençaient à apparaître des arbres à bois dur, aux feuilles de tous les tons de jaune et de rouge du spectre visible. Un matin, une mince pellicule de glace couvrit l'eau immobile le long des rives. Du haut de la berge, à l'ouest, ils voyaient Tyrrhena Patera et Hadriaca Patera se découper sur l'horizon tels des Fujis aplatis. Les flancs noirs d'Hadriaca étaient rayés comme un berlingot par des glaciers blancs. Maya l'avait vu de l'autre côté, en revenant de Dao Vallis, quand elle avait fait le tour du bassin d'Hellas lors de sa mise en eau, il y avait si longtemps. Avec cette jeune fille – comment s'appelait-elle, déjà ? Une parente d'une de ses relations.

Le canal traversait les montagnes en dos de dragon de Dorsa Hesperia. Les villes du bord du canal devenaient moins équatoriales, plus austères, plus semblables aux villes fluviales des hauts plateaux de la Volga ou aux villages de pêcheurs de Nouvelle-Angleterre, mais ils s'appelaient Astapus, Aeria, Uchronia, Apis, Eunostos, Agathadaemon, Kaiko... Ils allaient toujours plus loin vers le sud-ouest, sur le large ruban d'eau aussi droit qu'un relevé au compas, jour après jour, jusqu'à ce qu'il soit difficile d'imaginer que c'était le seul canal de ce genre sur toute la planète, qu'il n'y en avait pas tout un réseau comme sur les cartes du vieux rêve. Oh, il y avait un autre canal à Boone's Neck, mais il était court, très large, et s'élargissait chaque année, déchiqueté par les câbles des draglines et les courants, si bien que ce n'était plus vraiment un canal mais plutôt un détroit artificiel. Non, le rêve des canaux ne s'était concrétisé qu'en cet endroit de la planète. Et quand on voguait là, entre les hautes berges, on avait le sentiment romantique que les querelles politiques et personnelles avaient une sorte de grandeur barsoomienne [1].

Telle était du moins l'impression qu'on avait, le soir, sous les néons pastel des villes du canal. Maya se promenait dans une de ces villes, Antaeus, en regardant les bateaux, les grands et beaux jeunes gens qui bavardaient nonchalamment, attablés à des buvettes, la viande qui cuisait sur des braseros fixés aux rambardes, le long de l'eau, lorsque d'un large ponton jeté sur le canal monta la plainte d'un violon tzigane. Elle s'approcha instinctivement et vit, mais trop tard, Jackie et Athos, assis à une table de café en plein air, penchés l'un vers l'autre au point que leurs fronts se touchaient presque. Elle n'avait surtout pas envie d'interrompre un tête-à-tête aussi prometteur et s'arrêta brusquement, mais le mouvement attira l'attention de Jackie qui leva les yeux et sursauta. Maya n'eut pas le temps de battre en retraite. Déjà Jackie se dirigeait vers elle.

Encore une scène, se dit Maya que cette perspective ennuyait vaguement. Mais Jackie était tout sourire, Athos à côté d'elle, observant le monde avec de grands yeux candides. Soit il n'avait aucune idée de ce qui se passait, soit il contrôlait admirablement son expression. Maya opta pour la seconde hypothèse. La lueur qui brillait dans son regard était trop innocente pour être réelle. Un comédien. C'était un grand comédien.

– Ce canal est magnifique, tu ne trouves pas ? fit Jackie.

1. Barsoom est le nom de la planète Mars dans l'œuvre d'Edgar Rice Burroughs. (*N.d.T.*)

– Un piège à touristes, répondit Maya. Mais un beau piège. Et les touristes ne risquent pas de s'envoler.

– Allons ! s'esclaffa Jackie en prenant le bras d'Athos. Qu'as-tu fait de ton beau romantisme ?

– Quel romantisme ? répliqua Maya, ravie de cette démonstration publique d'affection.

La Jackie d'autrefois n'aurait jamais fait une chose pareille. En fait, Maya constata avec un choc qu'elle n'était plus toute jeune. Elle était stupide de ne pas y avoir pensé, mais elle avait du temps une vision tellement brouillée que son propre visage dans le miroir la surprenait toujours. Elle se réveillait chaque matin dans le mauvais siècle, et voir Jackie jouer les rombières, Athos pendu à son bras, lui faisait un peu le même effet. Ce n'était pas possible, il y avait erreur, c'était la fille fraîche, redoutable, de Zygote, la jeune déesse de Dorsa Brevia !

– Tout le monde est romantique, dit Jackie.

Les années ne l'avaient pas assagie. Encore une discontinuité chronologique. Peut-être les traitements de longévité répétés lui avaient-ils coagulé le cerveau. Bizarre qu'après s'être administré autant de drogues elle donne encore des signes de vieillissement. D'où venait-il, d'ailleurs, en l'absence d'erreur dans la division cellulaire ? Elle avait le visage aussi lisse qu'une fille de vingt-cinq ans, il émanait d'elle une confiance typiquement boonéenne, plus forte que jamais, son seul vrai trait de famille avec John, aussi éclatant que l'enseigne au néon du café, au-dessus d'eux. Et malgré tout, elle faisait son âge, quelque chose dans le regard, ou dans une gestalt au travail malgré toutes les manipulations médicales.

Soudain, l'une des nombreuses assistantes de Jackie se rua sur eux, haletante, hoquetante, tremblant de tous ses membres. Elle arracha le bras de Jackie à celui d'Athos, et dit en sanglotant :

– Oh, Jackie, je suis tellement, tellement désolée, elle s'est tuée, elle s'est tuée...

– Qui ça ? lança Jackie d'une voix qui claqua comme un coup de fouet.

– Zo, répondit lamentablement la jeune femme.

Sauf qu'elle n'était plus si jeune que ça, elle non plus.

– Zo ?

– Elle a eu un accident. Elle volait quand elle est tombée dans la mer.

Voilà qui devrait la refroidir, se dit Maya.

– Naturellement, fit Jackie.

– Mais sa tenue d'homme-oiseau ? protesta Athos. (Il prenait de la bouteille, lui aussi.) Elle ne l'a pas...

– Je n'en sais rien.

– Quelle importance ! fit Jackie, leur intimant le silence à tous.

Plus tard, Maya entendit un témoin oculaire raconter l'accident, dont l'image devait rester à jamais gravée dans son esprit : les deux femmes-oiseaux se débattant dans les vagues comme des mouches trempées, se maintenant à la surface de sorte qu'elles auraient dû s'en tirer, et puis une des grosses vagues de la mer du Nord les avait cueillies, projetées sur un écueil, et elles avaient disparu dans l'écume.

Jackie était prostrée, lointaine, perdue dans ses pensées. Maya avait entendu dire qu'elles ne s'entendaient pas, Zo et elle, qu'elles se détestaient. Mais son enfant... On n'était pas censé survivre à ses enfants ; même Maya, qui n'en avait jamais eu, le pensait profondément. Seulement toutes les lois avaient été abrogées, la biologie ne voulait plus rien dire, et voilà où ils en étaient. Si Ann avait perdu Peter dans la chute du câble, si Nadia et Art perdaient jamais Nikki... Même Jackie, cette imbécile, devait le sentir.

Oh oui, elle le sentait ! Elle tournait et retournait la chose dans sa tête, cherchant un moyen d'en sortir. Mais elle n'en sortirait pas. Elle deviendrait une personne différente, vieillissante – ça n'avait aucun rapport avec le temps, aucun.

– Oh, Jackie ! Je suis tellement désolée, fit Maya en tendant la main.

Jackie eut un mouvement de recul. Maya retira sa main. C'est quand les gens ont le plus besoin d'aide que leur isolement est le plus extrême. C'est ce que Maya avait appris la nuit de la disparition d'Hiroko, quand elle avait essayé de réconforter Michel. Il n'y avait rien à faire.

Maya dut se retenir pour ne pas flanquer une calotte à l'assistante éplorée.

– Vous devriez la raccompagner au bateau et tenir les gens à l'écart pendant un moment.

Jackie était toujours perdue dans ses pensées. Sa réaction de rejet avait été purement instinctive. Elle était assommée, en proie à un sentiment d'irréalité qui absorbait toute son énergie. Une réaction normale, celle de n'importe quel être humain. C'était peut-être encore pire quand on ne s'entendait pas avec son enfant, pire que si on l'aimait. Ah, Seigneur...

– Allez, fit Maya à l'assistante en signifiant du regard à Athos de l'aider.

Il finirait bien par lui faire de l'effet, d'une façon ou d'une autre. Ils l'entraînèrent. Elle avait toujours le plus beau dos du monde. Un port de reine. Ça changerait quand elle réaliserait.

Plus tard, Maya se retrouva à la limite sud de la ville, à l'endroit où les lumières s'arrêtaient et où le canal piqueté d'étoiles était enserré dans des berges de mâchefer noir. Cela ressemblait au parchemin d'une vie, la ligne de vie du monde : des vers de néon grouillant dans un paysage, vers l'horizon noir. Des étoiles au-dessus de leurs têtes, sous leurs pieds. Une piste noire sur laquelle ils planaient sans bruit.

Elle retourna au bateau. S'appuya au bastingage. C'était désespérant d'éprouver de tels sentiments pour un ennemi, de perdre un ennemi dans un désastre de ce genre.

– Qui vais-je haïr maintenant? cria-t-elle à Michel.

– Euh... fit Michel, pris de court, puis il ajouta, réconfortant : Tu trouveras bien quelqu'un, va.

Maya eut un petit rire sec et Michel se fendit d'un sourire. Puis il haussa les épaules et reprit son air grave. Il ne s'était pas fait avoir par le traitement comme les autres. Des histoires d'immortalité dans une chair mortelle, avait-il toujours dit et répété. Il était d'une morbidité absolue sur le sujet. Encore une illustration de son propos.

– Alors la plus qu'humaine a fini par se faire avoir, dit-il.

– Elle prenait trop de risques, aussi. L'idiote ! Elle l'a bien cherché.

– Elle n'y croyait pas.

Maya hocha la tête. Ça ne faisait aucun doute. Rares étaient ceux qui croyaient encore à la mort, surtout les jeunes, qui n'y avaient jamais cru, même avant le traitement, et maintenant moins que jamais. Mais qu'on y croie ou non, elle frappait de plus en plus souvent, surtout les plus vieux, évidemment. De nouvelles maladies, d'anciennes qui revenaient, ou un effondrement rapide, holistique, sans cause apparente.

C'est comme ça qu'étaient partis, ces dernières années, Helmut Bronski et Derek Hastings, des gens que Maya avait rencontrés, sinon bien connus. Et voilà qu'un accident avait frappé un être bien plus jeune qu'eux. Cela n'avait aucun sens, ça n'entrait dans aucun schéma. C'était l'imprudence de la jeunesse. Un accident. Le hasard. Un coup du sort.

– Tu veux toujours que Peter revienne? demanda Michel, changeant radicalement de sujet.

Allons bon! Michel qui donnait dans la realpolitik! Ah... C'était pour lui changer les idées. Elle manqua éclater de rire.

– Essayons toujours de le contacter. Il voudra peut-être venir, dit-elle.

Mais c'était seulement pour rassurer Michel. Le cœur n'y était pas.

La ronde des morts avait commencé.

Mais elle ne le savait pas, à ce moment-là. Ce n'était que la fin de leur voyage sur le canal.

La loupe spatiale avait cessé son œuvre de forage juste avant le bord est de la cataracte du bassin d'Hellas, entre Dao et Harmakhis Vallis. La dernière partie avait été creusée par des moyens conventionnels, et la rapidité de la descente, du côté est du bassin, avait exigé la construction de multiples écluses qui faisaient ici office de barrage. L'aspect du canal n'était plus du tout le même que dans les highlands. C'était maintenant une succession de lacs de réservoir reliés par de larges tronçons de rivière rougeâtres. A travers les parois cristallines des écluses, l'enfilade de lacs leur apparaissait comme un escalier géant aux marches bleues descendant jusqu'au miroir de bronze lointain de la mer d'Hellas. Ils descendirent donc, marche après marche, participant à une lente parade de barges et de bateaux à voile, de bateaux de croisière et à vapeur. Les canyons de Dao et d'Harmakhis entaillaient profondément le plateau de roche rouge à gauche et à droite, mais depuis que les bâches avaient été enlevées, il fallait pour les voir se trouver juste au bord, et ils étaient invisibles du canal.

A bord de leur bateau, la vie continuait. Il en allait apparemment de même sur la barge de Mars Libre, où on disait que Jackie allait bien. Elle voyait encore Athos quand les deux bateaux mouillaient dans la même ville. Elle acceptait avec grâce les marques de sympathie, puis changeait de sujet pour aborder généralement celui de la campagne en cours. Laquelle se déroulait sans anicroche. Sous la direction de Maya, la campagne des Verts était mieux dirigée qu'avant, mais le sentiment anti-immigration était fort. Partout où ils allaient, divers conseillers et candidats de Mars Libre haranguaient la foule, Jackie ne faisant que de brèves apparitions pleines de dignité. Ses propos avaient gagné en force et en intelligence. Maya acquit, en regardant les autres discourir, une bonne idée d'ensemble des rapports de force au sein de l'organisation. Plusieurs de ses membres avaient l'air très satisfaits de se retrouver enfin sous la lumière des projecteurs. L'un des partenaires de Jackie, un dénommé Nanedi, se mettait particulièrement en avant, ce qui semblait irriter Jackie. Elle lui battit froid, se tourna de plus en plus vers Athos, Mikka et même Antar. Certains soirs, on aurait vraiment dit une reine au milieu de sa cour. Mais Maya connaissait la réalité sous-jacente, elle savait ce qu'elle avait vu à Antaeus. Même éloignée d'une centaine de mètres, elle avait une vision pénétrante de la noirceur tapie au cœur des choses.

Enfin, quand Peter répondit à son appel, Maya demanda à le voir pour parler des élections en cours. Et quand il arriva, elle guetta la suite des événements. Car il allait se passer quelque chose, c'était une certitude.

Peter avait l'air calme et détendu. Il vivait maintenant à Charitum Montes et travaillait à la fois sur le projet de réserve d'Argyre et avec une coop qui fabriquait des navettes de transport Mars-espace pour les gens qui voulaient court-circuiter l'ascenseur. Calme, détendu, un peu en retrait. Simon tout craché.

Antar en voulait déjà à Jackie de l'avoir humilié plus que d'ordinaire en s'affichant avec Athos. Mikka était encore plus furieux qu'Antar. Et voilà qu'elle déconcertait Athos et allait jusqu'à le mettre en colère, car elle consacrait maintenant toute son attention à Peter. Elle était aussi fiable qu'un aimant. Elle était attirée par Peter qui avait toujours réagi en sa présence avec l'inertie du fer face à l'aimant. Ils étaient tous tellement prévisibles que c'en était déprimant. Mais c'était utile : la campagne de Mars Libre perdait subtilement de son impact. Antar n'osait plus suggérer aux Qahiran Mahjaris d'oublier un peu l'Arabie en cette période de trouble. Mikka fustigeait les positions de Mars Libre hormis celles liées à l'immigration, et attirait certains membres du conseil exécutif dans sa sphère d'influence. Oui, décidément, Peter catalysait les maladresses de Jackie, la rendant erratique et inefficace. Tout marchait donc comme Maya l'avait prévu : il suffisait de pousser les hommes vers Jackie pour la faire tomber comme une quille. Elle n'en éprouvait pourtant aucun sentiment de triomphe.

Sitôt la dernière écluse passée, ils débouchèrent dans la baie de Malachite, un entonnoir peu profond qui se jetait dans la mer d'Hellas. Ils laissèrent derrière eux les vaguelettes dorées par le soleil et s'engagèrent dans la mer plus sombre, où beaucoup de barges et de petits bateaux tournaient vers le nord et se dirigeaient vers Hell's Gate, le plus grand port de mer de la côte est d'Hellas. Ils suivirent les autres, et bientôt le grand pont qui franchissait Dao Vallis apparut à l'horizon, puis les parois couvertes de bâtiments de l'entrée du canyon et enfin le port avec ses quais, sa longue jetée et ses mâts.

Maya et Michel débarquèrent et empruntèrent le dédale de rues pavées et d'escaliers menant aux vieux dortoirs de Praxis, sous le pont. Michel voulait assister au festival des moissons d'automne qui avait lieu la semaine suivante, après quoi ils partiraient pour l'île Moins-Un et enfin Odessa. Ils retinrent une chambre, déposèrent leurs bagages, et Maya partit se promener dans les rues de Hell's Gate, heureuse de sortir de l'espace confiné du bateau, de se débrouiller seule. Le soleil allait bientôt se coucher sur une journée qui avait commencé sur le Grand Canal. Le voyage était terminé.

Maya n'était pas revenue à Hell's Gate depuis 2121. Elle travaillait alors pour Deep Waters et faisait le tour du bassin avec... avec Diana ! C'était la petite-fille d'Esther, et une cousine au second degré de Jackie. Cette grande gamine chaleureuse lui avait fait connaître les jeunes indigènes, non seulement grâce à ses contacts dans les nouvelles colonies entourant le bassin, mais par son attitude et ses idées : la Terre n'était qu'un mot pour elle, seule l'intéressait sa propre génération. C'est là que, pour la première fois, Maya s'était sentie glisser hors du présent, avait eu la sensation d'entrer dans les livres d'histoire. Elle n'avait réussi à continuer d'exercer une influence sur son époque qu'au prix d'un violent effort sur elle-même. Mais elle avait fourni cet effort, elle avait marqué son temps. C'était l'une des grandes périodes de sa vie, peut-être la dernière. Depuis les années avaient coulé comme un fleuve dans les highlands du Sud, errant entre les fissures et les grabens, puis disparaissant dans un trou que l'on n'attendait pas.

Mais un jour, soixante ans plus tôt, elle s'était dressée à cet endroit, sous le grand pont qui enjambait l'embouchure du canyon de Dao, le fameux pont de Hell's Gate, avec la cité qui gravissait les pentes abruptes, baignées par le soleil, des deux côtés du fleuve, face à la mer. A l'époque, il n'y avait là que du sable et une bande de glace sur l'horizon. La ville était plus petite, plus fruste. Les escaliers de pierre étaient rugueux, poussiéreux. Maintenant les marches étaient polies par le temps, la poussière avait été balayée par les années. Tout était propre, patiné. Un beau port méditerranéen, à flanc de colline, perché dans l'ombre d'un pont qui en faisait une miniature, une inclusion dans un presse-papiers ou une carte postale du Portugal. Une jolie ville florissante dans le soleil couchant, un instant emprisonné dans l'ambre. Elle était jadis passée par ici avec une jeune amazone vibrante. C'était un nouveau monde qui s'ouvrait, la Mars indigène qu'elle avait aidée à venir au monde. Tout s'était révélé à elle, alors qu'elle en faisait encore partie.

Le soleil se coucha sur ces souvenirs. Maya voulut retourner au bâtiment de Praxis, sous le pont, comme autrefois. En montant l'escalier aussi raide qu'une échelle, les mains appuyées sur ses cuisses pour s'aider, elle fut envahie par un sentiment de déjà-vu. Non seulement elle avait gravi cet escalier mais encore elle l'avait gravi en pensant l'avoir déjà fait, et elle avait eu aussi l'impression d'être jadis venue là alors qu'elle jouait un rôle actif dans le monde.

Evidemment – ça lui revenait, maintenant : elle avait été l'une des premières à explorer le bassin d'Hellas, juste après Underhill. Elle avait contribué à la fondation de Low Point, puis elle avait poursuivi son chemin, explorant le bassin avant tout le monde, Ann y compris. Et plus tard, alors qu'elle travaillait pour Deep Waters, elle avait eu, en voyant les nouvelles colonies indigènes, la même impression d'être écartée de la scène contemporaine.

– Seigneur ! s'exclama-t-elle, consternée.

Des couches de vie superposées. Ils avaient vécu si longtemps ! C'était une sorte de réincarnation, d'éternel retour.

D'un autre côté, il y avait un petit noyau d'espoir dans tout ça. La première fois qu'elle s'était sentie dériver ainsi, elle avait commencé une nouvelle vie. Elle était allée s'installer à Odessa et avait contribué au succès de la révolution par son travail acharné, en réfléchissant aux raisons pour lesquelles les gens supportaient le changement, en se demandant comment éviter le retour de bâton qui paraissait inévitable après quelques décennies, anéantissant ce que la révolution pouvait avoir de bon. Et ils donnaient l'impression d'être parvenus à éviter cet écueil.

Jusqu'ici du moins. Peut-être était-ce la meilleure façon de voir cette élection : un inévitable retour de bâton. Si ça se trouve, elle n'avait pas aussi bien réussi qu'elle le pensait, elle avait seulement moins échoué qu'Arkady, que John ou que Frank. Comment le savoir ? Il était si difficile d'y voir clair dans l'histoire : c'était trop vaste, trop imparfait. Il se passait tellement de choses ; tout était possible. Les coops, les républiques, les monarchies féodales... On pouvait être sûr qu'il y avait des satrapes orientaux dans des caravanes égarées dans l'arrière-pays. Quelle que soit la façon dont on définissait l'histoire, on était assuré d'avoir raison quelque part. Le projet dont elle s'occupait maintenant, les jeunes colonies indigènes qui réclamaient de l'eau, sortaient du système, échappaient au contrôle de l'ATONU... Non, ce n'était pas ça, c'était autre chose.

Mais pour l'instant, ça lui échappait. Le lendemain matin, elle devait prendre avec Diana un train qui faisait le tour d'Hellas par le sud-est pour voir Dorsa Zea et le tunnel de lave dont ils avaient fait un aqueduc... Non. Elle était ici parce que...

Elle n'arrivait pas à remettre le doigt dessus. Deep Waters... Diana... Elles revenaient juste de Dao Vallis, où des indigènes et des immigrants mettaient sur pied une communauté agraire au fond du canyon, créant une biosphère complexe sous leur énorme tente. Certains parlaient russe, elle en avait eu les larmes aux yeux rien que de les entendre ! Oh, la voix de sa mère, sèche et sarcastique, alors qu'elle repassait dans le coin-cuisine de leur petit appartement, l'odeur de chou qu'elle sentait encore...

Ce n'était pas ça non plus. La trémulation de la mer dans le crépuscule, à l'ouest. L'eau avait recouvert les dunes de sable de Hellas Est. Un siècle au moins avait passé, ça devait être ça. Elle était là pour autre chose... Des dizaines de bateaux, coques de noix dans un port de timbre-poste, derrière une jetée. Ça ne lui revenait pas. Elle avait l'impression affreuse, vertigineuse de l'avoir sur le bout de la langue. Une sensation nauséeuse, comme si elle espérait le faire revenir en vomissant. Elle s'assit sur une marche. Sa vie sur le bout de la langue, toute sa vie ! Elle laissa échapper un gémissement, et des enfants qui jetaient des gravillons aux mouettes la regardèrent. Diana. Elles étaient tombées sur Nirgal, ils avaient dîné ensemble... Et Nirgal était tombé malade. Malade sur la Terre !

Tout lui revint d'un coup presque physique, renversant, comme un direct au foie. Le voyage sur le canal, forcément, la plongée dans Burroughs engloutie, Jackie, et Zo, cette pauvre idiote. Naturellement. Elle n'avait pas vraiment oublié, bien sûr que non. C'était si évident maintenant que ça lui était revenu. Cela ne lui avait échappé qu'un instant, elle avait eu un trou de mémoire, parce qu'elle pensait à autre chose. A une autre vie. Une bonne mémoire avait son intégrité, ses écueils, tout autant qu'une mauvaise mémoire. Voilà ce qui arrivait quand on se disait que le passé était plus intéressant que le présent. C'était souvent vrai. Mais tout de même...

Tout de même, elle préféra rester assise un moment. Elle avait encore un peu mal au cœur. Elle ressentait une légère pression résiduelle à la tête, comme si le fait que tout cela lui soit si durement resté sur le bout de la langue l'avait un peu endolorie. Oui, ç'avait été un mauvais moment à passer. Difficile à nier alors qu'elle sentait encore les poussées spasmodiques, désespérées, de sa langue.

Elle attendit que le crépuscule plonge la ville dans une lueur orange intense, pareille à celle du soleil filtré par le verre d'une bouteille ambrée. C'était bien ça, Hell's Gate. Elle frissonna, se leva, gravit d'un pas mal assuré l'escalier menant au port. Les restaurants qui longeaient les quais étaient des globes lumineux frémissant comme des ailes de papillon. Une voie lactée en négatif les dominait de toute sa hauteur – le pont. Maya passa derrière les quais, vers la marina.

Elle tomba nez à nez avec Jackie. Ses assistants la suivaient à distance, mais Jackie marchait toute seule devant, venait à sa rencontre sans la voir. Quand elle l'aperçut, un coin de sa bouche se durcit, pas plus, mais ça suffit pour que Maya constate qu'elle avait, quoi, quatre-vingt-dix, cent ans ? Elle était belle, puissante, mais elle n'était plus jeune. Les événements auraient vite fait de la rattraper, comme tout le monde. L'histoire était une vague qui parcourait le temps un peu plus vite que la vie proprement dite, de sorte que même si les gens ne vivaient que soixante-dix ou quatre-vingts ans, ils se retrouvaient derrière la vague au moment de leur mort. C'était de plus en plus vrai. Rien ne les maintiendrait à flot, pas même une tenue d'homme-oiseau qui permettrait de surfer sur l'eau comme un pélican, comme Zo. Ah, c'était ça ; c'était la mort de Zo qu'elle voyait sur le visage de Jackie. Elle avait fait tout ce qui était en son pouvoir pour l'ignorer, pour la laisser glisser sur elle comme l'eau sur un canard. Mais ça n'avait pas marché, et maintenant c'était une vieille femme qui marchait à Hell's Gate, le long de l'eau criblée d'étoiles.

Maya s'arrêta, choquée par la force de cette image. Jackie s'arrêta aussi. Le bruit des assiettes entrechoquées, le brouhaha des conversations dans les restaurants, au loin. Les deux femmes se regardèrent. Maya ne se rappelait pas avoir jamais croisé le regard de Jackie, cet acte fondamental de reconnaissance, rencontrer le regard de l'autre. Oui, tu es réelle ; je suis réelle. Nous sommes là, toutes les deux. De grands pans de glace, se rompant à l'intérieur. Maya se détourna et s'éloigna, un peu plus libre.

Michel trouva un navire qui acceptait de les emmener à Odessa via l'île Moins-Un. L'équipage leur dit que Nirgal devait y être pour une compétition sportive, nouvelle qui combla Maya de joie. Elle éprouvait toujours du plaisir à voir Nirgal, et en ce moment elle avait bien besoin de son aide. Et puis elle voulait voir Moins-Un. La dernière fois qu'elle était passée par là, ce n'était pas une île ; rien qu'une station météo et une piste d'atterrissage sur une bosse, au fond du bassin.

Le navire était une longue goélette fuselée, avec cinq mâts-voiles en forme d'aile. Dès qu'ils furent au bout de la jetée, les mâts-voiles extrudèrent leur surface triangulaire, tendue, puis, lorsqu'ils filèrent par vent arrière, l'équipage déploya à l'avant un grand spinnaker bleu et le vaisseau bondit dans les vagues bleutées, soulevant des gerbes de gouttelettes. Après la noire contrainte des rives du Grand Canal, c'était merveilleux de se retrouver en pleine mer, avec le vent dans la figure et les vagues qui couraient le long des bords. Son cerveau se nettoya de Hell's Gate et de sa confusion. Jackie, le mois écoulé n'étaient plus qu'une sorte de carnaval morbide que rien ne l'obligerait à revivre. Elle ne retournerait jamais là-bas. La mer était à elle, sa vie était dans le vent !

– Oh, Michel, ça, c'est la vie !

– C'est beau, hein ?

Au bout du voyage, ils devaient s'installer à Odessa, qui était maintenant au bord de la mer comme Hell's Gate. Ils pourraient donc naviguer quand ils voudraient, pourvu qu'il fasse beau, et ce serait toujours comme ça : plein de soleil et de vent. Des moments éblouissants, le présent vivant. Ils n'auraient jamais d'autre réalité. L'avenir n'était qu'une vision, le passé un cauchemar – ou vice versa –, de toute façon, il n'y avait qu'ici, dans l'instant, qu'on pouvait sentir le vent, admirer les grandes vagues molles ! Maya lui indiqua une colline bleue qui roulait parallèlement à eux, le long d'une ligne fluctuante, et Michel éclata de rire. Ils la regardèrent attentivement, et leur hilarité redoubla. Il y avait des années que Maya n'avait eu à ce point l'impression d'être sur un autre monde. Ces vagues ne se comportaient pas comme elles auraient dû ; elles allaient dans tous les sens, retombaient, faisaient le dos rond, se tortillaient d'une façon que la brise n'expliquait pas. C'était étrange. Etranger. Ah, Mars, Mars, Mars !

Il n'y avait pas de marées, leur dit l'équipage, sur la mer d'Hellas. Cela ne changeait rien pour les vagues. Ce qui comptait, c'était la gravité et la force du vent. En entendant cela, en regardant la plaine bleue qui se soulevait, Maya sentit son esprit enfler de la même façon. Sa gravité était faible, et les vents étaient forts en elle. Elle était une Martienne, l'une des premières Martiennes, elle avait contribué à la mise en eau de ce bassin, participé à la construction de ses ports, permis que des marins le sillonnent librement. Elle y voguait elle-même à présent, et quand bien même elle ne ferait plus rien d'autre de sa vie, ça lui suffirait.

Maya voguait donc, debout à la proue, près du beaupré, la main sur le bastingage, dans le vent et les embruns. Michel s'approcha d'elle.

– C'est bon d'être sortis du canal, dit-elle.

– C'est vrai.

Ils parlèrent de la campagne, et Michel secoua la tête.

– Le thème de l'anti-immigration est si populaire.

– Tu crois que les yonsei sont racistes ?

– Ils auraient du mal, compte tenu de leurs propres origines mélangées. A mon sens, il s'agit purement et simplement de xénophobie. C'est de l'indifférence aux problèmes de la Terre, la crainte d'être submergés. Jackie se contente d'exprimer tout haut la peur que tout le monde éprouve déjà. Pas la peine d'être raciste pour ça.

– Mais toi tu es bon.

– Pff, comme la plupart des gens, soupira Michel.

– Tu parles ! s'exclama Maya qui le trouvait parfois trop optimiste. Qu'il s'agisse ou pas de racisme, ça pue. La Terre louche sur toute notre surface habitable et, si nous claquons la porte, il est probable qu'ils reviendront avec un bélier. Les gens ne veulent pas croire que ça pourrait arriver, mais si les Terriens sont suffisamment désespérés, ils ne nous demanderont pas notre avis pour venir, et si nous essayons de les empêcher de se poser, il y aura de la bagarre. En moins de deux ce sera la guerre, et pas sur Terre ou dans l'espace, non : ici, sur Mars. Ça nous pend au nez. Les gens de l'ONU essaient bien de nous mettre en garde. Mais Jackie ne veut rien entendre. Elle s'en fiche. Elle brandit l'étendard de la xénophobie à son profit.

Michel la regardait avec des yeux ronds. C'est vrai ; elle était censée ne plus haïr Jackie, mais certaines habitudes avaient la vie dure. D'un geste, elle balaya tout ce qu'elle venait de dire, la politicaillerie hallucinatoire, maligne, du Grand Canal.

– Ses intentions sont peut-être excellentes, dit-elle comme pour s'en persuader. Si ça se trouve, elle ne veut que le bien de Mars. Mais elle se trompe quand même, et il faut l'empêcher de nuire.

– Elle n'est pas seule en cause.

– Je sais. Il faut que nous réfléchissions à un moyen d'action. Enfin, ne parlons plus d'eux. Essayons de repérer l'île avant l'équipage.

Ils arrivèrent en vue de l'île deux jours plus tard. Comme ils s'en approchaient, Maya découvrit avec ravissement que Moins-Un n'était pas du tout dans le style du Grand Canal. Oh, il y avait des petits villages de pêcheurs aux maisons blanches, mais elles avaient l'air faites à la main, et ne possédaient même pas l'électricité. Sur les falaises au-dessus, des groupes de maisons se dressaient dans les arbres, des petits villages dans les airs. L'île était occupée par des farouches et des pêcheurs, leur dirent les marins. Le sol était nu sur les pointes de terre, vert dans les vallées cultivées. Des collines de grès ambré s'enfonçaient dans la mer, en alternance avec des petites baies sablonneuses, totalement dénudées en dehors des joncs agités par le vent.

– Ça a l'air si vide, remarqua Maya alors qu'ils contournaient la pointe nord puis le rivage ouest. Ils ont vu des images de ça sur Terre. Voilà la raison pour laquelle ils ne nous laisseront jamais leur claquer la porte au nez.

– Oui, acquiesça Michel. Tu as vu comment l'habitat est regroupé ? Ce sont les gens de Dorsa Brevia qui ont rapporté ce modèle de Crète. Tout le monde vit dans les villages et travaille dans les champs pendant la journée. Ce qui a l'air désert est en fait exploité, pour permettre à ces petits villages de vivre.

Il n'y avait pas de port à proprement parler. Ils entrèrent dans une baie peu profonde surplombée par un petit village de pêcheurs, et jetèrent l'ancre, qui resta distinctement visible sur le sable, par dix mètres de fond. Ils empruntèrent le dinghy de la goélette pour aller à terre, dépassant quelques grosses corvettes et plusieurs bateaux de pêche mouillés plus près de la plage.

De l'autre côté du village, quasi désert, un arroyo sinueux menait dans les collines, jusqu'à un canyon encaissé, après quoi une piste montait et descendait comme des montagnes russes vers le plateau, au-dessus. Sur cette lande accidentée, d'où la mer était visible de toutes parts, de grands chênes avaient été plantés longtemps auparavant. Certains étaient festonnés d'escaliers et de coursives, et des petites cabanes rondes étaient perchées dans les branches. En voyant ces maisons dans les arbres, Maya pensa à Zygote, et elle ne fut pas surprise d'apprendre que parmi les habitants de premier plan de l'île se trouvaient plusieurs ectogènes de Zygote – Rachel, Tiu, Simud, Emily. Ils étaient venus nicher ici, selon un mode de vie dont Hiroko aurait été fière. On disait même qu'ils la cachaient, avec les colons perdus, dans une plantation de chênes où ils avaient toute la place de vaquer à leurs occupations sans crainte d'être découverts. Quand elle regardait autour d'elle, Maya se disait que c'était au moins aussi plausible que n'importe laquelle des rumeurs qui couraient à son sujet. Enfin, il n'y avait pas moyen de savoir, et quelle importance de toute façon ? Si Hiroko avait décidé de vivre cachée, comme elle avait dû le faire si elle était en vie, il était inutile de chercher l'endroit où elle se terrait. Maya ne comprenait pas pourquoi cela obsédait tout le monde, et ça ne datait pas d'aujourd'hui. Elle n'avait jamais rien compris à Hiroko.

L'extrémité nord de l'île Moins-Un était moins mamelonnée que le reste et, en redescendant dans la plaine, ils repérèrent les bâtiments consacrés aux Olympiades. Ils avaient un aspect délibérément grec : un stade, un amphithéâtre, une plantation sacrée de séquoias monumentaux, et, sur un promontoire surplombant la mer, un petit temple à colonnes fait d'une pierre blanche qui ressemblait à du marbre : de l'albâtre, ou du sel couvert de diamant. Des campements temporaires de yourtes avaient été érigés sur les collines, au-dessus. Des milliers de gens grouillaient autour de cet endroit ; sans doute une bonne partie de la population de l'île et pas mal de visiteurs du bassin d'Hellas – les jeux étaient encore une affaire essentiellement locale. Ils furent donc surpris de trouver Sax dans le stade. Il aidait à prendre des mesures pour les épreuves de lancer. Il les serra sur sa poitrine en hochant la tête selon son habitude.

– Annarita lance le disque, aujourd'hui, dit-il. Ça devrait être bien.

C'est ainsi que Maya et Michel passèrent ce bel après-midi

avec Sax, sur la piste, ce qui leur permit de suivre les épreuves de près et de tout oublier en dehors de l'instant présent. La discipline préférée de Maya était le saut à la perche. Ça la fascinait complètement. Plus que les autres sports, il illustrait pour elle les possibilités offertes par la gravité martienne. Cela dit, il fallait manifestement une technique formidable pour l'exploiter, pour maîtriser la course bondissante avec l'interminable perche, la pose précise de la pointe oscillante, le décollage, la traction, le saut proprement dit, les pieds pointés vers le ciel, puis le catapultage dans l'espace, alors que la perche flexible projetait le sauteur tête en bas à une hauteur vertigineuse, enfin le retournement presque complet au-dessus (ou non) de la barre, et la longue chute sur un matelas d'aérogel. Le record martien était de quatorze mètres environ. Le jeune homme qui sautait à présent, le gagnant de la journée, tenta de franchir la barre des quinze mètres mais il échoua. Quand il redescendit du matelas d'aérogel, Maya se rendit compte à quel point il était grand, avec des épaules et des bras puissants, mais d'une minceur qui frisait la maigreur. Les perchistes féminines qui attendaient leur tour lui ressemblaient beaucoup.

Tous les sportifs étaient comme ça, grands, minces, les muscles durs. La nouvelle race, se dit Maya, qui se sentait faible, petite et vieille. L'*Homo martial*. Par bonheur, elle avait de bons os et se tenait encore bien, sans quoi elle aurait eu honte de marcher parmi de telles créatures. Elle regarda, inconsciente de sa grâce provocante, Annarita, la lanceuse de disque que leur avait indiquée Sax, tourner sur elle-même, accélérer, catapulter le disque. Elle était très grande, avec un torse long, large, des épaules profilées, et des grands dorsaux qui faisaient comme des ailes sous ses bras ; de beaux seins, moulés par le maillot, des hanches étroites mais des fesses fortes, rondes, de longues cuisses surpuissantes... Une belle bête, vraiment, et si forte, même s'il était clair que c'était la vitesse de sa rotation qui propulsait le disque à cette distance.

– Cent quatre-vingts mètres ! s'exclama Michel, souriant. Ce qu'elle doit être heureuse !

Elle avait l'air très contente, en effet. Tous se concentraient intensément au moment de l'effort, puis se redressaient et se détendaient, ou essayaient de se détendre, s'étiraient, plaisantaient entre eux. Il n'y avait pas d'officiels, pas de score, rien que des bénévoles comme Sax. Les gens apportaient leur aide aux épreuves auxquelles ils ne participaient pas. Le départ des courses était donné par un coup de pistolet. Le temps était chronométré à la main, annoncé à haute voix et inscrit sur un écran.

Les poids avaient encore l'air très lourds, pas faciles à lancer. Les javelots mettaient une éternité à toucher le sol. Les sauteurs en hauteur ne dépassaient pas les quatre mètres, à la grande surprise de Maya et de Michel. Le record du saut en longueur était de vingt mètres. La vision des sauteurs agitant les membres pendant un saut qui durait quatre ou cinq secondes et traversait une grande partie du terrain était des plus singulières.

Le départ des courses fut donné à la fin de l'après-midi. Comme dans les autres disciplines, les hommes et les femmes s'affrontaient, tous vêtus du même maillot une pièce.

– Le dimorphisme sexuel semble particulièrement atténué chez ces gens, fit Michel en observant un groupe à l'échauffement. Les genres sont tellement moins marqués, pour eux. Ils font les mêmes travaux, les femmes n'auront jamais qu'un enfant, sinon aucun, ils pratiquent les mêmes sports, exercent les mêmes muscles...

Maya était fermement convaincue de la réalité de cette nouvelle race, mais cette idée lui arracha un petit ricanement :

– Alors pourquoi regardes-tu toujours les femmes ?

– Oh, je vois la différence entre les sexes, répondit Michel avec un sourire, mais je suis un vieux de la vieille. Ce que je me demande, c'est si eux, ils en sont capables.

Maya éclata d'un grand rire.

– Allons ! Regarde plutôt celui-ci – et celle-là. Les proportions, les visages.

– Ouais, ouais. Mais ce n'est plus la même chose quand même. Bardot et Atlas, si tu vois ce que je veux dire.

– Oh oui ! Ces gens-là sont beaucoup plus beaux.

Michel acquiesça. Il l'avait toujours dit, songea Maya ; sur Mars, il deviendrait évident qu'ils étaient tous de petits dieux et déesses, que leur vie devait se dérouler dans une joie sacrée... En attendant, la différence sexuelle sautait aux yeux. Pour elle, qui était de la vieille école, du moins... Tiens, et ce coureur, là-bas... Ah, une femme, mais avec de petites jambes courtes, robustes, des hanches étroites, la poitrine plate. Et l'autre, à côté d'elle ? Encore une femme ? Non, un homme ! Un sauteur en hauteur, aussi gracieux qu'un danseur, mais tous les sauteurs en hauteur avaient des problèmes : Sax marmonna quelque chose à propos de plante des pieds. Enfin, même si certains d'entre eux étaient un peu androgynes, on reconnaissait toujours leur sexe au premier coup d'œil.

– Tu vois ce que je veux dire, fit Michel, en constatant son silence.

– Un peu. Mais je me demande comment le regard que ces

jeunes portent sur les choses a évolué. Ils ont mis fin au patriarcat, il faut donc, nécessairement, qu'il existe un nouvel équilibre social des deux sexes...

– C'est sûrement ce que diraient les gens de Dorsa Brevia.

– Alors je me demande si ce n'est pas le problème que pose l'immigration terrienne. S'il ne vient pas tant du nombre que de l'origine culturelle de tous ces Terriens. Beaucoup donnent l'impression de sortir du Moyen Age, alors pour tous ces gigantesques Minoens, ces hommes et ces femmes qui partagent une telle ressemblance...

– Et un nouvel inconscient collectif.

– Sans doute. Les nouveaux arrivants ne peuvent pas s'en sortir. Ils s'entassent dans des ghettos ou des villes nouvelles, ils gardent leurs traditions, leurs liens avec l'ancien monde, ils détestent tout ici, et la xénophobie, la misogynie des vieilles cultures s'exercent à nouveau à l'encontre de leurs propres femmes mais aussi des filles indigènes.

Elle avait entendu dire qu'il y avait des problèmes à Sheffield et à Tharsis Est. De jeunes indigènes avaient donné du fil à retordre à des agresseurs immigrés qui n'en revenaient pas. Et parfois le contraire.

– Et les jeunes indigènes n'aiment pas ça. Elles ont l'impression qu'on a laissé entrer des monstres chez elles.

Michel fit la grimace.

– Les cultures terriennes étaient toutes fondamentalement névrotiques, et quand le névrotique affronte le sain, il en résulte généralement une aggravation de la névrose. Et les sujets sains ne savent pas quoi faire.

– Alors ils exigent qu'on mette fin à l'immigration. Au prix d'une nouvelle guerre.

L'attention de Michel fut attirée par le départ d'une autre course. Les coureurs allaient vite, mais pas deux fois et demi plus vite que sur Terre, malgré la différence de gravité. C'était le même problème que la plante des pieds des sauteurs en hauteur, à ceci près qu'il persistait tout au long de la course : les coureurs accéléraient tellement au départ qu'ils restaient presque accroupis, faute de quoi ils auraient décollé de la piste. Les sprinters restaient penchés en avant jusqu'au bout, les jambes jouant furieusement du piston. Sur les plus longues distances, ils finissaient par se redresser et se mettaient à battre l'air comme s'ils nageaient debout, tels des kangourous avançant une patte à la fois. Maya repensa à Peter et Jackie, les deux sprinters de Zygote, courant sur la plage, sous le dôme polaire. Ils avaient mis au point un style comparable.

Grâce à ces techniques, le record du cinquante mètres fut de quatre secondes quatre dixièmes, celui du cent mètres de huit secondes trois, le deux cents mètres se courut en dix-sept secondes un dixième, et le quatre cents mètres en trente-sept secondes neuf. Mais, dans tous les cas, le problème d'équilibre posé par la vitesse semblait empêcher les coureurs de se donner à fond comme Maya se rappelait l'avoir vu faire dans sa jeunesse.

Les courses plus longues s'effectuaient à grands bonds gracieux, similaires au trot martien, comme ils disaient à Underhill, où ils s'y étaient exercés sans grand succès dans leurs combinaisons étroites. On aurait dit qu'ils volaient. Une jeune femme mena presque tout le dix mille mètres, et elle avait encore assez de réserve pour accélérer sur toute la longueur du dernier tour, gazelle effleurant la piste par intervalles de plusieurs mètres, dépassant des coureurs qui semblaient se traîner alors qu'elle-même volait. C'était magnifique. Maya cria à s'en esquinter les cordes vocales. Elle se cramponnait au bras de Michel, elle se sentait étourdie, des larmes lui picotaient les yeux et en même temps elle riait; c'était tellement étrange et merveilleux de voir ces nouvelles créatures, et pourtant aucune d'entre elles n'en avait conscience, aucune!

Elle aimait voir les femmes battre les hommes, ce qu'ils ne semblaient même pas remarquer. Si les hommes étaient meilleurs au sprint, les femmes remportaient un peu plus souvent les courses d'obstacles et de fond. D'après Sax, la testostérone allait de pair avec la force mais provoquait des crampes à la longue, ce qui était un handicap pour les efforts prolongés. La plupart des épreuves relevaient de la technique, de toute façon. Et puis on voyait ce qu'on voulait bien voir, se dit-elle. Sur Terre – ils auraient ri s'ils l'avaient entendue commencer une phrase par ces mots; quoi, sur Terre? – ils avaient toutes sortes de comportements bizarres et assez laids, mais pourquoi y penser quand un obstacle approchait et qu'on voyait un coureur arriver du coin de l'œil? Vole, vole! Elle hurla de plus belle.

A la fin de la journée, les athlètes dégagèrent un passage dans le stade et autour de la piste, et un coureur s'y engagea, tout seul, sous les acclamations de la foule. Nirgal! Maya, qui commençait à avoir mal à la gorge, poussait des cris rauques, presque pénibles à entendre.

Les coureurs de cross étaient partis le matin de la pointe sud de l'île Moins-Un, entièrement nus, même les pieds. Ils avaient couru plus de cent kilomètres sur les landes très accidentées du centre de l'île, un réseau diabolique de ravins, de grabens, de pingos, d'alases, d'escarpements et d'éboulis. Rien de très profond, apparemment, de sorte que de nombreux chemins étaient possibles, ce qui en faisait plus une épreuve d'orientation qu'une course, mais le parcours était difficile sur toute sa longueur, et arriver en courant à quatre heures de l'après-midi devait être un exploit surhumain. Le second n'arriverait pas avant le coucher du soleil, disaient les gens. Aussi Nirgal fit-il un tour d'honneur, couvert de poussière, l'air épuisé, comme le rescapé de quelque désastre, puis il enfila un short, pencha la tête pour recevoir la couronne de laurier et donna une multitude d'accolades.

Maya fut la dernière à l'embrasser, et Nirgal eut un grand rire heureux en la voyant. Il avait la peau blanche de sueur séchée, et les lèvres gercées et crevassées, les cheveux poussiéreux, les yeux injectés de sang. Ses côtes, ses tendons saillaient sous sa peau, il semblait décharné. Il vida une gourde, refusa la seconde :

– Non, merci, je ne suis pas déshydraté à ce point. Je suis tombé sur un réservoir du côté de Jiri Ki.

– Alors, quel chemin as-tu pris ? lui demanda quelqu'un.

– Ne m'en parlez pas ! fit-il en riant, comme si c'était un souvenir effroyable.

Plus tard, Maya apprit que les différents trajets suivis par les concurrents n'étaient ni observés ni décrits. Ils demeuraient pour ainsi dire secrets. Ce genre de cross était populaire dans certains milieux, et Maya savait que Nirgal était un champion, sur les longues distances en particulier. Les gens parlaient de ses itinéraires comme s'il avait le don de téléportation. La distance était un peu courte pour lui, et il était d'autant plus content d'avoir gagné.

– Laissez-moi récupérer un peu, dit-il en s'asseyant sur un banc, et il suivit les dernières épreuves, l'air distrait et heureux.

Maya s'assit à côté de lui, le dévorant du regard. Il avait passé le plus clair de son existence dehors, en partie dans une coop farouche qui vivait de culture et de cueillette. C'était une vie que Maya avait peine à imaginer. Elle se le représentait plus ou moins dans des sortes de limbes, exilé dans un sous-monde au milieu de nulle part, survivant comme un rat ou une plante. Et il était là, épuisé mais hurlant de joie à l'arrivée avec photo d'un quatre cents mètres, exactement comme le Nirgal débordant de vie qu'elle avait rencontré en faisant le tour de Hell's Gate, il y avait si longtemps. Des années glorieuses pour lui comme pour elle. Mais à le voir, il semblait peu probable qu'il en ait la même vision qu'elle. Elle se sentait envoûtée par son passé, par l'histoire, et il avait un autre but que l'histoire. Il avait mis sa destinée de côté comme un vieux livre, et maintenant il était là, dans l'instant, riant sous le soleil, après avoir battu toute une tribu de jeunes animaux sauvages à leur propre jeu, par son intelligence, son sens de Mars, son *lung-gom-pa*, ses jambes d'acier. Il avait toujours couru, elle les revoyait comme si c'était hier, Jackie et lui filant sur la plage après Peter. Les deux autres étaient plus rapides, mais il lui arrivait de passer la journée à faire le tour du lac, pour le plaisir.

– Oh, Nirgal !

Elle se pencha et embrassa ses cheveux pleins de poussière. Il la serra contre elle. Elle rit, regarda autour d'elle tous ces beaux géants qui s'exerçaient sur le stade, ces athlètes rougeoyant dans le soleil couchant, et elle se sentit reprendre sa place en elle-même. Nirgal avait ce pouvoir.

Plus tard, ce soir-là, après un festin en plein air dans la fraîcheur du soir, elle prit Nirgal à part et lui confia ses craintes, lui exposa les menaces de conflit entre la Terre et Mars. Michel était ailleurs, en train de parler avec des gens ; assis sur un banc, Sax leur faisait face et les écoutait en silence.

– Jackie et les caciques de Mars Libre ont adopté une ligne dure, mais ça ne marchera pas. Rien n'arrêtera les Terriens. Ça pourrait mener à la guerre, je te le dis. La guerre.

Nirgal la regarda un long moment. Il la prenait au sérieux, Dieu bénisse sa noble et belle âme. Maya le prit par les épaules, comme s'il était son propre fils, et le serra contre elle de toutes ses forces.

– Que crois-tu que nous devrions faire ? demanda-t-il.

– Mars doit rester ouverte. Nous nous battons pour ça, et je compte sur toi. Tu nous seras plus utile que n'importe qui. C'est toi qui as eu le plus d'impact pendant notre visite sur Terre. Tu es le Martien le plus important pour eux depuis cette visite. Ils écrivent toujours des livres et des articles sur toi, tu sais ? Le mouvement farouche devient très influent en Amérique du Nord et en Australie, et il commence à se répandre dans le monde entier. Les gens de l'île de la Tortue ont presque entièrement réorganisé l'Ouest américain ; il y a des dizaines et des dizaines de coops farouches, à présent. Ils t'écoutent. Et c'est pareil ici. Je me suis vraiment démenée. Nous venons de faire campagne contre eux tout au long du Grand Canal. Je crois leur avoir donné du fil à retordre, mais à présent, même Jackie est dépassée. Elle est allée trouver Irishka, et tu te doutes bien que les Rouges sont contre l'immigration. Ils pensent que ça les aidera à protéger leurs précieux cailloux. Alors Mars Libre et les Rouges se retrouvent dans le même camp pour la première fois du fait de ce problème. Ils seront très difficiles à battre. Mais s'ils l'emportent...

Nirgal hocha la tête. Il voyait où elle voulait en venir. Pour un peu, elle l'aurait embrassé. Elle resserra son étreinte, lui planta un baiser sur la joue, lui fourra son nez dans le cou.

– Je t'aime, Nirgal.

– Moi aussi, je t'aime, dit-il avec un rire léger, l'air un peu surpris. Mais, écoute, je ne veux pas m'embarquer dans une campagne politique. Non, je t'assure. Je suis d'accord : c'est important, et nous ne pouvons pas interdire l'immigration sur Mars. Nous devons aider la Terre à surmonter son problème démographique, c'est ce que j'ai toujours dit, même là-bas, quand nous y sommes allés. Mais je ne veux pas me retrouver embrigadé dans des institutions politiques. C'est au-dessus de mes forces. Je vous aiderai comme je l'ai toujours fait. Je couvre beaucoup de terrain, je vois des tas de gens. Je leur parlerai. Je vais recommencer à participer à des meetings. Je ferai tout ce qui est en mon pouvoir à ce niveau.

Maya hocha la tête.

– Ce serait merveilleux, Nirgal. C'est le niveau que nous voulons atteindre, de toute façon.

Sax s'éclaircit la gorge.

– Nirgal, tu as rencontré la mathématicienne Bao ?

– Non, je ne crois pas.

– Ah.

Sax replongea dans sa rêverie. Maya parla un moment des problèmes dont ils avaient discuté ce jour-là, Michel et elle, de l'immigration qui fonctionnait comme une sorte de machine à explorer le temps, en ramenant des îlots de passé dans le présent.

– C'était aussi le grand souci de John, et voilà : c'est arrivé.

Nirgal acquiesça.

– Nous devons avoir foi en l'aréophanie. Et dans la Constitution. Tous ceux qui arrivent ici doivent s'y conformer. Au gouvernement d'y veiller.

– Oui. Mais les gens, les indigènes, je veux dire...

– Une sorte d'éthique assimilationniste. Il faut que nous y fassions adhérer tout le monde.

– Oui.

– C'est bon, Maya. Je vais voir ce que je peux faire, dit-il en souriant, puis tout à coup la fatigue le submergea. On réussira peut-être une fois de plus, hein ?

– Peut-être.

– Il faut que j'aille me coucher. Bonne nuit. Je t'aime.

En quittant Moins-Un, ils mirent le cap au nord-ouest. L'île glissa sous l'horizon comme une Grèce antique de rêve, et ils se retrouvèrent à nouveau en pleine mer, au milieu des hautes et larges vagues huileuses. De forts vents dominants soufflèrent du nord-est durant toute la traversée, déchirant les crêtes d'écume qui faisaient paraître encore plus sombre l'eau violette. Ils avaient du mal à s'entendre dans le rugissement du vent et de l'eau, et étaient forcés de crier pour se faire comprendre. L'équipage renonça au langage et s'affaira à déployer le maximum de toile. L'IA du bateau assurerait les conséquences de leur enthousiasme. Les mâts-voiles s'étiraient ou se rétractaient à chaque coup de vent comme des ailes, de sorte qu'une composante visuelle accompagnait la cinétique invisible du vent telle que la percevait la peau tannée de Maya, debout à la proue, cambrée en arrière pour ne pas en perdre une miette.

Le troisième jour, le vent soufflait si fort que le bateau se changea en hydravion. La coque se souleva à la poupe et fila sur les vagues, faisant jaillir tellement d'embruns qu'il était impossible de rester sur le pont. Maya battit en retraite vers la première cabine, d'où elle pouvait admirer le spectacle par les hublots galbés. Quelle vitesse ! Les membres de l'équipage venaient parfois s'ébrouer, reprendre leur souffle et avaler une tasse de java. L'un d'eux dit à Maya qu'ils compensaient leur cap en fonction du courant d'Hellas.

– Cette mer est une merveilleuse démonstration de la force de Coriolis. Elle est ronde, et aux endroits où les vents dominants soufflent dans le même sens que la force de Coriolis, ça tourne autour de Moins-Un comme dans un immense trou d'évier. Si nous n'avions pas corrigé le cap, nous aurions touché terre à mi-chemin de Hell's Gate.

Le vent se maintint et, à cette allure, il ne leur fallut que quatre jours pour traverser le rayon de la mer d'Hellas. Dans l'après-midi du quatrième jour, les mâts-voiles se déployèrent et la coque retomba sur l'eau, dans les vagues écumantes. La côte apparut soudain à l'horizon, au nord : le bord du grand bassin, pareil à une chaîne de montagnes mais sans pics, un rivage en pente, si gigantesque qu'on aurait dit la paroi intérieure d'un cratère ; ce qu'il était, d'ailleurs, mais tellement plus grand qu'un cratère normal qu'on en discernait à peine la courbure. Maya fut frappée par sa beauté particulière. Et comme ils se rapprochaient de la côte, puis la longeaient par l'ouest, vers Odessa (malgré la correction de cap, ils avaient accosté à l'est de la ville), elle vit, en grimpant dans les drisses, la plage que la mer avait créée : une large bande adossée à des dunes couvertes d'herbe, coupée çà et là par des torrents. Une belle côte, proche d'Odessa ; une partie de sa ville, donc.

Loin à l'ouest, les pics déchiquetés d'Hellespontus Montes se dressaient au-dessus des vagues, tout petits et très différents de la pente nord, lisse. Ils arrivaient. Maya grimpa plus haut dans les drisses. Et là, elle les vit, sur la paroi nord, les rangées supérieures de parcs et de bâtiments, le vert et le blanc, le turquoise et la terre cuite. Puis le vaste centre incurvé de la ville, semblable à un immense amphithéâtre tourné vers la scène, vers le port, apparut : le phare, la statue d'Arkady, la digue, les mille mâts de la marina, le fouillis de toits et d'arbres derrière le béton taché de la corniche au-dessus de la mer. Odessa.

Elle descendit des drisses comme un vieux loup de mer, ou presque, embrassa quelques matelots puis Michel avec un grand sourire, soûlée par le vent. Ils entrèrent dans le port et les voiles se rétractèrent dans les mâts comme un escargot dans sa coquille. Une fois dans la darse, ils suivirent une passerelle, puis les quais, traversèrent la marina et entrèrent dans le parc, sur la corniche. Ils étaient arrivés. Le trolley bleu brinquebalait toujours dans la rue, derrière le parc.

Maya et Michel suivirent la corniche main dans la main, regardèrent les vendeurs des rues, les petits cafés en plein air. Les noms ne leur disaient rien, ils avaient tous changé, mais c'étaient toujours des restaurants ; ils ressemblaient à ceux qu'ils avaient remplacés, et la ville montant terrasse après terrasse derrière le front de mer était exactement telle que dans leurs souvenirs.

– Voilà l'Odéon, et là le Sinter...

– C'est là que je travaillais pour Deep Waters. Je me demande ce qu'ils font tous, maintenant ?

– Le maintien du niveau de la mer doit en occuper pas mal. Il y a toujours des travaux à faire autour de l'eau.

– C'est vrai.

Ils arrivèrent au vieil immeuble d'habitation de Praxis. Ses murs disparaissaient presque sous le lierre, le stuc blanc avait jauni, les persiennes bleues étaient délavées. Il aurait mérité un bon coup de peinture, dit Michel, mais Maya l'aimait comme ça : vieux. Là, au deuxième étage, elle repéra la fenêtre, le balcon de leur cuisine, et Spencer à côté. Spencer, qui devait être chez lui.

Ils franchirent le seuil, firent connaissance avec le nouveau concierge. Et Spencer était bien là. Oui, mais il était mort l'après-midi même.

Ça n'aurait jamais dû l'affecter autant. Maya n'avait pas vu Spencer Jackson depuis des années, elle le fréquentait peu, d'ailleurs, même quand ils étaient voisins. Elle ne le connaissait guère, au fond. Mais personne ne le connaissait vraiment. Spencer était l'un des plus compliqués des Cent Premiers, ce qui n'était pas peu dire. Il était comme il était, il vivait sa vie. Et il avait vécu pendant près de vingt ans sous une fausse identité, un espion qui travaillait pour la Gestapo de la sécurité à Kasei Vallis, jusqu'à la nuit où ils avaient fait sauter la ville, sauvé Sax et Spencer. Vingt ans sous une fausse identité, avec un faux passé, sans personne à qui parler. Dans quel état pouvait-on sortir de là ? Enfin, Spencer n'avait jamais été communicatif. Alors peut-être que c'était moins grave pour lui. Il paraissait très bien quand ils l'avaient connu à Odessa. Il suivait une thérapie avec Michel, bien sûr, et il buvait beaucoup. Mais c'était un bon copain, facile à vivre, calme, solide et fiable, à sa façon. Il avait sûrement continué à travailler, sa collaboration avec les designers bogdanovistes n'avait jamais cessé, quand il menait sa double vie et après. Un grand designer. Ses dessins à la plume étaient magnifiques. Mais dans quel état sortait-on de vingt ans de double vie ? Peut-être avait-il assumé toutes ses identités. Maya n'y avait jamais réfléchi ; elle ne pouvait pas imaginer ça. Et maintenant, en emballant ses affaires dans son appartement vide, elle se demandait pourquoi elle n'avait jamais essayé, comment Spencer avait réussi à vivre de telle sorte que personne ne se pose de questions. C'était vraiment bizarre. Elle dit en pleurant à Michel :

– Il faut s'interroger sur tout le monde !

Il hocha la tête. Spencer était l'un de ses meilleurs amis.

Pourtant, les jours qui suivirent, un nombre stupéfiant de gens vinrent à Odessa pour l'enterrement. Sax, Nadia, Mikhail, Zeyk et Nazik, Roald, Coyote, Mary, Ursula, Marina et Vlad, Jurgen et Sibilla, Steve et Marion, Samantha, George et Edvard, on aurait dit une réunion des Cent encore en vie et des issei associés. Maya regarda leurs vieux visages familiers, et se rendit compte avec désespoir qu'ils se rencontreraient comme ça pendant un long moment encore, dans tous les coins du monde, un de moins à chaque fois, comme au jeu des chaises musicales, jusqu'au jour où il n'en resterait plus qu'un. Un horrible destin. Mais Maya ne le connaîtrait pas. Elle mourrait sûrement avant. Frappée par le déclin subit, ou autre chose. Elle se jetterait sous un trolley s'il le fallait. Tout plutôt que ça. Enfin, pas tout, non. Se jeter sous un trolley serait à la fois trop lâche et trop courageux. Elle comptait bien mourir avant d'en arriver là. On pouvait compter sur la Grande Faucheuse pour ça. Elle l'emporterait sans doute avant qu'elle ne le veuille vraiment. Peut-être survivre à tous les autres Cent Premiers ne serait-il pas un sort si effroyable, après tout. De nouveaux amis, une nouvelle vie – n'était-ce pas ce qu'elle cherchait à présent, ces tristes figures ne faisant que la tirer en arrière ?

Elle suivit avec morosité le bref service et les rapides éloges funèbres. Ceux qui prirent la parole le firent avec l'air de se demander un peu quoi dire. Beaucoup d'ingénieurs étaient venus de Da Vinci, des collègues de Spencer du temps où il était designer. Maya l'aimait bien, mais elle trouvait un peu étonnant qu'il ait été aussi apprécié et qu'un homme si secret puisse susciter une telle émotion. Peut-être avaient-ils tous spéculé sur son néant, inventé leur propre Spencer qu'ils avaient chéri comme une partie d'eux-mêmes. Ils faisaient tous ça, n'importe comment. C'était la vie.

Mais il était parti, maintenant. Ils descendirent vers le port et les ingénieurs lâchèrent un ballon d'hélium. Quand il arriva à une centaine de mètres d'altitude, les cendres de Spencer retombèrent en pluie. Participant de la brume, du bleu du ciel, du bronze du soleil couchant.

Puis la foule se dispersa et Maya se promena dans Odessa, fouina dans les boutiques de meubles d'occasion et s'assit sur la corniche, pour regarder le soleil ricocher sur l'eau. C'était bon de se retrouver à Odessa, mais la mort de Spencer la glaçait plus qu'elle n'aurait cru. Elle jetait un voile sur la beauté de cette ville, la plus belle de toutes. Elle lui rappelait qu'en revenant s'installer ici, dans le vieux bâtiment, ils tentaient l'impossible : ils essayaient de revenir en arrière, de nier le passage du temps. C'était sans espoir. Tout passait, tout ce qu'ils faisaient, ils le faisaient pour la dernière fois. Les habitudes étaient mystificatrices, elles les enfermaient dans le sentiment que les choses étaient durables alors que rien ne durait. Elle s'asseyait sur ce banc pour la dernière fois. Si elle revenait demain sur la corniche et se rasseyait sur le même banc, ce serait encore la dernière fois, et rien n'en resterait. Une dernière fois après l'autre, ainsi allait la vie, un dernier moment après l'autre, en une succession ininterrompue. Insaisissable. Impossible à exprimer par des mots, par des idées. Mais elle la percevait, comme une vague irrésistible, ou un vent incessant dans son esprit, poussant les choses, les précipitant si vite en avant qu'elle avait du mal à réfléchir, à éprouver vraiment les choses. Au lit, la nuit, elle pensait, c'est la dernière fois pour aujourd'hui, et elle serrait Michel contre elle, comme si ça pouvait empêcher les choses d'arriver. Même Michel, même le petit duo qu'ils avaient bâti.

– Oh, Michel, disait-elle, terrifiée, ça va si vite.

Il acquiesçait, faisait la moue. Il avait renoncé à lui faire suivre une thérapie ou à lui peindre la vie en rose. Il la traitait en égale, maintenant, et considérait ses états d'âme comme une espèce de vérité, ce qui n'était que normal. Mais le réconfort lui manquait parfois.

Or Michel ne cherchait pas à la contredire, à lui apporter une vision optimiste. Spencer avait été son ami. Avant, à Odessa déjà, quand ils se bagarraient, Maya et lui, il allait parfois dormir chez Spencer, et sans doute parlaient-ils toute la nuit en buvant du whisky. Si quelqu'un pouvait faire sortir Spencer de sa coquille, c'était bien Michel. Et maintenant, il était assis sur le lit, un vieil homme fatigué qui regardait par la fenêtre. Ils ne se disputaient plus. Maya avait l'impression que cela lui ferait du bien, que cela chasserait les toiles d'araignée. Mais Michel ne se laissait pas aller à répondre à ses provocations. Il aspirait à la paix, il avait mis fin à sa thérapie, il ne faisait plus ça pour elle. Ils étaient assis côte à côte sur le lit. Si quelqu'un était entré, se disait Maya, il aurait vu un couple si vieux et si usé qu'il ne se parlait même plus. Ils étaient juste assis côte à côte, perdus chacun dans ses pensées.

– Enfin, fit Michel après un temps infini. Nous y sommes quand même arrivés.

Maya sourit. La remarque optimiste, enfin, faite au prix d'un effort prodigieux. C'était un homme courageux. « Nous y sommes quand même arrivés. » Les premières paroles jamais prononcées sur Mars. John avait le chic pour dire les choses d'une façon amusante. C'était stupide, au fond. Mais peut-être voulait-il dire quelque chose de plus que John quand il avait poussé cette exclamation spontanée, ce cri du cœur qui aurait pu venir aux lèvres de n'importe qui. « Nous y sommes quand même arrivés », répéta-t-elle, pour se l'entendre articuler. Sur Mars. D'abord une idée, puis un endroit. Et maintenant ils étaient dans un appartement presque vide, pas celui dans lequel ils avaient jadis vécu, non, un appartement d'angle dont les grandes fenêtres donnaient au sud et à l'ouest. Mais la vaste courbe de mer et de montagnes était celle d'Odessa, et d'aucune autre ville. Les vieux murs de plâtre étaient tachés, le parquet sombre, luisant. Il avait fallu des années pour obtenir cette patine. Cette porte donnait sur le salon, l'autre dans le couloir qui menait à la cuisine. Ils avaient un lit, un canapé, quelques chaises, des cartons encore fermés – les choses d'autrefois, tirées d'une réserve. Des meubles restés en suspens. C'était bizarre et réconfortant. Ils déballeraient tout, ouvriraient les cartons, installeraient les meubles, s'en serviraient jusqu'à ce qu'ils deviennent invisibles. L'habitude draperait une fois de plus la réalité du monde. Et Dieu soit loué pour ça.

Les élections globales eurent lieu peu après. Mars Libre et sa galaxie de petits alliés retrouvèrent leur majorité écrasante au parlement, avec une marge un peu moins importante toutefois, et certains groupuscules maugréaient et cherchaient de meilleurs accords. Mangala bruissait d'intrigues, et on aurait pu passer des jours devant les écrans à lire les articles des commentateurs, des analystes et des provocateurs qui décortiquaient la situation. Maintenant que le problème de l'immigration avait été étalé au grand jour, l'enjeu était plus important qu'il ne l'avait été depuis des années, et la preuve en était que Mangala ressemblait à une fourmilière dans laquelle on aurait donné un coup de pied. L'issue de l'élection au conseil exécutif était très incertaine, et on disait que Jackie avait fort à faire au sein même de son parti.

Maya éteignit l'écran, la cervelle en ébullition. Elle appela Athos, qui se montra d'abord surpris, puis d'une courtoisie un peu bourrue. Il avait été élu représentant des villes de la baie de Nepenthes, et il travaillait à Mangala pour les Verts, qui avaient fait une assez forte percée, disposaient d'un solide groupe de représentants et avaient conclu beaucoup de nouvelles alliances intéressantes.

– Tu devrais te présenter au conseil exécutif, lui suggéra Maya.

Cette fois, il eut l'air franchement sidéré.

– Moi ?

– Toi. (Maya retint la réplique cinglante qu'elle avait sur le bout de la langue.) Tu as fait une excellente impression pendant la campagne, et des tas de gens voudraient soutenir une politique pro-terrienne mais ne savent pas vers qui se tourner. Tu représentes leur meilleure chance. Tu pourrais même aller voir Mars-Un et essayer de leur faire rompre leur alliance avec Mars Libre. Promets-leur une position modérée, la voix d'un conseiller et la sympathie des Rouges.

Il semblait carrément ennuyé, maintenant. S'il était encore avec Jackie, en se présentant au conseil, il risquait de gros ennuis de ce côté-là. Surtout s'il allait en plus trouver Mars-Un. Mais après la visite de Peter, il se pouvait que la question le préoccupe moins qu'au cours des nuits brillantes sur le canal. Maya le laissa mariner dans son jus. On ne pouvait pas tenir ces gens à bout de bras.

Elle ne voulait pas revivre sa vie antérieure à Odessa, mais elle voulait travailler, or l'hydrologie était devenue son premier domaine de compétence, supplantant l'ergonomie (et la politique, au demeurant). Elle s'intéressait au cycle de l'eau dans le bassin d'Hellas : maintenant qu'il était plein, elle était curieuse de voir sur quoi ils travaillaient. Michel avait ses clients et s'impliquait dans le projet des premiers colons dont on lui avait parlé à Rhodes. Il fallait bien qu'elle s'occupe, et après avoir installé leur nouvel intérieur, elle alla voir Deep Waters.

Les vieux bureaux étaient maintenant un élégant appartement sur le front de mer, et Deep Waters n'était plus dans l'annuaire. Mais Diana y était. Elle vivait dans un des grands immeubles de la ville haute, et elle fut heureuse de trouver Maya sur le pas de sa porte, d'aller déjeuner avec elle et de lui parler de la situation actuelle dans le monde de l'eau, pour lequel elle travaillait toujours.

– La plupart des gens de Deep Waters sont maintenant à l'Institut océanographique d'Hellas.

C'était un groupe pluridisciplinaire qui rassemblait des représentants des villes côtières, des pêcheries, des coops agricoles et des stations hydrauliques entourant le bassin, de l'Université d'Odessa et de toutes les colonies situées plus haut dans les bassins hydrographiques environnants. Les villes côtières étaient particulièrement préoccupées par la stabilisation du niveau de la mer juste au-dessus de l'ancien niveau moins un, quelques dizaines de mètres à peine plus haut que le niveau actuel de la mer du Nord.

– Ils sont prêts à tout pour empêcher le niveau de la mer de varier ne serait-ce que d'un mètre, dit Diana. Le Grand Canal n'a aucun intérêt en tant que chenal d'écoulement vers la mer du Nord, parce que, pour les écluses, il faut que l'eau aille dans les deux sens, et l'équilibre entre l'apport d'eau des aquifères, la pluie et l'évaporation est délicat. Pour le moment, tout va bien. L'évaporation est légèrement supérieure aux précipitations dans le bassin hydrographique, aussi, tous les ans, ils abaissent le niveau des aquifères de quelques mètres. Ça va finir par poser un problème, mais ça ne durera pas, parce qu'il y a de la marge, et les aquifères se remplissent déjà un peu et pourraient se remplir davantage à l'avenir. Nous espérons aussi que le niveau des précipitations va augmenter. C'est ce qui s'est passé jusqu'ici, et il est probable que ça va continuer, pendant un moment du moins. Je ne sais pas. C'est le principal souci, en tout cas ; que l'atmosphère aspire plus d'eau que les aquifères ne peuvent en fournir.

– Mais l'atmosphère devrait finir par se saturer, non ?

– Peut-être. Personne ne sait jusqu'à quel taux d'humidité on va arriver. Les études climatiques sont de la blague, si tu veux mon avis. Les modèles globaux sont trop complexes, il y a trop d'inconnues. Nous savons seulement que l'air est encore assez sec et qu'il devrait continuer à se charger en eau. Bref, tout le monde croit ce qu'il veut croire et y va surtout pour se faire plaisir, les cours environnementales s'efforçant de suivre les choses du mieux qu'elles peuvent.

– Elles n'interdisent rien ?

– Seulement les grands extracteurs de chaleur. Elles ne s'occupent même plus des petits. Ou du moins, elles y avaient renoncé, mais dernièrement, elles sont devenues plus strictes et se mêlent des plus petits projets.

– Les petits projets seraient pourtant les plus faciles à estimer, il me semble.

– Si on veut. Ils ont tendance à se neutraliser mutuellement. Les Rouges ont beaucoup de projets de protection des zones d'altitude et de tous les endroits possibles dans le Sud. Ils s'appuient sur la limite de hauteur constitutionnelle et portent systématiquement plainte devant la cour globale, pas moins. Ils gagnent, ils font leur truc, et l'effet de tous les petits projets de développement est plus ou moins contrebalancé. C'est un cauchemar juridique.

– Ils réussissent quand même à stabiliser les choses.

– Je pense que les zones d'altitude reçoivent un peu plus d'air et d'eau qu'elles ne devraient. Il faut vraiment monter très haut pour y échapper.

– Tu viens de me dire qu'ils gagnaient à tout coup devant les cours ?

– Devant les cours, oui. Dans l'atmosphère, non. Il se passe trop de choses.

– Tu veux dire qu'ils devraient attaquer les usines de gaz à effet de serre ?

– Ils l'ont fait. Et ils ont perdu. Ces gaz ont le soutien de tous les autres. Sans eux, ce serait l'ère glaciaire, et nous ne serions pas près d'en sortir.

– Mais une réduction du niveau d'émission...

– Oui, je sais. C'est toujours un sujet de controverse. Ça n'arrêtera jamais.

– Ça, c'est vrai.

En attendant, tout le monde était tombé d'accord sur le niveau de la mer d'Hellas. C'était une donnée légale, et tous les efforts autour du bassin étaient coordonnés afin de la respecter. L'affaire, simple en théorie, était en réalité monstrueusement complexe, à l'image du cycle hydrologique, avec toutes ses tempêtes et ses variations pluviométriques, la neige qui fondait et s'infiltrait dans le sol, les cours d'eau qui couraient à la surface, se jetaient dans les lacs ou dans la mer d'Hellas, le tout gelant en hiver, s'évaporant en été et recommençant... Ils s'efforçaient, dans ce cycle immense, de stabiliser le niveau d'un océan qui était à peu près de la taille de la mer des Caraïbes. S'il montait trop, ils pouvaient toujours renvoyer de l'eau dans les aquifères asséchés des montagnes d'Amphitrite, au sud. Mais les aquifères étaient composés de roches poreuses qui avaient tendance à s'effondrer quand on les vidait, ce qui limitait leur capacité de remplissage lorsque celui-ci était encore possible. En fait, le risque de débordement était l'un des principaux obstacles au projet. Tout était question d'équilibre...

Des projets de ce genre, ils en menaient partout sur Mars. C'était démentiel. Mais il y avait une volonté, un point c'est tout. Diana lui parla de leurs efforts pour maintenir le bassin d'Argyre à sec, programme aussi vaste, à sa façon, que celui consistant à remplir Hellas. Ils avaient construit des pipelines géants pour évacuer l'eau d'Argyre vers Hellas si besoin était et sinon vers les rivières qui se jetaient dans la mer du Nord.

– Et la mer du Nord ? demanda Maya.

Diana secoua la tête, la bouche pleine. Apparemment, tout le monde s'accordait à penser que le niveau de la mer du Nord était impossible à réguler, mais il restait à peu près stable. Ils se contentaient d'observer ce qui se passait, et les villes côtières de la région assumaient le risque. Beaucoup croyaient que l'eau finirait par redescendre un peu, qu'elle retournerait dans le permafrost ou serait piégée par les milliers de cratères des highlands du

Sud. Mais, encore une fois, les précipitations et les déversements dans la mer du Nord étaient importants. La clé du problème résidait dans les highlands du Sud, disait Diana. Elle fit apparaître une carte sur l'écran de son bloc-poignet et la montra à Maya. Les coops de construction des bassins hydrographiques installaient toujours des tuyaux de drainage, amenant l'eau dans les torrents des hauts plateaux, renforçant le lit des fleuves, extrayant les sables mouvants, faisant parfois apparaître sous les fines le lit de torrents fantômes. Pour l'essentiel, le tracé des nouveaux cours d'eau dépendrait de la configuration de la lave, des canyons de fracture et des courts canaux occasionnels. Le résultat n'avait pas grand-chose à voir avec les nervures formées par les réseaux hydrographiques terriens : c'était un méli-mélo de petits lacs ronds, d'étangs gelés, d'arroyos et de longues rivières rectilignes qui décrivaient soudain des angles droits ou disparaissaient dans des siphons ou des pipelines. Seuls les cours d'eau qui empruntaient les anciens lits asséchés « faisaient vrai ». Partout ailleurs, on aurait dit que le sol avait été pilonné par des bombes.

Beaucoup d'anciens de Deep Waters qui n'avaient pas rejoint l'Institut océanographique d'Hellas avaient fondé une coop qui établissait la carte des bassins hydrographiques autour d'Hellas, mesurant la quantité d'eau qui retournait aux aquifères, les rivières souterraines, calculant ce qui pourrait être stocké et récupéré, et ainsi de suite. Diana appartenait à cette coop, comme la plupart des gens qui travaillaient jadis dans le bureau de Maya. Après déjeuner, Diana leur annonça le retour de Maya en ville. En apprenant qu'elle était intéressée par leurs travaux, ils lui proposèrent un poste dans la coop, à des conditions préférentielles. Flattée, elle décida de les prendre au mot.

Elle entra donc à la Nappe aquifère d'Egée, puisque tel était le nom de la coop. En se levant le matin, elle préparait le café, s'asseyait sur le balcon, quand il faisait beau, ou devant la baie vitrée, à la table ronde de la salle à manger, et grignotait quelques toasts, un biscuit, un croissant, un muffin ou un crumpet en lisant le *Messager d'Odessa* sur écran. Les relations avec la Terre s'envenimaient. Les députés de Mangala avaient élu le nouveau conseil exécutif, et Jackie ne faisait pas partie du lot. Elle avait été remplacée par Nanedi. Maya poussa des hurlements de joie, puis elle lut tous les comptes rendus et les entretiens qu'elle put trouver. Jackie prétendait ne pas s'être présentée parce qu'elle en avait assez après toutes ces années et voulait prendre un peu de recul, comme elle l'avait déjà fait plusieurs fois, mais elle reviendrait (et ses yeux, à ces mots, lancèrent des éclairs). Nanedi conservait un silence discret sur la question, mais il avait l'air à la fois ravi et un peu déboussolé de l'homme qui a tué le dragon. Et si Jackie déclarait qu'elle continuerait à travailler pour l'appareil de Mars Libre, il était clair que son influence sur le parti avait sérieusement décliné. Sans ça, elle serait encore au conseil, se dit Maya.

Ainsi donc, elle avait réussi à éjecter Jackie du terrain de jeux global. Mais le parti opposé à l'immigration était encore au pouvoir. Mars Libre devait surveiller de près les alliances qui garantissaient sa colossale majorité. La vie continuait sans changement significatif. Les rapports avec la Terre pullulante étaient toujours tendus. Tôt ou tard, ces gens allaient se jeter sur eux, Maya en était convaincue. En attendant, ils s'en sortaient ; ils pouvaient se reposer, souffler un peu, faire des projets, coordonner leurs efforts. Elle n'avait pas intérêt à allumer l'écran avant de manger ; ça lui coupait l'appétit.

Elle prit donc l'habitude de faire un petit déjeuner plus copieux sur la corniche avec Diana, plus tard avec Nadia et Art, ou avec des visiteurs venus faire un tour en ville. Elle descendait ensuite vers les bureaux de la NAE, à l'extrémité est du front de mer, ce qui faisait une bonne marche, dans l'air un peu plus salé d'année en année. A la NAE, elle avait un bureau avec une fenêtre et, comme pour Deep Waters, elle faisait la liaison avec l'Institut océanographique d'Hellas et coordonnait une équipe, dont le nombre variait, d'aréologistes, d'hydrologistes et d'ingénieurs qui concentraient surtout leurs efforts dans l'Hellespontus et les montagnes d'Amphitrite, où se trouvaient la plupart des aquifères. Elle se déplaçait le long de la côte pour inspecter certains sites ou installations, montait dans les collines, descendait souvent dans la petite ville portuaire de Montepulciano, sur la côte sud-ouest. A Odessa, elle travaillait toute la journée, partait tôt et allait se promener en ville, fouinait chez les brocanteurs, achetait des vêtements. Elle s'intéressait aux nouveaux styles, à leur évolution au fil des saisons. C'était une ville raffinée, les gens s'habillaient bien, et la mode lui plaisait, ces temps-ci. On aurait dit une petite indigène entre deux âges, droite comme un i. Elle se débrouillait pour se trouver le plus souvent possible sur la corniche en fin d'après-midi et regagner l'appartement à pied ou s'asseoir en bas, dans le parc. L'été, elle dînait tôt dans un restaurant du bord de mer. L'automne, on jetait des passerelles entre les bateaux au mouillage dans le port, et on organisait un festival du vin payant, avec des feux d'artifice sur le lac, après le coucher du soleil. L'hiver, le crépuscule tombait tôt sur la mer. L'eau, le long du rivage, était parfois gelée et adoptait la couleur pastel, translucide, qui était celle du ciel ce soir-là. Des patineurs et des chars à voile évoluaient sur la glace.

Un soir qu'elle mangeait seule, une compagnie théâtrale donna une représentation du *Cercle de craie caucasien* dans une ruelle voisine. Entre le crépuscule et l'éclairage de la scène improvisée, la lumière était si belle que Maya fut attirée comme un papillon. Elle suivit à peine la pièce, mais certains moments la frappèrent par leur force, surtout les noirs où l'action s'arrêtait, figeant les acteurs dans la pénombre. Il ne manquait qu'un peu de bleu à ce moment pour qu'il soit parfait, se dit-elle.

Après, la troupe alla dîner au restaurant et Maya parla avec le metteur en scène, une indigène entre deux âges du nom de Latrobe qui se réjouit de la rencontrer et de parler avec elle de la pièce, de Brecht et de sa théorie du théâtre politique. Latrobe était pro-terrienne, pro-immigrationniste. Elle voulait monter des pièces prônant l'ouverture de Mars et l'assimilation des nouveaux immigrants dans l'aréophanie. Le nombre de pièces du répertoire classique qui défendaient ce point de vue était terriblement restreint, disait-elle. Ils avaient besoin de nouvelles pièces. Maya lui parla des soirées politiques de Diana, du temps de l'ATONU, de leurs réunions dans les parcs et du manque de bleu dans l'éclairage de la représentation de ce soir-là. Latrobe proposa à Maya de venir parler politique à la troupe et de l'aider à travailler les éclairages si ça l'amusait, car c'était un point faible de la compagnie, qui était née dans des parcs comme ceux où se réunissait le groupe de Diana. Ils pourraient peut-être y retourner pour monter d'autres pièces de Brecht.

Maya s'entretint donc avec la troupe, et avec le temps, sans vraiment le décider, elle intégra l'équipe d'éclairagistes et collabora aux costumes, ce qui était une autre sorte de mode. Souvent aussi, elle leur parlait jusqu'à une heure avancée de la nuit du concept de théâtre politique et les aidait à trouver de nouvelles pièces. En fait, elle était une sorte de consultante politico-esthétique. Mais elle refusa fermement de monter sur scène ainsi que l'y incitaient la troupe, Michel et même Nadia.

– Non, dit-elle. Je ne veux pas faire ça. Si j'acceptais, ils me demanderaient aussitôt de jouer le rôle de Maya Toïtovna dans la pièce sur John.

– C'est un opéra, rétorqua Michel, et tu n'es pas soprano.

– N'empêche.

Elle ne voulait pas jouer la comédie. La vie de tous les jours lui suffisait. Mais elle aimait le monde du théâtre. C'était une nouvelle façon d'atteindre les gens, de les amener à revoir leurs valeurs, moins usante que l'approche politique directe, plus ludique, et peut-être même plus efficace. Le théâtre, à Odessa, était un art dynamique. Le cinéma était mort, tué par l'invasion des images qui les avait toutes rendues également ennuyeuses. Les citoyens d'Odessa semblaient apprécier l'immédiateté, la fugacité, le risque que représentait la performance spontanée. Le théâtre était l'art le plus vivant de la ville ainsi que de nombreuses cités martiennes. Au fil des années, la troupe d'Odessa monta un certain nombre de pièces politiques, dont l'intégrale des œuvres de l'auteur sud-africain Athol Fugard. Ses pièces âpres, passionnées, décortiquaient des préjugés institutionnalisés, la xénophobie de l'âme, et Maya les considérait comme les meilleures pièces de langue anglaise depuis Shakespeare. La troupe permit ensuite l'émergence de ce qu'on appela plus tard le Groupe d'Odessa, une demi-douzaine de jeunes auteurs de théâtre indigènes aussi féroces que Fugard, qui abordaient dans leurs pièces le problème crucial des nouveaux issei et nisei, et de leur pénible assimilation dans l'aréophanie – un million de petits Roméos et Juliettes, de petits nœuds de sang [1] noués ou tranchés. Pour Maya, c'était la meilleure fenêtre sur le monde contemporain et le moyen qu'elle privilégiait désormais pour s'adresser à lui, le façonner, beaucoup de pièces faisant parler, parfois même suscitant la colère, comme les nouvelles œuvres du Groupe qui attaquaient le gouvernement anti-immigrant de Mangala. C'était la façon la plus satisfaisante qu'elle ait jamais trouvée de faire de la politique. Elle aurait tant voulu en discuter avec Frank, lui faire voir ça...

Pendant ces mêmes années, au fil des mois doubles, Latrobe revisita un certain nombre de classiques. En les regardant, Maya fut fascinée par le pouvoir de la tragédie. Elle aimait les pièces politiques, furieuses ou pleines d'espérance, qui véhiculaient une utopie, une pulsion pour le progrès ; mais les pièces qui la frappaient le plus par leur véracité ou l'émouvaient le plus profondément étaient les vieilles tragédies terriennes. Et plus elles étaient tragiques, mieux c'était. La catharsis vue par Aristote semblait très bien marcher pour elle. Elle en sortait vidée, nettoyée, un peu plus heureuse d'une certaine façon. Une grande tragédie bien montée valait une de ses bonnes bagarres d'antan avec Michel, se dit-elle un soir. Il aurait dit que c'était une sublimation, et une bonne façon de sublimer, moins pénible pour lui, et plus digne, au fond, plus noble. Et puis il y avait le lien avec les Grecs anciens, un lien établi de mille façons tout autour du bassin d'Hellas, dans les villes et chez les farouches, un néoclassi-

1. *Le Nœud de sang* est une pièce d'Athol Fugard. *(N.d.T.)*

cisme que Maya trouvait bon pour eux dans la mesure où il les amenait à se mesurer à la grande honnêteté des Grecs, à leur regard qui ne flanchait pas devant la réalité. *L'Orestie, Antigone, Electre, Médée, Agamemnon* – qui aurait dû s'appeler *Clytemnestre* – toutes ces femmes stupéfiantes qui réagissaient par un austère pouvoir à l'étrange destin que les hommes leur infligeaient, rendant coup pour coup, comme lorsque Clytemnestre avait assassiné Agamemnon. Cassandre racontait au public comment elle s'y était prise et, à la fin, regardait le public, regardait Maya droit dans les yeux :

Ne faisons point d'autres malheurs !
Il y a assez de souffrances, assez de sang sur nous.
Et vous aussi, respectables vieillards,
Rentrez dans les maisons où vous veut le destin
Avant d'agir et donc de subir rien de fâcheux.
Ce que nous avons fait, il nous fallait le faire[1].

Ce que nous avons fait, il nous fallait le faire... C'était si vrai, si vrai. Elle aimait la vérité de ces choses, les pièces tristes, la musique triste, les chants funèbres, les tangos tziganes, *Prométhée enchaîné*, et même les pièces vengeresses du théâtre élisabéthain. Plus elles étaient noires, plus elles étaient vraies et mieux c'était. Elle régla les éclairages de *Titus Andronicus* et les gens furent écœurés, consternés, ils dirent que ce n'était qu'un bain de sang. Bon, elle n'avait pas mégoté avec les gélatines rouges. Mais au moment où Lavinia essaie de dire, sans mains et sans langue, qui lui a fait ça, puis s'agenouille et emporte la main coupée de Titus entre ses dents, comme un chien, le public avait été pétrifié. Bain de sang ou non, il fallait reconnaître à Shakespeare un certain sens de la mise en scène. Il avait gagné en puissance à chaque pièce. Avec l'âge, il était devenu d'une noirceur et d'une vérité tétanisantes. D'une représentation déchirante, inspirée, du *Roi Lear*, elle sortit exaltée et vibrante. Elle prit un jeune éclairagiste par les épaules, le secoua en riant et lui cria :

– N'est-ce pas que c'était merveilleux, magnifique ?

– Ka, Maya, j'aurais peut-être préféré la version de la Restauration, celle où Cordelia s'en sort et épouse Edgar, vous la connaissez ?

– Bah ! Stupide enfant ! Stupide jeunesse ! Nous avons dit la vérité, ce soir, c'est ce qui compte. Demain, tu retourneras à tes mensonges ! conclut-elle avec un rire rauque, en le repoussant vers ses amis.

– C'est Maya, expliqua-t-il à ses amis.

1. *Agamemnon,* Eschyle, d'après la traduction d'Ariane Mnouchkine. *(N.d.T.)*

– Toïtovna ? Celle de l'opéra ?

– Oui. Enfin, la vraie.

– La vraie ! ironisa Maya. Vous ne savez même pas ce qui est vrai, ajouta-t-elle en les congédiant d'un revers de main, avec le sentiment qu'elle, elle le savait.

Des amis restaient une semaine ou deux. Puis, l'été devenant de plus en plus chaud dans l'hémisphère Sud, ils prirent l'habitude de passer l'un des mois de décembre sur la côte, dans une cabane derrière les dunes, à nager, faire du bateau et du char à voile, à paresser sous un parasol, à lire et à dormir tout le long du périhélie. Puis ils rentraient en ville, retrouvaient le confort familier de leur appartement dans la lumière cuivrée de l'automne. La plus longue saison de l'année martienne devenait plus sombre de jour en jour, jusque vers Ls 70 et l'aphélie. Avant Ls 90 et le solstice d'hiver, il y avait le festival des glaces, et ils patinaient sur la mer gelée, sous la corniche, devant les maisons du front de mer toutes blanches sous les nuages noirs. Ou ils faisaient du bateau à glace, si loin que la ville n'était plus qu'une rayure sur la courbe blanche du grand arc. Elle mangeait seule dans la touffeur des restaurants animés en attendant que la musique commence tandis que la neige fondue tombait dehors. Entrait dans un petit théâtre qui sentait le moisi en riant d'avance. Mangeait sur le balcon pour la première fois du printemps, avec un pull pour ne pas avoir froid, en regardant apparaître sur les arbres les bourgeons d'un vert incomparable, pareils à de petites larmes de viriditas. Et ainsi de suite, dans les replis de l'habitude et de ses rythmes, heureuse de ce déjà-vu qu'on se fabrique pour soi.

Et puis, un matin, elle alluma l'écran, regarda les nouvelles, et apprit qu'on avait découvert une grande colonie chinoise implantée dans Huo Hsing Vallis (comme si le nom justifiait l'intrusion). La police globale, qui n'en revenait pas, leur avait demandé de déguerpir, mais ils faisaient de la résistance passive. Et le gouvernement chinois avait prévenu Mars que toute intervention policière dans la colonie serait considérée comme une agression contre des ressortissants chinois, et qu'il y aurait des représailles.

– Quoi ? s'exclama Maya. Oh non !

Elle appela tous les gens qu'elle connaissait à Mangala, mais rares étaient ceux qui occupaient encore des postes importants. Elle leur demanda ce qu'ils savaient, pourquoi ces gens n'avaient pas été raccompagnés à l'ascenseur, renvoyés chez eux, et tout ce qui s'ensuit.

– C'est absolument inacceptable ! Il faut que ça cesse, et tout de suite !

Mais des incursions à peine plus discrètes se produisaient depuis un certain temps maintenant, elle l'avait elle-même vu aux infos. Les immigrants étaient déposés par des atterrisseurs bon marché, court-circuitant les autorités de Sheffield. Et comment y remédier sans risquer un incident interplanétaire? Les gens réfléchissaient fébrilement au problème dans la coulisse. L'ONU soutenait la Chine, alors c'était difficile. Enfin, on avançait, lentement mais sûrement. Elle ne devait pas s'inquiéter.

Elle éteignit l'écran. Elle avait jadis souffert de l'illusion selon laquelle le monde ne changerait que si elle s'y donnait à fond. Elle savait maintenant à quoi s'en tenir.

C'était quand même un peu dur à avaler.

– Ça suffirait à teindre n'importe qui en Rouge, dit-elle à Michel en allant travailler. Ça suffirait à me faire partir pour Mangala, ajouta-t-elle d'un ton menaçant.

Enfin, une semaine plus tard, la crise était passée. Un accord avait été trouvé; la colonie resterait, mais les Chinois promettaient de réduire d'autant le nombre d'immigrants l'année suivante. Ce n'était pas satisfaisant, mais c'était comme ça. La vie continua sous cette nouvelle ombre.

Et puis, elle rentrait chez elle après le travail, vers la fin du printemps, quand une haie de rosiers, le long de la corniche, attira son attention. Elle s'approcha pour les regarder de plus près. Derrière les rosiers, des gens marchaient à pas pressés sur l'avenue Harmakhis, le long des cafés. Les feuilles des rosiers étaient d'un brun fait d'un mélange de rouge et de vert. Les nouvelles roses étaient d'un rouge sombre, intense, leurs pétales de velours brillaient dans le soleil de l'après-midi. *Lincoln*, disait l'étiquette sur le tronc. Un rosier hybride. Et pour Maya, le plus grand de tous les Américains, une sorte d'hybride de John et de Frank. L'un des membres du Groupe avait écrit sur lui une pièce géniale, sombre et troublante. A la fin, le héros finissait bêtement assassiné. Poignant, vraiment. Ils auraient bien besoin d'un Lincoln, ces temps-ci. Le rouge des roses brillait, brillait. Soudain, tout se brouilla. Elle eut un éblouissement, comme si elle avait regardé le soleil en face.

Puis elle vit des choses. Toutes sortes de choses.

Des formes, des couleurs, elle en avait bien conscience, mais ce que c'était, qui elle était... Rien n'avait plus de nom. Elle essaya désespérément de les reconnaître...

Tout lui revint d'un coup. Les roses, Odessa, comme s'ils n'avaient jamais cessé d'être là. Elle manqua perdre l'équilibre et se rattrapa de justesse.

– Oh non, dit-elle. Mon Dieu...

Elle déglutit péniblement. Elle avait la gorge sèche. Un événement physiologique. Il avait duré un certain temps. Elle siffla, étouffa un cri. Se tint toute raide sur l'allée de gravier, devant la haie d'un brun mêlé de vert, taché de rouge vif. Il faudrait qu'elle se souvienne de cet effet de couleur pour la prochaine pièce élisabéthaine qu'ils monteraient.

Elle avait toujours su que ça arriverait. Toujours. L'habitude, quelle mystification ! Elle le savait. Elle avait une bombe à retardement dans le ventre. Dans le temps, elle faisait tic-tac trois milliards de fois, à quelque chose près. Maintenant, elles étaient réglées pour faire tic-tac dix milliards de fois, un peu plus, un peu moins. Le tic-tac se poursuivait en dépit de tout. Elle avait entendu dire qu'on trouvait des pendules qui marchaient à l'envers pendant un nombre d'heures déterminé à l'avance, un nombre correspondant à cinq cents ans, ou à la durée de vie qu'on voulait. Choisir un million d'années et voir venir. En prendre une et faire un peu plus attention à l'instant qui passe. Ou sombrer dans la routine et ne jamais y penser, comme tous les gens de sa connaissance.

Ce qui lui aurait parfaitement convenu. Elle l'avait déjà fait, elle le referait. Mais en cet instant précis, il était arrivé quelque chose, elle avait réintégré l'interrègne, la période de temps nu séparant les plages d'habitudes, attendant la prochaine exfoliation. Non, non ! Pourquoi ? Elle ne voulait pas de ce temps, c'était trop dur. Elle ne supportait pas la sensation atroce qu'elle éprouvait dans ces moments-là, l'impression du temps qui passait. Que tout arrivait pour la dernière fois. Elle détestait ça. Et cette fois, elle n'avait rien changé à ses habitudes ! Rien du tout. Ça l'avait frappée sans prévenir. Peut-être s'était-il passé trop de temps depuis la dernière fois, nonobstant les habitudes. Peut-être que ça recommencerait sans prévenir, souvent peut-être.

Elle rentra chez elle (en pensant : je sais où c'est) et essaya de raconter à Michel ce qui s'était passé, décrivant, sanglotant, décrivant encore et renonçant.

– On ne fait jamais les choses qu'une fois, tu comprends ?

Il essaya de ne pas le montrer mais il était très inquiet. Passages à vide ou non, les états d'âme de M. Duval n'avaient pas de secret pour Maya. Il lui dit que ce bref jamais-vu était peut-être une petite crise épileptiforme, ou une attaque bénigne, il ne savait pas trop. Les examens ne le révéleraient même pas forcément. On comprenait mal le jamais-vu. Une variante du déjà-vu, son contraire, pour dire les choses simplement.

– On pense que c'est une sorte d'interférence temporaire dans le schéma d'ondes cérébrales. On passe des ondes alpha aux ondes delta, en une petite plongée. Si tu portais un moniteur, on pourrait le savoir la prochaine fois que ça se produira – si ça se reproduit. C'est un peu comme le somnambulisme : au cours des crises, bon nombre d'acquis semblent avoir disparu.

– On ne risque pas de rester coincé dans cet état ?

– Non. Je n'ai jamais entendu parler de cas de ce genre. C'est rare et toujours temporaire.

– Jusqu'ici.

Il essaya de faire comme si ses craintes n'étaient pas fondées.

Mais elle savait à quoi s'en tenir. Elle alla dans la cuisine préparer le dîner. Entrechoquer les gamelles, ouvrir le réfrigérateur, sortir les légumes, les couper en morceaux, *chop chop chop chop*, les jeter dans la poêle. Arrête de pleurer, arrête d'arrêter de pleurer. C'est déjà arrivé dix mille fois. Les désastres inévitables, l'habitude de la faim. Dans la cuisine, essayer d'ignorer tout ça et de préparer le dîner. Combien de fois. Enfin, nous y sommes quand même arrivés.

Après ça, elle évita la haie de rosiers, de peur que l'incident ne se reproduise. Mais ils étaient visibles de partout à cet endroit de la corniche. Et presque tout le temps en fleur, les roses étaient formidables pour ça. Un jour, dans la même lumière de l'après-midi, qui se déversait sur l'Hellespontus et faisait tout paraître un peu délavé, assombri jusqu'à une opacité de pastel, elle aperçut du coin de l'œil les mouchetures rouges de la haie. Elle longeait le muret donnant sur la mer et voyait d'un côté la tapisserie d'écume sur l'eau noire et de l'autre les roses et Odessa. Elle s'arrêta, paralysée par un élément de cette double vision, une prise de conscience – ou presque, le début d'une épiphanie. Une immense vérité tendait vers elle, juste à sa portée, en elle-même peut-être, dans son crâne mais hors de ses pensées, appuyant sur la dure-mère qui contenait le cerveau. Tout s'expliquait, tout lui apparaissait enfin clair, enfin, pour toujours.

Mais l'épiphanie ne franchit jamais la barrière. Juste une impression. Brumeuse, énorme. Puis la pression sur son esprit passa, et l'après-midi retrouva sa luminescence d'étain ordinaire. Elle rentra à la maison avec une impression de trop-plein, des océans de nuage dans la poitrine, débordant d'une sorte de frustration ou d'une joie angoissante. Elle raconta à Michel ce qui s'était passé, et il opina du chef. Il avait un nom pour ça aussi.

– Un presque-vu. J'en ai tout le temps, dit-il avec un air de nostalgie caractéristique.

Mais Maya avait soudain l'impression que toutes ces catégories symptomatiques n'étaient qu'un rideau de fumée destiné à masquer ce qui lui arrivait en réalité. Elle était parfois très troublée. Elle avait parfois l'impression de comprendre des choses qui n'existaient pas. A d'autres moments elle oubliait des choses, définitivement, et à d'autres encore elle avait très, très peur. Voilà ce que Michel essayait d'enfermer dans ses noms et ses combinatoires.

Presque-vu. Presque-compris. Et de nouveau dans le monde de la lumière et du temps. Elle n'y pouvait rien, il fallait faire avec. Alors elle continua son petit bonhomme de chemin, les jours passèrent et elle oublia. Ce qu'elle avait ressenti, sa peur, la joie qu'elle avait failli éprouver. Elle trouvait étrange qu'il soit aussi facile d'oublier. De vivre au quotidien, de s'intéresser à son travail, à ses amis, à ses visiteurs.

Parmi ces derniers, il y eut Charlotte et Ariadne, qui étaient venues de Mangala consulter Maya sur l'aggravation des relations avec la Terre. Elles allèrent prendre leur petit déjeuner sur la corniche et parlèrent des dossiers de Dorsa Brevia. En dehors des Minoens qui avaient quitté la coalition de Mars Libre, en partie parce qu'ils désapprouvaient ses manœuvres pour dominer les colonies extérieures, la plupart des gens de Dorsa Brevia en venaient à se dire que Jackie n'avait pas totalement tort en matière d'immigration.

– Mars n'est pas saturée, loin de là, disait Charlotte. Ceux qui le proclament se trompent. On pourrait se serrer la ceinture, accroître la densité urbaine. Les nouvelles villes flottantes de la mer du Nord pourraient accueillir beaucoup de monde. Elles n'ont pratiquement aucun impact sur l'environnement, sauf peut-être dans les ports, et des ports, on pourrait en créer d'autres.

– Beaucoup d'autres, approuva Maya.

Malgré les coups de force terriens, elle n'aimait pas le discours anti-immigration, quel qu'il soit. Charlotte, qui siégeait de nouveau au conseil exécutif et entretenait depuis des années des relations étroites avec la Terre, fit un aveu qui lui coûtait :

– Ce n'est pas le nombre des immigrants qui suscite les difficultés mais leur nature, ce à quoi ils croient. On commence à avoir de sérieux problèmes d'assimilation.

– C'est ce que j'ai entendu dire aux infos, acquiesça Maya.

– On a tout fait pour intégrer les nouveaux arrivants, mais ils forment bloc, et on ne peut évidemment pas les diviser.

– Non.

– Mais les ennuis se multiplient, souvent liés à la charia, des cas de violence familiale, des bandes ethniques qui s'affrontent en bataille rangée, des agressions d'indigènes, des femmes le plus souvent, mais pas toujours, par des immigrés, et les représailles par des bandes de jeunes indigènes qui font des raids sur les nouvelles colonies et ainsi de suite. Ça devient grave. Et ce malgré la diminution, du moins légale, de l'immigration. Que l'ONU ne nous a pas pardonnée. Elle voudrait nous envoyer toujours plus de monde. Si ça se fait, nous deviendrons une sorte de poubelle à humains, et nous aurons fait tout ce travail en pure perte.

– Hmm, fit Maya en secouant la tête.

Elle connaissait le problème. C'était déprimant de penser que de tels alliés pourraient se retourner contre eux et se liguer avec leurs adversaires parce que la situation se dégradait.

– Quoi que vous fassiez, vous devez tenir compte de l'ONU. Si vous interdisez l'immigration et que, non contents de passer outre, les immigrants reçoivent le soutien de l'ONU, ça va vraiment tourner au vinaigre. Regardez ce qui se passe avec ces incursions. Mieux vaut autoriser l'immigration, quitte à négocier le plus faible taux possible avec l'ONU et nous occuper des immigrants au fur et à mesure de leur arrivée.

Les deux femmes hochèrent la tête, désolées, et se remirent à manger en regardant le bleu frais de la mer matinale.

– Les ex-métas n'arrangent pas les choses, reprit Ariadne. Elles ont encore plus envie que l'ONU de venir ici.

– Ben tiens.

Maya n'était pas étonnée que les anciennes métanationales aient encore autant de pouvoir sur Terre. Elles avaient toutes singé le modèle de Praxis pour survivre, et n'étaient donc plus des féodalités totalitaires déterminées à conquérir le monde, mais elles étaient toujours énormes, puissantes, et représentaient une masse phénoménale de gens et de capitaux. Or elles étaient bien obligées, pour continuer à exister, de faire des affaires. Les stratégies qu'elles employaient dans ce but étaient parfois admirables, mais ce n'était pas une constante. Il y avait de nouveaux besoins à satisfaire, par le biais de moyens originaux, meilleurs. Mais certaines profitaient de la situation et tentaient de tirer leur épingle du jeu en suscitant de faux besoins. La plupart des ex-métas poursuivaient naturellement un cocktail de stratégies, espérant s'en sortir par la diversification, comme elles diversifiaient leurs investissements au bon vieux temps. Tout le monde était plus ou moins engagé dans la mêlée, ce qui ne facilitait pas la lutte contre les abus. Beaucoup d'ex-métas menaient des programmes martiens très actifs, pour le compte des gouvernements de la Terre. Elles envoyaient des gens pour bâtir des villes, créer des fermes, travailler dans les mines, la production ou le commerce. Il semblait parfois que l'émigration de la Terre vers

Mars cesserait seulement le jour où l'équilibre serait réalisé entre les deux mondes. Ce qui, étant donné la situation démographique sur Terre, serait un désastre pour Mars.

– Nous devons quand même essayer de les aider, fit impatiemment Maya. Préservons-nous autant que la Terre nous le permettra. Mais si nous ne le faisons pas, ce sera la guerre.

Charlotte et Ariadne repartirent, l'air aussi inquiètes que Maya. Elle se dit tout à coup, et ce n'était pas une pensée réjouissante, que si elles étaient venues chercher de l'aide auprès d'elle, c'est qu'elles avaient vraiment touché le fond.

Elle se relança donc dans la politique, en essayant de ne pas se laisser déborder. Elle ne s'éloignait plus guère d'Odessa, sauf quand son travail pour la NAE l'exigeait. Elle poursuivit sa collaboration avec son groupe de théâtre, qui était maintenant au cœur de son action politique, mais elle recommença à assister à des réunions, des meetings. Il lui arrivait parfois de monter sur l'estrade et de prendre la parole. Le *Werteswandel* pouvait prendre bien des formes. Un soir, elle accepta, sous la pression, de présenter sa candidature au sénat global en tant que représentante pour Odessa de la Société des amis de la Terre. Plus tard, quand elle prit le temps de réfléchir, elle les implora de chercher quelqu'un d'autre, et ils se rabattirent sur une jeune fonctionnaire qui écrivait des pièces pour le Groupe. C'était un bon choix. Elle avait donc réussi à y couper. Elle continua à aider les Quakers de la Terre, mais moins activement. Elle se sentait de plus en plus étrangère à tout ça, car on ne pouvait pas dépasser la capacité d'une planète sans provoquer un désastre, l'histoire de la Terre depuis le XIXe siècle en était la preuve. Ils devaient donc faire attention à ne pas laisser venir trop de gens. C'était un numéro de haute voltige, mais il valait mieux régler un problème limité de surpopulation que de se retrouver avec une véritable invasion sur les bras ; c'est ce qu'elle leur répétait inlassablement, à toutes les réunions, à tous les meetings.

Pendant ce temps-là, Nirgal vivait comme un nomade dans l'outback, parlant aux farouches et aux fermiers, avec l'impact habituel, elle l'espérait du moins, sur leur vision du monde, sur ce que Michel appelait leur inconscient collectif. Elle fondait beaucoup d'espoirs sur Nirgal, cet autre brin de son existence, le plus sombre d'une certaine façon. Il se faufilait dans sa vie, la fronçait, en faisait une grande boucle, la ramenait au mauvais pressentiment qui avait dominé sa vie antérieure à Odessa.

C'était une espèce perverse de déjà-vu. Et puis les vrais déjà-vu étaient revenus, absorbant la vie des choses, comme toujours. Un éclair de déjà-vu était un choc, évidemment, mais ce n'était qu'un coup de semonce aussitôt évanoui. Alors qu'une journée entière, c'était une torture, et une semaine, un enfer. D'après Michel, les journaux médicaux donnaient à ce phénomène le nom d'état stéréotemporel, ou de sensation de toujours-déjà. Apparemment, c'était un problème que rencontraient un pourcentage non négligeable des plus anciens. Rien ne pouvait être pire, sur le plan émotionnel. Quand elle se réveillait ces jours-là, elle avait l'impression que chaque moment était l'exacte répétition d'un moment identique d'une journée précédente. Comme si la notion nietzschéenne d'éternel retour, la répétition infinie de tous les continuums possibles de l'espace-temps, était devenue en quelque sorte transparente pour elle, une expérience vécue. C'était horrible, horrible ! Et il n'y avait rien à faire, elle était condamnée à revivre, vaille que vaille, comme un zombi, les toujours-déjà de journées prévisibles, jusqu'à ce que la malédiction se lève, parfois lentement, progressivement, parfois en la renvoyant d'un seul coup dans l'état non stéréotemporel, sa double vision redevenant nette, redonnant leur profondeur aux choses. Le retour à la réalité, avec sa miraculeuse nouveauté, sa contingence, sa cécité, la liberté de découvrir chaque moment avec surprise, de sentir la montée et la retombée ordinaires de sa sinusoïde émotionnelle, de ces montagnes russes qui, si inconfortables soient-elles, étaient au moins un mouvement.

– Ah, parfait, dit Michel alors qu'elle sortait d'une de ces crises, l'air de se demander laquelle des drogues qu'il lui administrait lui avait joué ce tour.

– Peut-être que si j'arrivais à passer de l'autre côté du presque-vu, disait faiblement Maya. Pas le déjà, le presque ou le jamais, juste le vu.

– Une sorte d'illumination, avança Michel. De satori [1]. Ou d'épiphanie. Une fusion mystique avec l'univers. C'est généralement un phénomène assez bref, à ce que j'ai entendu dire. Une expérience paroxystique.

– Mais qui laisse des traces ?

– Oui. Après, on se sent mieux à tout point de vue. Enfin, pour ça, on dit qu'il faut être arrivé à une certaine...

– Sérénité ?

– Non, enfin... si. Disons tranquillité d'esprit.

– Pas mon genre, tu veux dire.

– Ça peut se cultiver, répondit-il avec un sourire. Se préparer. C'est à ça que vise le bouddhisme zen, si j'ai bien compris.

Alors elle avait lu des textes zen. Il en ressortait clairement que le zen ne relevait pas de l'information mais du comportement. Si

1. L'illumination, dans le bouddhisme zen. *(N.d.T.)*

on se comportait bien, on pouvait recevoir l'illumination mystique. Mais pas forcément. Et même si ça arrivait, c'était très bref. Juste une vision.

Elle était trop ancrée dans ses habitudes pour changer à ce point de comportement mental. Elle n'était pas accoutumée au contrôle de pensée susceptible de produire une expérience paroxystique de cette espèce. Elle vivait sa vie, et ces ruptures mentales s'imposaient à elle. Penser au passé semblait contribuer à leur venue, alors elle essayait de se concentrer sur le présent. C'était une attitude zen, après tout, et elle était assez bonne à cet exercice. Elle en avait fait une stratégie de survie instinctive pendant des années. Mais une expérience paroxystique... Elle aspirait parfois à connaître enfin le presque-vu. Il l'envahirait, le monde prendrait cette aura de signification vague, puissante, juste à la limite de sa conscience, elle se dresserait, se tendrait, pleine d'espoir ; et puis ça passerait. Mais un jour... Si seulement ça pouvait s'éclaircir ! Cela pourrait l'aider, pour après. Cela l'intriguait tellement. Que serait sa vision intérieure ? Quelle était cette illumination qui planait juste à portée d'elle dans ces moments-là, et paraissait trop réelle pour n'être qu'une illusion ?

C'est alors qu'elle accepta, sans réaliser que c'était ce qu'elle cherchait, d'accompagner Nirgal au festival d'Olympus Mons. Michel trouva que c'était une idée de génie. Une année martienne sur deux, au printemps de l'hémisphère Nord, les gens se réunissaient au sommet d'Olympus Mons, près du cratère Zp, sous une cascade de tentes en forme de croissant, au sol orné d'une mosaïque de pierre et de carreaux vernissés. C'était la commémoration de la première rencontre qui avait eu lieu à cet endroit pour fêter la fin de la Grande Tempête, quand l'astéroïde de glace avait tracé une ligne fulgurante dans le ciel et que John leur avait parlé de la société martienne à venir.

Et la société y était arrivée, on pouvait le dire, songeait Maya alors qu'ils escaladaient le grand volcan en train. En certains endroits, à certains moments, du moins. Ici et maintenant, nous y sommes arrivés quand même. Sur Olympus, tous les Ls 90, se rappeler la promesse de John et fêter son accomplissement. Il y avait surtout de jeunes indigènes, mais aussi beaucoup de nouveaux immigrants venus voir à quoi ressemblait le fameux festival, décidés à faire la fête toute la semaine, à jouer de la musique, à danser, ou les deux. Maya préférait la danse, car elle ne savait jouer que du tambourin. Elle perdit Michel et les autres, Nadia, Art, Sax, Marina, Ursula, Mary, Nirgal et Diana, aussi dansat-elle avec des étrangers et oublia-t-elle tout. Ne rien faire, juste se concentrer sur les visages lumineux qui passaient devant elle, pareils à des pulsars de conscience qui criaient *je suis en vie je suis en vie je suis en vie.*

Elle dansa toute la nuit. C'était génial. Ça prouvait que l'assimilation était possible. L'aréophanie était un enchantement qui faisait oublier leur passé terrien toxique à tous ceux qui venaient sur la planète. Une création collective qui réalisait la vraie culture martienne. Oui, et c'était bien. Mais ce n'était pas une expérience paroxystique. Ce n'était pas l'endroit pour ça, ou pour elle. Peut-être n'était-ce que la main morte du passé. Les choses n'avaient guère changé sur Olympus Mons, le ciel était toujours noir et criblé d'étoiles, avec une bande violette sur l'horizon... Des hôtels avaient été construits sur l'immense lèvre, pour les pèlerins qui faisaient le tour du sommet, lui dit Marina. Et il y avait d'autres abris dans la caldeira, pour les grimpeurs Rouges qui passaient leur existence au fond de ce monde de falaises convexes, les unes sur les autres. Les gens faisaient parfois de drôles de choses, se disait Maya. Qu'il était étrange, le destin qu'on pouvait se forger sur Mars, à cette époque...

Mais Olympus Mons était trop haut, donc trop enfoncé dans le passé pour elle. Elle n'y aurait jamais le genre d'expérience qu'elle cherchait.

Elle eut quand même une longue conversation avec Nirgal dans le train qui les ramenait à Odessa. Elle lui parla de Charlotte, d'Ariadne et de leurs craintes. Il acquiesça et lui raconta certaines de ses expériences dans l'outback, qui étaient souvent preuve de progrès dans l'assimilation.

– Nous finirons par gagner, prédisait-il. Mars est actuellement un champ de bataille entre le passé et l'avenir. Le passé a un pouvoir, mais nous allons tous vers l'avenir. Et la force de l'avenir est inexorable, comme l'attraction du vide. Je la trouve presque palpable ces jours-ci.

Et il avait l'air heureux.

Il récupéra leurs sacs dans les porte-bagages au-dessus de leurs têtes et l'embrassa sur la joue. Il était mince et dur, il lui échappait.

– On va continuer à y travailler, d'accord? Je viendrai vous voir, Michel et toi, à Odessa. Je t'aime.

Du coup, elle se sentit mieux, bien sûr. Ce n'était pas une expérience paroxystique, juste un trajet en train avec Nirgal, une occasion de parler avec le plus fuyant des indigènes, ce fils tant aimé.

Après son retour, pourtant, elle continua à éprouver tout l'éventail des « épisodes psychosensoriels », comme disait Michel.

Il était chaque fois plus inquiet. Cette histoire commençait à l'effrayer, Maya le voyait bien, même s'il essayait de le lui cacher. Et cela n'avait rien d'étonnant. Ses clients âgés étaient sujets à des désordres de ce genre, parmi bien d'autres troubles. Le traitement gérontologique semblait impuissant à aider les gens à garder le souvenir d'un passé de plus en plus long. Et plus le passé leur échappait, année après année, plus leur mémoire chancelait et plus les crises se rapprochaient, jusqu'à ce qu'il faille mettre certaines personnes en maison spécialisée.

Ou qu'ils meurent, ce qui arrivait aussi. L'Institut des premiers colons, pour lequel Michel travaillait, accueillait un petit nombre de sujets tous les ans. Après la mort de Vlad, Marina et Ursula quittèrent Acheron et vinrent habiter Odessa. Nadia et Art s'étaient déjà installés à l'ouest d'Odessa, pour rejoindre leur fille Nikki. Même Sax Russell, qui passait encore la majeure partie de l'année à Da Vinci, prit un appartement en ville.

Pour Maya, ces déménagements étaient à la fois bons et mauvais. Bons parce qu'elle aimait tous ces gens, que les voir se grouper autour d'elle lui faisait plaisir et flattait sa vanité. C'est ainsi, par exemple, qu'elle aidait Marina à surmonter le chagrin lié à la disparition de Vlad. Il lui semblait qu'Ursula et Vlad étaient pour ainsi dire le vrai couple, même si Marina et Ursula... Enfin, comment définir les trois personnages d'un ménage à trois, quelle que soit la façon dont il était constitué ? Marina et Ursula, qui étaient maintenant seules, formaient un couple très uni dans le chagrin, et en dehors de ça assez semblable aux jeunes couples indigènes du même sexe qu'on voyait à Odessa, les hommes bras dessus, bras dessous dans la rue (image réconfortante), les femmes main dans la main.

Elle était donc heureuse de les voir, tout comme elle était heureuse de voir Nadia et tous les membres de la vieille bande. Mais elle n'arrivait pas toujours à se rappeler les incidents qu'ils évoquaient comme s'ils étaient inoubliables, et ça l'agaçait. Encore une sorte de jamais-vu : sa propre vie. Non, mieux valait se concentrer sur l'instant présent, sur son travail ou sur l'éclairage de la piece en cours, bavarder dans les bars avec de nouveaux amis de travail ou de parfaits étrangers. En attendant l'illumination qui finirait bien par venir un jour.

Samantha mourut. Puis Boris. A deux ou trois années d'écart, certes, mais, après les longues décennies où ils n'avaient eu à déplorer aucun décès, cette fréquence paraissait affreusement rapide. En même temps tout s'assombrissait, comme sur la corniche, quand une tempête approchait d'Hellespontus : les nations terriennes continuaient à leur envoyer des immigrants clandestins et l'ONU à les menacer, la Chine et l'Indonésie s'étaient soudain prises à la gorge, les écoteurs Rouges faisaient sauter les choses sans discernement, sans précaution, avec des morts à la clé. Puis un soir Michel gravit l'escalier, lourd de chagrin.

– Yeli est mort.

– Quoi ? Oh, non !

– Une sorte d'arythmie cardiaque.

– Oh ! mon Dieu...

Maya n'avait pas vu Yeli depuis des décennies, mais perdre encore un des Cent Premiers... Ne plus jamais revoir le sourire timide de Yeli... Non. Elle n'entendit pas la suite de ce que lui dit Michel, plus par distraction qu'à cause de la douleur. Ou alors, c'est pour elle qu'elle avait mal.

– Ça va arriver de plus en plus souvent, hein ? dit-elle enfin quand elle remarqua que Michel la regardait fixement.

– C'est possible, soupira-t-il.

La plupart des Cent Premiers survivants revinrent à Odessa pour la cérémonie, organisée par Michel. Maya apprit beaucoup de choses sur Yeli, grâce à Nadia surtout. Il avait très vite quitté Underhill et s'était installé à Lasswitz. Il avait participé à la construction de la ville sous dôme et il était devenu expert en hydrologie. En 61, il avait accompagné Nadia lorsqu'elle allait un peu partout dans l'espoir d'arranger les choses et de réparer les dégâts. Puis au Caire, où Maya l'avait revu brièvement, il s'était trouvé séparé des autres et n'avait pas réussi à fuir dans Marineris. A l'époque, on l'avait cru mort, comme Sasha, mais il s'en était sorti, avec la plupart des gens du Caire. Après la révolte, il s'était installé à Sabishii et remis à travailler sur les aquifères, en collaboration avec l'underground. Il avait contribué à faire de Sabishii la capitale du demi-monde. Il avait vécu un moment avec Mary Dunkel, et quand l'ATONU avait fermé Sabishii, ils étaient passés par Odessa, et ils y étaient encore lors des fêtes du cinquantenaire de Mars. C'était la dernière fois que Maya se rappelait l'avoir vu. Il portait des toasts selon la tradition, avec les autres Russes du groupe. Puis Mary et lui avaient rompu, et Mary elle-même lui avait raconté qu'il s'était installé à Senzeni Na où il était devenu l'un des chefs de la seconde révolution. Quand Senzeni Na avait rejoint Nicosia, Sheffield et Le Caire dans l'alliance de Tharsis Est, il était allé donner un coup de main à Sheffield. Ensuite, il était retourné à Senzeni Na, avait siégé dans le premier conseil indépendant de la ville, et était devenu l'un des patriarches de la communauté comme tant de Cent Premiers un peu partout. Il avait épousé une nisei nigérienne, ils avaient eu un garçon. Il était retourné deux fois à Moscou, et il était un commentateur populaire sur les réseaux d'infos. Juste avant sa mort, il travaillait sur le projet du bassin d'Argyre avec Peter. Il avait une arrière-petite-fille qui vivait sur Callisto. Elle attendait un bébé. Un jour, au cours d'un pique-nique sur le mont du mohole de Senzeni Na, il s'était écroulé et ils n'avaient pas pu le ranimer.

Les Cent Premiers n'étaient donc plus que dix-huit. Auxquels Sax rajoutait les sept membres du groupe d'Hiroko, car rien ne prouvait qu'ils étaient morts. Pour Maya ce n'était qu'un fantasme, un vœu pieux, mais comme, d'un autre côté, ce n'était vraiment pas le genre de Sax, il y avait peut-être du vrai là-dedans. Enfin, la plus jeune d'entre eux, Mary (à moins qu'Hiroko ne soit encore en vie), avait maintenant 212 ans. La plus vieille, Ann, avait 226 ans, et Maya en avait 221, ce qui était grotesque, mais c'était comme ça : sur Terre, on était en 2206.

– Et encore, il y a des gens qui ont 250 ans, nota Michel. Le traitement pourrait parfaitement agir pendant une très, très longue période. Ce n'est peut-être qu'une triste coïncidence.

– Peut-être.

Chaque mort semblait l'amputer d'une partie de lui-même. Il devenait de plus en plus sombre, ce qui agaçait Maya. Il était manifeste qu'il se disait qu'il aurait mieux fait de rester en Provence. C'était son rêve, ce qu'il avait de plus cher au monde, en dépit du fait évident qu'il était chez lui sur Mars, depuis le jour où ils s'y étaient posés ou même avant, depuis le moment où il l'avait vue pour la première fois dans le ciel, quand il était encore gamin. Personne ne pouvait dire quand c'était arrivé, mais Mars était devenue son chez-lui. C'était évident pour tout le monde sauf pour lui. Il continuait à regretter la Provence et considérait Maya à la fois comme celle qui l'avait exilé et comme son pays d'exil. Il voyait dans son corps une Provence de substitution : ses seins étaient ses collines, son ventre, sa vallée, et son sexe, sa plage et son océan. Il était évidemment impossible d'être la maison de quelqu'un, mais la nostalgie avait ses raisons que la raison ne connaissait pas, et Michel croyait que les projets irréalisables étaient une bonne chose, alors dans le fond... Et puis c'était une partie de leur relation, même si c'était parfois un fardeau épouvantable pour elle. Surtout quand la mort d'un des Cent Premiers le poussait vers elle, et donc vers les idées de retour au foyer.

Les enterrements et les cérémonies funéraires mettaient toujours Sax en rogne. Il ne pouvait s'y faire, pour lui la mort était une sorte d'impôt vulgaire, une manifestation du Grand Inexplicable qui lui agitait un chiffon rouge sous le nez. Un problème scientifique en attente de résolution. Le phénomène du déclin subit le confondait, par la façon chaque fois différente – en dehors de sa brusquerie – dont il survenait et par l'absence de cause unique, évidente. On s'effondrait d'un coup, comme emporté par une vague. Une sorte de jamais-vu, ou plutôt de jamais-vivre. Les théories ne manquaient pas. C'était une préoccupation vitale pour tous les vieux, et pour les plus jeunes qui espéraient devenir vieux, autrement dit pour tout le monde, aussi le phénomène faisait-il l'objet de multiples études. Mais personne n'avait encore réussi à dire ce que c'était, ni même si c'était une seule et unique chose ; et les gens continuaient à mourir.

Ils mirent une partie des cendres de Yeli dans un ballon qui monta rapidement dans le ciel, depuis le point de la digue où ils avaient lancé Spencer, un endroit d'où on avait une vue imprenable sur l'arc d'Odessa. Après ça, ils se réunirent chez Maya et Michel. Une vraie Praxis, tous ces gens qui se soutenaient mutuellement. Ils feuilletèrent les albums de Michel, parlèrent d'Olympus Mons en 61, d'Underhill. Du passé. Maya ignora leur conversation, leur servit du thé et des gâteaux, puis il ne resta plus dans l'appartement que Michel, Sax et Nadia. La veillée mortuaire était terminée. Elle pouvait se détendre. Elle s'arrêta à la table de la cuisine, mit la main sur l'épaule de Michel et regarda avec lui une photo en noir et blanc, granuleuse, maculée de taches qui ressemblaient à de la sauce bolognaise et à du café. Une photo passée d'un jeune homme au sourire confiant, sûr de lui.

– Quel visage intéressant, dit-elle.

Elle sentit Michel se raidir, vit la consternation de Nadia et comprit qu'elle avait dit une bêtise. Même Sax avait l'air ébranlé, presque affolé. Maya regarda le jeune homme de la photo, le regarda encore et encore. Il ne lui rappelait rien.

Elle quitta l'appartement. Elle gravit les rues en escalier d'Odessa – Odessa, ses maisons blanches aux portes et aux volets turquoise, ses chats, ses jardinières en terre cuite –, et se retrouva tout en haut de la ville. De là, on voyait le miroir indigo de la mer d'Hellas, à des kilomètres de distance. Elle pleurait en marchant, sans savoir pourquoi, désolée, étonnée. Et pourtant, cela aussi s'était déjà produit.

Un moment plus tard, elle était dans la partie ouest de la ville haute, dans Paradeplatz Park, où ils avaient donné *Le Nœud de sang*. Ou bien *Un conte d'hiver*... Oui, c'était plutôt ça, *Un conte d'hiver*. Mais eux, ils ne reviendraient pas à la vie.

Enfin. Elle était là quand même. Elle repartit lentement dans les longues ruelles qui descendaient vers leur immeuble, à penser à des pièces de théâtre, le cœur un peu plus léger au fur et à mesure qu'elle se rapprochait. Il y avait une ambulance devant la porte. Elle se sentit soudain glacée, comme si on lui avait jeté un seau d'eau en pleine figure. Elle passa son chemin, tourna le dos au bâtiment et descendit vers la corniche.

Elle marcha jusqu'à ce qu'elle n'en puisse plus, alors elle s'assit sur un banc, face à une terrasse de café où un homme jouait d'un bandonéon asthmatique, un vieux au crâne dégarni, aux joues rondes, au nez rouge, avec une moustache blanche et des poches sous les yeux. La tristesse de sa musique était le reflet de celle de son visage. Le soleil se couchait et chaque facette de la mer immobile luisait de cet éclat visqueux, vitreux, qu'ont parfois les surfaces liquides. Tout était orange, comme le soleil qui flirtait avec les montagnes, à l'ouest. Elle s'appuya au dossier du banc. La brise du large lui caressait la peau. Des mouettes planaient dans le ciel. Tout à coup, la couleur de la mer lui rappela celle de la boule orange tachetée qu'elle avait vue depuis l'*Arès*, après leur insertion orbitale. Mars, la planète vierge tournant en dessous d'eux, le symbole de tout le bonheur potentiel. Elle n'avait jamais été plus heureuse depuis.

C'est alors qu'elle la sentit venir, l'aura pré-épileptique du presque-vu, une signification immensément vaste imprégnant tout – la mer étincelante –, immanente mais juste hors de portée, s'imposant aux choses... Et l'illumination arriva avec un petit claquement sec : cet aspect du phénomène était le sens en lui-même, la signification de tout se trouvait juste hors de portée, dans l'avenir, les tirant vers l'avant, dans certains moments particuliers on éprouvait la traction du devenir, impérieuse, semblable à une marée, à une sensation aiguë de plaisir anticipé, celle qu'elle avait eue en baissant les yeux sur Mars depuis l'*Arès*, l'inconscient chargé non des détritus d'un passé mort mais des inimaginables possibilités de l'avenir en train de se faire. Tout était possible, tout. Et le presque-vu reflua lentement dans l'invisibilité, presque compris cette fois. Elle resta un moment assise, dans un état de plénitude radieuse. Elle était quand même là, dans le fond, et ce potentiel de bonheur serait toujours en elle.

TREIZIÈME PARTIE

Procédures expérimentales

Nirgal arriva à la dernière minute. De la gare de Sheffield, il prit le métro jusqu'au Socle, sans rien voir. Il arpenta les grandes salles jusqu'au salon des départs. Et elle était là.

Elle parut contente de le voir, mais irritée qu'il soit arrivé si tard. Elle était sur le point de partir. D'abord le câble, puis une navette vers l'un des nouveaux astéroïdes évidés, particulièrement vaste et luxuriant. Ensuite l'accélération et une gravité équivalente à celle de Mars pendant quelques mois, jusqu'à ce qu'ils atteignent une allure de croisière représentant un pourcentage non négligeable de la vitesse de la lumière. Cet astéroïde était un vaisseau spatial; et ils allaient du côté d'Aldébaran, vers une étoile qui ressemblait au soleil où une planète pareille à Mars décrivait une orbite comparable à celle de la Terre. Un nouveau monde, une nouvelle vie. Jackie s'en allait.

Nirgal n'arrivait pas à le croire. Il n'avait été prévenu que deux jours plus tôt; il n'avait pas dormi depuis, trop préoccupé à réfléchir si ça avait une importance, si ça changerait quelque chose dans sa vie, s'il devait aller la voir, tenter de la dissuader.

En la voyant, il comprit que quoi qu'il puisse lui dire, rien ne la ferait changer d'avis. Elle allait partir. Je veux essayer autre chose, disait-elle dans son message, un enregistrement audio sans image. Je n'ai plus rien à faire ici, disait sa voix, venant de son poignet. J'ai joué mon rôle. Je veux essayer autre chose.

A bord de l'astéroïde qui était un vaisseau interstellaire se trouvaient surtout des gens de Dorsa Brevia. Nirgal avait appelé Charlotte pour essayer de comprendre. C'est compliqué, avait répondu Charlotte. Il y a tout un tas de raisons. La planète vers laquelle ils vont est relativement proche, et parfaite pour le terraforming. C'est le premier pas de l'humanité vers les étoiles.

Je sais, avait répondu Nirgal. Quelques vaisseaux étaient déjà partis vers d'autres mondes habitables. Le pas avait été franchi.

Mais cette planète est encore meilleure. Et on commence à se demander, à Dorsa Brevia, s'il n'est pas indispensable que nous partions loin de la Terre pour prendre un nouveau départ. Le plus dur est de la laisser derrière nous. Les choses ont l'air d'aller très mal à nouveau. Ces atterrissages non autorisés. On dirait le début d'une invasion. Imagine que Mars soit la nouvelle société démocratique et la Terre l'ancien féodalisme ; ça ressemble bien au vieux tentant d'écraser le nouveau avant qu'il ne grandisse. Ils sont beaucoup plus nombreux que nous ; vingt milliards contre deux. Et le patriarcat lui-même fait partie de ce vieux féodalisme. Alors on se demande, à Dorsa Brevia, s'il ne faut pas prendre un peu plus de champ. Aldébaran n'est qu'à vingt années de voyage, et ils vont vivre très vieux. Un groupe a décidé d'essayer. Des familles, des couples sans enfants, des célibataires, comme les Cent Premiers, quand ils sont partis pour Mars, comme du temps de Boone et de Chalmers.

Jackie était donc assise à même le sol dans le salon des départs. Nirgal s'installa auprès d'elle. Elle avait l'air déprimée. Elle lissa la moquette du plat de la main et fit des dessins dans les poils. Des lettres. Elle écrivit Nirgal.

Le salon des départs était bondé mais l'atmosphère était au recueillement. Il y avait des gens graves, blêmes, troublés, pensifs, radieux. Certains partaient. D'autres étaient venus leur dire au revoir. Une large baie vitrée donnait sur le Socle. Les cabines de l'ascenseur lévitaient sans bruit entre les parois, au pied du câble de trente-sept mille kilomètres de long qui planait à dix mètres au-dessus du sol de béton.

Alors tu t'en vas, dit Nirgal.

Oui, répondit Jackie. Je veux prendre un nouveau départ.

Nirgal ne répondit pas.

Ce sera une aventure, dit-elle.

C'est vrai.

Il ne voyait pas quoi répondre d'autre.

Sur le tapis, elle écrivit Jackie Boone est allée dans la Lune.

C'est une idée terrifiante, quand on y réfléchit, dit-elle. L'humanité, se répandant dans la galaxie. Etoile après étoile, toujours plus loin. C'est notre destinée. C'est ce que nous devions faire. J'ai entendu dire qu'Hiroko et son groupe étaient partis, qu'ils avaient pris l'un des premiers vaisseaux. Celui qui est allé vers l'étoile de Barnard. Pour jeter les bases d'un nouveau monde. Répandre la viriditas.

C'est aussi plausible que toutes les autres histoires, répondit Nirgal.

Et c'était vrai ; il voyait bien Hiroko faire ça, repartir, rejoindre la nouvelle diaspora humaine à travers les étoiles, coloniser les planètes voisines, puis aller encore plus loin. Un pas hors du berceau. La fin de la préhistoire.

Il observa son profil alors qu'elle faisait des dessins sur la moquette. Il ne la verrait plus jamais de sa vie. Pour chacun d'eux, c'était comme si l'autre allait mourir. C'était vrai pour bon nombre des couples qui s'étreignaient sans un mot dans la salle. Ces gens allaient quitter tous ceux qu'ils connaissaient.

Comme les Cent Premiers. Des gens bizarres. Il fallait vraiment être bizarre pour abandonner ses proches derrière soi et partir avec quatre-vingt-dix-neuf étrangers. Certains étaient des savants célèbres, ils avaient tous des parents, forcément. Mais aucun n'avait d'enfants. Et aucun n'était marié, en dehors des six couples qui faisaient partie des Cent Premiers. Des célibataires sans enfants, dans la force de l'âge, prêts à prendre un nouveau départ. Voilà qui ils étaient. Et Jackie était comme ça aussi, maintenant : célibataire, sans enfant.

Nirgal détourna les yeux, la regarda à nouveau. Elle était bien là, baignée de lumière. Les cheveux noirs, brillants. Elle lui jeta un rapide coup d'œil, baissa à nouveau les yeux. Où que tu ailles, *écrivit-elle,* tu y arriveras.

Elle releva les yeux, le regarda. A ton avis, que nous est-il arrivé ? demanda-t-elle.

Je ne sais pas.

Ils restèrent assis, à contempler la moquette. De l'autre côté de la baie vitrée, dans le sas du câble, une cabine s'approcha du câble en planant au-dessus du sol, le long d'une piste. Elle s'amarra, une passerelle télescopique se déroula comme un serpent et se referma sur sa paroi extérieure.

Ne t'en va pas, aurait-il voulu dire. Ne t'en va pas. Ne quitte pas ce monde à jamais. Ne me quitte pas. Rappelle-toi le jour où le Soufi nous a mariés. Le jour où nous avons fait l'amour à la chaleur d'un volcan. Et Zygote ? Tu te souviens de Zygote ?

Il ne dit rien. Elle se souvenait.

Je ne sais pas.

Il tendit la main vers l'inscription sur la carpette, *effaça* tu y arriveras *et écrivit à la place* nous y arriverons *du bout de l'index.*

Elle eut un sourire mélancolique. Contre toutes ces années, que pesait un simple mot ?

Les haut-parleurs annoncèrent que l'ascenseur était prêt pour le départ. Les gens se levèrent, se dirent des choses d'une voix tremblante. Nirgal se retrouva debout, face à Jackie. Elle le regardait droit dans les yeux. Il la serra sur son cœur. Son corps dans ses bras, aussi réel qu'une pierre. Ses cheveux dans son nez. Il inspira profondément, retint son souffle. La relâcha. Elle s'éloigna sans un mot. Elle se retourna une fois, à l'entrée de la passerelle. Son visage. Et puis elle ne fut plus là.

Plus tard, il reçut un message radio, du fin fond de l'espace. Où que tu ailles, nous y arriverons. *Ce n'était pas vrai. Mais il se sentit mieux. Les mots avaient ce pouvoir. Très bien, se dit-il alors qu'il passait ses journées à arpenter la planète. Maintenant, je suis en route pour Aldébaran.*

L'île polaire du Nord était peut-être du paysage martien l'endroit qui avait connu le plus de déformations. C'est ce que Sax avait entendu dire, et en marchant sur une butte qui longeait la rivière de Borealis Chasma, il comprit ce que cela signifiait. La calotte polaire avait diminué de moitié et les immenses parois de glace de Borealis avaient pratiquement disparu, occasionnant une fonte comme on n'en avait pas vu sur Mars depuis le milieu de l'Hespérien. Et, tous les printemps et tous les étés, cette énorme masse d'eau avait impétueusement raviné le sable et le lœss stratifiés. Les creux du paysage s'étaient transformés en de profonds canyons aux parois de sable, qui traversaient dans leur course vers la mer du Nord des bassins hydrographiques très instables, canalisant les fontes printanières et changeant rapidement de cours au gré des effondrements et des glissements de terrain qui donnaient naissance à des lacs éphémères. Puis des brèches s'ouvraient dans les barrages et ces lacs étaient emportés à leur tour, ne laissant que des plages en terrasse et des barrières mouvantes.

Sax regarda l'une de ces barrières en calculant la masse d'eau qui avait dû s'accumuler dans le lac avant la rupture du barrage. On ne pouvait pas trop s'approcher de la partie en surplomb ; les bords du nouveau canyon étaient très instables. La végétation était maigre. Çà et là, une bande de lichen de couleur pâle rompait la monotonie des tons minéraux. La rivière Borealis était un large ruban peu profond de lait glacial, turbide, qui courait cent quatre-vingts mètres plus bas. Des cours d'eau tributaires coupaient beaucoup moins profondément les vallées suspendues et déchargeaient leurs eaux en cascades opaques semblables à de la peinture diluée.

Au-dessus des canyons, le plateau qui avait été le fond de Borealis Chasma était un terrain laminé, et les lignes de soulèvement donnaient l'impression d'avoir été artistement ciselées dans le paysage. Les rivières suivaient un tracé comparable aux nervures d'une feuille et s'enfonçaient à plusieurs mètres de profondeur en décrivant des courbes pareilles à celles d'un pistolet de dessinateur comme si la carte avait marqué le territoire à une grande profondeur.

On n'était pas loin du milieu de l'été, et le soleil balayait toute la largeur du ciel au cours de la journée. Des nuages dévalaient la glace, au nord. Quand le soleil était au plus bas, vers la mi-après-midi, ces nuages filaient vers le sud et la mer en un épais brouillard violet, lilas, bronze ou de quelque autre teinte subtile, vibrante. Des fleurs de fellfield poussaient anarchiquement sur le plateau laminé, et Sax pensa au glacier d'Arena, le paysage auquel il s'intéressait avant son problème. Il se souvenait mal de la première fois qu'il l'avait vu, mais cette image avait dû se graver en lui, de la même façon que les canetons prennent les premières créatures qu'ils voient pour leur mère. De grandes forêts couvraient les régions tempérées, où des touffes de séquoias géants ombrageaient des sous-bois de pins. Des falaises spectaculaires hébergeaient de grands nuages d'oiseaux piauleurs. Il y avait des terrariums renfermant des jungles de cratère et, l'hiver, les interminables plaines de neige des sastrugi. Il y avait des escarpements qui étaient des mondes verticaux, d'immenses déserts de sable rouge, mouvants, des pentes volcaniques de gravier noir ; il y avait toutes sortes de biomes, grands et petits, mais pour Sax, ce bioscope de roche dénudée était le meilleur.

Il marchait sur les pierres, son petit véhicule le suivant tant bien que mal, profitant des passages à gué pour traverser les cours d'eau. Les fleurs d'été, bien que peu visibles à dix mètres, n'en étaient pas moins intensément colorées, aussi spectaculaires à leur façon que n'importe quelle forêt tropicale. L'humus né de ces plantes était extrêmement léger, ne s'épaissirait que lentement, et il était difficile de l'augmenter ; toute terre déversée dans les canyons était emportée par les vents vers la mer du Nord et, sur les terrains laminés, les hivers étaient si rudes que le sol ne se bonifiait que très lentement. Il s'intégrait au permafrost, sans plus. Alors ils laissaient lentement évoluer les fellfields en toundra et gardaient l'humus pour les régions plus prometteuses du Sud. Ce qui convenait à Sax. Les gens auraient des siècles pour procéder à leurs expériences sur le premier aréobiome non terrien, si rare et précieux.

Sax se dirigea – en regardant bien où il mettait les pieds, à cause des plantes – vers son véhicule, qui était maintenant hors de vue à sa droite. Le soleil ne bougeait guère sur l'horizon, et quand on s'éloignait du nouveau Borealis Chasma qui courait le long de l'ancien, il devenait très difficile de s'orienter. Le nord pouvait être n'importe où, dans un arc de cent quatre-vingts degrés. Normalement il était « derrière lui ». Or il ne tenait pas à s'approcher de la mer du Nord, qui devait être devant, parce que les ours polaires s'étaient très bien acclimatés sur ce littoral, où ils tuaient les phoques et attaquaient les réserves d'oiseaux.

Sax prit donc le temps de consulter les cartes de son bloc-poignet pour déterminer avec précision sa position et celle de sa voiture. Il avait un très bon programme de cartes, ces temps-ci. Bon, il se trouvait par 31,63844 degrés de longitude et 84,89926 degrés de latitude nord, à quelques mètres près. Et son véhicule était à 31,64114 degrés par 84,86857. S'il grimpait, par un charmant escalier naturel, en haut de ce petit tertre en forme de miche de pain, au nord-ouest, il le verrait. Oui. Il roulait paresseusement là-bas. Et là, dans le pli de la miche (quelle analogie anthropomorphique appropriée !), une touffe de saxifrage pourpre, obstinée, s'accrochait à l'abri de la roche brisée.

Tout cela avait quelque chose de profondément satisfaisant : le terrain laminé, la saxifrage dans la lumière, le petit véhicule qu'il retrouverait à temps pour dîner, la délicieuse lassitude de ses pieds, et puis un sentiment indéfinissable, un plaisir que tous ces éléments distincts ne suffisaient pas à justifier. Une sorte d'euphorie. Ça devait être de l'amour. L'esprit de l'endroit, l'amour de cet endroit – l'aréophanie, non seulement telle qu'Hiroko l'avait définie, mais peut-être telle qu'elle-même l'avait vécue. Ah, Hiroko... se pouvait-il qu'elle se soit sentie aussi bien, tout le temps ? La créature bénie ! Pas étonnant qu'elle ait projeté une telle aura, suscité un tel engouement. Le désir de côtoyer cette jouissance, d'apprendre à l'éprouver soi-même... L'amour d'une planète. De la vie d'une planète. La composante biologique était sans aucun doute un facteur déterminant de la considération qu'elle inspirait. Même Ann n'aurait pu faire autrement que de l'admettre, si elle s'était trouvée à ses côtés aujourd'hui. Une hypothèse intéressante, à tester. Regarde, Ann, cette saxifrage violette. Vois comme elle attire l'œil. Le regard fixé au centre du paysage curviligne. Une sorte de génération spontanée. Comme l'amour.

A vrai dire, ce paysage sublime lui donnait l'impression d'être une sorte d'image de l'univers lui-même, du moins dans sa relation entre la vie et la non-vie. Il avait suivi les théories biogénétiques de Deleuze, une tentative de réduction en modèles mathématiques à l'échelle cosmologique qui rappelait la viriditas d'Hiroko. Sax croyait savoir que, pour Deleuze, la viriditas était l'une des forces agissantes du big bang, un phénomène de limite complexe qui régissait les forces et les particules, et avait irradié vers l'extérieur du big bang comme une simple potentialité jusqu'à ce que les systèmes planétaires de la seconde génération aient collecté tout l'éventail des éléments plus lourds, moment auquel la vie avait jailli en « mini bangs » éclatant au bout de chaque brin de viriditas. Il n'y en avait pas eu énormément, et ils avaient été uniformément répartis dans l'univers, suivant l'amas galactique et le formant en partie. Chaque « mini bang » était donc aussi éloigné des autres qu'il était possible de l'être. Cette dispersion dans l'espace-temps rendait le contact fort improbable simplement parce qu'il s'agissait de phénomènes tardifs, très éloignés du reste. Le contact n'avait pas eu le temps de se faire. Sax trouvait que cette hypothèse expliquait bien l'échec de SETI [1], ce silence des étoiles qui se poursuivait depuis maintenant près de quatre siècles. Un battement de cils comparé aux milliards d'années-lumière qui, selon Deleuze, séparaient chaque îlot de vie.

La viriditas existait donc dans l'univers comme cette saxifrage sur les grandes courbes de sable de l'île polaire : petite, isolée, magnifique. Sax vit un univers s'incurver devant lui. Mais Deleuze soutenait qu'ils vivaient dans un univers plat, au point d'inversion entre l'expansion continue et le modèle d'expansion-contraction. Et il affirmait aussi que le point d'inversion où l'univers commencerait soit à se contracter, soit à se dilater au-delà de toute possibilité de rétraction semblait très proche. Ce qui laissait Sax dubitatif, tout comme son assertion selon laquelle ils pouvaient influencer la matière dans un sens ou dans l'autre : en tapant du pied, projetant l'univers toujours plus loin, vers la dissolution dans une chaleur insoutenable, ou en retenant son souffle, en attirant tout vers le centre et le point oméga inconcevable de l'eschaton. Non. Entre autres considérations, la première loi de la thermodynamique faisait de cette hypothèse une hallucination cosmologique, un petit existentialisme divin. Voilà quel résultat psychologique pouvait avoir l'énorme accroissement des pouvoirs matériels de l'humanité. A moins que ce ne soit la traduction des tendances personnelles de Deleuze à la mégalomanie; il croyait pouvoir tout expliquer.

En fait, Sax nourrissait la plus grande méfiance à l'égard de la cosmologie actuelle, qui plaçait l'humanité au centre de toute

1. SETI : « Search for Extra Terrestrial Intelligence », programme d'écoute des ondes venant de l'espace, à la recherche d'intelligence extraterrestre. *(N.d.T.)*

chose, ère après ère. Sax n'était pas loin de voir dans toutes ces formulations des artefacts de la pensée humaine, de forts principes anthropomorphiques sous-tendant tout ce qu'ils voyaient, comme la couleur. Force lui était pourtant d'admettre que certaines observations semblaient fondées et pas évidentes à considérer comme des intrusions perceptives humaines, ou des coïncidences. Bon, il était difficile d'imaginer que le Soleil et la Lune semblaient être de la même taille vus de la Terre, et pourtant... il y avait des coïncidences. Mais pour Sax, la plupart de ces considérations anthropocentriques ne faisaient que marquer les limites de leur compréhension. Il se pouvait fort bien qu'il y ait des choses plus vastes que l'univers et d'autres plus petites que les cordes – un tout encore plus grand, fait de composants encore plus petits, l'un et l'autre dépassant la perception humaine, même mathématiquement. Ce qui expliquerait certaines contradictions des équations de Bao. Si on admettait que les quatre macro-dimensions de l'espace-temps étaient en relation avec des dimensions plus vastes, de même que les six micro-dimensions étaient liées aux quatre dimensions ordinaires, ses équations marchaient à merveille. Il entrevoyait d'ailleurs, en cet instant même, une formulation possible...

Il trébucha, reprit son équilibre. Un petit banc de sable, près de trois fois plus grand que les autres. D'accord, monter, et retrouver son véhicule. Là. Mais à quoi pensait-il ?

Il ne s'en souvenait pas. Il réfléchissait à quelque chose d'intéressant, c'est tout ce qu'il savait. Il imaginait quelque chose, mais quoi ? Cela lui avait échappé et il n'arrivait pas à remettre le doigt dessus. C'était tapi dans un coin de sa tête comme un caillou dans une chaussure ; il l'avait sur le bout de la langue. C'était à devenir fou. Ce phénomène lui était déjà arrivé, et lui arrivait de plus en plus souvent, ces derniers temps. Enfin, c'était à tout le moins son impression. Il avait perdu le fil de ses pensées, et il avait beau chercher, ça ne lui revenait pas.

Il regagna son véhicule comme un zombi. L'amour de l'endroit, certes, mais il fallait se souvenir des choses pour les aimer ! Il fallait pouvoir se souvenir de ses pensées ! Perturbé, agacé, il retourna tout dans sa voiture pour préparer le dîner et l'avala sans même s'en rendre compte.

Ce problème de mémoire ne pouvait pas durer.

En y réfléchissant, il perdait souvent le fil de ses pensées. Enfin, il croyait se rappeler qu'il oubliait à quoi il pensait. Drôle de problème, vu comme ça. Bref, il avait conscience de perdre le fil de ses idées, lesquelles lui paraissaient excellentes, dans le vide blanc qui leur succédait. Il avait bien essayé de les enregistrer au bloc-poignet, quand il sentait venir un tel afflux de pensées, quand il avait l'impression que plusieurs enchaînements de pensées différents s'alliaient pour donner quelque chose de nouveau. Mais le fait de parler inhibait le processus mental. Il ne devait pas savoir articuler sa pensée. Il avait la vision de certaines choses, parfois en langage mathématique, à d'autres moments sous une forme inarticulée, impossible à préciser. En tout cas, la parole interrompait le flot. Ou alors, c'est que ses idées étaient beaucoup moins intéressantes qu'elles ne lui semblaient, car il n'enregistrait que des phrases hésitantes, décousues, et lentes, surtout. Rien à voir avec les pensées qu'il croyait enregistrer, qui, surtout dans cet état particulier, étaient tout au contraire rapides, cohérentes et fluides. Le libre jeu de l'esprit ne pouvait être figé. Sax s'étonna de constater que les pensées n'étaient jamais enregistrées, mémorisées ou transmises à autrui, par quelque moyen que ce soit. Le flux de la conscience n'était jamais partagé sinon par bribes, même par le mathématicien le plus prolifique, le diariste le plus consciencieux.

Enfin, ces incidents n'étaient que l'un des nombreux inconvénients auxquels ils devaient s'habituer dans leur vieillesse prolongée. C'était extrêmement malcommode et irritant. Il fallait absolument creuser la question, même si la mémoire avait toujours été un écueil pour la science du cerveau. Ils commençaient à avoir des ennuis de toiture, et ces fuites dans la pensarde leur posaient un vrai problème. Ces trous de mémoire, dont la forme en creux subsistait dans sa conscience, avec l'excitation émotionnelle qui l'accompagnait, le rendaient fou sur le coup. Mais de même qu'il en oubliait le contenu, une demi-heure plus tard l'incident ne lui semblait guère plus significatif que la volatilisation des rêves dans l'instant qui suit le réveil. Il avait d'autres soucis.

La mort de ses amis, par exemple. Cette fois, c'était Yeli Zudov, un des Cent Premiers qu'il n'avait jamais bien connu. Il était quand même allé à Odessa et, après le service – une cérémonie lugubre dont il avait été souvent distrait par la pensée de Vlad, de Spencer, de Phyllis et d'Ann –, ils s'étaient réunis chez Michel et Maya. Ce n'était pas l'appartement qu'ils occupaient avant la seconde révolution, mais Michel avait fait en sorte qu'il lui ressemble, pour autant que Sax s'en souvienne. C'était en rapport avec la thérapie de Maya, qui avait de plus en plus de problèmes mentaux; Sax ne savait plus très bien lesquels. Il n'avait jamais compris les aspects les plus mélodramatiques de

Maya, et il n'avait pas fait très attention à ce que Michel lui avait raconté, la dernière fois qu'il l'avait vu. Ce n'était jamais pareil, et toujours la même chose.

Mais cette fois, après lui avoir donné une tasse de thé, Maya était retournée dans la cuisine, en passant devant la table sur laquelle étaient ouverts les albums de photos de Michel. Sur le dessus, il y avait une photo de Frank que Maya adorait, dans le temps. Elle l'avait collée sur le placard de la cuisine, dans l'autre appartement. Sax s'en souvenait comme si c'était hier, c'était une sorte de figure héraldique de ces années de tension : tous en train de se battre alors que le jeune Frank se moquait d'eux.

Maya s'était arrêtée, avait regardé la photo attentivement. En pensant sans doute aux morts précédents. Ceux qui étaient déjà partis, il y avait si longtemps.

Puis elle avait dit : « Quel visage intéressant. »

Sax avait éprouvé une sensation de froid horrible au creux de l'estomac. La manifestation physiologique caractéristique de la détresse. Perdre le fil de ses idées, oublier de vagues spéculations métaphysiques, c'était une chose. Mais ça, son propre passé, leur passé commun, c'était insupportable. On ne pouvait s'y faire. Il ne s'y ferait jamais.

Maya avait vu qu'ils étaient choqués, mais elle n'avait pas compris pourquoi. Nadia avait les larmes aux yeux, ce qui ne lui arrivait pas souvent. Michel donnait l'impression d'avoir été frappé par la foudre. Sentant que quelque chose clochait, Maya avait quitté l'appartement en coup de vent. Personne n'avait tenté de l'arrêter.

Les autres avaient comblé le vide. Nadia s'était approchée de Michel.

– De plus en plus souvent, avait marmonné Michel, l'air hagard. Ça lui arrive de plus en plus souvent. Ça m'arrive aussi. Mais chez Maya, c'est...

Il avait secoué la tête, totalement découragé. Incapable d'en tirer quoi que ce soit de positif, même lui, Michel, qui avait appliqué son alchimie de l'optimisme à tous leurs ennuis passés, les faisant entrer dans sa grande histoire, réussissant en quelque sorte à arracher le mythe de Mars au bourbier quotidien. Mais ça, c'était la mort de l'histoire, donc difficile à mythifier. Non, continuer à vivre après la mort de la mémoire n'était qu'une farce, inutile et terrible. Il fallait faire quelque chose.

Sax y réfléchissait encore, assis dans un coin, absorbé dans l'examen de son bloc-poignet. Il lisait une sélection de travaux expérimentaux récents sur la mémoire, quand il avait entendu un bruit sourd de chute dans la cuisine. Nadia avait poussé un cri. Sax s'était précipité et avait trouvé Nadia et Art accroupis à côté de Michel, étalé par terre, le visage crayeux. Sax avait appelé le concierge et, étonnamment vite, une équipe médicale était arrivée, de grands jeunes indigènes avec tout leur équipement, qui avaient écarté Art et enfermé Michel dans leur réseau compact de machines, reléguant les anciens dans le rôle de spectateurs de la... du combat de leur ami.

Sax avait rejoint les médecins, comme eux posé la main sur l'épaule et le cou de Michel. Il n'avait plus de pouls, ne respirait plus. Il était livide. Il y avait eu la violence des tentatives de réanimation. Ils lui avaient infligé des électrochocs en variant la puissance des décharges, puis ils l'avaient intubé. Les jeunes médecins travaillaient presque en silence, n'échangeant que les paroles indispensables, apparemment inconscients de la présence des anciens assis contre le mur. Ils avaient fait tout ce qui était en leur pouvoir, mais Michel était resté obstinément, mystérieusement mort.

De toute évidence, il avait été contrarié par le trou de mémoire de Maya. Mais ce n'était pas une explication suffisante. Il connaissait son problème mieux que personne, il se faisait du souci pour elle. Une crise de plus ou de moins n'aurait pas dû avoir cet impact sur lui. C'était une coïncidence. Une atroce coïncidence. Plus tard ce soir-là, alors que les docteurs avaient renoncé et descendu Michel au rez-de-chaussée, au moment où ils remballaient leur matériel, en fait, Maya avait fini par revenir, et ils avaient dû lui expliquer ce qui s'était passé.

Elle était désespérée, bien entendu. Son accablement, sa douleur avaient bouleversé l'un des jeunes médecins qui avait tenté de la réconforter (ça ne marchera pas, aurait voulu dire Sax, j'ai déjà essayé) et reçu une gifle en pleine face pour sa peine, ce qu'il n'avait pas apprécié. Il était sorti dans le couloir, s'était lourdement assis.

Sax l'avait rejoint. Le jeune homme pleurait.

– Je n'en peux plus. Ça ne sert à rien, avait-il dit au bout d'un moment, en secouant la tête d'un air d'excuse. On vient, on fait tout ce qu'on peut et ça ne sert à rien. Rien n'empêche le déclin subit.

– C'est quoi? avait demandé Sax.

Le jeune homme avait haussé ses larges épaules, reniflé.

– C'est bien là le problème. Personne ne le sait.

– Il doit bien y avoir des théories. Il y a eu des autopsies?

– Arythmie cardiaque, avait lâché d'un bon laconique un autre médecin qui passait avec son matériel.

– Ce n'est qu'un symptôme, avait lancé hargneusement l'homme assis en reniflant à nouveau. Pourquoi le rythme se perturbe-t-il ? Et pourquoi les défibrillateurs ne réussissent-ils pas à le régulariser ?

Personne ne lui avait répondu.

Un autre mystère à élucider. Par la porte, Sax voyait Maya pleurer sur le canapé, Nadia à côté d'elle, raide comme une statue. Sax avait soudain réalisé que même s'il trouvait une explication, ça ne ramènerait pas Michel.

Pendant qu'Art s'activait avec les médecins, prenait des dispositions, Sax avait pianoté sur son bloc-poignet, et des titres d'articles sur le déclin subit avaient défilé à toute vitesse : il y avait 8 361 entrées sous cet intitulé, des résumés d'articles, des sommaires établis par les IA, mais rien de concluant, apparemment. Ils en étaient encore au stade de l'observation et des hypothèses... qui balançaient comme un fléau. Par de nombreux aspects, cela lui rappelait les travaux sur la mémoire qu'il avait lus. La mort et l'esprit. Depuis combien de temps étudiaient-ils ces problèmes, depuis combien de temps leur résistaient-ils ? Michel lui-même s'était penché dessus, fournissant des commentaires qui expliquaient l'inexplicable. Michel qui avait tiré Sax de l'aphasie, qui lui avait appris à comprendre des parties de lui-même dont il ignorait jusqu'à l'existence. Michel était parti. Il ne reviendrait pas. Ils avaient emporté la derrière version de son corps hors de l'appartement. Il avait à peu près l'âge de Sax, 220 ans. C'était un âge avancé, selon tous les critères antérieurs, alors pourquoi cette douleur dans sa poitrine, ce flot de larmes brûlantes. Ça n'avait pas de sens. Et pourtant, Michel aurait compris. Ça valait mieux que la mort de l'esprit, aurait-il dit. Sauf que Sax n'en était pas si sûr. Ses problèmes de mémoire semblaient moins importants à présent, ceux de Maya aussi. Elle avait assez de souvenirs pour être anéantie, et lui aussi. Il se rappelait ce qui était important.

Un souvenir incongru : il s'était retrouvé auprès d'elle, dans le sillage de la mort de trois de ses partenaires : John, Frank, et maintenant Michel. C'était chaque fois plus pénible pour elle. Et pour lui aussi.

Les cendres de Michel s'étaient envolées dans un ballon audessus de la mer d'Hellas. Ils en avaient gardé une pincée pour la rapporter en Provence.

La littérature sur la longévité et la sénescence était si vaste et si spécialisée que Sax avait eu du mal, au début, à la prendre à bras le corps, selon son habitude. Il était évidemment parti des derniers travaux sur le déclin subit mais, pour comprendre les articles sur la question, il fallait remonter en amont, au traitement de longévité proprement dit. C'était un domaine dont Sax n'avait qu'une connaissance superficielle, pour lequel il éprouvait une aversion instinctive en raison de sa nature biologique semi-miraculeuse, inexplicable et un peu répugnante. Très proche du Grand Inexplicable, en fait. Il s'en était allègrement remis à Hiroko et à Vladimir Taneiev, ce génie qui avait conçu et supervisé les premiers traitements avec Ursula et Marina, ainsi que beaucoup d'évolutions ultérieures.

Mais Vlad était mort, maintenant, et Sax se sentait concerné. Il était temps de plonger dans la viriditas, dans le royaume de la complexité.

Il y avait un comportement ordonné, il y avait un comportement chaotique. L'interface était une zone très large et très complexe, le royaume du complexe. C'est là qu'apparaissait la viriditas, à l'endroit où la vie pouvait exister. Le traitement de longévité consistait, d'un point de vue philosophique général, à maintenir la vie dans cette zone de complexité, à empêcher diverses incursions du chaos (l'arythmie, par exemple) ou de l'ordre (la croissance des cellules malignes) de bouleverser le programme d'une façon fatale.

Mais quelque chose amenait les individus qui avaient reçu le traitement gérontologique à passer d'une sénescence négligeable à une sénescence extrêmement rapide ou, fait plus grave, de la santé à la mort, sans vieillissement physiologique du tout. Une irruption de l'ordre ou du chaos dans la zone de complexité limitrophe. Telle était, en tout cas, son impression après avoir lu quantité d'observations du phénomène. Il en déduisit qu'il fallait chercher en direction de formulations mathématiques de la frontière entre complexité et chaos, entre ordre et complexité. Mais il perdit cette vision holistique du problème dans un de ses passages à vide. L'enchaînement de pensées mathématiques disparut à jamais. D'un autre côté (il se consola comme il put), sa vision était probablement trop philosophique pour être utilisable. L'explication ne pouvait être évidente, sans quoi les efforts concertés, intensifs, du corps médical l'auraient depuis longtemps débusquée. Elle résidait sûrement, au contraire, dans quelque subtilité biochimique du cerveau, un domaine qui avait résisté à cinq cents ans d'investigations scientifiques, résisté comme l'hydre, chaque nouvelle découverte ne faisant que révéler d'autres mystères...

Il n'en persévéra pas moins. Quelques semaines de lecture assidue lui donnèrent une meilleure vision du domaine. Il avait jusque-là l'impression que le traitement de longévité consistait plus ou moins en une injection d'ADN du sujet lui-même, les brins obtenus artificiellement se substituant à ceux qui étaient déjà dans les cellules afin de les renforcer, de réparer les ruptures et les erreurs qui s'y produisaient avec le temps. Ce n'était pas faux, mais c'était bien davantage, de même que la sénescence était plus qu'une division cellulaire erronée ou une simple rupture de chromosomes ; c'était un véritable ensemble de processus. Et si certains étaient bien compris, d'autres l'étaient beaucoup moins. L'action de la sénescence (le vieillissement) se faisait sentir à tous les niveaux de la molécule, des cellules, des organes et de l'organisme. Une partie de la sénescence résultait d'effets hormonaux positifs pour l'organisme jeune dans sa phase reproductive, et négatifs pour l'animal qui avait passé l'âge de la reproduction, lorsque ça n'avait plus d'importance pour l'évolution. Certaines cellules étaient virtuellement immortelles : la moelle des os, le mucus intestinal se reproduisaient tant que leur environnement était vivant, sans évoluer dans le temps. D'autres cellules, comme les protéines non remplacées de la cornée, subissaient des altérations dues à la chaleur et à la lumière, assez régulières pour faire office de chronomètre biologique. Chacune de ces lignées de cellules vieillissait à un rythme autonome, ou ne vieillissait pas. Ce n'était donc pas une simple « question de temps » au sens newtonien, absolu, d'action entropique sur un organisme ; ce temps-là n'existait pas. C'était plutôt une longue succession d'événements physico-chimiques spécifiques, évoluant à des vitesses différentes, et avec des effets divers. Tout organisme assez grand était doté d'un nombre incroyable de mécanismes de réparation cellulaire et d'un système immunitaire puissant et polyvalent. Le traitement de longévité suppléait souvent ces processus, agissait sur eux ou les remplaçait. Il incluait des additions d'enzyme de photolyase, afin de corriger les accidents de l'ADN, de mélatonine, l'hormone pinéale, et de déhydro-épiandrostérone, une hormone stéroïde sécrétée par les glandes adrénalines. Il comportait maintenant près de deux cents composés de ce type.

C'était si vaste, si complexe... Après avoir passé la journée à lire, Sax allait parfois s'asseoir sur la corniche avec Maya et, s'il mangeait un burrito, il lui arrivait de s'arrêter entre deux bouchées pour le regarder, pour observer tout ce qui entrait dans le processus digestif et les maintenait en vie. Il prenait conscience de sa respiration, à laquelle il ne prêtait jamais attention. Il se sentait le souffle court, l'appétit coupé, et se prenait à douter qu'un système aussi complexe puisse exister plus d'un instant avant de s'effondrer, de retourner au limon et aux rudiments de l'astrophysique. Comme un château de cartes, d'une centaine d'étages de haut, dans le vent. Une pichenette n'importe où... Une chance que Maya n'ait pas besoin d'une compagnie active, parce qu'il restait alors plusieurs minutes d'affilée sans pouvoir parler, absorbé par la contemplation de son incapacité manifeste.

Mais il persévéra, comme tout savant confronté à une énigme. Il n'était pas seul dans sa quête, d'autres travaillaient en amont, sur les frontières ou dans des domaines voisins, du plus petit – la virologie, où les recherches sur des formes de vie comme les prions et les viroïdes en révélaient d'autres, encore plus infimes, presque trop partielles pour être qualifiées de vivantes : les virides, les viris, les virs, les vis, les vs, qui tous pouvaient avoir un rapport avec le problème pris dans son ensemble – au plus grand : les problèmes fonctionnels généraux, comme le rythme des ondes cérébrales et ses relations avec le cœur et les autres organes, ou la diminution constante de la sécrétion de mélatonine par la glande pinéale, une hormone qui semblait réguler nombre d'aspects du vieillissement. Sax suivait tous ces travaux, espérant retirer une vision inédite de ses nouvelles connaissances. Il devait suivre son intuition et étudier ce qui lui semblait important.

L'ennui, c'est que certaines de ses plus brillantes idées lui échappaient au moment de leur finalisation. Il fallait qu'il trouve un moyen d'enregistrer ces pensées fugitives avant qu'elles ne s'envolent ! Il commença à parler tout seul, même en public, dans l'espoir que ça l'aiderait à retarder le passage à vide, mais rien n'y fit. La pensée n'était pas un processus verbal, point final.

En attendant, il avait plaisir à retrouver Maya. Le soir – quand il remarquait que c'était le soir –, il arrêtait de lire et descendait sur la corniche. Maya était souvent assise sur l'un des quatre bancs, à contempler le port et la mer au-delà. Il allait acheter un burrito, un gyro, une salade ou un beignet à un éventaire, dans le parc, et il revenait s'asseoir auprès d'elle. Elle le saluait d'un hochement de tête, ils mangeaient en silence, et ils restaient assis à regarder la mer.

– Tu as passé une bonne journée?

– Pas mauvaise. Et toi?

Il ne lui disait pas grand-chose de ses lectures, et elle ne lui parlait guère d'hydrologie, ou des pièces qu'elle montait et où elle irait à la tombée de la nuit. En fait, ils ne parlaient pas beaucoup. Mais c'était une compagnie tout de même. Un soir, le coucher de soleil prit une teinte mauve inhabituellement vive, et Maya demanda :

– Je me demande quelle couleur c'est, ça?

– Lavande? risqua Sax.

– Le lavande est généralement plus pâle, non?

Sax chargea, sur son bloc-poignet, un grand nuancier qu'il avait jadis trouvé pour identifier les couleurs du ciel. Maya le regarda en ricanant, mais il resta quand même le bras levé et compara divers échantillons de couleur à la teinte du ciel.

– Il nous faudrait un plus grand écran.

Puis ils trouvèrent une teinte qui collait à peu près : violet clair. Ou quelque chose entre violet clair et violet pâle.

Ça devint un passe-temps. A Odessa le coucher de soleil se parait de teintes incroyablement variées, modifiant la couleur du ciel, de la mer et des murs blanchis à la chaux. Les variations étaient infinies. Il y en avait beaucoup plus qu'il n'y avait de noms. Sax s'étonnait sans cesse de la pauvreté du langage en ce domaine. Et même de la pauvreté du nuancier. L'œil pouvait percevoir près de dix millions de nuances différentes, lut-il. La palette de couleurs à laquelle il se référait offrait 1 266 références, dont très peu avaient un nom. C'est ainsi qu'ils passaient la plupart de leurs soirées l'avant-bras levé, à comparer les échantillons de couleur à celle du ciel. Ils finissaient par trouver un carré qui correspondait assez bien, mais c'était une teinte indéterminée, qui n'avait pas de nom. Alors ils lui en donnaient un : orange 11 octobre-2, violet de l'aphélie, feuille de citron, presque-vert, barbe d'Arkady. Maya était très douée pour ça. Parfois, ils trouvaient un échantillon qui collait avec la couleur du ciel (pendant un instant, en tout cas), et qui avait un nom, et ils apprenaient la vraie signification d'un mot, ce que Sax trouvait très satisfaisant. Mais dans la bande qui séparait le rouge et le bleu, la langue avait étonnamment peu de noms à proposer; elle n'était tout simplement pas faite pour Mars. Un soir, au crépuscule, après un coucher de soleil mauvâtre, ils parcoururent méthodiquement le nuancier, juste pour voir : violet, magenta, lilas, amarante, aubergine, mauve, améthyste, prune, violacé, violet, héliotrope, clématite, lavande, indigo, jacinthe, outremer – et ils se retrouvèrent dans les bleus. Il y en avait beaucoup, mais pour la gamme séparant les rouges et les bleus, néant, à part, bien sûr, les nombreuses variantes : pourpre royal, gris lavande et ainsi de suite.

Un soir, le soleil avait disparu derrière Hellespontus mais illuminait encore le ciel dégagé au-dessus de la mer quand tout devint d'un rouge-orangé-doré familier. Maya lui prit le bras comme dans une serre.

– Regarde, c'est l'orange martien! C'est la couleur de la planète vue de l'espace, comme nous l'avons vue de l'*Arès*. Regarde, vite! Qu'est-ce que c'est comme couleur?

Ils consultèrent leur nuancier, le bras tendu devant eux.

– Rouge paprika, rouge tomate... Rouille, voilà! C'est l'affinité de l'oxygène pour le fer qui produit cette couleur, évidemment.

– C'est beaucoup trop foncé, regarde.

– Tu as raison.

– Brun-rouge.

– Rouge brunâtre.

Cannelle, terre de Sienne, orangé persan, caramel, poil de chameau, coq-de-roche, Sahara, orange de chrome... Ils se mirent à rire. Rien ne collait tout à fait.

– On n'a qu'à appeler ça l'orange martien, décréta Maya.

– Parfait. Mais regarde comme il y a plus de noms pour ces couleurs que pour les violets. Pourquoi, à ton avis?

Maya haussa les épaules. Sax continua à lire les légendes qui accompagnaient le nuancier, pour voir si on disait quelque chose à ce sujet.

– Ah, il paraît que les bâtonnets de la rétine voient mieux les trois couleurs primaires, de sorte que les couleurs voisines sont plus faciles à distinguer que les couleurs composées intermédiaires.

Puis, dans le crépuscule qui devenait violacé, il tomba sur une phrase qui le surprit tant qu'il la relut à haute voix :

– Le rouge et le vert mêlés donnent une teinte qui ne peut être perçue comme composée de ces deux couleurs.

– Ce n'est pas vrai, objecta aussitôt Maya. C'est juste parce qu'ils partent d'un disque chromatique, et qu'elles sont à l'opposé l'une de l'autre.
– Que veux-tu dire ? Il y aurait d'autres couleurs que celles-là ?
– Evidemment, les couleurs de l'artiste. Les couleurs du théâtre. Tu envoies sur quelqu'un un projecteur vert, un rouge et tu obtiens une couleur qui n'est ni rouge ni verte.
– Et quelle couleur est-ce ? Elle a un nom ?
– Je n'en sais rien. Regardons un nuancier de peinture.
C'est ce qu'ils firent. Elle trouva la première :
– Ah, voilà : ambre brûlé, rouge indien, garance... rien que des mélanges de rouge et de vert.
– Intéressant ! Des mélanges de rouge et de vert... Ça ne te suggère rien ?
– Nous parlons couleurs, Sax, pas politique, dit-elle en lui jetant un coup d'œil.
– Je sais, je sais. Mais quand même...
– Ne dis pas de bêtises.
– Tu ne crois pas que ce qu'il nous faudrait, c'est un mélange de rouge et de vert ?
– Politiquement ? Ça existe déjà, Sax. C'est bien le problème. Mars Libre a fait entrer les Rouges au gouvernement pour stopper l'immigration, c'est pour ça qu'ils ont un tel succès. Ils ferment Mars à la Terre et d'ici peu nous allons nous retrouver en guerre avec les Terriens. C'est couru d'avance, je t'assure.
– Hum, fit Sax, douché.
Il ne s'intéressait guère à la politique du système solaire, ces temps-ci, mais il savait que la situation inquiétait de plus en plus Maya, qui avait une vision aiguë de ces choses. Et qui éprouvait toujours une sorte de jubilation à l'approche d'une crise. Alors ça n'allait peut-être pas aussi mal qu'elle le disait. Il devrait peut-être s'en préoccuper à nouveau d'ici quelque temps. Mais en attendant...
– Regarde, c'est devenu indigo, là, au-dessus des montagnes.
L'intense lame de scie noire sous la bande bleu violacé.
– Ce n'est pas indigo, c'est bleu roi.
– Pourquoi dit-on que c'est du bleu alors qu'il y a du rouge dedans ?
– Parce que. Regarde le bleu marine, le bleu de Prusse, le bleu roi, il y a du rouge dans tous.
– Aucune de ces couleurs n'est celle de l'horizon.
– Non, tu as raison. C'est une teinte non identifiée.
Ils l'inscrivirent sur leurs nuanciers. Ls 24 de l'an M-91, en septembre de l'année terrienne 2206, une nouvelle couleur. Et une autre soirée de passée.

Puis, un soir d'hiver, ils étaient assis sur le banc le plus à l'ouest dans le calme de l'heure qui précède le coucher du soleil. La mer d'Hellas était comme un miroir, le ciel sans nuages, pur, clair, transparent. Lorsque le soleil disparut derrière l'horizon, tout le spectre dériva vers le bleu. Maya agrippa Sax par le bras.

– Oh, mon Dieu, regarde !

Ils se levèrent machinalement, comme de vieux vétérans écoutant l'hymne national d'un défilé qui approche. Sax, qui mangeait un hamburger, manqua s'étrangler.

– Ah ! dit-il en ouvrant de grands yeux.

Tout était bleu, bleu ciel, le bleu du ciel de la Terre, et pendant près d'une heure il imprégna leur rétine et les nerfs oculaires qui menaient à leur cerveau depuis si longtemps assoiffé de cette couleur précise, celle du chez-eux qu'ils avaient quitté pour toujours.

C'étaient des soirées agréables. Mais le jour, les choses devenaient de plus en plus compliquées. Sax renonça à étudier les problèmes inhérents au corps entier et restreignit ses recherches au cerveau. Ce qui revenait à diviser l'infini en deux, mais n'en réduisait pas moins le nombre d'articles à consulter, et puis il semblait que c'était là le cœur du problème, si l'on peut dire. L'encéphale hyperâgé subissait des changements constatables à l'autopsie, au cours des mesures de l'activité électrique, du flux sanguin, de l'utilisation des protéines et de la chaleur, et des examens du cerveau pendant des activités mentales de toute sorte. Entre autres changements on notait la calcification de la glande pinéale, qui réduisait la production de mélatonine (le cocktail gériatrique comprenait une dose d'hormone de synthèse, mais il aurait évidemment été préférable d'empêcher la calcification, car elle avait probablement d'autres effets) ; une nette augmentation des amas neurofibrillaires (des agrégats de filaments de protéine qui poussaient entre les neurones et exerçaient sur eux une pression physique correspondant peut-être, qui sait ? à la sensation que Maya disait avoir éprouvée durant ses presque-vu) ; une accumulation de protéine béta-amyloïde dans les capillaires cérébraux et dans l'espace entourant les terminaisons nerveuses, entravant aussi leur fonctionnement ; et, enfin, une accumulation de calpaïne dans les neurones pyramidaux du cortex frontal et de l'hippocampe, ce qui les rendait vulnérables à l'action néfaste du calcium. Or ces cellules avaient le même âge que l'organisme proprement dit. Lorsqu'elles subissaient un dommage, il était irréversible, exactement comme cela s'était passé quand Sax avait eu son attaque. Il y avait laissé une bonne partie de son cerveau et n'aimait pas y penser. Et les molécules de ces cellules pouvaient aussi voir décroître leur faculté de remplacement, ce qui constituait une perte moindre mais également significative avec le temps. L'autopsie des gens de plus de deux cents ans morts de déclin subit montrait régulièrement une importante calcification de la glande pinéale assortie d'une augmentation du calpaïne dans l'hippocampe. Or l'hippocampe et le niveau de calpaïne étaient tous deux impliqués dans les principaux modèles actuels concernant le fonctionnement de la mémoire. Il y avait là un rapport intéressant.

Mais dont on ne pouvait tirer aucune conclusion. Et personne ne résoudrait le mystère en lisant des publications. L'ennui, c'est qu'il était difficile de trouver des expériences susceptibles de tirer les choses au clair, étant donné l'inaccessibilité du cerveau vivant. On pourrait sacrifier autant de poussins, de souris, de rats, de chiens, de cochons, de lémuriens et de chimpanzés qu'on voudrait, on pourrait massacrer des spécimens de toutes les espèces de la création, disséquer leurs fœtus et leurs embryons, ce n'était pas ainsi que l'on trouverait ce que l'on cherchait. Et les investigations effectuées sur des sujets vivants ne menaient pas loin non plus. Le processus impliqué était soit trop fin pour apparaître au scanner, soit trop holistique, soit trop combinatoire ou, probablement, les trois à la fois.

Certaines expériences et les modèles qui en résultaient donnaient pourtant à réfléchir. Par exemple, la constitution du calpaïne semblait influer sur le fonctionnement des ondes cérébrales, et cette constatation, ajoutée à d'autres, lui donna l'idée d'entreprendre des recherches dans un autre domaine. Il se mit en devoir de lire tout ce qui concernait l'influence du taux de protéines liant le calcium, les corticostéroïdes, les courants de calcium dans les neurones pyramidaux de l'hippocampe et la calcification de la glande pinéale. Il semblait y avoir un effet synergique qui pouvait concerner tant la mémoire que les fonctions générales des ondes cérébrales, voire tous les rythmes corporels, dont les rythmes cardiaques.

– Tu sais si Michel avait des problèmes de mémoire ? demanda Sax à Maya. L'impression de perdre le fil de ses pensées, même des idées importantes ?

Maya haussa les épaules. Il y avait près d'un an maintenant que Michel était parti.

– Je ne me souviens plus.

Cette attitude agaçait Sax. Maya semblait en retrait, sa mémoire empirait tous les jours. Même Nadia ne pouvait rien faire pour elle. Sax la retrouvait de plus en plus souvent sur la corniche. Il faut croire qu'ils appréciaient ce rite, même s'ils n'en parlaient jamais. Ils restaient simplement assis, à manger un petit quelque chose acheté à un éventaire, regardaient le soleil se coucher et tiraient leur nuancier pour voir s'ils trouveraient une nouvelle couleur. Mais sans leurs notes, ni l'un ni l'autre n'aurait su dire si les teintes qu'ils voyaient étaient nouvelles ou non. Sax lui-même avait l'impression d'avoir de plus en plus d'absences, il en avait jusqu'à quatre ou huit par jour, sauf qu'il ne pouvait en être sûr. Il avait pris l'habitude de laisser son IA sur la position enregistrement à déclenchement vocal. Et plutôt que d'essayer d'énoncer toutes ses idées, il se bornait à prononcer quelques mots dont il espérait qu'ils lui rappelleraient par la suite ce à quoi il pensait à ce moment-là. C'est ainsi que tous les soirs il écoutait, avec espoir ou appréhension, les enregistrements de la journée. La plupart du temps, il croyait se souvenir des idées qu'il avait eues, et puis il s'entendait dire : « La mélatonine de synthèse peut être un meilleur antioxydant que la naturelle, de sorte qu'il n'y a pas assez de radicaux libres », ou : « La viriditas est un mystère fondamental, il n'y aura jamais de grande théorie unifiée », sans avoir le moindre souvenir d'avoir prononcé ces paroles, ou de ce qu'elles pouvaient bien vouloir dire. Mais il arrivait que ses propos lui rappellent quelque chose, qu'ils aient un sens.

Il continuait donc à se battre. Ce qui l'amena à envisager le problème d'un œil neuf, comme au temps de ses études : la structure de la science était si belle. C'était sûrement l'une des plus grandes réussites de l'esprit humain, une sorte de Parthénon stupéfiant de l'intelligence, un travail sans fin, une espèce de poème symphonique, une épopée de milliers de vers, composée par une infinité de gens collaborant à une œuvre magistrale. Un poème écrit en langage mathématique, parce que cela paraissait être la langue de la nature elle-même. Il n'y avait pas d'autre moyen d'expliquer l'adhésion surprenante d'un phénomène naturel à des expressions mathématiques aussi complexes et subtiles. Et dans cette merveilleuse famille de langues, leurs chants exploraient les diverses manifestations de la réalité dans tous les domaines de la science. Chaque science tentait d'expliquer les choses en élaborant des modèles standard qui formaient des constellations gravitant selon une orbite plus ou moins lointaine autour des principes de la physique des particules, et on était fondé à espérer que tous ces modèles finiraient par s'emboîter dans une structure cohérente, plus vaste. Ces modèles standard étaient des espèces de paradigmes de Kuhn – les paradigmes étant un modèle de modélisation –, en plus souples et plus variés, un processus de dialogue auquel des milliers d'esprits avaient participé depuis des siècles. Dans cette perspective, des personnages comme Newton, Einstein ou Vlad n'étaient pas des génies isolés de la perception universelle, mais les pics les plus élevés d'une immense chaîne de montagnes. Comme disait Newton, ils étaient assis sur les épaules de géants. La science était une œuvre commune, qui avait commencé avant même la naissance de la science moderne, dès la préhistoire, comme le prétendait Michel. Un combat constant pour la compréhension. Elle était maintenant si complexe, si structurée, qu'il était impossible à un individu isolé de l'englober dans sa totalité. Mais ce n'était qu'un problème quantitatif. Le spectaculaire épanouissement de la structure n'était pas incompréhensible ; on pouvait toujours se promener dans le Parthénon, pour reprendre la métaphore, et comprendre au moins l'architecture générale, choisir le ou les endroits à étudier, découvrir l'existant et participer aux travaux. On pouvait toujours apprendre le langage propre au domaine étudié. Ce qui pouvait être une tâche formidable en soi, comme dans la théorie des cordes ou du chaos recombinatoire en cascade. On pouvait étudier la littérature traitant de la question, en espérant trouver le travail syncrétique d'un chercheur qui avait bien étudié les dernières controverses et était capable de fournir au profane un compte rendu cohérent de l'état des lieux. Ce travail de synthèse, effectué par des savants courageux et appelé « vulgarisation scientifique », était considéré comme un passe-temps guère valorisant, mais n'en demeurait pas moins fort utile pour les gens du dehors. Ce survol (ou plutôt cette vision souterraine, les savants qui s'investissaient vraiment dans le domaine étant souvent perdus dans les combles ou les caves de l'édifice) permettait ensuite d'appréhender les articles des revues spécialisées ou « publications scientifiques », où les travaux en cours étaient révisés par ses pairs, et dûment enregistrés. On pouvait lire les résumés, voir qui s'attaquait à quelle partie du problème. C'était si public, si explicite... dans tous les domaines, les gens qui étaient vraiment dans le coup et réalisaient des avancées constituaient un groupe spécial, d'une centaine de personnes tout au plus, souvent composé d'un noyau de génies de la synthèse et de l'innovation qui ne comptait pas plus d'une douzaine d'individus dans tous les mondes habités. Des gens obligés d'inventer un nouveau jargon pour traduire leurs visions, qui commentaient les résultats, suggéraient de nouvelles voies à explorer, se donnaient mutuellement du travail, se rencontraient à des conférences et communiquaient par tous les moyens à leur disposition. Le travail avançait dans les laboratoires, au bar après une conférence, au fil du dialogue entre ces gens qui savaient où ils allaient, menaient la recherche pure et réfléchissaient aux expériences.

Cette immense culture structurée, articulée, s'étalait au grand jour, était accessible à quiconque voulait s'y intéresser, ou y travailler s'il en était capable. Il n'y avait pas de secrets, pas de laboratoires fermés, et si chaque labo, chaque spécialisation avait sa politique, ce n'était que de la politique ; elle ne pouvait matériellement affecter la structure, l'édifice mathématique de la compréhension des phénomènes. Sax avait toujours eu la foi, et rien n'avait pu l'ébranler – ni les analyses des spécialistes en sciences sociales, ni même l'expérience troublante du terraforming de Mars. La science était une construction sociale, mais c'était aussi, chose plus importante, un espace propre, dont le seul moule était la réalité. C'était sa beauté. La vérité est la beauté, comme disait le poète en parlant de la science [1]. Eh bien, le poète avait raison (ce qui n'était pas toujours le cas).

Et c'est ainsi que Sax se déplaçait dans cette vaste structure, à l'aise, compétent, et, dans une certaine mesure, satisfait.

Mais il commençait à comprendre que si belle et si puissante que soit la science, il était peut-être possible que le problème de la sénescence biologique soit trop complexe pour elle. Pas au point de n'être jamais résolu – rien ne l'était –, mais tout de même trop pour être élucidé de son vivant. La question restait, à vrai dire, de savoir à quel niveau de difficulté il se situait. Leur compréhension de la matière, de l'espace et du temps était incomplète, et se perdrait peut-être toujours, par la force des choses, dans l'ombre de la métaphysique, comme les spéculations sur le cosmos avant le big bang, ou sur les choses plus petites que les cordes. D'un autre côté, peut-être le monde pourrait-il être expliqué morceau par morceau, jusqu'à ce que tout (des cordes au cosmos, au moins) entre un jour dans le grand Parthénon. Les deux étaient possibles, le dossier était encore ouvert. Les mille années à venir diraient ce qu'il en était.

En attendant, il avait plusieurs passages à vide par jour et se retrouvait parfois à bout de souffle, le cœur battant la chamade. Il dormait mal. Depuis la mort de Michel, sa vision des choses devenait incertaine, et il avait le plus grand besoin d'aide. Quand il réussissait à réfléchir au sens de tout cela, il avait l'impression de livrer une course contre la mort. Comme tous les autres, et surtout les savants qui travaillaient réellement sur le problème de

1. John Keats (1795-1821) : « Beauty is truth, truth beauty », *Ode sur une urne grecque. (N.d.T.)*

la vie. Pour vaincre, ils devaient expliquer l'un des plus Grands Inexplicables.

Il était assis sur un banc avec Maya après une journée passée devant son écran, à réfléchir à l'immensité croissante de cette aile du Parthénon, lorsqu'il se rendit compte qu'il ne pouvait gagner la course. L'espèce humaine la remporterait peut-être un jour, mais ils avaient encore du chemin à faire. Ce n'était pas une surprise, au fond. Il l'avait toujours su. Etiqueter la plus vaste manifestation actuelle du problème ne lui avait pas masqué sa profondeur, le « déclin subit » n'était qu'un nom, inadapté, simpliste. Ce n'était même pas de la science, en fait, juste une tentative (comme le « big bang ») de restriction, de circonscription de la réalité encore non comprise. Dans ce cas précis, le problème était tout simplement la mort. Un sacré déclin subit. Etant donné la nature du temps et de la vie, aucun organisme vivant ne résoudrait vraiment le problème. Ils trouveraient des ajournements, oui ; des solutions, non.

– La réalité elle-même est mortelle, dit-il.

– C'est sûr, acquiesça Maya, absorbée par la contemplation du coucher de soleil.

Il fallait qu'il trouve un problème plus simple. Pour prendre du recul avant de revenir à des questions plus complexes. Ne serait-ce que pour résoudre quelque chose. La mémoire, peut-être. Lutter contre les absences : voilà un combat à sa portée. Et sa mémoire avait bien besoin d'aide. Réfléchir à la question pourrait jeter une lumière sur le déclin subit. Et même si ce n'était pas le cas, il devait essayer, coûte que coûte. Parce que s'ils devaient tous mourir, autant mourir la mémoire intacte.

Alors il reporta sa priorité sur la question de la mémoire, abandonnant le déclin subit et toutes les conséquences de la sénescence. Après tout, mortel il était et mortel il resterait.

Les récents travaux sur la mémoire ouvraient des perspectives assez évidentes. Ce domaine scientifique particulier était lié par bien des aspects aux travaux sur l'acquisition des connaissances qui avaient en partie permis à Sax de récupérer après son attaque. Après tout, c'était normal, la mémoire étant le réservoir des connaissances. Les recherches en ce domaine avançaient dans la compréhension de la conscience. Mais l'emmagasinage et la restitution des informations restaient des points cruciaux encore imparfaitement compris.

Les pistes étaient pourtant nombreuses. D'abord, il y avait des indices cliniques. La plupart des Cent Premiers perdaient la mémoire, et les nisei qui voyaient ce phénomène se manifester chez leurs anciens espéraient bien y couper. La mémoire était donc un sujet brûlant. Des centaines, des milliers de laboratoires travaillaient sur la question, et de nombreux points étaient éclaircis. Après avoir passé des mois à étudier la littérature, selon son habitude, Sax pensa avoir compris les grandes lignes de son fonctionnement, même s'il se heurtait, comme tout un chacun, à une connaissance insuffisante des principes fondamentaux, de la conscience, de la matière, du temps. Les choses étant ce qu'elles étaient, Sax ne voyait pas comment ils pourraient améliorer ou renforcer la mémoire. Il fallait trouver une autre solution.

Selon l'hypothèse avancée pour la première fois par Donald Hebb en 1949 (et toujours valide, le principe qu'elle énonçait étant très général), tout événement, toute information laissait dans le cerveau une trace organique, ou engramme. A l'époque, on situait ces engrammes au niveau synaptique, et comme il y avait des centaines de milliers de synapses possibles pour chacun des dix millards de neurones du cerveau, on avait plus ou moins calculé que le cerveau pouvait retenir l'équivalent de 10^{14} bits de données environ. Cette explication de la conscience humaine paraissait satisfaisante. Et comme elle décrivait un phénomène à la portée des ordinateurs, elle mena à la brève vogue de la notion de grande intelligence artificielle, ainsi qu'à son corollaire, la « faillibilité de la machine », un inverse de l'idée pathétique selon laquelle le cerveau aurait été la machine la plus puissante de l'époque. Mais les travaux des XXIe et XXIIe siècles avaient mis en évidence que les « engrammes » n'étaient pas localisés dans des sites spécifiques. Aucune expérience, et il y en eut des quantités (consistant, par exemple, à ôter diverses parties du cerveau de rats après qu'ils avaient appris une tâche, sans qu'aucune partie du cerveau se révèle essentielle), ne permit de localiser ces sites. Les expérimentateurs frustrés en conclurent que la mémoire était « partout et nulle part », ce qui mena à comparer le cerveau à un hologramme, invention plus stupide encore que l'analogie avec la machine. Les expériences ultérieures clarifièrent les choses. Il apparut que toutes les actions de la conscience se situaient à un niveau beaucoup plus petit que celui des neurones. Sax y voyait la traduction de la miniaturisation des sujets étudiés par les scientifiques au cours du XXIIe siècle. Dans cette appréciation plus fine, ils avaient commencé à s'intéresser au cytosquelette des neurones qui étaient composés de microtubules reliés par des ponts protéiniques. Les microtubules étaient des tubes creux faits de treize protofilaments linéaires chacun composé de sous-unités d'α– et de β– tubuline en alternance. La structure des microtubules était labile : ils se polymérisaient à une extrémité et se dépolymérisaient rapidement à l'autre. Ils jouaient donc plus ou moins le rôle d'interrupteur marche/arrêt de l'engramme, mais ils étaient si petits que la polarisation de chacun était influencée par celle de ses voisins, selon le principe d'interaction formulé par Van der Waals. C'est ainsi que des messages de toute sorte pouvaient se propager le long de chaque microtubule et des ponts de protéines qui les reliaient. Puis, tout récemment, ils avaient franchi une nouvelle étape dans la miniaturisation : chaque tubuline contenait près de quatre cents cinquante acides aminés, qui retenaient les informations grâce à des changements de séquences. Ces colonnes de tubuline renfermaient de minuscules fils d'eau polarisée, susceptible de transmettre des oscillations quantiques sur toute la longueur du tubule. Des expériences effectuées sur des singes vivants avaient mis en évidence que l'effort de réflexion avait pour effet de déplacer des séquences d'acides aminés. Des colonnes de tubuline changeaient de polarité un peu partout dans le cerveau, selon certaines phases. Des microtubules évoluaient, grandissaient parfois ; et à une plus grande échelle, des ramifications dendritiques se formaient, établissaient de nouvelles connexions, changeant parfois de synapses, sans que cela soit une règle.

Selon le meilleur modèle actuel, les souvenirs étaient donc dans une certaine mesure encodés sous forme de schémas durables d'oscillations quantiques, définis par des modifications dans les microtubules et leurs éléments constitutifs, suivant des *patterns* d'activation dans les neurones. Pour certains chercheurs, toutefois, il existait peut-être une action significative, permanente, à des niveaux plus fins, ultramicroscopiques, mais cela dépassait les possibilités d'investigation actuelles (air connu). Ils croyaient discerner des indices du fait que les oscillations étaient structurées sur le même schéma que les réseaux de spin décrits dans les travaux de Bao, en réseaux et en nœuds que Sax trouvait étrangement similaires au palais de la mémoire, avec ses chambres et ses couloirs. C'était presque effrayant. De là à croire que les Grecs anciens avaient, par la seule force de l'introspection, eu l'intuition de la géométrie de l'espace-temps...

Il était sûr en tout cas que ces actions ultramicroscopiques jouaient un rôle dans la plasticité du cerveau. Elles étaient impliquées dans la façon dont il apprenait et enregistrait. La mémoire intervenait donc à un niveau beaucoup plus petit qu'on ne l'imaginait jusqu'alors, ce qui donnait au cerveau un pouvoir d'ordonnancement bien supérieur à toutes les estimations antérieures, de 10^{24} à 10^{43} opérations à la seconde, selon les calculs. Ce qui amena un chercheur à remarquer que le cerveau humain était, en un sens, plus complexe que tout le reste de l'univers (moins cette conscience, naturellement). Pour Sax, tout cela rappelait de façon suspecte les fantômes anthropomorphiques entrevus ailleurs, dans la théorie cosmologique, mais cela restait une idée intéressante.

Il se passait donc beaucoup plus de choses que prévu, et à un niveau si petit que des effets quantiques étaient sûrement en cause. L'expérimentation avait prouvé que le cerveau était le théâtre de phénomènes quantiques collectifs à grande échelle. Une cohérence quantique coexistait avec un enchevêtrement quantique entre les différentes polarisations des microtubules. Ce qui signifiait que tous les phénomènes contre-intuitifs et le paradoxe pur de la réalité quantique faisaient partie intégrante de la conscience. En fait, une équipe de chercheurs français avait réussi tout récemment, en incluant les effets quantiques dans les cytosquelettes, à avancer une théorie plausible sur la façon dont agissait l'anesthésie générale (après l'avoir utilisée allègrement pendant des siècles).

Ils avaient donc affaire à un autre monde quantique tout aussi bizarre que le précédent, un monde où il y avait action à distance, où l'absence de décision pouvait affecter des événements qui se produisaient pour de bon, où certains événements paraissaient déclenchés téléologiquement, c'est-à-dire par des événements qui semblaient se produire postérieusement... Sax ne fut pas très surpris par ce développement. Il venait étayer le sentiment qu'il avait eu toute sa vie, selon lequel l'esprit humain était profondément mystérieux, une boîte noire que la science était impuissante à déchiffrer. Et maintenant que la science l'explorait, elle se heurtait aux Grands Inexplicables de la réalité même.

On pouvait quand même s'appuyer sur les découvertes de la science et admettre que la réalité au niveau quantique se comportait d'une façon invraisemblable au niveau de la perception et des expériences humaines. Ils avaient eu trois cents ans pour s'y habituer. Ils avaient plus ou moins intégré cette donnée à leur vision du monde, et ils avaient continué leur petit bonhomme de chemin. En réalité, Sax était à l'aise dans les paradoxes quantiques familiers. A l'échelle microscopique, les choses étaient bizarres mais explicables, quantifiables ou au moins descriptibles à l'aide des nombres complexes, de la géométrie riemannienne et de diverses branches des mathématiques. Retrouver de telles choses dans le fonctionnement même du cerveau n'aurait pas dû être une surprise. A vrai dire, par rapport à l'histoire humaine, à la psychologie ou à la culture, ça avait même quelque chose de réconfortant. Ce n'était que de la mécanique quantique, après tout, une chose qu'on pouvait mettre en modèles mathématiques. Et ça avait un sens.

Enfin. A un niveau d'observation très poussée de la structure cérébrale, une grande partie du passé de l'individu était contenue, encodée dans un réseau unique et complexe de synapses, de microtubules, de dimères de tubuline, d'eau polarisée et de chaînes d'acides aminés, tous assez petits et assez voisins pour avoir des effets quantiques les uns sur les autres. Des schémas de fluctuation quantique qui divergeaient et s'effondraient ; c'était ça, la conscience. Et les schémas étaient manifestement conservés ou générés dans des parties spécifiques du cerveau. Ils résultaient d'une structure physique articulée à de nombreux niveaux. L'hippocampe, par exemple, était d'une importance critique, surtout le corps godronné et le faisceau perforant qui y menaient. L'hippocampe était extrêmement sensible à l'action du système limbique, qui se trouvait juste en dessous dans le cerveau. Or le système limbique était à bien des égards le siège des émotions, ce que les anciens auraient appelé le cœur. L'intensité avec laquelle un événement s'inscrivait dans la mémoire dépendait pour beaucoup de sa charge émotionnelle. Les choses arrivaient, la conscience y assistait ou les éprouvait. Il était inévitable qu'une grande quantité d'expériences change le cerveau, en fasse partie pour toujours. En particulier les événements chargés d'une certaine affectivité. Sax trouvait cette description pertinente. Il se rappelait mieux les événements qui lui avaient fait une forte impression. Ou il les oubliait plus formellement, ainsi que le suggéraient certaines expériences, par suite d'un effort constant, inconscient, qui n'était pas véritablement de l'oubli, mais relevait du refoulement.

Mais après ce changement initial dans le cerveau, le lent processus de dégradation commençait. Il est vrai que le pouvoir de remémoration différait selon les individus, mais il semblait toujours moins développé que la faculté d'emmagasinage des souvenirs, et très difficile à orienter. Des tas de choses étaient gravées dans le cerveau et ne remontaient jamais à la mémoire. Les schémas non évoqués n'étaient pas renforcés par la répétition, et après cent cinquante ans de stockage, les expériences suggéraient que le schéma se dégradait de plus en plus vite, en raison apparemment des effets quantiques cumulatifs des radicaux libres qui s'agglutinaient au hasard dans le cerveau. Ça ressemblait bien à ce qui arrivait aux anciens : un processus de dégradation qui commençait aussitôt après le stockage d'un événement et atteignait finalement un niveau catastrophique pour les schémas oscillatoires concernés, donc pour les souvenirs. C'était probablement aussi inéluctable, se disait sombrement Sax, que l'opacification thermodynamique de la cornée.

D'un autre côté, quand on répétait ses souvenirs, quand on les ecphorisait, comme on disait parfois dans la littérature – d'un mot grec qui voulait dire « transmission écho » –, les schémas en sortaient renforcés, ça leur donnait un nouveau départ. Ça remettait à zéro le compteur de la dégradation. Une sorte de traitement de longévité pour les dimères de tubuline, qui était parfois évoqué dans les publications sous le nom d'*anamnésie*, ou oubli d'oublier. Après ce traitement, il devait être plus facile de se remémorer n'importe quel événement donné, aussi facile du moins qu'au moment où il était survenu. Telle était la direction générale que prenaient les travaux sur le renforcement de la mémoire. Certains donnaient aux drogues et aux traitements électriques impliqués dans le processus le nom de nootropiques, mot qui signifiait « agir sur l'esprit ». On forgeait toutes sortes de termes sur la question dans la littérature actuelle, des tas de gens feuilletaient leurs dictionnaires de grec et de latin dans l'espoir de devenir les parrains du phénomène. Sax avait trouvé *mnémonique, mnémonistique* et *mnémosynique*, du nom de la déesse de la mémoire. Il avait aussi lu *mimenskesthains*, d'un verbe grec qui signifiait « se souvenir ». Sax préférait *renforçateur de mémoire*, ou *anamnésique*, qui semblait être le terme le plus approprié à ce qu'ils tentaient de faire. Il voulait concocter un anamnésique.

L'ennui, c'est qu'ecphoriser – se rappeler – tout son passé, ou même seulement une partie, posait un gros problème pratique. Il ne suffirait pas de trouver des anamnésiques pour initier le processus, il faudrait aussi trouver le temps de le faire ! Et quand on avait vécu deux siècles, il devait bien falloir deux ans pour ecphoriser tous les événements significatifs de son existence.

On ne pouvait évidemment pas, pour toutes sortes de raisons, procéder à un inventaire séquentiel, chronologique. Il paraissait préférable de procéder à l'immersion totale du système, de renforcer tout le réseau sans évoquer consciemment chacun de ses éléments. Il n'était pas certain que cette imprégnation soit possible par des moyens électrochimiques. Et même si elle l'était, on ne pouvait pas préjuger de son effet. Mais imaginons qu'on arrive, par exemple, à stimuler électriquement les nerfs perforants qui menaient à l'hippocampe et à faire franchir une grande quantité d'adénosine triphosphate à la barrière sanguine du cerveau, stimulant ainsi la potentialisation à long terme qui intervenait dans l'apprentissage. Si on pouvait ensuite imposer un schéma d'ondes mentales stimulant et favorisant les oscillations quantiques des microtubules, si on pouvait amener sa conscience à revoir les souvenirs qui paraissaient les plus importants, pendant que les autres étaient aussi renforcés, inconsciemment...

Il passa par une phase d'*accelerando* de pensée, puis il eut un soudain passage à vide. Il était là, assis dans son salon, absent, se maudissant de ne même pas essayer de marmonner quelque chose dans son IA. Il lui semblait qu'il tenait quelque chose – quelque chose sur l'ALT – à moins que ce ne soit la PLT ? Enfin. Si c'était une pensée vraiment utile, elle lui reviendrait. Il devait y croire. Ça paraissait plausible.

Comme il paraissait de plus en plus plausible, au fur et à mesure qu'il étudiait le sujet, que le choc du trou de mémoire de Maya ait, d'une façon ou d'une autre, provoqué le déclin subit de Michel. Il n'en aurait jamais la preuve, et ça n'avait pas d'importance, d'ailleurs. Mais Michel n'aurait pas voulu survivre à leur mémoire, à l'un ou à l'autre. Voir Maya oublier des choses aussi fondamentales, aussi importantes que la clé de ses souvenirs avait dû lui faire un choc. Or le lien corps-esprit était si fort que les distinguer était probablement une erreur en soi, un vestige de la métaphysique cartésienne, ou de la vision religieuse primitive de l'âme. L'esprit était la vie du corps. La mémoire était l'esprit. Par une simple équation transitive, la mémoire était donc égale à la vie. De sorte que lorsque la mémoire disparaissait, il n'y avait plus de vie. C'est ce que Michel avait dû éprouver, dans cette dernière demi-heure traumatique, alors qu'il sombrait dans une arythmie fatale, torturé par la douleur de voir mourir la mémoire de celle qu'il aimait.

Pour rester en vie, ils devaient se rappeler. Ils devaient donc tenter d'ecphoriser, s'il parvenait à imaginer une méthodologie anamnésique qui tenait debout.

Evidemment, ça pouvait être dangereux. Le renforçateur de mémoire, s'il réussissait à en élaborer un, risquait d'imprégner tout le système en même temps, et personne ne pouvait prévoir l'effet subjectif sur l'individu. Seule l'expérience dirait ce qu'il en était. Enfin, ce ne serait pas la première fois qu'ils tenteraient des expériences sur leur propre personne. Vlad s'était administré le traitement gérontologique au risque d'y perdre la vie. Jenner s'était inoculé le vaccin antivariolique. Alexander Bogdanov, l'ancêtre d'Arkady, avait changé son sang contre celui d'un jeune homme souffrant de la malaria et de tuberculose, et s'il en était mort, le jeune homme avait encore vécu trente ans. Sans parler des jeunes physiciens de Los Alamos qui avaient déclenché la première explosion nucléaire en se demandant si elle n'allait pas anéantir toute l'atmosphère de la Terre, ce qui constituait un cas limite d'autoexpérimentation, il faut bien l'admettre. Comparés à ces expériences, quelques acides aminés faisaient piètre figure. Ça ressemblait plutôt au Dr Hoffman essayant le LSD sur lui-même. Ecphoriser serait sûrement moins perturbant qu'une prise de LSD, car même si tous les souvenirs étaient renforcés en même temps, la conscience ne s'en rendrait sûrement pas compte. Sax avait l'impression, à la réflexion, que le fil des pensées, selon l'expression convenue, était assez linéaire. De sorte qu'en mettant les choses au pire, on devrait éprouver une succession de souvenirs associatifs assez rapides, ou un fouillis désordonné qui rappelait à Sax son propre processus de pensée, pour dire les choses telles qu'elles étaient. Il encaisserait. Il était prêt à supporter des choses bien plus traumatisantes, s'il le fallait.

Il prit l'avion pour Acheron.

A Acheron, de nouvelles équipes travaillaient dans les vieux labos, qui avaient été franchement agrandis : ils avaient entièrement évidé le spectaculaire aileron de roche d'une quinzaine de kilomètres de longueur sur six cents mètres de hauteur et un kilomètre de largeur au maximum. C'était une ville d'environ deux cent mille habitants en même temps qu'un complexe de laboratoires dont l'organisation rappelait Da Vinci. Après que Praxis eut rénové l'infrastructure, Vlad, Ursula et Marina avaient dirigé la création d'une nouvelle station de recherche biologique. Vlad était mort, mais Acheron poursuivait ses activités et il ne semblait pas leur manquer. Ursula et Marina vivaient encore dans les pièces qu'elles occupaient avec lui, juste sous la crête de l'aileron – une encoche plantée d'arbres, partiellement murée, pleine de courants d'air –, et animaient leurs petits labos personnels. Elles étaient encore plus renfermées que du temps de Vlad. On les prenait très au sérieux à Acheron. Les jeunes savants les considéraient comme des grand-mères, des grand-tantes ou simplement comme des collègues de travail particulièrement respectables.

Ils regardèrent Sax avec des yeux ronds, comme si on leur avait présenté Archimède. Il était aussi déconcerté d'être traité ainsi qu'ils pouvaient l'être de rencontrer un tel anachronisme, et il dut s'efforcer, au cours de plusieurs conversations extrêmement pénibles, de convaincre tout le monde qu'il ne connaissait pas le secret de la vie, qu'il parlait la même langue qu'eux et qu'il n'avait pas la cervelle complètement ramollie.

Mais cette distance comportait certains avantages. Les jeunes savants étaient généralement des empiristes naïfs, des idéalistes et des enthousiastes farouches. Aussi Sax, qui venait du dehors, à la fois antique et nouveau, fit-il forte impression sur eux dans les séminaires qu'Ursula organisa pour faire le tour des travaux sur la mémoire. Sax exposa son idée de mise au point d'un anamnésique, évoqua plusieurs directions de recherche et constata que ses suggestions avaient pour ces jeunes un pouvoir quasiment prophétique, même (sinon surtout) quand il se bornait à des commentaires relativement généraux. Quand ces suggestions entraient en résonance avec des voies qu'ils exploraient déjà, c'était du délire. En fait, plus il s'exprimait d'une façon sentencieuse, mieux ça valait. Ce n'était pas très scientifique, mais c'était ainsi.

Sax se rendit compte en les observant que la versatilité, la réactivité, l'intense concentration de la science qu'il avait constatées à Da Vinci étaient des caractéristiques de tous les labos organisés en coops. C'était le propre de la science martienne. Les savants contrôlaient leur travail comme il ne l'avait jamais vu faire sur Terre, et l'effectuaient avec une rapidité et une efficacité inconnues là-bas, de son temps du moins. A son époque, les moyens nécessaires aux recherches étaient fournis par des tiers, institutions aux intérêts particuliers ou bureaucraties, qui les répartissaient sans beaucoup de discernement. Et même les efforts cohérents étaient souvent consacrés à des choses triviales, la plupart du temps pour le seul profit des organismes qui contrôlaient les labos. Acheron, au contraire, était une communauté semi-autonome, autogérée, responsable devant les cours environnementales et la Constitution, évidemment, mais sinon totalement indépendante. Les savants choisissaient eux-mêmes leurs sujets de recherche, et quand on leur demandait quelque chose, s'ils étaient intéressés, ils pouvaient réagir au quart de tour.

Il ne serait donc pas seul à chercher son renforçateur de mémoire, loin de là. Les labos d'Acheron se sentaient très impliqués, et Marina jouait toujours un rôle actif dans le labo des labos de la cité, qui avait encore des liens étroits avec Praxis – Praxis et toutes ses ressources. Beaucoup de labos de cet endroit se consacraient déjà au problème de la mémoire. C'était maintenant pour des raisons évidentes une composante essentielle du projet gérontologique. D'après Marina, vingt pour cent des efforts humains étaient maintenant tournés, d'une façon ou d'une autre, vers la longévité. Or celle-ci n'avait pas de raison d'être si la mémoire était moins durable que le reste de l'organisme. Il était donc sensé qu'un complexe comme Acheron se focalise sur le problème.

Peu après son arrivée, Sax alla prendre le petit déjeuner chez Marina et Ursula. Ils étaient seuls, entourés de cloisons amovibles décorées de batiks de Dorsa Brevia et d'arbres en pot. Rien ne rappelait Vlad et elles ne parlèrent pas de lui. Sax, conscient du privilège qu'elles lui faisaient en l'invitant dans leur domaine, avait du mal à se concentrer sur la question à l'ordre du jour. Il connaissait ces deux femmes depuis toujours et avait beaucoup de respect pour elles. Surtout pour Ursula, à cause de ses grandes qualités d'empathie. Mais, au fond, il avait l'impression de ne rien savoir d'elles. Il mangeait donc, assis dans les courants d'air, en les regardant et en admirant la vue par les grandes baies ouvertes. Au nord s'étendait une étroite bande bleue : la baie d'Acheron, une profonde indentation dans la mer du Nord. Au sud, par-delà l'horizon, se dressait l'énorme masse d'Olympus Mons. Entre les deux, une sorte de parcours de golf diabolique : de vieilles coulées de lave durcie, érodée, convulsée, fracturée, grêlée. Dans chaque anfractuosité, une petite oasis verte piquetait la noirceur du plateau.

– Nous avons réfléchi, dit Marina. De tout temps, des psychologues ont signalé des cas isolés de mémoire exceptionnelle, sans jamais chercher à expliquer le phénomène par les modèles mémoriels de l'époque.

– En fait, ils les oubliaient aussi vite que possible, souligna Ursula.

– C'est vrai. Et quand on exhumait les rapports, personne ne les prenait vraiment au sérieux. On les mettait sur le compte de la crédulité. Comme il ne se trouvait évidemment aucun sujet vivant capable de reproduire les exploits décrits, on concluait tout naturellement que les chercheurs du passé s'étaient trompés ou laissé abuser. Mais nombre d'observations s'appuyaient sur des faits réels.

– Par exemple ? demanda Sax.

Il ne lui était pas venu à l'idée de compulser les comptes rendus cliniques concernant l'organisme vivant. Ils étaient toujours si anecdotiques. C'était pourtant logique.

– Toscanini, le chef d'orchestre, connaissait par cœur chaque note de tous les instruments de deux cent cinquante œuvres symphoniques environ, dit Marina. Plus les paroles et la musique de près d'une centaine d'opéras, et une quantité impressionnante d'autres œuvres plus courtes.

– Ça a été vérifié ?

– De façon empirique. Un joueur de basson qui avait cassé une clé de son instrument le dit à Toscanini qui réfléchit et lui répondit de ne pas s'en faire ; il n'aurait pas besoin de cette note ce soir-là. Des choses dans ce genre-là. Il dirigeait sans partition, écrivait les parties manquantes pour les interprètes, et ainsi de suite.

– Hum, hum.
– Un musicologue appelé Tovey avait le même don, ajouta Ursula. On dirait que ce n'est pas rare chez les musiciens. Comme si la musique était un langage qui permettait les manifestations de mémoire prodigieuse.
– Hum.
– Un certain Athens, qui enseignait à Cambridge au début du XXIe siècle, avait emmagasiné une foule de connaissances, poursuivit Marina. Toujours dans le domaine de la musique, mais aussi de la poésie, des maths, des faits de toute sorte et des dates, y compris de sa vie personnelle, au jour le jour. Il aurait dit que le secret résidait dans l'intérêt : « L'intérêt focalise l'attention. »
– Ça, c'est vrai, acquiesça Sax.
– Il mémorisait surtout les choses qui l'intéressaient. Et il disait s'intéresser à la signification. Mais en 2060, il se rappelait une liste de vingt-trois mots qu'il avait apprise à l'occasion d'un test, en 2032. Et ainsi de suite.
– J'aimerais en savoir plus sur lui.
– Oui, fit Ursula. Ce n'était pas un monstre comme les calculateurs de foire, ou ceux qui se rappellent dans tous leurs détails les images qu'on leur montre. Ceux-là sont souvent porteurs de handicaps.
– Comme le Letton Chereskevskii et l'homme qu'on appelait V.P., qui se rappelait des quantités vraiment hallucinantes de données hétéroclites, acquiesça Marina. Tous deux souffraient de synesthésie.
– Hum. Une hyperactivité de l'hippocampe, peut-être.
– Peut-être.
Ils évoquèrent quelques autres cas : celui d'un certain Finkelstein qui déterminait les dates des élections dans tous les Etats d'Amérique plus vite que les calculatrices des années trente, des talmudistes qui retenaient non seulement le Talmud mais aussi la position de chaque mot dans la page, des conteurs qui connaissaient par cœur des quantités homériques de vers, de ces gens dont on disait qu'ils avaient utilisé avec un excellent résultat la méthode du palais de la mémoire de la Renaissance. Sax avait lui-même essayé après son attaque, avec succès. Et ainsi de suite.
– Ces facultés extraordinaires semblent n'avoir aucun rapport avec la mémoire ordinaire, observa Sax.
– C'est une mémoire eidétique, dit Marina. Elle s'appuie sur des images mentales, fidèles. Comme chez les enfants, à ce qu'on dit. La mémorisation change à la puberté, pour la plupart des individus, en tout cas. On dirait que ces gens n'évoluent jamais et continuent à fonctionner comme des enfants.

– Hum, fit Sax. Je me demande si ce sont les extrêmes d'une distribution continue des facultés ou des exemples d'une distribution bimodale exceptionnelle.

Marina haussa les épaules.

– Ça, nous n'en savons rien. Mais nous avons un cas de ce genre à l'étude ici même.

– Ah bon?

– Oui. Zeyk. Il est venu ici, avec Nazik, afin de nous permettre de l'étudier. Il est très coopératif. Elle l'y encourage en disant qu'il pourrait en sortir quelque chose de positif. Il n'aime pas son don qui n'a pourtant rien à voir avec celui des calculateurs miracles, bien qu'il soit meilleur à ce jeu que la plupart d'entre nous. Mais il conserve des souvenirs extraordinairement détaillés de son passé.

– Je crois me souvenir d'en avoir entendu parler, dit Sax.

Les deux femmes rirent et, surpris, il joignit son rire aux leurs.

– Je voudrais voir comment vous procédez, reprit-il.

– Bien sûr. Il est dans le laboratoire de Smadar. C'est passionnant. On lui projette des images des événements auxquels il a assisté, on lui pose des questions, et il répond pendant que des scanners enregistrent son activité cérébrale.

– Ça paraît très intéressant.

Ursula le conduisit vers un long laboratoire plongé dans la pénombre. Certains lits étaient occupés par des sujets qui subissaient des examens. Des images colorées fluctuaient sur des écrans, des hologrammes flottaient dans le vide. D'autres lits étaient vacants, et semblaient un peu inquiétants.

Après avoir vu tous les jeunes indigènes, quand Sax arriva à Zeyk, il eut l'impression de se retrouver devant un spécimen d'*Homo habilis* qu'on aurait ramené de la préhistoire pour tester ses facultés mentales. Il portait un casque hérissé intérieurement d'électrodes. Ses yeux las, méfiants, étaient enfoncés dans son visage ratatiné, d'une couleur malsaine, sur lequel ressortait sa barbe blanche, humide. Nazik était assise à côté du lit et lui tenait la main. Au-dessus d'un holographe planait une image translucide, détaillée, en trois dimensions, du cerveau de Zeyk dans lequel vacillaient des schémas lumineux, vert, rouge, jaune, bleu, pareils à des éclairs de chaleur. L'écran, à côté du lit, montrait des images brouillées d'une petite ville sous tente, à la tombée du jour. Une jeune femme l'interrogeait, sans doute Smadar, la responsable de l'unité de recherche.

– Alors la faction Ahad a attaqué le Fatah?

– Oui. Enfin, ils se battaient, et j'avais l'impression que

c'étaient les gens du Ahad qui avaient commencé. Mais quelqu'un les dressait les uns contre les autres, je crois. On peignait des slogans sur les fenêtres.

– Les Frères Musulmans se battaient souvent avec cette violence ?

– Oui, à l'époque. Mais pourquoi cette nuit-là, je n'en sais rien. Quelqu'un les avait dressés les uns contre les autres. On aurait dit que tout le monde était soudain devenu fou.

Sax sentit son estomac se nouer. Puis il eut une impression de froid, comme si le système de ventilation avait laissé entrer l'air du dehors. La petite ville de l'écran était Nicosia. Ils parlaient de la nuit où John Boone avait été tué. Smadar posait des questions en regardant l'écran et enregistrait les réponses de Zeyk. Il regarda Sax, le salua d'un hochement de tête.

– Russell était là, lui aussi.

– Vous y étiez ? demanda Smadar en regardant Sax.

– Oui.

Sax n'avait pas pensé à cette histoire depuis des années. Des dizaines d'années, un siècle peut-être. Il se rendit compte qu'il n'était pas retourné à Nicosia depuis cette fameuse nuit. Il avait tout fait pour l'éviter. La répression typique. Il aimait beaucoup John, qui avait travaillé pour lui pendant des années avant de se faire assassiner. Ils avaient été amis.

– J'ai vu quand ils l'ont attaqué, dit Sax, à la surprise générale.

– Vraiment ! s'exclama Smadar.

Zeyk, Nazik et Ursula le regardaient aussi, maintenant, de même que Marina qui les avait rejoints.

– Qu'avez-vous vu ? demanda Smadar en jetant un coup d'œil à l'orage silencieux qui clignotait dans le cerveau de Zeyk.

Le passé était comme ça, comme un orage électrique vacillant, silencieux. Voilà dans quoi ils s'étaient embarqués.

– Ils se battaient, dit lentement Sax, mal à l'aise, en regardant l'image holographique comme si c'était une boule de cristal. Sur une petite plaza, au coin d'une rue et du boulevard central. Près de la médina.

– Des Arabes ? demanda la jeune femme.

– Possible, répondit Sax en fermant les yeux.

S'il ne pouvait le voir, il pouvait l'imaginer. En une sorte de vision aveugle.

– Oui, je crois.

Il rouvrit les yeux, vit que Zeyk le regardait.

– Tu les connaissais ? coassa Zeyk. Tu peux me dire à quoi ils ressemblaient ?

Sax secoua la tête, et ce mouvement parut libérer une image.

Une image noire et en même temps présente. Sur l'écran apparurent les rues sombres de Nicosia où vacillaient des lumières telles les pensées dans le cerveau de Zeyk.

– Un grand type au visage en lame de couteau, à la moustache noire. Ils portaient tous la moustache, mais la sienne était plus longue, et il criait après ceux qui attaquaient Boone plutôt qu'après Boone lui-même.

Zeyk et Nazik échangèrent un coup d'œil.

– Yussuf, dit Zeyk. Yussuf et Nejm. C'étaient les meneurs du Fatah, et ils en voulaient plus à Boone qu'aucun des Ahad. Quand Selim est rentré, tard dans la nuit, mourant, il a dit Boone m'a tué, Boone et Chalmers. Il n'a pas dit j'ai tué Boone, il a dit Boone m'a tué. Que s'était-il donc passé ? demanda-t-il en regardant à nouveau Sax. Qu'as-tu fait ?

Sax frissonna. C'était pour ça qu'il n'était jamais retourné à Nicosia, qu'il n'y avait jamais repensé : cette nuit-là, au moment critique, il avait hésité. Il avait eu peur.

– Je les ai vus, de l'autre côté de la place. C'était assez loin, et je ne savais pas quoi faire. Ils ont frappé John, il est tombé. Ils l'ont emmené. Je... j'ai regardé. Et puis... j'étais dans un groupe qui leur courait après. Je ne sais pas qui étaient les autres. Ils m'ont entraîné. Mais ses agresseurs l'emmenaient dans des petites rues, il faisait noir, et notre groupe... notre groupe les a perdus.

– Ton groupe était probablement composé d'amis des assassins, fit Zeyk. Ils t'avaient entraîné sur une fausse piste.

– Ça se peut, fit Sax. Il y avait des moustachus dans le groupe.

Il se sentait malade. Il était resté les bras ballants. Il n'avait rien fait. Les images sur l'écran vacillèrent, foudre dans le noir. Le cortex de Zeyk grouillait d'éclairs microscopiques, de toutes les couleurs.

– Alors ce n'était pas Selim, dit Zeyk. Et si ce n'était pas Selim, ce n'était pas Frank Chalmers non plus.

– Il faudrait le dire à Maya, répondit Nazik. Il faut qu'elle le sache.

Zeyk haussa les épaules.

– Ça ne lui fera ni chaud ni froid. Frank avait monté Selim contre John. Même si quelqu'un d'autre a fait le coup, qu'est-ce que ça change ?

– Vous pensez que c'était quelqu'un d'autre ? demanda Smadar.

– Oui. Yussuf et Nejm. Le Fatah. Ou celui, quel qu'il soit, qui jetait de l'huile sur le feu. Nejm, peut-être...

– Il est mort.

– Comme Yussuf, ajouta Zeyk d'un ton sinistre. Et tous ceux qui ont déclenché l'émeute, ce soir-là.

Il secoua la tête. L'image au-dessus du lit tremblota.

– Que s'est-il passé ensuite? demanda Smadar en regardant son écran.

– Unsi al-Khan est entré en courant dans le hajr et nous a dit que Boone avait été attaqué. Unsi... Enfin, je suis allé avec quelques autres à la porte de Syrie, voir si on l'avait utilisée. A l'époque, les Arabes avaient pour coutume de se débarrasser de leurs ennemis en les abandonnant à la surface. Nous avons constaté que la porte avait été ouverte une fois et que personne n'était revenu par ce chemin-là.

– Vous vous souvenez du code de la serrure? demanda Smadar.

Zeyk fronça les sourcils, ferma hermétiquement les paupières. Ses lèvres remuèrent.

– Une partie de la suite de Fibonacci... Ça m'avait frappé. 581321.

Sax étouffa une exclamation de surprise. Smadar acquiesça.

– Continuez.

– Puis une femme que je ne connaissais pas s'est précipitée vers nous et nous a dit qu'on avait trouvé Boone à la ferme. Nous l'avons suivie vers le centre médical de la médina. Tout était neuf, propre, luisant. Il n'y avait même pas de gravures sur les murs. Tu étais là, Sax, avec les autres Cent Premiers de la ville : Chalmers, Toïtovna, Samantha Hoyle.

Sax se rendit compte qu'il ne se rappelait absolument pas la clinique. Ou plutôt... Une image de Frank, le visage en feu, et Maya, son domino blanc, sa bouche réduite à une ligne exsangue. Mais non, c'était dehors, sur le boulevard jonché de bouts de verre. Il leur avait dit que Boone s'était fait agresser, et Maya s'était mise à pleurer. Tu n'as pas essayé de les arrêter? Tu n'as pas essayé de les arrêter? Et il avait réalisé que, en effet, non, il n'avait rien fait pour les arrêter, pour aider John. Il était resté là, pétrifié par le choc, à regarder son ami se faire attaquer et entraîner. Nous avons essayé, avait-il dit à Maya, j'ai essayé. Alors qu'il n'avait rien fait.

Mais la clinique, plus tard, rien. Il n'avait aucun souvenir de ce qui s'était passé encore cette nuit-là en fait. Il ferma les yeux, pinça les lèvres comme s'il pouvait en jaillir une autre image. Mais rien ne venait. La mémoire était vraiment une chose étrange; il se rappelait les moments critiques, traumatisants, où ces prises de conscience s'étaient ancrées en lui. Le reste avait disparu. Le système limbique, la charge émotionnelle devaient avoir une importance cruciale dans l'encodage ou l'incrustation des souvenirs.

Et pourtant... Zeyk citait lentement le nom des personnes présentes dans la salle d'attente du centre médical, qui devait être plein de monde. Puis il décrivit la doctoresse qui était venue leur annoncer la mort de Boone.

– Elle nous a dit : « Il est mort. Il est resté trop longtemps dehors. » Maya a mis la main sur l'épaule de Frank. Il a sursauté.

– Il faut que nous le disions à Maya, répéta Nazik.

– Il a répondu : « Je suis désolé. » J'ai trouvé ça drôle. Elle a répliqué qu'il n'avait jamais aimé John, de toute façon, ou quelque chose dans ce goût-là, ce qui était vrai. Frank en est convenu, et puis il est parti, furieux contre elle. Il a dit : « Qu'est-ce que tu en sais ? De qui j'aime ou n'aime pas ? » Il lui a dit ça avec une hargne... Il ne supportait pas sa présomption. L'idée qu'elle savait tout de lui.

Zeyk secoua la tête.

– J'étais là, à ce moment-là ? demanda Sax.

– ... Oui. Tu étais assis juste derrière Maya. Mais tu étais distrait. Tu pleurais.

Décidément, ça ne lui rappelait rien. Rien du tout. Sax se dit avec un sursaut que s'il avait fait beaucoup de choses dont personne ne saurait jamais rien, il y avait aussi des choses qu'il avait faites dont d'autres se souvenaient et pas lui. Ils en savaient si peu ! si peu !

En attendant, Zeyk continuait : la fin de la nuit, le lendemain matin. L'apparition de Selim, sa mort. Puis le surlendemain, quand Zeyk et Nazik avaient quitté Nicosia. Et le jour d'après. Plus tard, Ursula dit qu'il pouvait décrire chaque semaine de sa vie d'une façon aussi détaillée.

Mais Nazik mit fin à la séance.

– Ça devient trop pénible, dit-elle à Smadar. Nous reprendrons demain.

Smadar acquiesça et commença à tapoter sur la console de la machine placée à côté d'elle. Zeyk braquait un regard hanté sur le plafond qui se perdait dans les ombres, et Sax se dit qu'aux nombreux dysfonctionnements de la mémoire, il faudrait ajouter celles qui marchaient trop bien. Mais comment ? Par quel mécanisme ? L'image du cerveau de Zeyk, reproduisant les schémas de l'activité quantique – des éclairs voltigeant dans le cortex... un esprit qui enregistrait le passé comme aucun des autres anciens, ignorant l'usure de la mémoire, que Sax croyait être inexorable, programmée... Enfin, malgré tous les tests qu'ils faisaient subir à ce cerveau, il se pouvait fort bien qu'il garde son secret. Il arrivait trop de choses dont ils ignoraient tout. Comme cette nuit-là, à Nicosia.

Ebranlé, Sax enfila un survêtement chaud et sortit, heureux de pouvoir s'évader un moment. Les environs d'Acheron lui avaient déjà procuré d'innombrables plages de détente, du temps où il travaillait au labo.

Il partit vers le nord, vers la mer. Certaines de ses meilleures idées sur la mémoire, il les avait eues en allant vers ce rivage, par des chemins tellement sinueux qu'il n'arrivait jamais à reprendre deux fois le même, d'abord parce que le vieux plateau de lave était bouleversé par des grabens et des escarpements, ensuite car il ne faisait pas attention à la topographie : soit il était perdu dans ses pensées, soit il était perdu dans le paysage immédiat, ne regardant que distraitement autour de lui. En réalité, il était impensable de se perdre dans le coin. Il suffisait de monter sur une butte pour voir se dresser l'aileron d'Acheron, telle l'épine dorsale d'un immense dragon. Et à l'opposé, le miroir bleu de la baie d'Acheron. Entre les deux s'étendait le plateau rocheux troué d'oasis invisibles, chaque crevasse pleine de plantes, un million de micro-environnements. Rien à voir avec le paysage fondant du rivage polaire, de l'autre côté de la mer. Ce plateau rocheux et ses petits habitats cachés semblaient immémoriaux, malgré le jardinage sans doute effectué par les écopoètes d'Acheron. Beaucoup de ces oasis étaient des expériences, et Sax les traitait comme telles, restant en dehors, plongeant les yeux dans une succession d'alases aux parois abruptes, se demandant ce que l'écopoète responsable espérait découvrir en effectuant ce travail. Ici, on pouvait enrichir le sol sans crainte de le voir emporter vers la mer, même si le vert surprenant des estuaires, en bas, dans la vallée, prouvait qu'un peu de sol fertile était entraîné par les fleuves. Ces marécages estuariens se rempliraient d'alluvions et deviendraient ainsi plus salés, comme la mer du Nord elle-même...

Cette fois, pourtant, ses observations étaient perturbées par l'incursion de John dans ses pensées. John qui avait passé les dernières années de sa vie à travailler pour lui. Ils avaient souvent parlé de l'évolution rapide de la situation martienne. Et pendant ces années vitales, John avait toujours été heureux, chaleureux, confiant. Confiant et fiable, loyal, coopératif. Amical, courtois, gentil, facile à vivre, jovial, économe, brave, soigneux, respectueux. Non, non, pas tout à fait. Il était aussi cassant, impatient, arrogant, paresseux, négligé, camé, fier. Mais Sax en était venu à s'appuyer sur lui, il l'avait aimé. Aimé comme un grand frère qui l'avait protégé du monde au sens large. Et puis il s'était fait tuer. Les tueurs s'attaquaient toujours à ceux-là. Ils ne pouvaient supporter ce genre de courage. Ils l'avaient tué et Sax avait laissé faire sans lever le petit doigt, paralysé, épouvanté. Tu n'as pas essayé de les arrêter? avait crié Maya. Il s'en souvenait, maintenant. Sa voix stridente. Non, j'ai eu peur. Non, je n'ai rien fait. Bon, il n'aurait sûrement rien pu faire de toute façon. C'était trop tard. Avant, quand les agressions avaient commencé, Sax aurait pu lui parler, le convaincre d'accepter une autre mission, des gardes du corps, ou, puisque John n'aurait jamais été d'accord, le faire protéger en secret pendant que ses amis restaient pétrifiés de ce qu'ils voyaient. Mais il n'avait fait appel à personne. Et son frère avait été tué, son frère qui s'était moqué de lui mais qui l'aimait quand même, l'aimait alors que personne d'autre ne pensait à lui.

Sax erra sans but sur la plaine fracturée, affolé – affolé par la perte d'un ami cent cinquante-trois ans plus tôt. Il y avait des moments où le temps semblait aboli.

Il s'arrêta net, ramené au présent par un mouvement furtif. De la vie. De petits rongeurs blancs, reniflant ici et là dans le vert d'une prairie affaissée. Sans doute des pikas des neiges ou des animaux de ce genre, mais aussi blancs... Sax sursauta. On aurait dit des rats de laboratoire. Des rats de labo, blancs, oui, mais sans queue. Des rats de labo mutants sortis de leur cage, se promenant en liberté dans l'herbe verte, luxuriante de la prairie comme des créatures surnaturelles, des hallucinations, les yeux clignotants, et les moustaches frémissantes, affairés à renifler le sol entre les mottes d'herbe à la recherche de quelque mets délectable. Ils grappillaient des graines, des noix, des fleurs. L'idée des cent rats de labo, autre avatar de Sax, amusait beaucoup John. L'esprit de Sax, enfin libre, s'égaillant dans la nature. Ceci est notre corps.

Il s'accroupit et observa les petits rongeurs jusqu'à ce qu'il sente le froid. Il y avait de plus grosses bêtes dans cette plaine : des daims, des élans, des orignaux, des mouflons, des rennes, des caribous, des ours bruns, des grizzlis, et même des loups, ombres grises, furtives. Tous, pour Sax, semblaient sortis d'un rêve. Chaque fois qu'il en repérait un, il sursautait, surpris, décontenancé, presque sidéré. Cela lui paraissait impossible. Ce n'était pas naturel. Et pourtant, ils étaient bien là. Et maintenant ces petits pikas des neiges, heureux dans leur oasis. Pas la nature, pas la culture, juste Mars.

Il pensa à Ann. Il aurait voulu qu'elle les voie.

Il pensait souvent à elle, ces temps-ci. Il avait perdu tant d'amis. Elle, au moins, elle était vivante, il pouvait encore lui parler, c'était chose possible. Il s'était renseigné et avait découvert qu'elle vivait maintenant dans la caldeira d'Olympus Mons, dans une petite communauté de grimpeurs Rouges. Il avait cru comprendre qu'ils descendaient à tour de rôle dans la caldeira, pour que la population reste aussi faible que possible, malgré les parois abruptes et les conditions de vie primitive dont ils raffolaient. Mais Ann pouvait y rester tout le temps qu'elle voulait, et n'en sortait qu'exceptionnellement. C'était ce que Peter lui avait raconté, mais Peter ne tenait l'information que de seconde main. C'était triste que ces deux-là ne se voient plus, ne se parlent plus. Triste et stupide. Les querelles de famille semblaient les plus irréductibles de toutes.

Enfin, elle était sur Olympus Mons. Donc presque à portée de vue, juste de l'autre côté de l'horizon, au sud. Et il avait envie de lui parler. Toutes ses réflexions sur ce qui s'était passé sur Mars, songea-t-il, étaient mises en scène comme une conversation avec Ann. Pas une dispute, du moins l'espérait-il, non : un interminable plaidoyer. S'il avait pu se laisser changer à ce point par la réalité de Mars la bleue, Ann ne pourrait-elle évoluer aussi ? N'était-ce pas inévitable, et même nécessaire ? Et si c'était déjà fait ? Sax avait l'impression d'être arrivé, avec le temps, à aimer ce qu'Ann aimait dans Mars ; il aurait maintenant voulu qu'elle lui rende la pareille. Elle était devenue pour lui, et ce n'était pas une situation confortable, une sorte d'étalon de ce qu'ils avaient fait. De sa qualité. Sa qualité, ou son acceptabilité. C'était un sentiment étrange qui s'était installé en lui, mais il était là.

Encore une pensée inconfortable qui lui trottait dans la tête, comme la culpabilité soudain redécouverte relative à la mort de John, qu'il essaierait une nouvelle fois d'oublier. Si ses pensées qui auraient mérité d'être retenues lui échappaient, il devait bien être capable d'avoir des absences quand il s'agissait d'horreurs, non ? John était mort, Sax n'aurait rien pu faire pour l'empêcher. Probablement pas. C'était impossible à dire. Et il n'y avait pas moyen de revenir en arrière. John avait été tué, Sax n'avait pas pu l'aider, et voilà. Sax était vivant, John était mort, ce n'était plus qu'une combinaison puissante de nœuds et de réseaux dans l'esprit de tous ceux qui l'avaient connu, et on n'y pouvait rien.

Mais Ann était vivante, elle faisait de l'escalade dans la caldeira d'Olympus. Il pouvait lui parler s'il voulait. Seulement elle n'en sortirait pas. Il faudrait qu'il aille la débusquer. C'est ça, c'est ce qu'il allait faire. La véritable souffrance de la mort de John résidait dans la mort de cette possibilité : il ne pouvait plus lui parler. Mais il pouvait encore parler à Ann, cette possibilité-là était bien réelle, elle, palpable.

Les travaux sur le cocktail anamnésique avançaient. La vie à Acheron était une joie de tous les instants : les journées dans les labos à parler avec les responsables de leurs expériences ; les séminaires hebdomadaires, où ils se communiquaient leurs résultats, exposaient leur démarche, parlaient de leurs projets futurs. Certains interrompaient leur travail pour aider à la ferme ou partir en voyage, mais d'autres prenaient le relais, et quand ils revenaient, c'était souvent avec des idées neuves et une énergie nouvelle. Sax restait dans la salle, après le tour de table hebdomadaire, regardait les tasses vides sur les tables de bois usé, les ronds de café, les taches noires de kava, les écrans blancs, brillants, couverts de schémas, d'équations chimiques, de grandes flèches courbes orientées vers des acronymes, des symboles alchimiques que Michel aurait adorés, et quelque chose en lui se mettait à briller jusqu'à ce qu'il éprouve une sorte de souffrance, une nouvelle réaction parasympathique irradiant de son système limbique – c'était ça, la science, Seigneur, c'était la science martienne, entre les mains des savants eux-mêmes, travaillant ensemble pour le bien commun, reculant les limites de la connaissance, semaine après semaine, la théorie et l'expérimentation rebondissant comme des balles de ping-pong, aussi difficiles à suivre, amenant de nouvelles découvertes, allant toujours plus loin, repoussant les murs du grand Parthénon invisible dans le territoire non cartographié de l'esprit humain. Il était tellement heureux qu'il se fichait presque de savoir s'ils trouvaient des choses ; la recherche était tout.

Mais sa mémoire à court terme était endommagée. Tous les jours, maintenant, il avait des absences, il cherchait ses mots, perdait le fil de ses idées. Parfois même en plein séminaire. Il s'arrêtait au beau milieu d'une phrase, s'asseyait et faisait signe aux autres de poursuivre. Non, il fallait qu'il trouve la réponse à ce problème-là. Il y aurait d'autres énigmes à élucider plus tard, on pouvait être tranquille. Le déclin subit proprement dit, par exemple, ou n'importe lequel des problèmes liés à la sénescence. Ce n'étaient pas les choses inexplicables qui manquaient. Elles ne manqueraient jamais. En attendant, le problème de l'anamnésique lui suffisait.

On commençait d'ailleurs à en discerner le principe. Il s'agirait d'un mélange d'exhausteurs de protéines de synthèse comprenant des amphétamines et des dérivés chimiques de la strychnine, des transmetteurs comme la sérotonine, des récepteurs de glutamate, de l'acétylcholine estérase, de l'AMP cyclique, et tout un cocktail de drogues. Chacun de ces ingrédients participerait à sa façon au renforcement des structures mémorielles quand elles seraient exercées. D'autres seraient empruntés au traitement de plasticité du cerveau que Sax avait subi après son attaque, mais à de plus faibles doses. Puis, les expériences de stimulation électrique semblaient montrer qu'un choc suivi par une vibration continue à une fréquence très rapide en phase avec les ondes cérébrales normales permettait d'initier les processus neurochimiques accrus par le cocktail de drogues. Il revenait ensuite au sujet de rappeler ses souvenirs, en procédant de nœud en nœud si possible, l'idée étant que les réseaux entourant chaque nœud remémoré seraient eux-mêmes influencés par les oscillations et donc renforcés. Ça revenait un peu à aller de pièce en pièce dans le théâtre de la mémoire. Les jeunes chercheurs qui faisaient des expériences sur ces divers aspects du processus se rappelaient beaucoup de choses. C'est ce qu'ils disaient avec une sorte d'étonnement respectueux. Le projet paraissait très prometteur. Semaine après semaine, ils affinaient leur technique et se rapprochaient d'un protocole.

Les expériences montraient que le contexte était un facteur de réussite important pour le processus de remémoration. Des listes apprises sous l'eau, par des plongeurs, revenaient beaucoup plus aisément quand les sujets redescendaient au fond de la mer que lorsqu'ils restaient sur la terre ferme. Les sujets induits hypnotiquement à se sentir tristes ou heureux pendant la mémorisation d'une liste s'en souvenaient mieux quand une suggestion hypnotique les replongeait dans l'état de tristesse ou de gaieté. La congruence des rubriques de la liste, le fait de revenir dans des pièces de la même taille ou de la même couleur lorsqu'on se les rappelait étaient aussi importants. Ces expériences étaient très rudimentaires, bien sûr, mais Sax estimait que l'influence du contexte sur le pouvoir de remémoration était suffisamment démontré pour qu'il commence à se demander où il voudrait se trouver quand il se soumettrait au traitement, lorsqu'il serait au point. Où, et avec qui.

Pour finaliser la mise au point du traitement, Sax appela Bao Shuyo et lui demanda de venir jeter un coup d'œil à leurs travaux. Son domaine de compétence était beaucoup plus théorique et subtil, mais l'influence qu'elle avait eue sur le groupe de fusion de Da Vinci lui avait inspiré le plus grand respect pour sa façon d'aborder tout problème touchant la gravité quantique et la structure ultramicroscopique de la matière. Il était sûr que ses commentaires seraient de grande valeur.

L'ennui, c'est que Bao avait des obligations auxquelles elle ne pouvait se soustraire à Da Vinci (c'était comme ça depuis son retour en fanfare de Dorsa Brevia). Sax se trouva dans la situation inhabituelle de manipuler son laboratoire maison afin d'en extraire un de leurs meilleurs éléments, mais il le fit sans scrupule. Il réussit même à obtenir l'aide de Bela pour entamer le bras de fer avec l'administration actuelle.

– Ka, Sax ! s'exclama Bela lors de l'une de leurs communications. Si on m'avait dit que je te verrais un jour dans le rôle de l'implacable chasseur de têtes !

– C'est ma propre tête que je chasse, répondit Sax.

D'habitude, pour retrouver quelqu'un, il suffisait d'interroger son bloc-poignet. Mais celui d'Ann était resté sur le bord de la caldeira d'Olympus Mons, au camp de base, près du cratère Zp où se déroulait le festival. Sax trouva ça plus qu'étrange. Depuis le début, à Underhill, ils portaient tous un bloc-poignet d'une sorte ou d'une autre, et Ann n'échappait pas à la règle, pour autant qu'il s'en souvienne. Il appela Peter pour lui poser la question, mais celui-ci n'en savait rien, évidemment. En tout cas, se déplacer sans bloc-poignet à leur époque était un comportement typique des nomades néoprimitivistes qui arpentaient la région des canyons et le littoral de la mer du Nord. Il ne voyait pas Ann vivre ainsi, comme au paléolithique. Même s'il n'était plus incontournable dans la plupart des endroits, la vie sur Olympus Mons exigeait un support technologique, et le bloc-poignet en faisait partie intégrante. Peut-être souhaitait-elle simplement couper les liens avec l'extérieur. Peter l'ignorait.

Mais il savait comment la contacter.

– Il suffit d'aller la dénicher.

Il éclata de rire en voyant la tête que faisait Sax.

– Ce n'est pas si terrible. Il n'y a que quelques centaines de personnes dans la caldeira, et quand elles ne sont pas dans un de leurs refuges, elles sont sur les parois.

– Elle fait de l'escalade ?

– Oui.

– Elle grimpe... pour le plaisir ?

– Elle grimpe. Quant à savoir pourquoi...

– Alors je n'ai qu'à aller examiner toutes les parois ?

– C'est ce que j'ai dû faire à la mort de Marion.

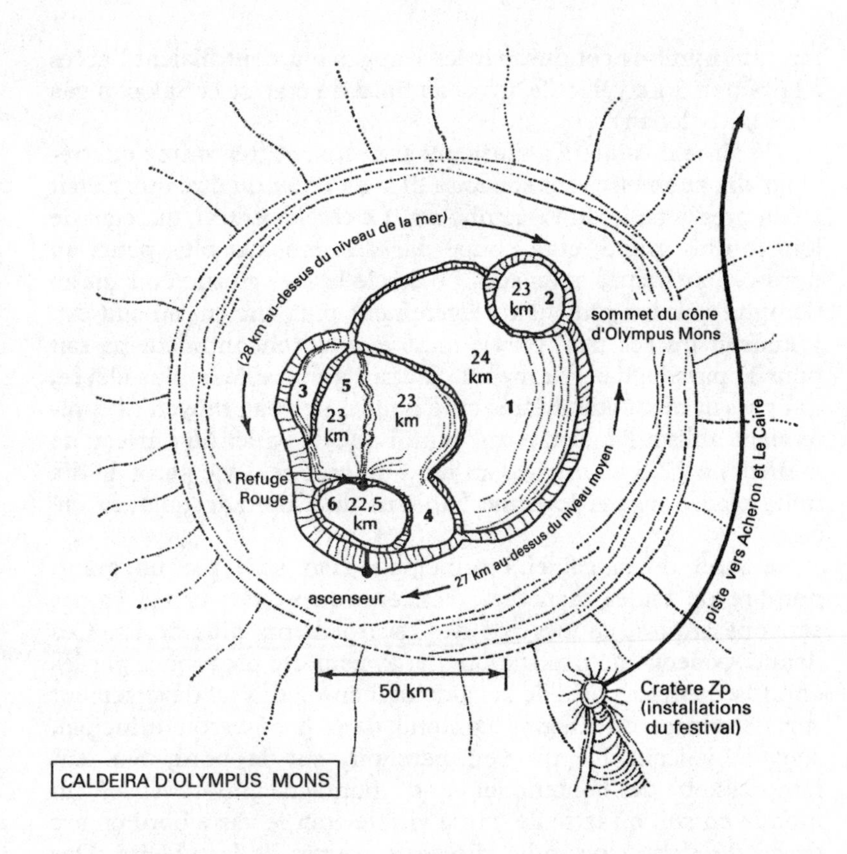

Le sommet d'Olympus Mons était resté à peu près intact. Oh, quelques refuges de pierre étaient bien tapis sur le bord et une piste avait été construite sur la coulée de lave du nord-est pour faciliter l'accès au cratère Zp et aux installations du festival, mais à part ça, rien ne permettait d'imaginer ce qu'il était advenu du reste de Mars qui, du bord de la caldeira, se trouvait sous l'horizon et était donc invisible. De cet endroit, le monde semblait se borner à Olympus Mons. Les Rouges avaient refusé de bâcher la caldeira, comme celle d'Arsia Mons. Le vent y avait forcément déposé des bactéries, peut-être même des lichens, mais sous une pression à peine supérieure aux dix millibars d'origine, ils n'étaient pas près de s'épanouir. S'il y avait des survivants, ça devait être surtout des endochasmolithes, et on ne les verrait pas. Les Rouges avaient de la chance que la verticalité stupéfiante de Mars maintienne la pression de l'air à un niveau si bas sur les grands volcans. C'était une technique de stérilisation gratuite et efficace.

Sax prit le train jusqu'à Zp, puis un taxi jusqu'au bord du cratère, un minibus conduit par les Rouges qui contrôlaient l'accès à la caldeira. Le véhicule arriva au bord du cratère et Sax plongea le regard dedans.

C'était une caldeira à plusieurs anneaux, et très vaste : quatre-vingt-dix kilomètres sur soixante. Il avait entendu dire que c'était à peu près la taille du Luxembourg. Le cercle central, qui était de loin le plus grand, était coupé par des anneaux plus petits au nord-est, au centre et au sud. Le cercle le plus au sud coupait en deux un anneau plus haut, légèrement plus ancien, au sud-est. L'endroit où ces trois parois incurvées se rencontraient passait pour le paradis des grimpeurs. C'était la muraille la plus élevée, qui passait de 26 kilomètres au-dessus du niveau moyen (ils préféraient utiliser l'ancien terme plutôt que de parler du « niveau de la mer ») à 22,5 kilomètres au fond du cratère. Une paroi de dix mille pieds, songea le jeune habitant du Colorado qu'avait été Sax.

Le fond de la caldeira principale était strié par un grand nombre de failles incurvées, concentriques : des crêtes et des canyons arqués, coupés par des escarpements plus droits. Ces détails avaient une explication : ils avaient été provoqués par les effondrements répétés de la caldeira, consécutifs au déversement sur les pentes du magma contenu dans le réservoir principal, sous le volcan. Depuis son perchoir, sur le bord, Sax eut l'impression de contempler une montagne mystérieuse, un monde en soi, où la seule chose visible était le vaste bord en arc de cercle et les cinq mille kilomètres carrés de la caldeira. Des anneaux superposés de hautes murailles incurvées et des fonds ronds, plats, sous un ciel noir, étoilé. Nulle part les parois qui les entouraient ne faisaient moins de mille mètres de haut. Elles n'étaient pas verticales. La pente moyenne semblait être d'un peu plus de quarante-cinq degrés. Mais il y avait des sections plus raides qui devaient avoir la faveur des amateurs d'escalade : des parois presque verticales, un peu plus loin, et même un surplomb ou deux, comme juste en dessous d'eux, au confluent des trois murailles.

– Je cherche Ann Clayborne, dit Sax aux deux conductrices fascinées par la vue. Vous savez où je pourrais la trouver ?

– Vous ne savez pas où elle est ? demanda l'une d'elles.

– Je sais qu'elle fait de l'escalade dans la caldeira.

– Elle sait que vous la cherchez ?

– Non. Elle ne répond pas aux appels.

– Elle vous connaît ?

– Oh oui ! Nous sommes de vieux... amis.

– Et qui êtes-vous ?

– Sax Russell.

Elles le regardèrent en ouvrant des yeux ronds.

– De vieux amis, hein ? fit l'une d'elles.

Sa compagne lui flanqua un coup de coude.

L'endroit où ils se trouvaient avait été opportunément baptisé Trois Murs. Juste sous le minibus, sur une petite terrasse en contrebas, il y avait un ascenseur. Sax le regarda avec ses jumelles : des portes verrouillées de l'extérieur, un toit renforcé. On aurait dit une structure des premières années. L'ascenseur était le seul moyen de descendre dans cette partie de la caldeira, si on ne voulait pas y aller en rappel.

– Ann se ravitaille à la station de Marion, dit enfin la fille qui avait bourré les côtes de sa camarade, à la grande indignation de cette dernière, d'ailleurs. Là-bas, vous voyez ? Ce petit carré, à l'intersection des canaux de lave du sol principal et de l'anneau sud.

C'était sur le bord opposé du cercle le plus au sud, qui portait le numéro 6 sur la carte de Sax. Il eut du mal à repérer le carré en question, même avec les jumelles. Et puis il le vit : un cube minuscule, juste un peu trop régulier pour être naturel, bien qu'il ait été peint du même rouge poussiéreux que le basalte environnant.

– Je le vois. Comment fait-on pour aller là-bas ?

– Prenez l'ascenseur jusqu'en bas, puis allez-y à pied.

Il montra donc au personnel de l'ascenseur le passe que lui avait donné la fille qui jouait du coude, et entama la longue descente dans le cercle sud. L'ascenseur était maintenu par une rampe fixée à la roche, et il était vitré, de sorte qu'il eut l'impression d'être dans un hélicoptère qui tombait, ou dans l'ascenseur spatial, à Sheffield. Le temps qu'il arrive au fond de la caldeira, l'après-midi tirait à sa fin. Il dîna tranquillement au refuge spartiate du fond, en se demandant ce qu'il allait bien pouvoir dire à Ann. Cela lui vint lentement, bribe par bribe : une justification cohérente, qui paraissait convaincante, une sorte de confession, un cri du cœur. Puis, à son grand désespoir, il eut une absence qui effaça tout. Il était là, au fond d'une caldeira volcanique, un cercle de ciel noir, étoilé, circonscrit au-dessus de sa tête. Sur Olympus. A chercher Ann Clayborne, sans savoir quoi lui dire. La mort dans l'âme.

Le lendemain matin, après le petit déjeuner, il enfila une combinaison et poursuivit son chemin. Les matériaux avaient fait beaucoup de progrès, mais le tissu élastique était, par la force des choses, aussi moulant que celui des vieux walkers. Cette sensation kinesthésique suscita en lui tout un enchaînement de pensées, d'images fugitives : la configuration générale d'Underhill alors qu'ils érigeaient le dôme. Une sorte d'épiphanie somatique, un rappel de sa première sortie hors de l'*Arès*, dominée par la vision surprenante des horizons rapprochés et du rose marbré du ciel. Le contexte et la mémoire, encore.

Il s'engagea sur le fond de l'anneau sud. Ce matin-là, le ciel était indigo foncé, presque noir – bleu marine, disait le nuancier, drôle de nom pour une teinte aussi sombre –, et plein d'étoiles. L'horizon était une falaise ronde : au sud, un demi-cercle de trois kilomètres de haut, le quartier nord-est faisait deux kilomètres, le quartier nord-ouest un kilomètre seulement, très accidenté. Le spectacle était véritablement stupéfiant à tous égards : la rondeur des cheminées, l'exemplarité de la thermodynamique du refroidissement de la roche jaillissant du réservoir magmatique. Au milieu, les parois étaient vertigineuses. Elles paraissaient avoir la même hauteur dans toutes les directions, autre cas d'école, cette fois de la façon dont la perspective télescopait la perception des distances verticales.

Il marchait d'un pas régulier. Le sol de la caldeira était assez lisse, grêlé par des bombes volcaniques et des chocs météoritiques plus tardifs, creusé par des grabens peu profonds. Il lui fallait contourner certains d'entre eux, mais dans l'ensemble il pouvait aller tout droit vers la rupture de la falaise, dans le quart nord-ouest de la caldeira.

Il lui fallut six heures de marche pour traverser le fond du cercle sud, qui faisait moins du dixième de la surface totale de la caldeira, le reste invisible pendant tout le trajet. Aucun signe de vie, rien n'avait marqué le sol ou les parois de la caldeira. La netteté de toute chose révélait la ténuité de l'atmosphère, qui se situait autour des dix millibars primitifs. La nature était tellement intacte qu'il s'inquiéta des empreintes que laissaient les semelles de ses bottes, et s'efforça de marcher sur la roche, en évitant les plaques de poussière. Il était étrangement satisfaisant de voir le paysage primitif, rougeâtre, même si la couleur était essentiellement due à un enduit superficiel sur le basalte noir. Son nuancier ne lui était d'aucune aide pour ces mélanges étranges.

C'était la première fois qu'il descendait dans une de ces grandes caldeiras, et même les années passées dans les cratères d'impact ne l'avaient pas préparé à cette vision : la profondeur des cheminées, la verticalité des parois, l'aspect plan du fond. La taille même des choses.

Vers le milieu de l'après-midi, il approcha du pied de l'arc nord-ouest. La jonction de la paroi et du sol apparut au-dessus de son horizon, et, avec un vague soulagement, il vit l'abri cubique droit devant lui. L'indicateur de navigation de son bloc-poignet était très précis. Le trajet n'était pas très compliqué, mais dans un endroit aussi exposé, c'était agréable de découvrir qu'on suivait le droit chemin. Depuis son expérience dans la tempête de neige, il craignait toujours de s'égarer. Cela dit, il n'avait pas à redouter de tempête de neige, ici.

Il approchait de la porte fermée du refuge lorsqu'un groupe de gens émergea d'un goulet abrupt, d'une profondeur stupéfiante, dans l'immense paroi disloquée, et prit pied sur le sol du cratère à près d'un kilomètre à l'ouest. Quatre silhouettes, portant de gros sacs à dos. Sax s'arrêta. Sa respiration faisait un bruit assourdissant dans son casque. Il reconnut tout de suite la dernière silhouette. Ann venait au ravitaillement. Il fallait absolument qu'il trouve quoi lui dire. Et qu'il s'en souvienne, aussi.

Dans l'abri, Sax défit les attaches de son casque et l'enleva avec une sensation familière, fort désagréable, au creux de l'estomac. Chaque fois qu'il rencontrait Ann, c'était pire. Il se retourna et attendit. Ann finit par s'approcher. Elle ôta son casque, le vit et sursauta comme si elle avait vu un fantôme.

– Sax ? s'écria-t-elle.

Il hocha la tête. Il se souvenait bien de leur dernière rencontre, il y avait longtemps, sur l'île de Da Vinci. Il avait l'impression que ça s'était passé dans une vie antérieure.

Ann secoua la tête et réprima un sourire. Elle traversa la pièce avec une expression indéchiffrable, le prit par les épaules, se pencha et l'embrassa gentiment sur la joue. Quand elle se redressa, sa main, restée sur son bras gauche, glissa jusqu'à son poignet. Elle avait une poigne d'acier. Elle le regarda droit dans les yeux. Sax resta coi, et pourtant il aurait donné n'importe quoi pour lui parler. Mais il n'avait rien à dire, ou trop de choses, il ne savait même plus. Il avait avalé sa langue. Cette main sur son poignet était plus paralysante que n'importe quel regard noir, ou qu'une de ces remarques cinglantes dont elle avait le secret.

Puis ce fut comme si elle était parcourue par une vague et elle redevint l'Ann qu'il connaissait. Elle le regarda d'un air soupçonneux, puis inquiet.

– Tout le monde va bien ?

– Oui, oui, fit Sax. Enfin... je veux dire, tu as su pour Michel ?

– Oui.

Elle pinça les lèvres et, l'espace d'une seconde, il retrouva l'Ann noire de ses cauchemars. Puis une autre vague la parcourut et elle redevint cette femme étrangère, toujours cramponnée à son poignet comme si elle voulait lui arracher la main.

– Mais là, tu es juste venu me voir.

– Oui. Je voulais... te parler ! bredouilla-t-il, dans un effort frénétique. Oui, te-te-te-te poser des questions. J'ai des problèmes de mémoire. Je me demandais si je, si nous pourrions faire un tour ici, là-haut, parler. Marcher... ou grimper, ajouta-t-il en déglutissant. Tu veux bien me montrer la caldeira ?

Elle sourit. Une autre Ann, à nouveau.

– Tu peux m'accompagner, si tu veux.

– Je ne suis pas alpiniste.

– On prendra un itinéraire facile. On escaladera le couloir de Wang pour monter sur le grand cercle qui mène vers l'anneau nord. Je voulais y aller avant la fin de l'été, de toute façon.

– En fait, on est Ls 200. Enfin, je veux dire, ça paraît une bonne idée, balbutia-t-il, le cœur battant à deux cent cinquante pulsations-minute.

Le lendemain matin, alors qu'ils s'équipaient – Ann avait tout ce qu'il fallait –, elle indiqua son bloc-poignet et lui dit :

– Tiens, enlève ça.

– Mais... fit Sax. Je... ça ne fait pas partie intégrante du système de la combinaison ?

Si, mais elle secoua la tête.

– La combinaison est autonome.

– Semi-autonome, j'espère.

Elle sourit.

– Tu n'en auras pas besoin. Ecoute, ce truc est une menotte qui te relie au monde entier. Elle te ligote à l'espace-temps. Aujourd'hui, tu te contenteras d'être dans le couloir de Wang. Ça suffira.

Et cela suffit, en effet. Le couloir de Wang était un large ravin érodé qui traversait comme un canal géant, fracturé, des replats dans des falaises plus raides. Pendant la majeure partie de la journée, Sax suivit Ann dans des gorges étroites, grimpant la plupart du temps à quatre pattes des marches qui lui arrivaient à la taille, mais il n'eut que rarement l'impression de risquer la mort, ou plus qu'une entorse, s'il tombait.

– Ce n'est pas aussi dangereux que je le craignais, dit-il. C'est toujours comme ça, l'escalade ?

– Ce n'est pas de l'escalade, ça.

– Ah !

Du coup, elle emprunta des passages plus raides, prenant des risques inutiles.

Et de fait, dans l'après-midi, ils arrivèrent à une courte paroi, coupée par des crevasses horizontales. Ann commença à grimper, sans cordes ni pitons, et Sax la suivit en serrant les dents. Vers le sommet d'une grimpette digne d'un gecko, le bout de ses chaussures et ses doigts gantés enfoncés dans des anfractuosités de la roche, il regarda en arrière, vers le bas du couloir de Wang qui lui parut tout à coup beaucoup plus abrupt dans son intégralité qu'il ne lui avait semblé à aucun moment. Tous ses muscles commencèrent à frémir d'un mélange de lassitude et d'excitation. Il ne pouvait faire autrement que d'achever l'escalade, mais il dut prendre des risques en changeant de position plusieurs fois de suite alors que les prises devenaient de plus en plus précaires, au moment où il aurait dû se presser. Le basalte gris foncé était très légèrement piqueté de rouille ou de brun. Il fit une fixation sur une faille située à un mètre au-dessus du niveau de ses yeux. Il *devait* utiliser cette faille. Mais aurait-il la place d'y glisser ses doigts, aurait-il assez de prise pour se hisser ? Le seul moyen de le savoir était d'essayer. Il inspira un bon coup, leva le bras et essaya. Elle n'était pas assez profonde. Il exerça une rapide traction, l'effort lui arrachant un gémissement, la dépassa en utilisant des prises dont il n'avait même pas conscience et se retrouva à quatre pattes, hors d'haleine, à côté d'Ann qui l'attendait tranquillement assise sur une étroite saillie.

– Tu ne te sers pas assez de tes jambes, commenta-t-elle.

– Ah !

– Ça t'a pris toute ton attention, hein ?

– Oui.

– Tu n'as pas eu de problèmes de mémoire, j'imagine ?

– Non.

– C'est ce que j'aime dans l'escalade.

Plus tard, ce jour-là, quand le couloir fut un peu moins abrupt et plus ouvert, Sax demanda :

– Alors, tu as eu des problèmes de mémoire, ces temps-ci ?

– Nous en parlerons plus tard, répondit Ann. Fais plutôt attention à cette anfractuosité, ici.

– Tu as raison.

Ils passèrent la nuit dans des sacs de couchage, dans une tente champignon transparente assez grande pour dix personnes. A cette altitude, sous cette atmosphère raréfiée, le matériau supportait 450 millibars de pression sans se gonfler exagérément. Le matériau transparent était beau, tendu, mais pas d'une dureté de pierre. Il aurait manifestement pu supporter une pression bien supérieure. Quand Sax se rappela les mètres de pierres et de sacs de sable qu'ils devaient entasser autrefois sur leurs abris pour les empêcher d'exploser, il ne put s'empêcher d'être impressionné par les progrès effectués par la science des matériaux.

Ann hocha la tête quand il le lui fit remarquer.

– Nous en sommes arrivés à ne plus pouvoir comprendre notre technologie.

– C'est compréhensible, je dirais. Juste un peu difficile à croire.

– Je vois ce que tu veux dire, convint-elle.

Un peu rassuré, il revint au sujet qui le préoccupait.

– J'ai ce que j'appelle des passages à vide. Des absences de plusieurs minutes, jusqu'à une heure, disons. Des trous de mémoire à court terme, apparemment liés aux fluctuations des ondes cérébrales. Et je crains que les souvenirs plus anciens se brouillent, eux aussi.

Pendant un long moment, elle ne répondit pas, si ce n'est pour grommeler qu'elle l'avait entendu. Puis :

– J'ai tout oublié de moi. J'ai l'impression d'être quelqu'un d'autre, au moins en partie. Une sorte de contraire. D'ombre, ou d'ombre de mon ombre. Comme une personne qui aurait germé et poussé en moi.

– Que veux-tu dire? demanda Sax avec appréhension.

– Mon contraire. Elle pense des choses qui ne me seraient jamais venues à l'esprit. Je l'appelle Anti-Ann, ajouta-t-elle timidement, en détournant la tête.

– Et comment la... caractériserais-tu?

– Elle est... je ne sais pas. Sensible. Sentimentale. Stupide. Elle fond en larmes à la vue d'une fleur. Elle a l'impression que tout le monde fait de son mieux. Des conneries dans ce genre-là.

– Tu n'étais pas comme ça avant, hein?

– Oh, non, alors! Pas du tout. C'est vraiment nul, mais ça a l'air si réel. Alors voilà... maintenant, il y a Ann, Anti-Ann. Et... peut-être une troisième.

– Une troisième?

– Il y a des moments où j'ai l'impression que ce n'est ni l'une ni l'autre.

– Et comment est-ce que tu... je veux dire, tu lui as donné un nom?

– Non. Elle n'a pas de nom. Elle est fuyante. Plus jeune. Elle a moins d'idées sur les choses et ses idées sont... bizarres. Ni Ann ni Anti-Ann. Un peu comme Zo. Tu l'as connue?

– Oui, répondit Sax, surpris. Je l'aimais bien.

– Vraiment? Je ne pouvais pas la blairer. Et pourtant... il y a en moi quelqu'un dans ce genre-là. Trois personnes.

– Drôle de façon de voir les choses.

Elle éclata de rire.

– Tu n'avais pas un labo mental qui contenait tous tes souvenirs, rangés par pièce, par numéro de placard ou je ne sais quoi ?

– C'était un très bon système.

Elle eut un autre rire, plus dur, qui le fit sourire et l'effraya en même temps. Trois Ann ? Il avait déjà du mal à en comprendre une...

– Je suis en train de perdre certaines des pièces de mon labo, dit-il. Des pans complets de mon passé. Il y a des personnes qui modélisent la mémoire sous forme de réseaux et de nœuds, et il se peut que le système du palais de la mémoire fasse intuitivement écho au système physique en cause. Disons que, si on perd un nœud, tout le réseau environnant disparaît avec. Par exemple, dans mes lectures, il m'arrive de tomber sur une allusion à une chose que j'ai faite ; j'essaie de me rappeler à quelle époque, quels problèmes méthodologiques nous rencontrions ou je ne sais quoi, et rien ne me revient. C'est comme si rien de tout ça n'avait jamais eu lieu.

– Tu as des ennuis avec ton palais de la mémoire.

– Oui. Je n'avais pas prévu ça. Même après mon... mon problème, j'étais sûr qu'il n'arriverait jamais rien à mes facultés de... de réflexion.

– Ta machine à penser a l'air de très bien marcher.

Sax secoua la tête, en pensant aux trous de mémoire, aux absences, aux presque-vu, comme disait Michel, à ses moments de confusion mentale. La pensée n'était pas seulement une faculté analytique ou cognitive, mais quelque chose de plus général. Il essaya de décrire ce qui lui était arrivé récemment, et Ann sembla l'écouter attentivement.

– Et voilà. J'ai étudié les derniers travaux sur la mémoire. C'est devenu intéressant, je dirais même urgent. Ursula, Marina et les labos d'Acheron m'aident. Je crois qu'ils ont trouvé une chose susceptible de nous aider.

– Une drogue pour la mémoire, tu veux dire ?

– Oui.

Il expliqua l'action du nouveau complexe anamnésique.

– Et voilà. J'ai décidé de l'expérimenter. Mais j'ai acquis la conviction que ça marcherait mieux si certains des Cent Premiers se réunissaient à Underhill et s'y soumettaient également. Le contexte est très important pour la mémoire. La présence des autres pourrait être un atout. Tout le monde n'est pas intéressé, mais un nombre surprenant des Cent Premiers restants le sont, en fait.

– Ce n'est pas si étonnant. Qui?

Il lui nomma tous ceux qu'il avait contactés. C'est-à-dire – triste constatation – la plupart de ceux qui restaient : une douzaine à peu près.

– Et nous aimerions tous que tu sois là aussi. Moi en particulier. Je le voudrais plus que tout au monde.

– Ça paraît intéressant, répondit Ann. Mais il faut d'abord que nous traversions cette caldeira.

En repartant, le lendemain, Sax s'émerveilla à nouveau de la réalité rocheuse de leur monde. Ses vérités fondamentales : les pierres, le sable, la poussière, les fines. Le ciel de chocolat noir, ce jour-là, et sans étoiles. Les longues distances que ne voilait aucune brume. Ce qu'étaient dix minutes. Ce qu'était une heure quand on ne faisait que marcher. Ce que ça faisait à ses jambes.

Autour d'eux, les anneaux des caldeiras montaient loin dans le ciel même quand ils furent au milieu du cercle central, à l'endroit où les dernières caldeiras, les plus profondes, ouvraient d'immenses baies dans la muraille circulaire. Là, la courbure de la planète était sans influence sur la perspective, se faisant pour une fois oublier, et les falaises étaient clairement visibles à trente kilomètres de distance. L'effet produit évoquait une sorte d'enclos, se dit Sax. Un parc, un jardin de pierre, un labyrinthe qu'une simple paroi séparait du monde extérieur, le monde invisible qui conditionnait tout à cet endroit. La caldeira était gigantesque, mais pas encore assez. On ne pouvait se cacher, ici. Le monde se déversait à l'intérieur, submergeant l'esprit malgré sa capacité de cent quintillions de bits. Peu importait l'immensité du système nerveux, un unique brin de pensée effrayée, de conscience pure, un câble vivant de pensée disait *pierre, falaise, ciel, étoile.*

La roche était maintenant crevassée par de larges fissures en arc de cercle dont le centre se trouvait au milieu de l'anneau central : d'anciennes fractures remplies de caillasse et de poussière. Ces failles faisaient de leur avance un vagabondage erratique, les obligeait à se frayer un chemin dans un vrai labyrinthe, un dédale traversé de crevasses et non de murailles, et pourtant aussi difficile à franchir.

Ils arrivèrent néanmoins au bout et au bord de l'anneau nord, qui portait le numéro 2 sur la carte de Sax. En plongeant le regard dans les profondeurs, une nouvelle perspective s'offrit à eux : la forme réelle de la caldeira et de ses encapements circulaires, la brusque plongée vers le fond jusque-là invisible, mille mètres plus bas.

Un sentier semblait descendre vers le sol de l'anneau nord. Mais Ann éclata de rire en voyant la tête qu'il faisait lorsqu'elle le lui indiqua : il n'était franchissable qu'en rappel. Ils n'auraient qu'à remonter et ressortir, dit-elle comme si ça allait de soi. La paroi de la caldeira principale était déjà assez haute. Ils pouvaient faire le tour de l'anneau nord et prendre un autre chemin à la place.

Surpris par son attitude conciliante, et assez soulagé, Sax la suivit vers l'ouest, sur le pourtour du cercle nord. Ils s'arrêtèrent pour la nuit sous la muraille de la caldeira principale, gonflèrent la tente et mangèrent en silence.

Après le coucher du soleil, Phobos surgit au-dessus de la paroi ouest de la caldeira comme un petit phare gris. Peur et Menace, quels noms !

– J'ai entendu dire que c'est toi qui avais eu l'idée de remettre les lunes en orbite, fit Ann depuis son sac de couchage.

– C'est vrai.

– C'est ce qui s'appelle restaurer le paysage, dit-elle d'un ton satisfait.

Sax se sentit un peu rasséréné.

– J'ai fait ça pour te faire plaisir.

– Je suis contente de les voir, dit-elle au bout d'un moment.

– Et Miranda, ça t'a plu ?

– Oh, c'était très intéressant.

Elle parla un peu de certains aspects géologiques de l'étrange lune. Deux planétésimaux, imparfaitement réunis par l'impact.

– Il y a une couleur entre le rouge et le vert, dit Sax quand elle se tut. Un mélange des deux. On l'appelle garance, ou alizarine. C'est une couleur qu'on voit parfois dans les plantes.

– Ah bon.

– Ça me fait penser à la situation politique. Il ne pourrait pas y avoir une sorte de synthèse entre le Rouge et le Vert ?

– Les Bruns.

– Oui. Ou les Garance.

– C'est à ça que devait ressembler la coalition entre Mars Libre et les Rouges, Irishka et les gens qui ont éjecté Jackie.

– Une coalition anti-immigration, poursuivit Sax. La pire combinaison de Rouge et de Vert. Ils vont nous embarquer dans un conflit inutile avec la Terre.

– Vraiment ?

– Vraiment, oui. Le problème démographique va bientôt être résolu. Les issei... Nous avons atteint la limite, je crois. Et les nisei ne sont pas loin derrière nous.

– Tu veux parler du déclin subit.

– Exactement. Quand notre génération en sera là, et l'autre après nous, la population humaine du système solaire sera réduite à moins de la moitié de ce qu'elle est à l'heure actuelle.

– Ils trouveront bien un autre moyen de tout fiche en l'air.

– Ça, sûrement. Mais le boom malthusien sera passé. Ce sera leur problème. Alors, provoquer un conflit, menacer de déclencher une guerre interplanétaire pour cette histoire d'immigration... c'est complètement inutile. C'est une vision à court terme. Il faudrait qu'un mouvement Rouge sur Mars se lève pour le dire, pour proposer d'aider la Terre à passer le cap des dernières années de surpopulation, ça éviterait aux gens de s'entre-tuer pour rien. Ce serait une nouvelle façon de penser à Mars.

– Une nouvelle aréophanie.

– Oui. C'est exactement ce qu'a dit Maya.

– Mais Maya est raide dingue, fit-elle en riant.

– Pas du tout, répliqua sèchement Sax. Elle est loin d'être folle.

Ann se tut, et Sax décida de ne pas insister pour le moment. Phobos se déplaçait à vue d'œil dans le ciel, remontant le zodiaque.

Ils dormirent bien. Le lendemain, ils entreprirent l'escalade ardue d'une étroite ravine qu'Ann et les autres grimpeurs Rouges considéraient apparemment comme un sentier de marche. Sax ne s'était jamais autant physiquement dépensé de sa vie, et même ainsi, ils ne parcoururent pas toute la longueur de la voie mais durent planter la tente en hâte, au coucher du soleil, sur une corniche étroite, et n'en ressortirent que le lendemain, vers midi.

Sur la large lèvre d'Olympus Mons, tout était comme avant. Un gigantesque disque plat, évidé, une bande de ciel violet au-dessus de l'horizon, si loin en bas, un zénith noir au-dessus. De petits refuges dispersés dans des bombes volcaniques géantes qui avaient été évidées. Un monde distinct. Une partie de Mars la Bleue, et puis non.

Ils s'arrêtèrent dans un ermitage habité par de très vieux Rouges de quelque ordre mendiant, qui vivaient apparemment là en attendant le déclin subit, après quoi leurs corps seraient incinérés et leurs cendres dispersées dans le jet-stream.

Sax fut frappé par ce fatalisme poussé jusqu'à son paroxysme. Ann dut éprouver la même impression, car elle dit, en les regardant manger leur frugal repas :

– Alors, ce traitement pour la mémoire, on l'essaye ?

La plupart des Cent Premiers auraient préféré se réunir ailleurs qu'à Underhill (sur Olympus Mons, la calotte polaire Sud ou Pseudophobos, en orbite basse ou en haute mer, à Sheffield, Odessa, Hell's Gate, Sabishii, Senzeni Na, Acheron ou Mangala), et ils se chamaillèrent d'une façon qui leur ressemblait bien peu, mais Sax n'en démordit pas. Il affirma que le contexte, c'était prouvé, était un facteur crucial. Coyote se mit à braire incongrûment lorsque Sax décrivit l'expérience des étudiants qui apprenaient des listes sous l'eau, mais une information était une information, et pourquoi ne pas faire les choses au mieux? L'enjeu était suffisamment important pour qu'ils mettent toutes les chances de leur côté. Après tout, souligna Sax, si leurs souvenirs leur revenaient intacts, tout était possible, *tout*. Ce serait une percée vers d'autres domaines, une victoire sur le déclin subit, la vie prolongée de plusieurs siècles, une communauté de mondes-jardins en expansion constante et, qui sait? peut-être une ouverture vers un niveau de progrès supérieur, un royaume de sagesse inimaginable à ce stade. Ils étaient au bord d'un nouvel âge d'or, leur dit-il. Mais tout reposait sur l'intégrité de l'esprit. C'est pourquoi il insistait pour Underhill.

– Tu es trop sûr de toi, ronchonna Marina qui plaidait pour Acheron. Tu devrais garder l'esprit plus ouvert sur ce qui t'entoure.

– C'est ça.

Garder l'esprit ouvert. Ça ne posait pas de problème à Sax, son esprit était un laboratoire incendié, ouvert à tous les vents. Et personne ne pouvait dire que le choix d'Underhill n'était pas logique, ni Marina, ni aucun d'entre eux. Ceux qui protestaient avaient peur, se disait-il, peur du passé, de son pouvoir qu'ils refusaient de reconnaître, auquel ils ne voulaient pas s'abandonner. C'était pourtant ce qu'ils devaient faire. Si Michel avait été encore là, il aurait sûrement appuyé le choix d'Underhill. L'endroit était crucial, leur vie le prouvait suffisamment. Et même les plus sceptiques, ceux qui avaient peur – c'est-à-dire tous – devaient admettre qu'Underhill était le lieu le plus approprié pour ce qu'ils voulaient faire.

Ils finirent par accepter de s'y retrouver.

A ce moment de l'histoire, Underhill était une sorte de musée. Tout était resté dans le même état qu'en 2138, année où ceux qui empruntaient la piste avaient cessé de s'y arrêter. Les lieux avaient bien changé depuis leur départ, mais l'essentiel s'y trouvait toujours, et les modifications intervenues depuis n'affecteraient pas beaucoup leur projet, se dit Sax. Sitôt arrivé, il alla faire le tour du propriétaire. Les vieux bâtiments étaient encore là : les quatre premiers caissons qui avaient été largués de l'espace, les décharges, les chambres en forme de barrique de Nadia, avec le jardin-atrium central, le cadre de la serre d'Hiroko, dont le dôme avait disparu, l'arcade de tranchées de Nadia, au nord-ouest, Tchernobyl, les pyramides de sel et enfin le quartier de l'Alchimiste, où Sax acheva sa promenade dans cette taupinière de bâtiments et de tuyaux, en essayant de se préparer à l'expérience du lendemain. De s'ouvrir l'esprit.

Sa mémoire bouillonnait déjà, comme si elle essayait de lui prouver qu'elle n'avait pas besoin de stimulation pour faire son travail. Ici, parmi ces bâtiments, il avait constaté pour la première fois le pouvoir transformationnel de la technologie sur la matérialité brute de la nature. Ils étaient partis de pierres et de gaz, mais ils les avaient extraits, purifiés, transformés, recombinés et modifiés de tant de façons différentes qu'il était impossible d'en retrouver la trace, ou même d'imaginer leurs effets. Il avait donc vu, mais il n'avait pas compris. Ils avaient agi dans l'ignorance de leurs vrais pouvoirs, et (peut-être par voie de conséquence) sans trop savoir ce qu'ils faisaient. Mais là, dans le quartier de l'Alchimiste, il n'avait pas été capable de voir ça. Il était tellement sûr alors qu'une fois vert le monde serait un endroit agréable...

Et maintenant il était là, à l'air libre, sous le ciel bleu, dans la chaleur du second mois d'août, regardant autour de lui en essayant de réfléchir, de se souvenir. La mémoire ne se laissait pas facilement guider ; les choses lui revenaient comme elles voulaient. Tout, dans la partie ancienne de la ville, lui paraissait familier, au sens premier du mot : « de la famille ». Tout, jusqu'à la moindre pierre : les blocs de roche rouge entourant la colonie, chacun des creux et des bosses visibles était là, à sa place exacte sur la rose des vents. Sax se dit que la situation paraissait favorable à l'expérience. Ils étaient à leur place, dans leur contexte, resitués, orientés. Chez eux.

Il regagna les chambres voûtées où ils allaient dormir. Des véhicules étaient arrivés pendant sa promenade et des petits trains d'excursion étaient garés à côté de la piste. Les gens arrivaient. Maya et Nadia embrassaient Tasha et Andrea, qui étaient venues ensemble. Leurs voix vibraient dans l'air comme un opéra russe, un récitatif sur le point de se changer en chant. Des cent un qui avaient tout commencé, seuls quatorze viendraient : Sax, Ann, Maya, Nadia, Desmond, Ursula, Marina, Vasili, George, Edvard, Roger, Mary, Dmitri et Andrea. C'était peu. Tous les autres étaient morts ou avaient disparu. Si Hiroko et les sept membres du groupe qui s'étaient volatilisés avec elle étaient encore vivants, ils n'avaient pas donné signe de vie. Peut-être débarqueraient-ils sans prévenir, comme au premier festival de John sur Olympus. Mais peut-être pas.

Ils n'étaient donc plus que quatorze, et Underhill semblait bien vide. Ils auraient pu occuper tout l'espace disponible, mais ils se regroupèrent dans l'aile sud du carré de chambres voûtées, et le vide était palpable autour d'eux. L'endroit semblait être le reflet de leurs mémoires défaillantes, avec leurs labos, leurs territoires, leurs compagnons disparus. Chacun souffrait de pertes de mémoire et de désordres de toute sorte. Sax estimait qu'à eux tous ils avaient éprouvé à peu près tout l'éventail des problèmes mentaux mentionnés dans la littérature, et la conversation tournait essentiellement sur la comparaison des symptômes et le récit des expériences diverses, terrifiantes et/ou sublimes, qui les avaient affectés au cours des dix dernières années. Les groupes se formaient et se déformaient, tour à tour enjoués et sombres, dans la petite cuisine du coin sud-ouest, avec sa haute fenêtre donnant sur la serre centrale, dont le dôme de verre épais tamisait la lumière. Ils mangèrent ensemble, un pique-nique apporté dans des glacières, ils parlèrent, se mirent au courant des dernières nouvelles puis se répartirent dans l'aile sud, préparant les chambres de l'étage pour une nuit qui serait agitée. Ils bavardèrent jusque tard dans la nuit, mais finirent par aller se coucher, un par un ou deux par deux, et essayèrent de dormir. Plusieurs fois, cette nuit-là, en émergeant d'un rêve, Sax entendit des gens aller aux salles de bains, tenir des conciliabules à mi-voix dans la cuisine ou marmonner tout seuls dans le sommeil troublé des très anciens. Chaque fois, il réussit à se rendormir, à replonger dans la torpeur pleine de rêves qui lui était habituelle.

Ce fut enfin le matin. Ils se levèrent à l'aube et prirent un rapide petit déjeuner – des fruits, des croissants, du pain et du café. La lumière horizontale projetait de longues ombres à l'ouest de chaque roche, de chaque butte. Si familier.

Ils furent vite prêts. Il n'y avait plus rien à faire. Rien qu'une sorte de souffle profond, collectif, de rire forcé, une incapacité à croiser le regard des autres.

Maya refusa catégoriquement de se prêter à l'expérience. Elle ne se laissa ébranler par aucun de leurs arguments.

– Je ne veux pas, répétait-elle obstinément la veille au soir. D'ailleurs, si vous devenez tous fous, il faudra bien que quelqu'un s'occupe de vous. Je serai celle-là.

Sax pensait qu'elle changerait d'avis, qu'elle faisait juste du Maya. Il se dressa devant elle, sidéré.

– Je croyais que c'était toi qui avais les plus graves problèmes de mémoire de nous tous.

– Et alors ?

– Alors il serait logique que tu tentes le coup. Michel t'a donné toutes sortes de drogues pour les troubles mentaux.

– Je ne veux pas, décréta-t-elle en le regardant droit dans les yeux.

– Maya, je ne te comprends pas, fit-il dans un soupir.

– Je sais.

Elle alla vers le vieux dispensaire d'angle où tout était prêt. Elle les appela un par un, leur appliqua un petit injecteur à ultrasons sur le cou et, avec un claquement imperceptible suivi d'un sifflement, leur administra une partie du cocktail médicamenteux, leur donna les pilules contenant le reste et les aida à mettre les oreillettes moulées sur mesure, destinées à diffuser les ondes électromagnétiques. Ils retournaient ensuite dans la cuisine et attendaient, dans un silence tendu, que chacun ait reçu le traitement. Quand ils y furent tous passés, Maya les poussa vers la porte et les fit sortir. Ils se retrouvèrent dehors.

Sax vit, sentit une image : des lumières vives, l'impression d'avoir le crâne pris dans un étau, d'étouffer. Il hoqueta, crachota. De l'air glacé, la voix de sa mère, comme un cri de bête : « Oh ? Oh ? Oh ! Oh ! » On le mit sur sa poitrine, tout mouillé. Le froid.

– Oh, mon Dieu !

L'hippocampe était l'une des nombreuses régions spécifiques du cerveau que stimulait le traitement. Son système limbique, étalé sous l'hippocampe tel un filet sous une noix, était donc stimulé lui aussi, comme si la noix rebondissait sur un trampoline de nerfs, le faisait entrer en résonance, l'ébranlait. C'est ainsi que Sax commença à éprouver ce qui devait être un déluge d'émotions simultanées, de la même intensité à peu près, toutes injustifiées – joie, chagrin, amour, haine, exaltation, mélancolie, espoir, peur, générosité, jalousie – et souvent contradictoires. Pour Sax, qui haletait comme un poisson hors de l'eau, assis devant les chambres voûtées, le résultat de ce mélange hétéroclite était une hypertrophie stupéfiante, décuplée par l'adrénaline, du sentiment de signifiance. Toute chose prenait un sens renversant, crevait le cœur ou le gonflait d'allégresse. Il avait l'impression que des océans de nuages lui emplissaient la poitrine, l'empêchant de respirer. Une sorte de nostalgie à la puissance *n*, de plénitude, de béatitude, une pure sublimation – le simple fait d'être assis là, d'être vivant ! Mais tout ça baignait dans un sentiment poignant de deuil, de regret du temps perdu, de peur de la mort, de peur de tout, de peine pour Michel, pour John, pour eux tous, en fait. Cela ressemblait si peu à son calme, sa pondération, son flegme habituels, qu'il resta pratiquement paralysé pendant plusieurs minutes et regretta amèrement d'avoir mis sur pied cette expérience. C'était complètement stupide, d'une imprudence aberrante. Les autres allaient le haïr jusqu'à la fin de leurs jours.

Assommé, noyé, il décida d'essayer de marcher dans l'espoir de s'éclaircir les idées. Il se leva en chancelant et se rendit compte qu'il pouvait mettre un pied devant l'autre. Il fit quelques pas en évitant ses compagnons qui erraient dans leur propre monde, sans plus le voir qu'il ne les voyait, chacun contournant l'autre comme s'il s'agissait d'un obstacle à éviter absolument. Il se retrouva dans les environs d'Underhill, dans la brise fraîche du matin. Il allait vers les pyramides de sel, sous un ciel étrangement bleu.

Il s'arrêta, regarda autour de lui – réfléchit – poussa un grommellement de surprise, se figea, incapable de poursuivre. Car, d'un seul coup, il se rappelait tout.

Pas tout-tout. Il ne se rappelait pas ce qu'il avait mangé au petit déjeuner le 13 août-2 2029, par exemple. Cela concordait parfaitement avec ce qu'on lui avait dit au sujet de ces expérimentations : les détails répétitifs de la vie quotidienne n'étaient pas assez différenciés pour être mémorisés individuellement. Mais dans l'ensemble... A la fin des années 2020, la journée commençait pour lui dans la chambre en forme de barrique, à l'étage du coin sud-est, qu'il partageait avec Hiroko, Evgenia, Rya et Iwao. Des expériences, des incidents, des conversations fusèrent dans son esprit alors qu'il revoyait cette chambre. Un nœud de l'espace-temps, faisant vibrer tout un réseau de jours. Le joli dos de Rya à l'autre bout de la pièce alors qu'elle se lavait les aisselles. Les choses blessantes que les gens disaient sans le vouloir. Vlad parlant de l'épissage des gènes. Vlad et lui s'étaient tenus ici, à cet endroit même, dans la toute première minute de leur arrivée sur Mars. Ils avaient regardé autour d'eux, regardé chaque chose sans échanger une parole, s'imprégnant de la gravité, du rose du ciel, de l'horizon rapproché, regardé autour d'eux exactement comme lui à présent, mais c'était il y a si longtemps. Le temps aréologique, aussi lent, aussi long que la grande systole. On se sentait creux dans les combinaisons. Tchernobyl exigeait plus de béton qu'ils n'arrivaient à en faire prendre dans cet air froid, sec, raréfié. Nadia avait plus ou moins arrangé ça, mais comment? Ah oui, c'est vrai : en le chauffant. Nadia avait arrangé des tas de choses pendant ces années-là, les chambres voûtées, les ateliers, l'arcade... Qui aurait soupçonné qu'une fille si réservée se révélerait si compétente, si énergique? Il y avait des années qu'il n'avait pas repensé à l'impression qu'elle lui avait faite sur l'*Arès*. Elle avait été bouleversée quand Tatiana Durova avait été tuée par la chute d'une grue. Ça leur avait fait un choc à tous, sauf à Michel, qui étrangement avait semblé se désolidariser du désastre, leur première mort. Nadia s'en souviendrait-elle, maintenant? Oui, si elle y repensait. Sax n'avait rien d'exceptionnel : si le traitement agissait sur lui, il devait agir sur les autres. Il y avait Vasili, qui avait combattu pour l'AMONU pendant les deux révolutions; de quoi se souvenait-il? Il avait l'air hagard, mais ça pouvait être de la fascination. Ça pouvait être tout et n'importe quoi, et c'était plus probablement l'émotion du tout, le trop-plein qui semblait être l'un des premiers effets du traitement. Peut-être songeait-il lui aussi à la mort de Tatiana. Un jour, pendant leur première année dans l'Antarctique, Sax et Tatiana étaient en randonnée, et Tatiana s'était foulé la cheville. Ils avaient dû attendre sur Nussbaum Riegel qu'un hélicoptère de McMurdo les ramène au camp. Il avait oublié cette histoire pendant des années, puis Phyllis la lui avait rappelée la nuit où elle l'avait fait arrêter, et il s'était empressé de l'oublier à nouveau jusqu'à cet instant. Et voilà que tout lui revenait pour la deuxième fois en deux cents ans : le soleil bas sur l'horizon, le froid, la beauté des Dry Valleys, Phyllis, jalouse de la sombre beauté de Tatiana. Que la beauté doive mourir d'abord était un signe, une malédiction primale, Mars en Pluton, la planète de la peur, de la menace. Et voilà, du souvenir de cette précieuse journée dans l'Antarctique, de ces deux femmes mortes depuis longtemps, il était l'unique dépositaire, sans lui elles auraient disparu à jamais. C'est vrai, ce qui revenait le plus facilement était ce qui avait fait la plus forte impression, les événements mis en exergue par l'émotion : les grandes joies, les grandes crises, les grands désastres. Et même les petits. En seconde année de collège, il avait été éliminé de l'équipe de basket. Après avoir lu la liste il avait pleuré tout seul dans son coin, près d'une fontaine, à l'autre bout de l'école, et il s'était dit : « Jamais tu n'oublieras cet instant. » Et c'était vrai, Seigneur. C'était magnifique. La première fois qu'on faisait des choses chargées d'un poids particulier, le premier amour... qui était-ce, voyons ? Là, il avait un trou. Mais si, à Boulder, un visage, une amie d'ami, mais ce n'était pas de l'amour, et son nom ne lui revenait pas. Non, maintenant il pensait à Ann Clayborne, debout devant lui, le regardant attentivement, il y avait si longtemps. Qu'essayait-il de se rappeler ? Le flot de pensées était si dense, si rapide, il n'arriverait jamais à se souvenir de tous ces souvenirs. Un paradoxe, mais un seul parmi tous ceux que provoquait le brin unique de conscience dans le champ gigantesque de l'esprit. Dix puissance quarante-trois, la matrice dans laquelle s'épanouissaient tous les big bangs. L'univers contenu dans le crâne était aussi vaste que celui du dehors. Ann... Il était allé se promener avec elle dans l'Antarctique aussi. Elle était forte. Tiens, bizarrement, pendant la balade dans la caldeira d'Olympus Mons, elle ne lui avait pas parlé une seule fois de cette promenade dans Wright Valley, malgré les similitudes ; une randonnée au cours de laquelle ils s'étaient chamaillés au sujet du destin de Mars alors qu'il n'avait qu'une envie, lui prendre la main, ou qu'elle lui prenne la main, elle. Il en pinçait pour elle ! Et lui, espèce de rat de laboratoire qui n'avait jamais éprouvé ce genre de sentiment, il était resté paralysé par la timidité. Elle l'avait regardé d'un drôle d'air mais n'avait pas compris les émotions qui l'agitaient. Elle s'était seulement demandé ce qui le faisait bafouiller ainsi. Il bégayait quand il était jeune, c'était un problème biochimique que la puberté avait apparemment résolu, mais cela lui arrivait encore parfois quand il était nerveux. Ann, Ann... Il la revoyait alors qu'ils discutaient sur l'*Arès*, à Underhill, à Dorsa Brevia, dans l'entrepôt sur Pavonis. Pourquoi était-il toujours si agressif avec cette femme qui l'attirait, pourquoi ? Elle était si forte. Et en même temps il l'avait vue si déprimée, si désarmée, dans ce patrouilleur-rocher, quand sa Mars rouge était morte. Elle était restée allongée là, pendant des jours d'affilée. Et puis elle s'était relevée et elle était repartie. Elle avait empêché Maya de lui crier après. Elle avait enterré Simon, son partenaire. Elle avait fait toutes ces choses, et jamais, jamais,

jamais, Sax n'avait fait autre chose que l'importuner. Il était furieux contre elle à Zygote ou Gamète – Gamète – les deux, en fait. Ses traits tirés. Et puis il ne l'avait pas revue pendant vingt ans. Ensuite, après lui avoir infligé de force le traitement de longévité, il était resté trente ans sans la voir. Tout ce temps perdu. Même s'ils vivaient mille ans, ça ne suffirait pas à justifier un tel gâchis.

Dans le quartier de l'Alchimiste, il retomba sur Vasili, assis dans la poussière, en larmes. Ils avaient raté l'expérience de l'algue d'Underhill, tous les deux, dans ce bâtiment, mais Sax doutait fort que Vasili pleure pour ça. Il avait dû revoir un événement des années passées au service de l'AMONU, ou autre chose, comment savoir ? Bah, il pourrait toujours lui demander. Vadrouiller dans Underhill, voir des gens, se rappeler dans un sursaut tout ce qu'on savait d'eux, ce n'était pas une situation propice à l'approfondissement. Non, continuer à marcher, laisser Vasili à son propre passé. Sax ne voulait pas savoir ce qu'il regrettait. Et puis, là-bas, au nord, une silhouette marchait toute seule – Ann. C'était drôle de la voir sans casque, ses cheveux blancs flottant sur les épaules. Cela suffit à interrompre l'afflux de souvenirs... Mais il l'avait déjà vue comme ça, dans Wright Valley, oui, oui, ses cheveux flottaient aussi dans son dos, à l'époque, aussi légers mais d'un blond filasse comme ils disaient, assez méchamment. C'était dangereux de nouer des liens sous l'œil attentif des psychologues. Ils étaient là pour travailler, sous pression, il n'y avait pas de place pour des relations personnelles, c'était dangereux, l'histoire de Natasha et Sergei l'avait prouvé. Mais c'était arrivé quand même. Vlad et Ursula avaient formé un couple, solide, stable ; et la même chose était arrivée à Hiroko et Iwao, à Nadia et Arkady. Mais cela représentait un danger, un risque. Ann l'avait regardé par-dessus la table du labo, au déjeuner, et il y avait quelque chose dans son regard, une lueur. Il ne savait pas lire dans le cœur des gens. Les déchiffrer. Ils étaient si mystérieux. Le jour où il reçut la lettre lui disant que sa candidature avait été acceptée, qu'il serait l'un des Cent Premiers, il s'était senti si triste. Et pourquoi ? Impossible de le savoir. Mais il revoyait le fax dans la boîte, l'érable de l'autre côté de la fenêtre. Il avait appelé Ann pour savoir s'ils l'avaient prise, elle aussi – et oui, ce qui était un peu surprenant, elle qui était si solitaire, enfin, cela avait un peu soulagé sa peine, mais pourtant. L'érable était rouge, c'était l'automne à Princeton, une époque traditionnellement mélancolique, mais ce n'était pas ça. Pas du tout. Juste *triste*. Comme si réussir n'était rien, rien qu'un certain nombre des trois milliards de pulsations du cœur. Ils en étaient à dix milliards, maintenant, ça commençait à compter. Non, il n'y avait pas d'explication. Les gens étaient de vivants mystères. Alors quand Ann lui avait dit « Si on allait se balader à Lookout Point ? » dans ce laboratoire des Dry Valleys, il avait tout de suite accepté, sans bégayer. Ils étaient partis séparément. Elle avait quitté le camp et s'était dirigée vers Lookout Point, et il l'avait suivie, et là-bas – oh oui ! – alors qu'ils étaient assis côte à côte à regarder le groupe de huttes et le dôme de la serre, une sorte de proto-Underhill, en discutant du terraforming d'une façon parfaitement amicale, car il n'y avait pas d'enjeu, il avait pris sa main gantée dans la sienne. Elle l'avait aussitôt retirée comme si elle était choquée, et elle avait frissonné (il faisait très froid, pour la Terre, en tout cas). Il s'était mis à bredouiller péniblement, comme après son attaque. Une hémorragie limbique, étouffant dans l'œuf quantité d'éléments, d'espoirs, de désirs. Tuant l'amour. Après, il n'avait cessé de la harceler. Rien de tout ça ne constituait une explication causale propre, quoi que Michel aurait pu en dire ! Et puis le froid glacial du retour à la base. Même dans la clarté eidétique de ce soudain pouvoir d'évocation il ne voyait pas grand-chose de ce retour. Egaré. Pourquoi, pourquoi la rebutait-il ainsi ? Petit homme. Blouse blanche. Il n'y avait pas de raison. C'était comme ça, c'est tout. Mais ça avait laissé une marque indélébile. Michel lui-même ne l'avait jamais su.

Refoulement. Penser à Michel lui avait rappelé Maya. Ann était à l'horizon, maintenant, il ne la rattraperait jamais. Il n'était pas sûr d'en avoir envie, d'ailleurs, il était encore abasourdi par ce souvenir surprenant, si pénible. Il partit à la recherche de Maya. Traversa l'endroit où Arkady avait ri de leur existence clinquante, à son retour de Phobos, traversa la serre où Hiroko l'avait séduit par son amitié impersonnelle, des primates dans la savane, la femelle alpha empoignant un mâle parmi les autres, un alpha, un bêta ou l'un de ces alphas possibles mais pas intéressés qui lui faisaient à lui, Sax, l'impression d'avoir le seul comportement décent. Traversa le parc des caravanes où ils avaient dormi par terre, tous ensemble, une famille. Avec Desmond dans un placard quelque part. Desmond avait promis de leur montrer comment il vivait à l'époque, toutes ses cachettes. Un fouillis d'images de Desmond, le survol du canal en feu, puis de Kasei en flammes, la peur quand les gens de la sécurité l'avaient sanglé dans leur dispositif dément ; ç'avait été la fin de Saxifrage Russell. Il était quelqu'un d'autre, maintenant, et Ann était Anti-Ann, et aussi la troisième femme qui n'était ni Ann ni Anti-Ann. Il pourrait peut-être lui parler sur ces bases-là : deux étrangers qui se rencontraient. Plutôt que les deux personnes qui s'étaient connues dans l'Antarctique.

Maya attendait dans la cuisine qu'une grande bouilloire se mette à chanter. Elle faisait du thé.

– Maya, fit Sax en sentant les mots rouler comme des graviers dans sa bouche. Tu devrais essayer. Ce n'est pas si terrible.

Elle secoua la tête.

– J'en revois plus que je ne voudrais. Même sans vos drogues, alors que je ne me rappelle presque plus rien. Il me reste plus de souvenirs que vous n'en aurez jamais. Je n'en veux pas davantage.

Il se pouvait que d'infimes quantités de la drogue planant dans l'air se soient déposées sur sa peau, lui donnant un aperçu de l'expérience hyper-émotionnelle. Mais peut-être était-ce son état ordinaire.

– Pourquoi le présent ne suffirait-il pas ? disait-elle. Je ne veux pas revivre le passé. Je ne veux pas. Je ne pourrais pas le supporter.

– Peut-être plus tard, dit Sax.

Que pouvait-il lui dire ? Elle était déjà comme ça à Underhill, imprévisible, ombrageuse. C'était fou ce que les Cent Premiers pouvaient être compliqués. Mais le comité de sélection avait-il le choix ? Les gens étaient soit comme ça, soit stupides. Et ils n'allaient pas envoyer des imbéciles sur Mars, pas au début, ou pas trop. Et même les plus simples d'esprit n'étaient pas simples.

– Peut-être, disait-elle maintenant en lui tapotant la tête, et elle enleva la théière du réchaud. Peut-être pas. Je m'en rappelle suffisamment comme ça.

– Frank ? demanda Sax.

– Evidemment. Frank, John, ils sont tous là, fit-elle en se poignardant la poitrine avec le pouce. Ça fait assez mal. Je n'en demande pas plus.

– Ah.

Il ressortit. Il se sentait débordant, plus sûr de rien, déstabilisé, le système limbique vibrant follement sous l'impact de sa vie entière, de Maya, la belle, la maudite. Comme il aurait voulu qu'elle soit heureuse ! Mais que pouvait-on faire pour elle ? Maya vivait son malheur à fond, à croire que ça la rendait heureuse. Ou complète. Peut-être ressentait-elle constamment avec acuité ce trop-plein émotionnel si inconfortable ? Waouh ! Il était tellement plus facile d'être flegmatique. D'un autre côté, elle était si vivante. La façon dont elle les avait repoussés vers le chaos, au sud du refuge, à Zygote... Quelle force ! Toutes ces fortes femmes. En fait, pour affronter l'horreur de la vie, la terreur, l'empoigner, l'éprouver sans déni, sans défense, il fallait l'admettre et aller de l'avant. John, Frank, Arkady, et même Michel, ils avaient tous une incroyable réserve d'optimisme, de pessimisme, d'idéalisme, de mythologies pour masquer l'amertume de l'existence, ils avaient leurs sciences diverses et variées, et pourtant ils étaient morts, laissant Nadia, Maya et Ann continuer seules. Pas de doute, il avait eu de la chance de tomber sur des sœurs aussi fortes. Même Phyllis, dans une certaine mesure. Elle avait la robustesse des simples, suivant sa route, pas si mal en fin de compte, la suivant un moment, du moins. Ne renonçant jamais. N'admettant jamais rien. Elle avait protesté quand on l'avait torturé, Spencer le lui avait dit, Spencer et toutes leurs heures passées à travailler sur l'aérodynamique, Spencer lui avait raconté en buvant trop de whisky comment elle était allée trouver le chef de la sécurité de Kazei et lui avait demandé qu'on le relâche, lui qui l'avait mise KO, presque tuée au protoxyde d'azote, lui avait menti jusque dans son lit. Il faut croire qu'elle lui avait pardonné, et Spencer en avait toujours voulu à Maya de l'avoir tuée, même s'il disait le contraire. Sax avait pardonné à Maya, bien qu'il ait, pendant des années, fait semblant de lui en tenir rigueur, pour avoir une sorte de prise sur elle. Ah, l'étrange chaos recombinatoire qu'ils avaient fait de leur vie, conséquence de son formidable allongement, ou peut-être était-ce comme ça dans tous les villages, depuis toujours. Mais toute cette tristesse, toutes ces trahisons ! Peut-être la mémoire était-elle activée par le sentiment de perte, et comme tout finissait inévitablement par disparaître... Bon, et la joie ? Pouvait-on se rappeler par catégories émotionnelles ? Idée intéressante. Etait-ce possible ? Parcourir les salles de la conférence sur le terraforming, par exemple, et lire sur le tableau d'affichage que la contribution du cocktail de Russell à l'élévation de la température était estimée à 12 degrés kelvin. Marcher au Belvédère d'Echus et voir que la Grande Tempête avait pris fin, regarder le ciel rose inondé de soleil. Contempler les visages dans le train alors qu'ils sortaient de la gare de Libya. Se faire embrasser dans l'oreille par Hiroko, dans les bains, un jour d'hiver à Zygote, quand le soir durait tout l'après-midi. Ah, Hiroko ! Il était pelotonné dans le froid, assez furieux à la perspective de mourir dans une tempête de neige au moment même où les choses commençaient à devenir intéressantes, et essayait d'imaginer un moyen de faire venir son véhicule à lui, puisqu'il semblait incapable de le rejoindre, quand elle lui était apparue, sortant de nulle part, petite silhouette en combinaison rouille dans les blanches ténèbres de la neige chassée par le vent, le vent si fort que sa voix dans l'intercom de son casque était réduite à un soupir. « Hiroko ? » s'était-il écrié en voyant son visage à travers la visière maculée de neige fondue. Elle avait répondu : « Oui » et l'avait tiré par le poignet, aidé à se relever. Cette main sur son poignet ! Il l'avait bien sentie. Et il s'était levé, telle la viriditas elle-même, la force verte se déversant en lui, dans le bruit blanc, les parasites crépitant comme de la grêle, son étreinte chaude et dure. Oui, Hiroko était là. Elle l'avait ramené à son véhicule, lui sauvant la vie, et elle avait à nouveau disparu. Desmond pouvait toujours affirmer qu'elle était morte à Sabishii, ses arguments avaient beau être convaincants, peu importait le nombre de fois où des seconds de cordée avaient eu des visions hallucinatoires de grimpeurs en détresse, Sax savait à quoi s'en tenir, lui, à cause de cette main sur son poignet, de cette apparition dans la neige – Hiroko elle-même en chair et en os, solide, compacte, aussi réelle que le roc. Vivante ! Il pouvait vivre sur cette certitude, il pouvait au moins être sûr d'une chose – dans l'inexplicable intrusion de l'inexplicable dans toute chose, il pouvait se fonder sur ce fait irréfutable. Hiroko était vivante. Partir de là et continuer, bâtir là-dessus, l'axiome d'une vie entière de joie. Peut-être même en convaincre Desmond, lui apporter cette paix.

Il était dehors à nouveau et cherchait Coyote. Il n'était jamais facile à trouver. Les souvenirs que Desmond gardait d'Underhill – les cachettes, les murmures, l'équipe de la ferme perdue, puis la colonie perdue, la fuite avec eux. Faire le tour de Mars dans des véhicules camouflés, être aimé d'Hiroko, voler à la surface, la nuit, dans un avion furtif, fricoter avec le demi-monde, tricoter l'underground... Sax avait l'impression que c'étaient ses propres souvenirs, c'était si vivant dans son esprit. Le transfert télépathique de leurs histoires à tous. Cent au carré, dans le carré de chambres voûtées. Non. C'en serait trop. Il était déjà assez bouleversant d'imaginer la réalité d'un autre. C'était toute la télépathie qu'on pouvait souhaiter, ou supporter.

Mais où Desmond était-il passé ? Inutile de le chercher. On ne trouvait jamais Coyote. On attendait qu'il vous trouve. Il se montrerait quand il le déciderait. Pour l'instant, au nord-ouest des pyramides et du quartier de l'Alchimiste gisait un très vieux squelette d'atterrisseur, probablement largué avant qu'ils ne se posent eux-mêmes. Le temps avait substitué à la peinture une croûte de sel. Leurs premiers espoirs étaient réduits à l'état de tas de ferraille. Plus rien, quoi. Hiroko l'avait aidé à décharger celui-là.

Dans le quartier de l'Alchimiste, toutes les machines du vieux bâtiment étaient réformées, désespérément démodées, même le génial processeur Sabatier. Il avait adoré le regarder marcher. Tout le monde était estomaqué le jour où Nadia l'avait mis en marche, petite femme rondelette fredonnant on ne sait quel air dans un monde à elle, communiant avec la machine. A l'époque, on pouvait comprendre les machines. Loué soit Dieu de leur avoir envoyé Nadia, l'ancre qui les amarrait tous à la réalité, celle sur laquelle ils pouvaient toujours compter. Il aurait voulu la serrer sur son cœur, cette bien-aimée sœur entre toutes les sœurs, qui semblait être là, dans le parc de véhicules, essayant de manœuvrer un bulldozer de musée.

Mais là-bas, une silhouette se dirigeait vers l'ouest sur un tertre. Ann. Avait-elle fait tout le tour de l'horizon, marchant, marchant inlassablement ? Il courut vers elle en trébuchant comme s'il venait seulement de faire sa connaissance. Il la rattrapa peu à peu, en haletant.

– Ann ? Ann ?

Elle se retourna et il lut une peur instinctive sur son visage. Un animal fuyant devant un prédateur. Ce qu'il avait toujours été pour elle.

– J'ai fait des erreurs, dit-il en s'arrêtant devant elle.

Ils pouvaient parler en plein air, dans l'air qu'il avait fabriqué malgré ses objections. Et pourtant, il était encore assez raréfié pour qu'il soit à bout de souffle.

– Je n'en ai vu la... la beauté que trop tard. Je suis désolé. Désolé. Désolé. Désolé.

Il avait déjà essayé de le lui dire dans la voiture de Michel quand le déluge se déversait sur eux, à Zygote, à Tempe Terra. Ça n'avait jamais marché. Ann et Mars, intimement mêlées – et pourtant il n'avait aucune excuse à faire à Mars, le coucher de soleil était chaque soir plus beau dans le ciel qui changeait de couleur à chaque minute de chaque jour, signe bleu de leur puissance et de leur responsabilité, de leur place dans le cosmos et de leur pouvoir à l'intérieur, si petits et pourtant si importants. Ils avaient amené la vie sur Mars et c'était bien, il en était sûr.

Non, c'est à Ann qu'il devait des excuses. Pour ses années de ferveur missionnaire, la pression à laquelle il l'avait soumise pour obtenir son acceptation, la façon dont il avait traqué la bête sauvage de son refus pour la mettre à mort. Pardon pour ça, oh oui, pardon... Il était en larmes et elle le regardait, exactement comme autrefois, sur la froide pierre de l'Antarctique, lors de ce premier refus qui lui était revenu dans tous ses détails et reposait maintenant en lui. Son passé.

– Tu te souviens ? lui demanda-t-il avec curiosité, emporté par ce nouveau train de pensées. Nous étions allés ensemble à Lookout Point – je veux dire l'un après l'autre, mais pour nous retrouver, pour parler en privé. Nous étions partis séparément, enfin, tu sais comment c'était à l'époque. Ce couple de Russes avait été renvoyé après s'être bagarré, et nous faisions des cachotteries aux gens du comité de sélection !

Il rit, s'étouffant un peu, à l'évocation de leurs débuts irrationnels. Et prophétiques. Tout, depuis lors, avait été strictement conforme à ces débuts ! Ils étaient venus sur Mars et ils avaient rejoué le coup comme tout le monde avant eux. Ce n'était qu'un trait récurrent, un schéma répétitif.

– Nous nous étions assis et je trouvais que nous nous entendions bien, alors je t'ai pris la main mais tu me l'as retirée. Ça t'avait déplu. Je me suis senti... très, très mal. Nous sommes repartis séparément et nous ne nous sommes plus jamais parlé comme ça, de cette façon, plus jamais. Ensuite, je n'ai cessé de te harceler, je crois, et je pense que c'était à cause de... de...

Il esquissa un geste englobant le ciel bleu.

– Je me souviens, dit-elle.

Elle le regardait en fronçant les sourcils. Il eut un choc. Ça ne se faisait pas, on ne disait jamais à l'amour perdu de sa jeunesse je me souviens, ça fait encore mal. Et pourtant elle était là, devant lui, regardant son visage surpris.

– Oui, reprit-elle. Mais ça ne s'est pas passé comme ça. C'était moi. Je veux dire, j'ai mis ma main sur ton épaule, je t'aimais bien, j'avais l'impression que nous pourrions devenir... Et tu as sursauté ! Tu as sursauté comme si je t'avais appliqué une électrode ! L'électricité statique était forte, là-bas, mais quand même... Non, fit-elle avec un petit rire âpre. C'était toi. Tu n'as pas... ce n'était pas ton genre, je me suis dit. Et ce n'était pas le mien non plus ! D'une certaine façon, ça aurait dû marcher, justement pour ça. Mais non... et puis j'ai tout oublié.

– Non, fit Sax.

Il secoua la tête dans une velléité primitive de reprogrammation, de rappel de ses idées. Il voyait encore dans son théâtre mental cet instant de trouble à Lookout Point, toute la scène, nette et claire, presque mot à mot, geste après geste. C'est un gain d'ordre manifeste, avait-il dit, essayant d'expliquer le but de la science. Et elle avait répondu, pour ça tu détruirais toute une planète. Il s'en souvenait.

Mais il y avait le regard d'Ann alors qu'elle se remémorait l'incident. Elle avait l'air d'être en pleine possession de ce moment de son passé, elle le revivait. Il était clair qu'elle s'en souvenait aussi, mais elle se rappelait autre chose que lui. L'un d'eux devait se tromper, non ?

– Se pourrait-il vraiment... commença-t-il, et il dut s'arrêter et reprendre. Se pourrait-il que nous ayons vraiment été assez maladroits pour sortir tous les deux... dans l'intention de... pour nous révéler...

Ann éclata de rire.

– Et repartir tous les deux avec l'impression d'avoir essuyé une rebuffade ? fit-elle en riant de plus belle. Oui, c'est probable.

Il s'esclaffa à son tour. Ils levèrent leur visage vers le ciel en riant.

Et puis Sax secoua la tête, si triste qu'il était à l'agonie. Quoi qu'il soit arrivé – eh bien, ils ne le sauraient jamais. Sa mémoire jaillissait comme un geyser, comme une des inondations cataclysmiques qu'ils avaient provoquées, et il n'y avait pas moyen de savoir ce qui s'était vraiment passé.

Il eut un frisson. S'il ne pouvait pas se fier à cette résurgence de souvenirs, si un souvenir aussi crucial que celui-ci était sujet à caution, alors, que penser des autres, d'Hiroko dans la tempête de neige, le conduisant à sa voiture, la main sur son poignet ? Se pouvait-il que ce soit aussi... Non. Cette main sur son poignet... Pourtant Ann lui avait arraché sa main, un souvenir somatique, tout aussi réel et concret, tout aussi physique, un événement cinétique dont son corps gardait le souvenir, le garderait jusqu'à la fin de ses jours dans les schémas de ses cellules. Celui-ci devait être vrai, ils devaient être vrais tous les deux.

Alors ?

Alors, c'était le passé. Là, et pas là. Toute sa vie. Si rien n'était réel que ce moment, un instant de Planck après l'autre, une membrane incroyablement fine de devenir entre le passé et le futur – sa vie –, qu'était donc cette infime chose dépourvue de passé ou d'avenir tangible ? Une brume de couleur. Un brin de pensée perdu dans le fait de penser. La réalité si ténue, si peu là. N'y avait-il rien à quoi ils puissent se raccrocher ?

C'est ce qu'il essaya de lui dire, mais il bredouilla, échoua, renonça.

– Eh bien, fit Ann, qui l'avait apparemment compris. Nous nous souvenons déjà de ça. Je veux dire, nous sommes au moins d'accord sur le fait que nous y sommes allés. Nous avions des idées, ça n'a pas marché. Il s'est passé quelque chose, nous n'avons apparemment pas compris ce que c'était sur le coup, alors il n'est pas étonnant que nous n'arrivions pas à nous en souvenir maintenant, ou que nous en conservions un souvenir différent. Il faut comprendre les choses pour s'en souvenir.

– Tu crois ?

– Je pense. C'est pour ça que les enfants de deux ans n'ont pas de souvenirs. Ils sentent les choses d'une façon extraordinaire, mais comme ils ne les comprennent pas vraiment, ils ne peuvent pas s'en souvenir.

– Peut-être.

Il n'était pas sûr que la mémoire fonctionne véritablement ainsi. Les souvenirs de la petite enfance étaient des images eidétiques, photographiques. Mais si c'était vrai, alors cela lui convenait tout à fait. Il avait définitivement compris l'apparition d'Hiroko dans la tempête de neige, sa main sur son poignet. Ces choses du cœur, dans la violence de la tempête...

Ann fit un pas vers lui, le serra sur son cœur. Il détourna un peu le visage, colla son oreille à sa clavicule. Elle était grande. Il sentait son corps contre le sien. Il lui rendit son étreinte avec véhémence. Jamais tu n'oublieras cet instant, se dit-il. Elle se redressa, le tint par les épaules.

– C'est le passé, dit-elle. Ça n'explique pas ce qui nous est arrivé sur Mars, je ne crois pas. C'est autre chose.

– Peut-être.

– Nous n'étions pas d'accord, mais nous utilisions les mêmes... les mêmes termes. Nous attachions de l'importance aux mêmes choses. Je me souviens quand tu essayais de me réconforter, dans ce patrouilleur-rocher, à Marineris, pendant la rupture de l'aquifère.

– Tu as fait la même chose pour moi. Quand Maya s'est mise à m'engueuler, après la mort de Frank.

– Oui, dit-elle en y repensant.

Oh, le pouvoir d'évocation qui était le leur pendant ces heures stupéfiantes ! Le véhicule était un creuset, ils y avaient tous subi une métamorphose, à leur façon.

– C'est bien possible. Ce n'était pas juste. Tu essayais de l'aider. Et tu avais l'air tellement...

Ils se tenaient debout, regardant les structures basses, éparses, qui étaient Underhill.

– Nous y sommes quand même arrivés, dit enfin Sax.

– Oui. Nous y sommes arrivés.

Un moment gênant. Un autre moment gênant. Voilà ce qu'était la vie avec son prochain : une succession de moments gênants. Il faudrait qu'il s'y fasse. Il fit un pas en arrière. Il tendit la main, prit la sienne, la serra avec ferveur. La lâcha. Elle voulait passer devant l'arcade de Nadia, dit-elle, dans la nature sauvage, intacte, à l'ouest d'Underhill. Elle était en proie à un déferlement de souvenirs trop intenses pour se concentrer sur le présent. Elle avait besoin de marcher.

Il comprenait. Elle s'éloigna en lui faisant un signe. Un signe !

Et Coyote était là, près des pyramides de sel étincelantes dans le soleil de l'après-midi. Conscient de la pesanteur martienne pour la première fois depuis des dizaines d'années, Sax partit à bonds légers vers le petit homme. Le seul des Cent Premiers qui était plus petit que lui. Son frère d'armes.

Il parcourait sa vie en trébuchant, prenant une bûche à chaque pas, et il eut du mal à se concentrer sur le visage asymétrique de Coyote. On aurait dit Deimos avec ses facettes, mais il était là, on ne peut plus vibrant, palpitant de toutes ses formes passées en même temps. Au moins Desmond s'était-il toujours à peu près ressemblé. Dieu sait de quoi Sax avait l'air pour les autres, ou ce qu'il verrait s'il se regardait dans un miroir. Tiens, c'était une idée vertigineuse : il pourrait être intéressant de se regarder dans la glace quand on évoquait sa jeunesse, cette vision pourrait occasionner des distorsions. Desmond, un Trinidadien d'origine indienne, racontait une histoire incompréhensible où il était question d'ivresse des profondeurs, mais faisait-il allusion à la drogue pour la mémoire ou à un incident de plongée qui s'était produit dans son enfance ? Mystère. Sax mourait d'envie de lui dire qu'Hiroko était en vie, mais retint les mots qu'il avait sur le bout de la langue. Desmond avait l'air tellement heureux comme ça, et puis il ne le croirait pas. Ça ne ferait que le perturber. La connaissance empirique n'était pas toujours traduisible par le discours, c'était lamentable mais c'était un fait. Desmond ne le croirait pas parce qu'il n'avait pas senti sa main sur son poignet. Et pourquoi devrait-il le croire, après tout ?

Ils retournèrent vers Tchernobyl en parlant d'Arkady et de Spencer.

– Nous nous faisons vieux, dit Sax.

Desmond poussa un hurlement de loup. Il avait toujours un rire affolant, mais contagieux, et Sax ne put s'empêcher de rire avec lui.

– Nous nous *faisons* vieux ? Nous nous *faisons* vieux ?

Ils redoublèrent d'hilarité à la vue du petit Rickover. C'était pourtant à la fois pathétique, courageux, stupide et intelligent. Leur système limbique était encore survolté, remarqua Sax, ébranlé par ce kaléidoscope d'émotions simultanées. Tout son passé s'éclaircissait, lui apparaissait comme des couches superposées de séquences. Chaque événement était doté d'une charge émotionnelle unique, et toutes explosaient en même temps : si plein, si plein. Plus plein peut-être que le, le quoi, l'esprit ? L'âme ? Plus plein qu'il n'était possible de l'être. *Trop plein*, voilà comment il se sentait.

– Desmond, je déborde.

Les beuglements de Desmond atteignirent un paroxysme.

Sa vie excédait maintenant sa capacité sensorielle. Mais qu'était cette soudaine impression ? Un bourdonnement limbique, le rugissement du vent dans les conifères en haut des montagnes, une nuit à la belle étoile, dans les Rocheuses, le vent palpitant dans les aiguilles de pin... Très intéressant. Peut-être un effet de la drogue qui s'estomperait, même s'il espérait que certains effets persisteraient, et qui sait si celui-ci ne pourrait se prolonger aussi, en tant que partie intégrante du tout ? Du genre : si on peut se rappeler son passé, long comme il est, on ne peut que se sentir très plein, plein d'expériences et d'émotions, au point qu'il devienne difficile d'en sentir beaucoup plus. Serait-ce possible ? Mais peut-être tout prendrait-il une intensité intolérable, peut-être les avait-il tous malencontreusement transformés en d'affreux sentimentaux, bouleversés à l'idée de mettre le pied sur une fourmi, pleurant de joie à la vue d'un lever de soleil, etc. Il ne manquerait plus que ça. Assez était assez, et même plus. Assez valait un festin. A vrai dire, Sax avait toujours pensé que l'amplitude de la réaction émotionnelle affichée par son entourage pourrait être sensiblement réduite sans grand dommage pour l'humanité. Il était évidemment impossible d'essayer de façon consciente de diminuer la force des émotions. C'était du refoulement, de la sublimation, et il en résultait toujours une surpression ailleurs. C'était drôle de constater que l'analogie freudienne entre la machine à vapeur et l'esprit demeurait, la compression, l'échappement et le cycle complet, comme si le cerveau avait été conçu par Watt. Enfin, les modèles réducteurs avaient leur utilité, ils étaient au cœur de la science. Et il avait besoin de lâcher la vapeur depuis longtemps.

Il fit le tour de Tchernobyl avec Desmond, chacun absorbé dans ses pensées, lançant des pierres, riant, tenant des propos précipités, haletants, décousus, une sorte de transmission simultanée plus qu'une conversation, mais ils appréciaient leur compagnie mutuelle. Il était rassurant d'entendre un autre en proie à la même confusion. Et puis c'était un vrai plaisir de se sentir proche de cet homme, si différent de lui par tant de côtés, et pourtant de pouvoir papoter avec lui, parler de tout et de rien, de l'école, des calottes neigeuses de la région polaire Sud, des parcs de l'*Arès*. Ils étaient si semblables, au fond.

– Nous passons tous par les mêmes expériences.

– C'est vrai ! C'est tellement vrai !

Curieux que ce fait n'affecte pas davantage le comportement des individus.

Ils se retrouvèrent enfin au parc des caravanes qu'ils traversèrent plus lentement, freinés par des toiles d'araignée de plus en plus épaisses remontant du passé. Le coucher du soleil approchait. Dans les chambres voûtées, on s'activait, on préparait le dîner. La plupart d'entre eux avaient été trop absorbés, pendant la journée, pour penser à manger, et les drogues semblaient avoir un léger effet coupe-faim, mais à présent ils étaient affamés. Maya avait préparé une grande marmite de ragoût dans laquelle elle jetait des pommes de terre coupées en morceaux. Du bortsch ? De la bouillabaisse ? Elle avait fait du pain, le matin, et une odeur alléchante planait dans l'air.

Ils se réunirent dans la salle à manger où Sax et Ann avaient eu leur fameux débat au commencement du terraforming. Avec un peu de chance, Ann n'y penserait pas en entrant. Sauf qu'une vidéo du débat passait sur un petit écran, dans un coin. Enfin... Elle arriverait peu après le coucher du soleil. La routine. Cette constance faisait leur joie. Elle leur permettait en quelque sorte de se dire : Nous sommes là, les autres sont sortis, mais à part ça, rien n'a changé. Un soir comme les autres à Underhill. On parlait boulot, des différents endroits, de ce qu'on mangeait. Les vieux visages familiers. On pouvait croire qu'Arkady, John et Tatiana allaient entrer d'une seconde à l'autre, exactement comme Ann, en cet instant précis, juste au moment prévu, battant la semelle pour se réchauffer, ignorant les autres, selon son habitude.

Et voilà qu'elle s'assit à côté de lui pour manger (une potée provençale, que Michel faisait souvent). En silence, comme toujours. Mais tout le monde ouvrait de grands yeux. Nadia les regarda, au bord des larmes. Une sensiblerie permanente : ça pouvait poser un problème.

Plus tard, couvrant le bruit des assiettes, le brouhaha des voix, tout le monde parlant à la fois, chaque conversation restant compréhensible malgré tout, même quand on était soi-même en train de bavarder, Ann se pencha vers lui et demanda :

– Où vas-tu après ça?

– Eh bien, répondit-il, soudain très nerveux. Des collègues de Da Vinci m'ont invité à-à-à à faire du bateau. A essayer un nouveau modèle qu'ils ont conçu pour moi, pour mes... mes promenades en bateau. Un voilier. Dans Chryse. Le *golfe* de Chryse.

– Ah!

Un silence terrible, malgré le vacarme.

– Je pourrais venir avec toi?

Il eut l'impression que son visage le brûlait. Un soudain afflux de sang dans les capillaires. Très étrange. Mais il fallait qu'il réponde !

– Oh oui !

Et puis tout le monde se retrouva assis dans un fauteuil ou penché sur le système de chauffage, à réfléchir, à parler, à se souvenir, en buvant le thé de Maya, qui avait l'air ravie de s'occuper d'eux. Beaucoup plus tard, dans la nuit, Sax décida de retourner au parc des caravanes où ils avaient passé leurs premiers mois. Juste pour voir.

Nadia y était déjà, allongée sur un matelas. Sax décrocha son vieux matelas du mur. Bientôt, Maya arriva, puis tous les autres. Même les récalcitrants s'étaient laissé entraîner. L'un d'eux dit : « Trouillard de Desmond », l'assit de force au milieu, et tout le monde l'entoura, certains à leur place habituelle, ceux qui dormaient dans une autre caravane occupant les matelas libérés par les disparus. Ils tenaient à l'aise dans une seule caravane, maintenant. Et dans la profondeur de la nuit, ils dévalèrent la lente pente chaotique du sommeil. Ils se laissèrent tomber sur leur lit, encore un souvenir, paresseux et chaud, c'était tous les soirs comme ça, ils se sentaient dériver dans un bain de chaleur humaine, épuisés par le travail passionnant de la journée, la construction d'une ville, d'un monde. Sommeil, mémoire, sommeil, corps. S'abîmer avec reconnaissance dans le moment, dans le rêve.

Ils quittèrent la Florentine par une journée venteuse, sans nuage, à bord d'un nouveau catamaran aérodynamique. Ann était à la barre et Sax vérifiait, à la proue tribord, que le capon avait bien retenu l'ancre. Elle sentait si fort la vase que Sax, distrait, passa un moment penché par-dessus le bastingage à examiner la boue anaérobie à la loupe de son bloc-poignet : une grande quantité d'algues mortes et d'autres organismes. Question intéressante : cette boue était-elle typique au fond de la mer du Nord, plutôt spécifique du golfe de Chryse, caractéristique de la Florentine ou plus généralement des eaux peu profondes ?

– Hé, Sax, viens ici ! appela Ann. C'est toi qui sais faire marcher ce truc.

– C'est vrai.

En réalité, l'IA du bateau se chargeait de tous les problèmes de navigation. Il aurait suffi qu'il lui dise, par exemple : « Va à Rhodes », et il n'aurait plus eu à s'en occuper de la semaine. Mais il avait commencé à apprécier le contact du gouvernail sous sa main. Alors il remit l'étude de la vase à plus tard et se dirigea vers le grand cockpit peu profond suspendu entre les deux coques fuselées.

– Regarde, Da Vinci va disparaître sous l'horizon.

– En effet.

L'extérieur de la lèvre du cratère était le seul endroit de l'île de Da Vinci encore visible sur l'eau, bien qu'elle ne soit qu'à vingt kilomètres de là. Cette planète avait quelque chose d'intime. Le bateau allait très vite. Il planait à la surface de l'eau dès que le vent atteignait cinquante kilomètres-heure. Il y avait des contrepoids mobiles dans les traverses et les coques étaient équipées de quilles extensibles, profilées comme des dauphins, qui maintenaient la coque au vent en contact avec l'eau, empêchant la partie sous le vent de plonger trop profondément. Ainsi, même par vent modéré, comme celui qui gonflait à présent le mât-voile déployé, le bateau filait sur l'eau à une vitesse à peine inférieure à celle du vent. En regardant vers la poupe, Sax constata qu'une très faible surface des coques était au contact de l'eau, et que le gouvernail et les quilles des balanciers semblaient surtout destinés à les empêcher de s'envoler. Il vit disparaître l'île de Da Vinci sous l'océan bondissant, dentelé, à quatre kilomètres à peine. Il jeta un coup d'œil à Ann. Elle était agrippée au bastingage et regardait vers l'arrière le nattage formé par les V blancs, brillants, de leurs sillages.

– Tu avais déjà pris la mer ? demanda Sax, tout en pensant : Et complètement perdu la terre de vue ?

– Non.

– Ah !

Ils mirent cap au nord, dans le golfe de Chryse. Les îles de Copernicus puis de Galileo apparurent au-dessus de l'eau, à tribord, et disparurent à nouveau sous l'horizon bleu. Les vagues étaient distinctement visibles, de sorte que l'horizon n'était pas une ligne bleue, rectiligne, tracée sur le ciel, mais un ensemble mouvant de crêtes renflées qui se succédaient rapidement. La houle venait du nord, presque droit devant eux, et tant à bâbord qu'à tribord l'horizon était une ligne ondoyante d'eau bleue sur le ciel bleu. Le cercle déchiqueté qui entourait le catamaran paraissait trop petit, comme si la ligne d'horizon terrienne était à jamais gravée dans les zones optiques du cerveau. Les choses semblaient toujours être sur une planète trop petite pour elles. Ann n'avait pas l'air dans son assiette. Elle regardait d'un œil torve les vagues qui soulevaient d'abord la proue, puis la poupe. Un courant transversal, poussé par le vent d'ouest, presque à angle droit avec la houle, interférait avec les plus grosses lames. On aurait dit une démonstration de physique effectuée en laboratoire, et Sax crut revoir les merveilles du petit bassin à vagues de son université, où les heures passaient à la vitesse de l'éclair. La taille des vagues nées dans le mouvement perpétuel vers l'est qui animait la mer du Nord était liée à la force du vent. La faible gravité suscitait de grandes vagues larges, vite soulevées par les vents forts. Si le vent forcissait encore, par exemple, les crêtes venues de l'ouest deviendraient vite plus grosses que la houle du nord, et l'effaceraient complètement. Les vagues de la mer du Nord ne se déplaçaient pas très vite mais elles étaient connues pour leur hauteur et leur versatilité, leurs formes surprenantes sans cesse renouvelées. De grandes collines lentes, pareilles aux dunes géantes de Vastitas, migrant autour de la planète. Elles pouvaient devenir vraiment gigantesques, en fait. Quand un typhon soufflait sur la mer du Nord, il n'était pas rare de voir des vagues de soixante-dix mètres de haut.

Ann, qui semblait désemparée, se serait manifestement contentée des vagues de travers. Sax ne voyait pas quoi lui dire. Il doutait que ses considérations sur les mécanismes des vagues l'intéressent. Elles étaient passionnantes, évidemment, pour tout individu que la physique intéressait. Comme Ann. Mais le moment était peut-être mal choisi. Pour l'instant, l'ensemble sensuel de l'eau, du vent et du ciel paraissait amplement suffisant. Il jugea préférable de se taire.

Des crêtes blanches commençaient à rouler sur les flancs de certaines vagues de travers, et Sax vérifia aussitôt la vitesse du vent sur le système météo. Trente-deux kilomètres à l'heure. A peu près la vitesse à laquelle la crête des vagues devait se renverser. Une simple question de tension de surface et de vitesse du vent, calculable, en fait. Oui, selon l'équation relative de la dynamique des fluides, quand la vitesse du vent atteignait trente-cinq kilomètres-heure, elles devaient commencer à retomber, ces crêtes blanches, d'une blancheur surprenante sur l'eau bleu foncé, bleu de Prusse, pensait Sax. Le ciel aujourd'hui était presque bleu layette, légèrement empourpré au zénith, un peu plus clair autour du soleil, avec un écran métallique entre le soleil et l'horizon, en dessous.

– Que fais-tu ? demanda Ann, d'un ton soudain ennuyé.

Elle écouta les explications de Sax dans un silence de mort. Il ne savait pas ce qu'elle pouvait penser. Il avait toujours trouvé réconfortante l'idée que le monde était explicable dans une certaine mesure. Mais Ann... Bah, c'était peut-être tout simplement le mal de mer. Ou un souvenir qui la perturbait. Sax avait constaté, au cours des semaines qui avaient suivi l'expérience d'Underhill, qu'il était souvent distrait par des incidents remontés du passé sans qu'il les ait en rien provoqués. Une mémoire involontaire. Peut-être Ann avait-elle quantité de souvenirs déplaisants. D'après Michel, elle avait été maltraitée quand elle était enfant. Sax avait du mal à imaginer ça ; c'était trop choquant. Sur Terre, des hommes avaient violé des femmes ; sur Mars, jamais. Etait-ce bien vrai ? Il en avait l'impression mais pas la certitude. Voilà ce que c'était de vivre dans une société juste et rationnelle, c'était une des raisons principales qui en faisaient une bonne chose, une valeur. Peut-être Ann en saurait-elle plus long sur la situation actuelle, mais il ne se voyait pas l'interroger. C'était manifestement contre-indiqué.

– Tu es bien silencieux, dit-elle.
– J'admire la vue, répondit-il très vite.

Peut-être ferait-il mieux de lui parler de la mécanique des vagues, après tout. Il lui expliqua la houle, les vagues transversales, les schémas d'interférence positive et négative résultants. Et puis il ajouta :

– Il t'est revenu beaucoup de souvenirs de la Terre, à Underhill ?
– Non.
– Ah !

C'était probablement une espèce de refoulement, le contraire de la méthode psychothérapeutique que Michel aurait probablement recommandée. Mais ils n'étaient pas des machines à vapeur. Et il y avait des choses qu'il valait sûrement mieux oublier. Il devrait s'efforcer d'oublier à nouveau la mort de John, par exemple, et aussi de se souvenir plus distinctement des moments de sa vie où il avait été plus sociable, comme pendant les années où il travaillait pour Biotique, à Burroughs. En attendant, celle qui était assise de l'autre côté du cockpit était Anti-Ann, ou cette troisième femme dont elle lui avait parlé. Et lui-même était, au moins en partie, Stephen Lindholm. Des étrangers, malgré la rencontre stupéfiante d'Underhill. Ou à cause d'elle. Salut, enchanté de faire votre connaissance...

Dès qu'ils furent sortis des fjords et des îles au fond du golfe de Chryse, Sax donna un coup de barre et le bateau bondit vers le nord-est, dans le vent et les vagues écumantes. Puis, quand ils voguèrent par vent arrière, le mât-voile se déploya, adopta une forme assez personnelle de spinnaker. Les coques glissèrent sur la crête mousseuse des vagues avant de prendre la vitesse supérieure et de décoller. La rive est du golfe apparut devant eux. Elle était moins spectaculaire que la côte ouest, mais plus jolie par de nombreux aspects. Des bâtiments, des tours, des ponts. C'était un littoral assez peuplé, comme la plupart des côtes à cette époque. Quand on venait d'Olympus, la vue de toutes les villes devait provoquer un choc.

Ils dépassèrent la large embouchure du fjord Arès, puis Soochow Point émergea sur l'horizon, bientôt suivi par les îles Oxia. Avant l'arrivée de l'eau, c'était un ensemble de collines rondes qui avaient juste la hauteur voulue pour devenir un archipel. Sax s'engagea dans l'étroit passage navigable entre les îles, des bosses brunes, de quarante ou cinquante mètres de haut. La grande majorité étaient inoccupées, désertes, en dehors de quelques chèvres, mais sur les plus grosses, surtout celles en forme de rognon, qui étaient creusées de baies, des murets de pierres dessinaient des champs et des pâtures sur les pentes. Ces îles étaient irriguées, couvertes de vergers et de prairies piquetées de moutons ou de vaches miniature. D'après les cartes du bateau, elles avaient des noms : Kipini, Waouh, Wabash, Naukan, Libertad. Ann eut un reniflement.

– C'étaient les noms des cratères qui sont maintenant sous l'eau.

– Ah !

C'étaient quand même de très jolies îles où fleurissaient des villages de pêcheurs aux maisons blanches, avec des portes et des volets bleus : le modèle égéen encore une fois. D'ailleurs, sur une pointe, un petit temple dorique carré se dressait fièrement. De petits sloops ou de simples barques à rames se balançaient dans les baies. En passant, Sax montra à Ann un moulin à vent perché sur une colline, des lamas qui paissaient.

– Ça a l'air d'être la belle vie, par ici.

Ils parlèrent alors des indigènes, sans éprouver ni gêne ni tension. De Zo. Des farouches et de l'étrange mode d'existence de ces chasseurs grégaires, laboureurs migrants propriétaires de leurs fermes, qui allaient de l'une à l'autre et faisaient leurs courses en ville. De la fertilisation croisée de tous ces styles de vie. Des nouvelles colonies terriennes qui proliféraient dans le paysage. Des ports toujours plus nombreux. Au milieu de la baie, ils repérèrent un de ces nouveaux bâtiments, une ville flottante d'un millier d'habitants environ. Il était trop gros pour entrer dans l'archipel d'Oxia et attendait qu'on le guide à travers le golfe vers Nilokeras ou les fjords du Sud. Comme le sol était pris d'assaut sur toute la planète, et que les cours restreignaient de plus en plus les possibilités d'installation, un nombre sans cesse croissant de gens s'installaient sur la mer du Nord et élisaient domicile sur des navires comme celui-ci.

– Si nous allions le visiter ? suggéra Ann. C'est possible ?

– Pourquoi pas ? répliqua Sax, surpris. Nous pouvons sûrement le rattraper.

Il tira des bords, faisant donner le maximum au catamaran pour impressionner les matelots du bateau qui était une ville. En moins d'une heure ils avaient atteint son large flanc, une falaise incurvée de près de deux kilomètres de long et cinquante mètres de haut. Ils s'amarrèrent à un quai situé juste au-dessus de la ligne de flottaison, prirent pied sur la jetée et s'avancèrent vers une section entourée d'un bastingage qui s'éleva, comme un ascenseur, jusqu'au pont de l'énorme bâtiment.

Le pont était presque aussi large que long, et occupé, au

centre, par une ferme plantée de petits arbres, si bien qu'on n'en voyait pas le bout. Sur tout le pourtour était ménagée une sorte de rue ou d'arcade rectangulaire, bordée des deux côtés de maisons à deux, trois ou quatre étages, les immeubles extérieurs étant surmontés par des mâts et des moulins à vent, ceux de l'intérieur s'ouvrant largement sur des parcs et des places menant vers la ferme, les cultures, les bosquets et un grand étang d'eau claire. On se serait cru dans une cité fortifiée de la Toscane à l'époque de la Renaissance, sauf qu'ici tout était incroyablement propre et ordonné. Un petit groupe de gens qui se trouvaient sur la place surplombant le quai les saluèrent et, apprenant qui ils étaient, insistèrent, tout excités, pour les retenir à dîner. Quelques-uns proposèrent de leur faire faire le tour du bâtiment, « Mais si vous voulez vous arrêter avant, dites-le, parce que ça fait une trotte ».

C'était une petite ville flottante, leur dirent-ils. La population n'était que de cinq mille habitants. Ils vivaient en autarcie presque complète depuis son lancement.

– Nous cultivons à peu près tout ce qu'il nous faut, et nous pêchons le reste, mais les villes flottantes s'accusent mutuellement de dépeupler la mer de certaines espèces. Nous faisons de la polyculture de vivaces. Nous avons de nouveaux cultivars de maïs, de tournesol, de soja, de prunes des sables, etc. Tout est fait par des robots. La cueillette est une corvée qui casse le dos, et nous avons atteint un niveau de technologie suffisant pour rester tranquillement chez nous et savourer les fruits de notre travail. Il y a beaucoup de manufactures à bord. Nous faisons du vin – vous voyez les vignes, là-bas –, et nous avons des distilleries de cognac. Ça, nous le faisons à la main. Nous fabriquons aussi des semi-conducteurs aux applications très spécialisées, et des bicyclettes de grande qualité.

– Nous faisons le tour de la mer du Nord. Les tempêtes sont parfois très violentes, mais nous sommes si gros qu'elles ne nous perturbent guère. La plupart d'entre nous sont ici depuis dix ans, depuis le lancement du navire. C'est une vie merveilleuse. Nous avons tout ce qu'il nous faut. Oh, c'est amusant de descendre à terre de temps en temps, bien sûr. Nous allons à Nilokeras tous les Ls 0 pour le festival de printemps. Nous vendons nos produits, nous faisons le plein de ce qui nous manque, la fête toute la nuit et nous reprenons la mer.

– Nous n'avons besoin de rien, que de vent, de soleil et d'un peu de poisson. Les cours environnementales nous adorent. Nous avons si peu d'impact sur l'environnement ! La mer du Nord est sûrement plus peuplée que si la région n'avait jamais été mise en eau. Il y a des centaines de villes flottantes, maintenant.

– Des milliers. Et nous faisons travailler les villes portuaires, les chantiers navals. C'est une bonne affaire pour tout le monde, en fait.

– Vous pensez que ce serait un bon moyen d'absorber le surplus de population de la Terre ? suggéra Ann.

– Absolument. L'un des meilleurs. Cet océan est immense, il pourrait accueillir des quantités de bâtiments comme celui-ci.

– Tant qu'ils ne pratiquent pas la pêche à outrance.

Comme ils continuaient leur tour, Sax dit à Ann :

– Encore une raison de ne pas s'étriper pour ce problème d'immigration.

Ann ne répondit pas. Elle regardait l'eau tavelée de soleil, les vingt mâts gréés en goélette. Le bâtiment ressemblait à un vaste iceberg tabulaire dont la surface aurait été entièrement exploitée. Une île flottante.

– Il y a tant de sortes de nomades, commenta Sax. On dirait que les indigènes qui éprouvent le besoin de se fixer sont une minorité.

– Contrairement à nous.

– Je te l'accorde. Mais je me demande si cette tendance s'accompagne d'une certaine sympathie pour les Rouges. Si tu vois ce que je veux dire.

– Non.

Sax tenta de s'expliquer.

– J'ai l'impression que les nomades ont plutôt tendance à prendre les choses comme elles viennent. Ils vivent avec les saisons, mangent ce qu'ils trouvent, c'est-à-dire ce qui pousse à ce moment-là. Et ceux qui courent les mers à plus forte raison, évidemment, étant donné que la mer est réfractaire à la plupart des tentatives de l'homme pour la changer.

– En dehors des tentatives de régulation du niveau de l'eau ou de sa salinité. Tu en as entendu parler ?

– Oui. Mais il n'y a pas grand-chose à espérer de ce côté-là, à mon avis. Le mécanisme de la salinisation est encore très mal compris.

– Si ça marche, ça va tuer pas mal d'espèces d'eau douce.

– Certes, mais les espèces d'eau salée seront ravies.

Ils traversèrent l'île flottante pour rejoindre la place qui surplombait le quai, passant entre de longues rangées de fougères, de viridine transparente, de vignes taillées en T à hauteur de la taille, les treilles horizontales chargées de grappes d'un violet poussiéreux. De l'autre côté s'étendait une sorte de prairie où poussait un mélange de plantes, sillonnée par d'étroits sentiers.

Ils furent conviés à un festin de pâtes et de fruits de mer à un restaurant de la place. La conversation était générale. Soudain, quelqu'un sortit en trombe de la cuisine en annonçant qu'il y avait des problèmes à l'ascenseur spatial. Les troupes de l'ONU qui s'octroyaient la moitié des droits de douane sur New Clarke avaient pris la station, renvoyé les agents martiens sur la planète en les accusant de corruption et déclaré que dorénavant l'ONU administrerait elle-même la partie supérieure de l'ascenseur. Le conseil de sécurité des Nations Unies disait maintenant que les officiers locaux avaient outrepassé leurs prérogatives, mais ce rétropédalage ne s'accompagnait d'aucune invitation aux Martiens à remonter sur le câble, et Sax pensait que c'était un rideau de fumée.

– Oh, Seigneur! dit-il. Maya ne va pas aimer ça.

Ann leva les yeux au ciel.

– Ce n'est pas vraiment le plus important, si tu veux mon avis.

Elle paraissait outrée et, pour la première fois depuis que Sax l'avait retrouvée dans la caldeira d'Olympus, concernée par la situation actuelle. Revenue de son exil. C'était assez choquant, quand on y réfléchissait. Même ces gens de mer avaient l'air secoués, eux qui paraissaient jusque-là – comme Ann – assez éloignés des contingences terrestres. Il constata que la nouvelle se répandait parmi les convives du restaurant, les projetant tous dans le même espace : soulèvement, crise, menace de guerre. Les voix étaient incrédules, les visages furieux.

Les gens à leur table observaient Sax et Ann, curieux de leur réaction.

– Vous allez être obligés de prendre des mesures, dit l'un de leurs guides.

– Pourquoi nous? rétorqua sèchement Ann. Ça va être à vous de réagir, si vous voulez mon avis. C'est vous qui êtes aux commandes, maintenant. Nous ne sommes que deux vieux issei.

Leurs compagnons de table parurent surpris, ne sachant trop comment prendre sa réponse. L'un d'eux se mit à rire. Celui qui avait parlé secoua la tête.

– Ce n'est pas vrai, mais vous avez raison sur un point : nous allons être vigilants, et voir avec les autres îles flottantes la réponse qui s'impose. Nous jouerons notre rôle. Je voulais dire que des tas de gens vont se tourner vers vous pour voir ce que vous faites.

Ann resta coite. Sax replongea dans son assiette, la cervelle en ébullition. Il se rendit compte qu'il avait envie de parler à Maya.

La soirée se poursuivit jusqu'au coucher du soleil. Le dîner traînait en longueur. Leurs hôtes essayaient de retrouver leur bel entrain. Sax réprima un petit sourire ; crise interplanétaire ou non, le repas devait se dérouler selon le protocole. Et ces gens de mer n'étaient pas du genre à s'en faire pour le système solaire en général. Alors l'atmosphère se réchauffa : le dessert fut avalé dans l'euphorie – ils avaient reçu la visite de Clayborne et Russell. Puis les deux voyageurs prirent congé dans les dernières lueurs du jour, et on les escorta jusqu'à leur bateau. Les vagues, dans le golfe de Chryse, étaient beaucoup plus grosses qu'il n'y paraissait d'en haut.

Sax et Ann reprirent la mer en silence, perdus dans leurs pensées. Sax regarda la ville flottante, derrière lui, en songeant à ce qu'ils avaient vu ce jour-là. Ils avaient l'air de se la couler douce. Il y avait quand même une chose... Il chassa cette idée, puis, au bout d'une rapide course d'obstacles, la rattrapa et l'empoigna malgré tout : pas d'absences, ces jours-ci. Ce qui était une grande satisfaction, même si ses idées actuelles étaient plutôt mélancoliques. Devait-il essayer de les partager avec Ann ? Etait-il possible de les exprimer ?

– Il y a des moments où je regrette... commença-t-il. Quand je vois ces gens, la vie qu'ils mènent... Je trouve ironique que nous... que nous soyons au bord d'un... d'une sorte de nouvel âge d'or... (voilà, il l'avait dit, et maintenant il se sentait complètement idiot) qui arrivera après la mort de notre génération. Nous aurons œuvré pour ça toute notre vie, et nos mourrons avant que ça n'arrive.

– Comme Moïse restant hors de la Terre promise.

– Ah bon ? Il n'y a pas mis les pieds ? fit Sax en secouant la tête. Toutes ces vieilles histoires...

Que de rapprochements... Comme la science, au fond, comme les intuitions fulgurantes qu'on avait au cours d'une expérience, quand tout devenait lumineux et que les choses s'éclaircissaient.

– Enfin, j'imagine ce qu'il a pu ressentir. C'est... c'est frustrant. Je voudrais voir ce qui va arriver. Il y a des moments où je meurs de curiosité. Je voudrais savoir ce qui va se passer après notre mort, tu comprends. Connaître l'histoire du futur. Tout ça. Tu comprends ce que je veux dire ?

Ann le regarda attentivement et dit enfin :

– Tout doit mourir un jour. Mieux vaut partir en pensant qu'on va rater un âge d'or qu'en se disant qu'on a gâché toutes les chances de nos enfants, qu'on leur laisse en héritage une hotte de cadeaux empoisonnés à long terme. C'est ça qui serait déprimant. La situation étant ce qu'elle est, nous n'avons à nous en faire que pour nous.

– C'est vrai.

Et c'était Ann Clayborne qui parlait. Sax se sentit devenir écarlate. Cette action capillaire pouvait être une sensation très agréable, parfois.

Ils retournèrent vers l'archipel d'Oxia et voguèrent entre les îles en bavardant. Ils arrivaient à communiquer. Ils mangeaient dans le cockpit, dormaient chacun dans sa cabine, sur les coques. Par un frais matin, alors que le vent soufflait du rivage, tout neuf et odorant, Sax dit :

– Je m'interroge encore sur la possible émergence de Bruns d'une espèce ou d'une autre.

– Et où serait le Rouge, là-dedans ? répliqua Ann en lui jetant un coup d'œil.

– Eh bien, dans le désir de maintenir les choses en l'état. De préserver une bonne partie de la planète dans son état primitif. L'aréophanie.

– Ça a toujours été l'idée des Verts. C'est Vert avec juste une petite touche de Rouge. Kaki.

– Possible. Ce serait Irishka et la coalition Mars Libre. Mais aussi des châtains, des ambre brûlé, des Sienne, des rouge indien.

– Je doute qu'il y ait encore des Rouges Indiens, fit-elle avec un rire amer.

Elle riait assez souvent, même si son humour était parfois mordant. Un soir, il était dans sa cabine et elle était à l'arrière de son côté (elle avait opté pour bâbord, et lui pour tribord) quand il l'avait entendue rire tout haut. Il était remonté, avait regardé alentour, et s'était dit que son hilarité avait dû être provoquée par la vue de Pseudophobos (la plupart des gens disaient simplement Phobos), qui montait très vite à l'ouest, selon son habitude. Les lunes de Mars voguant à nouveau dans la nuit, petits patatoïdes gris sans grande distinction, mais présents quand même. Comme ce rire à leur vue.

– Tu crois que c'est sérieux ? La prise de Clarke, je veux dire ? demanda Ann un soir, alors qu'ils se retiraient chacun dans sa coque.

– C'est difficile à dire. Il y a des moments où je me dis que ça ne peut être que des rodomontades, parce que si c'était sérieux ce serait tellement... stupide. Ils doivent savoir que Clarke est très vulnérable... qu'un rien pourrait le faire disparaître du paysage.

– Kasei et Dao n'ont sûrement pas eu cette impression.

– Non, mais... A Da Vinci, reprit-il très vite, car il ne voulait pas lui dire que leur tentative avait été sabotée et craignait qu'elle le déduise de son silence, euh, on a installé un laser à rayons X dans la caldeira d'Arsia Mons. Il est enfoui dans la roche de la paroi nord. Il suffirait de le déclencher pour fondre le câble juste au-dessus du point aréosynchrone. C'est imparable. Aucun système défensif ne pourrait rien contre ça.

Ann le dévisagea. Il haussa les épaules. Il n'était pas personnellement responsable de tout ce qui se passait à Da Vinci, quoi qu'on puisse en penser.

– Mais abattre le câble, dit-elle en secouant la tête. Ça tuerait un tas de gens.

Sax se rappela que Peter avait survécu à la chute du premier câble en sautant dans le vide. Il avait eu de la chance de s'en sortir. Peut-être Ann était-elle moins encline à tirer un trait sur la vie d'autrui.

– Exact, dit-il. Ce n'est pas une bonne solution. Mais c'est possible, et je pense que les Terriens le savent.

– Alors ce n'est peut-être qu'une menace.

– Peut-être. Sauf s'ils sont prêts à aller plus loin.

Au nord de l'archipel d'Oxia, ils passèrent devant la baie de McLaughlin, qui était le côté est d'un cratère submergé. Au nord, il y avait la pointe de Mawrth et, derrière, l'entrée du fjord, l'un des plus longs du littoral. Il fallait, pour le remonter à la voile, tirer constamment des bords, ballotté par des vents traîtres, louvoyer entre des parois abruptes, sinueuses. Mais Sax tenait à le faire parce que c'était un joli fjord, au fond d'un chenal d'éruption très profond et très étroit qui allait en s'élargissant. Tout au bout, le canyon au sol rocheux s'enfonçait dans les terres, sur des kilomètres et des kilomètres. Il voulait montrer à Ann que l'existence des fjords n'impliquait pas forcément l'inondation de tous les canaux afférents. Il y avait de très longs canyons au-dessus du niveau de la mer au fond d'Arès et de Kasei, ainsi que dans Al Qahira et Ma'adim. Mais il ne dit rien, et Ann ne fit pas de commentaire.

Après Mawrth, il mit cap à l'ouest. Pour gagner la région d'Acidalia, dans la mer du Nord, en sortant du golfe de Chryse, il fallait contourner un long bras de terre appelé la péninsule du Sinaï, qui prolongeait la partie ouest d'Arabia Terra. Le détroit qui reliait le golfe de Chryse à la mer du Nord faisait cinq cents kilomètres de large ; mais il en aurait fait quinze cents sans la péninsule du Sinaï.

Ils voguèrent donc vers l'ouest dans le vent, tantôt en parlant, tantôt en silence. Ils revinrent plusieurs fois sur la signification que pourrait revêtir le fait d'être Brun :

– Et si on disait plutôt Bleu ? suggéra Ann, un soir, en regardant l'eau par-dessus le bastingage. Le marron n'est pas une très jolie couleur, et ça pue le compromis. On devrait peut-être trouver quelque chose de complètement nouveau.

– On devrait peut-être, en effet.

Le soir, après dîner, ils passaient un moment à regarder les étoiles qui flottaient sur la molle surface de la mer, se disaient bonsoir ; Sax se retirait dans la cabine de la coque tribord, Ann dans celle de bâbord, et l'IA les emmenait lentement au bout de la nuit, évitant les icebergs qui commençaient à apparaître à cette latitude, chassés dans le golfe depuis la mer du Nord. C'était plutôt agréable.

Un matin, Sax se leva tôt, éveillé par une forte houle qui faisait tanguer et rouler sa couchette, ce que son rêve traduisit par le mouvement de balancier d'un pendule géant. Il s'habilla tant bien que mal et monta sur le pont. Ann, qui avait grimpé dans les drisses, le héla.

– On dirait que la houle et les vagues transversales forment un schéma d'interférence positive !

– Pas possible ! fit-il en essayant de la rejoindre, mais il fut plaqué contre un des sièges du cockpit par une soudaine embardée du bateau et laissa échapper un cri étouffé.

Elle éclata de rire. Il se rapprocha d'elle en se cramponnant à la rambarde du cockpit. Il vit aussitôt ce qu'elle voulait dire : le vent était fort, près de soixante-cinq kilomètres-heure, et la voilure réduite au minimum gémissait. Partout le bleu de la mer était hérissé de pointes blanches. Le bruit du vent courant sur cette eau mâchurée était très différent du hurlement aigu, strident, qu'il aurait poussé s'il avait soufflé sur la roche : de ces milliards de bulles crevant à la surface montait un rugissement profond, vibrant. Les grandes collines des lames de fond disparaissaient sous l'écume arrachée aux crêtes et qui roulait dans les creux. Dans le ciel d'une couleur ambrée, opaque, sale, intense et très inquiétante, le soleil était pareil à une vieille pièce de monnaie vert-de-grisée. Tout était comme plongé dans l'ombre bien qu'il n'y eût pas un nuage. L'air était chargé de fines : c'était une tempête de poussière. Soudain les vagues devinrent monumentales – l'interférence positive dont parlait Ann doublait leur hauteur –, de sorte qu'ils passaient de longues, très longues secondes à monter à une vitesse pourtant vertigineuse, puis presque autant à retomber avant de recommencer. Des montagnes russes au ralenti. L'eau cessa d'écumer et prit la couleur du ciel, un brun sombre et terne, un peu comme l'air chargé de poussière de la Grande Tempête. Les vagues coiffées de mousse disparurent aux environs immédiats du bateau, et le bruit de l'eau contre les coques s'amplifia, devint un grondement visqueux. La mer, à cet endroit, était couverte de fraisil, ou d'une couche épaisse, élastique, de glace appelée nilas. Puis les crêtes blanches revinrent, deux fois plus épaisses qu'auparavant.

Sax grimpa dans le cockpit et demanda un rapport météo à l'IA. Un vent catabatique dévalait Kasei Vallis et déferlait sur le golfe de Chryse. Un hurlevent, comme auraient dit les hommes-oiseaux de Kasei. L'IA aurait dû les avertir. Mais comme beaucoup de bourrasques catabatiques, elle était venue en une heure et était encore relativement localisée, bien que déjà très violente. Le bateau escaladait les vagues et les dévalait, ébranlé par les coups de boutoir du vent. Sur le côté, les vagues donnaient l'impression d'être renversées par le vent, mais le bateau qui effleurait l'eau en montant puis en descendant montrait qu'elles étaient toujours aussi importantes. Au-dessus de leur tête, le mât-voile s'était presque complètement rétracté dans le montant, prenant la forme d'une lame aérodynamique. Sax se pencha pour regarder de plus près l'IA. Le volume de l'alarme était réglé au minimum. Peut-être avait-elle tenté de les avertir, tout compte fait.

Une tempête. Et elle venait vite. La proximité de l'horizon – quatre kilomètres seulement – n'arrangeait pas les choses. Pendant toutes les années où la densité de l'air s'était accrue, les vents de Mars n'avaient guère faibli. Des fragments invisibles de glace se fracassaient sur la coque, faisant frémir le bateau sous leurs pieds. C'était maintenant de la glace en débâcle, apparemment, ou les fragments d'une crêpe de glace qui s'était formée pendant la nuit. Difficile à dire dans cette écume qui volait en tous sens. De temps en temps, il sentait l'impact d'un bloc plus important, un bergy bit, comme disaient les marins. Ceux-ci venaient du détroit de Chryse, portés par un courant du nord. Ils étaient maintenant poussés vers le littoral, la côte sud, sous le vent, de la péninsule du Sinaï. Comme ils l'étaient eux-mêmes, d'ailleurs.

Ils durent capoter le cockpit. Une coquille transparente se déroula d'un côté du pont et se fixa sur l'autre. Sous cette couverture imperméable, ils eurent aussitôt plus chaud, ce qui était réconfortant. Ils étaient partis pour essuyer un véritable ouragan. Kasei Vallis servait d'entonnoir à un courant d'air extrêmement puissant. D'après l'IA, à l'île de Santorini, le vent pouvait atteindre des vitesses de l'ordre de 180 à 220 kilomètres-heure, et sa force ne diminuait guère à l'entrée dans le golfe. Il soufflait déjà très fort en haut du mât : 160 kilomètres-heure. La surface de l'eau se désintégrait, à présent. Les bourrasques déchiquetaient les crêtes aplaties. Le bateau réagit en se repliant sur lui-même : le mât se rétracta, les écoutilles se refermèrent hermétiquement, puis il sortit l'ancre flottante, un tube un peu semblable à une manche à air qui s'étendit sous l'eau du côté au vent par rapport à eux, ralentissant leur course et amortissant en partie le choc des petits icebergs de plus en plus denses au fur et à mesure qu'ils se rapprochaient de la côte. Maintenant que l'ancre flottante était en place, la glace de débâcle et les bergy bits poussés par le vent allaient plus vite qu'eux et heurtaient la coque du côté au vent, alors que la coque sous le vent heurtait une masse de glace qui allait en s'épaississant. La majeure partie des deux coques était sous l'eau, à présent. Le bateau devenait une sorte de sous-marin, reposant sur la surface et juste en dessous. Les matériaux employés pour sa construction étaient si résistants qu'ils encaisseraient sans broncher tous les chocs qu'un ouragan ou même un rivage bordé d'icebergs pouvaient occasionner. Ils étaient conçus pour résister à plus de violence encore. Non, le point faible, se dit Sax, la poitrine comprimée par sa ceinture de sécurité, le point faible, c'était leur corps. Le catamaran s'envola, emporté par un paquet de mer, retomba en une chute vertigineuse et s'immobilisa en heurtant un gros bloc de glace. Sax retomba, le souffle coupé par les sangles. Il comprit qu'ils risquaient d'être secoués à mort, les organes internes endommagés par leurs harnais. Une façon désagréable de s'en aller, se dit-il. Mais s'ils se détachaient, ils seraient ballottés dans le cockpit, se rentreraient dedans ou heurteraient quelque chose de dur, et ils éclateraient comme une tomate trop mûre. Ce n'était pas une situation tenable. Peut-être les sangles qu'il avait vues sur le cadre de son lit seraient-elles moins dures, mais les décélérations provoquées par les heurts du bateau avec les blocs de glace étaient trop brutales ; il doutait que le fait de se retrouver à l'horizontale y change grand-chose.

– Je vais voir si l'IA peut nous ramener dans la baie d'Arigato ! hurla-t-il à l'oreille d'Ann.

Elle acquiesça pour lui signifier qu'elle avait compris. Il hurla ses instructions dans le micro de l'IA, et l'ordinateur les enregistra, ce qui était une bonne chose, car Sax se voyait mal taper sur un clavier alors que le bateau volait, plongeait et vibrait comme le tambour d'une machine à laver géante. Avec toutes ces secousses, il était impossible de sentir la réaction des moteurs du bateau, mais un léger changement d'angle d'attaque des lames de fond le persuada qu'ils mettaient les bouchées doubles alors que l'IA essayait de les emmener plus loin vers l'ouest.

Près de la pointe de la péninsule du Sinaï, du côté sud, un grand cratère submergé appelé Arigato formait une baie ronde dont l'entrée, peu profonde – une partie effondrée de l'ancien bord du cratère –, était orientée vers le sud-ouest. Le vent soufflait de cette direction, et l'eau, à l'embouchure de la baie, devait être agitée. Le passage risquait d'être mouvementé. Mais une fois dans la baie, les lames de fond seraient arrêtées par la lèvre du cratère. Le vent et les vagues perdraient beaucoup de leur force, surtout à l'abri du cap ouest. Ils n'auraient plus qu'à attendre la fin de la tourmente pour reprendre la mer. En théorie, c'était un excellent plan, mais Sax redoutait l'entrée de la baie. D'après la carte, il n'y avait que dix mètres de fond, ce qui devait à coup sûr faire éclater les lames. D'un autre côté, dans un bateau qui était devenu une sorte de sous-marin (et avait malgré tout moins de deux mètres de tirant d'eau), ça ne devait pas être un problème insurmontable. L'IA semblait considérer ses instructions comme exécutables. Le bateau avait d'ailleurs rétracté l'ancre flottante et ses puissants petits moteurs le propulsaient dans le vent et les vagues, vers la baie invisible, comme tout le reste du littoral, dans l'air brouillasseux.

Ils attendirent donc l'accalmie en se retenant aux rails de sécurité du cockpit, et sans échanger deux paroles. Il n'y avait pas grand-chose à dire de toute façon, et le vacarme assourdissant du vent et des vagues rendait toute conversation difficile. Sax avait les bras et les mains engourdis à force de se cramponner, mais la seule autre solution consistait à descendre dans la coque et à s'arrimer sur son lit, ce qu'il se refusait à faire. Malgré l'inconfort de la situation et l'inquiétude qui le tenaillait à l'idée de ce qui les attendait à l'embouchure de la baie, pour rien au monde il n'aurait raté le spectacle du vent hachant l'eau. C'était une expérience extraordinaire.

Un peu plus tard (soixante-douze minutes exactement, d'après l'IA), une langue noire apparut au-dessus des crêtes blanches, du côté sous le vent. S'ils voyaient la côte, c'est probablement qu'ils en étaient trop près, mais elle disparut et reparut plus loin vers l'ouest : l'entrée de la baie d'Arigato. Le gouvernail frémit contre son genou et le bateau changea légèrement de cap. Pour la première fois, il entendit le bourdonnement des petits moteurs, à l'arrière des deux coques. Les impacts devinrent effroyables et ils durent s'agripper avec plus de fermeté encore. Les lames à la crête déchiquetée qui se cabraient en heurtant le fond atteignaient une hauteur stupéfiante. Dans la mousse qui roulait sur l'eau il voyait à présent des blocs de glace d'une taille inquiétante, des icebergs d'un bleu translucide, vert jade, aigue-marine, piquetés, rugueux, vitreux. Une grande quantité de glace avait dû être poussée vers la côte, devant eux. Si l'entrée de la baie était obstruée par la glace, si néanmoins les vagues continuaient à se briser sur la barre, la situation s'annonçait difficile. Il hurla une ou deux questions à l'IA, mais ses réponses ne le satisfirent pas. Il en ressortait que le bateau résisterait à tous les coups, mais que les moteurs ne parviendraient pas à lui faire traverser de la glace trop tassée. Et, de fait, la glace s'épaississait rapidement. Ils étaient environnés par une profusion de fragments arrachés aux icebergs, projetés vers le rivage par la tourmente qui faisait rage dans le golfe tout entier. Les crissements, les martèlements étaient maintenant une composante majeure du vacarme. Sax voyait mal comment ils pourraient sortir de cette mauvaise passe à la force des moteurs et remettre le cap au large dans le vent et les vagues. La perspective de se retrouver en pleine mer, secoué par les vagues de plus en plus énormes et violentes ne le réjouissait guère. Ils risquaient fort de se retourner. Mais la densité inattendue de la glace près de la côte ne leur laissait pas d'autre alternative. L'option consistant à continuer vers l'intérieur paraissait désormais peu faisable. En tout cas, ils allaient être rudement secoués.

Ann semblait particulièrement mal à l'aise dans son harnais. Elle se cramponnait à la rampe, dans le cockpit, comme si sa vie en dépendait. Une vie à laquelle elle ne donnait pas l'impression de vouloir renoncer, ce qui mit du baume au cœur de Sax. Elle se pencha vers lui et il lui présenta son oreille pour l'entendre.

– Nous ne pouvons pas rester là ! cria-t-elle. Quand nous serons fatigués... les chocs vont nous déchiqueter – ah ! – comme des poupées de chiffon !

– On pourrait s'attacher sur nos lits ! beugla Sax en retour.

Elle eut un froncement de sourcils dubitatif. Rien ne prouvait qu'ils se retrouveraient dans une meilleure situation ainsi sanglés. De plus, ils n'avaient pas testé ces harnais-là. Et comment s'attacheraient-ils tout seuls ? Le vent strident était d'une impétuosité stupéfiante, l'eau rugissait, les blocs de glace cognaient. Les vagues étaient si hautes que le bateau mettait, pour les gravir, dix ou douze secondes pendant lesquelles le cœur cessait de battre. Ils arrivaient en haut à une vitesse vertigineuse et, du sommet des crêtes, voyaient des blocs de glace voler en tous sens au milieu de l'écume, atterrir parfois sur les coques, le pontage et même la mince coque cristalline du bateau, avec une violence qu'ils ressentaient dans tout leur corps.

Sax se pencha pour hurler à l'oreille d'Ann :

– Je crois que c'est le moment d'utiliser la fonction canot de sauvetage du bateau !

– ... canot de sauvetage ? répéta Ann.

Sax hocha la tête.

– Le bateau est son propre canot de sauvetage, mugit-il. Il vole.

– Quoi ?

– Il vole !

– Tu veux rire ?

– Non ! Il devient un... un ULM !

Il se pencha et colla ses lèvres à son oreille.

– Les coques, les quilles, le fond du cockpit se vident de leur ballast, se remplissent d'hélium. Il y a des réservoirs dans la proue. Des ballons se gonflent. On m'en a parlé à Da Vinci, mais je ne l'ai jamais vu de mes propres yeux ! Je ne pensais pas que nous en aurions un jour besoin !

Le bateau pouvait aussi se changer en sous-marin, lui avait-on dit à Da Vinci. Ils étaient assez fiers des possibilités du nouveau bateau. Mais les paquets de glace accumulés le long du rivage rendaient cette option inenvisageable. Sax ne le regrettait pas. L'idée de descendre sous la surface ne lui disait rien, sans qu'il sache trop pourquoi.

Ann se recula pour le regarder, sidérée.

– Et tu sais le piloter ? demanda-t-elle en hurlant.

– Non.

Il comptait sur l'IA pour ça. A condition qu'ils arrivent à décoller. Restait à trouver la commande d'urgence, à appuyer sur le bon bouton. Il tendit le doigt vers le tableau de bord et se pencha en avant pour lui crier quelque chose à l'oreille. La tête d'Ann fit une embardée, lui cogna durement le nez et la bouche. Il fut aveuglé par la douleur et son nez se mit à saigner. Un impact comparable à celui de deux planétésimaux. Il lui dédia un grand sourire. Autre bêtise, tout aussi pénible : il se fendit encore plus la lèvre. Il se lécha pour étancher son sang.

– Je t'aime ! brailla-t-il, mais elle ne l'entendit pas.

– Comment fait-on pour lancer cet engin ? hurla Ann.

Il indiqua à nouveau le tableau de bord et, à côté de l'IA, les commandes de secours sous un capot de protection.

Mais s'ils décidaient de s'évader par la voie des airs, il y aurait un moment dangereux. Une fois qu'ils se déplaceraient à la vitesse du vent, ils dériveraient comme une bulle portée par la brise. Mais au moment du décollage, alors qu'ils seraient encore presque stationnaires, la bourrasque s'acharnerait sur eux. Ils tangueraient probablement, ce qui risquait de déstabiliser les ballons au point de projeter le bateau dans les déferlantes qui charriaient des blocs de glace, ou sur le rivage. Il remarqua qu'Ann pensait à la même chose. Enfin, quoi qu'il arrive, cela valait sûrement mieux que ces cahots à vous briser les os. D'une façon ou d'une autre, ça ne pouvait pas durer éternellement.

Ann le regarda et fronça le nez. Il ne devait pas offrir un spectacle très ragoûtant.

– Ça vaut la peine d'essayer ! beugla-t-elle de toute la force de ses poumons.

Alors Sax ôta le panneau de protection des commandes de secours et, après un dernier coup d'œil à Ann – leurs yeux se croisèrent, un regard dont il ne put traduire le contenu mais qui le réchauffa –, posa ses doigts sur le tableau de bord. Avec un peu de chance, il trouverait quel bouton tirer ou pousser. Il regretta de ne pas s'être davantage entraîné à voler.

Quand le bateau montait, emporté par une vague écumante, il y avait un moment de quasi-apesanteur au sommet, juste avant la descente dans le creux suivant. Sax profita d'un de ces instants pour effleurer les commandes sur le panneau. Le bateau amorça quand même la descente, heurta les blocs de glace brisés avec la violence habituelle... puis fit un bond vers le haut, décolla, prit de l'altitude et s'inclina sur sa coque gauche, de sorte qu'ils se retrouvèrent suspendus à leurs harnais. Les ballons s'étaient manifestement emmêlés. La vague suivante les renverserait et ce serait fini. Mais le bateau survolait la glace, l'eau, l'écume, sans presque les effleurer, les ballottant dans tous les sens dans leurs harnais. Pendant un instant de pure démence ils furent agités comme des dés dans un cornet, puis le bateau retrouva son assiette, et commença à osciller d'avant en arrière tel un immense pendule, d'un bord sur l'autre, d'avant en arrière – oups ! Et recommençait, sens dessus dessous, puis se redressait et se remettait à se balancer. Ils montaient, secoués d'un côté et de l'autre, si fort que son harnais d'épaule se détacha. Il s'écrasa l'épaule sur celle d'Ann, déjà collée contre lui. Le gouvernail lui meurtrit le genou. Il s'y agrippa. Il se retrouva à nouveau projeté contre Ann et se cramponna à elle. Après ça ils furent comme des frères siamois, rivés l'un à l'autre, au risque de se rompre les os à chaque secousse. Ils se regardèrent l'espace d'une seconde, les yeux dans les yeux, leurs visages séparés par quelques centimètres à peine, ruisselant de sang l'un comme l'autre à cause d'une entaille, à moins que ce ne soit le sang coulant de son nez. Elle avait l'air impavide. Ils filèrent dans le ciel comme une fusée.

Il avait mal à la clavicule, à l'endroit où le front ou le coude d'Ann l'avait heurté. Mais ils volaient, ils montaient toujours dans une inconfortable étreinte. Le bateau accéléra, approchant la vitesse du vent, et les turbulences diminuèrent sensiblement. Les ballons semblaient fixés en haut du mât. Puis, juste au moment où Sax commençait à espérer une sorte de stabilité comme celle d'un zeppelin, le bateau leva le nez et reprit son horrible balancement, sans doute emporté par un courant ascendant. Ils devaient être au-dessus de la côte, à présent, et il se pouvait qu'ils soient aspirés comme un grêlon dans un nuage d'orage. Sur Mars, il y avait des cumulus de dix kilomètres de haut, souvent poussés par des ouragans venus de très loin au sud, et les grêlons tournoyaient pendant de longs moments dans ces nuages. On avait parfois vu des grêlons gros comme des boulets de canon dévaster les cultures et tuer des gens. Et s'ils étaient attirés trop haut, ils pourraient mourir à cause de la raréfaction de l'air, comme les premiers aéronautes français, cette mésaventure n'était-elle pas arrivée aux frères Montgolfier eux-mêmes ? Sax ne savait plus. Toujours plus haut, fonçant à travers le vent et le brouillard rouge, la visibilité réduite à quelques...

BOUM ! Il sursauta et se fit mal avec sa ceinture de sécurité, retomba durement, se fit mal à nouveau. Le tonnerre grondait autour d'eux, faisant un bruit bien supérieur à 130 décibels. Ann semblait toute molle contre lui. Il se glissa vers elle, tendit la main maladroitement, essaya de tourner son visage vers lui et lui tordit l'oreille.

– Hé ! protesta-t-elle, sa voix lui faisant l'effet d'un murmure dans le rugissement du vent.

– Pardon, dit-il, bien qu'elle ne puisse l'entendre dans ce charivari.

Ils se remirent à tourner, un peu moins vite cependant. Le bateau hurlait dans la tourmente. Puis ils plongèrent, et il eut la sensation que ses tympans allaient éclater. Il remua la mâchoire en tous sens. Ils remontèrent aussi brutalement, et ses tympans claquèrent douloureusement. Il se demanda jusqu'où ils allaient monter. Si ça continuait, ils allaient mourir d'asphyxie. Mais peut-être les techniciens de Da Vinci avaient-ils pensé à pressuriser le cockpit ? Il devait essayer de comprendre comment marchait le bateau une fois en l'air, ou au moins tenter de maîtriser les commandes d'altitude. Comme s'il pouvait faire quoi que ce soit contre ces puissants courants ascendants et descendants ! Soudain, la grêle martela la coque protectrice du cockpit. Il y avait de petits cabillots sur le panneau de commande. Il profita d'un instant d'accalmie pour coller son nez dessus et déchiffrer les instructions. Altitude... ce n'était pas évident. Il essaya de calculer à quelle altitude leur engin monterait avant de se stabiliser par le seul effet de son poids. Difficile, alors qu'il ne connaissait ni sa masse ni la contenance des réservoirs d'hélium.

Ils entrèrent soudain dans une zone de turbulences et furent à nouveau secoués, en haut, en bas, en haut, puis de nouveau vers le bas pendant plusieurs secondes d'affilée. Sax avait le cœur au bord des lèvres et sa clavicule lui faisait un mal de chien. Il saignait toujours du nez. Tout à coup, ils remontèrent. Il se mit à hoqueter, se demanda une fois de plus à quelle altitude ils pouvaient bien être, et s'ils montaient toujours. Mais il n'y avait rien à voir autour du cockpit, rien que des nuages et de la poussière. Il ne semblait pas menacer d'évanouissement. Ann était inerte à côté de lui, et il aurait voulu lui tirer l'oreille pour voir si elle était consciente, mais il ne pouvait pas bouger le bras. Il lui flanqua un coup de coude dans les côtes. Elle lui répondit de la même façon. S'il l'avait frappée aussi fort, il devrait essayer d'y aller plus doucement la prochaine fois. Il répéta la manœuvre avec moins de vigueur et reçut un coup moins brutal en retour. Peut-être pourraient-ils communiquer en Morse ; il l'avait appris quand il était gamin, sans raison particulière, et dans sa mémoire ressuscitée il réentendait chaque *tit*, chaque *tat*. Mais peut-être Ann ne l'avait-elle pas appris, et le moment était mal choisi pour lui donner des cours.

Le chaos régna si longtemps qu'il perdit le sens de la durée. Une heure ? Puis le bruit diminua suffisamment pour qu'ils puissent se parler en criant, ce qu'ils firent pour la seule raison que c'était possible car, en fait, il n'y avait pas grand-chose à dire.

– Nous sommes dans un cumulus !

– Oui !

Elle tendit le doigt vers des taches roses, en dessous. Ils tombèrent à toute vitesse, ses tympans recommencèrent à lui faire mal. Le nuage les recracha comme des grêlons. Rose, marron, rouille, ambre, terre de Sienne. La surface de la planète, semblable à ce qu'elle avait toujours été, vue du ciel. Ils descendaient. Ils étaient descendus dans le même vaisseau spatial, Ann et lui, songea-t-il, la toute première fois.

Puis le bateau fila sous le nuage, dans un déluge de neige et de grêle. Craignant que l'hélium ne les fasse remonter dans le nuage, Sax appuya sur un petit bouton du tableau de bord, et le bateau amorça la descente. Deux petits cabillots. Selon la façon dont il les manipulait, ils donnaient l'impression de piquer du nez ou de remonter. Des commandes d'altitude. Il appuya doucement dessus.

Apparemment, ils descendaient. Au bout d'un moment, il fit plus clair en dessous. Ils semblaient, à vrai dire, survoler des crêtes et des mesas déchiquetées. Ça devait être Cydonia Mesa, sur la côte d'Arabia Terra. Pas un bon endroit pour se poser.

Mais l'orage les emportait toujours plus loin, et ils furent bientôt à l'est de Cydonia, sur la plaine plate d'Arabia. Il fallait qu'ils descendent, et vite maintenant, avant d'être rejetés vers la mer du Nord, qui pouvait très bien être aussi sauvage et pleine de glace que Chryse. En dessous s'étendait un patchwork de champs, de vergers, de canaux d'irrigation et de fleuves sinueux, bordés d'arbres. Il avait manifestement beaucoup plu. Le sol était gorgé d'eau, les mares, les canaux, les petits cratères débordaient. La partie basse des champs était inondée. Des fermes groupées en petits villages, rien que des bâtiments d'exploitation dans les champs – des granges, des hangars. Un beau paysage détrempé, assez plat. De l'eau partout. Ils descendaient, mais lentement. Ann avait les mains bleuâtres dans cette sombre fin d'après-midi. Et lui aussi.

Il dut faire un effort sur lui-même car il se sentait vidé de toute énergie. L'atterrissage serait important. Il appuya plus fort sur les commandes d'altitude.

Leur descente s'accéléra. Ils survolèrent une rangée d'arbres, puis une bourrasque les rabattit brutalement vers le bas, sur un large champ, dont l'extrémité était pleine d'une eau brune, qui courait dans les andains. Au-delà, de l'autre côté du champ, s'étendait un verger. Un atterrissage sur l'eau serait parfait. Mais ils se déplaçaient assez vite horizontalement, dix ou quinze mètres peut-être au-dessus de la surface. Il appuya à fond sur les commandes, vit les quilles, sous les coques, s'incliner vers le bas comme des dauphins vivants. Le bateau piqua du nez lui aussi, puis le sol monta vers eux à toute vitesse, il y eut une immense gerbe d'eau brune, des vagues blanches s'élevèrent de chaque côté. Ils glissèrent sur l'eau boueuse, jusqu'à ce qu'une rangée d'arbustes les arrête brutalement. Le long des arbres, un groupe d'enfants et un homme couraient vers eux, la bouche et les yeux ronds.

Sax et Ann se redressèrent tant bien que mal. Sax ouvrit le cockpit. Un filet d'eau brune, sale, dégoulina par le plat-bord. Une journée venteuse, brumeuse, sur la campagne d'Arabie. L'eau qui se déversait à l'intérieur était d'une chaleur étonnante. Ann avait le visage trempé, ses cheveux se dressaient, tout raides, sur sa tête comme si elle avait été électrocutée. Elle grimaça un sourire.

– Bien joué, dit-elle.

QUATORZIÈME PARTIE

Le Lac du Phénix

Un coup de feu, un tintement de cloche, un chœur chantant en contrepoint.

La troisième révolution martienne était à la fois si complexe et si pacifique qu'il était difficile d'y voir une simple révolution. C'était plutôt une évolution dans une discussion en cours, un renversement de marée. Un renversement d'équilibre.

Quelques semaines après la prise de l'ascenseur qui avait mis le feu aux poudres, l'armée terrienne était descendue du câble et la crise s'était étendue partout à la fois. Puis, sur une petite indentation de la côte de Tempe Terra, un essaim d'atterrisseurs tombèrent du ciel, suspendus à des parachutes, ou descendirent sur des volutes de feu pâle : toute une nouvelle colonie, une invasion d'immigrants parfaitement illégale. Ceux-là venaient du Cambodge, mais partout ailleurs sur la planète d'autres atterrisseurs amenaient des colons philippins, pakistanais, australiens, japonais, vénézuéliens, new-yorkais. Les Martiens ne surent comment réagir. Ils ne pouvaient croire qu'une chose pareille arriverait un jour. Ils avaient fondé une société démilitarisée et n'avaient aucun moyen de défense. Ou du moins le disaient-ils.

C'est encore Maya qui les fit réagir, jouant du bloc-poignet comme Frank, battant le rappel des membres de la coalition pour l'ouverture de Mars et de bien d'autres, orchestrant la réponse collective. Viens, dit-elle à Nadia. Une fois de plus. Le mot d'ordre fit tache d'huile dans les villes et les villages, et les gens descendirent dans les rues ou prirent le train pour Mangala.

Sur la côte de Tempe, les nouveaux colons cambodgiens sortirent de leurs atterrisseurs et gagnèrent les abris qui avaient été largués avec eux, exactement comme les Cent Premiers, deux siècles auparavant. Et des collines sortirent des gens vêtus de peaux de bêtes, portant des arcs et des flèches. Ils avaient des canines de pierre rouge et les cheveux noués en chignon. Là, dirent-ils aux colons qui s'étaient massés devant l'un des abris. Laissez-nous vous aider. Posez ces fusils. Nous allons vous montrer cet endroit. Vous n'avez pas besoin d'abris de ce genre, ils sont d'une conception archaïque. La colline que vous voyez à l'ouest est le cratère Perepelkin. Il y a des vergers de pommiers et de poiriers sur les pentes, prenez-en tant que vous voudrez. Et tenez, voilà les plans d'une maison-disque ; c'est l'habitat le mieux adapté à cette côte. Puis il vous faudra une marina, et des bateaux de pêche. Si vous nous permettez d'utiliser votre port, nous vous montrerons des coins où poussent des truffes. Oui, une maison-disque. Une maison-disque de Sattelmeier. C'est très agréable de vivre en plein air. Vous verrez.

Tous les courants du gouvernement martien se rencontrèrent dans la salle de l'assemblée de Mangala, pour tenter de trouver une solution à la crise. Toutes les factions de Mars Libre, qui était majoritaire au sénat, au conseil exécutif et à la cour environnementale du gouvernement global, s'accordèrent à reconnaître que l'incursion illégale des Terriens équivalait à une déclaration de guerre, à laquelle il fallait apporter une réponse appropriée. On suggéra, au sénat, de soumettre la Terre à un bombardement d'astéroïdes. On ne les dévierait que si les immigrants repartaient et si l'ascenseur était à nouveau supervisé, conjointement, par Mars et la Terre. Une seule frappe suffirait à déclencher un événement comparable à celui qui avait anéanti toute vie sur Terre à la fin du Crétacé, et ainsi de suite. Les diplomates de l'ONU objectèrent que c'était une arme à double tranchant.

Puis, alors que la tension était à son comble, la porte de la salle du conseil global s'ouvrit devant Maya Toïtovna. Elle dit : « Nous voulons parler », et elle fit entrer des gens qui attendaient dehors, les poussant impérieusement vers l'estrade comme un chien de berger : d'abord Sax et Ann, côte à côte, puis Nadia et Art, Tariki et Nanao, Zeyk et Nazik, Mikhail, Vasili, Ursula, Marina et même Coyote. Les issei revenus du passé pour hanter le présent, revenus sur le devant de la scène pour dire ce qu'ils pensaient. Maya tendit le doigt vers les écrans de la salle où l'on voyait ce qui se passait dehors : la foule qui se dressait sur l'estrade s'étendait en une marée ininterrompue à travers tout le bâtiment jusque sur la grande place centrale donnant sur la mer. Un demi-million de gens étaient massés là, une véritable multitude avait envahi les rues de Mangala et regardait sur les écrans ce qui se passait dans la salle du conseil. Et dehors, dans la baie de Chalmers, voguait un archipel de villes flottantes aux mâts hérissés de bannières et d'oriflammes. Dans toutes les villes martiennes la population était dehors, les écrans allumés. Tout le monde pouvait voir tout le monde.

Ann monta sur le podium et dit calmement que le gouvernement de Mars avait, ces dernières années, rompu à la fois la lettre et l'esprit de la compassion humaine en opposant son veto à l'immigration. Ce n'était pas ce que voulait le peuple de Mars. Le peuple de Mars voulait un nouveau gouvernement. C'était une motion de censure. Les nouveaux débarquements terriens étaient tout aussi illégaux et inacceptables, mais au moins ils étaient compréhensibles. Le gouvernement de Mars avait rompu la loi le premier. Et le nombre de nouveaux colons arrivés illégalement n'était pas supérieur au nombre de colons dont l'arrivée avait été illégalement interdite par le gouvernement actuel. Mars, dit Ann, devait être ouverte à l'immigration terrienne aussi largement que possible compte tenu des contraintes matérielles, tant que perdurerait le problème démographique. Or il ne durerait plus longtemps. Leur devoir envers leurs descendants était maintenant de les aider à passer ces dernières années dans la paix. « Rien au monde ne vaut qu'on se fasse la guerre. Nous qui l'avons vécue, nous le savons. »

Puis elle regarda par-dessus son épaule et Sax s'approcha des micros. Il dit : « Mars doit être protégée. » La biosphère était récente, sa capacité limitée. Elle n'avait pas les ressources physiques de celle de la Terre, et une grande partie du territoire vide devrait, par nécessité, le rester un moment encore. Les Terriens devaient comprendre ça, et ne pas submerger les systèmes locaux. S'ils le faisaient, Mars ne serait plus utile à personne. Il était clair que la Terre était en proie à un grave problème de surpopulation, mais Mars n'était pas la seule solution. « La relation Terre-Mars doit être renégociée. »

Ils entamèrent les pourparlers. Ils demandèrent à un représentant de l'ONU de descendre et de se justifier sur les derniers envois d'immigrants. Ils discutèrent, débattirent, s'expliquèrent, s'invectivèrent. Sur place, les gens installés affrontaient les nouveaux arrivants et des deux côtés on menaça de recourir à la violence. Puis d'autres intervinrent et commencèrent à parler, à circonvenir, à tancer, à se quereller, à négocier – et à s'invectiver. A tout moment, en mille endroits différents, les choses auraient pu très mal tourner. Beaucoup de gens étaient furieux. Mais la raison finit par l'emporter. Les choses en restèrent, dans la plupart des cas, au stade de la discussion. Beaucoup eurent peur que cela ne dure pas ; rares étaient ceux qui croyaient cela possible. C'est pourtant ce qui arriva, ainsi que les gens dans les rues purent le constater. C'est grâce à eux que les choses se passèrent ainsi. A un moment donné, après tout, la mutation des valeurs devait s'exprimer ; alors pourquoi pas ici et maintenant ? Il y avait très peu d'armes sur la planète, et il était difficile de frapper en pleine figure ou d'embrocher avec une fourche les gens qu'on avait en face de soi. Le moment de la mutation était venu, ils le voyaient bien. L'histoire était en train de se faire sous leurs yeux, dans les rues, parmi cette marée humaine, sur les écrans, l'histoire pas encore figée, là, entre leurs mains, et ils surent saisir la chance de l'infléchir selon une nouvelle direction. Ils s'en persuadèrent mutuellement. Un nouveau gouvernement. Un nouveau traité avec la Terre. Une paix polycéphale. Les négociations se poursuivraient pendant des années. Comme un chœur en contrepoint, chantant une immense fugue.

Je savais que ce câble reviendrait nous hanter, je l'avais toujours dit. Mais non, tu l'adorais, toi, ce câble. Tu ne lui reprochais que d'être trop lent. Tu disais qu'on avait plus vite fait d'aller sur Terre que sur Clarke, voilà ce que tu disais. C'est vrai, c'était ridicule. Mais moi je disais que le câble reviendrait nous hanter, et ce n'est pas la même chose, tu dois bien l'admettre. Garçon, hé, garçon ! Remettez-nous ça, de la tequila et des quartiers de citron. On travaillait au Socle quand ils sont arrivés, la salle centrale, c'était sans espoir, mais le Socle est un grand bâtiment. Je ne sais pas s'ils avaient un plan et s'il a foiré ou s'ils n'en avaient pas du tout, mais le temps que leur troisième cabine descende, le Socle était coupé du reste du monde et ils étaient les maîtres arrogants d'un cul-de-sac de trente-sept mille kilomètres de long. C'était stupide. Un vrai cauchemar, ces renards qui venaient toujours la nuit, rien que la nuit. On aurait dit des loups, mais en plus rapides. Ils vous sautaient à la gorge. Une horde de renards enragés, mon vieux, un vrai cauchemar. Comme en 2128, exactement pareil. Je ne sais pas si c'est vrai ou non, mais ils étaient là, la police terrienne à Sheffield, et quand les gens ont appris ça, ils sont tous sortis dans la rue, les rues grouillaient de monde, il en venait de partout. Je suis petit, et, des fois, j'avais la figure écrasée contre le dos des gens, ou les seins des femmes. J'en ai entendu parler par une voisine cinq minutes seulement après le début, elle l'avait appris par une amie qui habitait pas loin du Socle. La réaction à la prise des installations du câble a été rapide et tumultueuse. Ces commandos de l'ONU ne savaient pas quoi faire de nous, un détachement a essayé de prendre Hartz Plaza et nous les avons simplement encerclés, en fuyant devant eux et en nous refermant sur leurs flancs, créant un effet d'aspiration. Ce démon enragé, aux babines écumantes, qui m'avait pris à la gorge, quel putain de cauchemar ! On les a emmenés au parc du bord de la caldeira. Ces satanés commandos des étoiles ne pouvaient plus bouger d'un centimètre, ou alors c'était le massacre. La seule chose qui peut faire peur aux gouvernements, c'est que les gens descendent dans les rues. Enfin, ça et les ultimatums. Ou des élections libres ! L'assassinat. Ou qu'on se foute d'eux, ah, ah, ah, ah ! Toutes les villes étaient en liaison entre elles. Il y avait des fêtes gigantesques partout. On était à Lasswitz. Tout le monde est descendu vers le parc, le long de la rivière, et on est restés là, des bougies à la main pour que les caméras plongeant du belvédère cadrent cette mer de chandelles, c'était génial. Sax et Ann étaient là, ensemble, c'était stupéfiant. Stu-

péfiant. Incroyable. L'ONU a dû crever de trouille en entendant chacun tenir le discours de l'autre comme ça ! Ils ont dû se dire qu'on avait des trucs à zapper le cerveau braqués sur eux. Ce que j'ai préféré, c'est plus tard, quand Peter a demandé de nouvelles élections à la direction du parti Rouge et a mis Irishka au défi d'organiser ça tout de suite, au bloc-poignet. Ces histoires de partis se ramènent toujours à des combats de chefs, au fond, à un mano a mano. *Si Irishka avait refusé de faire procéder au vote, elle était cuite, de toute façon, alors elle a bien été obligée d'y passer. J'aurais voulu que tu voies sa tête. On était à Sabishii quand on a entendu l'appel à voter des Rouges, et quand Peter a gagné, ça a été du délire. Sabishii a été instantanément changé en festival. Comme Senzeni Na, Nilokeras et Hell's Gate. Et à la gare d'Argyre, il fallait voir ça. Enfin, bon : il ne l'avait emporté que par soixante à quarante, et à la gare d'Argyre c'est devenu dingue parce qu'il y avait beaucoup de supporters d'Irishka prêts à en découdre. C'est elle qui a sauvé le bassin d'Argyre, et toutes les basses terres encore au sec de cette planète, si tu veux mon avis, Peter Clayborne n'est qu'un vieux nisei, il n'a jamais rien fait. Garçon, garçon ! De la bière pour tout le monde, de la bière blanche,* bitte. *Il a servi la soupe à tous ces petits Terriens, et pas une seule idée dans le crâne. Nirgal serrant la main à tous ces types. Alors le docteur dit, comment vous savez que vous êtes atteint de déclin subit ? C'était un putain de cauchemar. Sacrée surprise, Ann travaillant avec Sax, ça ressemblait à de la récupération. Pas si on regardait bien, ils avaient voyagé ensemble, tu devais être sur Vénus ou je ne sais où. Je ne sais plus. Les Bruns, les Bleus, c'est de la connerie, tout ça. Il y a longtemps qu'on aurait dû faire quelque chose dans ce goût-là. Enfin, pourquoi se mettre la rate au court-bouillon ? Ils sont cuits, il n'en restera pas un seul d'ici dix ans. A ta place, je n'en serais pas si sûr. Ne te réjouis pas trop vite, tu n'as que quelques années de moins, espèce d'imbécile. Oh, c'était une semaine sensationnelle, on dormait dans les parcs, tout le monde était très gentil.* Werteswandel, *c'est comme ça que disent les Allemands. Ils ont des noms pour tout. Ça devait arriver, c'est l'évolution. On est tous des mutants, à ce stade. Parle pour toi, mon pote. Parle plutôt au garçon. Six ans : c'est génial, je m'étonne que tu ne boives plus. Moi ? ah, ah, ah ! Tu parles ! Le petit peuple rouge chargeant sur des fourmis rouges, tu crois qu'ils vont nous aider, oups ! Par-dessus le bord du cratère, t'as intérêt à ce que ce soient des fourmis volantes. Pas étonnant que j'aie tant de fourmis. Comme disait l'autre : Eh bien, toubib... Bon, et alors ? Alors, c'est tout, trouduc, le type n'a que le temps de dire : Eh bien, toubib, et il tombe raide mort, le déclin subit, tu piges ? Très drôle. C'est vrai que c'est drôle ! Ça va, ça va, ha, ha, t'énerve pas. Si tu dois engueuler les gens pour qu'ils rient de tes blagues, c'est qu'elles sont plutôt foireuses, tu ne crois pas ?*

Va te faire foutre. Oh, très malin. Enfin, on était là quand les troupes ont fait mine de vouloir regagner le Socle. Ils y sont allés bien gentiment, en rang d'oignons derrière une petite voiture électrique d'hôtel sur laquelle ils avaient fait main basse, et tout le monde s'est écarté un peu et les a laissés partir. Ils sont passés entre nous, l'air un peu nerveux, et les gens leur serraient la main comme s'il n'y avait que des Nirgal à la porte, et ils leur demandaient de rester, ils les laissaient tranquilles s'ils ne tenaient pas le coup, les autres ils les embrassaient sur les deux joues, les enfouissaient sous des colliers de fleurs jusqu'à ce qu'ils n'y voient plus rien. Tout droit dans le Socle. Et pourquoi pas, puisqu'ils avaient dit ce qu'ils avaient à dire et qu'ils nous avaient assez fichu la trouille pour que ce putain de gouvernement de traîtres batte en retraite sans livrer combat ? Ce farceur n'a pas l'air de comprendre les règles fondamentales du judo. Du quoi ? Hein ? Hé, qui tu es, toi ? Je ne suis pas du coin. Quoi ? Hein ? excusez-moi, mam'selle, vous pourriez nous apporter une nouvelle tournée de kava ? Ben oui, on essaie encore d'arriver à quelques parties par milliard, mais ce n'est pas joué. Me parle pas de Fassnacht, *je déteste* Fassnacht, *c'est le pire jour de l'année pour moi, c'est à* Fassnacht *qu'ils ont tué Boone. C'est ce jour-là que Dresde a été bombardée. Une journée de malheur. Ils faisaient voile vers Chryse quand une tempête a emporté leur bateau et l'a projeté jusqu'aux montagnes de Cydonia. C'est le genre d'expérience qui vous rapproche. Mais qui c'est, ce type ? Il n'y a pas de quoi en faire un plat. Toutes les semaines des ULM sont un peu chahutés par le vent, la belle affaire ! On a été pris dans la même tourmente, mais on était juste au large de Santorini, et je peux te dire que l'eau bouillonnait comme dans une lessiveuse sur dix mètres de profondeur, sans rire. L'IA du bateau sur lequel on était a perdu les pédales et on est rentrés dans un autre bateau, boum, comme ça, on a bien cru que c'était la fin des haricots, on était complètement dans le cirage, l'IA est devenue dingue, morte de trouille, si tu veux mon avis. Elle a lâché, c'est tout. Bref, je me suis cassé la clavicule. Ça fait dix sequins, s'il vous plaît. Merci. Ces ouragans sont meurtriers. J'en ai essuyé un à Echus, on a dû rester assis sur notre cul et même comme ça, on s'en est tirés tout juste. J'ai dû me cramponner à mes lunettes, ou le vent les aurait emportées. Les voitures voltigeaient comme des fétus de paille. Plus un seul bateau dans la marina, tous emportés. On aurait dit une maquette de port qu'un gamin aurait balancée à l'autre bout de la pièce. Moi aussi j'ai vu cette tempête au summum de la fureur : j'étais sur une ville flottante, l'*Ascension, *dans la mer du Nord, près de l'île de Korolev. Hé, c'est là que Will Fort fait du surf. Oui, si j'ai bien compris, c'est le coin de Mars où les vagues sont les plus hautes, eh bien, ce jour-là, elles faisaient cent mètres du creux à la crête. Non, je ne plaisante pas Elles étaient plus hautes que les parois* *de la ville flottante. De monstrueuses collines noires qui bougeaient comme de la gelée. On se serait crus dans un canot de sauvetage. Ballottés comme un bouchon, on était. Les animaux n'étaient pas heureux. Et pour tout arranger, on a été projetés vers la pointe sud de Korolev. Les vagues se brisaient sur le dernier cap. Elles passaient pardessus et retombaient de l'autre côté. Chaque fois qu'on escaladait une de ces immenses vagues, le pilote de l'*Ascension *tournait le bâtiment vers le sud, et on glissait un moment sur la paroi de la vague avant de retomber dans le creux suivant. On allait un peu plus vite, un peu plus loin à chaque vague, parce qu'elles devenaient plus abruptes et plus grosses au fur et à mesure qu'on approchait de la pointe de l'île. Au bout, elle s'incurve vers l'est, de sorte que les vagues retombaient de gauche à droite quand on regardait vers l'avant. Elles s'écrasaient sur les roches puis sur les écueils, au large. Pour la dernière vague, l'*Ascension *s'est retrouvé coincé au pied de la paroi abrupte, tout en bas. Le pilote a fait pivoter le bâtiment vers la droite, il a coupé la vague par le travers et est remonté à une vitesse vertigineuse. On a cru qu'il allait s'envoler. Oui, on a surfé sur la crête d'une vague de cent mètres de haut, avec une planche grande comme un village, juste au-dessus des récifs. L'espace d'une seconde, on a volé dans le tube de la vague qui déferlait. Quand on est ressortis on était sur l'épaule de la vague, par grand fond, et l'eau ne se brisait plus. On avait passé l'île. Alors, dit le docteur, comment le savez-vous ? Hein ? Joli. Oui, c'était un moment inoubliable. Je vais récupérer mon capital et prendre ma retraite, ce n'est plus la même chose. Ces gens sont des tueurs. J'ai entendu dire qu'elle avait pris un de ces vaisseaux interstellaires, c'est ce que j'ai entendu dire. Vous l'avez vraiment vue ? Vous devriez vous payer un traducteur correct, je n'ai pas dit Ça ne fait rien, docteur, je me sens mieux. Qu'est-ce que c'est que cette putain de machine ? Garçon ! Des villages comme chez moi, sauf qu'il n'y a pas de castes. S'ils veulent des castes, faudra qu'ils se les trimbalent dans la tête. Il y a des issei qui ont essayé, mais les nisei ont tourné farouches. Si j'ai bien compris, le petit peuple rouge a fini par en avoir marre de ce merdier, et ils avaient hâte de faire quelque chose, alors après avoir domestiqué les fourmis rouges ils ont démarré toute cette campagne afin de pouvoir charger à fond la caisse quand les Terriens ont débarqué. On peut penser qu'ils étaient un peu trop sûrs d'eux, mais il faut se souvenir que la biomasse des fourmis rouges sur cette planète ne fait pas loin d'un mètre de haut en moyenne, une sacrée putain de biomasse qu'ils vont nous balancer dans l'espace. Ils devraient essayer les fourmis sur Mercure, chaque fourmi a une tribu entière du petit peuple rouge sur le dos, de vraies villes dans des trucs comme des selles d'éléphant ou je ne sais quoi, alors ils ne sont peut-être pas trop sûrs d'eux, en fin de compte. On dit que l'union fait la force. Bref, ils ont délibérément poussé le* *gouvernement à la faute pour provoquer la confrontation. Je me demande quel prétexte ils avaient, ces salauds, il leur en fallait bien un. Je me demande pourquoi les gens qui vont à Mangala se changent immédiatement en crétins rapaces et corrompus, c'est un mystère pour moi. Ils nous sont tombés dessus. Pourquoi c'est toujours le petit peuple rouge, qu'est-il arrivé au Grand Homme, je déteste ce petit peuple rouge et leurs petits contes de fées, faut vraiment être débile pour raconter des contes de fées, la vérité est beaucoup plus intéressante. Si seulement c'étaient des grands contes de fées, avec des titans, des gorgones qui s'enverraient des galaxies spirales à la gueule comme des boomerangs, zip, zip, zip ! Hé, attention, mon vieux, doucement. Doucement, pépère. Garçon, apportez un peu de kava à ce moulin à paroles, s'il vous plaît. Ça va le calmer. Du calme, l'agité, là ! Du calme ! Qui se balanceraient des novas comme des bombes ! Boum ! Pan ! Badaboum ! Holà, calmos, l'agité ! J'en ai marre de ces petits bonshommes. Enlève tes sales pattes de là. Tu parles d'une excuse pour un gouvernement, n'importe comment, on en revient toujours là, des vampires avides de pouvoir. Je leur ai dit d'en rester aux tentes, pas de gouvernement global, ça ferait moins de pouvoir à sucer, mais tu crois qu'ils m'auraient écouté ? Tu parles ! Dis-le-leur, toi, ouais. Je leur ai dit. J'y étais. Pour sûr, Nirgal. On en a fait du chemin, Nirgal et moi. Que voulez-vous dire, honorable vieillard, vous n'êtes pas le Passager Clandestin ? Ben si, c'est moi. Alors si vous êtes le père de Nirgal, vous avez fait du chemin, comme vous dites. Ouais, eh bien, à Zygote, ça ne marchait pas toujours comme ça. Je vous le dis, cette salope vous aurait jeté de la poudre aux yeux toute votre vie si vous l'aviez laissée faire. Vous avez jamais vécu des années d'affilée dans un placard. Allez, ça va, vous n'êtes pas Coyote. Qu'est-ce que vous voulez que je vous dise ? Y a pas beaucoup de gens qui me reconnaissent. Et pourquoi devraient-ils me reconnaître. Je parie que c'est lui. Ce n'est pas possible. Si vous êtes le papa de Nirgal, alors pourquoi est-il si grand et vous si petit ? Je ne suis pas petit. Pourquoi vous riez ? Je fais cinq pieds cinq pouces. Des pieds ? Des pieds ? Ka tout-puissant, ce bonhomme se mesure en pieds ! En pieds ! Mon Dieu, vous voulez rire, cinq pieds ? Des pieds ? Hé, pour moi, il faudrait plus de pieds que ça, combien ça faisait, un pied ? Un tiers de mètre, un peu moins. C'est comme ça qu'on comptait, dans le temps ? Un peu moins d'un tiers de mètre ? Pas étonnant que ce soit le foutoir sur Terre. Hé, qu'est-ce qui vous fait penser que votre précieux mètre est tellement génial, c'est qu'une fraction de la distance du pôle Nord à l'équateur terrestre. C'est Napoléon qui a choisi ça, sur un coup de tête. C'est une barre de métal, à Paris, en France, sa longueur a été déterminée par un dingue, sur un coup de tête ? Vous croyez pas plus rationnel que dans le temps, surtout. Arrêtez, par pitié, vous allez me faire crever de rire ! C'est pas le respect pour les anciens qui vous étouffe, ça me plaît. Hé, donnez encore à boire au vieux Coyote. Qu'est-ce que ça sera ? Une tequila, merci. Et du kava. Oh, oh ! Ce type sait vivre. C'est vrai, je sais vivre. Ces farouches l'ont compris, tant qu'on ne pousse pas le bouchon trop loin. Ils m'ont copié, mais ils sont allés trop loin. Ne marchez pas, conduisez, ne chassez pas, achetez. Dormez toutes les nuits sur un lit de gel et essayez de vous trouver deux jeunes indigènes nues en guise de couverture. Oh, oh, oh ! Wahou ! Espèce de vieillard lubrique ! Oh, honorable monsieur. Indécent ! Ben, je le prends pour moi. Je ne dors pas très bien, mais je suis heureux. Merci, vous en faites pas pour moi, merci. J'apprécie. A la vôtre. A Mars.*

Elle s'éveilla dans le silence. Un silence tel qu'elle entendait battre son cœur. Elle se demanda où elle était. Puis cela lui revint. Ils étaient chez Nadia et Art, au bord de la mer d'Hellas, juste à l'ouest d'Odessa. *Tap tap tap*. L'aube. Le premier clou du jour. Nadia construisait quelque chose, dehors. Ils vivaient, Art et elle, en bordure d'un village, sur la plage, dans l'ensemble de maisons, de pavillons, de jardins et de sentiers de leur coop. Une communauté d'une centaine de membres, liés à une centaine d'autres communautés semblables. Nadia modifiait apparemment l'infrastructure. *Tap tap tap tap tap!* Elle fabriquait une passerelle autour d'une chambre de bambou comme à Zygote.

Elle entendait respirer quelqu'un dans la chambre voisine. La porte de communication était ouverte. Elle s'assit. Ecarta un peu les rideaux. La grisaille précédant l'aube. Une chambre d'amis. Sax dormait dans un grand lit, de l'autre côté de la porte. Sous de grosses couvertures.

Elle avait froid. Elle se leva, se rendit nu-pieds dans l'autre chambre. Un vieil homme, la tête enfoncée dans un grand oreiller. Elle se glissa sous les couvertures, se nicha à ses côtés. Il était tout chaud. Il était plus petit qu'elle, et tout rond. Elle le savait, elle l'avait vu au sauna, dans la piscine, à Underhill, aux bains, à Zygote. Encore une chose qu'ils avaient en commun. *Tap tap tap tap tap!* Il remua et elle l'entoura de ses bras. Il se blottit contre elle sans se réveiller.

Pendant l'expérience sur la mémoire, elle s'était concentrée sur Mars. Michel le lui avait dit, un jour : Ton rôle consiste à trouver la Mars qui résistera à tout. En revoyant les collines, les vallées entourant Underhill, elle avait repensé intensément aux premières années, quand chaque horizon révélait quelque chose de nouveau. La Terre. Elle résistait dans son esprit. Sur Terre, ils ne sauraient jamais comment c'était, jamais. La légèreté, l'étroite intimité de l'horizon, tout à portée de la main ou presque. Puis, soudain, les immenses perspectives, quand l'une des régions du Grand Homme apparaissait : les vastes falaises, les canyons si profonds, les volcans à l'échelle d'un continent, le chaos sauvage. La calligraphie géante de l'époque aréologique. Les dunes qui entouraient le monde. Ils ne sauraient jamais ; c'était inimaginable.

Mais elle, elle savait. Et pendant l'expérience sur la mémoire, pendant toute cette journée qui avait paru durer dix ans, elle s'était focalisée dessus. Sans une pensée pour la Terre. C'était une gageure, un effort stupéfiant. Ne pas penser au mot *éléphant* ! Eh bien, elle n'y avait pas pensé. C'était un jeu auquel elle excellait, l'opiniâtreté du refus, une sorte de force. Peut-être. Et puis Sax avait surgi en criant : Tu te rappelles la Terre ? Tu te rappelles la Terre ? C'était presque drôle.

Mais il s'agissait de l'Antarctique. Immédiatement, son esprit, si rusé, si concentré, la piégea, lui dit : Ce n'est que l'Antarctique, un peu de Mars sur Terre, un continent transposé. L'année qu'ils avaient passée là-bas, un moment volé à leur avenir. Dans les Dry Valleys, ils étaient sur Mars sans le savoir. Alors elle pouvait y repenser, ça ne la ramenait pas sur Terre, ce n'était qu'un pré-Underhill, un Underhill avec de la glace, un campement différent, avec les mêmes personnes, dans la même situation. Et tout lui était revenu dans la magie de l'enchantement anamnésique : ces conversations avec Sax. Quelqu'un d'aussi solitaire qu'elle dans la science, et comme il lui avait plu, comme elle avait été attirée vers lui... Il était seul à comprendre jusqu'où on pouvait y plonger. Et là, dans cette pure distance, ils avaient discuté. Nuit après nuit. De Mars. Des aspects techniques, philosophiques. Ils n'étaient pas d'accord. Mais ils étaient là-bas ensemble.

Pas tout à fait. Il avait été choqué qu'elle le touche. Pauvre chair. C'est ce qu'elle avait pensé. Apparemment, elle se trompait. C'était bien dommage. Si elle avait compris, s'il avait compris, s'ils avaient compris, peut-être l'histoire en aurait-elle été changée. Peut-être que non. Mais ils n'avaient pas compris, et voilà où ils en étaient arrivés.

Dans cette ruée vers le passé, pas une fois elle n'avait pensé à la Terre du Nord, la Terre d'avant. Elle était restée dans la convergence antarctique. En réalité, la majeure partie du temps, elle était restée sur Mars, la Mars de son esprit, Mars la Rouge.

Selon la théorie, le traitement anamnésique stimulait la mémoire et amenait la conscience à répéter les associations complexes de nœuds et de réseaux, les reliant à travers le temps. Cette révision renforçait les souvenirs dans leur tracé, un réseau évanescent de schémas formés par des oscillations quantiques. Tout ce qui revenait était renforcé ; ce dont on ne se souvenait pas risquait de ne pas l'être et de continuer à se dégrader, victime de ruptures, d'erreurs, d'un effondrement quantique. Et de sombrer dans l'oubli.

Elle était donc une nouvelle Ann, maintenant. Pas Anti-Ann, ni même cette troisième personne indistincte qui l'avait hantée si longtemps. Une nouvelle Ann. Une Ann pleinement martienne, enfin. Sur une Mars faite de brun, de rouge, de vert et de bleu mélangés. Et s'il y avait encore en elle une Ann terrienne recroquevillée dans un placard quantique bien à elle, c'était la vie. Aucune cicatrice ne disparaissait jamais totalement avant la mort et la dissolution finale, et c'était peut-être aussi bien. Il ne fallait pas trop en perdre ou un autre genre d'ennui se profilerait. Il fallait conserver un équilibre. Ici et maintenant, sur Mars, elle était l'Ann martienne, non plus une issei mais une nouvelle indigène d'un certain âge, une yonsei née sur Terre. Ann Clayborne la Martienne, dans l'instant et l'instant seul. C'était bon d'être couchée là.

Sax remua dans ses bras. Elle le regarda. Un visage différent, mais c'était encore Sax. Gardant un bras autour de lui, elle passa une main glacée sur sa poitrine. Il se réveilla, la reconnut, eut un petit sourire ensommeillé. Il s'étira, se retourna, enfouit son visage au creux de son épaule. Lui planta un baiser dans le cou, la mordilla. Ils se cramponnèrent l'un à l'autre, comme dans le bateau volant, pendant la tempête. Une chevauchée sauvage. Ce serait drôle de faire l'amour dans le ciel. Mais pas pratique par un vent pareil. Une autre fois. Elle se demanda si les matelas étaient toujours faits comme dans le temps. Celui-ci était dur. Sax n'était pas aussi doux qu'il en avait l'air. Ils se blottirent l'un contre l'autre, s'étreignirent. Une étreinte sexuelle. Il était en elle, se mouvait en elle. Elle referma ses bras sur lui et le serra de toutes ses forces.

Il se mit à l'embrasser sur tout le corps, à la mordiller. Il disparaissait sous les couvertures. Faisait le sous-marin autour d'elle, sous les draps. Elle le sentait partout sur sa peau. Ses dents, parfois, mais surtout la pointe de sa langue, il la léchait comme un chat. Slurp slurp slurp. C'était bon. Il bourdonnait, ou il fredonnait. En tout cas, sa poitrine vibrait, ça faisait comme un ron-

ronnement. « Rrr, rrrr, rrrrrrrrr. » Un bruit paisible, sensuel. Ça aussi, c'était bon sur sa peau. Vibration, langue de chat, petits coups de lèche partout. Elle souleva la couverture comme une tente pour le regarder.

– Qu'est-ce qui est le meilleur ? murmura-t-il. Petit *a*, suggéra-t-il en l'embrassant, ou petit *b* ? proposa-t-il en appliquant un baiser ailleurs.

Elle ne put s'empêcher d'éclater de rire.

– Sax, ferme-la et fais-le.

– Ah ! Bon, eh bien...

Ils prirent leur petit déjeuner avec Nadia, Art et les membres de la famille qui étaient dans le coin. Leur fille, Nikki, faisait un tour dans les montagnes d'Hellespontus avec les farouches, son mari et trois autres couples de leur coop. Ils étaient partis la veille au soir dans un brouhaha de plaisir anticipé, comme des enfants, laissant leur fille Francesca et les enfants de leurs amis : Nanao, Boone et Tati. Francesca et Boone avaient cinq ans, Nanao trois, Tati deux. Ils étaient ravis de se retrouver ensemble, et avec les grands-parents de Francesca. Ce jour-là, ils allaient à la plage. Une grande aventure. Ils s'occupèrent de la logistique pendant tout le petit déjeuner. Sax devait rester à la maison avec Art, et l'aider à planter des oliviers sur la colline de derrière. Il attendait aussi deux invités : Nirgal et une mathématicienne de Da Vinci appelée Bao. Ann avait remarqué qu'il était tout excité à l'idée de les présenter l'un à l'autre. Aussi excité que les enfants.

– C'est une expérience, lui avait-il confié.

Nadia avait prévu de continuer à travailler sur sa passerelle. Elle descendrait peut-être plus tard sur la plage, avec Art, Sax et ses invités. Pendant la matinée, les enfants devaient être confiés à la garde de tante Maya. Cette perspective les enchantait tellement qu'ils ne tenaient pas en place. Ils couraient autour de la table comme des chiots.

Ann était donc plus ou moins réquisitionnée pour aller à la plage avec Maya et les enfants. Maya aurait bien besoin de son aide. Ils la regardaient d'un air circonspect. Tu veux bien, tante Ann ? Elle acquiesça. Ils prendraient le tram.

Elle partit donc pour la plage avec Maya et les enfants. Francesca, Nanao, Tati et elle étaient tassés sur la banquette juste derrière le chauffeur, Tati sur les genoux d'Ann. Boone et Maya étaient assis côte à côte derrière elles. Maya venait là tous les jours, elle habitait de l'autre côté du village, dans un petit cottage pour elle toute seule, au milieu des dunes qui dominaient la plage. Elle allait travailler pour sa coop presque tous les jours et, le soir, elle rejoignait souvent son groupe de théâtre. Elle était aussi une habituée des terrasses de café, et la baby-sitter attitrée des enfants.

Elle était maintenant engagée dans une féroce partie de chatouilles avec Boone. Ils étaient cramponnés l'un à l'autre comme deux singes et riaient à gorge déployée. Encore une chose à ajouter aux découvertes érotiques de la journée : il pouvait y avoir une rencontre parfaitement sensuelle entre un gamin de cinq ans et une femme de deux cent trente-trois ans. C'était le jeu de deux êtres humains très au fait des joies du corps. Ann et les autres enfants étaient silencieux, un peu gênés d'assister à cette scène.

– Quel est le problème? hoqueta Maya en profitant d'une pause. Un chat vous a mangé la langue?

– Un chat t'a mangé la langue? répéta Nanao en regardant Ann avec consternation.

– Non, le rassura Ann.

Maya et Boone hurlaient de rire. Les gens dans le tram les regardaient, certains en souriant, d'autres de travers. Ann constata que Francesca avait les drôles d'yeux tachetés de sa grand-mère. C'était tout ce qu'on retrouvait de Nadia chez elle. Elle ressemblait plus à Art, mais pas beaucoup non plus. Une beauté.

Ils arrivèrent à l'arrêt de la plage. Un abri pour la pluie, un kiosque, un restaurant, un parking pour les bicyclettes, des routes de campagne qui s'enfonçaient dans l'intérieur des terres et un large sentier qui coupait à travers les dunes couvertes d'herbe vers la plage. Ils descendirent du tram, Maya et Ann croulant sous les sacs pleins de serviettes et de jouets.

Le ciel était couvert et il y avait du vent. La plage était presque déserte. De longues vagues déferlaient en diagonale sur le rivage. Elles se brisaient au large sur des bancs de sable que marquaient des lignes blanches, tranchées. La mer était sombre, les nuages gris perle dessinaient comme une arête de poisson sous le ciel morne, couleur lavande. Maya laissa tomber ses sacs. Boone et elle coururent vers l'eau. Plus loin le long de la plage, à l'est, Odessa se dressait sur sa colline, sous un trou dans les nuages, et les petites maisons blanches brillaient sous le soleil. Des mouettes tournaient dans le ciel en quête de nourriture, les plumes ébouriffées par le vent du large. Un pélican planait juste au-dessus des vagues. Plus haut volait un homme-oiseau. Ann pensa à Zo. Les gens mouraient si jeunes, autrefois... dans la quarantaine, la trentaine, à vingt ans, à dix ans. A cet âge, on ne pouvait pas savoir ce qu'on ratait. Des gamins fauchés comme des grenouilles par le gel. Ça pouvait encore arriver. A tout moment l'air pouvait vous cueillir et vous tuer. Mais c'était accidentel. Les choses étaient différentes aujourd'hui, il fallait l'admettre. A moins d'un accident, ces enfants auraient probablement une durée de vie normale. Il fallait lui laisser ce bénéfice, à cette époque, les choses ne se passaient pas trop mal de ce point de vue. Une vie bien remplie. Il fallait lui laisser ce bénéfice.

Les amis de Nikki avaient dit qu'il valait mieux éviter de laisser leur fille, Tati, se rouler dans le sable parce qu'elle avait la sale habitude d'en manger. Ann essayait donc de la canaliser sur l'étroite bande d'herbe entre les dunes et la plage, mais elle lui échappa en hurlant, s'éloigna à quatre pattes avec sa couche-culotte qui lui faisait un derrière de fourmi et tomba sur le sable, près des autres. Elle avait l'air aux anges.

– D'accord, soupira Ann en la rejoignant. Mais pas question d'en manger, hein ?

Maya aidait Nanao, Boone et Francesca à creuser un trou.

– Quand nous arriverons au sable mouillé, nous commencerons le château, déclara Boone, et Maya acquiesça, absorbée par ses opérations de fouissage.

– Regardez ! s'écria Francesca. Je cours en rond autour de vous !

Boone leva les yeux, la regarda.

– Non, tu cours en ovale autour de nous, rectifia-t-il.

Il se remit à discuter avec Maya du cycle vital des crabes des sables. Quand Ann l'avait vu, l'an passé, il parlait à peine, rien que de simples phrases, comme Tati et Nanao : Chien-chien ! C'est à moi ! Et voilà qu'il pontifiait. L'acquisition du langage chez l'enfant était incroyable. Ils étaient tous géniaux à cet âge, il fallait des années et des années aux adultes pour les tordre, les retordre et en faire les bonsaïs qu'ils devenaient inévitablement. Qui oserait faire ça, qui oserait déformer la nature de cet enfant ? Personne, et pourtant ça arriverait. Personne n'y toucherait, et tout le monde. Cela dit, en voyant Nikki et ses amis s'équiper joyeusement pour leur randonnée en montagne, Ann avait trouvé qu'ils faisaient encore très gamins, et ils avaient presque quatre-vingts ans. Alors peut-être cela arrivait-il moins souvent. Il fallait reconnaître que, de ce point de vue, les choses ne se passaient pas trop mal. Encore un bon point pour cette époque.

Francesca arrêta de courir en rond ou en ovale autour d'eux, et arracha une pelle en plastique des mains de Nanao. Nanao poussa des couinements indignés. Francesca se retourna et se dressa sur la pointe des pieds, comme pour démontrer à quel point elle avait la conscience légère.

– C'est ma pelle, dit-elle par-dessus son épaule.

– Non, c'est pas ta pelle !

Maya lui jeta à peine un coup d'œil.

– Rends-la-lui.

Francesca s'éloigna en dansant. Nanao se mit à geindre de plus belle, la figure d'un beau magenta.

– Ignore-la, conseilla Maya en faisant les gros yeux à Francesca. Tu veux un esquimau ?

Francesca revint, laissa tomber la pelle sur la tête de Nanao. Boone et Maya, déjà replongés dans leurs travaux d'excavation, ne firent pas attention à elle.

– Ann, tu pourrais aller chercher des esquimaux au kiosque ?

– Avec plaisir.

– Tu veux bien emmener Tati avec toi ?

– Non ! protesta Tati.

– Glace, fit Maya.

Tati réfléchit et se leva laborieusement.

Ann et Tati retournèrent, la main dans la main, au kiosque de l'arrêt du tram. Ann acheta six esquimaux, en rapporta cinq dans un sac. Tati insista pour manger le sien tout en marchant. Elle n'était pas encore très douée pour se livrer simultanément à deux opérations de la sorte, et elles n'allaient pas vite. La glace fondue coula sur le bâton, et Tati suça l'esquimau et son poing sans discrimination.

– Joli, dit-elle. Joli manger.

Un tram arriva, s'arrêta et repartit. Quelques minutes plus tard, trois personnes arrivaient sur le chemin à bicyclette : Sax, Nirgal et une indigène. Nirgal freina à côté d'Ann, l'embrassa. Il y avait des années qu'elle ne l'avait vu. Il avait vieilli. Elle le serra sur son cœur, sourit à Sax. Elle l'aurait bien pris dans ses bras, lui aussi.

Ils rejoignirent Maya et les enfants sur la plage. Maya se leva pour embrasser Nirgal, tendit la main à Bao. Sax faisait des allers et retours à bicyclette sur l'herbe, en haut de la plage, lâchant les mains, faisant de grands signes au groupe. Boone, qui avait toujours des stabilisateurs aux roues arrière de son vélo, le vit et hurla, épaté :

– Comment fais-tu ça ?

Sax remit précipitamment les mains sur le guidon, s'arrêta et regarda Boone en fronçant les sourcils. Boone s'approcha de lui en titubant, les bras tendus, et fonça dans sa bicyclette.

– Il y a quelque chose qui ne va pas? demanda Sax.
– J'essaie de marcher sans utiliser mon cervelet.
– Excellente idée, approuva Sax.
– Je retourne chercher des esquimaux, proposa Ann.
Elle laissa Tati, cette fois, et remonta vers le sentier herbeux. C'était bon de marcher dans le vent.

Elle revenait avec un second sac d'esquimaux quand l'air devint soudain glacial. Quelque chose fit une embardée en elle, et elle eut une sorte de faiblesse. La mer avait un éclat violet, dur, luisant, bien au-dessus de la surface réelle de l'eau. Et elle avait très froid. Oh merde! se dit-elle. Ce coup-ci, ça y est. Le déclin subit. Elle avait lu tout ce qu'on pouvait lire sur les divers symptômes tels que les avaient rapportés des gens qui s'en étaient sortis d'une façon ou d'une autre. Son cœur cognait contre ses côtes, semblable à un enfant essayant de sortir d'un cabinet plongé dans le noir. Elle se sentait immatérielle, comme si quelque chose l'avait vidée de sa substance et laissée creuse, poreuse. Une pichenette et elle serait tombée en poussière. Tap! Elle poussa un gémissement de surprise et de douleur, se cramponna. Une douleur dans la poitrine. Elle fit un pas vers un banc, le long du chemin, puis s'arrêta, pliée en deux par une nouvelle douleur. Tap, tap, tap!
– Non! s'écria-t-elle, les mains crispées sur le sac d'esquimaux.
Arythmie cardiaque. Oui, son cœur battait la chamade, *bang bang, bang bang bang bang, bang. Non!* dit-elle silencieusement. Pas encore. La nouvelle Ann, sans aucun doute, mais ce n'était pas le moment, Ann elle-même couina « Non », et s'absorba totalement dans l'effort consistant à se cramponner. Cœur, tu dois battre! Elle était tellement crispée qu'elle tituba. Non. Pas encore. Le vent d'un froid polaire soufflait à travers elle, transperçait son corps fantomatique. Elle banda sa volonté. Le soleil si brillant, les rayons obliques, durs, la traversant, traversant sa cage thoracique – la transparence du monde. Puis tout se mit à battre au rythme de son cœur, la brise soufflant à travers elle. Elle banda ses muscles. Le temps s'arrêta, tout s'arrêta.
Elle inspira prudemment, un petit coup. La crise passa. Le vent, lentement, se réchauffa. L'aura de la mer disparut, laissant place à une eau d'un bleu pur. Son cœur faisait son bon vieux *bump bump bump.* Tout reprit consistance, la douleur reflua. L'air était humide, salé, pas froid du tout. Pour un peu, elle aurait été en nage.
Elle se remit en marche. Avec quelle force le corps se rappelait

à votre bon souvenir. Enfin, elle avait tenu bon. Elle vivrait. Un peu plus longtemps, du moins. Si ce n'était pas maintenant... Non, ce ne serait pas maintenant. Elle était là. Elle essaya de marcher, mit un pied devant l'autre, pour voir. Tout semblait fonctionner. Elle s'en était tirée. Mais elle l'avait échappé belle.

Depuis le château de sable, Tati repéra Ann et s'approcha d'elle en trottinant, les yeux braqués sur le sac d'esquimaux. Mais elle allait trop vite et elle tomba de tout son long. Elle se releva, la figure couverte de sable, et Ann s'attendait à ce qu'elle se mette à hurler, mais elle se lécha la lèvre supérieure en connaisseuse.

Ann s'approcha et l'aida à se relever. L'ayant remise sur ses pieds, elle essaya de nettoyer le sable qui lui couvrait le visage, mais la petite fille secoua la tête, refusant qu'on la touche. Bah, qu'elle mange un peu de sable. Qu'est-ce que ça pouvait bien faire, après tout?

– Mais pas trop, hein? Non, ça, c'est pour Sax, Nirgal et Bao. Non! Hé, regarde, regarde les mouettes! Regarde les mouettes!

Tati leva les yeux, vit les mouettes au-dessus de sa tête, essaya de les suivre des yeux, tomba sur le derrière.

– Ooh, fit-elle. Joli! Joli! C'est joli, hein? C'est joli, hein?

Ann la releva et toute deux retournèrent, main dans la main, près des autres. Le trou allait en s'élargissant et le monticule était maintenant couronné de pâtés de sable. Nirgal et Bao bavardaient au bord de l'eau. Des mouettes planaient au-dessus d'eux. Plus loin, sur la plage, une vieille femme asiatique pêchait assise sur une planche à voile. La mer était bleu foncé sous le ciel mauve pâle qui achevait de se dégager. Les derniers nuages filaient vers l'est. La brise soufflait autour d'eux. Des pélicans surfaient en rang sur une vague. Tati retint Ann et tendit le doigt.

– C'est joli, hein?

Ann essaya de l'entraîner mais Tati refusa de bouger, lui tirant la main avec insistance :

– C'est joli, hein? C'est joli, hein?

– Mais oui, mais oui.

Tati la lâcha et s'éloigna en se dandidant comme un canard, restant miraculeusement debout, des fossettes à l'arrière de ses petits genoux grassouillets.

Et pourtant elle tourne, pensa Ann. Elle suivit l'enfant en souriant de sa petite plaisanterie. Galilée aurait pu refuser de se renier, aurait pu monter sur le bûcher pour l'amour de la vérité, ç'aurait été une stupidité. Mieux valait dire ce qu'on attendait de vous et repartir vers autre chose. Voir la mort de près remettait les choses en perspective. Oh oui, c'était joli. Elle l'avait admis et avait eu le droit de vivre. Continue à battre, cœur. Et pourquoi ne pas l'admettre ? Nulle part sur ce monde les gens ne s'entre-tuaient, personne ne cherchait désespérément un abri ou de quoi manger, on n'avait rien à craindre pour ses enfants. Il fallait lui laisser ça, à ce monde. Le sable crissait sous ses pieds quand elle y enfonçait les orteils. Elle l'examina attentivement : des grains sombres de basalte mélangés à de microscopiques fragments de coquillages et un échantillonnage de gravillons colorés. Sans doute des fragments détachés lors de l'impact d'Hellas. Elle leva les yeux vers les collines à l'ouest de la mer, noires sous le soleil. Le squelette des choses était visible partout. Des vagues se brisaient en rangs serrés sur la plage, et elle marcha sur le sable vers ses amis, dans le vent, sur Mars, sur Mars, sur Mars, sur Mars, sur Mars.

Chronologie de Mars la Bleue

2127	Bataille de Sheffield et du câble
début de 2128	Congrès constitutionnel
fin de 2128	Voyage des ambassadeurs vers la Terre
2128-2134	Présidence de Nadia
2129	Naissance de Zo Boone
2134-2144	Nirgal sur le massif de Tyrrhena
2155	Sax rencontre Ann sur Da Vinci
2160	Premiers voyages spatiaux à l'aide de la fusion pulsée
2171	Nirgal court avec les farouches
2180	Zo et Ann visitent les systèmes jovien et uranien
2181	Campagne électorale sur le Grand Canal
2190	Début de l'immigration illégale venant de la Terre
2206	Mort de Michel
2211	Réunion d'Underhill
2212	Sax et Ann prennent la mer, crise du câble, troisième révolution

Remerciements

Merci, cette fois, à Lou Aronica, Stuart Atkinson, Terry Baier, Kenneth Bailey, Paul Birch, Michael Carr, Bob Eckert, Peter Fitting, Karen Fowler, Patrick Michel François, Jennifer Hershey, Patsy Inouye, Calvin Johnson, Jane Johnson, Gwyneth Jones, David Kane et Ridge, Christopher McKay, Beth Meacham, Pamela Mellon, Lisa Nowell, Lowry Pei, Bill Purdy, Joel Russell, Paul Sattelmeier, Marc Tatar, Ralph Vicinanza, Bronwen Wang et Vic Webb.

Et mes remerciements tout particuliers à Martyn Fogg et, encore une fois, à Charles Sheffield.

Table

Cet ouvrage a été réalisé par la
SOCIÉTÉ NOUVELLE FIRMIN-DIDOT
Mesnil-sur-l'Estrée
pour le compte des Presses de la Cité
12, avenue d'Italie, 75013 Paris
en décembre 1997

Imprimé en France
Dépôt légal : décembre 1997
N° d'édition : 6512 - N° d'impression : 41084